1

LEXIQUE
DE
PLATON

COLLECTION DES UNIVERSITÉS DE FRANCE
publiée sous le patronage de l'*ASSOCIATION GUILLAUME BUDÉ*

PLATON

ŒUVRES COMPLÈTES

TOME XIV

LEXIQUE

DE LA LANGUE PHILOSOPHIQUE ET RELIGIEUSE DE PLATON

1re PARTIE
(Α-Λ)

PAR

ÉDOUARD DES PLACES, S. J.
Correspondant de l'Institut

*Ouvrage publié avec le concours
du Centre National de la Recherche Scientifique.*

DEUXIÈME TIRAGE

PARIS
SOCIÉTÉ D'ÉDITION «*LES BELLES LETTRES*»
95, BOULEVARD RASPAIL

1970

Conformément aux statuts de l'Association Guillaume Budé, ce volume a été soumis à l'approbation de la commission technique, qui a chargé le R. P. Paramelle d'en assurer la révision et d'en surveiller la correction en collaboration avec le R. P. des Places.

AVANT-PROPOS

En attendant un *Lexicon Platonicum* complet, il fallait recourir à celui de Fr. Ast, dont l'édition originale de 1835-1838 ou les réimpressions de 1908 (Berlin) et de 1956 (Darmstadt) continuent à rendre tant de services, et qu'il n'est pas question ici de remplacer entièrement. Le lexique de la Collection des Universités de France doit se borner à un choix : ont été retenus les mots d'une plus grande portée philosophique ou religieuse, et, pour ces mots, à l'intérieur des principaux sens, les cas les plus significatifs. Le poids d'un terme est fonction du contexte ; il varie selon les alliances ou les oppositions qui mettent ce terme en valeur[1] ; la densité croît à mesure que la pensée s'élève ; du « brave » ou du bon artisan à l'homme de mérite et au vertueux, il y a bien des degrés ; appliqué au Démiurge du *Timée*, ἀγαθός désigne un attribut divin ; l'Idée du Bien est un transcendantal. De même pour ἀρετή, le substantif correspondant, ou pour εὖ, ambigu comme toute l'expression εὖ πράττειν, « réussir » ou « bien agir » (moralement). Διδάσκαλος intervient seulement pour des cas plus philosophiques (mais il entraîne διδασκαλικός, alors que pour beaucoup d'adjectifs en -ικός on devra consulter le répertoire d'A. N. Ammann[2]) ;

1. « Connaître, l'un sans l'autre, quelques contraires que ce soient, est impossible à qui veut devenir homme de jugement » (*Lois* VII 816 d 9-e 1, trad. A. Diès).

2. A. N. Ammann, *-IKOS bei Platon*, Fribourg (Suisse), 1953 ;

ἐπιτροπεύειν, au sens de « régir » (l'univers), non au sens juridique d'« exercer une tutelle »[1] ; ἐντός à cause de son « intériorité », mais non ἔνδον. En général, les invariables ne figurent ici que s'ils ont une portée philosophique ou religieuse : ἀεί, δεῦρο, ἐκεῖ (-σε, -θεν), ἐνθάδε (-θένδε), διά, ἐπί, ὡσαύτως. Pour les particules, qui tiennent du contexte leur valeur et leur sens même[2], il suffit de renvoyer au traité de J. D. Denniston, dont la seconde édition contient un si précieux index des exemples[3], et où, pour ἄρα, οὖν, τοίνυν et leurs composés, la doctrine diffère peu de celle d'*Études...*

Le texte adopté est celui de la Collection, complété pour certaines leçons par Burnet et par des éditions particulières (le *Gorgias* d'E. R. Dodds), ou rectifié sur collations personnelles (celle de P dans le *Timée*, de O dans la *Lettre VII*) ; les principales variantes sont signalées.

Les définitions reposent en partie sur le *Vocabulaire technique et critique de la philosophie* d'A. Lalande. Le premier sens français indiqué est celui qui paraît répondre le mieux à l'ensemble des emplois platoniciens[4] ; parfois, il en faut deux ou trois pour rendre raison des faits ; ailleurs, ceux-ci doivent se répartir en diverses classes ; mais Platon se prête moins que tout autre auteur au morcellement, et chez lui ni les valeurs ontologique et épistémologique d'ἀλήθεια, ni les sens « essentiel » et « existentiel » d'ὄν et d'οὐσία ne s'accommodent de distinctions

à contrôler et commenter par la troisième partie des *Études sur le vocabulaire grec* de P. Chantraine (Paris, 1956).

1. Il faudrait un lexique du vocabulaire juridique de Platon (surtout dans les *Lois*) ; Ch. Mugler a donné un *Dictionnaire historique de la terminologie géométrique des Grecs* (Paris, 1958-1959).

2. Cf. mes *Études sur quelques particules de liaison chez Platon*, Paris, 1929, p. 320-321.

3. J. D. Denniston, *The Greek Particles*², Oxford, 1953.

4. Cf. Hatzfeld-Darmesteter, *Dictionnaire général...*, p. XIII : « Une définition exacte doit s'appliquer au mot défini, à l'exclusion de tous les autres, et rendre raison de toutes ses acceptions. »

trop rigoureuses[1]. Les acceptions vont de l'usage traditionnel ou vulgaire au sens philosophique : Platon en confère de nouvelles aux termes qu'il emprunte à la langue courante. A l'intérieur de chacune, les exemples se suivent dans l'ordre chronologique des dialogues[2], parfois sacrifié à des rapprochements d'une œuvre à l'autre ou à un meilleur groupement sémantique. Ont été retenus de préférence les groupes formés par des mots apparentés ou opposés et les cas de « récurrences » (retours d'idées ou d'expressions), aussi nombreux sans formule qu'avec formule[3].

Les adjectifs donnent lieu d'ordinaire à une catégorie spéciale pour leurs emplois substantivés, quand ceux-ci ont paru suffisamment nets et importants ; mais on n'oubliera pas les remarques de J. Wackernagel et la règle énoncée par P. Chantraine : « La distinction entre adjectif et substantif n'était pas essentielle en grec et aucun signe linguistique nécessaire ne la notait »[4]. L'adverbe vient après l'adjectif correspondant ; parfois, s'il est formé sur un participe, après le verbe. Les verbes sont notés à l'infinitif, plus clair dans le cas des conjugaisons contractes. Pour les rapports entre simples et composés, il a été constamment tenu compte de la thèse de J. Brunel[5].

Les noms propres ont été exclus ; sans doute, ceux des dieux ou des héros appartiennent à la langue religieuse ; mais il existait pour l'ensemble des noms propres et pour

1. Sur ἀλήθεια, cf. *Siculorum Gymnasium*, 1961, p. 79-81 ; sur ὄν et οὐσία, cf. *Comptes rendus de l'Académie des Inscriptions et Belles Lettres*, 1961, p. 88-95.

2. Celui de la Collection, sauf pour le *Phèdre*, placé après la *République*.

3. Cf. *Une formule platonicienne de récurrence*, Paris, 1929.

4. P. Chantraine, *Études sur le vocabulaire grec*, p. 102 ; cf. J. Wackernagel, *Vorlesungen über Syntax*, II, 2e éd., Bâle, 1928, p. 52-53.

5. J. Brunel, *L'Aspect verbal et l'emploi des préverbes en grec, particulièrement en attique*, Paris, 1939.

les adjectifs correspondants (δελφικός à côté de Δελφοί, δῖος à côté de Ζεύς), un répertoire complet, le *Lexikon Academicum* de J. Zürcher (Paderborn, 1954), que l'on ne pouvait songer à reproduire.

Je tiens à remercier tous ceux qui, de quelque manière, ont encouragé ce travail ; en particulier MM. A. Dain et P. Chantraine, le R. P. É. de Strycker, mes collègues de l'Institut Biblique et de l'Université Grégorienne (spécialement le R. P. A. Kořínek) et, pour avoir bien voulu relire la mise en pages, le R. P. J. Paramelle. Si les usages de la Collection l'eussent permis, j'aurais aimé le dédier à la mémoire d'un ami très cher, Luis Bemberg, et à celle de son fils Philippe, qui avait si efficacement montré le même intérêt pour l'ouvrage. La composition en a été facilitée aussi par la diligence de la maison Bontemps, qui continue à Limoges la tradition humaniste des Barbou, imprimeurs de tant de classiques grecs et latins aux XVIIe et XVIIIe siècles.

BIBLIOGRAPHIE

1° Bibliographie générale

L. Campbell, *(Platonic) Philosophical Diction, Philosophical Expression*, ap. B. Jowett-L. Campbell, *Plato's Republic*, Oxford, 1894, II, p. 291-340.

C. J. Classen, *Sprachliche Deutung als Triebskraft platonischen und sokratischen Philosophierens*, Munich, 1959.

V. Goldschmidt, *Le Paradigme dans la dialectique platonicienne*, Paris, 1947.

E. Kemmer, *Die polare Ausdrucksweise*, Würzburg, 1903.

Ch. Mugler, *Dictionnaire historique de la terminologie géométrique des Grecs*, Paris, 1958-59.

C. Ritter, *Neue Untersuchungen über Platon*, Munich, 1910.

W. D. Ross, *Plato's Theory of Ideas*, Oxford, 1951.

W. Vollgraff, *L'oraison funèbre de Gorgias*, Leyde, 1952 ; et les ouvrages précités de A. N. Ammann, J. Brunel, P. Chantraine (ajouter : *La Formation des noms en grec ancien*, Paris, 1933), É. des Places (ajouter : *Pindare et Platon*, Paris, 1949).

2° Bibliographie spéciale

(A compléter par H. Cherniss, in *Lustrum*, V, 1961, p. 555-577).

ἄγαλμα : F. M. Cornford, *Plato's Cosmology*, Londres, 1937, p. 99-102.

ἅγιος, ἁγνός : P. Chantraine et O. Masson in *Festschrift A. Debrunner*, Berne, 1954, p. 85-107 ; A.-J. Festugière, *La Sainteté*, Paris, 1942 ; L. Moulinier, *Le Pur et l'impur...*, Paris, 1952.

ἄγνωστος : A.-J. Festugière, *La Révélation d'Hermès Trismégiste*, IV, Paris, 1954.

ἄδηλος : P.-M. Schuhl, Ἄδηλα, in *Annales de la Fac. des L. de Toulouse (Homo)*, 1953, p. 85-93.

αἴτιον : H. Boeder, in *Revue des sciences philosophiques et théologiques*, XL, 1956, p. 421-442.

αἰών : E. Benveniste, in *Bulletin de la Société de linguistique de Paris*, XXXVIII, 1937, p. 103-112 ; A.-J. Festugière, in *La Parola del Passato*, IV, 1949 (n° 11), p. 172-189.

ἀλήθεια : R. G. Bury, *The Philebus of Plato*, Cambridge, 1897, p. 201-211 ; P. Friedländer, *Plato. An Introduction*, New York, 1958, p. 221-229 ; L. Robin, *Les Rapports de l'être et de la connaissance*, Paris, 1957, surtout p. 87.

ἀνάγκη : J. B. Skemp, *The Theory of Motion in Plato's Later Dialogues*, Cambridge, 1942, surtout p. 74-95 ; J. Gould, *The Development of Plato's Ethics*, Cambridge, 1955, p. 192-203.

ἀνακοινοῦν : É. des Places, in *Revue des Études grecques*, LI, 1938, p. 396-399.

ἄνευ : Fr. Dirlmeier, in *Aristoteles, Nikomachische Ethik*, Berlin, 1956, p. 283.

ἄπειρος B : A. Tumarkin, in *Studia Philosophica*, III, 1943, p. 55-71 ; C. J. de Vogel, in *Revue Philosophique*, CXLIX, 1959, p. 21-39.

ἀρχή : K. von Fritz, in *Archiv für Begriffsgeschichte*, I, 1955, surtout p. 38-40 ; A. Lumpe, *ibid.*, p. 107-111 ; P. Grenet, in *Mélanges A. Diès*, Paris, 1956, p. 121-128.

αὐτός : L. Loriaux, *L'Être et la forme selon Platon*, Bruges et Paris, 1955 ; É. des Places, in *Charisteria F. Novotný*, Prague, 1962, p. 127-130 ; sur αὐτὸ καθ' αὑτό : A.-J. Festugière, in *Hippocrate, L'Ancienne Médecine*, Paris, 1948, p. 47-50.

βάναυσος : P. Chantraine, in *Mélanges A. Diès*, Paris, 1956, p. 41-47.

γένος : F. M. Cornford, *Plato's Theory of Knowledge*, Londres, 1935, p. 268-279, surtout p. 276 et n. 1.

δαιμόνιον, δαίμων : G. François, *Le Polythéisme et l'emploi au singulier des mots* ΘΕΟΣ, ΔΑΙΜΩΝ *dans la littérature grecque d'Homère à Platon*, Paris, 1957.

δέλεαρ : P. Courcelle, in *Hommages à L. Herrmann*, Bruxelles, 1960, p. 244-252.

δέος : v. φόβος.

δεσμός : P.-M. Schuhl, in *Mélanges A. Diès*, Paris, 1956, p. 233-234.

δέχεσθαι : G. Redard, in *Festschrift A. Debrunner*, Berne, 1954, p. 355-357 (cf. p. 353-355 sur δοκεῖν).

διαλέγεσθαι : W. Müri, in *Museum Helveticum*, I, 1944, p. 152-168.

διάνοια et νοῦς : É. de Strycker, in *Estudios... R. Mondolfo*, fasc. I, Tucuman, 1957, p. 209-226.

δικανικός : P. Chantraine, in *Anales de Filologia clásica*, VI, 1954, p. 48-49.

δίκη : R. Hirzel, *Themis, Dike und Verwandtes*, Leipzig, 1907 ; E. Gerner, in *Festschrift L. Wenger*, II, Munich, 1945, p. 242-268.

δόξα : J. Sprute, *Der Begriff der DOXA in der platonischen Philosophie*, Göttingen, 1962.

δουλεία, δουλεύειν : G. R. Morrow, *Plato's Law of Slavery*, Urbana, 1939, p. 134-135.

δύναμις : J. Souilhé, *Étude sur le terme ΔΥΝΑΜΙΣ dans les dialogues de Platon*, Paris, 1919 ; A. Faust, *Der Möglichkeitsgedanke*, I, Heidelberg, 1931, p. 45-66.

ἔθος : G. Funke, in *Archiv für Begriffsgeschichte*, III, 1958, p. 78-99.

εἶδος : A.-J. Festugière, in *Hippocrate, L'Ancienne Médecine*, Paris, 1948, p. 50-53.

εἰκών : H. Willms, ΕΙΚΩΝ, *Eine begriffsgeschichtliche Untersuchung zum Platonismus*, I, Münster, 1935.

εἶναι : E. Gilson, *L'Être et l'essence*, Paris, 1948, surtout p. 7-20 ; L. Loriaux (v. αὐτός) ; W. Brücker, in *Hermes*, LXXXVII, 1959, p. 415-425.

ἐλέγχειν : G. Daux, in *Revue des Études grecques*, LV, 1942, p. 252-254.

ἐξαίφνης : H. I. Boussoulas, *L'Être... dans le « Philèbe » de Platon*, Paris, 1952, p. 75-96.

ἕξις : Ch. Mugler, in *Revue des Études grecques*, LXX, 1957, p. 72-92.

ἐπιστήμη : R. Schaerer, ΕΠΙΣΤΗΜΗ *et* ΤΕΧΝΗ, Mâcon, 1930.

ἔπος : H. Fournier, *Les Verbes « dire » en grec ancien*, Paris, 1946, p. 211-215.

ἐπῳδή : P. Boyancé, *Le Culte des Muses chez les philosophes grecs*, Paris, 1937, surtout p. 36-42 ; W. Theiler, in *Festschrift... K. Meuli* (= *Schw. Archiv f. Volksk.*, XLVII, 1951), p. 196-197.

εὐσεβής : J. C. Bolkestein, ΟΣΙΟΣ *en* ΕΥΣΕΒΗΣ, Amsterdam, 1936.

ἔχειν : E. Benveniste, in *Bulletin de la Soc. de Ling. de Paris*, LV, 1960, p. 113-134, surtout 125-126.

θεῖος : G. François (v. δαιμόνιον) ; J. Van Camp et P. Canart, *Le Sens du mot* ΘΕΙΟΣ *chez Platon*, Louvain et Paris, 1956.

θέμις : R. Hirzel, *Themis, Dikè und Verwandtes*, Leipzig, 1907 ; H. Vos, ΘΕΜΙΣ, Assen, 1956.

θεολογία : V. Goldschmidt, in *Revue des Études grecques*, LXV, 1952, p. 20-42.

θεός : G. François (v. δαιμόνιον).

θυμοειδής : W. Jaeger, in *Eranos*, XLIV, 1946, p. 123-130 (= *Scripta Minora*, Rome, 1960, I, p. 309-316).

ἰδέα : v. εἶδος.

καθαρός : L. Moulinier (v. ἅγιος) ; J. Rudhardt, *Notions fondamentales de la pensée religieuse et actes constitutifs du culte dans la Grèce classique*, Genève, 1958.

καλὸς κἀγαθός : J. Jüthner, in *Charisteria A. Rzach*, Reichenberg, 1930, p. 99-119.

κανών : H. Oppel, ΚΑΝΩΝ. (*Philologus*, S.-Bd. XXX, 4). Leipzig, 1937.

κίνδυνος : H. J. Mette, in *Hermes*, LXXX, 1952, p. 409-419.

κινεῖν 2° : L. Gernet, in *Studi... U. E. Paoli*, Florence, 1956, p. 352, n. 3.

κίνησις : J. Stenzel, *Kleine Schriften*, Darmstadt, 1956, surtout p. 13-23.

κομψός : P. Chantraine, in *Revue des Études grecques*, LVIII, 1945, p. 90-96.

κόσμος : W. Kranz, *Kosmos*, Bonn, 1957 (= *Archiv f. Begr.*, II), surtout p. 50-54.

κρᾶσις : W. J. den Dulk, ΚΡΑΣΙΣ, Leyde, 1934.

κτῆμα : P. Chantraine, in *Revue de philologie*, 1946, p. 5-11.

λέγειν : H. Fournier, *Les Verbes « dire » en grec ancien*, Paris, 1946, p. 75-76.

λέξις : Id., *ibid.*, p. 227.

λόγος : Id., *ibid.*, p. 217-224 ; H. Boeder, in *Archiv f. Begr.*, IV, 1959, p. 82-112.

μαντεύεσθαι : R. J. Collin, in *Classical Quarterly*, XLVI, 1952, p. 93-96.

μεγαλοπρέπεια : R.-A. Gauthier, *Magnanimité*, Paris, 1951.

μέθοδος : L. Méridier, in *Revue des Études grecques*, XXII, 1909, p. 234-240.

μέσος, μεταξύ : J. Souilhé, *La Notion platonicienne d'intermédiaire*, Paris, 1919.

μίμησις : W. J. Verdenius, *Mimesis. Plato's Doctrine of Artistic Imitation...*, Leyde, 1949.

μιμνήσκειν : E. Benveniste, in *Festschrift A. Debrunner*, Berne, 1954, p. 13-18.

μοῖρα (θεία—) : J. Souilhé, in *Festgabe J. Geyser*, Ratisbonne, 1930, I, p. 13-25 (cf. *Pindare et Platon*, p. 149-155).

μῦθος : H. Fournier, *Les Verbes « dire » en grec ancien*, Paris, 1946, p. 215-216.

νεανίας : P. Chantraine (v. δικανικός).

νεανικός : Id. ; G. Björck, in *HERMENEIA. Festschrift O. Regenbogen*, Heidelberg, 1952, p. 66-70.

νομίζειν 3° : J. Tate, in *Classical Review*, L, 1936, p. 3-5 ; LI, 1937, p. 3-6 ; K. Latte, in *Gnomon*, VII, 1931, p. 120.

νόμος : F. Heinimann, *Nomos und Physis*, Bâle, 1945 ; M. Gigante, ΝΟΜΟΣ ΒΑΣΙΛΕΥΣ, Naples, 1956.

νοῦς : J. H. M. M. Loenen, *De Nous in het System van Plato's Philosophie*, Amsterdam, 1951 ; et v. διάνοια.

ὀθνεῖος : P. Chantraine, in *Bull. de la Soc. de Ling. de Paris*, XLIII, 1946, p. 50-56.

οἰκεῖος : J. P. A. Eernstman, ΟΙΚΕΙΟΣ, ΕΤΑΙΡΟΣ, ΕΠΙΤΗΔΕΙΟΣ, ΦΙΛΟΣ, Groningen, 1932.

ὄνομα (et ῥῆμα) : H. Fournier, *Les Verbes « dire »...*, Paris, 1946, p. 224-225.

ὅρκος : M. Leumann, *Homerische Wörter*, Bâle, 1950, p. 79-92.

ὅρος : H. Boeder, in *Revue des Sciences philosophiques et théologiques*, LI, 1957, p. 17-20.

ὅσιος : E. Benveniste, in *Hommages à G. Dumézil*, Bruxelles, 1960, p. 46-53 ; H. Jeanmaire, in *Revue des Études grecques*, LVIII, 1945, p. 66-89 ; M. H. van der Valk, in *Mnemosyne*, 1941-42, p. 113-140 ; et v. εὐσεβής.

οὐσία : R. Hirzel, in *Philologus*, LXXII, 1913, p. 42-64 ; C. Arpe, *ibid.*, XCIV, 1940, p. 65-78 ; L. Gernet, in *Revue Philosophique*, CXLVI, 1956, p. 79-86 ; H. H. Berger, *Ousia in de Dialogen van Plato*, Leyde, 1961.

πόθος, πολυπραγμοσύνη : V. Ehrenberg, in *Journal of Hellenic Studies*, LXVII, 1947, p. 46-67.

πρέπον : M. Pohlenz, ΤΟ ΠΡΕΠΟΝ (*Nachr. ... Göttingen*, ph.-h. Kl., 1933, I, nº 16, p. 53-92).

ῥῆμα : v. ὄνομα.

σεμνός : G. J. de Vries, in *Mnemosyne*, 1944, p. 151-156.

σκιαγραφία : P.-M. Schuhl, *Platon et l'art de son temps*, Paris, 1933, p. 10-11.

στοιχεῖον : W. Burkert, in *Philologus*, CIII, 1959, p. 167-197.

σύμβολον : W. Müri, ΣΥΜΒΟΛΟΝ, Berne, 1931.

σύμμετρος : Ch. Mugler, in *L'Antiquité Classique*, XXV, 1956, p. 21-28.

σχολή : J. L. Stocks, in *Classical Quarterly*, XXX, 1936, p. 177-187.

σωφροσύνη : G. J. de Vries, in *Mnemosyne*, 1943, p. 81-101 ; H. F. North, in *Trans. and Proc. of the Amer. Philol. Ass.*, LXXVIII, 1947, p. 1-17.

σχέσις, σχῆμα : v. ἕξις.

τελεῖν, τελετή : H. Bolkestein, in *Theophrastos' Character der Deisidaimonia...*, Giessen, 1929, p. 52-63 ; C. Zijderveld, Τελετή, Purmerend, 1934.

τέχνη : A.-J. Festugière, in *Hippocrate. L'Ancienne Médecine*, Paris, 1948, p. 29-32 ; et v. ἐπιστήμη.

τόπος : P. Chantraine, in *Mélanges A. Ernout*, Paris, 1940, p. 51-60.

τραγικός : E. Grimal, in *Revue des Études grecques*, LV, 1942, p. 7-10.

ὕβρις : L. Gernet, *Recherches sur ... la pensée juridique et morale en Grèce*, Paris, 1917, p. 1-33 et *passim* ; C. Del Grande, *Hybris*, Naples, 1947, p. 320-348.

ὑπόθεσις : T. G. Rosenmeyer, in *American Journal of Philology*, LXXXI, 1960, p. 396-407.

ὑπομένειν : A.-J. Festugière, in *Recherches de science religieuse*, XXI, 1931, p. 477-479.

φιλόλογος : G. R. F. M. Nuchelmans, *Studien über* φιλολογεῖν, φιλολογία et φιλόλογος. Diss. Nimègue, Zwolle, 1950.

φιλοσοφία : W. Burkert, in *Hermes* LXXXVIII, 1960, p. 159-177.

φόβος : J. de Romilly, in *Classica et Mediaevalia*, XVII, 1956, p. 119-127 (cf. *La Crainte ... dans le théâtre d'Eschyle*, Paris, 1958, surtout p. 112-114).

φρόνησις : J. Hirschberger, *Die Phronesis in der Philosophie Platons vor dem Staate.* (*Philologus*, S.-Bd. XXX, 1). Leipzig, 1932.

φύειν : A. Burger, *Les mots de la famille de* ΦΥΩ *en grec ancien*, Paris, 1925.

φύσις : D. Holwerda, *Commentatio de vocis...* ΦΥΣΙΣ *vi*, Groningen, 1955.

χρεία, χρῆμα, χρῆναι, χρῆσθαι, χρηστός : G. Redard, *Recherches sur* ΧΡΗ, ΧΡΗΣΘΑΙ, Paris, 1953.

χώρα : A. Rivaud, *Le Problème du devenir...*, Paris, 1906, p. 295-315.

ABRÉVIATIONS

1° Titres d'œuvres platoniciennes

A. = *1er Alcibiade.*
Ap. = *Apologie de Socrate.*
B. = *Banquet.*
Ch. = *Charmide.*
Cl. = *Clitophon.*
Cr. = *Criton.*
Cra. = *Cratyle.*
Criti. = *Critias.*
Ep. = *Épinomis.*
Euph. = *Euthyphron.*
Euth. = *Euthydème.*
G. = *Gorgias.*
H.M. = *Hippias Majeur.*
H.m. = *Hippias mineur.*
I. = *Ion.*
L. = *Lois.*
La. = *Lachès.*
Le. = *Lettres.*
Ly. = *Lysis.*
M. = *Ménon.*
Mx. = *Ménexène.*
Pa. = *Parménide.*
Pd. = *Phédon.*
Ph. = *Philèbe.*
Phr. = *Phèdre.*
Po. = *Politique.*
Pr. = *Protagoras.*
R. = *République.*
So. = *Sophiste.*
Thg. = *Théagès.*
Tht. = *Théétète.*
T. = *Timée.*

2° Autres abréviations

abs. = absolument.
adv. = adverbe.
al. = alibi.
ant. = antonyme.
app. = apparenté.
ass. = associé.
cit. = citation.
ép. = épithète.
ex. = exemple(s).
fig. = figuré.
gén. = général.
litt. = littéral(ement).
métaph. = métaphorique(ment).
opp. = opposé, opposition.
pr. = propre.
q.v. = quod vide.
rappr. = rapprocher(-é), rapprochement.
réc. = récurrence.
repr. = reprenant (reprend).
syn. = synonyme.
v. = voir.
v.l. = *varia lectio.*
var. = variante.

= A la fin d'un article ou d'une section, l'astérisque signifie que tous les cas ont été cités.

A

ἄβατος « d'accès interdit ou impossible » 1° « infranchissable » a) au pr. ; b) au fig. ; 2° « inaccessible » (lieu sacré) ; 3° « intact » (âme).

1° a) εἰ ... ἄβατος ἦν (sc. ὁ ποταμός ; cf. d 8) L. X 892 e 4 (cf. Criti. 113 e 1)*.

b) λόγος ... ἄβατος L. 892 e 7*.

2° Λακεδαίμονα ἡγουμένους εἶναι ἄβατον ἱερόν La. 183 b 4 (cf. Criti. 116 c 5)*.

3° λαβοῦσα ἁπαλὴν καὶ ἄβατον ψυχήν Phr. 245 a 2*.

App. et ass. (3°) : ἁπαλός (a).

Opp. (1°) : διαβατός (L. X 892 e 2), εὔβατος.

ἀβελτερία, ἡ « sottise » ὑπ' ἀβελτερίας B. 198 d 3 ἡ ἀσχημοσύνη δεινή, δόξαν ἀβελτερίας παρεχομένη Tht. 174 c 6*.

App. : ἄνοια, ἀφροσύνη, εὐήθεια, ἠλιθιότης.

ἀβέλτερος « sot » οὕτως ἀβέλτεροι ἦμεν H.M. 301 d 6 (repris d 9 par οὕτως εὐηθικῶς εἴχομεν) ἀβέλτερος ... φαίνεται R. III 409 c 10 (cf. Ph. 48 c 2)*.

App. : ἀνόητος 1°, ἄφρων, εὐήθης, ἠλίθιος.

ἄβιος « qui rend la vie impossible » αἰσχύνης ... ἀπόρου καὶ ἀβίου L. IX 873 c 6*.

App. : ἀβίωτος.

ἀβίωτος « invivable » βίος ἀβίωτος Po. 299 e 8 ἀβίωτον εἶναι Mx. 246 d 6 οὐ ἀναγκαζομένῳ ἀπέχεσθαι ἀβίωτον R. III 407 a 5 ἀβίωτον τῷ μὴ μελετῶντι R. III 407 a 12 ὡς ἀβίωτον ζῆν κεκτημένῳ L. XI 926 b 6*.

App. : ἄβιος.

Opp. : βιωτός.

ἀβλαβής 1° « inoffensif » ; 2° « indemne » ; 3° « indemnisé » ; 4° « innocent et indemne ».

1° αἱ ἡδοναὶ ὅσαι ἀβλαβεῖς R. II 357 b 7 (cf. Ph. 63 a 4 L. II 667 e 5) ἕξιν ... ἀβλαβῆ τοῖς ἄλλοις Ph. 49 e 4*.

2° τέχνη ... ἀβλαβὴς καὶ ἀκήραιος R. I 342 b 5 ἀπήμονα καὶ ... ἀβλαβῆ Phr. 248 c 6*.

3° δεσπότην ἀβλαβῆ παρεχέτω καὶ ἀζήμιον L. IX 865 c 5*.

4° ἀβλαβεῖς τοῦ δρᾶσαί τε καὶ παθεῖν ἀπαλλάττωνται L. XII 953 a 8*.

App. et ass. : (2°) ἀκήραιος ; (3°) ἀζήμιος (b).

ἀβουλεῖν « ne pas souhaiter » τὸ ἀβουλεῖν καὶ μὴ ἐθέλειν μηδ' ἐπιθυμεῖν R. IV 437 c 7 (cf. Le. VII 347 a 2)*.

Ass. et opp. : ἐθέλειν, ἐπιθυμεῖν.

Opp. : βούλεσθαι.

ἀβούλητος « non souhaité » (subst. n.) τὸ βουλητόν τε καὶ ἑκούσιον ἀβούλητόν τε καὶ ἀκούσιον L. V 733 d 8*.

App. et ass. : ἀκούσιος.

Ass. et opp. : βουλητός, ἑκούσιος.

ἀβουλία, ἡ « irréflexion » μῶν ἀβουλία δοκεῖ εἶναι ... ἀλλ' εὐβουλία ; A. 125 e 7 (cf. Cra. 420 c 6)*.

Ass. et opp. : εὐβουλία.

ἀβρός « délicat » τὸ ... καλὸν καὶ ἁβρὸν B. 204 c 5*.

ἀβρότης, ἡ « délicatesse » εἰς πλούτους ἀποβλέψαι καὶ τρυφὰς ... τήν τε ἄλλην ἁβρότητα τὴν Περσῶν A. 122 c 2 (cf. B. 197 d 7)*.

App. et ass. : τρυφή.

Ass. : πλοῦτος.

ἀγαθοειδής « analogue au bien » ἐπιστήμην ... καὶ ἀλήθειαν ... ἀγαθοειδῆ μὲν νομίζειν ... ὀρθόν, ἀγαθὸν δὲ ἡγεῖσθαι ... οὐκ ὀρθόν R. VI 509 a 3*.

Ass. et opp. : ἀγαθός.

ἀγαθός 1° adj. a) « valeureux » ; b) « bon » α) en gén. ; β) en relat. avec ἀρετή ; 2° subst. a) m. « bon(s) » ; b) n. « bien » α) en gén. ; β) « bien moral » ; γ) « Idée du Bien ».

1° a) σώφρονός τε καὶ ἀγαθοῦ ἤθους R. III 401 a 8 (repr. κοσμίου τε καὶ ἀνδρείου de 399 e 11). — En ce sens ancien, épith. d'ἀνήρ : παλαιῶν ἀνδρῶν ἀγαθῶν « les antiques héros » Pr. 326 a 2 (cf. Mx. 245 e 7, 246 b 6 Ph. 39 e 11).

b) α) γεωργὸν ἀγαθόν Euph. 2 d 3 ἀγαθοῦ αὐλητοῦ φαῦλος ἂν ἀπέβη Pr. 327 c 2 τὸν ὁτιοῦν ἀγαθὸν ἄνδρα L. I 643 b 4. « Méritant » : οἱ ἄνδρες οἱ ἀγαθοί Pr. 324 d 3 ἀγαθῶν καὶ παλαιῶν νομοθετῶν Pr. 326 d 6 ἀγαθῶν πατέρων Pr. 326 e 7 L. VI 772 e 6.

β) « excellent » ἣν ... αὐτοὶ ἀρετὴν ἀγαθοί Pr. 324 d 5 ἀνὴρ ἀγαθὸς γίγνοιτ' ἂν ... ἀρετὴν ... ἔχων L. VI 770 c 8 (ψυχαὶ) ἀγαθαὶ πᾶσαν ἀρετήν L. X 899 b 5 (réc. 900 d 1) ; « vertueux » ἀνδρὶ ἀγαθῷ Ap. 41 d 1 εἰ ... μὴ ἀγαθοὶ οὐδὲ εὐδαίμονες L. V 743 c 4 (cf. 742 e 5 II 660 e 2 R. X 606 d 6) διὰ θεὸν ἀγαθῷ γενομένῳ Ep. 988 b 7. Du démiurge : ἀγαθὸς ἦν T. 29 e 1.

2° a) φίλος μὲν ... ὁ ἀγαθός ..., ἐχθρὸς δ' ὁ πονηρός R. I 335 a 3 ὅταν δ' ἀγαθοῖς καὶ πρεσβυτέροις ... πλησιάσῃ R. III 409 c 9.

b) α) πλείστων ἀγαθῶν Euph. 3 a 3 τὰ οἰκεῖά τε καὶ τὰ αὑτοῦ ἀγαθὰ καλοίης Ch. 163 d 2 θεῖον ... ἀγαθὸν ... τιμή L. V 727 a 3. « Le bien » : φάρμακον ... τοῦ κακοῦ τὸ ἀγαθόν Ly. 220 d 3 (cf. R. VI 491 d 5) τὸ μὲν ἀγαθὸν οἰκεῖον καλεῖ καὶ ἑαυτοῦ, τὸ δὲ κακὸν ἀλλότριον B. 205 e 6 τὸ βέλτιστον ἑκάστῳ, τοῦτο καὶ οἰκειότατον R. IX 586 e 1 τὸ ὄντως ... ἀγαθόν Ph. 21 a 2 ἀγαθὸν εἶναί φησιν τὸ χαίρειν Ph. 11 b 4 ὅ τί ποτ' ἐστὶ τἀγαθόν Ph. 13 e 6 πότερον ἡδονὴν τἀγαθὸν δεῖ λέγειν Ph. 14 b 4.

β) τὸ ἀγαθὸν καὶ δέον Pd. 99 c 6.

γ) τἀγαθόν R. VII 518 d 1 αὐτὸ ... τί ποτ' ἐστὶ τἀγαθὸν R. VI 506 d 9 αὐτοῦ τοῦ ἀγαθοῦ R. VI 597 a 4 οὐκ οὐσίας ὄντος τοῦ ἀγαθοῦ ἀλλ' ἔτι ἐπέκεινα ... R. VI 509 b 9 ἡ τοῦ ἀγαθοῦ ἰδέα R. VI 505 a 2, 508 e 3 VII 517 b 9.

Adv. : εὖ (q.v.).

App. (1° b et 2° a) : καλὸς (κἀγαθός), χρηστός.

App. et ass. : (2° b α) οἰκεῖον ; (2° b β) δέον.

Ass. (1° b β) : εὐδαίμων.

Ass. et opp. : κακός, πονηρός, φαῦλος.

ἀγάλλειν « vénérer » οὓς (= θεούς) ἡμῖν ἀγάλλουσι L. XI 931 a 1 οὓς (= γονεῖς) ὅταν ἀγάλλῃ τις τιμαῖς L. XI 931 d 6.

ἄγαλμα, τὸ « image, statue » βωμούς τε ἱδρύεσθαι καὶ ἀγάλματα θεῶν Pr. 322 a 5 ἔνδοθεν ἀγάλματα ἔχοντες θεῶν B. 215 b 3 τὰ ἐντὸς ἀγάλματα B. 216 e 7 πλεῖστα ἀγάλματα ἀρετῆς B. 222 a 4 περὶ τῶν ... ἀγαλμάτων ὧν αἱ σκιαί R. VII 517 d 10 τῶν ἀιδίων θεῶν ... ἄγαλμα (« objet de délice ») T. 37 c 7 πολλὰ ... ἀγάλματα ἰδιωτῶν ἀναθήματα ἐνῆν Criti. 116 e 4 ἀγάλματα καὶ βωμοὺς καὶ ναούς L. V 738 c 7 τῶν δ' εἰκόνας ἀγάλματα ἱδρυσάμενοι L. XI 931 a 1 οὐδὲν πρὸς θεῶν τιμιώτερον ἄγαλμα L. XI 931 d 4 (cf. supra ἀγάλλειν) θεῶν εἰκόνας ὡς ἀγάλματα ὑπολαβεῖν Ep. 984 a 1 τιμητέον πάντων ἀγαλμάτων διαφερόντως Ep. 984 a 4 κοινότερα συμπάντων ἀνθρώπων ἀγάλματα Ep. 984 a 6.

App. et ass. : εἰκών.

Ass. : βωμός.

ἀγανακτεῖν « s'indigner » τοὺς μὲν ... φρονίμους ἀγανακτεῖν..., τοὺς δὲ ἄφρονας χαίρειν Pd. 62 e 5 οὐ χαλεπῶς φέρω οὐδ' ἀγανακτῶ Pd. 69 d 8 (cf. T. 91 c 4) κλαίων καὶ ἀγανακτῶν Pd. 117 d 5 ἡ πόλις, τοῖς μὲν βαρβάροις συγγιγνώσκουσα ... τοῖς δὲ Ἕλλησιν ἀγανακτοῦσα Mx. 244 b 7 ὀδυνᾶσθαί τε ... καὶ ἀγανακτεῖν R. VII 515 e 9 ἀγριαίνοντα καὶ ἀγανακτοῦντα L. II 666 e 5.

Adj. verbal : ἀγανακτητός (G. 511 b 6*).

App. et ass. : ἀγριαίνειν.

Ass. : κλαίειν, ὀδυνᾶσθαι.

Ass. et opp. : συγγιγνώσκειν, χαίρειν.

Ass. et syn. : χαλεπῶς φέρειν.

ἀγαπᾶν « chérir, embrasser » 1° personnes ; 2° choses.

1° ἠγάπων καὶ ἐφιλοφρονοῦντο ἀλλήλους L. III 678 e 9.

2° τἀγαθὸν ἠγαπῶμεν καὶ ἐφιλοῦμεν Ly. 220 d 2 ψεῦδος ἀγαπᾶν ἢ ... μισεῖν R. VI 490 b 9 θεοῦ διάνοια ... καὶ ἁπάσης ψυχῆς ὅση ἂν μέλη τὸ προσῆκον δέξασθαι ... τὸ ὂν ἀγαπᾷ Phr. 247 d 4 (cf. 233 e 3, 257 e 4 Cra. 391 c 7) τὸ ἐλεύθερον ἀγαπήσασα L. III 693 e 6.

Adj. verbal : ἀγαπητός « satisfaisant » (R. X 619 b 4) ou « dont il faut se contenter » (H. M. 302 b 6) ; adv. ἀγαπητῶς (Mx. 245 e 6).

App. (2°) : ἀσπάζεσθαι.

App. et ass. : (1°) φιλοφρονεῖσθαι ; (2°) δέχεσθαι ; (4°) φιλεῖν.

Ass. et opp. (2°) : μισεῖν.

Opp. (2°) : δυσχεραίνειν.

ἄγασθαι 1° « admirer, louer » ; 2° « se réjouir ».

1° ἄγαμαί σε Pr. 361 e 3 (cf. G. 482 d 8) ὁρῶν φιλοσοφίαν ἄγαμαι G. 485 c 5 (cf. 502 d 8 Tht. 142 c 7) θαυμάζουσι καὶ ἄγανταί B. 180 b 1 (cf. Pd. 88 e 6) ἀγασθεὶς αὐτοῦ εἰπόντος R. I 329 d 7 (cf. H.M. 291 e 4 G. 526 a 3 M. 95 c 2).

2° ἠγάσθη τε καὶ εὐφρανθείς ... T. 37 c 7.

Adv. : ἀγαμένως (Pd. 89 a 3*).

App. (1°) : ἐπαινεῖν.

App. et ass. : (1°) θαυμάζειν ; (2°) εὐφραίνεσθαι.

ἀγαστός « admirable » ἀγαστὸς θεοῖς B. 197 d 6 ἀγαστοὶ ... καὶ τίμιοι τοῖς δικαίοις L. VII 808 c 5.

App. : θαυμαστός.

Ass. : τίμιος (a).

ἄγειν « porter », « entraîner » (tendances) εἰς ὁμοιότητα ... τῷ καλῷ λόγῳ ἄγουσα R. III 401 d 2 τὰ ... ἄγοντα ἀγόμενος ἀμφοτέρωσε R. IX 572 c 9 ἀγόμενον ... εἰς πᾶσαν παρανομίαν R. IX 572 d 12 ὀνομαζομένην δ' ὑπὸ τῶν ἀγόντων R. IX 572 e 2 ἄξει ἐπὶ πᾶσαν τόλμαν R. IX 575 a 4 ὅπῃ ἂν ... ὁπότερον ἄγῃ, τὸ ... πρὸς τοὺς ὀδυρμοὺς ἄγον R. X 604 d 9 δύο ... ἰδέα ἄρχοντε καὶ ἄγοντε οἶν ἑπόμεθα ᾗ ἂν ἄγητον Phr. 237 d 8 δόξης ... ἐπὶ τὸ ἄριστον ... ἀγούσης Phr. 237 e 3 εἰς ... φιλοσοφίαν ... ἀγαγόντα Phr. 256 a 8 ἀγομένοις ὀρθῶς καὶ ... κακῶς ἀχθεῖσιν L. VI 782 d 11 e 1 ἀγόμενος ... ὑπὸ ... ἀλογίας L. X 900 a 8 (cf. Pr. 355 b 1 Pd. 94 e 3 R. II 359 c 4) περὶ θεῶν ἄγοντε εἰς πίστιν L. XII 966 d 6.

App. et ass. : ἕλκειν, φέρειν.

Ass. : ἕπεσθαι.

Opp. : κωλύειν.

ἀγείρειν « rassembler » πολλοὺς ... ἀγείραντες R. II 369 c 3.

Syn. : συναγείρειν.

ἀγενής « non né » (monde) : ᾗ γέγονεν ἢ καὶ ἀγενές ἐστιν T. 27 c 5*.

App. : ἀγένητος, ἀγέννητος.

ἀγένητος « non venu à l'existence » a) proverbial ; b) métaphysique.

a) οὐ γὰρ ἂν τό γε πραχθὲν ἀγένητον θείη Pr. 324 b 3 οὐ ... τὸ γεγονὸς ἀγένητον ἔσται ποτέ L. XI 934 a 6.

b) ἀρχὴ δὲ ἀγένητον Phr. 245 d 1 ἐπειδὴ ... ἀγένητον ... καὶ ἀδιάφθορον Phr. 245 d 4 ἀγένητόν τε καὶ ἀθάνατον ψυχή Phr. 246 a 1 ἀγένητον [APWY : ἀγέννητον F] καὶ ἀνώλεθρον T. 52 a 2*.

App. : ἀγεννής, ἀγέννητος.

Ass. : ἀδιάφθορος.

ἀγεννής « sans noblesse » (de naissance ou de cœur) ἀγεννὴς καὶ ἀνελεύθερος G. 465 b 3 οὐκ ἀγεννῆ (γραφήν) Euph. 2 c 2 οὐκ ἀγεννεῖς ... ἀνθρώπους R. VIII 555 d 5 τὸ εὐχερές ... οὐκ ἀγεννές, ἀλλὰ μᾶλλον τὸ τούτου ἐναντίον ἀνελεύθερον Tht. 184 c 2 ἁπλούστατον καὶ οὐδαμῇ ἀγεννοῦς ἀνδρός L. XI 913 c 7 τὰ γενναῖα καὶ ἀγεννῆ L. V 735 b 5.

Adv. : ἀγεννῶς (οὐκ ἀγεννῶς Ch. 158 c 8 G. 492 d 1 R. VII 529 a 10 Phr. 264 b 6).

App. et ass. : ἀνελεύθερος.

Opp. : γενναῖος 1°, γεννικός.

ἀγέννητος « inengendré » θνητὰ ἔτι γένη λοιπὰ τρία ἀγέννητα [Y : ἀγένητα AP γενητά F om. W] T. 41 b 8 ἀγέννητον [F : ἀγένητον APWY] καὶ ἀνώλεθρον T. 52 a 2*.

App. : ἀγενής, ἀγένητος.

Ass. : ἀνώλεθρος.

Opp. : γεννητός.

ἅγιος a) « saint »; b) « consacré ».

a) πατρὸς ... τιμιώτερον ... πατρὶς καὶ σεμνότερον καὶ ἁγιώτερον Cr. 51 a 9 σεμνὸν καὶ ἅγιον ... ἑστός So. 249 a 2 πρὸς ... τοὺς ξένους ... ἁγιώτατα συμβόλαια L. V 729 e 2.

b) ἱερὸν ἅγιον ... τῆς ... Κλειτοῦς Criti. 116 c 4 ἱεροῖς ἁγίοις v. l. L. VII 824 a 16.

App. : ἁγνός, ἱερός (avec les distinctions de P. Chantraine-O. Masson, *Festschrift Debrunner*, p. 103-104 : ambivalence du sacré), ὅσιος.

App. et ass. : σεμνός.

ἁγιστεύειν « accomplir saintement (les rites) » περὶ τὰ θεῖα ... ἁγιστεύσειν L. VI 759 d 4*.

ἁγνεία a) « consécration » ; b) « chasteté ».

a) (ἱερεῦσι) οἷς ἁγνεῖαι τούτων ἐπιμελεῖς L. X 909 e 1*.

b) καθαρότητός τε καὶ ἁγνείας L. XI 917 b 6*.

ἁγνεύειν « vivre chaste » ἁγνεύειν ἀεὶ μεθ' ἁγνεύοντος τοῦ ἐρωμένου L. VIII 837 c 8 d 1*.

ἀγνοεῖν « ignorer » ὅστις ... τὰ αὑτοῦ ἀγνοεῖ A. 133 e 4 ἀγνοοῦντες ἡμᾶς αὐτούς A. 134 e 6 τῶν ἀγνοούντων αὑτούς Ph. 48 c 9 ἀφρονέστατον ἂν εἴη τοῦτο ἀγνοοῦν · τὸ λεγόμενον γὰρ ἂν ... αὐτὸ αὑτὸ ἀγνοοῖ (sc. τὸ θεῖον) Ep. 988 b 5.

Opp. : γιγνώσκειν.

ἄγνοια, ἡ « ignorance » [souvent conjecturé pour l'ἄνοια des mss : par Cornarius Ph. 48 c 2, 49 c 2 ; par Böckh L. III 688 e 7, 689 b 3, 691 d 1 ; mais cf. pour les *Lois* t. XI, 2e p[le], p. 28, n. 1 ; pour le *Philèbe*, Robin (Pléiade) *ad loc.*] αὕτη ... ἡ ἄγνοια (sc. μὴ εἰδότα οἴεσθαι εἰδέναι) τῶν κακῶν αἰτία A. 118 a 4 (cf. ἄγνοιαν ... τῶν ἁμαρτημάτων αἰτίαν L. IX 863 c 1) δι' ἄγνοιαν καὶ ἀμαθίαν Pr. 360 b 8 (cf. Tht. 176 c 5) ἄγνοια ... καὶ ἀφροσύνη R. IX 585 b 3 μετὰ τοῦ ψεύδους καὶ ἀγνοίας Ph. 38 a 8 ἀγνοίᾳ συνεχόμενος L. IX 863 c 5.

App. : ἀγνωσία, ἄνοια, ἀπειρία (A ; ass. R. III 406 c 2).

App. et ass. : ἀμαθία, ἀφροσύνη, ψεῦδος (a).

Ass. et opp. : γνῶσις (R. V 478 c 3 et 8), ἐπιστήμη (R. V 477 b 2), σύνεσις (R. II 376 b 5).

ἁγνός « saint, pur, chaste » ἐν ἁγνῷ βάθρῳ βεβῶσαν Phr. 254 b 8 φόνου ... ἁγνόν L. VI 759 c 4 τοιαῦτα ἄλλα ἁγνὰ θύματα L. VI 782 c 5 ἀκήρατοι γάμων τε ἁγνοί L. VIII 840 d 6.

App. : ἅγιος, ἱερός, καθαρός, ὅσιος.

App. et ass. : ἀκήρατος.

Opp. : διεφθαρμένος, μεμιασμένος καὶ ἀκάθαρτος (Pd. 81 b 1).

ἀγνωμοσύνη, ἡ « ignorance » μὴ ἀγνωμοσύνη ἀλλὰ τῇ ἑαυτοῦ ἐπιστήμῃ Tht. 199 d 2*.

Ass. et opp. : ἐπιστήμη.

ἀγνώμων « ignorant » μήπω ... ἀγνώμονες μηδὲ ἀπαθεῖς Ly. 218 a 8 πολυγνώμονες ... δόξουσιν, ἀγνώμονες ... ὄντες Phr. 275 b 1 ἀγνώμονες περὶ τὸ δίκαιον L. III 700 d 4 (cf. R. V 450 d 4 Ep. 989 a 3)*.

App. : ἀνεπιστήμων.

App. et ass. : ἀμαθής.

Ass. et opp. : πολυγνώμων.

Opp. : ἐπιστήμων.

ἀγνωσία « non-connaissance » ἐπὶ ... τῷ ὄντι γνῶσις, ἀγνωσία δ' ... ἐπὶ μὴ ὄντι R. V 477 a 10 διαίρεσιν ἀγνωσίας τε καὶ γνώσεως So. 267 a 9.

App. : ἄγνοια.

Ass. et opp. : γνῶσις.

ἄγνωστος « inconnaissable » τὸ μὲν παντελῶς ὂν παντελῶς γνωστὸν μὴ ὂν δὲ μηδαμῇ πάντῃ ἄγνωστον R. V 477 a 4 συλλαβὴν ... γνωστόν, ἄγνωστον δὲ ... στοιχεῖον Tht. 206 b 10 τὰ ... στοιχεῖα ἄλογα καὶ ἄγνωστα Tht. 202 b 6 (cf. e 1) ἄλογόν τε καὶ ἄγνωστον Tht. 205 c 9 e 3 ἄγνωστα αὐτὰ (τὰ εἴδη) ... εἶναι Pa. 133 c 1 ἄγνωστον ... ἡμῖν ἐστι ... αὐτὸ τὸ καλὸν ὃ ἔστι Pa. 134 b 14 αὐτὰ (τὰ εἴδη) εἶναι τῇ ἀνθρωπίνῃ φύσει ἄγνωστα Pa. 135 a 5.

App. et ass. : ἄλογος.

Ass. et opp. : γνωστός.

ἄγρα, ἡ « chasse » πεζῶν ... θήρευσίς τε καὶ ἄγρα L. VII 824 a 1 (cf. 823 e 3 So. 220 c 7, 221 e 3).

App. : κυνηγέσιον.
Ass. et syn. : θήρευσις.
Syn. : θήρα.

ἀγράμματος, ἄγραφος « non écrit » νόμων ... γεγραμμένων ἢ ἀγράφων R. VIII 563 d 8 καὶ ἐν γράμμασιν ... καὶ ἐν ἀγραμμάτοις πατρίοις δὲ ἔθεσι νομοθετῶν Po. 295 a 7 ἄγραφα νομοθετήσαντι Po. 295 e 5 ἄγραφα πάτρια θεμένους ἔθη Po. 298 e 2 τὰ καλούμενα ... ἄγραφα νόμιμα L. VII 793 a 10 ὁ αὐτὸς νόμος ἄγραφος ὢν L. VIII 838 b 1 νόμιμον ἔθει καὶ ἀγράφῳ νομισθὲν νόμῳ L. VIII 841 b 4.
App. et ass. : πάτριος.
Ass. et opp. : γεγραμμένος, γράμμα.
Opp. : γραπτός.

ἀγριαίνειν « s'irriter » ἡμεροῦταί τε καὶ ἀγριαίνει R. VI 493 b 5 ἀγριαίνοντα καὶ ἀγανακτοῦντα L. II 666 e 5.
App. et ass. : ἀγανακτεῖν.
Ass. et opp. : ἡμεροῦσθαι.

ἄγριος « sauvage » a) caractère α) adj. β) subst. n. ; b) animal ; c) lieu.
a) α) ἄγριοί τινες οἷοίπερ οὓς ... Φερεκράτης ... ἐδίδαξεν Pr. 327 d 4 ἄγριος καὶ ἀπαίδευτος G. 510 b 8 εἴπερ ἀγριωτέρους, ἀδικωτέρους G. 516 c 11 (cf. c 5) λυττῶντα καὶ ἄγριον δεσπότην R. I 329 c 5 τό τε ἄγριον ... σκληρόν R. III 410 d 9 δικαία τε καὶ ἥμερος ἢ δυσκοινώνητος καὶ ἀγρία R. VI 486 b 12 (cf. VIII 549 a 1 L. X 885 e 2) δυσκόλου ψυχῆς καὶ ἀγρίας L. I 649 e 3.
β) τὸ ... θηριῶδές τε καὶ ἄγριον R. IX 571 c 5 (cf. Cra. 394 e 10) τὰ ὑπὸ τῷ ἀγρίῳ τὸ ἥμερον δουλούμενα R. IX 589 d 3 (cf. b 3).
b) ὃς ἂν παραλαβὼν ἡμερώτερα ἀποδείξῃ ἀγριώτερα G. 516 b 2 διῄρητο ... σύμπαν τὸ ζῷον τῷ τιθασῷ καὶ ἀγρίῳ · τὰ μὲν γὰρ ἔχοντα τιθασεύεσθαι φύσιν ἥμερα προσείρηται, τὰ δὲ μὴ ἔχοντα ἄγρια Po. 264 a 3 (cf. Criti. 114 e 8, 118 b 6).
c) εἰς τόπον δεινόν τε καὶ ἄγριον ... Στύγιον Pd. 113 b 8 εἰς ἀγριώτερον ... τόπον v.l. L. X 905 b 1 ἔρημός τε καὶ ... ἀγριώτατος ... τόπος L. X 908 a 7.
Adv. : ἀγρίως (R. VIII 548 a 7) ; cp. ἀγριωτέρως (L. IX 867 d 7, ass. et opp. à ἡμερωτέρως).
App. et ass. : (a) ἀπαίδευτος, δυσκοινώνητος, δύσκολος, θηριώδης, σκληρός ; (c) ἔρημος.
Ass. et opp. : (a-b) ἥμερος ; (b) τιθασός.

ἀγριότης, ἡ « sauvagerie » πρᾳότητα μέν ... ἀγριότητα δέ B. 197 d 4 ἀγριότητός τε καὶ σκληρότητος, καὶ αὖ ... ἡμερότητος R. III 410 d 2 (cf. 411 d 10).
App. et ass. : σκληρότης.
Ass. et opp. : ἡμερότης, πρᾳότης.

ἀγροικία, ἡ « rusticité » ἀγροικίαν καὶ ἀνελευθερίαν R. VIII 560 d 6 σκληρότητα ... καὶ ἀγροικίαν R. X 607 b 5.

App. : ἀπαιδευσία.
App. et ass. : ἀνελευθερία, σκληρότης.
Opp. : (ἀστειότης, qui manque chez Platon).

ἄγροικος « rustre » δειλὴ καὶ ἄγροικος (ψυχή) R. III 411 a 3 ἀγροίκῳ τινὶ σοφίᾳ χρώμενος Phr. 229 e 2 ἄγροικον ... καὶ ἀπαίδευτον Tht. 174 d 8 ἄγροικος καὶ ἀνελεύθερος ... ἀνδραποδώδης τε L. IX 880 a 4.
Adv. : ἀγροίκως (Phr. 260 d 3, 268 d 6) ; cp. ἀγροικοτέρως v.l. (W) Euth. 285 a 2.
App. : δυσμαθής (Aristoph., *Nuées*, 646).
App. et ass. : ἀνδραποδώδης, ἀνελεύθερος, ἀπαίδευτος.
Opp. : ἀστεῖος.

ἀγύμναστος « sans entraînement » πόνων ἀγυμνάστους R. X 619 d 4 ἄπειρος ... καὶ ἀγύμναστος ... τῶν ... ἀγώνων L. I 647 d 2 ἀγύμναστον ... εἰς ἅμιλλαν ἀρετῆς L. V 731 b 1 ἀγύμναστος ... πρὸς τὸ σωφρονεῖν L. VII 816 a 2 ἀγύμναστον ... ποιεῖν τὴν τῶν ἡδονῶν ῥώμην L. VIII 841 a 6.
App. et ass. : ἄπειρος (A).

ἀγχίνοια, ἡ « sagacité » ἡ ... ἀγχίνοια οὐχὶ ὀξύτης τίς ἐστιν τῆς ψυχῆς Ch. 160 a 1 οἱ δὲ ἀγχίνοιαν θήσουσιν φύσεως Ep. 976 c 3*.
App. et ass. : ὀξύτης.

ἀγχίνους « sagace » (adj. et subst. m.) μνήμονες καὶ ἀγχίνοι R. VI 503 c 2 ἧττων ... βραδὺς ἀγχίνου Phr. 239 a 5 ὀξεῖς ... καὶ ἀγχίνοι καὶ μνήμονες Tht. 144 a 7 εὐμαθῆ καὶ μνήμονα καὶ ἀγχίνουν L. V 747 b 5*.
App. et ass. : μνήμων.
Ass. : εὐμαθής, ὀξύς.
Ass. et opp. : βραδύς.

ἀγωγή, ἡ « poussée, traction » ἐναντίας ... ἀγωγῆς γιγνομένης ἐν τῷ ἀνθρώπῳ R. X 604 b 4 νικήσασα ἀγωγῇ Phr. 238 c 3 τὴν τοῦ λογισμοῦ ἀγωγήν L. I 645 a 1 τῇ καλλίστῃ ἀγωγῇ τοῦ νόμου L. I 645 a 5 ἡ παίδων ὁλκή τε καὶ ἀγωγή L. II 659 d 2 τὴν ἔντεχνον ἀγωγήν L. II 673 a 9 ἡ πολυπειρία ... μετὰ κακῆς ἀγωγῆς L. VII 819 a 5.
App. et ass. : ὁλκή 2°.

ἀγωγός « qui pousse » ou « conduit » (à) ἀγωγὰ ... οἷ λέγομεν R. VII 523 a 6 ἀγωγῶν καὶ μεταστρεπτικῶν ἐπὶ τὴν τοῦ ὄντος θέαν R. VII 525 a 1 ἀγωγὰ πρὸς ἀλήθειαν R. VII 525 a 11*.
App. : ἑλκτικός (R. VII 523 a 2), ὁλκός (R. VII 521 d 3).
App. et ass. : μεταστρεπτικός.

ἀγών, ὁ « lutte » ἀντὶ ... τῶν ἐνθάδε ἀγώνων G. 526 e 4 εἰ πονηρίας ἀγὼν προτεθείη Pd. 90 b 1 ἀθληταὶ ... τοῦ μεγίστου ἀγῶνος R. III 403 e 9 (cf. La. 182 a 2 L. VIII 830 a 1) μέγας ... ὁ ἀγὼν ... τὸ χρηστὸν ... γενέσθαι R. X 608 b 4 πόνος τε καὶ ἀγὼν ἔσχατος ... πρόκειται Phr. 247 b 6 διὰ τὸ πολλοὺς ἀγῶνας ... ἠγωνίσθαι T. 81 d 1 (cf. A. 120 c 1) ἀγύμναστος ... τῶν ... ἀγώνων L. I 647 d 2 περὶ τῶν μελλόντων ὁ μέγιστος ... ἀγών Le. IV 320 b 5.

App. : ἅμιλλα, μάχη (b).

App. et ass. : πόνος.

ἀγωνίζεσθαι « lutter » ὡς ἀγωνιζόμενος τὰς διατριβὰς ποιῆται, χωρὶς δὲ διαλεγόμενος Tht. 167 e 4.

App. : μάχεσθαι 2°.

ἀγωνιστής, ὁ « disputeur » οὐ φάσκοντες ἀγωνισταὶ ἀλλὰ φιλόσοφοι εἶναι Tht. 164 c 10.

Ass. et opp. : φιλόσοφος.

ἀγωνιστικός id. τῶν σοφῶν ... καὶ ἐριστικῶν τε καὶ ἀγωνιστικῶν M. 75 c 10.

App. et ass. : ἐριστικός.

ἀδεής « sans crainte » ὁ ... ἀνδρειότατος ἄφοβον καὶ ἀδεᾶ παρασκευάζει A. 122 a 7.

Adv. : ἀδεῶς (R. II 360 b 8) ; sup. ἀδεέστατα So. 256 d 7.

App. et ass. : ἀνδρεῖος, ἄφοβος.

ἄδεια, ἡ « assurance » ἡ ... ἄδεια ἀναισχυντίαν ἀνέτεκεν L. III 701 a 8*.

App. et ass. : ἀναισχυντία.

ἀδελφός adj. « parent » ἃ τούτων ἀδελφὰ καὶ ἀδελφῶν ψυχῶν ἔργα Pd. 108 b 5-6 (cf. Phr. 238 b 5) ὅσα τούτων ἀδελφά R. III 402 c 4 al. Phr. 276 d 7 Ph. 21 b 1 L. XII 956 e 6 ὡς ἀδελφοῖς νόμοις L. III 683 a 2 ἄλλα ... τούτων συγγενῆ, ἐν οἷς ... πολλὰ ... ἐκείνων ἀδελφά L. VII 820 c 1 ἀδελφούς τ' εἶναι καὶ ἐν ἀδελφαῖς μοίραις Ep. 986 b 8-c 1.

App. et ass. : συγγενής.

ἀδέσποτος « sans maître » ἀρετὴ ... ἀδέσποτον R. X 617 e 3*.

ἄδηλος « obscur, incertain » ἄδηλον παντὶ πλὴν εἰ τῷ θεῷ Ap. 42 a 4 ἄδηλον ὁποία νύξ ... αὐτὸ γεννήσει L. VI 775 c 3.

App. : ἀσαφής, ἀφανής.

Opp. : δῆλος, καταφανής, σαφής, φανερός.

ἀδημονεῖν « se tourmenter » ἀδημονῶν τε καὶ ἀπορῶν Tht. 175 d 4 (cf. Phr. 251 d 8)*.

App. et ass. : ἀπορεῖν.

ἀδιάλυτος « indissoluble » τῷ μὲν θείῳ ... καὶ ἀδιαλύτῳ Pd. 80 b 1 ψυχῇ δὲ ... (προσήκει) ἀδιαλύτῳ εἶναι Pd. 80 b 8.

Opp. : διαλυτός (Pd. 80 b 3).

ἀδιανόητος « impensable » ἀδιανόητόν τε καὶ ἄρρητον καὶ ἄφθεγκτον καὶ ἄλογον So. 238 c 11 ἄφθεγκτα καὶ ἄρρητα καὶ ἄλογα καὶ ἀδιανόητα So. 241 a 5.

ἀδιάφθαρτος « incorrompu » αὐτοὶ μὲν ... οἱ διεφθαρμένοι ... οἱ δὲ ἀδιάφθαρτοι Ap. 34 b 2 ὃς ἂν ἀδιάφθαρτος ᾖ L. XII 951 c 2*. Ass. et opp. : διεφθαρμένος (cf. L. XII 952 c 5).

ἀδιάφθορος a) « intact »; b) « incorruptible ».

a) σῶν καὶ ἀδιάφθορον Pd. 106 e 5 ἕως ἂν ᾖ ἀδιάφθορος Phr. 252 d 3*.

b) τὸ ἀθάνατον καὶ ἀδιάφθορον Pd. 106 e 1 σῶν ἐπειδὴ ἀγένητον ..., καὶ ἀδιάφθορον Phr. 245 d 4 δικαστὰς ... ἀδιαφθόρους ταῖς δεήσεσι L. VI 768 b 5 (cf. XI 918 e 6)*.

Adv. : ἀδιαφθόρως (au sup. ἀδιαφθορώτατα L. VI 768 b 8)*.

App. (b) : ἀνώλεθρος.

App. et ass. : (a) σῶς ; (b) ἀθάνατος.

Ass. (b) : ἀγένητος.

ἀδικεῖν « commettre une injustice » ; abs. : « être coupable » οὐδὲ ἀδικούμενον ... ἀνταδικεῖν Cr. 49 b 11 εἴ τίς τι ἠδίκηκεν Pd. 113 d 8 πείσωσιν οὓς ἠδίκησαν Pd. 114 b 5 παρανομοῦντά τε καὶ ἀδικοῦντα R. I 338 e 6 μήθ' ἑαυτοὺς ἀδικεῖν μήτε ὑφ' ἑτέρων αὑτοὺς ἀδικεῖσθαι L. VIII 829 a 2 ἄκων ... ἀδικεῖν ὁ ἀδικῶν L. IX 860 d 7 ἄκοντας ἀδικεῖν πάντας L. IX 860 d 9.

App. : ἁμαρτάνειν.

App. et ass. : παρανομεῖν.

ἀδίκημα, τὸ « injustice » (action) διὰ τοιαῦτα ἀδικήματα G. 525 c 2 (repr. c 5 par διὰ τὰς ἁμαρτίας) ἀδικητέον καὶ θυτέον ἀπὸ τῶν ἀδικημάτων R. II 365 e 8 πάντα ἀδικήματα ... ἠδικηκυῖαν R. III 409 a 3 ἑκουσίων ἁμαρτημάτων τε καὶ ἀδικημάτων L. IX 860 e 10 (cf. e 8, 861 c 7, 862 a 5) τὰ μεγάλα ἁμαρτήματα καὶ ἀδικήματα Le. VII 335 a 6.

App. et ass. : ἁμάρτημα.

Syn. : ἀδικία (b).

ἀδικία, ἡ « injustice » a) état ; b) action.

a) ταύτην ... οὐκ ἀδικίαν καλεῖς καὶ ἀμαθίαν G. 477 b 8 (cf. R. I 351 a 5) αἴσχιστον ... ἀδικία καὶ σύμπασα ψυχῆς πονηρία G. 477 c 12 (réc. e 7 cf. R. X 609 c 5) ἡ ἀδικία ... καὶ ἡ ἀκολασία ... μέγιστον ... κακόν G. 477 e 7 (cf. 478 b 1 R. IV 444 b 7 So. 228 e 3) τὴν ἀδικίαν ... κακοήθειαν καλεῖς R. I 348 d 2 τὴν ... ἀδικίαν κακίαν R. I 350 d 5 (cf. 348 c 5) ἰσχυρότερον ... ἀδικία δικαιοσύνης R. I 351 a 3 (cf. X 611 c 5) κακουργίαν ... τὴν μεγίστην τῆς ἑαυτοῦ πόλεως ... ἀδικίαν R. IV 434 c 4 ὕβριν καὶ ἀδικίαν So. 229 a 3 (cf. Po. 309 a 1 L. II 661 e 2 III 679 c 1, 691 c 4 IV 713 c 7 VI 775 d 7) πρός τε ἀδικίαν καὶ βλάβην L. IX 862 b 6 φαμὲν δ' εἶναι ... τὸ νῦν ὀνομαζόμενον ἁμάρτημα, τὴν πλεονεξίαν ... ἐν ... πολιτείαις ... ἀδικίαν L. X 906 c 6.

b) ἐξ ἧς ... ἀδικίαι μυρίαι γίγνονται L. I 649 e 3.

App. (b) : παρανομία.

App. et ass. : (a) ἁμάρτημα, κακία, κακοήθεια, κακουργία, πλεονεξία, πονηρία, ὕβρις ; (b) βλάβη.

Ass. (a) : ἀκολασία, ἀμαθία.
Ass. et opp. (a) : δικαιοσύνη.
Syn. (b) : ἀδίκημα.

ἄδικος « injuste » 1° adj. ; 2° subst. a) m. ; b) n.
1° ἄδικα καὶ παράνομα Ap. 31 e 4 (cf. Pd. 113 e 3) ἀδίκῳ καὶ ἀνοσίῳ G. 479 b 8 (cf. 505 b 4 R. II 363 d 7 X 610 b 6) ἀκόλαστος καὶ ἄδικος G. 505 b 4 πονηρότερος καὶ ἀδικώτερος R. X 610 c 7 θρασεῖς καὶ ἄδικοι καὶ ὑβρισταὶ καὶ ἀφρονέστατοι L. I 630 b 6 (cf. II 662 a 2) πᾶς ὁ ἄδικος οὐχ ἑκὼν ἄδικος L. V 731 c 2-3 ὁ μὲν ἄδικός που κακός L. IX 860 d 5 τῶν ἀδίκων ... λύτρων L. XI 919 a 8.
2° a) εἰ ... ἄμεινον ζῶσιν οἱ ἄδικοι τῶν ἀδίκων R. I 352 d 3 (cf. II 363 d 7) ὁ ... ἄδικος ... κακός L. IX 860 d 5.
b) τὰ δίκαια καὶ τὰ ἄδικα G. 460 a 6 (cf. Po. 295 e 4) περί τε τοῦ δικαίου καὶ ἀδίκου τε καὶ ἀδικίας R. I 343 c 1 (cf. G. 460 e 6) τοῦ τε ἀνοσίου πέρι καὶ ἀδίκου L. VI 777 e 2.
Adv. : ἀδίκως (L. V 743 b 6, ass. et opp. à δικαίως).
App. et ass. : ἀνόσιος, κακός, πονηρός, ὑβριστής ; (1°) παράνομος ; (2° b) ἀδικία (a).
Ass. : ἀκόλαστος, ἄφρων.
Ass. et opp. : δίκαιος.

ἀδόκιμος 1° « obscur » δοκίμων ἀνδρῶν βίους ... καὶ ἀδοκίμων R. X 618 a 2*.
2° « non approuvé » ἀδόκιμον μοῦσαν L. VIII 829 d 8 (cf. V 742 a 6)*.
Ass. et opp. : δόκιμος.

ἀδολεσχεῖν « bavarder » Pd. 70 c 1*.

ἀδολέσχης « bavard » μετεωρολόγοι καὶ ἀδολέσχαι τινές Cra. 401 b 9 μετεωροσκόπον τε καὶ ἀδολέσχην R. VI 488 e 6 ἀνὴρ ἀδολέσχης Tht. 195 b 10 μετεωρολόγον, ἀδολέσχην τινὰ σοφιστήν Po. 299 b 7*.
Ass. : μετεωρολόγος, μετεωροσκόπος.

ἀδολεσχία, ἡ « bavardage » ἀδολεσχίας καὶ μετεωρολογίας Phr. 270 a 1 τὴν ἐμαυτοῦ δυσμαθίαν ... καὶ ... ἀδολεσχίαν Tht. 195 c 2 διὰ τῆς ... καλουμένης ... ἀδολεσχίας Pa. 135 d 5*.
Ass. : μετεωρολογία.

ἄδολος « loyal » ἀδόλῳ γνώμῃ καὶ ὑγιεῖ Le. VIII 355 e 4*.
Adv. : ἀδόλως (Phr. 249 a 1)*.

ἀδόξαστος « ce qui échappe à l'opinion » ... τὸ θεῖον καὶ τὸ ἀδόξαστον θεωμένη Pd. 84 a 8*.
Opp. : δοξαστός.

ἀδοξία, ἡ « déshonneur » ἀτιμίαν τε καὶ ἀδοξίαν μοχθηρίας Pd. 82 c 7 (cf. R. V 473 c 8 Le. I 309 c 4)*.
Ass. : ἀτιμία.
Opp. : δόξα 4°, εὐδοκίμησις, εὐδοκιμία, εὐδοξία.

ἄδυτον, τό « sanctuaire », métaph. Tht. 162 a 2*.

ἄδωρος « incapable de donner » φιλόδωρος εὐμενείας, ἄδωρος δυσμενείας B. 197 d 5*.

Ass. et opp. : φιλόδωρος.

ἀεί « toujours » (parfois adjectivé) ἅπερ ἀεὶ κατὰ ταὐτὰ καὶ ὡσαύτως ἔχει Pd. 78 c 5 (et v. ἔχειν) τὸν ἀεὶ χρόνον G. 525 c 6 (cf. Phr. 246 d 1) εἰς τὸν ἀεὶ χρόνον B. 208 c 6 (cit.) Le. VII 331 a 4 συγγενὴς οὖσα τῷ ἀθανάτῳ καὶ τῷ ἀεὶ ὄντι R. X 611 e 3 πρὸς τὸν ἀεὶ χρόνον Criti. 112 d 7.

Ass. : κατὰ ταὐτά, ὡσαύτως.

Opp. : οὐδέποτε.

ἀειγενής « éternel » ἀειγενὲς ... καὶ ἀθάνατον B. 206 e 5 τὸ ἀειγενὲς ὂν τῆς ψυχῆς ... μέρος Po. 309 c 1 τῆς ἀειγενοῦς ψυχῆς ἀντέχεσθαι L. VI 773 e 7*.

App. et ass. : ἀθάνατος.

ἀειδής « invisible » ἀειδῆ ... καὶ οὐχ ὁρατά Pd. 79 a 3 δύο εἴδη τῶν ὄντων, τὸ μὲν ὁρατόν, τὸ δὲ ἀειδές Pd. 79 a 7 τοῖς ὄμμασι σκοτῶδες καὶ ἀειδές Pd. 81 b 7 νοητόν τε καὶ ἀειδές Pd. 83 b 4 ; en relation avec Hadès τῶν ἐν ῞Αιδου — τὸ ἀειδὲς [BTPf Stob. : ἀιδὲς F Dodds ἀηδὲς W Jamb.] δὴ λέγων — οὗτοι ἀθλιώτατοι G. 493 b 5.

App. et ass. : νοητός, σκοτώδης.

Ass. et opp. : ὁρατός.

Syn. : ἀόρατος.

ἀεικίνητος « toujours mû » τὸ γὰρ ἀεικίνητον (codd. : αὐτο— P. Oxy. 1017) ἀθάνατον Phr. 245 c 6*.

ἀέναος « au flux incessant » κίνησις ... ἀέναον οὐσίαν ἐπόρισεν L. XII 966 e 2 (cf. Pd. 111 d 5 et p.-ê. T. 37 d 8 ἀέναον Cornford : αἰώνιον codd.)*.

ἀζήλωτος « indigne d'envie » οὐ χρὴ οὔτε τοὺς ἀζηλώτους ζηλοῦν οὔτε τοὺς ἀθλίους G. 469 a 4 (cf. b 2) *.

App. et ass. : ἄθλιος.

Opp. : ζηλωτός.

ἀζήμιος a) « impuni » ; b) « indemne ».

a) ἀζήμιοι ὑπὸ θεῶν ἐσόμεθα R. II 366 a 1 (cf. a 4) ἀζήμιον ἀπαλλάττοις ἄν L. I 648 c 4 (cf. IV 721 d 1 VI 764 a 3 765 c 5 VII 800 a 3).

b) δεσπότην ἀβλαβῆ παρεχέτω καὶ ἀζήμιον L. IX 865 c 5*.

App. et ass. (b) : ἀβλαβής 3°.

ἀηδής « désagréable » εἴτε ἡδίω εἴτε ἀηδέστερα ἔσται τοῖς ἀκούουσιν G. 503 a 10 (cf. L. II 663 a 6).

Adv. : ἀηδῶς (Pr. 351 b 7) ; au cp. ἀηδέστερον R. IX 587 b 12 ; au sup. ἀηδέστατα R. IX 587 b 9.

Ass. et opp. : ἡδύς.

ἀηδία, ἡ « manque d'agrément » τό γε τῆς ἡδονῆς ἢ ἀηδίας L. VII 802 d 4 (cf. Phr. 240 d 6)*.

Ass. et opp. : ἡδονή.

ἀήθεια, ἡ a) « inaccoutumance » ; b) « caractère insolite ».
a) ὑπὸ ἀηθείας ἐσκότωται R. VII 518 a 7 (cf. Tht. 175 d 4)*.
b) τὴν... ἀήθειαν ὁρῶντι L. I 637 c 6 (cf. T. 18 c 7)*.
Opp. : συνήθεια.

ἀήθης a) « inaccoutumé (à) » ; b) « insolite ».
a) ἀήθης γ' εἰμὶ τῶν τοιούτων λόγων La. 194 a 7 (cf. Tht. 146 b 3 L. X 893 a 1)*.
b) φαίνονται ἀήθεις [T et γρ. W : ἀληθεῖς BW] οἱ λόγοι Euth. 277 d 5 (cf. T. 53 c 1 L. X 891 d 6) ἐξ ἀτόπου καὶ ἀήθους διηγήσεως T. 48 d 5 τύχη τις ἀήθης L. VI 774 e 7 (cf. V 739 a 2).
App. (a) : ἄπειρος (A).
App. et ass. (b) : ἄτοπος.
Opp. : συνήθης.

ἀήρ, ὁ « air » ἀέρας... καὶ αἰθέρας... αἰτιώμενον Pd. 98 c 1 (cf. Cra. 408 d 8 T. 58 d 1 Ep. 984 c 3) πνεῦμα καὶ ἀέρα T. 49 c 2 πῦρ καὶ ὕδωρ καὶ γῆν καὶ ἀέρα L. X 889 b 2.
App. et ass. : αἰθήρ, πνεῦμα.

ἀήττητος « invaincu », « invincible » ἀήττητοι... ὑπό γε ἐκείνων ἐσμέν Mx. 243 d 6 ἀνίκητον θυμός, οὗ παρόντος ψυχὴ... ἀήττητος R. II 375 b 3*.
Ass. et syn. : ἀνίκητος.

ἀθανασία, ἡ « immortalité » ἀθανασίας ... ἐπιθυμεῖν B. 207 a 1 θνητὸν ἀθανασίας μετέχει B. 208 b 3 περὶ ... ἀθανασίας αὐτῆς ἱκανῶς Phr. 246 a 3 καθ' ὅσον ... μετασχεῖν ... ἀθανασίας ἐνδέχεται T. 90 c 3 ὅσον ἐν ἡμῖν ἀθανασίας ἔνεστι L. IV 713 e 8 τὸ ἀνθρώπινον γένος ... μετείληφεν ἀθανασίας L. IV 721 b 8 γενέσει τῆς ἀθανασίας μετειληφέναι L. IV 721 c 6 γενομένη ... ἀθανασίας ἐγγύτατα L. V 739 e 4.

ἀθάνατος « immortel » (adj. et subst. n.) ἀθάνατον ... ἡ ψυχή Pd. 73 a 2 εἰ ... τὸ ἀθάνατον καὶ ἀνώλεθρόν ἐστιν Pd. 106 b 1 τὸ ἀθάνατον, ἀίδιον ὄν Pd. 106 d 3 ἀθάνατος ἡμῶν ἡ ψυχή R. X 608 d 3 συγγενὴς οὖσα τῷ ... ἀθανάτῳ καὶ τῷ ἀεὶ ὄντι R. X 611 e 3 ψυχὴ πᾶσα ἀθάνατος Phr. 245 c 5 θνητόν τε καὶ ἀθάνατον ζῷον Phr. 246 b 6 φρονεῖν ἀθάνατα καὶ θεῖα T. 90 c 1 ἀθάνατον ... ψυχὴν ἐπονομαζόμενον L. XII 959 b 3 ἀνώλεθρόν τε καὶ ἀθάνατον Ep. 981 e 7.
App. : ἀδιάφθορος.
App. et ass. : ἀίδιος, ἀνώλεθρος, θεῖος.
Ass. et opp. : θνητός.

ἄθεος « athée » (adj. et subst. m. ou n.) εἰς τὸ ἄθεον ... βλέποντες A. 134 e 4 οὐκ εἰμὶ τὸ παράπαν ἄθεος Ap. 26 c 4 εἰ ... τὸ ... θειότατον ὑπὸ τῷ ἀθεωτάτῳ ... δουλοῦται R. IX 589 e 5 τοῦ μὲν θείου εὐδαιμονεστάτου τοῦ δὲ ἀθέου (παραδείγματος) ἀθλιωτάτου Tht. 176 e 4 οὐδεὶς οὕτως ἄθεος ... πέφυκεν L. XII 966 e 5.

Adv. : ἀθέως (ἀδίκως καὶ ἀθέως τὸν βίον διελθόντα G. 523 b 3 ; cf. 481 a 5)*.

Ass. et opp. : θεῖος.

ἀθεότης, ἡ « athéisme » εἰς ἀθεότητα καὶ ὕβριν καὶ ἀδικίαν Po. 309 a 1 πολλὰς ἀθεότητας καὶ δυσχερείας L. XII 967 c 5 ἀνομίᾳ καὶ ἀθεότητι Le. VII 336 b 5.

ἀθλητής, ὁ « athlète » οὐ... ἀγῶνος ἀθληταί ἐσμεν La. 182 a 2 (cf. R. III 403 e 8 L. VIII 830 a 1) πολέμου ἀθληταί R. IV 422 b 4 (cf. III 404 a 10, 416 d 8 VII 521 d 5 VIII 543 b 8) ἡμῖν οἱ ἀθληταί R. IV 422 c 8 τοῖς παρ' ἡμῖν ἀθληταῖς L. VII 824 a 1.

App. : ἀσκητής (R. III 404 c 8).

ἄθλιος « misérable » ἄθλιος καὶ κακοδαίμων M. 78 a 6 (cf. B. 173 d 5) οὔτε τοὺς ἀζηλώτους ζηλοῦν οὔτε τοὺς ἀθλίους G. 469 a 5 ἐλεεινός τε καὶ ἄθλιος G. 469 b 4 εὐδαίμων... ἢ ἄθλιος G. 470 d 8 τὸν δ' ἄδικον καὶ πονηρὸν ἄθλιον G. 470 e 11 ἔλαθεν ἑαυτὸν ἀθλιώτατος γενόμενος G. 471 b 7 ἄθλιος, ἀθλιώτερος μέντοι... ἧττον δὲ ἄθλιος G. 472 e 5-7 (cf. 512 a 4) ὁ κάκιστος ἀθλιώτατος R. VIII 544 a 8 ἄθλιον ἢ μακάριον R. IX 571 a 3 ἐξ ἀθλίων εὐδαίμονας L. X 905 b 4.

Adv. : ἀθλίως (R. IX 577 c 10).

App. : δυσδαίμων.

App. et ass. : ἀζήλωτος, ἐλεεινός, κακοδαίμων.

Ass. et opp. : εὐδαίμων, ζηλωτός, μακάριος.

ἀθλιότης, ἡ « misère » ἀθλιότητος (TW Olymp. : ματαιότητος B) ἀπαλλάττεται A. 134 b 4 κακά τε καὶ ἀθλιότητα G. 496 b 10 εὐδαιμονίας τε... καὶ ἀθλιότητος R. VIII 545 a 8 (cf. IX 576 d 6, 577 b 3 Tht. 175 c 5) πονηρίᾳ τε καὶ ἀθλιότητι πόλεως R. IX 575 c 5.

Ass. : πονηρία.

Ass. et opp. : εὐδαιμονία.

ἀθρεῖν « considérer » ἀλλ' ἀθρῶ καὶ ὁρῶ ὅτι ἀδύνατον Pa. 144 d 2 μηδὲ ἀθρούντων τῆς περὶ τὸν οὐρανὸν φύσεως πέρι T. 91 e 3. — Le plus souvent à l'impératif : ἄθρει H. M. 287 d 12 G. 495 b 3, 497 e 1 Pd. 104 b 5 R. III 394 e 1 VIII 552 b 6 X 601 b 11 Tht. 155 e 3, 191 e 4 Pa. 144 d 2.

App. : θεᾶσθαι.

App. et ass. : ὁρᾶν.

ἀθροίζειν 1° « rassembler », (moyen-passif) « se rassembler » ; 2° « se recueillir ».

1° ὅταν ἀθροισθῶσιν R. VI 493 a 9.

2° αὐτὴν καθ' αὑτὴν πανταχόθεν ἐκ τοῦ σώματος συναγείρεσθαί τε καὶ ἀθροίζεσθαι Pd. 67 c 7 (τὴν ψυχὴν) αὐτὴν... εἰς αὑτὴν συλλέγεσθαι καὶ ἀθροίζεσθαι Pd. 83 a 8 (réc. de 67 c 7).

App. et ass. : συλλέγειν, συναγείρειν.

Syn. : συναθροίζειν.

ἀθυμία, ἡ « découragement » τοὺς... ἀνθαμιλλωμένους εἰς ἀθυμίαν καθίστησι L. V 731 a 8 (cf. VII 800 c 2)*.
Opp. : ἐλπίς, θυμός.

ἄθυμος a) « sans colère » ; b) « mou, lâche ».
a) πρόρρησις... ἄθυμος L. X 888 a 5*.
b) (ἔστι... γυνὴ) θυμοειδής, ἡ δ' ἄθυμος R. V 456 a 5 (cf. III 411 b 7)*.
Ass. et opp. (b) : θυμοειδής.

αἰδεῖσθαι « respecter » δεδιέναι μέν, αἰδεῖσθαι δὲ μηδὲν ταῦτα ἃ δεδίασιν Euph. 12 b 6 ἔστιν ὅστις αἰδούμενος... καὶ αἰσχυνόμενος οὐ πεφόβηται Euph. 12 b 10 αἰδουμένην τε καὶ δεδιυῖαν Phr. 254 e 9 πᾶς ἡμῖν αἰδείσθω τὸν... πρεσβύτερον L. IX 879 c 6 οὓς αἰδεῖσθαι πᾶσιν πάντας πρέπον L. XI 917 a 3 οὔτε ἀνθρώπους αἰδούμενος οὔτε θεοὺς σεβόμενος L. XI 917 b 3 (cf. VIII 837 c 8) θεοὺς προγόνους αὐτῶν αἰδουμένους L. XI 921 a 1.
App. et ass. : αἰσχύνεσθαι, δεδιέναι, σέβεσθαι, φοβεῖσθαι.

ἀίδιος « éternel » εἴ γε τὸ ἀθάνατον, ἀίδιον ὄν, φθορὰν δέξεται Pd. 106 d 3 ἀίδιον... συνθετόν τε ἐκ πολλῶν R. X 611 b 5 πρὸς τὸ ἀίδιον ἔβλεπεν T. 29 a 4 τῶν ἀιδίων θεῶν γεγονὸς ἄγαλμα T. 37 c 6 αὐτὸ... ζῷον ἀίδιον ὄν T. 37 d 2 ἐπὶ τὴν ἀίδιον οὐσίαν T. 37 e 5 ὅσα... τῶν ἄστρων ζῷα θεῖα ὄντα καὶ ἀίδια T. 40 b 5 τὴν ἀίδιον ᾑρῆσθαι (sc. αἵρεσιν ou φύσιν) v. l. [BTW : τινα ἥδιον i. m. W] Ph. 66 a 9.
App. : αἰώνιος.
App. et ass. : ἀθάνατος.

αἰδώς, ἡ « respect » (de soi-même et des autres) μόριον... αἰδὼς δέους Euph. 12 c 6 (δοκεῖ...) εἶναι ὅπερ αἰδὼς ἡ σωφροσύνη Ch. 160 e 4 (cf. μετὰ σωφροσύνης τε καὶ αἰδοῦς Phr. 253 d 7) αἰδῶ τε καὶ δίκην Pr. 322 c 2 (prob . personnifiées ; cf. c 4 d 1 et 5 L. XII 943 e 2) τὴν δικαιοσύνην καὶ τὴν αἰδῶ Pr. 329 c 2 δέος τε καὶ αἰδώς R. V 465 b 1 φιλία... καὶ αἰδὼς... περὶ Ὁμήρου R. X 595 b 10 μετ' αἰδοῦς καὶ λόγου Phr. 256 a 6 αἰδῶ τε καὶ αἰσχύνην L. II 671 d 2 ὁ φόβος... ὁ... ἐκ τῶν νόμων... ἣν αἰδῶ... εἴπομεν L. III 699 c 4 εἰρήνην τε καὶ αἰδῶ L. IV 713 e 1.
App. et ass. : αἰσχύνη, δέος, σωφροσύνη, φόβος (b).
Ass. : δίκη, φιλία.
Opp. : ἀναίδεια, ἀναισχυντία.

αἰθήρ, ὁ « éther » ἐν καθαρῷ... τῷ οὐρανῷ... ὃν δὴ αἰθέρα ὀνομάζειν Pd. 109 c 1 ἀέρος τὸ...εὐαγέστατον ἐπίκλην αἰθὴρ καλούμενος T. 58 d 1 (cf. Pd. 98 c 1 Cra. 408 d 8) αἰθέρα ... μετὰ τὸ πῦρ θῶμεν Ep. 984 b 6 μετὰ... τὸν αἰθέρα ἐξ ἀέρος Ep. 984 c 3.
App. et ass. : ἀήρ.

αἷμα, τό « sang » μὴ ἀπόσχηται ἐμφυλίου αἵματος R. VIII 565 e 4 κοινωνίαν... ταὐτοῦ φύσιν αἵματος ἔχουσαν L. V 729 c 6 ἡ τῶν συγγενῶν αἱμάτων τιμωρὸς Δίκη L. IX 872 e 1.
App. : φόνος (b).

αἰνεῖν « approuver » Συρακοσίαν... τράπεζαν... οὐκ αἰνεῖς R. III 404 d 2 χάριν... τῆς... προθυμίας αἰνείσθω, ἐὰν δὲ πολὺ βελτίων (ἥκῃ), πολὺ... ἐπαινείσθω L. XII 952 c 2*.

Ass. et syn. : ἐπαινεῖν (avec les distinctions de J. Brunel, *L'Aspect...*, p. 77).

αἰνίττεσθαι « laisser entendre » τί ποτε... ὁ θεός... αἰνίττεται ; Ap. 21 b 4 (cf. 27 d 4 Ch. 162 a 7 Ly. 214 d 4 G. 495 b 4 Tht. 194 c 9) κινδυνεύουσι... πάλαι αἰνίττεσθαι ὅτι... Pd. 69 c 4 μαντεύεται ὃ βούλεται καὶ αἰνίττεται B. 192 d 2 ᾐνίξατο... τὸ δίκαιον ὃ εἴη R. I 332 b 12 (cf. V 479 c 3) τοῦτο... ᾐνίξατο τῷ πολλῷ συρφετῷ Tht. 152 c 9 λέγοντες οὐκ ἐναργῶς οὕτως... αἰνιττόμενοι δέ Le. VII 332 d 7*.

Ass. : μαντεύεσθαι.

αἱρεῖν 1° « atteindre, saisir » ; 2° « prouver » ; 3° (moyen) « choisir ».

1° τὸ μὲν ἐκφεύγειν, τὸ δὲ ἑλεῖν R. II 359 a 1 μεταδιωκτέον... ὅσα ἐπινοοῦμεν ἑλεῖν T. 64 b 3 (cf. Ph. 20 d 9, ass. à θηρεύειν) σπεύδων τὸ μὲν ἑλεῖν, τὸ δὲ φυγεῖν T. 86 c 1 φυγεῖν... κακίαν, τοὐναντίον... ἑλεῖν T. 87 b 9 (cf. L. V 728 d 1).

2° ὁ λόγος αἱρεῖ Pa. 141 d 7 (cf. Cr. 48 c 8 R. IV 440 b 5 X 604 c 7, 607 b 4 Ph. 35 d 6 L. II 663 d 7) χαλεπώτερον ἑλεῖν Tht. 179 c 4.

3° δυοῖν κακοῖν τὸ ἕτερον αἱρεῖσθαι Pr. 358 d 4 ἑλοίμην ἂν μᾶλλον ἀδικεῖσθαι G. 469 c 2 αἱρήσεσθαι πρὸ ἥττης... θάνατον R. III 386 b 5 οὐχ ὑμᾶς δαίμων λήξεται ἀλλ' ὑμεῖς δαίμονα αἱρήσεσθε R. X 617 e 1 αἰτία ἑλομένου R. X 617 e 5 (cf. 619 a 7, opp. à φεύγειν ; b 8 et 10) τὸν τοῦ φρονεῖν ἑλομένῳ βίον Ph. 33 a 8 (cf. b 4) τινα ἥδιον ᾑρῆσθαι v. l. Ph. 66 a 9 (v. ἀίδιος) λύπην οὐθ' αἱρούμεθα οὔτε βουλόμεθα L. V 733 b 1.

Ass. : (1°) θηρεύειν, μεταδιώκειν ; (3°) βούλεσθαι.

Ass. et opp. : (1°) ἐκφεύγειν ; (1° et 3°) φεύγειν ; (3°) λαγχάνειν 2°.

Syn. (3°) : προαιρεῖσθαι 2°.

αἵρεσις, ἡ « choix » περὶ τὴν τῶν ἡδονῶν αἵρεσιν Pr. 357 d 4 τῇ τοῦ βελτίστου αἱρέσει Pd. 99 b 1 τὴν... μακαριστὴν αἵρεσιν εἱλέτην (codd. : εἱλέσθην Eus. Robin) Phr. 256 c 4 ἡ βούλησις τῶν αἱρέσεων τῶν βίων L. V 734 c 1.

αἱρετός 1° adj. « digne de choix, éligible » ; 2° subst. n. « l'éligible ».

1° ἆρ' οὖν αἱρετὸς ἡμῖν βίος ὁ τοιοῦτος Ph. 21 d 3 (cf. e 5) ὁ βίος... αἱρετὸς ἅμα καὶ ἀγαθός Ph. 22 d 7 ἱκανὸς καὶ τέλεος καὶ... αἱρετός Ph. 22 b 5.

2° τό γε τέλεον καὶ πᾶσιν αἱρετόν Ph. 61 a 1.

Ass. : ἱκανός, τέλειος.

αἰσθάνεσθαι « percevoir » αἰσθομένη, οὐ γνοῦσα λέγω ἀλλὰ στοχασαμένη G. 464 c 7 ὁρᾶν καὶ ἀκούειν καὶ τἆλλα αἰσθάνεσθαι Pd. 75 b 3 τῶν παραλειπομένων... ὀξύτατ' ἂν αἰσθάνοιτο R. III 401 e 2 οὐκ οἰκείαν ἐν τῇ αὑτοῦ ψυχῇ ἐνοῦσαν ᾐσθημένον R. III 409 b 6 ἡμῶν τὸ αἰσθανόμενον Tht. 185 c 7.

Ass. et opp. : γιγνώσκειν.

αἴσθησις, ἡ « sens, sensation » τῶν περὶ τὸ σῶμα αἰσθήσεων Pd. 65 b 4 (cf. T. 43 c 7) ἄλλῃ τινὶ αἰσθήσει τῶν διὰ τοῦ σώματος Pd. 65 d 7 (cf. 79 c 4-5) φήμας τε ... καὶ αἰσθήσεις τῶν θεῶν Pd. 111 b 9 εἴ τις ...αἴσθησις τῶν ζώντων Mx. 248 c 1 (cf. Le. II 311 c 8) τῶν περὶ τὰς αἰσθήσεις ὀργάνων R. VI 508 b 3 διανοίᾳ ... ἀλλὰ μὴ αἰσθήσεσιν R. VI 511 c 8 (cf. VII 523 b 2-3, 524 a 2 et 7) λογισμῷ μετ' αἰσθήσεως R. VIII 546 b 3 ἐκ πολλῶν ἰὸν αἰσθήσεων εἰς ἓν λογισμῷ Phr. 249 c 1 οὐδέ τις ἐπιστήμη οὐδὲ αἴσθησις οὐδὲ δόξα Pa. 142 a 4 ἐν τῇ συνάψει αἰσθήσεως πρὸς διάνοιαν Tht. 195 d 1 δόξῃ μετ' αἰσθήσεως T. 28 a 2 c 1, 52 a 8 (cf. Ch. 159 a 2 Tht. 179 c 3 So. 264 b 1 Ph. 38 b 12) αἱ αἰσθήσεις τε καὶ ἐπιστῆμαι L. X 901 d 5 νοῦς μετὰ τῶν καλλίστων αἰσθήσεων κραθείς L. XII 961 d 10 (cf. e 1) αἰσθήσεις καὶ μνήμας Ep. 977 c 4 αἰσθήσεσιν εὐέλεγκτον Le. VII 343 c 4.

App. et ass. : δόξα, μνήμη.

Ass. et opp. : διάνοια, ἐπιστήμη, λογισμός, νοῦς.

αἰσθητικός 1° « perçu par les sens » τὰ παθήματα ὅσα αἰσθητικά T. 61 d 1*.

2° « sensible » (au sens actif) T. 65 a 4, 67 a 8 c 4 (et 70 b 7 d'après A² P, Tht. 182 a 7 d'ap. *Laurent.* 85, 6)*.

Ass. et opp. (2°) : ἀναίσθητος 2° (T. 65 a 4).

αἰσθητός 1° au sens passif « perçu par les sens » ; 2° au sens actif « sensible ».

1° αἰσθητόν τε καὶ ὁρατόν Pd. 83 b 3 αἰσθητῷ ...οὐδενὶ προσχρώμενος R. VI 511 b 9 τὸ μὲν αἰσθητόν, τὸ δὲ αἴσθησις Tht. 160 b 1 τὰ μὲν στοιχεῖα ἄλογα καὶ ἄγνωστα, αἰσθητὰ δέ Tht. 202 b 7 τὰ δ' αἰσθητά, δόξῃ περιληπτὰ μετ' αἰσθήσεως T. 28 c 1 ὁρατοῦ καὶ πάντως αἰσθητοῦ T. 51 a 5 κατὰ παντὸς αἰσθητοῦ καὶ ἀναισθήτου παθήματος T. 64 a 6 ὁ κόσμος... εἰκὼν τοῦ νοητοῦ θεὸς αἰσθητός T. 92 c 8.

2° au sens actif s'il faut maintenir Tht. 182 a 7 l'αἰσθητόν de BTWY et T. 70 b 7 celui d'AFWY.

App. : δοξαστός.

App. et ass. : ὁρατός.

Ass. et opp. : ἀναίσθητος.

Opp. : γνωστός.

Syn. (2°) : εὐαίσθητος.

αἶσχος, τό « laideur » a) physique ; κάλλους ἂν εἴη ἔρως, αἴσχους δὲ οὔ B. 201 a 9 (cf. 197 b 6) ; b) morale ψυχῆς κακία... νόσος τε καὶ αἶσχος καὶ ἀσθένεια R. IV 444 e 1 (cf. G. 477 b 4).

App. et ass. : ἀσθένεια, κακία, νόσος.

Ass. et opp. : κάλλος.

αἰσχροκέρδεια, ἡ « cupidité » L. VI 754 e 7*.
App. : φιλοκέρδεια.

αἰσχροκερδής « cupide » R. III 408 c 5 (bis)*.
App. : φιλοκερδής.

αἰσχρός « laid » 1° physiquement ; 2° moralement.
1° οὐ τῇ μὲν καλόν, τῇ δ' αἰσχρόν B. 211 a 3 (cf. H. M. 289 b 2 et 7 L. II 657 a 1).
2° αἰσχρόν τι Ap. 28 c 3 πρὸ τοῦ αἰσχροῦ Ap. 28 d 9 καλόν τε καὶ ἀγαθὸν καὶ κακὸν καὶ αἰσχρόν G. 474 d 1 (cf. c 11) ἡδέα μέν, αἰσχρὰ δὲ καὶ κακά L. II 663 a 7 αἰσχρὸν αὖ καὶ καλόν L. VIII 841 b 5 (cf. B. 186 c 1 et 5).
Adv. : αἰσχρῶς (B. 183 d 6 Phr. 258 d 5) ; sup. αἴσχιστα (G. 457 d 6).
App. et ass. (2°) : κακός.
Ass. et opp. : καλός.

αἰσχρότης, ἡ « laideur » ἀσυμμετρίας τε καὶ αἰσχρότητος γέμουσαν τὴν ψυχήν G. 525 a 5.
Opp. : κάλλος.

αἰσχύνειν 1° « déshonorer » ; 2° (moyen) « rougir » (de, devant).
1° ἡγούμενοι τῷ τοὺς αὑτοῦ αἰσχύνοντι ἀβίωτον εἶναι Mx. 246 d 5 ᾔσχυνάν τε καὶ ὀνείδη περιῆψαν R. VI 495 c 4.
2° αἰδούμενός τι πρᾶγμα καὶ αἰσχυνόμενος Euph. 12 b 10 τοὺς ἀνθρώπους ᾐσχύνθης Euph. 15 d 8 ὃν δεῖ καὶ αἰσχύνεσθαι καὶ φοβεῖσθαι Cr. 47 d 2 δοκεῖ αἰσχύνεσθαι ποιεῖν ἡ σωφροσύνη Ch. 160 e 3 μηδὲν ἐμὲ αἰσχυνθείς G. 463 a 5 παρρησιάζεσθαι καὶ μὴ αἰσχύνεσθαι G. 487 d 6 τὸ αἰσχύνεσθαι ὀντινοῦν B. 216 b 2 τοῦτον μόνον αἰσχύνομαι B. 216 b 3 αἰσχύνομαι τὰ ὡμολογημένα B. 216 b 6 (cf. So. 247 b 9) μήτε αἰσχύνεσθαι μήτε δεδιέναι τοὺς γονέας R. VIII 562 e 8 πάντα αἰσχύνεσθαι L. V 729 b 5 αἰσχύνεσθαι τοὺς νέους L. V 729 b 7.
App. et ass. : αἰδεῖσθαι, δεδιέναι, φοβεῖσθαι.
Ass. et opp. (2°) : παρρησιάζεσθαι.
Opp. : ἀναισχυντεῖν.
Syn. (1°) : καταισχύνειν (cf. J. Brunel, *L'Aspect...*, p. 229).

αἰσχύνη, ἡ « honte » τὴν ἐπὶ μὲν τοῖς αἰσχροῖς αἰσχύνην, ἐπὶ δὲ τοῖς καλοῖς φιλοτιμίαν B. 178 d 2 φίλων... φόβος αἰσχύνης πέρι κακῆς L. I 647 b 7 ὃν αἰδῶ τε καὶ αἰσχύνην θεῖον φόβον ὠνομάκαμεν L. II 671 d 2.
App. : δέος.
App. et ass. : αἰδώς, φόβος.
Ass. et opp. : φιλοτιμία.
Opp. : ἀναισχυντία.

αἰσχυντηλός « réservé » a) adj. ; b) subst. n.
a) δοκεῖ... αἰσχύνεσθαι ποιεῖν ἡ σωφροσύνη καὶ αἰσχυντηλὸν τὸν ἄνθρωπον Ch. 160 e 3 (cf. G. 487 b 2 avec F et Dodds ; mais v. J. Dumortier, *Byz. Z.*, 1959, p. 267, n. 2)*.

b) τὸ αἰσχυντηλὸν αὐτοῦ Ch. 158 c 6*.

Adv. : αἰσχυντηλῶς (L. II 665 e 9)*.

Opp. : ἀναίσχυντος.

αἰσχυντηρός « timide » ἐνδεεστέρω ... παρρησίας καὶ αἰσχυντηροτέρω [BPTW : -λο- F] μᾶλλον τοῦ δέοντος G. 487 b 2*.

αἰτεῖν « demander » τὸ δ' εὔχεσθαί (ἐστιν) αἰτεῖν τοὺς θεούς Euph. 14 c 9 (cf. d 9-10) τῷ λόγον αἰτοῦντι περί του Po. 285 e 2.

App. et ass. : εὔχεσθαι.

αἴτησις, ἡ « demande » ἐπιστήμη ... αἰτήσεως καὶ δόσεως θεοῖς ἡ ὁσιότης Euph. 14 d 1 εὐχαὶ παρὰ θεῶν αἰτήσεις εἰσίν L. VII 801 a 9.

App. et ass. : εὐχή.

αἰτία, ἡ a) « causalité » ; b) « cause » ; c) « responsabilité ».

a) αἰτίας λογισμῷ M. 98 a 4.

b) περὶ γενέσεως καὶ φθορᾶς τὴν αἰτίαν διαπραγμεύσασθαι Pd. 96 a 1 εἰδέναι τὰς αἰτίας ἑκάστου Pd. 96 a 8 (très fréquent p. 97-100) ἡ ἐκ τοῦ μὴ ὄντος εἰς τὸ ὂν ἰόντι αἰτία πᾶσά ἐστι ποίησις B. 205 b 8 δίεισι τὰς αἰτίας Phr. 271 b 2 ἀπό τινος αἰτίας αὐτομάτης So. 265 c 8 τῆς συμμίξεως ... τὴν αἰτίαν Ph. 23 d 7 πάντα τὰ γιγνόμενα διά τινα αἰτίαν γίγνεσθαι Ph. 26 e 3 τὸ τῆς αἰτίας γένος Ph. 30 a 10 τὸ τῆς πλανωμένης εἶδος αἰτίας T. 48 a 7 χρὴ δυ' αἰτίας εἴδη διορίζεσθαι T. 68 e 6.

c) αἰτία ἑλομένου R. X 617 e 4 τῆς ... γενέσεως τοῦ ποίου τινὸς ἀφῆκε ταῖς βουλήσεσιν ἑκάστων ἡμῶν τὰς αἰτίας L. X 904 c 1.

App. (b) : ἀρχή 3°.

Syn. (b) : αἴτιον.

αἰτιᾶσθαι « accuser, rendre responsable de » οὐ τοὺς ἑστιῶντας αἰτιάσονται τῶν νόσων αἰτίους εἶναι G. 518 d 2 οὐ τὸ αἴτιον αἰτιᾶσθαι R. I 329 b 3 τῶν ... ἀγαθῶν οὐδένα ... αἰτιατέον R. II 379 c 6 οὐ γὰρ ἑαυτὸν αἰτιᾶσθαι τῶν κακῶν R. X 619 c 5 τοῦ κοινοῦ ... βίου αἰτιῴμεθ' ἂν ... τὸν νοῦν αἴτιον Ph. 22 d 2.

αἴτιον, τό « cause » (difficile parfois à distinguer d'αἴτιον adj. n., comme αἰτία de l'adj. f.) τὰ αἴτια ταὐτά ἐστιν Ap. 24 a 8 ἄλλο μέν τί ἐστι τὸ αἴτιον τῷ ὄντι, ἄλλο δὲ ἐκεῖνο ἄνευ οὗ τὸ αἴτιον οὐκ ἄν ποτ' εἴη αἴτιον Pd. 99 b 3-4 δι' ὃ ... γίγνεταί <τι>, τοῦτ' ἔστι τὸ αἴτιον Cra. 413 a 5 οὐ τὸ αἴτιον αἰτιᾶσθαι R. I 329 b 3 τῶν ... κακῶν ἄλλ' ἄττα δεῖ ζητεῖν τὰ αἴτια R. II 379 c 6 τὸ ... ποιοῦν καὶ τὸ αἴτιον ... ἕν Ph. 26 e 7 ἀδύνατον χωρὶς αἰτίου γένεσιν σχεῖν T. 28 e 5 τὰ τῶν αἰτίων γένη T. 69 a 7 ἐκεῖνο αἴτιον ἁπάντων τῶν καλῶν Le. II 312 e 2 τοῦ τε ἡγεμόνος καὶ αἰτίου πατέρα Le. VI 323 d 4.

App. : ἀρχή 3°.

Ass. : συναίτιον.

Syn. : αἰτία (b).

αἴτιος « auteur, responsable de » οὐ τοὺς ἑστιῶντας αἰτιάσονται ... **αἰτίους εἶναι** G. 518 d 2 (cf. Ph. 22 d 2) οὐδ' ... ὁ θεὸς ... πάντων ἂν εἴη αἴτιος R. II 379 c 3 κακῶν ... αἴτιον φάναι θεόν τινι γίγνεσθαι R. II 380 b 6 αὕτη (ἡ τοῦ ἀγαθοῦ ἰδέα) ὀρθῶν τε καὶ καλῶν αἰτία R. VII 517 c 2 κακῶν αὐτὸ ἑαυτῷ ... αἴτιον T. 42 e 4 ὁ ... ἄριστος τῶν αἰτίων T. 29 a 6 τῇ δὲ αἰτιωτάτῃ διανοίᾳ ... εἰργασμένον T. 76 d 7 τῶν αὐτοῦ ἁμαρτημάτων ... αἴτιον L. V 727 b 5 τὸν ἀγαθῶν αἴτιον ἡμῖν συμπάντων Ep. 976 e 5 αἴτιον ἀγαθῶν πάντων ἡμῖν αὐτόν Ep. 977 a 6.

αἰών, ὁ a) « vie » ; b) « durée ».

a) τὸν αἰῶνα ἡμῶν πορεύεσθαι G. 448 c 6 χαλεπὸν αἰῶνα διάγοντας L. III 701 c 4.

b) εἰκὼ ... κινητόν τινα αἰῶνος T. 37 d 6 οὐρανὸν ποιεῖ μένοντος αἰῶνος ... αἰώνιον [ἀέναον cj. Cornford] εἰκόνα T. 37 d 7 χρόνου ... αἰῶνα μιμουμένου T. 38 a 7 πάντα αἰῶνά ἐστιν ὄν T. 38 c 2.

App. (a) : βίος.

App. et ass. (b) : χρόνος (a).

αἰώνιος « éternel » ἡ ... φύσις ... οὖσα αἰώνιος T. 37 d 4 μένοντος αἰῶνος ... αἰώνιον (ἀέναον cj. F. M. Cornford, *Plato's Cosmology*, p. 98, n. 1) εἰκόνα T. 37 d 8 κατὰ τὸ παράδειγμα τῆς αἰωνίας (PWY : διαιωνίας AF) φύσεως T. 38 b 8 ἀνώλεθρον ... ἀλλ' οὐκ αἰώνιον L. X 904 a 9.

App. : ἀθάνατος, ἀΐδιος.

Ass. et opp. : ἀνώλεθρος.

Syn. : διαιώνιος.

ἀκάθαρτος « impur » μεμιασμένη καὶ ἀκάθαρτος (ψυχή) Pd. 81 b 1 τὰ μέγιστα ἀκάθαρτον So. 230 e 1 τάς τε καθαρὰς ἡδονὰς καὶ τὰς ... ἀκαθάρτους Ph. 52 c 2 (cf. 55 d 7) ἀκάθαρτος ... τὴν ψυχὴν ὅ γε κακός L. IV 716 e 2 (cf. IX 866 a 5, 868 a 7) ἐκ παλαιῶν καὶ ἀκαθάρτων ... ἀδικημάτων L. IX 854 b 4 ἀδίκων καὶ ἀκαθάρτων λύτρων L. XI 919 a 8*.

Adv. : ἀκαθάρτως (T. 92 b 4*).

App. et ass. : μεμιασμένος.

Ass. et opp. : καθαρός.

ἀκαιρία, ἡ 1° « inopportunité » ; 2° « manque de tact » ; 3° « intempéries ».

1° λόγων... τὴν εὐκαιρίαν τε καὶ ἀκαιρίαν διαγνόντι Phr. 272 a 6 ἐγκαιρίας τε πέρι καὶ ἀκαιρίας Po. 305 d 4*.

2° τὴν ἀκαιρίαν τε καὶ ἀδικίαν B. 182 a 4*.

3° λοίμων τε ἐμπιπτόντων καὶ ... ἀκαιρίας [A ἀκαιρίᾳ vel ἀκαιρίαι A^{c}OO^4 ἀκαιρία O^c Stob. IV] L. IV 709 a 7*.

Ass. et opp. (1°) : ἐγκαιρία, εὐκαιρία.

ἄκαιρος 1° « intempestif » ; 2° « immodéré ».

1° ἀκαίρους ... ἐπαίνους Phr. 240 e 3 (cf. Po. 307 b 6 e 7) ψύχει καὶ καύματι ἀκαίρῳ Ep. 976 a 2*.

2° ἀκαίρου ἐλευθερίας R. VIII 569 c 2 (cf. Le. VIII 354 d 3)*.

Adv. : ἀκαίρως (L. I 649 a 5).

Opp. (1°) : ἔγκαιρος, εὔκαιρος, καίριος.

ἀκεῖσθαι « réparer » ἀδίκημα ... ἀκεῖσθαι R. II 364 c 2 (cf. Ph. 30 b 3)*.

App. : θεραπεύειν 1°, ἰᾶσθαι.

ἀκέραιος « pur » (τέχνη) ἀβλαβὴς καὶ ἀκέραιος ... ὀρθὴ οὖσα R. I 342 b 5 ἄπειρον ... καὶ ἀκέραιον ... κακῶν ἠθῶν R. III 409 a 6 ὁ λόγος ὀρθὸς ... καὶ ἀκέραιος Po. 268 b 8.

App. : ἀκέραστος, ἀκήρατος, ἄκρατος, καθαρός.

App. et ass. : ἀβλαβής 2°, ἄπειρος (A).

ἀκέραστος « sans mélange de » (ψυχὴ) ἀκέραστος τόλμης ἀνδρείας Po. 310 d 10*.

App. : ἀκέραιος, ἀκήρατος, ἄκρατος.

ἀκερδής « non lucratif » ἀσύμφορον καὶ ἀνωφελὲς καὶ ἀλυσιτελὲς καὶ ἀκερδές Cra. 417 d 6*.

App. et ass. : ἀλυσιτελής, ἀνωφελής, ἀσύμφορος.

ἀκήρατος « pur » τὸ καθαρὸν αὐτοῦ καὶ ἀκήρατον τοῦ νοῦ Cra. 396 b 7 τὸν ... βασανιζόμενον καὶ ἀκήρατον ἐκβαίνοντα καταστατέον ἄρχοντα R. III 413 e 7 (réc. VI 503 a 5) νῷ τε καὶ ἐπιστήμῃ ἀκηράτῳ Phr. 247 d 2 τὸν ἀκήρατον χρυσόν Po. 303 e 4 ἀκήρατα δὲ οὐκέτι κατὰ ταὐτὰ ὡσαύτως (μίσγων) T. 41 d 7 τῶν ὑγιῶν καὶ ἀκηράτων ἠθῶν L. V 735 c 2 ἠίθεοι καὶ ἀκήρατοι γάμων τε ἁγνοί L. VIII 840 d 6.

App. : ἀκέραιος, ἀκέραστος, ἄκρατος.

App. et ass. : καθαρός, ὑγιής.

ἀκίβδηλος « non falsifié » ἀκίβδηλον πᾶν διδότω L. XI 916 d 3*.

Opp. : κίβδηλος.

ἀκίνητος a) « immobile » ; b) « inébranlable ».

a) τῶν καὶ τὰ ἀκίνητα κινούντων Tht. 181 a 8 (« les mobilistes » ; allusion au proverbe τἀκίνητα κινεῖν L. VIII 843 a 1 ; cf. μὴ κινεῖν τὰ ἀκίνητα L. III 684 e 1 XI 913 b 9) ἀκίνητον ἑστός So. 249 a 2 (réc. a 10) ὅσα ἀκίνητα καὶ κεκινημένα So. 249 d 3 τὰς ... πέντε κινήσεις ἀκίνητον καὶ ἑστός T. 40 b 3.

b) τὸ μὲν ἀκίνητον πειθοῖ, τὸ δὲ μεταπειστόν T. 51 e 4.

Adv. : ἀκινήτως (τὸ ... ἀεὶ κατὰ ταὐτὰ ἔχον ἀκινήτως T. 38 a 3).

App. et ass. : ἑστώς.

Ass. et opp. : (a) κεκινημένος ; (b) μεταπειστός.

Opp. : κινητός.

ἀκοινώνητος a) « sans participation » (à) ; b) « insociable ».

a) ἀνελεύθερος ... καὶ ἀκοινώνητος νόμων L. XI 914 c 2 (cf. VI 768 b 2)*.

b) ἀλλότριον ... αὐτὸν καὶ ἀκοινώνητον ἐν τῇ πόλει ἔχῃ L. VI 774 a 4*.

App. et ass. (b) : ἀλλότριος.

Syn. (b) : δυσκοινώνητος.

ἀκολασία, ἡ « dérèglement (les excès) » ὕβρει τινὶ καὶ ἀκολασίᾳ Ap. 26 e 8 (cf. R. III 403 a 2) ἐκεῖ ... πλείστη ἀταξία καὶ ἀκολασία Cr. 53 d 4 ἡ ἀκολασία καὶ ἡ ἄλλη ψυχῆς πονηρία G. 477 e 7 ἀκολασίας καὶ ἀδικίας G. 478 b 1 (cf. R. II 364 a 3) αἰσχρὸν ... τὴν ἀκολασίαν

G. 492 a 5 τρυφὴ καὶ ἀκολασία G. 492 c 5 ὅπως ἂν ... σωφροσύνη μὲν ἐγγίγνηται, ἀκολασία δὲ ἀπαλλάττηται G. 504 e 3 τὸ κολάζεσθαι ... ἄμεινόν ἐστιν ἢ ἡ ἀκολασία G. 505 b 13 οὐκ ἀκοσμίαν οὐδὲ ἀκολασίαν G. 508 a 4 οἱ κόσμιοι ... ἀκολασίᾳ τινὶ σώφρονές εἰσιν Pd. 68 e 2 (cf. 69 a 4) καλοῦσί γε ἀκολασίαν τὸ ὑπὸ τῶν ἡδονῶν ἄρχεσθαι Pd. 68 e 7 ἀκολασίας δὲ καὶ νόσων R. III 404 e 8 ἀδικίαν καὶ ἀκολασίαν καὶ δειλίαν καὶ ἀμαθίαν R. IV 444 b 7 (réc. X 609 c 1 ; cf. So. 228 e 4, où ἀγνοίας remplace ἀμαθίας, et L. XII 957 e 2) τῶν ... ποτῶν ... ἀκολασίαν T. 72 e 4 ἡ περὶ τὰ ἀφροδίσια ἀκολασία T. 86 d 3 κοσμιότητός τε καὶ ἀκολασίας L. VII 794 a 7 αἱ τῶν νέων ἀκολασίαι τε καὶ ὕβρεις L. X 884 a 7.

App. et ass. : ἀκοσμία, ἀταξία, τρυφή, ὕβρις.

Ass. et opp. : κοσμιότης, σωφροσύνη.

ἀκολασταίνειν « vivre sans frein » τοὺς ἀδικοῦντας καὶ τοὺς ἀκολασταίνοντας G. 478 a 5 ἀδικεῖν ἢ ἀκολασταίνειν ἤ τι αἰσχρὸν ποιεῖν R. IX 591 a 6 ἥδεσθαι ... τὸν ἀκολασταίνοντα ἄνθρωπον, ἥδεσθαι δὲ καὶ τὸν σωφρονοῦντα Ph. 12 d 1.

Ass. et opp. : σωφρονεῖν (2° b).

ἀκόλαστος « déréglé » a) adj. ; b) subst. α) m. β) n.

a) ὑβριστὴς καὶ ἀκόλαστος Ap. 26 e 7 ἄδικον ... καὶ ἀκόλαστον καὶ δειλὸν καὶ ἀμαθῆ G. 477 d 7 ἀνόητος ... καὶ ἀκόλαστος καὶ ἄδικος καὶ ἀνόσιος G. 505 b 3 ἡ ἄφρων τε καὶ ἀκόλαστος (ψυχή) G. 507 a 7 (cf. 515 a 6 Ph. 47 b 5) οὐκ ἐπιθυμίας ἐῶντα ἀκολάστους εἶναι G. 507 e 3 κακόηθες καὶ ἀκόλαστον καὶ ἀνελεύθερον R. III 401 b 5 νοσώδη ... καὶ ἀκόλαστον R. III 408 b 2 ἥττω ἑαυτοῦ καὶ ἀκόλαστον R. IV 431 b 2 σφόδρα μὲν ἀνδρεῖον, μὴ σώφρονα δὲ ἀλλ' ἀκόλαστον L. III 696 b 11 (cf. G. 493 d 7, 494 a 4) πᾶς ... ἄκων ἀκόλαστος L. V 734 b 4.

b) α) εὐδαιμονεστέρους ... τοὺς κοσμίους τῶν ἀκολάστων G. 493 d 2 (cf. 494 a 2) ὁ ἐναντίως ἔχων τῷ σώφρονι ὁ ἀκόλαστος G. 507 c 6.

β) τὸ σῶφρον τῷ ἀκολάστῳ (φίλον ;) Ly. 216 b 5 τὸ ἀκόλαστον αὐτοῦ καὶ οὐ στεγανόν G. 493 b 2.

Adv. : ἀκολάστως (G. 493 c 6, app. et ass. à ἀπλήστως ; L. V 734 b 3).

App. : ἀκρατής, ἀκράτωρ.

App. et ass. : ἥττων ἑαυτοῦ.

Ass. : ἄδικος, ἀμαθής, ἀνδρεῖος, ἀνόητος (1° a), ἀνόσιος, ἄφρων, ὑβριστής.

Ass. et opp. : κόσμιος, σώφρων.

ἀκολουθεῖν 1° « suivre » (au fig.) ; 2° « répondre » (à).

1° ἀκολουθήσετε τῷ λόγῳ Pd. 107 b 6 ἀκολουθεῖν ... τῷ ἡγουμένῳ R. V 474 c 3 (cf. 451 c 10 Cr. 47 d 3) ἀκολουθῶν τῇ φύσει L. VIII 836 c 1 ἀκολουθείτω (τῷ κόσμῳ) ὅπῃ ... τροφὴν πᾶσιν παρέχεται Ep. 977 b 3.

2° εὐρυθμία εὐηθείᾳ ἀκολουθεῖ R III 400 e 1 (cf. c 9 d 6, 392 d 8).

Syn. : (1°) ἐπακολουθεῖν, ἐφέπεσθαι, συνακολουθεῖν ; (1° et 2°) ἕπεσθαι, παρακολουθεῖν, παρέπεσθαι, συνέπεσθαι.

ἀκόλουθος A (adj.) « consécutif, conforme (à) » ; B (subst. m.) « suivant ».

A. οὐ πάνυ ἀκόλουθα ... οὐδὲ σύμφωνα G. 457 e 2 τὰ τούτοις ἀκόλουθα πάσχοντος T. 88 d 4 τίς ... πρᾶξις ... ἀκόλουθος θεῷ L. IV 716 c 1 τιμωρία ... ἀδικίας ἀκόλουθος πάθη L. IV 728 c 4.

B. Ἀφροδίτης ἀκόλουθος καὶ θεράπων B. 203 c 2.

App. et ass. : (A) σύμφωνος ; (B) θεράπων.

ἄκος, τό « remède » ἑκάσταισι ... (ὄψεσιν) ἄκη ποιουμένους L. X 910 a 3*.

ἀκοσμεῖν « transgresser l'ordre » ἐὰν ... τις περὶ τὰ τοιαῦτα ἀκοσμῇ L. VI 764 b 6 (cf. 784 d 7) μετριαζόντων ... τῶν πλειόνων ..., ἀκοσμούντων δὲ ... L. VI 785 a 2*.

Ass. et opp. : μετριάζειν.

ἀκόσμητος « désordonné » ψυχὴ ... κόσμον ἔχουσα τὸν ἑαυτῆς ἀμείνων τῆς ἀκοσμήτου ... ἀλλὰ μὴν ἥ γε κόσμον ἔχουσα κοσμία G. 506 e 4.

Adv. : ἀκοσμήτως (L. VI 781 b 1*).

Ass. et opp. : κόσμιος.

Syn. : ἀκόλαστος.

ἀκοσμία, ἡ « désordre » κόσμον ... οὐδ' ἀκοσμίαν οὐδὲ ἀκολασίαν G. 508 a 4 ἐκ πλεονεξίας καὶ ἀκοσμίας B. 188 b 4.

App. : ἀταξία.

App. et ass. : ἀκολασία, πλεονεξία (c).

Ass. et opp. : κόσμος.

Opp. : εὐκοσμία.

ἀκούειν 1° « entendre, écouter » a) en général ; b) comme auditeur ou disciple ; 2° « apprendre » ; 3° « exaucer ».

1° a) ὅπερ ὁρῶμέν τε καὶ ἀκούομεν Tht. 163 b 9 (cf. c 3).

b) Προδίκου ... ἀκήκοα ... διαιροῦντος Ch. 163 d 4 (cf. La. 194 c 8 Ph. 58 a 7).

2° μου ἀκούσεσθε πᾶσαν τὴν ἀλήθειαν Ap. 17 b 8 ὁδὸν ... θαυμαστὴν ἀκηκοέναι Le. VII 340 c 4.

3° θεὸς ... ἀκούσειέν τε, καὶ ἀκούσας ἵλεως ... ἔλθοι L. IV 712 b 5 (cf. XI 931 c 8).

Adj. verbal : ἀκουστός « audible » (T. 33 c 3*).

App. (1° b) : ἐπακούειν (cf. J. Brunel, *L'Aspect...*, p. 67-68).

Ass. (1° a) : ὁρᾶν.

ἀκούσιος « involontaire » a) adj. ; b) subst. n.

a) τῶν τοιούτων καὶ ἀκουσίων ἀδικημάτων Ap. 26 a 3 πᾶσαν ἀκούσιον ἀμαθίαν εἶναι So. 230 a 6 τῷ τὴν ἀδικίαν ἀκούσιον τιθεμένῳ L. IX 860 d 8 ἀκούσιά τε καὶ ἑκούσια ἀδικήματα L. IX 860 e 8 (cf. 861 e 3, 874 d 7 e 6) ὡς πάντα ἀκούσια τὰ ἀδικήματα L. IX 861 c 7 τοῦτο ὡς ἀκούσιον ἀδίκημα νομοθετῶν L. IX 862 a 5 ἀκούσιον ἀδικίαν εἶναι τὴν ... βλάβην L. IX 864 a 7.

b) τὸ ἀβούλητόν τε καὶ ἀκούσιον L. V 733 d 8.

Adv. : ἀκουσίως (ἀκουσίως ... ἑκούσιον ... πράττεσθαι L. IX 860 d 6).

App. et ass. : ἀβούλητος.

Ass. et opp. : ἑκούσιος.

ἀκράτεια, ἡ « impuissance à dominer, intempérance » ὑπὸ ... τρυφῆς καὶ ὕβρεως καὶ ἀκρατείας [Y Eus. : ἀκρατίας BFWt ἀκρασίας T] G. 525 a 4 ὑπὸ σκότου μετὰ δεινῆς ἀκρατείας γεγονώς R. V 461 b 2 ἡδονῶν ἀκράτεια [A[2] : ἀκρατία AFPWY] T. 86 d 6 δι' ἀκράτειαν ἡδονῆς L. I 636 c 7 δι' ἀμαθίαν ἢ δι' ἀκράτειαν L. V 734 b 5 ἀκρατείᾳ [a O[4] : ἀκρατίᾳ AO δι' ἀκρασίαν i. m. O[4]] ... ἡδονῶν τε καὶ ἐπιθυμιῶν L. X 886 a 9 ἀκράτειαί τε ἡδονῶν καὶ λυπῶν L. X 908 c 2 δι' ἀκράτειαν ἡδονῶν ἢ λυπῶν L. X 934 a 3.

App. : ἀκολασία.

App. et ass. : τρυφή, ὕβρις.

Opp. : ἐγκράτεια, σωφροσύνη.

ἀκρατής « impuissant à dominer » ὧν ἀκρατεῖς ὄντες εἴργεσθαι So. 252 c 4 ἀκρατὴς θυμοῦ L. IX 869 a 3*.

Adv. : ἀκρατῶς (— ἔχειν πρὸς τὰς ἡδονάς L. IV 710 a 7 ; cf. L. V 731 d 4 : v. ἀκράτως)*.

App. : ἀκόλαστος, ἀκράτωρ.

Opp. : ἐγκρατής, σώφρων.

ἄκρατος « sans mélange, pur, parfait » τὴν ἄκρατον πονηρίαν R. VI 491 e 4 ἡ ἄκρατος δικαιοσύνη πρὸς ἀδικίαν τὴν ἄκρατον R. VIII 545 a 6 ἀκράτου αὐτῆς (τῆς ἐλευθερίας) μεθυσθῇ R. VIII 562 d 2 τὸ ἀκρατέστατον Ph. 53 a 6 (sup. formé sur ἀκρατής) ἄκρατος συμπεφυρμένη [W : συμπεφορημένη BT] συμφορά Ph. 64 e 1 ἀκράτῳ μόνον τῇ βίᾳ L. IV 722 c 2 νόμος ἄκρατος L. IV 723 a 1 τὸ...σύμμετρον ἀκράτου... διαφέρει πρὸς ἀρετήν L. VI 773 a 7 τὸν λύπης τε καὶ ἡδονῆς ἀκράτου βίον L. VII 793 a 3 διεξέλθῃ τὸν βίον ἄκρατον L. VII 823 a 2.

Adv. : ἀκράτως (— καὶ ἀπαραμυθήτως πλημμελεῖ L. V 731 d 4, à moins qu'il ne faille lire ἀκρατῶς, d' ἀκρατής, q. v. ; Ast cj. ἀνιάτως)*.

App. : ἀκέραιος, ἀκέραστος, ἀκήρατος, καθαρός.

ἀκράτωρ « sans maîtrise (de soi) » ἑαυτοῦ ὢν ἀκράτωρ R. IX 579 c 8 σώματι... ἀκράτορι ἑαυτοῦ R. IX 579 c 9 οὐ... ἀκράτορες αὑτῶν ὄντες ἐσφάλλοντο Criti. 121 a 3*.

App. : ἀκόλαστος, ἀκρατής.

ἀκράχολος « violent » ἀκράχολοι [D : ἀκρόχολοι AF]... καὶ ὀργίλοι... δυσκολίας ἔμπλεῳ R. III 411 c 1 δύσκολα καὶ ἀκράχολα... ἤθη L. VII 791 d 6*.

App. et ass. : δύσκολος, ὀργίλος.

ἀκρίβεια, ἡ « exactitude » ἀκριβέστερον... τῆς ἁπάσης ἀκριβείας H. M. 295 a 5 μὴ... εἰς τὴν ἀκρίβειαν φιλοσοφεῖν G. 487 c 7 ὡς ἐν τύπῳ, μὴ δι' ἀκριβείας R. III 414 a 7 ἀκριβείᾳ καὶ ἀληθείᾳ Ph. 57 d 1 (cf. 58 c 3) δι' ἀκριβείας T. 73 b 7 89 d 8 L. VII 807 b 3 ὅσοι τῆς ἀκριβείας ...ἥπτοντο L. XII 967 b 2 οὕτως εἰς ἀκρίβειαν θαυμαστοῖς λόγοις L. XII 967 b 3 μὴ... εἰς ἀκρίβειαν... πορεύεσθαι Ep. 983 c 3 τὴν ἀκρίβειαν τοῦ χρόνου... ληπτέον Ep. 991 c 7.

App. et ass. : ἀλήθεια 1°.

ἀκριβής « exact » a) adj. ; b) subst. n.

a) οὐκ ἀκούομεν ἀκριβὲς οὐδέν Pd. 65 b 3 (αἰσθήσεις) μὴ ἀκριβεῖς... μηδὲ σαφεῖς Pd. 65 b 4 τὸν κρείττονα, τὸν ὡς ἔπος εἰπεῖν ἢ τὸν ἀκριβεῖ λόγῳ R. I 341 b 6 (cf. b 8 ; réc. c 6, 342 b 6) παιδείας τῆς ἀκριβεστάτης R. VI 503 d 9 (cf. L. XII 965 b 1) σαφὲς... τῇ ἀκριβεστάτῃ ἀληθείᾳ Ph. 59 a 11 ἀκριβεστέρους τῶν πολλῶν περὶ ἀρετῆς L. XII 964 d 5 ἀκριβεστέρα σκέψις θέα τε L. XII 965 c 1 [AO].

b) τὴν περὶ αὐτὸ τἀκριβὲς ἀπόδειξιν Po. 284 d 2 τὸ σαφὲς καὶ τἀκριβὲς καὶ τὸ ἀληθέστατον Ph. 58 c 3 τὸ... ἐπιεικὲς... τοῦ τελέου καὶ ἀκριβοῦς... ἐστιν παρατεθραυμένον L. VI 757 e 1.

Adv. : ἀκριβῶς (Phr. 262 a 7 ; L. VII 793 e 1, ass. et opp. à παρέργως) ; cp. ἀκριβέστερον (R. IV 436 c 9) ; sup. ἀκριβέστατα (Pd. 65 e 3).

App. : ὀρθός.

App. et ass. : ἀληθής 1°, σαφής.

Ass. : τέλειος.

Ass. et opp. : ἐπιεικής.

ἀκροᾶσθαι 1° « écouter » a) en gén. ; b) comme disciple ; 2° « obéir ».

1° a) ἃ ἡδέως σου ἀκροῶνται H. M. 285 d 4 (cf. e 1 Ly. 205 d 4, 207 b 7).

b) λέγοντος ἐμοῦ ἀκροάσονται οἱ νέοι Ap. 37 d 6.

2° δεῖ ἀκροᾶσθαι τοῦ ἰσχυροτέρου τοὺς ἀσθενεστέρους G. 488 c 2.

App. : (1°) ἀκούειν ; (2°) πείθεσθαι 2° b.

ἀκρόπολις, ἡ « citadelle » τὴν τοῦ νέου τῆς ψυχῆς ἀκρόπολιν R. VIII 560 b 8 ἐκ τῆς ἀκροπόλεως τῷ... ἐπιτάγματι... πείθεσθαι T. 70 a 7.

ἄκρος « supérieur, éminent » 1° adj. ; 2° subst. a) m. b) n.

1° ἡμῖν δεῖ ἄκρων εἶναι τῶν ἀρχόντων R. V 459 b 11 τὸ ποίμνιον ὅτι ἀκρότατον εἶναι R. V 459 e 2 ἄκροις εἰς φιλοσοφίαν R. VI 499 c 8 δικαστὴς ἄκρος Tht. 201 c 6 οὐ φαύλους, ἀλλ' ...ἄκρους L. VI 753 e 5 τὸν...ἄκρον πολίτην L. VII 823 a 6 τόν γε πρὸς ἕκαστα ἄκρον δημιουργόν L. XII 965 b 7.

2° a) ὁ τῶν πολλῶν τε καὶ ἄκρων... λόγος R. II 366 b 8 σμικρόν τι... καὶ οὐ τῶν πάντῃ ἄκρων Tht. 148 c 7 (cf. 152 e 4)... καὶ μάλα γε τῶν ἀκροτάτων Tht. 148 c 8.

b) τὰ μὲν ἄκρα ...ὀλίγα, τὰ δὲ μεταξὺ... πολλά Pd. 90 a 7 τῶν περὶ φύσεως ἄκρων καὶ πρώτων Le. VII 344 d 6.

Adv. : ἄκρως (R. VIII 543 a 2*).

App. et ass. (2° b) : (τὰ) πρῶτα (b).

Ass. et opp. : (1°) φαῦλος ; (2° a) (οἱ) πολλοί ; (b) (τὰ) μεταξύ.

ἄκων « *invitus*, malgré soi » οἱ τὰ... κακὰ ποιοῦντες ἄκοντες ποιοῦσιν Pr. 345 e 4 ἄκοντας τοὺς ἀδικοῦντας... ἀδικεῖν G. 509 e 6 κακοὶ πάντες... ἄκοντες κακοί L. IX 860 d 1 ὁ... κακὸς ἄκων τοιοῦτος L. IX 860 d 5 ἄκων... φαίνοιτ' ἂν ἀδικεῖν ὁ ἀδικῶν L. IX 860 d 7 ἄκοντας μὲν ἀδίκους εἶναι... ἀδικεῖν μὴν ἑκόντας L. IX 860 e 1 εἰ... μὴ βουλόμενος ἀλλ' ἄκων, ἀδικεῖν μέν, ἄκοντα μήν L. IX 862 a 4.

Adv. : ἀκόντως (— κακὰ ἐργαζομένας H. m. 374 e 1 [codd. : ἀκουσίως Cobet] ; Pr. 333 b 4*).

Ass. et opp. : ἑκών.

ἀλαζονεία, ἡ « gloriole » πάντα σκόλια ὑπὸ ψευδοῦς καὶ ἀλαζονείας G. 525 a 3 ὕβρεως καὶ ἀλαζονείας ἑταῖρος Phr. 253 e 3.

Ass. : ὕβρις (b), ψεῦδος.

ἀλαζών « vain, glorieux » εἰς τὸν 'Οδυσσέα... ὡς ἀλαζόνα ὄντα H. m. 369 e 4 λοιδοροῦντα τοὺς ἀλαζόνας H. m. 371 d 2 ὥσπερ ἀνθρώποις ἀλαζόσι λόγοις... ψευδέσιν ἐντετυχήκαμεν Ly. 218 d 2 ὁ κόσμιος καὶ μὴ... ἀνελεύθερος μηδ' ἀλαζών R. VI 486 b 7 ἀλαζόνι ὄντι μηδαμῇ μετεῖναι φιλοσοφίας ἀληθινῆς R. VI 490 a 3 ψευδεῖς... καὶ ἀλαζόνες... λόγοι R. VIII 560 c 3 (réc. οἱ ἀλαζόνες λόγοι ἐκεῖνοι 560 c 10) ἡδονὴ... ἁπάντων ἀλαζονέστατον Ph. 65 c 5.

Ass. : ἀνελεύθερος, ψευδής.

ἀλγεῖν « souffrir » ἀλγοῦσι μᾶλλον οἱ ἀδικοῦντες ἢ οἱ ἀδικούμενοι G. 475 c 2 τὸ μὴ ἀλγεῖν ἡδὺ ἡγεῖσθαι R. IX 584 a 4 ἀλγεῖ, τότε δὲ χαίρει Ph. 35 e 4 (cf. e 8, 36 a 3 b 6, 55 b 6 et 7).

App. : ἀνιᾶσθαι, λυπεῖσθαι, ὀδυνᾶσθαι.

Ass. et opp. : χαίρειν.

Opp. : ἥδεσθαι.

ἀλγεινός « douloureux » ἀλγεινότερον... τὸ ἄδικον εἶναι G. 477 d 6 (cf. 479 b 1 et 6, 480 c 8) ἐπειδὴ... ἦν... τὸ ἀλγεινόν, ἥκειν δὴ φαίνεται... τὸ ἡδύ Pd. 60 c 7 (cf. R. IX 584 a 8 T. 64 a 3) τὸ...πρὸ τῶν λυπηρῶν ...ἀλγεινόν Ph. 32 c 2 τὸ... παρὰ φύσιν καὶ βίαιον γιγνόμενον... πάθος ἀλγεινόν T. 64 d 1 (cf. 81 e 1 et 3).

Adv. : ἀλγεινῶς G. 476 c 8*.

App. : ἀνιαρός, ὀδυνηρός.

App. et ass. : λυπηρός.

Ass. : βίαιος.

Ass. et opp. : ἡδύς.

ἀλγηδών, ἡ « souffrance, douleur » δι' ἀλγηδόνων καὶ ὀδυνῶν G. 525 b 6 (cf. Pr. 354 b 2 R. III 413 b 9) μήτε ἀλγηδὼν μήτε τις ἡδονή Pd. 65 c 4 (cf. R. V 464 d 2 Ph. 35 e 9 L. I 634 b 3) πόνους... καὶ ἀλγηδόνας R. III 413 d 4 ὀδυρμοὺς ... καὶ θρήνους καὶ ἀλγηδόνας R. IX 578 a 7 λῦπαί τε καὶ ἀλγηδόνες καὶ ὀδύναι Ph. 42 d 2 (cf. L. V 727 c 5).

App. : ἀνία.

App. et ass. : λύπη, ὀδύνη.
Ass. : πόνος.
Ass. et opp. : ἡδονή.

ἀλεξιφάρμακον, τό « antidote » τὴν μαγευτικὴν τὴν περὶ τὰ ἀλεξιφάρμακα Po. 280 e 1 (cf. 279 c 9) καθάπερ ἀλεξιφάρμακα τῶν ἄλλων λόγων L. XII 957 d 5 (cf. A. 132 b 2)*.

ἀλήθεια, ἡ « vérité » 1° ontologique ; 2° épistémologique ; 3° morale (« franchise, véracité »).

1° αὐτὴ ἡ ἀλήθεια (= Dieu ?) Cr. 48 a 7 (cf. Ap. 39 b 6 Pd. 91 c 1) ἡ ἀλήθεια... τῶν ὄντων M. 86 b 1 (cf. Cra. 438 d 8) σκοπεῖν τῶν ὄντων τὴν ἀλήθειαν Pd. 99 e 6 (cf. 65 b 7 et 90 d 7 au début de 2°) ἀντὶ δόξης ἀλήθειαν καλῶν B. 218 e 7 τοῦ ὄντος τε καὶ ἀληθείας ἐραστάς R. VI 501 d 2 οὗ καταλάμπει ἀλήθειά τε καὶ τὸ ὄν R. VI 508 d 5 ἐπ' ἀλήθειάν τε καὶ οὐσίαν R. VII 525 c 6 ἐπ' αὐτὴν τὴν ἀλήθειαν R. VII 526 b 3 μόνῳ ... αὐτῷ (τῷ τῆς ψυχῆς ὄμματι) ἀλήθεια ὁρᾶται R. VII 527 e 3 ἐπ' αὐτὸ τὸ ὂν μετ' ἀληθείας ἰέναι R. VII 537 d 8 (p.-ê. épistémologique) αὐτὴν τὴν ἀλήθειαν οἷόν ἐστιν R. IX 582 a 10 ἀληθείας τε καὶ οὐσίας μετέχει R. IX 585 d 3 (cf. c 12 et p.-ê. Tht. 186 c 7, à 2°) φαντάσματος ἢ ἀληθείας μίμησις R. X 598 b 4 περὶ ἀληθείας λέγοντα Phr. 247 c 6 τὸ 'Αληθείας... πεδίον Phr. 248 b 7 ἡ ... ἰδοῦσα τὴν ἀλήθειαν Phr. 249 b 6 τῶν πραγμάτων τῆς ἀληθείας So. 234 c 4 ἀκριβείᾳ καὶ ἀληθείᾳ Ph. 57 d 2 κάλλει καὶ συμμετρίᾳ καὶ ἀληθείᾳ Ph. 65 a 2 (réc. κάλλους καὶ ἀληθείας καὶ μετριότητος 65 b 8) τὸν νομοθέτην ἀληθείας ἐχόμενον L. IV 709 c 8 ἀλήθεια πάντων ... ἀγαθῶν... ἡγεῖται L. V 730 c 1 σμικρὰ... ἀληθείας ἄττα μετέχοντες L. VII 804 b 4 ὄντως εἰδέναι τὰ περὶ τὴν ἀλήθειαν αὐτῶν (τῶν νόμων) L. XII 966 b 6 ἀληθείας... τῶν ὄντως δικαίων (n.) ἐκτὸς παρεσφαλμένοι Ep. 976 b 4.

2° τῶν... ὄντων τῆς ἀληθείας τε καὶ ἐπιστήμης Pd. 90 d 7 (cf. R. VI 501 d 2 VII 537 d 8 à 1° ; les trois exemples à la fois ontologiques et épistémologiques) ἆρα ἔχει ἀλήθειάν τινα ὄψις... Pd. 65 b 1 πότε... ἡ ψυχὴ τῆς ἀληθείας ἅπτεται Pd. 65 b 7 (cf. Ch. 175 d 1 Pr. 348 a 5 R. IX 572 a 8 et ἵνα ἀληθείας πῃ προσάπτοιτο T. 71 d 8 ; cinq exemples p.-ê. ontologiques) οὐκ ἐῶντος τὴν ψυχὴν κτήσασθαι ἀλήθειάν τε καὶ φρόνησιν Pd. 66 a 5 (cf. Ap. 29 e 1) φάσκων τὴν ἀλήθειαν διώκειν G. 482 e 5 (cf. réc. avec jeu sur l'expression adverbiale τῇ ἀληθείᾳ ... ἣν φῂς σὺ διώκειν 492 c 4) οὐ μὲν οὖν τῇ ἀληθείᾳ... δύνασαι ἀντιλέγειν B. 201 c 6 (cf. σμικρὸν φροντίσαντες Σωκράτους, τῆς δὲ ἀληθείας πολὺ μᾶλλον Pd. 91 c 1, plutôt ontologique et classé à 1°) εἰ ... ἔστιν αὕτη ἡ ἀλήθεια, τὸ οἷα ἂν δοκῇ ἑκάστῳ τοιαῦτα καὶ εἶναι Cra. 386 c 3 (cf. εἰ τὴν μὲν 'Αλήθειαν τοῦ Πρωταγόρου... τῇ δὲ τοιαύτῃ ἀληθείᾳ ῥηθέντα 391 c 6-7 et Tht. 162 a 1, 170 e 9, 171 c 6 : allusions à l'écrit de Protagoras) ἐπιτηδεύοντα πρᾶγμα ἀληθείας ἐχόμενον καὶ οὐ πρὸς δόξαν ζῶντα R. II 362 a 5 (cf. Phr. 275 a 7) οἰκειότερον σοφίᾳ τι ἀληθείας R. VI 485 c 11 ἡγουμένης... ἀληθείας R. VI 490 c 2 νοῦν καὶ ἀλήθειαν R. VI 490 b 6 (cf. VII 517 c 3 Ph. 65 c 1) ἐπιστήμης... καὶ ἀληθείας R. VI 508 e 4 (cf. e 7, 509 a 7, et γνώσεώς τε καὶ ἀληθείας 508 e 5) διηρῆσθαι ἀληθείᾳ τε καὶ μή R. VI 510 a 10 πρὸς ἡδονῆς ἀλήθειαν R. IX 584 a 10 φαινόμενα, οὐ μέντοι ὄντα γέ που τῇ ἀληθείᾳ R. X 596 e 4 οἷόν τε... ἀληθείας τυχεῖν, ᾧ μηδὲ οὐσίας Tht. 186 c 7 (p.-ê. ontologique ; cf. R. VII 537 d 8) ἀληθείᾳ... οὐκ εὐδαίμονες, δόξαις δέ L. X 899 e 1 τῆς ἀληθείας ὄντως οὐ μή ποτε τύχῃ Le. II 313 a 6 ἀλήθειαν ἀρετῆς... οὐδὲ κακίας Le. VII 344 a 8.

3° ἀμείνων... περὶ ψεύδους καὶ ἀληθείας καὶ τῆς ἄλλης ἀρετῆς H. m. 370 e 3 σωφροσύνῃ τε καὶ δικαιοσύνῃ καὶ ἀνδρείᾳ καὶ ἐλευθερίᾳ καὶ ἀληθείᾳ Pd. 114 e 5.

App. et ass. : (1°) ἀκρίβεια, ὄν, οὐσία ; (2°) γνῶσις, ἐπιστήμη, φρόνησις.

Ass. : (1°) μετριότης, συμμετρία ; (2°) νοῦς ; (3°) ἀνδρεία, δικαιοσύνη, ἐλευθερία, σωφροσύνη.

Ass. et opp. : (1°) φάντασμα (b) ; (2°) δόξα ; (3°) ψεῦδος (b).

ἀληθεύειν « dire » ou « penser vrai » τὸ μὲν ἕτερον... ἀληθεύειν... καλεῖν, τὸ δ' ἕτερον ψεύδεσθαι Cra. 431 b 2 οὐ τὸ μὲν ἐψεῦσθαι τῆς ἀληθείας κακόν, τὸ δὲ ἀληθεύειν ἀγαθόν ; ἢ οὐ τὰ ὄντα δοξάζειν ἀληθεύειν δοκεῖ σοι εἶναι ; R. III 413 a 7-8 ἀληθεύειν αὐτοῦ τὴν ψυχήν Tht. 202 c 1 ἀληθεύοντες λέγειν ὡς εἰσὶν θεοί L. X 885 e 7.

Ass. et opp. : ψεύδεσθαι (a).

ἀληθής « vrai » 1° ontologiquement a) adj. b) subst. n. ; 2° épistémologiquement a) adj. b) subst. n. ; 3° moralement.

1° a) ὥσπερ παρὰ σκιὰς ἀληθὲς ... πρᾶγμα M. 100 a 7 (cf. R. VII 515 c 2) εἰδώλοις τῆς ἀληθοῦς ἡδονῆς R. IX 586 b 8 θεῶν τε καὶ ἀνδρῶν εὐδαιμόνων βίον ἀληθῆ Tht. 176 a 1 ἀληθῆ τε ... καὶ ὄντα Tht. 178 b 6.

b) τοῦτο εἶναι (οὗ ἐπιθυμοῦμεν) τὸ ἀληθές Pd. 66 b 8 (= τὸ εἰλικρινές 67 b 1) εἰς τὸ ἀληθέστατον ἀποβλέποντες R. VI 484 c 10 μιμεῖσθαι ... τὸ ἀληθές Po. 300 d 10 (réc. οὐ ... μίμημα ἀλλὰ τὸ ἀληθέστατον ἐκεῖνο 300 e 2 ; cf. Pd. 65 e 1) τἀκριβὲς καὶ τὸ ἀληθέστατον Ph. 58 c 3 αὐτῶν τὸ ἀληθέστατον θεωρεῖται τό τε βέβαιον καὶ τὸ καθαρὸν καὶ ἀληθὲς καὶ ... εἰλικρινές Ph. 59 c 4.

2° a) πίστις ψευδὴς καὶ ἀληθής G. 454 d 5 ἐπιστήμη ... ψευδὴς καὶ ἀληθής G. 454 d 8 δόξα ψευδής τε καὶ ἀληθής Ph. 37 b 7 (et v. δόξα) μετ' ἀληθοῦς λόγου T. 51 e 4.

b) τὸ ψεῦδος ἅμα καὶ ἀληθὲς τῆς ὅλης οὐσίας Le. VII 344 b 2.

3° ἁπλούστατος καὶ ἀληθέστατος H. m. 364 e 8 (cf. 365 b 4 Cra. 405 c 3 R. II 382 e 10 L. V 738 e 7) ἀνὴρ ἀληθὴς ἕτερος δὲ ψευδής H. m. 365 c 5 (cf. 366 a 6) ἵνα ... ἀληθὴς ὢν διαβιοῖ · πιστὸς γάρ L. V 730 c 4.

Adv. : ἀληθῶς (ὁ ἀληθῶς οὐρανός Pd. 109 e 7 ἡ ὡς ἀληθῶς γῆ Pd. 110 a 1) ; app. et ass. à βεβαίως R. IX 585 e 2 à ὄντως R. IX 585 e 1 So. 263 d 4 ; ass. et opp. à πεπλασμένως R. VI 485

d 12 ἃ πλαστῶς L. I 642 d 1 ; cp. ἀληθεστέρως (R. IX 585 e 1).
App. (3°) : ὀρθός 2°.
App. et ass. : (1°) ἀκριβής, εἰλικρινής, ὄν ; (3°) ἁπλοῦς 3°, πιστός.
Ass. (1°) : βέβαιος, καθαρός.
Ass. et opp. : (1°) σκιά ; (2°-3°) ψευδής, ψεῦδος.
Opp. (3°) : πολύτροπος.
Syn. : ἀληθινός.

ἀληθινός « vrai » 1° ontologiquement ; 2° épistémologiquement ; 3° moralement.

1° ψυχῆς περιαγωγή ... εἰς ἀληθινὴν τοῦ ὄντος οὖσαν ἐπάνοδον R. VII 521 c 7 τὸ πρὸς τἀληθινὸν ἀφωμοιωμένον So. 240 a 8 τὸ ἀληθινὸν ὄντως ὄν So. 240 b 3 ἀληθινὸν πρὸς εὐδαιμονίαν βίον Criti. 121 b 4 (cf. βίον ... εὐδαίμονα καὶ ἀληθινόν Le. VII 327 d 6) παῖδες μὴ ποιητοί, ἀληθινοὶ δέ L. IX 878 e 7 τὴν ἀληθινὴν φιλοσοφίαν Le. X 358 c 4.

2° ὅσοι μυθώδεις τῶν λόγων καὶ ὅσοι ἀληθινώτεροι ἦσαν R. VII 522 a 8.

3° (νοῦς) ἀληθινὸς ἐλευθερός τε ὄντως ... κατὰ φύσιν L. IX 875 d 1.
Adv. : ἀληθινῶς (T. 19 b 7).
App. : γνήσιος.
Ass. (3°) : ἐλεύθερος.
Ass. et opp. : (1°) ποιητός ; (2°) μυθώδης.
Syn. : ἀληθής.

ἁλίσκεσθαι passif de αἱρεῖν « être pris » (à, par) ἐὰν ... ἁλῷς ἔτι τοῦτο πράττων Ap. 29 c 9 (cf. L. XI 937 c 1) ἔδοξέ μοι ... ἁλῶναι ὑπὸ ἀπορίας Ch. 169 c 6 (cf. 155 e 1) ἁλίσκεται ... ὁ αἱρεθείς Phr. 253 c 7 (cf. B. 184 a 6) ἐκείνῃ μοι δοκεῖ ... ἁλίσκεσθαι ὁ λόγος, ἁλισκόμενος καὶ ταύτῃ Tht. 179 b 6-7 (cf. c 2).

ἀλιτήριος, ὁ « divinité vengeresse » ἤ πού τις δαίμων ἤ τις ἀλιτήριος Le. VII 336 b 5*.
Ass. : δαίμων.

ἀλιτηριώδης « funeste » ἀλιτηριώδης... δοκεῖ ἡ στάσις εἶναι R. V 470 d 6 (cf. Le. VII 351 c 3) κεκοινωνηκέναι ἀλιτηριώδους τύχης L. IX 881 e 5 (cf. 854 b 5)*.

ἀλλαγή, ἡ « échange » μὴ ... οὐχ αὕτη ᾖ ἡ ὀρθὴ πρὸς ἀρετὴν ἀλλαγή Pd. 69 a 6 (cf. R. II 371 b 8 So. 223 d 6 L. V 742 a 2 VIII 849 e 7)*.

ἀλλάττειν « échanger » τὴν τελευτὴν ἀντὶ τῆς τῶν ζώντων σωτηρίας ἠλλάξαντο Mx. 237 a 5 ἀλλαττόμενα ἀντὶ ἀλλήλων Pd. 69 b 6 (cf. L. V 733 b 2) ἀλλαγῆς τῆς καθ' ἡμέραν, ἣν ... ἀλλάττεσθαι ... ἀναγκαῖον L. V 742 a 3 ἀλλάττεσθαι νόμισμα ... χρημάτων L. VIII 849 e 6 (cf. XI 915 d 7 e 1, 916 d 2).
Syn. : καταλλάττεσθαι.

ἀλληλοφαγία, ἡ « anthropophagie » Epin. 975 a 4* (cf. ἀλληλοφθορία Pr. 321 a 3).
Syn. : ἀλλήλων ἐδωδή L. VI 782 b 7.

ἀλλοδοξεῖν « se méprendre » ἀρέσκει ... τὸ τὰ ψευδῆ δοξάζειν ἀλλοδοξεῖν εἶναι ; Tht. 189 d 5 οὔτε τὸ ἕτερον δοξάζοντι ἐγχωρεῖ ἀλλοδοξεῖν Tht. 190 e 1*.

App. : ἑτεροδοξεῖν, ψευδῆ δοξάζειν.

Opp. : ὀρθῶς (ἀληθῆ) δοξάζειν.

ἀλλοδοξία, ἡ « méprise » ἀλλοδοξίαν ... ψευδῆ φαμεν εἶναι δόξαν Tht. 189 b 12*.

App. : ἑτεροδοξία, ψευδὴς δόξα.

Opp. : ὀρθὴ (ἀληθὴς) δόξα.

ἀλλοῖος « divers » ἕτερον ... καὶ ἀλλοῖον Cra. 438 e 8 ἦ δ' ἄλλο πέπονθεν, ἀλλοῖον, ἀλλοῖον δ' ὄν, ἀνόμοιον εἶναι Pa. 148 c 6 τὰ δ' ἑτεροῖα οὐκ ἀλλοῖα ; Pa. 161 a 9.

Adv. : ἀλλοίως (Ly. 212 d 1*).

App. et ass. : ἀνόμοιος, ἑτεροῖος, ἕτερος.

ἀλλοιότης, ἡ « altération » ἀλλοιότητας παμποικίλας καὶ νόσους ... παρέξεται T. 82 b 7*.

Syn. : ἀλλοίωσις.

ἀλλοιοῦν « altérer, transformer » τὰ ἄριστα ἔχοντα ἥκιστα ἀλλοιοῦταί τε καὶ κινεῖται R. II 380 e 3 (cf. 381 a 1, 4, 9 b 9 et 12 c 7) αὐτὸς αὑτὸν μεταβάλλοι ἂν καὶ ἀλλοιοῖ ; R. II 381 b 8 ἀμφοτέρως κινεῖσθαι, φερόμενόν τε καὶ ἀλλοιούμενον Tht. 181 e 1 (cf. 182 d 7 Pa. 138 c 1) ὅταν ... αὐτὸ αὑτὸ κινῆσαν ἕτερον ἀλλοιώσῃ L. X 894 e 8 (cf. e 7).

App. et ass. : μεταβάλλειν.

Ass. : κινεῖν, φέρειν (au passif).

ἀλλοίωσις, ἡ « altération, altérité » ἕκαστον ὃ ἔστι ... ἀλλοίωσιν οὐδεμίαν ἐνδέχεται Pd. 78 d 6 ἀλλοιώσεώς τε καὶ ὁμοιώσεως R. V 454 c 9 δύο ... εἴδη κινήσεως, ἀλλοίωσιν, τὴν δὲ φοράν Tht. 181 d 6 (cf. d 2 Pa. 138 c 3)*.

Ass. : κίνησις, φορά.

Ass. et opp. : ὁμοίωσις.

Syn. : ἀλλοιότης.

ἄλλος « autre » (que les Idées) εἴδη εἶναι ἄττα, ὧν τάδε τὰ ἄλλα μεταλαμβάνοντα Pa. 130 e 6 τίνα ... τρόπον ... τῶν εἰδῶν ... τὰ ἄλλα μεταλήψεται Pa. 131 e 5.

Adv. : ἄλλως (Pd. 117 a 3).

App. : ἕτερος.

Opp. : (ὁ αὐτός) τὰ αὐτά.

ἀλλοτριοπραγμοσύνη, ἡ « empiétement sur les fonctions d'autrui » πολυπραγμοσύνην καὶ ἀλλοτριοπραγμοσύνην R. IV 444 b 2*.

App. et ass. : πολυπραγμοσύνη.

Opp. : οἰκειοπραγία.

ἀλλότριος « étranger » τὸ μὲν οἰκεῖον καὶ συγγενές, τὸ δὲ ἀλλότριον καὶ ὀθνεῖον R. V 470 b 8 ἀλλότριον κάλλος ἐφελκομένους τοῦ οἰκείου ... ἀμελεῖν G. 465 b 3 (cf. R. III 392 b 3) μὴ τἀλλότρια πράττειν R. IV 443 d 3 ἀλλότριον... καὶ ἀκοινώνητον ἐν τῇ πόλει L. VI 774 a 4.

App. et ass. : ἀκοινώνητος, ὀθνεῖος.

Ass. et opp. : οἰκεῖος.

ἀλλοτριότης, ἡ a) « qualité d'étranger » ; b) « attitude inamicale » ; c) « pouvoir emprunté ».

a) ἀλλοτριότητος μὲν κενοῖ, οἰκειότητος δὲ πληροῖ B. 197 c 1*.

b) ἀλλοτριότητα... πρὸς σέ Le. III 318 d 3*.

c) ἀλλοτριότητα διορισθὲν πρὸς οἰκειότητα Po. 261 a 4*.

Ass. et opp. : οἰκειότης.

ἀλογία, ἡ « déraison » πολλὴ... ἂν ἀλογία εἴη Ly. 206 b 7 (cf. 213 b 2 H. M. 303 c 4 M. 90 e 8 B. 187 a 5 Tht. 167 e 1, 199 d 4 Ph. 55 a 8, 63 e 8) οὐ πολλὴ ἂν ἀλογία εἴη Pd. 67 e 8 (réc. 68 b 5) πολλὴ μωρία τε καὶ ἀλογία Ep. 983 e 3 διὰ τὴν ἀτοπίαν καὶ ἀλογίαν Le. VII 352 a 4.

App. : ἄνοια.

App. et ass. : ἀτοπία, μωρία.

Opp. : λόγος (λόγον ἔχειν, εὐλόγως ἔχειν).

ἀλόγιστος « inconsidéré, déraisonnable » οὕτως ἀλόγιστος ... ὥστε μὴ... λογίζεσθαι Ap. 37 c 6 ἀλόγιστός τε καὶ ἄνανδρος G. 522 e 2 (cf. R. X 604 d 9) τὸ μὲν... λογιστικόν, τὸ δὲ... ἀλόγιστόν τε καὶ ἐπιθυμητικόν R. IV 439 d 7 ἡ... ἀλόγιστός τε καὶ ἄτακτος... φορά Ep. 978 a 7.

Adv. : ἀλογίστως (Pd. 62 e 2 ; H. M. 301 c 2, app. et ass. à ἀσκέπτως).

App. : ἄλογος.

Ass. et opp. : λογιστικός.

Ass. : ἐπιθυμητικός.

Opp. : εὔλογος.

ἄλογος 1° « déraisonnable, irrationnel » : 2° « inexprimable ».

1° ταύτῃ οὐκ ἄλογον Pd. 62 c 5 (cf. b 1 Pa. 131 d 2 Ph. 55 b 1) ἄλογον πρᾶγμα G. 465 a 6 τούτου τοῦ λόγου ... ἀλογώτερον G. 519 d 1 (réc. e 3) ἄλογον ... πρᾶγμα ... ἐπιστήμη B. 202 a 4 ἀλόγους... ὥσπερ γραμμάς R. VII 534 d 6 τῇ θηριώδει καὶ ἀλόγῳ ἡδονῇ R. IX 591 c 7 (cf. T. 47 d 3) τὴν... ἄλογον (δόξαν) ἐκτὸς ἐπιστήμης Tht. 201 d 1 ἄλογόν τε καὶ ἄγνωστον Tht. 205 c 9 e 3 τὴν τοῦ ἀλόγου καὶ εἰκῇ δύναμιν Ph. 28 d 7 τὸ μὲν ... μετ' ἀληθοῦς λόγου, τὸ δὲ ἄλογον T. 51 e 4 αἰσθήσει... ἀλόγῳ T. 69 d 4 (cf. 42 d 1) οὐ λόγου... ἀλλ' ἀλόγου σιγῆς ἄξιον L. III 696 e 1.

2° ἄρρητον καὶ ἄφθεγκτον καὶ ἄλογον So. 238 c 11 (cf. e 6, 239 a 5, 241 a 5).

Adv. : ἀλόγως (ἀτάκτως... καὶ ἀλόγως T. 43 b 1 ἀλόγως... φέρεσθαι T. 43 e 3 ἀλόγως καὶ ἀμέτρως T. 53 a 9).

App. (1°) : ἀλόγιστος.

App. et ass. : (1°) ἄγνωστος, θηριώδης ; (2°) ἄρρητος, ἄφθεγκτος.

Ass. : θορυβώδης (T. 42 d 1).
Opp. (1°) : εὔλογος.

ἄλυπος « sans douleur » ἄλυπον τὸν βίον ἀπεργάζεται L. V 729 a 7 (cf. Ph. 43 b 11).
Adv. : ἀλύπως (ἀλύπως ζῆν καὶ ἡδέως Pr. 358 b 5).

ἀλυσιτελής Cra. 417 d 5* (app. et ass. à ἀκερδής, ἀνωφελής, ἀσύμφορος).

ἄλυτος « indissoluble » ἄλυτον ... πλὴν ὑπὸ τοῦ συνδήσαντος T. 32 c 3 δι' ἐμοῦ γενόμενα ἄλυτα · τὸ ... δεθὲν πᾶν λυτόν T. 41 a 8 ἀθάνατοι ... οὐκ ἐστὲ οὐδ' ἄλυτοι T. 41 b 3 οὐ τοῖς ἀλύτοις ... δεσμοῖς T. 43 a 2.
Adv. : ἀλύτως (ἀλύτως ὕδατι T. 60 c 5 ; cf. λυτῷ πάλιν ὑφ' ὕδατος 60 d 7).
Ass. et opp. : λυτός.

ἀμαθαίνειν « être ignorant » ἀμαθαίνουσά που ἁλισκομένη R. VII 535 e 3 τοῖς ταῦτ' [codd. : εἰς ταῦτα Stob.] ἀμαθαίνουσιν L. III 689 c 7 (réc. e 1) ἀμαθαίνειν ἀναγκάζονται L. III 698 a 1 ὅταν ἀμαθαίνῃ τις ... ἀγνοίᾳ συνεχόμενος L. IX 863 c 4.
App. : ἀγνοεῖν.
Opp. : εἰδέναι.

ἀμαθής « ignorant, malavisé » a) adj. ; b) subst. m.
a) ἀμαθεστέρα (ψυχή) H. m. 375 e 6 et 9 φιλόσοφον ... ὄντα μεταξὺ εἶναι σοφοῦ καὶ ἀμαθοῦς B. 204 b 5 (cf. 202 a 1) ἀμαθῆ τε εἶναι καὶ ψευδῆ δοξάζειν Tht. 170 c 8 ἐψευσμένοι ... τῶν ὄντων καὶ ἀμαθεῖς Tht. 195 a 9 ἀτεχνότεροι ... καὶ ἀμαθέστεροι L. III 679 d 4.
b) ἥττων ... ἀμαθὴς σοφοῦ Phr. 239 a 3 ὡς ἀμαθέσιν ὀνειδιστέον L. III 689 c 8 ἄφιλος ... ὅ γε ἄπιστος καὶ ἀμαθής L. V 730 c 6 τὸν ... ἀμαθῆ φύσει ἐγείρει L. V 747 b 4.
App. : ἀνόητος (1° a), ἄτεχνος.
Ass. et opp. : σοφός, φιλόσοφος.

ἀμαθία, ἡ « ignorance » οὐκ ἀμαθία ... ἡ ἐπονείδιστος ἡ τοῦ οἴεσθαι εἰδέναι ἃ οὐκ οἶδεν Ap. 29 b 2 (cf. A. 118 a 5) τὸ ἡδονῆς ἥττω εἶναι ἀμαθία ἡ μεγίστη Pr. 357 e 2 (réc. 358 c 2, 359 d 7) ἀμαθίαν ... λέγετε, τὸ ψευδῆ ἔχειν δόξαν Pr. 358 c 4 (cf. Tht. 170 b 10) δι' ἄγνοιαν καὶ ἀμαθίαν Pr. 360 b 8 (cf. A. 118 a 5) ἡ τῶν δεινῶν ... ἀμαθία δειλία ἂν εἴη Pr. 360 c 6 (cf. c 3-4) (ἀλογία) ... καὶ ἀμαθία γε πρός M. 90 e 9 ἐν πάσῃ ἀμαθίᾳ κυλινδουμένην Pd. 82 e 3 (cf. Po. 309 a 5) ἁμαρτίαν ... καὶ ἀμαθίαν Cra. 420 d 9 ἀμαθία ἡ ἀδικία R. I 351 a 5 (cf. 350 d 5) δύο δ' ἀνοίας γένη, τὸ μὲν μανίαν, τὸ δὲ ἀμαθίαν T. 86 b 4 ταύτην τὴν διαφωνίαν ... πρὸς τὴν κατὰ λόγον δόξαν ἀμαθίαν φημὶ εἶναι τὴν ἐσχάτην L. III 689 a 8 (réc. 691 a 6 ; cf. Ep. 989 b 2) τὴν ἀμαθίαν τὴν παρ' αὐτῷ δοκεῖν σοφίαν εἶναι L. V 732 a 5 (cf. III 691 a 6 et X 886 b 7, où φρόνησις remplace σοφίαν ; Ap. 22 e 3 B. 202 a 2) ἐξ ἀμαθίας καὶ ἀκολασίας L. XII 957 e 1 (cf. Cra. 437 b 8) τόλμαις ἀμαθίας Le. VII 336 b 6 (cf. 351 d 9).

App. et ass. : ἄγνοια, ἀδικία, ἀλογία, ἁμαρτία, ἄνοια.

Ass. : ἀκολασία.

Ass. et opp. : ἐπιστήμη (cf. B. 202 a 5), σοφία 2°, φρόνησις.

ἁμαρτάνειν « manquer » ἁμαρτάνοντες ἑκόντες H. m. 372 d 6 (cf. 376 b 7) τὰς ἑκουσίως ... ἁμαρτανούσας τε καὶ κακουργούσας H. m. 375 c 6 οὐ(χ)ἁμαρτάνοι γ' ἄν ... ἀλλ' ἀνάγκη τυγχάνειν Euth. 280 a 7 ἰάσιμα ... δόξωσιν ἡμαρτηκέναι ἁμαρτήματα Pd. 113 e 7 (cf. G. 525 b 5 d 6) ὑπερβαίνοντες καὶ ἁμαρτάνοντες R. II 366 a 3 ὥς τι ἡμαρτηκότα εἰς τὸ θεῖον Phr. 242 c 3 ἡμαρτανέτην περὶ τὸν Ἔρωτα Phr. 242 e 4 (cf. 243 a 4) μηδὲν ἁμάρτημα ... ἁμαρτόντα L. V 730 a 3 τῶν ... εἰς τὰ θεῖα ἁμαρτανομένων L. VI 759 c 5.

App. : ἀπολείπειν, παραλείπειν, πλημμελεῖν.

App. et ass. : κακουργεῖν, ὑπερβαίνειν.

Ass. et opp. : τυγχάνειν.

Syn. : ἐξαμαρτάνειν (avec les distinctions de J. Brunel, *L'Aspect...*, p. 217-218).

ἁμάρτημα, τό « manquement » τῶν ἀκουσίων ἁμαρτημάτων Ap. 26 a 3 διὰ τὰ μεγέθη τῶν ἁμαρτημάτων Pd. 113 e 2 οὔτε ὅσιον οὔτε δίκαιον ... τὸ ἁμάρτημα R. V 461 a 5 μανθάνω (ᾔσθημαι) τὸ ἁμάρτημα Phr. 242 c 6 (d 2) τῶν αὑτοῦ ... ἁμαρτημάτων ... αἴτιον L. V 727 b 5 (voir à ἁμαρτάνειν 730 a 3 ; cf. Pd. 113 e 7) τῶν ... ἑκουσίων ἁμαρτημάτων καὶ ἀδικημάτων L. IX 860 e 9 τὸ νῦν ὀνομαζόμενον ἁμάρτημα ... ἀδικίαν L. X 906 c 3 τὰ μεγάλα ἁμαρτήματα καὶ ἀδικήματα Le. VII 335 a 6.

App. : ἁμαρτία, ἀδικία.

App. et ass. : ἀδίκημα.

ἁμαρτία, ἡ « faute » διὰ τὰς ἁμαρτίας G. 525 c 5 (repr. διὰ τοιαῦτα ἀδικήματα c 2) τὸ περὶ τὴν ἁμαρτίαν ... καὶ ἀμαθίαν Cra. 420 d 9 οὔτε ... πονηρία οὔτε ἁμαρτία οὐδεμία ... πάρεστιν R. I 342 b 3 κακὸν ἐκ προτέρας ἁμαρτίας R. X 613 a 2 ὀρθότητός τε καὶ ἁμαρτίας ... νόμων L. I 627 d 3 (cf. II 668 c 8).

App. : ἁμάρτημα.

App. et ass. ἀδίκημα.

Ass. : ἀμαθία, πονηρία.

Ass. et opp. : ὀρθότης.

ἀμβλύς « émoussé » ἐπιθυμεῖν ... τὸ ... ὀξὺ ἀμβλέος Ly. 215 e 7.

Adv. : ἀμβλύ (Tht. 165 d 4, ass. et opp. à ὀξύ) ; cp. ἀμβλύτερον So. 232 e 8.

Ass. et opp. : ὀξύς.

ἀμβλυώττειν « voir trouble » ἀμβλυώττουσί τε καὶ ἐγγὺς φαίνονται τυφλῶν R. VI 508 c 8 δοξάζει τε καὶ ἀμβλυώττει R. VI 508 d 8 ἔτι ἀμβλυώττων R. VII 517 d 7 (cf. 516 e 10 H. m. 374 d 7)*.

App. et ass. : τυφλὸν (εἶναι).

ἄμεικτος « sans mélange » αὐτὸ τὸ καλὸν ἰδεῖν εἰλικρινές, καθαρόν, ἄμεικτον B. 211 e 1 (cf. εἰλικρινέσιν ... καὶ ἀμείκτοις Ph. 32 c 9) ἄμεικτα ὄντα καὶ ἀδύνατα μεταλαμβάνειν ἀλλήλων So. 251 d 5 ἀμείκτω πρὸς ἀλλήλω (γένη) So. 254 d 7 ἀνδρεία ... ἄμεικτος ... σώφρονι φύσει Po. 310 d 7 ὁ σός ... (βίος) ἡδὺς καὶ ἄμεικτος ὢν Ph. 27 e 1 μετὰ τὰς μειχθείσας ἡδονὰς ... ἐπὶ τὰς ἀμείκτους πορευοίμεθ' ἂν Ph. 50 e 6 ἡδονὰς ἀμείκτους ... λύπαις Ph. 52 b 7 ἄμεικτον ... ἡδονὴν φρονήσει Ph. 60 c 7 μὴ ζητεῖν ἐν τῷ ἀμείκτῳ βίῳ τἀγαθὸν ἀλλ' ἐν τῷ μεικτῷ Ph. 61 b 5.

Adv. : ἀμείκτως (au sup. ἀμεικτότατα Ph. 59 c 5).

App. : ἀμιγής.

App. et ass. : εἰλικρινής, καθαρός.

Ass. et opp. : μεικτός (μειχθείς Ph. 50 e 6, 61 b 8).

ἀμείνων cp. d'ἀγαθός « meilleur ». 1° adj. a) en gén. ; b) au n. « préférable » ; c) progrès moral ; d) finalité ; 2° subst. « (le) meilleur » a) m. ; b) n. α) en gén. ; β) finalité.

1° a) δεσπότας ἀμείνους αὐτῶν (= θεούς) Pd. 63 a 6 τόν τε χείρω καὶ τὸν ἀμείνω βίον R. X 618 d 8 ἡδονῆς ... νοῦς ... βέλτιόν τε καὶ ἄμεινον Ph. 66 e 4 (cf. 11 c 1) ἀνθρώπους ἀμείνους καὶ χείρους L. V 747 d 3.

b) ὡς ἀμείνων ἐσόμενος B. 185 a 7 (cf. 184 c 5, 218 e 2 G. 517 b 8) ἀμείνω αὐτὸν ποιήσειν R. IX 592 a 2 ἀμείνω (γιγνόμενον) πρὸς τὰς ἀμείνους (ψυχὰς) πορευόμενον L. X 904 e 5-6.

c) εἴπερ ἄμεινον ταῦθ' ἡμῖν εἶναι Phr. 257 b 8 (cf. Ap. 19 a 3) οὔτε ... ἐκείνοις οὔτε ... τῇ πόλει ἄμεινον L. V 729 a 4 θεοῖς οἷστισιν ἄμεινον καὶ λῷον θυούσῃ τῇ πόλει (formule oraculaire) L. VIII 828 a 3 οὔτε αὐτοῖς ἔτι ζῆν ἄμεινον L. IX 862 e 4.

d) λέγοντα ... ὅτι αὐτὴν (τὴν γῆν) ἄμεινον ἦν τοιαύτην εἶναι Pd. 97 e 2 (cf. 98 a 3) ἡγησάμενος ἐκεῖνο ... πάντων ἄμεινον T. 30 a 6 (cf. 33 d 2).

2° a) πλέον ἔχειν τὸν ἀμείνω τοῦ φαυλοτέρου G. 488 b 6.

b) α) περί τε τοῦ ἀμείνονος καὶ χείρονος διαφέρειν Tht. 169 d 7 (cf. G. 501 c 5) τὰ ... κρείττω καὶ ἀμείνω δεσπόζοντα L. V 726 a 4.

β) λέγοντα ... τὸ ἄμεινον Pd. 97 e 2.

Adv. : ἄμεινον.

App. et ass. : βελτίων, κρείττων, λῴων.

Ass. et opp. : φαῦλος, χείρων.

ἀμέλεια, ἡ « négligence » 1° avec gén. objectif ; 2° avec gén. subjectif.

1° τὴν σαυτοῦ ἀμέλειαν, ὅτι οὐδὲν ... μεμέληκεν Ap. 25 c 3 τὴν τῶν οἰκείων ἀμέλειαν Phr. 231 b 3 (cf. R. I 343 e 3) τῶν ... ἀμελειῶν περὶ γονέας L. XI 932 c 3.

2° ἀμέλειάν τε καὶ ἀργίαν καὶ τρυφήν L. X 900 e 10 τῷ φιλαιτίῳ τῆς ἀμελείας πέρι θεῶν L. X 903 a 8 τὴν πάντων ἀμέλειαν θεῶν L. X 905 b 6 λήθῃ μηδὲ ἀμελείᾳ τῶν κρειττόνων ... παρωλιγωρῆσθαι Ep. 991 d 5 (cf. Ph. 63 e 1).

App. et ass. : λήθη.

Ass. : ἀργία, τρυφή.

Opp. : ἐπιμέλεια.

ἀμελεῖν « négliger » σαυτοῦ ... ἀμελεῖν A. 120 b 6 (cf. La. 179 d 3 Pd. 107 c 4, 115 b 7 B. 216 a 6) τῶν ... ἐμαυτοῦ ἠμεληκέναι Ap. 31 b 2 ἀμελήσας ὧνπερ οἱ πολλοί Ap. 36 b 5 οὐδὲ ἀμελεῖται ὑπὸ θεῶν Ap. 41 d 2 (cf. R. X 613 a 8 L. X 904 e 4, 905 a 4) τοῦ δεδεμένου ὠλιγώρει τε καὶ ἠμέλει Euph. 4 d 2 ἀργῶν καὶ πάντων ἀμελῶν R. VIII 561 d 2 τῶν ἀνθρωπίνων καταφρονεῖν καὶ ἀμελεῖν πραγμάτων L. X 900 b 3 ἀμελουμένων τῶν σμικρῶν L. X 901 b 8 (cf. b 3) ἀμελῆσαι ... οὐ θεμιτόν ἐστι θεῶν Ep. 992 a 7.

App. et ass. : ἀργεῖν, καταφρονεῖν, ὀλιγωρεῖν.

Ass. et opp. : ἐπιμελεῖσθαι 1°.

ἀμελής « négligent » ἀργὸς ... καὶ ἀμελὴς ... αὐτὸς αὑτοῦ R. IV 421 d 9 τρυφῶν καὶ ἀμελὴς ἀργός τε L. X 901 a 3 ἀμελεῖς τῶν σμικρῶν L. X 901 d 2 θεοὺς μὴ νομίζειν ἢ ἀμελεῖς ... εἶναι L. X 909 e 9.

Adv. : ἀμελῶς (La. 180 b 6, où p.-ê. ass. à l'app. ὀλιγώρως) ; cp. ἀμελέστερον (L. XI 932 a 8).

Ass. : ἀργός, τρυφῶν.

Opp. : ἐπιμελής.

ἄμεμπτος « irréprochable » L. XI 924 a 5 XII 945 d 3*.

Adv. : ἀμέμπτως (L. XII 945 d 3*).

Opp. : μεμπτός.

ἀμερής « indivisible, simple » ἕν τε καὶ ἀμερές Tht. 205 e 2 τοῦ ... ἑνός τε καὶ ἀμεροῦς Pa. 138 a 6 ἀμερὲς ... δεῖ ... τὸ ... ἓν ... εἰρῆσθαι So. 245 a 8 ἐν μέσῳ τοῦ τε ἀμεροῦς ... καὶ τοῦ ... μεριστοῦ T. 35 a 5.

Ass. : εἷς.

Ass. et opp. : μεριστός.

Syn. : ἀμέριστος.

ἀμέριστος « indivisible » τῆς ἀμερίστου καὶ ἀεὶ κατὰ ταὐτὰ ἐχούσης οὐσίας καὶ τῆς αὖ ... μεριστῆς T. 35 a 1 οὐσίαν σκεδαστὴν ἔχοντος ... καὶ ... ἀμέριστον T. 37 a 7 μία τις ἰδέα ἀμέριστος συλλαβή Tht. 205 c 2 ἡ αἰτία τοῦ μονοειδές τε καὶ ἀμέριστον αὐτὸ εἶναι Tht. 205 d 2.

Ass. : μονοειδής.

Ass. et opp. : μεριστός, σκεδαστός.

Syn. : ἀμερής.

ἀμετάστροφος « irréversible » a) adj. ; b) subst. n.

1° τὴν ἀμετάστροφον ... δύναμιν L. XII 960 d 1 (cf. R. X 620 e 5).

2° τὸ ... ἀμετάστροφον ... ἐκβαίνει Ep. 982 b 8 (cf. c 2 Cra. 407 d 3).

ἀμετρία, ἡ « démesure, disproportion » ἀλήθειαν ... ἀμετρίᾳ ἡγῇ συγγενῆ εἶναι ἢ ἐμμετρίᾳ R. VI 486 d 7 προσθῶμεν ... ταῖς ... σφοδραῖς ἡδοναῖς ἀμετρίαν, ταῖς δὲ μὴ ... ἐμμετρίαν Ph. 52 c 4 συμμετρία καὶ ἀμετρία T. 87 d 3 (cf. So. 228 c 5 L. XI 925 a 3).

App. : ἀλογία, ἀσυμμετρία.

Ass. et opp. : ἐμμετρία, συμμετρία.

ἄμετρος « démesuré » a) adj. ; b) subst. n.

a) ἡδονῆς ... οὐδὲν ... ἀμετρώτερον Pd. 65 d 8 τὸ ... καλὸν οὐκ ἄμετρον ... σύμμετρον θετέον T. 87 c 5 (cf. So. 228 d 4) μετρητῶν τε καὶ ἀμέτρων πρὸς ἄλληλα L. VII 820 c 4 ἄμετρα φορεῖται δόξαις τοπαζόμενα Ep. 976 a 5 ἀνέμων γιγνομένων οὐκ ἐξαισίων οὐδ' ἀμέτρων Ep. 979 b 1.

b) τὸ μέτριον τοῦ ἀμέτρου πλέον ἡγήσατο L. III 690 e 4 τὰ ... ἄμετρα οὔτε ἀλλήλοις οὔτε τοῖς ἐμμέτροις (φίλα) L. IV 716 c 3.

Adv. : ἀμέτρως (T. 53 a 9, ass. à ἀλόγως).

App. : ἀσύμμετρος.

App. et ass. : ἐξαίσιος.

Ass. et opp. : ἔμμετρος, μετρητός, μέτριος, σύμμετρος.

ἀμήχανος « incalculable », souvent appliqué au temps : ἀμήχανον ὅσον χρόνον Pd. 95 c 8 χρόνον ἀμήχανον ὅσον L. III 704 c 7 ἀμήχανον ... χρόνον ὅσον L. VI 782 a 3 τὸ (χρόνου πλῆθος) ... ἄπλετόν τι καὶ ἀμήχανον L. III 676 b 7 ἀμήχανον ... τὸν ὄγκον Ep. 983 a 2 (cf. R. IX 587 e 6).

Adv. : ἀμηχάνως (ἀμηχάνως ὡς R. VII 527 e 4 Phr. 263 d 4).

App. : ἀπέραντος.

App. et ass. : ἄπλετος.

ἀμίαντος « sans souillure » ἀμίαντος τοῦ τε ἀνοσίου πέρι καὶ ἀδίκου L. VI 777 e 1*.

ἀμιγής « sans alliage » εἰλικρινῶς ... Ἕλληνες καὶ ἀμιγεῖς βαρβάρων Mx. 245 d 1 τὸ ... λοιπὸν ... τῶν ἡμέρων ἀμιγὲς γένει πρὸς ἄλληλα Po. 265 e 5*.

App. : ἄμεικτος.

Opp. : συμμιγής.

ἅμιλλα « concours » ἀγύμναστον ... εἰς ἅμιλλαν ἀρετῆς L. V 731 b 1 ἅμιλλά τε καὶ φιλονικία L. VIII 834 c 5.

App. : ἀγών.

App. et ass. : φιλονικία (b).

ἁμιλλᾶσθαι « lutter, rivaliser » πρὸς τὸ ὂν ... ἁμιλλᾶσθαι R. VI 490 a 9 (cf. L. XII 968 b 4) ἁμιλλώμενος μὲν αὐτός L. V 731 a 4 (cf. τοὺς ... ἀνθαμιλλωμένους a 7).

App. : φιλονικεῖν (cf. L. V 731 a 2).

ἀμνήμων « sans mémoire » (adj. et subst. n.) τὸ ... κωφὸν καὶ δυσμαθὲς ἀμνῆμόν τε T. 88 b 4 δυσμαθεῖς δὲ καὶ ἀμνήμονες Le. VII 344 a 8.

App. et ass. : δυσμαθής, κωφός (b).

Opp. : μνήμων.

Syn. : δυσμνημόνευτος.

ἄμορφος « sans forme » ἄμορφον ὂν ... τῶν ἰδεῶν T. 50 d 7 ἀνόρατον [AW : ἀό-FY] εἶδός τι καὶ ἄμορφον T. 51 a 8*.

ἀμουσία, ἡ « manque d'harmonie, de culture » ψόγον ἀμουσίας καὶ ἀπειροκαλίας R. III 403 c 2 ἀμουσία καὶ θαυματουργία L. II 670 a 2 διὰ πλημμέλειαν καὶ ἀμουσίαν L. III 691 a 7 (cf. Ly. 206 b 2).

App. et ass. : ἀπειροκαλία, πλημμέλεια.
Opp. : μουσική.

ἄμουσος a) « rebelle à la musique » ; b) « inculte ».
a) (γυνὴ) μουσική, ἡ δὲ ἄμουσος φύσει R. V 455 e 7 (cf. I 335 c 9, 349 e 1 et 4 Tht. 144 e 5 So. 253 b 3).
b) μισόλογος ... καὶ ἄμουσος R. III 411 d 8 ἀμούσου τινὸς καὶ ἀφιλοσόφου So. 259 e 2 (cf. T. 73 a 7) ἀγραμμάτους τε καὶ ἀμούσους T. 23 b 1.
Adv. : ἀμούσως (H. M. 292 c 7*).
App. et ass. : ἀγράμματος, ἀφιλόσοφος.
Ass. : μισόλογος.
Ass. et opp. : μουσικός.

ἀμυδρός « obscur » ἀμυδρὸν ... πρὸς ἀλήθειαν R. X 597 a 11 εἴτε ἀμυδρότερον ἢ σαφέστερον So. 250 e 8 (cf. T. 72 b 9) χαλεπὸν καὶ ἀμυδρὸν εἶδος T. 49 a 4 θαῦμα κατ' ἀμυδρὰν ὄψιν παρεχόμενον Ep. 985 b 7.
Ass. et opp. : σαφής.

ἀμύητος « non initié » τοὺς δὲ ἀνοήτους ἀμυήτους (ὠνόμασε) G. 493 b 1 (cf. 5) ἀμύητος καὶ ἀτέλεστος Pd. 69 c 4 μή τις τῶν ἀμυήτων ἐπακούῃ Tht. 155 e 3*.
App. et ass. : ἀτέλεστος.
Opp. : μεμυημένος.

ἀμφισβητεῖν « contester, protester » ἀμφισβητεῖν μέν, ἐρίζειν δὲ μή Pr. 337 b 1 (cf. Ly. 207 c 1) ἀμφισβητεῖ ... Γοργίας ... τὴν παρ' αὑτῷ τέχνην μείζονος ἀγαθοῦ αἰτίαν εἶναι G. 452 c 6 μή πῃ προϊόντες ἀμφισβητήσωμεν R. IV 436 c 10 πολλῶν ἀμφισβητούντων L. I 641 d 7 περὶ τῶν νῦν ἀμφισβητουμένων L. I 641 e 1.
App. et ass. : ἐρίζειν.

ἀμφισβήτημα, τό « controverse, prétention » τὸ τοιόνδε ἀμφισβήτημα ... περὶ αὐτῶν Tht. 158 b 5 τὸ ... παρ' ἡμῶν ἀμφισβήτημα Ph. 11 b 6*.

ἀμφισβητήσιμος « équivoque » a) adj. ; b) subst. n.
a) ἀμφισβητήσιμον ... καὶ οὐδέν πω σαφές G. 451 d 9.
b) εἶναι τῶν ... ἀμφισβητησίμων ἢ τῶν μή Phr. 263 c 8.
Ass. et opp. : σαφής.

ἀμφισβήτησις, ἡ « contestation » τὰς τοιαύτας ἀμφισβητήσεις ἐπεξιόντας R. IV 437 a 4 (cf. Tht. 198 c 9) περὶ ὀνόματος ἀμφισβήτησις R. VII 533 d 8 (cf. So. 231 a 8) τὴν νῦν ἀμφισβήτησιν L. IV 714 b 6.

ἀμφισβητητικός 1° adj. « apte à disputer » ; 2° subst. : a) m. « controversiste » ; b) f. (avec τέχνη ss-ent.) et c) n. « controverse ».
1° ποιεῖν ἀμφισβητητικούς So. 232 d 2*.
2° a) τοῖς περὶ λόγους ἀμφισβητητικοῖς Po. 306 a 9*.
b) ἐριστικῆς ὂν τέχνης, ... τῆς ἀμφισβητητικῆς So. 226 a 2*.

c) ἀμφισβητητικόν So. 225 b 1*.

App. et ass. : ἐριστικός.

ἀναβαίνειν « monter » ἀναβὰς ἄνω R. VII 517 a 3 ἀναβῆναι ἐκείνην τὴν ἀνάβασιν, καὶ ... ἀναβάντες R. VII 519 d 1-2.

Opp. : καταβαίνειν.

ἀνάβασις, ἡ « montée » διὰ τραχείας τῆς ἀναβάσεως R. VII 515 e 7 τὴν ... ἄνω ἀνάβασιν καὶ θέαν τῶν ἄνω R. VII 517 b 4 ἀναβῆναι ἐκείνην τὴν ἀνάβασιν R. VII 519 d 1*.

App. : ἄνοδος.

ἀναβιῶναι « revivre » ἀνεβίω, ἀναβιοὺς δ' ἔλεγεν R. X 614 b 7 πάλιν ἀναβιῶναι Ep. 974 a 6.

ἀναβιώσκεσθαι id. ἐκ τῶν τεθνεώτων ... γένεσις εἰς τοὺς ζῶντας ... τὸ ἀναβιώσκεσθαι Pd. 72 a 1 (cf. 71 e 9, 72 d 7) πάλιν ἀναβιώσκοιτο Pd. 72 c 7 (cf. B. 203 e 3) ἐκ γῆς ... ἀνεβιώσκοντο Po. 272 a 2.

ἀνάγειν « ramener, remonter » λύειν τε καὶ ἀνάγειν R. VII 517 a 6 ἀνάξει αὐτοὺς εἰς φῶς R. VII 521 c 2 ἀνάγειν ... ἐπ' ἐκεῖνα Po. 278 a 8 (cf. a 9) τὸν ... λόγον ἐπ' ἀρχὴν ... ἀναγαγών L. I 626 d 6.

Opp. : κατάγειν (mais sans emploi qui corresponde aux derniers exemples).

ἀναγκάζειν 1° « contraindre » ; 2° « vouloir à toute force » (que).

1° ὁ ἄρτι λόγος καὶ οἱ ἄλλοι ἀναγκάσειαν ἄν R. X 611 b 10 ἠνάγκαζε καὶ ἔπειθεν τιμαῖς L. I 634 a 9 (cf. R. IV 421 c 1 L. II 661 c 7) ἀναγκάσει μὴ πείθων L. II 660 a 5 ὁ νόμος ... διδάξει καὶ ἀναγκάσει L. IX 862 d 2 ἠναγκάζομεν μὴ εἶναι ψευδῆ δόξαν Tht. 196 b 10 (cf. 153 c 8).

2° μὴ ... ἀνάγκαζε ... εἶναι B. 202 a 8 (cf. Cra. 432 e 1).

App. : βιάζεσθαι, διισχυρίζεσθαι, ἰσχυρίζεσθαι.

Ass. et opp. (1°) : πείθειν.

Syn. : προσαναγκάζειν (avec les distinctions de J. Brunel, *L'Aspect...*, p. 62-63).

ἀναγκαῖος « nécessaire » ἐχθρὰς ἑκουσίους πρὸς ταῖς ἀναγκαίαις προστίθεσθαι Pr. 346 a 8 ἡδοναὶ (ἐπιθυμίαι) οὐκ ἀναγκαῖαι R. VIII 558 d 5 et 9 μὴ ἀναγκαίων ἡδονῶν τε καὶ ἐπιθυμιῶν R. IX 571 b 8 μετὰ πειθοῦς ἀναγκαίας So. 265 d 7 κατὰ τὴν τῆς γενέσεως ἀναγκαίαν οὐσίαν Po. 283 d 9 ἕνεκα τῶν ἀναγκαίων καὶ τῶν ἀρίστων T. 75 d 7 (cf. L. I 628 d 1) ταῖς ... ἀναγκαίαις ἄλλαις τέχναις L. XII 967 a 3 τὰ ... πρὸ τούτων ἀναγκαῖα μαθήματα L. XII 967 e 2 τῆς ... ἀνθρωπίνης τε καὶ ἀναγκαίας (σοφίας) Le. VI 322 e 6.

Adv. : ἀναγκαίως (Pd. 91 e 5 R. X 618 b 3).

Ass. et opp. : ἑκούσιος.

ἀνάγκη, ἡ « nécessité, contrainte » ὑπ' ἀνάγκης Pd. 62 c 6 ἐξ ἀνάγκης Pd. 108 c 2, 109 a 1 Phr. 246 a 1 Tht. 176 a 7 L. IX 858 b 7 τὴν αἰτίαν καὶ τὴν ἀνάγκην Pd. 97 e 1 ἴση ἀνάγκη ταὐτά τε εἶναι Pd. 76 e 7 οὐ γεωμετρικαῖς ... ἀλλ' ἐρωτικαῖς ἀνάγκαις R. V 458 d 5 πειθοῖ τε καὶ ἀνάγκῃ R. VII 519 e 4 (cf. Le. VII 329 e 1) οὔτε τις τάξις οὔτε ἀνάγκη ... τῷ βίῳ R. VIII 561 d 6 ἀνάγκη ... καὶ εἵμαρται ... ἀπολωλέναι R. VIII 566 a 2 ἀπόδειξιν δὲ καὶ ἀνάγκην Tht. 162 e 4 ἐξ ἀνάγκης ἔμφυτον γέγονε Po. 269 d 3 (cf. ἐμφυτευθεῖεν ἐξ ἀνάγκης T. 42 a 3) ἕτερα ἐξ ἀνάγκης κινούντων T. 46 e 2 (cf. 77 a 2) ἐξ ἀνάγκης τε καὶ νοῦ συστάσεως T. 48 a 1 νοῦ δὲ ἀνάγκης ἄρχοντος τῷ πείθειν T. 48 a 2 δι᾽ ἀνάγκης ἡττωμένης ὑπὸ πειθοῦς T. 48 a 4 ἡ τῆς ἀνάγκης ἑκοῦσα πεισθεῖσά τε φύσις T. 56 c 5 (cf. τὸν μετ᾽ ἀνάγκης εἰκότα λόγον T. 53 d 6) μήτε τινὰ ἀνάγκην μήτε τὸν εἰκότα λόγον T. 68 b 7 ἐκ θείας τινὸς ἀνάγκης L. VI 780 e 2 μὴ ... ἐξ ἀνάγκης ... ἀλλὰ ... ἐπὶ σχολῆς L. IX 858 b 7 ἡ ψυχῆς ... ἀνάγκη νοῦν κεκτημένης Ep. 982 b 6.

App. : βία.

App. et ass. : εἱμαρ(μένη), τάξις (a).

Ass. : αἰτία, ἀπόδειξις (Tht. 162 e 4).

Ass. et opp. : εἰκὼς (λόγος), νοῦς, πειθώ, σχολή (a).

ἀναζητεῖν « rechercher » τὰ ὑπὸ γῆς ... ἀνεζητηκώς Ap. 18 b 10 ἵνα τὰς αἰτίας ... ἀναζητοῦντες ἀνευρίσκωμεν L. III 693 b 1.

Ass. : ἀνευρίσκειν.

Syn. : ζητεῖν (avec les distinctions de J. Brunel, *L'Aspect...*, p. 40).

ἀνάθημα, τό « offrande » θυσίαις τε ... καὶ ἀναθήμασιν R. II 365 e 5 (cf. 362 c 1) πολλὰ ... ἀγάλματα ... ἀναθήματα ἐνῆν Criti. 116 e 4 (cf. e 7) εὐχαῖς καὶ ἀναθήμασιν L. IV 716 d 7 ἐλέφας ... οὐκ εὐαγὲς ἀνάθημα L. XII 956 a 2.

App. : δωρεά, δῶρον.

Ass. : εὐχή 1°, θυσία.

ἀναίδεια, ἡ « impudence » ὕβριν καὶ ἀναρχίαν καὶ ἀσωτίαν καὶ ἀναίδειαν ... κατάγουσιν R. VIII 560 e 3 (cf. e 6) τὸ ... θάρρος... ἀναίδειαν ... προσαγορεύει L. I 647 a 10 ἀναιδείας τε καὶ ἀνελευθερίας ἕνεκα L. VIII 843 d 1 ἀναιδείας ἕνεκα πρὸς τῷ ἀσεβεῖν L. IX 871 d 5.

App. : ἀναισχυντία.

Ass. : ἀναρχία, ἀνελευθερία, ἀσωτία, ὕβρις.

Opp. : αἰδώς.

ἀναιδής « sans pudeur » οὐκ ἀναιδὲς δοκεῖ ... ; Tht. 196 d 11 νέους ... ἀναιδεστάτους L. V 729 c 2.

Adv. : ἀναιδῶς (R. VIII 556 b 2 Le. VII 335 b 2).

ἀναιρεῖν « répondre, désigner » (par un oracle) ἀνεῖλεν ... ἡ Πυθία Ap. 21 a 6 (cf. L. I 642 d 8 VI 759 d 8 IX 856 e 2, 865 d 1 XI 914 a 3).

ἀναισθησία, ἡ « absence de sensations » μετ᾽ ἀναισθησίας ἁπτὸν λογισμῷ ... νόθῳ T. 52 b 2 ἀναισθησίαν ἐμποιοῦσαι T. 74 e 9 (cf. Ph. 34 a 1)*.

ἀναίσθητος 1° au sens passif « non perçu par les sens » : 2° au sens actif « insensible ».

1° τὰς ἐνδείας ἀναισθήτους ... καὶ ἀλύπους Ph. 51 b 5 ἀναίσθητα ὑφ᾽ ἡμῶν εἴδη T. 51 d 5 ἀόρατον δὲ καὶ ἄλλως ἀναίσθητον T. 52

a 4 κατὰ παντὸς αἰσθητοῦ καὶ ἀναισθήτου παθήματος T. 64 a 6 ἀναίσθητον πάσαις ταῖς... αἰσθήσεσι L. X 898 e 1.

2° κενώσεως μὲν ἀναίσθητα, πληρώσεως δὲ αἰσθητικά T. 65 a 4 κωφὴν καὶ ἀναίσθητον (κεφαλήν) T. 75 e 7 ἀναίσθητος τῶν... κακῶν L. VIII 843 a 6 ἄνους οὖσα καὶ ἀναίσθητος L. XII 962 c 2.

Ass. : (1°) ἄλυπος, ἀόρατος ; (2°) ἄνους, κωφός.

App. et ass. (2°) : κωφός (b).

Ass. et opp. : (1°) αἰσθητός ; (2°) αἰσθητικός 2°.

ἀναισχυντεῖν « agir sans vergogne » προτρεπούσαις ἀναισχυντεῖν καὶ ἀδικεῖν L. I 647 d 5 τοῖς νέοις ἀναισχυντοῦσιν L. V 729 b 2 ὅπου ἀναισχυντοῦσι γέροντες L. V 729 c 1.

ἀναισχυντία, ἡ « effronterie » ἀπορίᾳ... τόλμης καὶ ἀναισχυντίας Ap. 38 d 7 οὔτε ἀνοίας... οὔτ' ἀναισχυντίας R. IX 571 d 4 ἀναισχυντίᾳ συμβάλλοντας αὐτόν L. I 647 c 8 ἡ... ἄδεια ἀναισχυντίαν ἐνέτεκεν L. III 701 a 8 ἡ πονηρὰ ἀναισχυντία L. III 701 b 2 λύπαις προτετραμμένην εἰς ἀναισχυντίαν L. XI 919 c 1 ἀναισχυντίας τε καὶ ἀνελευθέρου ψυχῆς μέτοχα L. XI 919 d 2.

App. : ἀναίδεια, ἀνελευθερία (cf. R. VI 486 a 4), θράσος (b : L. III 701 b 1), θρασύτης (b).

App. et ass. : ἄδεια.

Ass. : ἄνοια, τόλμα.

Opp. : αἰδώς, αἰσχύνη.

ἀναίσχυντος « effronté » τοῦτο ... αὐτῶν ἀναισχυντότατον Ap. 17 b 3 μελετᾶν ὡς ἥκιστα εἶναι ἀναισχύντους τε καὶ θρασύτητος γέμοντας L. I 649 c 9 θαρραλέον... καὶ ἀναισχυντότερον L. II 671 c 5 ἁρπαγή... ἀναίσχυντον L. XII 941 b 2.

Adv. : ἀναισχύντως (Ap. 31 b 8*).

App. : θρασύς.

App. et ass. : θαρραλέος.

Opp. : αἰσχυντηλός.

ἀναίτιος « hors de cause, non responsable (de) » τῶν ... κακῶν ἀναίτιον R. II 379 b 17 θεὸς ἀναίτιος R. X 617 e 5 τῆς ἔπειτα... κακίας ἀναίτιος T. 41 d 4 ἑαυτὸν ... ἀναίτιον ἐξαιρῇ L. V 727 b 7 τὸ μὲν αἴτιον ἁπάντων, τὸ δὲ ἀναίτιον πάσης πάθης Ep. 983 d 8.

App. : ἀνυπεύθυνος. — Opp. : αἴτιος.

ἀνακοινοῦν « communiquer », « s'ouvrir (à) » a) actif ; b) moyen.

a) μηδ' αὖ τοῖς ... μάντεσιν ἀνακοινώσαιμι L. XI 913 b 2.

b) σοι ... ἀνακοινοῦμαι Ly. 206 c 1 περὶ ὧν μέλλομεν ἀνακοινοῦσθαι La. 179 a 1 (réc., après κοινωνούς 179 e 6 : ἃ ἐβουλόμεθα ὑμῖν ἀνακοινώσασθαι 180 a 1) σε... παρακαλεῖν εἰς τὴν τούτων σκέψιν ... καὶ ἀνακοινοῦσθαι Pr. 349 a 5 βούλει ... Σωκράτει ... ἀνακοινωσώμεθα τὸν λόγον Cra. 383 a 1 (cf. Pr. 314 b 8) πείθεσθαι περὶ ὧν ἀνακοινοῦται Le. VII 331 b 3 ἐάν τίς μοι ... ἀνακοινῶται Thg. 128 d 6 (cf. e 2).

ἀναλαμβάνειν 1° « reprendre » (un argument) ; 2° « prendre » (à son compte) ; 3° « retrouver » (la science antérieure par réminiscence).

1° (ἃ λέγεις ...) πολλάκις ἀναλαμβάνω Pd. 95 e 2 τὸ ... παρ' ἡμῶν εἰρημένον ... ἀναλαβεῖν χρή Ep. 983 d 1 ἀναλαβόντα ὃν πρὸς τοὺς ἀσεβεῖς ἐπικεχείρηκα (λόγον) Ep. 980 c 9.

2° ... πρὸς ἐμαυτὸν ἀναλάβω ὃ λέγεις H. M. 288 a 7.

3° εἰ ... ἐκείνας ἀναλαμβάνομεν τὰς ἐπιστήμας ἅς ποτε καὶ πρὶν εἴχομεν, ἆρ' οὐχ ὃ καλοῦμεν μανθάνειν οἰκείαν ἂν ἐπιστήμην ἀναλαμβάνειν εἴη ; Pd. 75 e 3 et 5 ἀναλαμβάνειν αὐτὸν ἐν αὑτῷ ἐπιστήμην οὐκ ἀναμιμνῄσκεσθαί ἐστιν ; M. 85 d 6 (cf. Tht. 198 d 6 Ph. 34 b 7).

App. et ass. (3°) : ἀναμιμνῄσκεσθαι.

ἀναλογία, ἡ « proportion, progression (géométrique) » τὴν ἐφ' οἷς ταῦτα ἀναλογίαν R. VII 534 a 6 κατὰ τὴν ἀναλογίαν τῆς ... τέχνης Po. 257 b 3 τοῦτο δὲ πέφυκεν ἀναλογία ... ἀποτελεῖν T. 31 c 4 ἐγεννήθη δι' ἀναλογίας ὁμολογῆσαν T. 32 c 1 τὸ τῶν ἀναλογιῶν (... συνηρμόσθαι ταῦτα ἀνὰ λόγον) T. 56 c 4 καθ' ἑκάστην ἀναλογίαν Ep. 991 a 1.

App. : συμμετρία.

App. et ass. : λόγος (ἀνὰ λόγον).

ἀναλογίζεσθαι 1° « récapituler » ; 2° « réfléchir ».

1° ἀναλογισώμεθα τὰ ὡμολογημένα ἡμῖν Pr. 332 d 1 ἀναλογιζόμενον πάντα τὰ ... ῥηθέντα R. X 618 c 6.

2° οὐδὲν ἐπισκοπεῖ οὐδὲ ἀναλογίζεται Cra. 399 c 2 (cf. R. I 330 e 4) τὸ ἀναλογισάμενον περὶ τοῦ βελτίονος R. IV 441 b 9 ἐκ τῶν προειρημένων ... ἀναλογίζου R. VII 524 d 9 ἀναλογιζομένη ἐν ἑαυτῇ τὰ γεγονότα Tht. 186 a 18 ἀναλογιζομένοις [APW : λογιζομένοις FY] πότερον ... ἀπεργάσαιντο T. 75 b 8 ἀναλογίζεσθαι χρὴ ... ὡς L. III 693 c 2 ἀναλογιζομένῳ ... φανεῖται L. V 739 a 3.

App. (1°) : συλλογίζεσθαι 2°.

App. et ass. (1°) : σκοπεῖν, ἐπισκοπεῖν.

Syn. (2°) : λογίζεσθαι 2°, avec les distinctions de J. Brunel, *L'Aspect...*, p. 40.

ἀναλόγισμα, τό « réflexion » τὰ ... περὶ τούτων ἀναλογίσματα Tht. 186 c 3*.

ἀνάλογος « proportionnel » ὃν τἀγαθὸν ἐγέννησεν ἀνάλογον ἑαυτῷ R. VI 508 b 13 ἀνάλογα καὶ σύμμετρα T. 69 b 6.

App. et ass. : σύμμετρος.

ἀναμειγνύναι (toujours au pcpe pf. passif) « mêler » ὁμοῦ ... ἀναμεμειγμένων ... ἄξονται πρὸς τὴν ἀλλήλων μεῖξιν R. V 458 d 1 (cf. Ly. 206 d 1) ἡδονὰς ἐν λύπαις ... ἀναμεμειγμένας Ph. 48 a 2*.

Syn. : μειγνύναι 1° ; cf. J. Brunel, *L'Aspect...*, p. 104-105.

ἀναμιμνῄσκειν « rappeler » εὖ γ' ἐποίησας ἀναμνήσας με Pd. 60 c 9 (cf. Ph. 24 c 1) ;

— au moyen « se ressouvenir » ἓν μόνον ἀναμνησθέντα M. 81 d 2 ἢ ἀναμιμνῃσκόμενος ἢ μανθάνων M. 82 b 7 ἀναλαμβάνειν αὐτὸν ἐν αὐτῷ ἐπιστήμην οὐκ ἀναμιμνήσκεσθαί ἐστιν M. 85 d 6 ; (cf. Ph. 34 b 8) ἀναμνησθῆναι ἅ γε καὶ πρότερον ἠπίστατο M. 81 c 9 (cf. Pd. 73 c 2) ἐν προτέρῳ τινὶ χρόνῳ μεμαθηκέναι ἃ νῦν ἀναμιμνησκόμεθα Pd. 72 e 7 οἰκείαν ... ἐπιστήμην ἀναλαμβάνειν ... τοῦτο ... ἀναμιμνήσκεσθαι λέγοντες ὀρθῶς ἂν λέγοιμεν ; Pd. 75 e 6 (très fréquent p. 72-75) ἀναμιμνησκόμενον ... τῆς πρώτης οἰκήσεως R. VII 516 c 3 τοῦ ἀληθοῦς (κάλλους) ἀναμιμνησκόμενος Phr. 249 d 6 ἐπανελθόντες ... ἀναμνησθῶμεν ὅτι Ep. 977 b 9.

App. : ἀπομνημονεύειν.
App. et ass. : ἀναλαμβάνειν 3°.
Ass. : μανθάνειν.
Opp. : ἐπιλανθάνεσθαι.
Syn. : ὑπομιμνήσκειν.

ἀνάμνησις, ἡ « réminiscence » ἣν καλοῦμεν μάθησιν ἀνάμνησίς ἐστιν M. 81 e 4 (cf. d 5) ἡ μάθησις οὐκ ἄλλο τι ἢ ἀνάμνησις τυγχάνει οὖσα Pd. 72 e 5 (réc. 73 b 5, 76 a 7, 91 e 4, 92 c 7 d 5) τοῦτο δ' ἐστὶν ἀνάμνησις ἐκείνων ἅ ποτ' εἶδεν ἡμῶν ἡ ψυχή Phr. 249 c 2 μνήμης ... ἀνάμνησιν ... διαφέρουσαν Ph. 34 b 2 (cf. c 1) ἀνάμνησις ... ἐστὶν ἐπιρροὴ φρονήσεως ἀπολειπούσης L. V 732 b 8.

Ass. : μάθησις, μνήμη.

ἀναμνηστός « objet de réminiscence » (ἀρετὴ) ἆρα διδακτὸν ... ἢ .. ἀναμνηστόν ; M. 87 b 7 (réc. de 86 b 4)*.

Ass. et opp. : διδακτός.

ἀνανδρία, ἡ « manque de virilité » ἀνανδρίᾳ τινὶ τῇ ἡμετέρᾳ Cr. 45 e 2 (réc. e 6) κακίᾳ τινὶ καὶ ἀνανδρίᾳ τῇ ἡμετέρᾳ) διὰ τὴν αὑτῶν ἀνανδρίαν G. 492 b 2 (cf. B. 178 d 6 Mx. 246 e 4) πλεονεξίᾳ ... ἀνανδρίᾳ B. 182 d 2 σωφροσύνην ... ἀνανδρίαν καλοῦντες R. VIII 560 d 4 δειλίᾳ τε καὶ ἀνανδρίᾳ Phr. 254 c 9 (cf. L. II 659 a 7) ἀργίᾳ δὲ καὶ ἀνανδρίας δειλίᾳ L. IX 873 c 7 ἡ ὡς ἀληθῶς ... ἀνδρὸς ... ἀνανδρία Tht. 176 c 4.

App. et ass. : ἀργία.
Ass. et opp. : πλεονεξία.
Ass. et syn. : δειλία, κακία (a).
Opp. : ἀνδρεία, ἀρετή 3°.
Syn. : κάκη (a).

ἄνανδρος « indigne d'un homme, peu viril » a) adj. ; b) subst. n.

a) φαίνεται ... ἄνανδρον G. 485 c 2 (réc. d 5) ἀλόγιστός τε καὶ ἄνανδρος G. 522 e 3 αἰσχρὸν καὶ ἄνανδρον Mx. 247 b 7 ἄνανδρος ... αὐτῷ ὁ πατήρ R. VIII 549 d 8 ἁπαλῆς καὶ ἀνάνδρου διαίτης Phr. 239 c 9 ἄνανδρόν τε καὶ ἄτεχνον Le. VII 330 d 5 (réc. 331 a 5 ἡγοίμην ἂν ἄνανδρον, τὸν δὲ ... ἄνδρα).

b) τὸ μὲν ἀνδρειότατον ἡγούμενον, τὸ δ' ἀνανδρότερον ἑπόμενον R. VIII 564 b 6.

Adv. : ἀνάνδρως (Tht. 177 b 4, ass. et opp. à ἀνδρικῶς ; 203 e 8).
App. : ἀργός, δειλός, κακός 1°.
Ass. : αἰσχρός, ἀλόγιστος, ἁπαλός (a), ἄτεχνος.

Ass. et opp. : ἀνδρεῖος, ἀνήρ.
Opp. : ἀνδρικός.

ἀναπείθειν a) « chercher à persuader » ; b) « retourner » ; c) « corrompre ».
a) ὅσοι ... ὑμᾶς ἀνέπειθον, οἱ δὲ καὶ αὐτοὶ πεπεισμένοι ἄλλους πείθοντες Ap. 18 d 3 (cf. Tht. 166 d 1, 190 c 2 Po. 299 c 1)*.
b) ὑπὸ τοῦ λέγοντος ἀναπειθόμενοι Mx. 235 b 8 (cf. H. m. 370 b 1, 371 e 1 H. M. 304 c 6) ἀναπείθεσθαι καὶ μεταπίπτειν ἄνω κάτω G. 493 a 4*.
c) οἷοι ... ἀναθήμασιν παράγεσθαι ἀναπειθόμενοι R. II 365 e 6 μηδεὶς ἐξαπατώμενος ἀναπειθέσθω L. XII 941 b 6 (cf. X 886 d 8)*.
App. et ass. (c) : παράγειν.
Ass. et syn. (a) : πείθειν (avec les distinctions de J. Brunel, *L'Aspect...*, p. 105-106).

ἀναπιμπλάναι « infecter » βουλόμενοι ὡς πλείστους ἀναπλῆσαι (ἀναπληρῶσαι Y) αἰτιῶν Ap. 32 c 9 τοιούτων ὀνομάτων ἀναπίμπλασθαι H. M. 291 a 6 (cf. Ph. 42 a 9) μηδὲ ἀναπιμπλώμεθα τῆς τούτου (sc. τοῦ σώματος) φύσεως ἀλλὰ καθαρεύωμεν ἀπ' αὐτοῦ Pd. 67 a 4.
App. : μιαίνειν.
Ass. et opp. : καθαρεύειν.
Opp. : καθαίρειν.

ἀνάπλεως « infecté » τοῦ σώματος ἀναπλέα Pd. 83 d 8 (cf. 67 a 4, à la fin d'ἀναπιμπλάναι) ἀνάπλεων ... σαρκῶν ... ἀνθρωπίνων B. 211 e 2 σκότους ἀνάπλεως R. VII 516 e 5 ἀνάπλεῳ τοῦ μὴ καθαρῶς διαλέγεσθαι Tht. 196 e 1.
Opp. : καθαρός.

ἀναρμοστεῖν « être en désaccord » ἐκείνων (sc. τῶν γραμμάτων) τὰ μὲν ἀναρμοστεῖ που πρὸς ἄλληλα, τὰ δὲ συναρμόττει So. 253 a 2 (cf. 261 e 2) τὴν λύραν μοι ... ἀναρμοστεῖν [Heusde : ἀνάρμοστόν BTWF ἀνάρμοστόν (τε) εἶναι corr. Laur. 85. 7] τε καὶ διαφωνεῖν G. 482 b 7.
App. et ass. : διαφωνεῖν.
Ass. et opp. : συναρμόττειν 2°.
Opp. : ἁρμόττειν 2°.

ἀναρμοστία, ἡ « désaccord » εἴπερ ἡ μὲν κακία ἀναρμοστία, ἡ δὲ ἀρετὴ ἁρμονία εἴη Pd. 93 e 6 (cf. e 3, 94 a 3) ἀρρυθμία καὶ ἀναρμοστία R. III 401 a 6 εἰς ἁρμονίαν καὶ ἀπρέπειαν ἐκβάλλειν Le. VII 344 d 9.
App. et ass. : ἀρρυθμία, ἀσυμφωνία.
Ass. et opp. : ἁρμονία.
Opp. : εὐαρμοστία.

ἀνάρμοστος « sans harmonie, désaccordé » (adj. et subst. n.) G. 482 b 7 codd. (v. ἀναρμοστεῖν) τὴν δὲ (sc. ψυχὴν) ἀνάρμοστον ... εἶναι Pd. 93 c 6 ἀνάρμοστον ... τὸ αἰσχρόν B. 206 d 1 τὸ εὐάρμοστον καὶ ἀνάρμοστον R. III 400 d 3 (cf. 411 a 3 Tht. 178 d 4) ἀνωμαλία ἀνάρμοστος R. VIII 547 a 3 τὴν ... ἀνάρμοστον ψυχῆς περίοδον T. 47 d 5 (φθόγγοι) ἀνάρμοστοι ... δι' ἀνομοιότητα ... σύμφωνοι δι'

ὁμοιότητα T. **80 a 4** ἡ... ἄρρυθμος ἀνάρμοστός τε φορά Ep. 978 a 8.
Adv. : ἀναρμόστως (R. IX 590 b 2).
App. et ass. : ἄρρυθμος, ἀσύμφωνος.
Ass. et opp. : εὐάρμοστος, σύμφωνος (1° a).

ἀναρτᾶν (au moyen) « dépendre de » πάντα εἰς τὴν ψυχὴν ἀνηρτῆσθαι M. 88 e 8 ἐκ ... τῆς λίθου ἡ δύναμις ἀνήρτηται I. 533 e 3 ὅτῳ ... ἀνδρὶ εἰς ἑαυτὸν ἀνήρτηται πάντα Mx. 247 e 8 πάντ' ἐστὶ τὰ τῶν ξένων ... ἁμαρτήματα ... εἰς θεὸν ἀνηρτημένα L. V 729 e 4.
Syn. : ἀρτᾶν, ἐξαρτᾶν.

ἀναρχία, ἡ « anarchie » ὕβριν καὶ ἀναρχίαν καὶ ἀσωτίαν καὶ ἀναίδειαν ... κατάγουσιν R. VIII 560 e 2 καλοῦντες ἀναρχίαν ... ἐλευθερίαν R. VIII 560 e 5 ἐν πάσῃ ἀναρχίᾳ καὶ ἀνομίᾳ ζῶν R. IX 575 a 2 τὴν δ' ἀναρχίαν ἐξαιρετέον L. XII 942 d 1 διὰ τὴν ἄγαν ἀναρχίαν Le. VIII 354 d 4.
App. et ass. : ἀνομία.
Ass. : ἀναίδεια, ἀσωτία, ἐλευθερία, ὕβρις.

ἄναρχος « sans chef » ἡδεῖα πολιτεία καὶ ἄναρχος R. VIII 558 c 4 πᾶν θρέμμα ἄναρχον ἢ μετὰ κακῶν ἀρχόντων L. I 639 a 5 (réc. c 4) τὸ μηδέποτε ἄναρχον μηδένα εἶναι L. XII 942 a 6*.

ἀνατιθέναι 1° « dédier, consacrer » ; 2° (au moyen) « se rétracter ».
1° τῷ ἐν Δελφοῖς ἀναθέντι τὸ ... γράμμα Ch. 164 d 5 ὡς διανοούμενος ἀνέθηκεν ὁ ἀνατιθείς Ch. 164 e 5 (cf. 165 a 3, 7, 8) θεοῖς θυσίας καὶ ἀναθήματα ... θύειν τε καὶ ἀνατιθέναι R. II 362 c 2 ἀναθέτω τοῖς ... θεοῖς L. XI 917 d 6 θεοῖσι ... ἀναθήματα χρεὼν ἔμμετρα ... ἀνατιθέντα δωρεῖσθαι L. XII 955 e 6 ξύλου ... μονόξυλον ... ἀνατιθέτω L. XII 956 a 4.
2° ἀναθέσθαι ἔξεστιν Pr. 354 e 8 (cf. Ch. 164 d 1 G. 461 d 3, 462 a 3 M. 89 d 4 Pd. 87 a 2.
App. et ass. (1°) : δωρεῖσθαι, θύειν.
Syn. (2°) : μετατίθεσθαι.

ἀναφαίνειν « manifester » ; surtout au moyen « apparaître » οὐδὲν ... ἀναφανήσεται κάλλιον ὂν χρυσός H. M. 291 c 8 (cf. G. 452 e 5 So. 233 c 11) ἄλλο ... εἶδος μεγέθους ἀναφανήσεται Pa. 132 a 9 (réc. e 7) τὴν ὁμολογίαν οὖσαν μίαν ἁπάντων ἀναφανῆναι δεῖ Ep. 991 e 4 δεσμὸς ... πεφυκὼς πάντων εἷς ἀναφανήσεται Ep. 992 a 2.

ἀναφέρειν « rapporter » (à) τὰ ἐκ τῶν αἰσθήσεων ἴσα ἐκεῖσε ἀνοίσειν Pd. 75 b 5 (réc. 76 e 1) εἰς τοὺς πολλοὺς ἀναφέρων A. 110 e 3 (réc. 112 d 5) εἰ ἔστιν εἰς ἃ ἀναφέρεται πάντα Cra. 424 d 2 (cf. ἐπανενέγκωμεν 425 d 4) ἢ οὐκέτ' ἐπανοίσει ἐπ' ἄλλο φίλον Ly. 219 c 7) εἰς τὸ ἀληθέστατον ἀποβλέποντες κἀκεῖσε ἀεὶ ἀναφέροντες R. VI 484 c 10 (cf. Phr. 237 d 1).
Ass. : ἀποβλέπειν.
Syn. : ἐπαναφέρειν.

ἀνδράποδον, τό « esclave » οὐδ'... ἀνδρὸς τοῦτό γ' ἐστὶ ... ἀλλ' ἀνδραπόδου τινός G. 483 b 2 τοῖς δ' ἐναντίως ἢ ὡς ἀνδραπόδοις τραφεῖσιν Tht. 175 d 6 ἀνδραπόδου ... σὺ λέγεις ἕξιν L. XII 966 b 3.

Ass. et opp. : ἀνήρ.
Syn. : δοῦλος, παῖς 3°.

ἀνδραποδώδης a) adj. ; b) subst. m.

a) « servile » τὴν ... ἀνδραποδώδη ... τρίχα ἔχοντες ἐν τῇ ψυχῇ A. 120 b 2 ἀνδραποδώδης (ἀρετή) Pd. 69 b 7 ἀνδραποδώδη [Pap. Ars. : εὐήθη codd.] σωφροσύνην Pd. 68 e 5 θηριώδη καὶ ἀνδραποδώδη (δόξαν) R. IV 430 b 8 (ἡδοναὶ) ἀνδραποδώδεις Phr. 258 e 5 (cf. Le. VII 335 b 4) ἄγροικος καὶ ἀνελεύθερος ... ἀνδραποδώδης τε L. IX 880 a 5.

b) οἱ μὲν ἀνδραποδωδέστατοι..., οἱ δ' ἐπιεικέστατοι Le. II 311 c 5.

Adv. : ἀνδραποδωδῶς (B. 215 e 6*).
App. et ass. : ἀνελεύθερος.
Ass. : ἄγροικος, θηριώδης.
Ass. et opp. : ἐπιεικής.
Opp. : ἐλευθέριος.

ἀνδρεία, ἡ « courage » ἀνδρείαν καὶ καρτερίαν ... τὰς Λακεδαιμονίων A. 122 c 6 (cf. La. 192 d 7) οἱ μὲν ἐν ἡδοναῖς..., οἱ δ' ἐν ἐπιθυμίαις, οἱ δ' ἐν φόβοις τὴν ἀνδρείαν ἔκτηνται La. 191 e 6 ἀνδρείας ... ὀλίγοις μετεῖναι, θρασύτητος ... πολλοῖς La. 197 b 2 τήν γε τῶν ἄλλων ἀνδρείαν τε καὶ σωφροσύνην Pd. 68 d 3 (cf. 69 b 2, 114 e 5) διά τε ἀνδρείαν καὶ ῥώμην R. II 361 b 4 σωτηρίαν ... λέγω τινὰ εἶναι τὴν ἀνδρείαν ... τὴν τῆς δόξης τῆς ὑπὸ νόμου ... γεγονυίας περὶ τῶν δεινῶν R. IV 429 c 5 (réc. 430 b 4) ἀνδρεία, σωφροσύνη, δικαιοσύνη, φρόνησις L. XII 964 b 6 (cf. 965 d 2 Pd. 69 c 1 R. IV 433 b 11 et, avec σοφία, VI 504 a 6) τήν τε ἀνδρείαν ἀγαμένη καὶ πρὸς τὸ σωφρονεῖν εὐπειθής Ep. 989 b 7.

App. et ass. : καρτερία.
Ass. : δικαιοσύνη, σοφία, σωφροσύνη, φρόνησις.
Ass. et opp. : θρασύτης.
Opp. : ἀνανδρία, δειλία, κακία.
Syn. : ἀρετή 3°.

ἀνδρείκελος, dans le subst. τὸ ἀνδρείκελον : « ton de chair » κεραννύντες ... τὸ ἀνδρείκελον, ἀπ' ἐκείνου τεκμαιρόμενοι ὃ ... Ὅμηρος ἐκάλεσεν ... θεοείκελον R. VI 501 b 5 (cf. Cra. 424 e 2)*.

Ass. et opp. : θεοείκελος.

ἀνδρεῖος « courageux » 1° adj. ; 2° subst. a) m. ; b) n.

1° ἀνδρειότερον ... αὐτὸν αὑτοῦ La. 182 c 6 (cf. R. III 411 c 8) πρὸς λύπας ἀνδρεῖοι ἢ φόβους La. 191 d 7 ἃ σὺ καλεῖς ἀνδρεῖα ... ἐγὼ θρασέα καλῶ La. 197 b 6 οἱ οὕτω θαρραλέοι ὄντες οὐκ ἀνδρεῖοι ... φαίνονται Pr. 350 c 2 (cf. c 4 et 10) ἀνδρεῖος ... καὶ ἴτης καὶ σύντονος B. 203 d 5) εὐμαθῆ ... πρᾶον ... ἀνδρεῖον παρ' ὀντινοῦν Tht. 144 a 5 μανικώτεροι ἢ ἀνδρειότεροι Tht. 144 b 1 ἤθους ἀνδρείου καὶ σώφρονος Po. 308 e 11 μνήμων καὶ εὐμαθὴς καὶ ἀνδρεῖος καὶ μεγαλοπρεπής L. IV 709 e 8 (réc. 710 e 6).

2° a) οἱ ἀνδρεῖοι θαρραλέοι εἰσίν Pr. 350 c 9 (réc. d 1, 359 b 9) ἴτας εἶναι τοὺς ἀνδρείους Pr. 359 c 3 (réc. de 349 e 2) μιμεῖσθαι ... ἀνδρείους, σώφρονας ... R. III 395 c 5 (réc. 399 c 2) ἥττων ... δειλὸς ἀνδρείου Phr. 239 a 4.

b) τὸ ... ἀνδρειότατον ἡγούμενον αὐτῶν, τὸ δ' ἀνανδρότερον ἑπόμενον R. VIII 564 b 5 τὸ σῶφρον δὲ καὶ ἀνδρεῖον καὶ μεγαλοπρεπὲς καὶ τὸ φρόνιμον αἰδούμενος L. VIII 837 c 7.

Adv. : ἀνδρείως (Ch. 160 e 1 Cra. 440 d 4 Tht. 157 d 4 L. I 648 c 3 IX 855 a 4, ass. à εὖ) ; sup. ἀνδρειότατα (Po. 262 a 5, ass. à προθυμότατα).

App. : ἀγαθός (1° a), ἀνδρικός.

Ass. : θαρραλέος, ἴτης, μεγαλοπρεπής, σοφός, σώφρων, φρόνιμος.

Ass. et opp. : ἄνανδρος, θρασύς, μανικός.

Opp. : δειλός, κακός.

ἀνδρικός « viril » ἀνδρικῆς ψυχῆς ... καὶ δειλῆς L. II 654 e 10 ἀνδρικῶν ἀνδρικώτερα (ἔθη) L. III 681 b 4 (cf. R. VIII 567 b 6) (πόλεως δίαιτα) σώφρων τε καὶ ἀνδρική Le. XI 359 a 6.

Adv. : ἀνδρικῶς (Ch. 160 e 2 Pd. 103 a 11 Tht. 177 b 3).

App. : ἀνδρεῖος (cf. P. Chantraine, *Études*, p. 144-145).

Ass. : σώφρων.

Ass. et opp. : δειλός.

Opp. : ἄνανδρος (adv. Tht. 177 b 4).

ἀνέδην « simplement » L. XI 919 d 2 ; suivi de οὕτω G. 494 e 10 (cf. H. m. 368 a 12)*.

App. : ἁπλῶς 1°.

ἀνεκτός : v. ἀνέχεσθαι.

ἀνέλεγκτος « non réfuté, indiscuté » a) adj. ; b) subst. m.

a) ἵνα μοι καὶ ἀνέλεγκτος ἡ μαντεία γένοιτο Ap. 22 a 8 εἰ δέ με ἐάσεις ἀνέλεγκτον G. 467 a 2 (cf. 482 b 4) ἕως ἂν ᾖ ἀνέλεγκτα R. X 610 b 1 ἡ ... γλῶττα ἀνέλεγκτος ἡμῖν ἔσται, ἡ δὲ φρὴν οὐκ ἀνέλεγκτος Tht. 154 d 5 τοῦτο δὲ τὸ δόγμα ... ἀδύνατον ἀνέλεγκτον ... γίγνεσθαι Ph. 41 b 5 καθ' ὅσον ... ἀνελέγκτοις προσήκει λόγοις εἶναι καὶ ἀνικήτοις T. 29 b 8*.

b) τὸν ἀνέλεγκτον νομιστέον ... αἰσχρὸν γεγονέναι So. 230 d 9.

App. et ass. : ἀνίκητος.

Opp. : pcpes passifs d'ἐλέγχειν.

ἀνελευθερία, ἡ « bassesse, mesquinerie » κολακείας καὶ ἀνελευθερίας B. 183 b 1 (cf. R. IX 590 b 9) ἀνελευθερίαν μετὰ φιλοχρηματίας R. III 391 c 5 (cf. L. V 747 b 7 c 6) ἀνελευθερίας καὶ ὕβρεως ... βάσεις R. III 400 b 2 ἀνελευθερίαν καὶ κακοεργίαν R. IV 422 a 2 μετέχουσα ἀνελευθερίας R. VI 486 a 4 μετριότητα ὡς ἀγροικίαν καὶ ἀνελευθερίαν οὖσαν πείθοντες R. VIII 560 d 6 δουλείας τε καὶ ἀνελευθερίας γέμειν R. IX 577 d 3 ἀνελευθερίαν ὑπὸ πλήθους ἐπαινουμένην ὡς ἀρετήν Phr. 256 e 6 τὸ μέσον ὑπερηφανίας καὶ ἀνελευθερίας Criti. 112 c 3 ἀναιδείας τε καὶ ἀνελευθερίας L. VIII 843 d 1*.

App. et ass. : ἀγροικία, δουλεία, κολακεία, φιλοχρηματία.

Ass. : ἀναίδεια, κακοεργία, ὕβρις.
Ass. et opp. : ὑπερηφανία (b).
Opp. : ἐλευθεριότης.

ἀνελευθέριος « bas » v. l. L. XI 919 d 2.
Syn. : ἀνελεύθερος.

ἀνελεύθερος « bas, servile » 1° adj. ; 2° subst. a) m. ; b) n.
1° πρᾶξαι οὐδὲν ἀνελεύθερον Ap. 38 e 4 (cf. G. 485 c 6) ἡ κομμωτική, κακοῦργός τε οὖσα καὶ ἀγεννὴς καὶ ἀνελεύθερος G. 465 b 4 δουλοπρεπεῖς ... καὶ ἀνελευθέρους (τέχνας) G. 518 a 3 ἀνελεύθερον ... καὶ φιλοχρήματον νεκρὸν συλᾶν R. V 469 d 6 δειλῇ δὲ καὶ ἀνελευθέρῳ φύσει R. VI 486 b 3 ἀνελευθέρῳ δυσμενείᾳ χρώμενοι Phr. 253 b 7 βάναυσον ... καὶ ἀνελεύθερον (τροφήν) L. I 644 a 5 ταπεινάς τε καὶ ἀνελευθέρους (ψυχάς) L. V 728 e 5 (cf. VI 774 c 7 VII 791 d 8) ἄγροικος καὶ ἀνελεύθερος ... ἀνδραποδώδης τε L. IX 880 a 5 ἤθη ... ἀναισχυντίας καὶ ἀνελευθέρου [O^5 : -θερίου AA^{2}OO^{3}O^4] ψυχῆς μέτοχα L. XI 919 d 2 (cf. Le. VII 334 d 3) καπηλείας τῆς ἀνελευθέρου L. XI 919 e 6 κλοπὴ ... χρημάτων ἀνελεύθερον L. XII 941 b 2.
2° a) ὁ κόσμιος καὶ μὴ φιλοχρήματος μηδ' ἀνελεύθερος R. VI 486 b 6 ῥυθμοὺς δούλων καὶ ἀνελευθέρων L. II 669 c 6.
b) τὰ δὲ ἀνελεύθερα μήτε ... μιμήσασθαι, R. III 395 c 6 τὸ ... ἀκόλαστον καὶ ἀνελεύθερον R. III 401 b 5 τὸ δ' ἐλευθερικὸν καὶ ἀνελεύθερον L. XI 919 e 3.
App. et ass. : (1°) ἀγεννής, ἀνδραποδώδης, δουλοπρεπής, ταπεινός (b) ; (2° a) δοῦλος.
Ass. : (1°) ἄγροικος, βάναυσος ; (2° a) φιλοχρήματος ; (2° b) ἀκόλαστος.
Ass. et opp. : (2° a) κόσμιος ; (2° b) ἐλευθερικός.
Opp. : ἐλεύθερος, εὐγενής.

ἀνεμέσητος « pardonnable » εἰ θέμις καὶ ἀνεμέσητον εἰπεῖν B. 195 a 7 (cf. Cra. 401 a 6) ἀνεμέσητον δὴ φοβεῖσθαι L. IX 853 c 8 (cf. 876 d 1 Tht. 175 e 2 Ep. 980 a 7)*.
Adv. : ἀνεμεσήτως (L. III 684 e 4*).
App. et ass. : θέμις 2°.

ἀνεξέταστος « sans examen » ὁ δὲ ἀνεξέταστος βίος οὐ βιωτὸς ἀνθρώπῳ Ap. 38 a 5*.

ἀνεπίπληκτος « licencieux » τροφῇ ἀνεπιπλήκτῳ L. III 695 b 1*.

ἀνεπιπληξία, ἡ « licence » τρυφῆς μεστοὶ καὶ ἀνεπιπληξίας L. III 695 b 3*.
App. : ἄνεσις.
Ass. : τρυφή.

ἀνεπιστημοσύνη, ἡ « manque de savoir, ignorance » ἀνεπιστημοσύνης ἐπιστήμη Ch. 166 e 8 (cf. Wilamowitz, *Platon*, II, p. 65, n. 1) ἐπιστήμης τε καὶ ἀνεπιστημοσύνης R. I 350 a 6 (cf. Ch. 169 b 6 R. X 598 d 6 Tht. 200 b 2 et 6) ὑπὸ συνηθείας καὶ ἀνεπιστημοσύνης Tht. 157 b 2 ψευδῆ... δοξάζειν τῇ ἀνεπιστημοσύνῃ Tht. 199 e 6.

App. : ἄγνοια.

Ass. et opp. : ἐπιστήμη.

ἀνεπιστήμων « ignorant » ἀνεπιστήμων ὢν ὁ ἰατρὸς ἐπιστήμων G. 459 b 3 ἀνεπιστήμων ὤν, ὀρθὰ δὲ δοξάζων Tht. 208 b 1 ἕπεσθαι μὲν τὸν ἀνεπιστήμονα κελεῦον L. III 690 b 10 μηδὲν ... ἀνεπιστῆμον ἐᾶν εἶναι L. VII 795 c 4.

Adv. : ἀνεπιστημόνως (L. I 636 e 2*).

App. : ἀγνώμων.

Ass. et opp. : ἐπιστήμων.

ἀνερευνᾶν (à l'actif et au moyen) « rechercher » Κέβης λόγους τινὰς ἀνερευνᾷ Pd. 63 a 2 ἃ ... δεῖ τὸν ... νομοφύλακα ζητεῖν τε καὶ ἀνερευνησάμενον ... L. VII 816 c 3*.

App. et ass. : ζητεῖν.

Syn. : διερευνᾶν, ἐρευνᾶν (avec les différences d'aspect ; cf. J. Brunel, *L'Aspect...*, p. 148).

ἄνεσις, ἡ « licence » τὴν τῶν γυναικῶν ... ἄνεσιν L. I 637 c 3 (cf. R. VIII 561 a 4)*.

App. : ἀνεπιπληξία.

ἄνευ « sans » dans la locution « sine qua non » (cf. Fr. Dirlmeier, *Nik. Ethik*, p. 283) ἐκεῖνο ἄνευ οὗ τὸ αἴτιον οὐκ ἄν ποτ' εἴη αἴτιον Pd. 99 b 3.

ἀνευρίσκειν « découvrir » μίαν ζητῶν ἀρετὴν σμῆνός τι ἀνηύρηκα ἀρετῶν M. 72 a 7 σκέψαι ... ὅ τι καὶ ἀνευρήσει ζητῶν M. 84 c 12 ὑπάρχουσαν πρότερον ἀνευρίσκοντες Pd. 76 e 1 ἰχνεύοντες ... ἀνευρίσκειν τὴν ... φύσιν Phr. 252 e 8 ἀποκεκρυμμένην τέχνην ἀνευρεῖν Phr. 273 c 8 πολλὰ ... παραδείγματα ... ἀνευρήσεις T. 24 a 4 καινὸν ἀνηυρίσκετό ποτε καὶ ὁτιοῦν L. III 677 c 10 ἵνα τὰς αἰτίας ... ἀναζητοῦντες ἀνευρίσκωμεν L. III 693 b 1 οὐ φαύλην τινὰ (σοφίαν) ἀνευρίσκομεν Ep. 979 d 3 δυνατοὶ ἀνευρεῖν αὐτοί Le. VII 341 e 3.

Ass. : ἀναζητεῖν, ἰχνεύειν.

Syn. : ἐξευρίσκειν, εὑρίσκειν, ἐφευρίσκειν (avec les distinctions de J. Brunel, *L'Aspect...*, p. 103 et 144).

ἀνέχεσθαι « supporter » (de, que) εἰ ἡ φύσις ἱκανὴ εἴη ἀνασχέσθαι θεωροῦσα Pd. 109 e 6 (cf. R. VII 518 c 10).

Adj. verbal : ἀνεκτός « supportable » (L. II 655 d 2 IX 861 d 2).

ἀνήκεστος « irrémédiable » ἀνήκεστα κακά R. X 619 a 5*.

Syn. : ἀνίατος.

ἀνηλεήτως « impitoyablement » ἐχθρῶς τε καὶ ἀνηλεήτως [AO : ἀνελεήτως O^c ἀνηλεῶς O^4] μισοῦντες μισοῦνται L. III 697 d 6*.

Ass. : ἐχθρῶς.

ἀνήρ, ὁ « un homme » ὡς ἀληθῶς ... ἀνδρός La. 188 c 8 (cf. R. II 359 b 3) ἀνὴρ μᾶλλον ἔσται τοῦ πατρός R. VIII 550 a 1 μὴ ἐθέλοντι ... ἄνδρα ... ἡγοίμην ἄν ..., τὸν δὲ ὑπομένοντα ... ἄνανδρον

Le. VII 330 d 4 (réc. 331 a 6 τὸν μὲν ὑπομένοντα ... ἡγοίμην ἂν ἄνανδρον, τὸν δ' οὐχ ὑπομένοντα ἄνδρα).

Ass. et opp. : ἄνανδρος.

ἀνθρώπειος « humain » (en général ; cf. P. Chantraine, *Formation*, p. 203) ὅσα γε τἀνθρώπεια Cr. 46 e 3 εἰς ἀνθρώπειον σῶμα Pd. 77 b 8 τῷ ἀνθρωπείῳ γένει B. 189 d 3 (cf. Mx. 238 a 2) τῇ ἀνθρωπείᾳ φύσει B. 212 b 3 (cf. L. IV 713 c 6) ἡ δικαιοσύνη οὐκ ἀνθρωπεία ἀρετή ; R. I 335 c 4 ἀνθρώπεια ἤθη R. VI 501 c 1 τὰ ἀνθρώπεια πράγματα Pa. 134 e 6 (cf. L. X 886 e 1) ἀνθρώπεια ... θεῖα So. 266 a 5 (cf. R. VII 517 d 6) φύσει ἀνθρώπειον μάλιστα ἡδοναί L. V 732 e 4.

App. : ἀνθρώπινος (avec lequel il alterne : dans le *Phédon*, par exemple ; à côté de γένος, de πράγματα, de φύσις ; dans la formule ὅσα γε ... ; dans les mss pour un même passage : A. 103 a 5 ἀνθρώπειον B Olympiod. : -πινον TW) ; ἀνθρωπικός.

Ass. et opp. : θεῖος.

ἀνθρωπικός « humain » οὐ θεῖον ἀλλ' ἀνθρωπικόν So. 268 d 1*. « Classificatoire » : P. Chantraine, *Études*, p. 131.

App. : ἀνθρώπειος, ἀνθρώπινος.

Ass. et opp. : θεῖος.

ἀνθρώπινος « conforme à la nature humaine » a) adj. ; b) subst. n. « l'humain ».

a) ἀνθρωπίνη σοφία ... μείζω τινὰ ἢ κατ' ἄνθρωπον σοφίαν Ap. 20 d 7 (moins péjoratif ici que dans l'oracle 23 a 6) καὶ κατ' ἀνθρώπινα καὶ κατὰ θεῖα πράγματα B. 186 b 2 ὁ δὲ Σκαμάνδριος ... ἀνθρωπινώτερον (attribut) διασκέψασθαι Cra. 392 b 3 περὶ ... λόγους οὖσαι θείους τε καὶ ἀνθρωπίνους Phr. 259 d 6 (cf. L. V 732 e 2) ἡ ἀνθρωπίνη φύσις Tht. 149 c 1 (cf. T. 90 c 3 L. IX 854 a 1) τὰ μὲν οὐράνια καὶ θεῖα ... τὰ δὲ θνητὰ καὶ ἀνθρώπινα Criti. 107 d 8 τὸ ἀνθρώπινον γένος L. IV 721 b 7 (cf. R. V 473 d 6).

b) τἀνθρώπινα διακυβερνῶσι σύμπαντα L. IV 709 b 8 (réc. 713 c 6 ; cf. Ep. 974 b 7) ὅσα γε ἀνθρώπινα L. VIII 836 a 6 (cf. Le. VII 350 e 3) ὡς τἀνθρώπινα L. XII 959 a 4 τὸ ... ἀνθρώπινον ἔμφρον καὶ ζῶν Ep. 982 d 6.

App. : ἀνθρώπειος (q. v.), ἀνθρωπικός, θνητός.

Ass. et opp. : θεῖος, οὐράνιος (a).

ἄνθρωπος, ὁ « homme » ἡμᾶς τοὺς ἀνθρώπους ἓν τῶν κτημάτων τοῖς θεοῖς εἶναι Pd. 62 b 8 μάθημα ἀναγκαῖον ..., μᾶλλον δ' εἰ καὶ (μέλλει) ἄνθρωπος ἔσεσθαι R. VII 522 e 5 τί δέ ποτ' ἐστὶν ἄνθρωπος ... ζητεῖ Tht. 174 b 4 ἕν τ' ἀνθρώπῳ καὶ τῷ παντί Ph. 64 a 2 θεοσεβέστατον ... πάντων ζῴων ἄνθρωπος L. X 902 b 6.

App. : ἀνήρ.

Ass. et opp. : θεός, πᾶν.

ἀνία, ἡ « souffrance » ἄλλο τι φάναι εἶναι τὸ ἀγαθὸν ἢ τὴν ἡδονήν, ἢ τὸ κακὸν ἄλλο τι ἢ τὴν ἀνίαν Pr. 355 a 2 (cf. 353 e 4 et 8) ἀνιαρότατον ... καὶ ἀνίᾳ ὑπερβάλλον G. 477 d 3 τὰ ... ἀγαθὰ εἶναι τὰς ἡδονάς, κακὰ δὲ τὰς ἀνίας G. 498 d 4 (cf. Cra. 419 c 3)*.

App. : ἀλγηδών, λύπη, ὀδύνη.

Ass. : κακόν.

Ass. et opp. : ἡδονή.

ἀνιᾶν « torturer » (métaph. : G. 485 b 7, 502 a 6) ; au moyen « souffrir » ἀνιώμενός τε καὶ ὀδυνώμενος Pr. 351 b 6 οὐκ ἄρα τὸ χαίρειν ἐστὶν εὖ πράττειν οὐδὲ τὸ ἀνιᾶσθαι κακῶς G. 497 a 4 τοῖς ἀνιωμένοις οὐ πάρεστιν τὰ κακά, αἱ λῦπαι G. 498 d 12 (cf. e 4 499 a 8 et 10)*.

App. : ἀλγεῖν, λυπεῖσθαι.

App. et ass. : ὀδυνᾶσθαι.

Ass. : κακῶς πράττειν.

Ass. et opp. : χαίρειν.

Opp. : ἥδεσθαι.

ἀνιαρός « désagréable », « pénible » ἡδέ' ἄττα καλεῖς κακὰ καὶ ἀνιαρὰ ἀγαθά Pr. 351 c 4 (cf. 6, 7 d 1 et 5, 354 a 3 et 7, 355 b 5 c 1 e 5 et 8, 356 c 1 G. 497 d 7) τὸ πεινῆν ... ἡδὺ ἢ ἀνιαρόν; G. 496 c 7 (cf. d 1 et 7, 477 d 3 R. IX 584 a 5, 587 e 5 Phr. 233 b 3)*.

Adv. : ἀνιαρῶς L. II 660 e 6* (ἄθλιός τ' ἐστὶ καὶ ἀνιαρῶς ζῇ).

App. : ἀλγεινός, λυπηρός, ὀδυνηρός.

Ass. : ἄθλιος, κακός.

Ass. et opp. : ἡδύς.

ἀνίατος « incurable » 1°) physiquement ; 2° moralement a) adj. ; b) subst. m.

1° ἀνίατον ἕλκος L. IX 877 a 5 (cf. 878 c 2).

2° a) ὡς ἀνίατον ὄντα ... ἐκβάλλειν ... ἢ ἀποκτείνειν Pr. 325 a 9 (cf. G. 480 b 2, 525 c 2 et 4 e 4 L. IV 704 d 3 V 735 e 3 IX 854 e 4 XII 942 a 4) ἐάν τε ἰάσιμος ἐάν τε ἀνίατος δοκῇ εἶναι G. 526 b 9 (cf. L. XII 941 d 4) ὅσα δυσίατα καὶ ἀνίατα L. IX 854 a 3 (cf. II 660 c 7 V 731 b 5 G. 512 a 6 Le. VIII 352 c 3).

b) τοὺς ... κακοφυεῖς καὶ ἀνιάτους R. III 410 a 4.

Adv. : ἀνιάτως (Pd. 113 e 2 L. IX 862 e 1).

App. et ass. : δυσίατος, κακοφυής.

Ass. et opp. : ἰάσιμος.

Syn. : ἀνήκεστος.

ἀνιέναι I « remonter, s'élever » (à) μὴ ἐπ' ἀρχὴν ἀνελθόντες R. VI 511 d 2 οὐκ εἰς προβλήματα ἀνίασιν R. VII 521 c 3.

Opp. : κατιέναι.

ἀνιέναι II a) « réserver » ; b) « relâcher ».

a) κήπους ... ἀνέντες Criti. 112 c 7 (cf. L. VI 761 c 4 ἀνειμένον Suidas : ἀφ- codd.).

b) ἀνεθέντος αὐτοῦ μαλακώτερον R. III 410 e 2 τὸ μὲν ἐπιτείνουσα ... τὸ δὲ ἀνιεῖσα R. IV 442 a 1 (cf. IX 575 a 7) ἄνανδρος ... καὶ λίαν ἀνειμένος R. VIII 549 d 8 ἡδονῶν ἀνειμένων R. IX 573 a 7 ἐπέχων καὶ οὐκ ἀνιείς Tht. 165 e 1 (cf. R. III 411 b 3).

App. : (a) ἀφιέναι ; (b) χαλᾶν.
Ass. et opp. (b) : ἐπέχειν (b), ἐπιτείνειν.
Opp. : κατατείνειν, συντείνειν.

ἀνίκητος « invincible » ἄμαχόν τε καὶ ἀνίκητον θυμός, οὗ παρόντος ψυχὴ ... ἀήττητος R. II 375 b 2 λόγοις ... ἀνικήτοις [A : ἀκινήτοις FWY] T. 29 b 8*.
App. et ass. : ἄμαχος.
Ass. et syn. : ἀήττητος.

ἄνισος « inégal » αὐτὰ τὰ ἴσα ... ἄνισά σοι ἐφάνη ; Pd. 74 c 1.
Ass. et opp. : ἴσος.

ἀνισότης, ἡ « inégalité » ἐφάνη ... ἡ ἰσότης ἀνισότης ; Pd. 74 c 1 ἀνομοιότητός τε καὶ ἀνισότητος οὐ μετέχει Pa. 140 e 7.
Ass. : ἀνομοιότης.
Ass. et opp. : ἰσότης.

ἄνοδος, ἡ « ascension » τὴν εἰς τὸν νοητὸν τόπον τῆς ψυχῆς ἄνοδον R. VII 517 b 5*.
App. : ἀνάβασις.

ἀνοηταίνειν « être insensé » ἥδεσθαι ... καὶ τὸν ἀνοηταίνοντα καὶ ἀνοήτων δοξῶν ... μεστόν Ph. 12 d 3 χρὴ ... μὴ ἀνοηταίνειν Le. XI 359 c 2*.

ἀνόητος 1° actif a) « insensé » α) adj. β) subst. m. ou n. ; b) « sans penser » ; 2° passif « non intelligible » (subst. n.).
1° a) α) ἀνόητόν τε καὶ ἠλίθιον θάρρος Pd. 95 c 4 ἀνοήτου ψυχῆς Tht. 175 b 4 ἀνοήτων δοξῶν ... μεστόν Ph. 12 d 3 (cf. L. X 891 c 7) οὐδὲν ἀνόητον τοῦ νοῦν ἔχοντος ... κάλλιον T. 30 b 2 ἀτελὴς καὶ ἀνόητος εἰς Ἅιδου ... ἔρχεται T. 44 c 3 ἀνοήτατον ... καὶ ἀφρονέστατον ... ζῷον Ep. 976 d 7.
β) τοὺς δ' ἀνοήτους ἀμυήτους, τῶν δ' ἀνοήτων τοῦτο τῆς ψυχῆς G. 493 a 7 b 1 (cf. c 2) τῷ ἀνοήτῳ (n.) αὐτῆς (sc. τῆς ψυχῆς) χαριζόμενον R. X 605 b 9 ἀνοήτῳ (m.) χαρίζεσθαι Phr. 241 b 8 ἐκ τῶν ... ἀνοητάτων καὶ ἀμαθεστάτων T. 92 b 2.
b) νοήματα ὄντα ἀνόητα εἶναι Pa. 132 c 11.
2° τῷ μὲν θείῳ ... καὶ νοητῷ ..., τῷ δὲ ἀνθρωπίνῳ ... καὶ ἀνοήτῳ Pd. 80 b 3.
Adv. : ἀνοήτως (Pd. 88 b 4 L. II 665 d 4).
App. (1° a) : ἄνους, ἀσύννους.
App. et ass. (1° a) : ἀμαθής, ἄφρων, ἠλίθιος.
Ass. et opp. (2°) : νοητός.
Opp. (1° a) : φρόνιμος.

ἄνοια, ἡ « inintelligence, sottise », ἡ κολακευτικὴ ... θηρεύεται τὴν ἄνοιαν G. 464 d 3 πολλὴ ἄνοιά ἐστι M. 90 e 1 (cf. B. 210 b 2 R. VI 492 e 2 L. VII 795 a 1) πλάνης καὶ ἀνοίας καὶ φόβων ... ἀπηλλαγμένη Pd. 81 a 5 ἡ δὲ ἄνοιά [B² T W Y² Burnet Hackforth Bluck : διάνοιά BY Robin] μοι αὕτη οὐ ξυνδιατελεῖ « cette folle croyance (Hackf. ; ou « cette ignorance » Verdenius, *Mnem.*, 1958, p. 224) qui est la mienne ne survivra pas plus que moi » Pd. 91 b 6 ἄνοιάν τε καὶ μοχθηρίαν Pd. 93 b 9 ἣν ἄνοιαν οὖσαν ὑποκοριζόμενοι καλοῦμεν ὡς εὐήθειαν R. III 401 e 1 ἐπὶ φύσιν νοῦ τε καὶ ἀνοίας ἀφικόμενος « venu à la nature de l'intelligence et de ce qui est dépourvu d'intelligence » (l'abstrait pour le concret : Verdenius, *Mnem.*, 1955, p. 286) Phr. 270 a 5 (cf. νοῦ καὶ ἀνοίας [APY : διανοίας F] ἀποβολῇ T. 92 c 3) ὑπ' ἠλιθιότητός τε καὶ ... ἀνοίας Tht. 177 a 1 νόσον ... ψυχῆς ἄνοιαν ..., δύο δ' ἀνοίας γένη, τὸ μὲν μανίαν, τὸ δὲ ἀμαθίαν T. 86 b 3 (cf. R. II 382 c 10 L. III 691 d 1) φρόνησιν μὲν ... ἐμποιεῖν, τὴν δ' ἄνοιαν ... ἐξαιρεῖν L. III 688 e 7 (cf. la note *ad loc.* et L. I 625 e 5 III 689 b 3) νοῦν μὲν προσλαβοῦσα ..., ἀνοίᾳ δὲ συγγενομένη (ψυχή) L. X 897 b 3 ὁ μὲν ἀνοίᾳ κακουργήσας ἀλλοτρίᾳ ..., ὁ δὲ δι' οἰκείαν ἄνοιαν L. XI 934 a 1, 3.

App. : ἀβελτερία, ἀφροσύνη, εὐήθεια.
App. et ass. : ἀμαθία, ἠλιθιότης.
Ass. : εὐήθεια, μανία, ὕβρις.
Ass. et opp. : νοῦς, φρόνησις.

ἀνομία, ἡ « mépris des lois, illégalité » καταπιμπλαμένους ἀνομίας R. VI 496 d 8 ἐν πάσῃ ἀναρχίᾳ καὶ ἀνομίᾳ ζῶν R. IX 575 a 2 νόμον καὶ ἀνομίαν Po. 291 e 2 ἀνομίᾳ καὶ ἀθεότητι Le. VII 336 b 5*.

App. et ass. : ἀναρχία.
Ass. et opp. : νόμος (b).
Opp. : εὐνομία.

ἀνομίλητος « privé de société » ἄπειρος ... πόλις ἀνθρώπων ... ἀνομίλητος οὖσα L. XII 951 b 1 (cf. Le. VII 332 d 1 et 2)*.

App. : ἀπάνθρωπος.

ἀνόμοιος « dissemblable » adj. et subst. n. ἕτερόν τε καὶ ἀνόμοιον B. 186 b 7 ἀλλοῖον δ' ὄν, ἀνόμοιον εἶναι Pa. 148 c 6 νομίσας μυρίῳ κάλλιον ὅμοιον ἀνομοίου T. 33 b 8 ἀνόμοιός τε καὶ διάφορος L. IV 716 d 2 (cf. Po. 310 c 6) ἐκ τῶν πολλῶν καὶ ἀνομοίων (n.) L. XII 965 c 3 τοὺς δὲ ἀνομοίους αὖ γεγονότας (ἀριθμούς) ἑτέρα τέχνη ὁμοιοῖ Ep. 990 d 7.

Adv. : ἀνομοίως (R. III 388 c 3 T. 36 d 6, 39 e 6, 51 e 2).
App. et ass. : ἀλλοῖος, διάφορος, ἕτερος.
Ass. et opp. : ὅμοιος.

ἀνομοιότης, ἡ « dissemblance » ποικιλίας καὶ ἀνομοιότητός τε καὶ διαφορᾶς γέμειν R. X 611 b 2 τὴν ὁμοιότητα τῶν ὄντων καὶ ἀνομοιότητα Phr. 262 a 6 ἀνομοιότητός τε καὶ ἀνισότητος οὐ μετέχει Pa. 140 e 6 εἰς τὸν τῆς ἀνομοιότητος ... πόντον [Simpl. Procl. Diès Taylor : τόπον codd. et Eus.] Po. 273 d 7 (cf. *Archives de Philosophie*, XIX, 1956, p. 120-122) αἱ ... ἀνομοιότητες τῶν ... ἀνθρώπων Po. 294 b 2.

App. : ἑτεροιότης.
App. et ass. : διαφορά, ποικιλία.
Ass. : ἀνισότης.
Ass. et opp. : ὁμοιότης.

ἀνομοιοῦν « rendre dissemblable » ὁμοιούντων τε καὶ ἀνομοιούντων (ἀριθμῶν) R. VIII 546 b 8 ἀνομοιώσει τὸ ταὐτόν Pa. 148 b 6 ὁμοιοῦσθαί τε καὶ ἀνομοιοῦσθαι Pa. 156 b 6 (cf. Tht. 159 a 7, 177 a 2 T. 57 c 4) τὸν αὐτὸν εἶναι τὸν ἀνομοιούμενον τῷ πρὶν ἀνομοιοῦσθαι ὄντι Tht. 166 b 5-6.

Ass. et opp. : ὁμοιοῦν.

ἀνομοίωσις, ἡ « désassimilation » ἐάνπερ ἀνομοίωσις γίγνηται Tht. 166 c 1*.

ἀνομολογεῖν (au moyen) 1° (ἀν- de reprise) « convenir en récapitulant » ; 2° (ἀν- privatif) « être en désaccord ».

1° ἵνα ἀνομολογησάμενος παρ' αὐτοῦ ... λέγω B. 199 c 1 ἀνομολογησώμεθα τὰ εἰρημένα B. 200 e 6.

2° ἵνα δή μοι μὴ ἀνομολογούμενος ᾖ ὁ λόγος G. 495 a 5 (adj. pour Ast, L.-S.-J., Dodds).

ἄνομος « sans loi » ἄγριον καὶ ἄνομον ἐπιθυμιῶν εἶδος R. IX 572 b 6 θηρευτὰς ὠμοὺς καὶ ἀνόμους L. VII 823 e 4.

Opp. : εὔνομος.

ἀνοργίαστος « sans cérémonie » ἀνοργιάστους ... ἑτέρους θεούς Ep. 985 d 7*.

ἀνόσιος « impie » 1° adj. ; 2° subst. a) m. ; b) n.

1° ἀνοσιώτατα ἁμαρτήματα G. 525 d 6 (cf. L. IX 872 d 7 Le. VII 325 a 3) ἄδικος καὶ ἀνόσιος (ψυχή) G. 505 b 4 (cf. 479 c 1 R. X 610 b 6) αἰσχρὸν καὶ ἀνόσιον ἔργον Mx. 245 e 1 (cf. Le. VII 334 a 7).

2° a) τοὺς ... ἀνοσίους ... καὶ ἀδίκους R. II 363 d 7 τὸν ἀνόσιον ἐπονομάζων L. IX 881 d 1 τὴν τῶν ἀνοσίων τιμωρὸν Δίκην Ep. 988 e 4 ὅσιος ... ἄνθρωπος ἀνοσίων πέρι ... Le. VII 351 d 2.

b) τοῦ ὁσίου τε πέρι καὶ τοῦ ἀνοσίου Euph. 4 e 2 (cf. e 5, 5 d 2 e 6) τὸ πάσχειν ἀνόσια τοῦ δρᾶσαι πρότερον Le. VII 351 c 7.

Adv. : ἀνοσίως (L. X 907 a 8*).

App. et ass. : ἄδικος, θεομισής.

Ass. et opp. : ὅσιος.

Syn. : ἀσεβής.

ἀνοσιότης, ἡ « impiété » ἔχον μίαν τινὰ ἰδέαν κατὰ τὴν ἀνοσιότητα Euph. 5 d 4*.

Opp. : ὁσιότης.

Syn. : ἀσέβεια.

ἀνοσιουργεῖν « commettre l'impiété » ἀνοσιουργήσαντας L. X 905 b 3*.

ἀνοσιουργία, ἡ « œuvre impie » οἷς συνέπεται τῶν ἁρπαγμάτων (AP : πραγμάτων O) ἀνοσιουργία Le. VII 335 b 7*.

ἀνοσιουργός « fauteur d'impiété » Le. VIII 352 c 3*.

ἄνους « sans intelligence » ὑπὸ γῆς ἄνουν παρέξει (τὴν ψυχήν) Phr. 257 a 2 (cf. ἄνοια 270 a 5) ἄνους ψυχὴ γίγνεται T. 44 b 1 ἄνους οὖσα καὶ ἀναίσθητος (πόλις) L. XII 962 c 1.

App. : ἀνόητος (1° a), ἀσύννους, ἄφρων.

ἀνταδικεῖν « répondre (à l'injustice) par l'injustice » ἀδικούμενον ... ἀνταδικεῖν Cr. 49 b 11 (cf. c 10 d 8 Tht. 173 b 1) ἀνταδικήσας τε καὶ ἀντικακουργήσας Cr. 54 c 2*.

App. et ass. : ἀντιδρᾶν κακῶς (Cr. 49 d 8), ἀντικακουργεῖν.

Ass. : ἀδικεῖν.

ἀνταποδιδόναι 1° (trans.) « donner en compensation » ou « comme contrepoids » ; 2° (intr.) « faire équilibre ».

1° οὐκ ἀνταποδώσομεν τὴν ἐναντίαν γένεσιν Pd. 71 e 5 τὸ ἄγαν τι ποιεῖν μεγάλην φιλεῖ εἰς τοὐναντίον μεταβολὴν ἀνταποδιδόναι R. VIII 563 e 10 ἀντιλέγει ... καὶ ἀνταποδίδωσι ταὐτὰ καὶ πλείω Pa. 128 d 4 οὐκ ἀνταποδοτέον ταῖς λύπαις ... τὴν τούτων ἀντίστροφον ἕξιν... ; Ph. 40 d 4 (cf. T. 87 c 3) τὰ αὐτὰ ἀνταποδιδὸν ἀεί T. 79 e 7 τὰς τῆς ψυχῆς ἀνταποδοτέον κινήσεις T. 88 c 4.

2° εἰ ... μὴ ἀεὶ ἀνταποδιδοίη τὰ ἕτερα τοῖς ἑτέροις γιγνόμενα Pd. 72 a 9 (cf. b 8).

ἀντιδοξάζειν « soutenir l'opinion opposée » τὴν τῶν ἀντιδοξαζόντων οἴησιν Tht. 171 a 7 (cf. 170 d 8)*.

ἀντίθεσις, ἡ « opposition » ὄντος ... πρὸς ὂν ἀντίθεσις So. 257 e 6 (cf. 258 b 1)*.

ἀντικακουργεῖν « rendre le mal pour le mal » ἀνταδικήσας τε καὶ ἀντικακουργήσας Cr. 54 c 2 (cf. 49 c 4)*.

App. et ass. : ἀνταδικεῖν.

ἀντιλαβή, ἡ « prise » πολλὰς ... ἔχει ὑποψίας καὶ ἀντιλαβάς Pd. 84 c 6*.

Ass. : ὑποψία.

ἀντιλαμβάνειν (au moyen) « attaquer », « objecter » (à) ἐὰν ... ἀντιλαμβάνωμαι τῶν λόγων H. M. 287 a 4 (cf. a 7-8 R. I 336 b 2 VI 497 d 4 Tht. 169 d 3, 189 c 11) χρὴ ἀντιλαμβάνεσθαι καὶ ἐλέγχειν G. 506 a 2.

Ass. : ἐλέγχειν 3°.

ἀντίληψις, ἡ « objection » ἔμπειρός εἰμι τῶν ἀντιλήψεων H. M. 287 a 6 οὐ συγχωρῶ τῇ Σιμμίου ἀντιλήψει Pd. 87 a 6 τὰς ... ἀντιλήψεις καὶ ἀπορίας So. 241 b 5*.

App. et ass. : ἀπορία.

ἀντιλογία, ἡ « contradiction » ἀντιλογίας ἅπτεσθαι R. V 454 b 2 (λόγοις) εἰς ἀντιλογίαν χρώμενοι R. VII 539 b 4 ἐν ἀντιλογίᾳ [W : ἐναντιολογίᾳ BT] So. 236 e 5*.

App. : ἐναντιολογία.

ἀντιλογικός 1° adj. « contradictoire » ; 2° subst. a) m. « controversiste » (cf. R. Hackforth, *Plato's Phaedo*, p. 108, n. 1 ; P. Chantraine, *Études*, p. 137) ; b) f. et c) n. « controverse ».

1° τοὺς ἀντιλογικοὺς λόγους Pd. 90 c 1.

2° a) οἱ ἀντιλογικοί Ly. 216 b 1 (cf. Pd. 101 e 1 Tht. 197 a 1 So. 232 b 6 et 12).

b) ἡ ἀντιλογική Phr. 261 d 12 (ss-ent. τέχνη, qui est exprimé R. V 454 a 2 So. 226 a 2, 232 e 3).

c) τὸ ... ἀντιλογικόν So. 225 b 10 (cf. b 12, 232 b 6)*.

Adv. : ἀντιλογικῶς (Tht. 164 c 8*). — App. : ἐριστικός. Opp. : διαλεκτικός.

ἀντίστροφος a) adj. « correspondant » ; b) subst. n. « (un) pendant ».

a) ἀντίστροφον ... τῇ ἰατρικῇ τὴν δικαιοσύνην G. 464 b 9 (cf. b 8 R. X 605 a 9, 616 b 2 Ph. 51 e 4, 57 a 10 L. XII 951 a 1) τὴν ῥητορικὴν ... ἀντίστροφον ὀψοποιΐας ἐν ψυχῇ G. 465 e 1 (cf. R. VII 522 a 3, 530 d 4 L. XII 953 c 5) πάντα ... ὥσπερ ἀντίστροφα τὰ αὐτὰ παρακολουθεῖ Tht. 158 c 4 ἀνταποδοτέον ταῖς λύπαις ... τὴν τούτων ἀντίστροφον Ph. 40 d 5 (cf. T. 87 c 1).

b) πάλιν αὖ τὰ ἀντίστροφα ἀποδίδωσιν Tht. 175 d 2.

Adv. : ἀντιστρόφως (R. VII 539 d 10*).

App. : ἀντίσταθμος (So. 229 c 2*).

ἀντίτυπος « repoussant » σκληροὺς ... καὶ ἀντιτύπους Tht. 156 a 1*.

App. et ass. : σκληρός.

ἀντίφωνος « contraire, discordant » ὀξύτητα βαρύτητι σύμφωνον καὶ ἀντίφωνον [i. m. A^3O^3 : om. AO England Diès] L. VII 812 e 1 (cf. IV 717 b 2)*.

Ass. et opp. : σύμφωνος. — Syn. : ἀσύμφωνος.

ἀνυπεύθυνος « irresponsable » ἀνυπεύθυνός τε καὶ αὐτοκράτωρ L. IX 875 b 4 (cf. III 691 c 7 VI 761 e 5)*.

App. : ἀναίτιος. — Ass. : αὐτοκράτωρ.

ἀνυπόθετος « absolu » a) adj. ; b) subst. n.

a) ἐπ' ἀρχὴν ἀνυπόθετον R. VI 510 b 7*.

b) μέχρι τοῦ ἀνυποθέτου ἐπὶ τὴν τοῦ παντὸς ἀρχήν R. VI 511 b 6*.

ἄνω « en haut » (souvent adjectivé) τὰ ἄνω ὄψεσθαι R. VII 516 a 4 (cf. 529 a 2) ἀναβὰς ἄνω 517 a 3 ἄνω ἰέναι 517 a 5 (cf. τῆς ἄνω ὁδοῦ X 621 c 5) τὴν ... ἄνω ἀνάβασιν καὶ θέαν τῶν ἄνω 517 b 4-5 ἄνω ἀεὶ ἐπείγονται αὐτῶν αἱ ψυχαὶ διατρίβειν 517 c 9 ἄνω ποι ἄγει τὴν ψυχήν R. VII 525 d 5 (cf. 533 d 3 Phr. 246 d 6, 272 d 3 Tht. 175 b 9) ἄνω σχεῖν ἃ νῦν κάτω ... ἔχομεν 527 b 10 (cf. 529 a 10) ἄνω ποιοῦν ψυχὴν βλέπειν 529 b 4 (cf. b 8 IX 586 a 4 Phr. 249 d 8 Tht. 174 a 5) ἐάν τέ τις ἄνω κεχηνώς 529 b 6 τοὺς ἄνω θεοὺς φοβείσθων L. XI 927 b 1.

Ass. et opp. : κάτω, dans la locution « en tous sens » : ἄνω κάτω (ὅταν ἄνω κάτω τοὺς λόγους ἕλκῃ Tht. 195 c 2 πάντ' ἄνω κάτω μεταφέρεται T. 58 b 10) ou ἄνω καὶ κάτω (ἄνω καὶ κάτω τὰς δόξας μεταβάλλον R. VI 508 d 8 τοὺς λόγους ἄνω καὶ κάτω μεταστρέφοντα ἐπισκοπεῖν Phr. 272 b 8 τῆς ἄνω καὶ κάτω φορᾶς L. V 747 a 4 ἄνω καὶ κάτω μεταβαίνουσα ἐφ' ἕκαστον Le. VII 343 e 1).

ἄνωθεν « (d')au-dessus » (parfois adjectivé) ὑπόθεσιν ὑποθέμενος ἥτις τῶν ἄνωθεν βελτίστη φαίνοιτο Pd. 101 d 8 ἄνωθεν ἐξ ἀοράτου ποθὲν ἀμύνονται So. 246 b 7 ἄνωθεν ... κάτωθεν T. 22 e 2 τὰ δὲ τούτων (= τῶν χθονίων) ἄνωθεν L. IV 717 b 1.

Ass. et opp. : κάτωθεν.

ἀνώλεθρος « impérissable, indestructible » ἀθάνατόν τε καὶ ἀνώλεθρον Pd. 88 b 6 τὴν ψυχὴν ἀνώλεθρόν τε καὶ ἀθάνατον Pd. 95 c 1 (cf. Ep. 981 e 7) ; synonyme d'ἀθάνατος dans les exemples précédents, en est distingué ailleurs : εἰ μὲν τὸ ἀθάνατον καὶ ἀνώλεθρόν ἐστιν Pd. 106 b 2 ψυχὴ ἂν εἴη, πρὸς τῷ ἀθάνατος εἶναι, καὶ ἀνώλεθρος Pd. 106 d 1 (cf. c 9 e 2) ψυχὴ ἀθάνατον καὶ ἀνώλεθρον Pd. 107 a 1 ἀγέννητον καὶ ἀνώλεθρον T. 52 a 2 ἀνώλεθρον ... ἀλλ' οὐκ αἰώνιον L. X 904 a 8.

App. : ἀδιάφθορος. — App. et ass. : ἀθάνατος.

Ass. : ἀγέννητος. — Ass. et opp. : αἰώνιος.

Opp. : φθαρτός.

ἀνωφελής « inutile » ἀσύμφορον καὶ ἀνωφελὲς καὶ ἀλυσιτελὲς καὶ ἀκερδές Cra. 417 d 5.

App. et ass. : ἀκερδής, ἀλυσιτελής, ἀσύμφορος.

Opp. : ὠφέλιμος.

ἀξία, ἡ « mérite, rémunération » τιμὰς φέρονται κατὰ τὴν ἀξίαν ἕκαστος Pd. 113 e 1 τῶν κατ' ἀξίαν ὁμιλούντων φιλοσοφίᾳ R. VI 496 b 1 (cf. a 6) ἵνα ... κατὰ ταὐτὰ τὴν ἀξίαν κομίζοιντο R. X 615 b 9.

Ass. : τιμή (a).

ἀξιόπιστος a) « digne de foi » ; b) « digne de confiance ».

a) ἤκουσα ἀνδρὸς ἀξιοπίστου A. 123 b 4*.

b) ἀξιοπιστότερα ἤθη Le. VI 323 a 4*.

ἄξιος « digne » (de) οὐ πολλῆς τινος ἄξιόν ἐστι τιμῆς M. 97 e 3 (τιμὰς) ... οὐδενὸς ἀξίας R. VII 540 d 6 οὔτ' ἂν τιμῆς τῆς ἀξίας τυγχάνοι L. V 738 e 4.

Adv. : ἀξίως (B. 177 c 4, 180 d 3).

ἀξιοῦν a) « juger digne » (de) ; b) « vouloir » ; c) (avec prop. infinitive) « tenir pour acquis, prétendre » (que).

a) οὐδενὸς ἀξιώσοντα ἑαυτὸν ... γενναίου πράγματος G. 485 c 7.

b) ἐθέλοντα ... καὶ ἀξιοῦντα μανθάνειν La. 188 b 2 οὐκ ἀξιοῦμεν δοῦλοι ... ἀλλήλων εἶναι Mx. 239 a 2 (cf. 240 a 1).

c) ἀξιώσατε ... διττούς μου τοὺς κατηγόρους γεγονέναι Ap. 18 d 7 τὴν ῥητορικὴν τέχνην ἀξιῶ εἶναι περὶ λόγους G. 450 c 2 (cf. Pd. 86 d 2 R. X 610 a 7 Po. 262 e 2).

App. et ass. (b) : ἐθέλειν 1°.

ἀξίωμα, τό a) « titre » (à) ; b) « prestige ».

a) ἀξιώματα ... τοῦ τε ἄρχειν καὶ ἄρχεσθαι L. III 690 a 1 (cf. a 4 b 9 d 3).

b) μηδὲν τούτου τοῦ ἀξιώματος ἄξιον Pr. 337 e 1 (cf. B. 220 e 6 R. VI 495 d 6).

ἀόρατος « invisible » a) adj. b) subst. n.

a) τί οὖν περὶ ψυχῆς λέγομεν ; ὁρατὸν ἢ ἀόρατον εἶναι ; Pd. 79 b 9 (cf. So. 247 b 4 T. 46 d 6) ἡ ... ἁρμονία ἀόρατον καὶ ἀσώματον Pd. 85 e 5 ἀόρατον δὲ καὶ ἄλλως ἀναίσθητον T. 52 a 4 τῷ δέ (= ψυχῇ) ... ἀοράτῳ τε εἶναι καὶ γιγνώσκοντι νοητῷ τε Ep. 981 c 3.

b) περὶ τὸ ὄν τε ... καὶ τὸ ἀόρατον R. VII 529 b 5 εἰς γῆν ἐξ οὐρανοῦ καὶ τοῦ ἀοράτου πάντα ἕλκουσι So. 246 a 7 (réc. ἄνωθεν ἐξ οὐρανοῦ b 7).

App. et ass. : (a) ἀναίσθητος, νοητός ; (b) ὄν.

Ass. et opp. : ὁρατός.

Syn. : ἀειδής.

ἀόριστος « indéterminé » μηδ' ... ἀόριστον γένηται L. I 643 d 6 τοῦτο ἀόριστον ἐᾶν L. XI 916 e 4*.

Adv. : ἀορίστως (L. XI 916 e 2*, app. et ass. à ἀτάκτως).

ἀπαθής « insensible » ἀπαθεῖς κακῶν Phr. 250 c 2 ἀπαθὴς πάντων τῶν τοιούτων Ph. 21 e 3 L. I 647 d 7 (cf. Ph. 33 e 10) (τὴν ψυχὴν) ἀπαθῆ ... ἐάσαντα Ph. 33 d 4.

ἀπαιδευσία, ἡ « manque de culture » ou « d'éducation » τὴν ἀπειρίαν καὶ ἀπαιδευσίαν H. M. 293 d 2 (cf. L. II 659 a 6) ὑπ' ἀπαιδευσίας Pr. 347 c 7 Euth. 296 a 3 Tht. 175 a 1 εἰς τοσοῦτον ἥκομεν ἀπαιδευσίας G. 527 e 2 ἀπαιδευσίας μέγα τεκμήριον R. III 405 b 2 παιδείας τε πέρι καὶ ἀπαιδευσίας R. VII 514 a 2 δι' ἀπαιδευσίαν καὶ κακὴν τροφὴν R. VIII 552 e 5 παιδεία ... φέρει καὶ νίκην, νίκη δ' ἐνίοτε ἀπαιδευσίαν L. I 641 c 3 ὑπὸ μέθης τε καὶ ἀπαιδευσίας L. III 695 b 5 διὰ φύσιν τε καὶ ἀπαιδευσίαν τὴν κακήν L. IX 870 a 6.

App. : ἀγροικία.

App. et ass. : ἀπειρία.

Ass. et opp. : παιδεία.

Opp. : εὐπαιδευσία.

ἀπαίδευτος « inculte », sans éducation » οὐ γὰρ οὕτως ἀπαίδευτος ἦν Σιμωνίδης Pr. 345 d 7 (cf. Pd. 91 a 3 Tht. 175 d 5 Le. II 314 a 2) ἄγριος καὶ ἀπαίδευτος (τύραννος) G. 510 b 8 (cf. Tht. 174 d 8 ἄγροικον ...) τοὺς ἀπαιδεύτους καὶ ἀληθείας ἀπείρους R. VII 519 b 9 ῥῆμά τι εἰπεῖν ἀπαίδευτον Phr. 269 b 2 τὸν ἀνέλεγκτον ... νομιστέον ... ἀπαίδευτον καὶ αἰσχρὸν γεγονέναι So. 230 e 2 διὰ ... ἀπαίδευτον τροφήν T. 86 e 2 ὁ ... ἀπαίδευτος ἀχόρευτος L. II 654 a 9 τὸν πεπαιδευμένον τε καὶ ἀπαίδευτον L. II 654 d 7 (cf. I 643 e 1) ἀπειρόκαλόν τε ... καὶ ἀπαίδευτον τῶν περὶ τὰς νυμφικὰς Μούσας νόμων L. VI 775 b 4.

Adv. : ἀπαιδεύτως (R. VIII 559 d 8)*.

App. et ass. : ἄγριος, ἄγροικος, ἀληθείας ἄπειρος, ἀπειρόκαλος.

Ass. et opp. : πεπαιδευμένος.

ἀπαλλαγή, ἡ « affranchissement » ἐν τῇ ἀπαλλαγῇ τοῦ σώματος Pd. 84 b 5 (cf. 64 c 4, 107 c 5 R. VI 496 e 2) οἷς ἔδει ἀπαλλαγὴν εὕρετο Phr. 244 d 8.

App. : λύσις (Pd. 67 d 3 Phr. 244 e 4).

ἀπαλλάττειν « affranchir » τοῦ ... σώματος ... ἀπηλλάχθαι Pd. 107 c 6 (cf. 64 c 5 et 7 R. VI 496 e 3) ἵν' ἄλλοι γενόμενοι ἀπαλλαγῶσι τῶν οἳ πρότερον ἦσαν Tht. 168 a 6 (cf. 175 b 4, 177 a 4 So. 230 c 1) τὸ δ' ἀπαλλάττεσθαι οὐσίας ... ἀπόλλυσθαι ; Pa. 156 a 6.

App. : (ἀπο)λύειν.

ἁπαλός a) « tendre, délicat » ; b) « mou ».

a) νεώτατος ... ἐστι καὶ ἁπαλώτατος B. 196 a 1 (cf. 195 c 8 R. II 377 a 13 Po. 270 e 1 T. 83 c 8) ἁπαλὴν καὶ ἄβατον ψυχήν Phr. 245 a 2.

b) ἁπαλῆς καὶ ἀνάνδρου διαίτης Phr. 239 c 9.

App. et ass. : (a) ἄβατος 3°, νέος ; (b) ἄνανδρος.

ἁπαλότης (ἡ) « délicatesse » θεοῦ ἁπαλότητα B. 195 d 2 (cf. d 6)*.

App. : μαλακότης.

ἀπάνθρωπος « sans commerce humain » τρόπον ἀπανθροπώτερον Le. I 309 b 8*.

App. : ἀνομίλητος.

ἀπαραίτητος « incorruptible » θεοί ... παρὰ τὸ δίκαιον ... ἀπαραίτητοι L. X 907 b 6*.

App. : ἀπαραμύθητος.

Opp. : παραιτητός.

ἀπαραμύθητος « inflexible » (θεοὶ) ἀπαραμύθητοι τῶν περὶ τὰ δίκαια ... πράγματα Ep. 980 d 2*.

Adv. : ἀπαραμυθήτως (L. V 731 d 4*).

App. : ἀπαραίτητος.

ἀπαρνεῖσθαι « nier » φάναι τε καὶ ἀπαρνεῖσθαι Tht. 165 a 7.

Ass. et opp. : φάναι.

Syn. : ἀποφάναι.

ἀπατᾶν 1° « tromper » ; 2° « produire l'illusion ».

1° ἀφελέσθαι ἀπατήσαντα ἢ βιασάμενον R. IX 573 e 9 ὁ κιβδηλεύων τι ψεύδεται καὶ ἀπατᾷ L. XI 917 b 1.

2° σχήμασιν ... ἀπατῶσα G. 465 b 5.

App. et ass. (1°) : κιβδηλεύειν, ψεύδεσθαι (c).

Ass. et opp. (1°) : βιάζεσθαι.

Syn. : ἐξαπατᾶν (avec les distinctions de J. Brunel, *L'Aspect...*, p. 212).

ἀπάτη, ἡ a) « tromperie » ; b) « illusion » (des sens).

a) κιβδηλείαν ... χρὴ ... διανοηθῆναι ... καὶ ψεῦδος καὶ ἀπάτην L. XI 916 d 7.

b) ἀπάτης μὲν μεστὴ ἡ διὰ τῶν ὀμμάτων σκέψις, ἀπάτης δὲ ἡ διὰ τῶν ὤτων Pd. 83 a 4-5.

App. et ass. (a) : κιβδηλεία, ψεῦδος.

ἀπατηλός « frauduleux » κακοῦργός τε καὶ ἀπατηλή G. 465 b 3 ἀπατηλὸν λόγον L. X 892 d 4 (cf. Cra. 408 a 1 Criti. 107 d 2)*.

App. : κίβδηλος.

App. et ass. : κακοῦργος.

ἄπαυστος « incessant » ἄπαυστον καὶ ἀθάνατον αὐτὴν (τὴν φοράν) Cra. 417 c 5 ἀρχὴν ἀπαύστου καὶ ἔμφρονος βίου T. 36 e 4*.

App. et ass. : ἀθάνατος.

ἀπειθεῖν « désobéir » τῷ θεῷ ἀπειθεῖν Ap. 37 e 6 ἀπειθῶν τῇ μαντείᾳ Ap. 29 a 3 (cf. Pd. 61 a 7) τὸν ἀπειθοῦντα ἅμα νόμῳ καὶ τῷ θεῷ L. V 741 d 3 (cf. 745 a 3 IX 881 e 5).

Opp. : πείθεσθαι (2° b).

ἀπειθής « rebelle » ἀπειθὴς τοῖς νόμοις L. XI 936 b 3 (cf. 927 d 1 T. 91 b 6)*.

Opp. : κατήκοος, ὑπήκοος.

ἀπεικάζειν 1° « figurer, représenter (par) » ; 2° « comparer (à) » ; 3° « assimiler (à) » ; 4° « imiter, copier ».

1° τὸ ... αὐτοῦ ... οὐ στεγανόν, ὡς τετρημένος εἴη πίθος, διὰ τὴν ἀπληστίαν ἀπεικάσας G. 493 b 3 οὐ γὰρ δὴ ἁρμονία γέ σοι τοιοῦτόν ἐστιν ὃ [B Archer-Hind Robin : ᾧ B² T W Stob. Burnet Hackforth Bluck « telle que ce à quoi tu la compares »] ἀπεικάζεις Pd. 92 b 7 εἴ τις θεῶν μὴ μόνον τὸ σὸν χρῶμα ... ἀπεικάσειεν Cra. 432 b 7 ἀπείκασον τοιούτῳ πάθει τὴν ἡμετέραν φύσιν R. VII 514 a 1 τὸ ἐρωτικὸν πάθος ἀπεικάζοντες Phr. 265 b 7 τῷ τετραγώνῳ τὸ σχῆμα ἀπεικάσαντες Tht. 147 e 7 (cf. 148 a 4) οὐ κακῶς ἀπῄκασας Pa. 128 e 4 τούτου δὲ ἀπεικασθὲν [codd. Diès Skemp « représenté par analogie » : ἀποσχισθὲν cj. R. G. Bury *R. E. G.*, 1939, p. 30] τὸ μόριον Po. 267 a 9 ὡς ἐν συλλαβῆς εἴδεσιν ... ἀπεικασθῆναι T. 48 c 2 τὰ δὲ ἡμέτερα ... σώματα ἀπεικάζειν Criti. 107 d 3 (cf. e 3) κάλλιον ... περὶ θεῶν ... ἀπεικάζοντι Ep. 980 a 9 (cf. c 8-9) τὸ δὲ ὕδατος ... ἡμίθεον μὲν ἀπεικάσειεν ἄν τις ὀρθῶς ἀπεικάζων Ep. 985 b 5.

2° τὴν δὲ ψυχὴν κοσκίνῳ ἀπῄκασεν τὴν τῶν ἀνοήτων G. 493 c 2 οἷος γὰρ Ἀχιλλεὺς ἐγένετο ἀπεικάσειεν ἄν τις ... Βρασίδαν B. 221 c 7 (cf. d 1 et 4 Pd. 76 e 2) ποτάμου ῥοῇ ἀπεικάζων τὰ ὄντα Cra. 402 a 9 (cf. 431 c 4) τοὺς ... ἄρχοντας ἀπεικάζων ... ναύταις R. VI 489 c 4 (cf. IV 429 d 2 V 464 b 2 Phr. 270 e 1 Ph. 59 e 3, 61 c 5 L. IX 857 c 5-6 X 898 b 2 XII 960 c 9, 967 c 8).

3° ἀπῃκασμένον τὸ ὄνομα τῷ τῆς φορᾶς βάρει Cra. 419 c 7 (cf. d 3, 420 d 9 e 3, 421 b 6, 426 e 4) ἀπεικάζειν ἑαυτὸν τῷ χείρονι R. III 396 d 5 (cf. VIII 563 a 7) ὅλην... τὴν ... δίαιταν τῇ μελοποιίᾳ ... ἀπεικάζοντες ὀρθῶς ἂν ἀπεικάζοιμεν R. III 404 e 1 τοὺς νῷ ἀπῃκασμένους ... γέροντας L. XII 965 a 1 (cf. 964 d 10).

4° εἰκόσι ... χρωμένην ... τοῖς ὑπὸ τῶν κάτω ἀπεικασθεῖσιν R. VI 511 a 8 (= ὁμοιώμασιν Phr. 250 b 4) τοῦ πρὸς μὲν ἐκεῖνο ἀπεικασθέντος ὄντος δὲ εἰκόνος T. 29 c 1 καὶ τὰ μὲν ἄλλα ... ἀπείργαστο εἰς ὁμοιότητα ᾧπερ ἀπεικάζετο (« à la ressemblance de ce qui était imité ») T. 39 e 4.

App. : (3°) ἀφομοιοῦν ; (4°) εἰκάζειν (avec les distinctions de J. Brunel, *L'Aspect...*, p. 174-175 et 184), μιμεῖσθαι ; (2°) ὁμοιοῦν, παραβάλλειν.

Syn. (2°) : προσεικάζειν 2°.

ἀπεικασία, ἡ « figuration, représentation » πάντα τὰ περὶ αὐτήν (= τὴν μουσικήν) ἐστιν ποιήματα μίμησίς τε καὶ ἀπεικασία L. II 668 c 1 (cf. d 5 Criti. 107 b 6)*.

App. et ass. : μίμησις.
Syn. : ἀπείκασμα.

ἀπείκασμα, τό « figuration » πηγῆς ἀπείκασμα Cra. 402 d 1 (cf. 420 c 6)*.
Syn. : ἀπεικασία.

ἀπεῖναι « être absent » ὅταν ἀπῇ τινος θεός T. 53 b 3 (cf. L. III 696 b 5 Ep. 977 c 4).

ἀπειρία, ἡ A « inexpérience, ignorance » ; B « illimitation, infinité ».
A. ἐλεήσας μου τὴν ἀπειρίαν καὶ τὴν ἀπαιδευσίαν H. M. 293 d 1 πολλὴ γὰρ ἄν μ' ἔχοι ἀπειρία ... τῆς τούτων φύσεως H. M. 300 c 2 (cf. L. VII 819 a 4) ἐμπειρία μὲν ... κατὰ τέχνην, ἀπειρία δὲ κατὰ τύχην G. 448 c 6 δι' ἀπειρίαν G. 518 d 2 (cf. R. VI 487 b 3 Ep. 990 a 3) ὑπ' ἀπειρίας Tht. 174 c 5 ἀπειρίᾳ τῶν τοιούτων L. I 639 e 5 (cf. R. IX 585 a 4-5) οὐκ ἀγνοίᾳ οὐδὲ ἀπειρίᾳ R. III 406 c 2 (cf. Criti. 107 b 2 L. V 733 d 5).
App. et ass. : ἄγνοια, ἀπαιδευσία.
Ass. et opp. : ἐμπειρία.
B. ἡ δὲ αὐτῶν φύσις καθ' ἑαυτὰ ἀπειρίαν (παρέσχε) Pa. 158 d 6 πέρας ... καὶ ἀπειρίαν ... σύμφυτον Ph. 16 c 10 ἀπὸ χρόνου μήκους τε καὶ ἀπειρίας L. III 676 a 8.
Ass. et opp. : πέρας (a).

ἀπειροκαλία, ἡ « manque de goût, de délicatesse » ψόγον ἀμουσίας καὶ ἀπειροκαλίας R. III 403 c 2 ὑπὸ ἀπειροκαλίας ... πεισθῇ R. III 405 b 8*.
App. et ass. : ἀμουσία.

ἀπειρόκαλος « sans finesse » ἀπειρόκαλόν τε ... καὶ ἀπαίδευτον τῶν περὶ τὰς νυμφικὰς Μούσας νόμων L. VI 775 b 3*.
Adv. : ἀπειροκάλως (Phr. 244 c 5*).
App. et ass. : ἀπαίδευτος.

ἄπειρος A « sans expérience, ignorant » ; B « illimité, infini » a) adj. ; b) subst. n.
A. τῶν ... ἀπείρων Pr. 328 a 7 (cf. L. VI 752 b 9) πάντων ἄπειρον ... ὧν χρὴ ἔμπειρον εἶναι G. 484 c 9 (cf. νόμων d 3 ἠθῶν d 7 γραμμάτων Ap. 26 d 7 τούτων La. 181 d 4 τοῦ ἀνδρός H. M. 289 e 7 τῶν τοιούτων Tht. 155 c 6 ἡδονῶν L. I 635 c 5 τεχνῶν III 677 b 6 καλῶν 678 b 2 ἀνθρώπων XII 951 a 7) ἄπειρος καὶ ἀνόητος ἄνθρωπος B. 221 e 7 ἄπειρον ... καὶ ἀκέραιον ... κακῶν ἠθῶν R. III 409 a 5 ἀληθείας ἀπείρους R. VII 519 b 9 (cf. IX 584 e 7) φρονήσεως καὶ ἀρετῆς ἄπειροι R. IX 585 e 6 τὸ δ' ἄπειρόν σε ἑκάστων ... πλῆθος ἄπειρον ἑκάστοτε ποιεῖ τοῦ φρονεῖν (jeu sur le double sens) Ph. 17 e 3 τὸ μὲν ἀπείρους (κόσμους εἶναι λέγειν) ἡγήσαιτ' ἂν ἀπείρου τινὸς εἶναι δόγμα (id.) T. 55 d 1 ἄπειρος ... καὶ ἀγύμναστος ... τῶν ... ἀγώνων L. I 647 d 2.
Adv. : ἀπείρως (L. VII 818 c 7)*.
App. : ἀήθης (a).

App. et ass. : ἀγύμναστος, ἀκέραιος, ἀνόητος.

Ass. et opp. : ἔμπειρος.

B. a) ἐν τῷ ἀπείρῳ τῷ παρεληλυθότι χρόνῳ R. VI 499 c 9 χρόνου πλῆθος ... ἄπειρόν [A O⁴ Π : ἄπλετόν O] τι καὶ ἀμήχανον L. III 676 b 7 χρόνῳ μυριετεῖ τε καὶ ἀπείρῳ Ep. 987 a 6 ἄπειρα τὸ πλῆθος R. VII 525 a 4 (cf. Pa. 132 b 2, 143 a 2 Tht. 147 d 8) πλήθει ... ἄπειρον Tht. 156 a 6 (cf. b 1 Pa. 144 a 6, 145 a 3, 158 b 7, 165 c 2 Ph. 17 b 4) πολλά... καὶ ἄπειρα Tht. 159 a 10 (cf. T. 31 a 3) ἄπειρον ... τὸ ἕν Pa. 137 d 8 πεπερασμένον καὶ ἄπειρον πλήθει Pa. 145 a 3 τὸ δ' ἄπειρον ... (avec jeu sur le sens A, q. v.) Ph. 17 e 2 ἀπείρους (id.) T. 55 c 8 εἰς τὸν τῆς ἀνομοιότητος ἄπειρον ... πόντον Po. 273 d 7 (v. ἀνομοιότης) τῶν χρημάτων τῆς ἀπλήστου καὶ ἀπείρου κτήσεως L. IX 870 a 5 πλήθεσιν ἄπειρα L. X 904 a 2.

b) τὴν ... τοῦ ἀπείρου ἰδέαν Ph. 16 d 7 τὸ ἔκ τε ἀπείρου καὶ πέρατος γεγονὸς εἶδος Ph. 32 a 9 (cf. 28 a 2, 30 a 10 ; 23 c 9 réc. 24 a 2, 26 c 6).

App. : ἀπέραντος, ἄπλετος (et cf. τὸ μᾶλλόν τε καὶ ἧττον, τὸ πλέον καὶ τὸ ἔλαττον dans le *Philèbe*).

App. et ass. : ἀμήχανος, ἄπληστος.

Ass. : πολλοί.

Ass. et opp. : a) πεπερασμένος ; b) πέρας.

ἀπέραντος « interminable, infini » a) adj. ; b) subst. n.

a) καὶ τοῦτ' ἔστιν ἀπέραντον R. I 342 a 9 (cf. IX 591 d 8) περιέρχεται ἀπέραντον ὁδόν Tht. 147 c 4 ἀπέραντοι ... αἱ ἀνώνυμοι (αἰσθήσεις) Tht. 156 b 6 ἔστι μέρη ἀπέραντα τῆς οὐσίας Pa. 144 c 1 ἀπέραντα ... τὸν ἀριθμόν So. 257 a 6 (cf. 241 c 1, 245 d 12) χρόνον ἀπέραντον Po. 302 a 4 τὸ ... πρόμηκες ἀπεράντους (εἴληχεν φύσεις) T. 54 a 2 (repris par τῶν ἀπείρων a 3) κεκτημένοι μυριάδας ἀπεράντους λογισμῷ L. III 697 e 1 (cf. Criti. 119 a 4).

b) τοῦτο δή σοι τῶν ἀπεράντων γεγονὸς ἔστω Ph. 28 a 3 (après τὴν τοῦ ἀπείρου φύσιν a 2).

App. : ἀμήχανος, ἄπειρος (B), ἄπλετος.

ἀπεύχεσθαι « supplier » *(deprecari)* πολλὰ ὁ πατὴρ ἀπεύξαιτ' ἂν τοῖς θεοῖς μηδαμῶς ... γίγνεσθαι L. III 687 d 7*.

ἀπέχειν, au moyen ἀπέχεσθαι « s'abstenir » (de) ἀπέχονται τῶν κατὰ τὸ σῶμα ἐπιθυμιῶν ... καὶ καρτεροῦσι ... ἔπειτα ἀπέχονται αὐτῶν Pd. 82 c 3 et 8 ἡ τοῦ ... φιλοσόφου ψυχὴ ... ἀπέχεται τῶν ἡδονῶν τε καὶ ἐπιθυμιῶν Pd. 83 b 7 (cf. R. III 403 e 4, 404 c 9 et 11) τῶν μεγίστων ἡδονῶν ... ἀπέχεσθαι L. I 635 b 6 (cf. VIII 835 e 3 et 5, 838 e 7, 839 a 2 e 1, 840 b 7) ἐμψύχων ... πάντων ἀπεχόμενοι L. VI 782 d 1 ἀποσχέσθαι ... φόνων τῶν πάντη ἀνοσιωτάτων L. IX 872 d 6.

Ass. : καρτερεῖν.

ἀπιέναι « partir » ἀπιὼν οἴχεται A. 131 c 11 (cf. Ap. 32 d 7 Pd. 106 c 6 e 5, 115 d 3 e 1 B. 217 b 7, 220 d 4, 223 b 9) παρὰ τὸν θεὸν ἀπιέναι Pd. 85 a 2.

App. et ass. : **οἴχεσθαι.**

ἀπίθανος 1° au sens actif « non persuasif » ; 2° au sens passif « non convaincu ».

1°) οὐ παντάπασιν ἀπίθανον λόγον Phr. 265 c 1 μυθολόγημα ... οὕτως ἀπίθανον ὂν L. II 663 e 6.

2° ἀπίθανος [codd. Apelt Cornford Taylor ; cf. la réc. δυσανάπειστον 135 a 7 : πιθανὸς Procli CD Wilamowitz Diès] ἂν εἴη ὁ ἄγνωστα αὐτὰ ἀναγκάζων εἶναι Pa. 133 c 1*.

App. (2°) : δυσανάπειστος, δυσπειθής (a).

Opp. (1°) : πιθανός.

ἀπιστεῖν « douter » ἀπιστεῖν τοῖς λόγοις Pd. 107 a 4 (cf. a 9, 77 a 9) τὰ δ' ἀπιστεῖται ... μή ποτ' ἂν ... σχεῖν Ch. 168 e 3 ὡς δυνατὰ λέγεται ἀπιστοῖτ' ἂν R. V 450 c 8 (cf. d 1) οὐδ' ... ἀπιστεῖ [AO : ἀπιστεῖται Z] ... ὡς βάρος οὐδὲν περιφέρειν δυναμένη Ep. 988 d 4 (cf. L. VIII 839 c 8) οὐχ οἷόν τε ... ἀπιστεῖν ὡς οὐ δεῖ ... ἡγεῖσθαι Ep. 988 e 6.

Opp. : πείθεσθαι (2° a), πιστεύειν (2° a).

ἀπιστία, ἡ « incrédulité, défiance » ἀπιστίαν παράσχοι Ch. 168 e 8 εἰς ἀπιστίαν καταβαλεῖν ... καταπέπτωκεν Pd. 88 c 3 d 3 ἀπιστίαν ... ἔχειν Pd. 107 b 1 πολλὰς ... ἀπιστίας ἔχει R. V 450 c 7.

ἄπιστος 1° au sens actif « incrédule, défiant » ; 2° au sens passif « à quoi l'on ne peut se fier, incertain ». a) adj. ; b) subst.

1° οὔτε ... ἀγνώμονες οὔτε ἄπιστοι οὔτε δύσνοι οἱ ἀκουσόμενοι R. V 450 d 4 αὐτὴν ... πρὸς αὐτὴν τὴν πόλιν ἄπιστον καὶ ἄφιλον ποιεῖ L. IV 705 a 6.

2° a) μὴ ... καὶ τὰ πράγματα αὐτὰ ἄπιστα ᾖ Pd. 88 c 6 ἀπίστῳ, ἀδίκῳ, ἀφίλῳ R. IX 580 a 4 (cf. L. V 730 c 4) ἤθη παλίμβολα καὶ ἄπιστα L. IV 705 a 5.

b) ἄφιλος ... πᾶς ὅ γε ἄπιστος L. V 730 c 6 (cf. Phr. 241 c 2).

Ass. (1°-2°) : ἄφιλος.

Opp. (2°) : πιστός.

ἄπλετος « immense, interminable » ἄπλετος ... μάχη τις So. 246 c 3 ἄπλετόν [O : ἄπειρόν A O⁴ Π] τι καὶ ἀμήχανον (χρόνου πλῆθος) L. III 676 b 7 ἐν χρόνου τινὸς μήκεσιν ἀπλέτοις L. III 683 a 7*.

App. : ἄπειρος B, ἀπέραντος.

App. et ass. : ἀμήχανος.

ἀπληστία, ἡ « insatiabilité » διὰ τὴν ἀπληστίαν G. 493 b 3 (cf. R. VIII 555 b 9 IX 586 b 3) ἡ πλούτου ἀπληστία R. VIII 562 b 6 (cf. b 10 c 5 IX 590 b 11) διὰ τὴν τοῦ χρυσοῦ ἀπληστίαν L. VIII 831 d 5 (cf. V 736 e 3) ἀπληστίᾳ ἐλευθερίας ἀκαίρου τινός Le. VIII 354 d 3*.

App. : πλεονεξία (b).

ἄπληστος « insatiable » χρημάτων ... ἀπληστότατον R. IV 442 a 7 (cf. L. VI 773 e 1 IX 870 a 4) ψυχὴν ... τυραννικὴν πενιχρὰν καὶ ἄπληστον R. IX 578 a 1 ἀνηνύτῳ καὶ ἀπλήστῳ κακῷ L. IV 714 a 5 ἡ διὰ βίου ἄπληστος ζήτησις L. VIII 832 a 11.

Adv. : ἀπλήστως (— ἔχοντα R. V 475 c 8 ; cf. X 604 d 9 ; — καὶ ἀκολάστως ἔχοντος G. 493 c 6 ; L. XI 918 d 6 Le. VIII 354 c 5).

Ass. : ἀνήνυτος, ἄπειρος B (L. IX 870 a 4), πενιχρός.

ἁπλότης, ἡ « simplicité » dans la musique et la gymnastique (R. III 404 e 5)*.

ἁπλοῦς (adj. et subst. n.) « simple » : 1° ontologiquement ; 2° logiquement ; 3° moralement.

1° ἁπλοῦν τό γ' ἐμόν ... περὶ λόγων ἐστίν · εἰ δὲ βούλει, οὐχ ἁπλοῦν ἀλλὰ διπλοῦν La. 188 c 4-5 τὰς ... ἁπλᾶς καὶ μετρίας (ἐπιθυμίας) R. IV 431 c 5 ἁπλούστερον ζῷον Phr. 230 a 5 ἁπλᾶ ... φάσματα Phr. 250 c 3 (cf. R. II 380 d 5) ἁπλοῦν ἢ πολυειδές Phr. 270 d 1 ἁπλοῦς (λόγους) δὲ ἁπλῇ (ψυχῇ) Phr. 277 c 3 ἁπλοῦν « un absolu » Po. 294 b 4 (cf. c 7-8 Pd. 62 a 3) τὸ διπλοῦν τοῦτο καὶ ἁπλοῦν L. IV 720 e 7 (cf. 721 a 9) τό γε ἁπλούστατον L. VII 788 d 1.

2° οὐ πάνυ μοι δοκεῖ ... οὕτως ἁπλοῦν εἶναι Pr. 331 c 1 (cf. Cra. 435 d 5) οὐχ ἁπλοῦν ἔτι τοῦτο ἐρωτᾷς G. 503 a 3 οὐχ ἁπλοῦν ἐστιν, ὅπερ ἐξ ἀρχῆς ἐλέχθη (réc. de ἁπλῶς ... ὥρισται 182 a 7), οὔτε καλὸν εἶναι ... οὔτε αἰσχρόν B. 183 d 4 (cf. 206 a 3 Euth. 288 e 1 R. VIII 545 d 1 Phr. 244 a 7 Tht. 188 d 3 Po. 306 c 4) δίδως ... ποικίλα ἀντὶ ἁπλοῦ Tht. 146 d 5 φαῦλόν που καὶ ἁπλοῦν Tht. 147 c 5.

3° ἁπλούστατος καὶ ἀληθέστατος H. m. 364 e 7 (cf. 365 b 4 Cra. 405 c 3, 406 a 2 R. II 382 e 10 L. V 738 e 7) ἄνδρα ἁπλοῦν καὶ γενναῖον R. II 361 b 6 τὰς ... ἁπλᾶς τε καὶ μετρίας (sc. ἐπιθυμίας) R. IV 431 c 5 οὐκέτι ... ἁπλοῦς ... ἄνδρας, ἀλλὰ μεικτούς R. VIII 547 e 2.

App. et ass. (3°) : ἀληθής 3°, γενναῖος, μέτριος (1° a).

Ass. et opp. : (1°) διπλοῦς, ποικίλος, πολυειδής ; (3°) μεικτός, πολύτροπος.

Opp. : διπλοῦς, πολλαπλοῦς.

ἁπλῶς « simplement » 1° dans l'ordre ontologique ; 2° dans l'ordre logique ; 3° dans l'ordre moral.

1° ἁπλῶς εἶναι καλόν H. M. 296 d 7 μένει ἁπλῶς ἐν τῇ αὑτοῦ μορφῇ R. II 381 c 9 ἁπλῶς σημαίνει Pa. 163 c 6 (cf. c 7) ἁπλῶς ... διπλοῦν Ph. 36 b 13 (cf. ἁπλῶς οὕτω πως διπλοῖ L. IV 722 e 6 et les ἁπλῶς οὕτως ou οὕτως ἁπλῶς Pr. 351 a 6 G. 468 c 4 M. 73 e 5 R. I 331 c 3 III 386 b 10 L. I 633 c 9 II 658 a 6).

2° ἁπλῶς γὰρ ὥρισται ... νενομοθέτηται B. 182 a 7 b 2 (repris par l'ἁπλοῦν de 183 d 4) ἁπλῶς ἔστω τὰ μὲν ἀρετῆς ἐχόμενα ... σχήματα ... καλά L. II 655 b 3 (cf. Ph. 50 d 3).

3° ἁπλῶς καὶ ἀτέχνως καὶ ἴσως εὐήθως Pd. 100 d 3.

App. (1°) : ἀνέδην.

App. et ass. (3°) : ἀτέχνως, εὐήθως.

ἀποβαίνειν 1° « arriver » (à), « résulter » (pour) ; 2° « devenir, s'avérer ».

1° τὸ δὲ ὑμῖν πολὺ ἐναντίον ἀποβήσεται Ap. 39 c 8 (cf. Ph. 39 a 7) τοῦτ' ἤδη ὅπῃ ἀποβήσεται ἄδηλον Euph. 3 e 3 (cf. Ly. 206 a 3

Pr. 318 a 4) οὐ τῶν ἀποβαινόντων ἐφιέμενοι R. II 357 b 6 (cf. III 399 c 1).

2° οὐκ ἔστι τούτων αὐτὸ καλὸν οὐδέν · ἀλλ' ... ὡς ἂν πραχθῇ τοιοῦτον ἀπέβη B. 181 a 3 (cf. 197 a 6) ἀγριώτεροι ... ἀποβαίνουσιν R. III 410 d 5 ἐὰν ἀποβαίνωσι χείρους τῶν πολλῶν L. XII 952 b 4 (cf. IX 878 c 2).

App. (1°) : συμβαίνειν 2°.

ἀποβλέπειν, « regarder » (vers), « fixer » ἀπέβλεπες ... εἰς τοὺς ... ἀνταγωνιστάς A. 119 d 6 (cf. 124 a 3 Pr. 320 b 4) πρὸς τοὺς ... ἡγεμόνας ἀποβλέπειν A. 119 e 8 (cf. 120 b 1, 123 e 7 R. V 452 d 10) ταύτην ... με αὐτὴν δίδαξον τὴν ἰδέαν ..., ἵνα εἰς ἐκείνην ἀποβλέπων καὶ χρώμενος αὐτῇ παραδείγματι Euph. 6 e 5 (cf. H. M. 299 e 2) ἀποβλέποντες πρὸς ἕκαστον αὐτῶν H. M. 295 d 6 μᾶλλον προσέχων τὸν νοῦν καὶ εἰς σεαυτὸν ἀποβλέψας Ch. 160 d 6 ἔχετέ τι ἄλλο τέλος λέγειν, εἰς ὃ ἀποβλέψαντες Pr. 354 b 8 (cf. d 2 et 8 G. 474 d 5, 503 d 7) ἕν γέ τι εἶδος ταὐτὸν ... εἰς ὃ ... ἀποβλέψαντα M. 72 c 7 εἰς ἐκεῖνο ... τὸ ἔργον ἀποβλέψαντες Mx. 240 e 4 (cf. Euth. 306 e 3 R. V 466 a 5, 472 c 8, 477 c 8 VI 487 c 4, 490 d 2 VIII 545 c 2 Pa. 135 b 8 Ep. 977 e 4) ἀποβλέποντα εἰς τὸ τῇ φύσει ὄνομα ὂν ἑκάστῳ Cra. 390 e 2 (cf. R. IV 429 b 1) ἀπόβλεπε ... πρὸς τὴν νέαν ... πόλιν R. IV 431 b 4 (cf. b 9 IX 591 d 10) εἰς τὸ ἀληθέστατον ἀποβλέποντες κἀκεῖσε ἀεὶ ἀναφέροντες R. VI 484 c 10 (cf. 501 b 1 Phr. 237 d 1) εἰς ταὐτὸν ἀποβλέπων R. IX 591 e 6 (cf. 578 b 5) πρὸς τὴν τῆς ψυχῆς φύσιν ἀποβλέποντα R. X 618 d 7 πρὸς ἀνθρώπων ἀποβλέπεις δόξας Pa. 130 e 4 (cf. Po. 264 a 9) ἐπιστήμη ... ἐπὶ τὰ γιγνόμενα καὶ ἀπολλύμενα ἀποβλέπουσα Ph. 61 e 1 εἰς τὸν πόλεμον ... ἀποβλέψας L. I 626 a 7 πρὸς ταύτην τὴν ἰσότητα ... ἀποβλέποντας L. VI 757 d 1 πρὸς τί παράδειγμα ... ἀποβλέψας L. VII 811 b 8 (cf. c 7) ἀποβλέποντας εἰς αὐτοὺς διαφερόντως τε τηροῦντας L. XII 952 b 2.

App. : ἀφορᾶν ; βλέπειν (cf. J. Brunel, *L'Aspect...*, p. 169), τρέπειν.

App. et ass. : τηρεῖν.

Ass. : ἀναφέρειν, ἐπαναφέρειν, παραδείγματι χρῆσθαι.

ἀποδεικνύναι « démontrer » τοῦτό σοι ... πειράσομαι ἀποδεῖξαι Pr. 323 c 8 (cf. Pd. 88 b 5) ἔμοιγε ἱκανῶς ἀποδέδεικται Pd. 77 a 5 (cf. b 3 c 2 et 6 d 4, 87 a 4 c 3, 105 e 4 Pr. 324 c 8) ἡμῖν ... ἀποδεικτέον ... τοὐναντίον Phr. 245 b 7 λίθους ... πολλὰ καὶ ἓν ἀποδεικνύναι Pa. 129 d 5.

Syn. : δεικνύναι (avec les distinctions de J. Brunel, *L'Aspect...*, p. 170), δηλοῦν, ἐπιδεικνύναι 2°.

ἀποδειλιᾶν « perdre cœur » μὴ ἀναγκάζωνται ἀποδειλιᾶν Pr. 326 c 1 (cf. Euph. 15 c 12 G. 480 c 6 Euth. 277 d 3 Le. VII 329 b 6) οὐκ ἀποδειλιατέον Cra. 411 a 7 (cf. R. II 374 e 12) ἐν μαθήμασι ... εἴτε καὶ ἀποδειλιάσει, ὥσπερ οἱ ἐν τοῖς ἄθλοις ἀποδειλιῶντες R. VI 504 a 1-2 (cf. VII 535 b 7).

Opp. : καρτερεῖν.

ἀπόδειξις, ἡ « démonstration » ποῖαι τούτων αἱ ἀποδείξεις Pd. 73 a 3 (cf. 77 c 5, 92 c 9 d 2 Pr. 354 e 8) ἡ ... ἀπόδειξις ἔσται δεινοῖς ... ἄπιστος Phr. 245 c 1 ἀπόδειξιν ... καὶ ἀνάγκην Tht. 162 e 4 ἐπί γε ἀπόδειξιν ὡς εἰσὶν τὴν αὐτῶν ... παρακεκλήσθων L. X 893 b 2 ἀποδείξεσιν ... ἱκαναῖς λαμβάνεται Ep. 983 a 3.

Ass. : ἀνάγκη.

Syn. : ἔνδειξις, ἐπίδειξις 2°.

ἀποδέχεσθαι 1° « recevoir » ; 2° « admettre » a) logiquement ; b) moralement.

1° δοῦναί τε καὶ ἀποδέξασθαι λόγον R. VII 531 e 6.

2° a) τὰ τοιαῦτα ἐπειδάν τις περὶ τῶν θεῶν λέγῃ, δυσχερῶς πως ἀποδέχομαι Euph. 6 a 8 (cf. 9 e 5 H. M. 289 e 9, 290 a 1 et 4 R. I 329 e 1, 336 d 4 III 389 a 1 L. I 634 c 8) σκόπει ... εἰ τόδε ἀποδέχει αὐτὸ εἶναι M. 75 b 9 οὐκ ἀποδέχεται τὰ εἰρημένα Pd. 85 c 1 (cf. 91 e 2, 92 b 3 d 6 e 2 et 3, 100 e 5) οὐκ ἀποδέχομαι ἐμαυτοῦ οὐδὲ ὡς ... Pd. 96 e 7 (cf. R. I 337 b 3, 340 c 2 III 389 a 4) σκοπεῖσθαι ... χρὴ ... καὶ μὴ ῥᾳδίως ἀποδέχεσθαι Cra. 440 d 5 εἴ τις ἐάσοι ταῦτα ἀποδεξάμενος ὡς τότε ἐρρήθη R. V 450 a 10 δύο ἀποδέχομαί σου ταῦτα, οὐσίαν καὶ γένεσιν Ph. 54 a 8.

b) τὰ μέσα ἀποδέχεται ὥστε μὴ ψέγειν Pr. 346 d 3 ὅταν τις πονηροῖς ἤθεσιν συνὼν ... μὴ μισῇ, χαίρῃ δὲ ἀποδεχόμενος L. II 656 b 3 δυσχεραίνοντάς τε καὶ ἀποδεχομένους ὀρθῶς κρίνειν καὶ ἀποκρίνειν L. VI 751 d 1.

App. (2° b) : ἀσπάζεσθαι.

App. et ass. (2° b) : χαίρειν (a).

Ass. et opp. : (1°) διδόναι ; (2° b) δυσχεραίνειν, μισεῖν, ψέγειν.

Syn. : δέχεσθαι (avec les distinctions de J. Brunel, *L'Aspect...*, p. 168-169).

ἀποδημία, ἡ « voyage » ἆρα φαύλη ἂν εἴη ἡ ἀποδημία Ap. 41 a 6 (cf. ἀποδημῆσαι 40 e 4) διασκοπεῖν ... περὶ τῆς ἀποδημίας τῆς ἐκεῖ Pd. 61 e 1 (cf. 67 c 1 et ἐκεῖσε ἀποδημεῖν 61 d 9).

App. : ὁδός.

Opp. : ἐπιδημία.

ἀποδιδόναι « rendre, attribuer » (comme un dû) ἑκάστῳ... ἀποδιδόντα τὴν αἰτίαν Pd. 98 b 1 οἷα δ' ἑκάστῳ καλλίστη πέφυκε, ταύτην ἀποδιδόναι τὴν φύσιν εἰς τὸ ἔργον ἕκαστον Cra. 389 c 1 (cf. c 4) ἕως ἂν τὴν αὐτὴν ἰδέαν ἀποδῷ Cra. 389 e 3 ἕως ἂν τὸ τοῦ ὀνόματος εἶδος ἀποδιδῷ τὸ προσῆκον ἑκάστῳ Cra. 390 a 6 (cf., pour l'association d'ἀποδιδόναι et de προσῆκον ou πρέπον, οἰκεῖος, Cra. 430 c 13 προσῆκον, 431 b 4 So. 235 e 1 T. 19 c 6, 20 b 6 προσήκοντα, Po. 295 a 2 προσῆκον, Criti. 107 e 1 πρέπον, T. 90 c 7 οἰκείας) τὰ δ' ἐπιτηδεύματα οὐ τὰ αὐτὰ ἀποδοτέα ταῖς αὐταῖς φύσεσιν ; R. V 456 b 5 (cf. 454 b 9 d 10, 451 d 2 e 4, 452 a 5 IX 580 a 1 Tht. 185 c 6, 206 e 7) τὸν ... διανοίᾳ κατεργαζόμενον καὶ τὴν τοῦ σώματος ἀποδοτέον κίνησιν T. 88 c 3 (cf. c 4 ἀνταποδοτέον) ἐναντιωσόμενος τοῖς τὴν ἡδονὴν μὴ προσηκόντως μηδὲ ὀρθῶς ἀποδιδοῦσι θεαταῖς « pour s'opposer aux spectateurs si la réaction de leur plaisir va contre les convenances et la correction » L. II 659 b 4 (interprétation de P. Shorey, *Cl. Philol.*, XX, 1925, p. 160 ; cf. III 700 c 4).

Ass. : προσῆκον ou synonymes.

ἀποθνῄσκειν « mourir, être mis à mort » εἰ ... Ἕκτορα ἀποκτενεῖς, αὐτὸς ἀποθανῇ Ap. 28 c 6 τοὺς φιλοσόφους ῥᾳδίως ἂν ἐθέλειν ἀποθνῄσκειν Pd. 62 c 9 (cf. 61 d 4, 62 e 6) ἀποθνῄσκειν τε καὶ τεθνάναι Pd. 64 a 6 (cf. 67 e 3) ἀνάγκη αὐτὴν καὶ ἐπειδὰν ἀποθάνῃ εἶναι, ἐπειδή γε δεῖ αὖθις αὐτὴν γίγνεσθαι Pd. 77 d 3 μήτε ζῶν μήτε τις ἀποθανών L. XII 958 e 5.

Ass. et opp. : γίγνεσθαι, ζῆν.

Ass. et syn. : θνῄσκειν (avec les distinctions de J. Brunel, *L'Aspect...*, p. 126-127).

ἄποινα, τά « rançon » τὴν ... θυγατέρα οἱ λῦσαι δεξαμένους ἄποινα R. III 393 e 3 ἀποίνοις ἐξιλασθέν L. IX 862 c 2*.

Syn. : λύτρον (cf. *Mélanges O. Navarre*, Toulouse, 1935, p. 132-133).

ἀποκρίνειν 1° (à l'actif) « rejeter » ; 2° (au moyen) « répondre ».

1° κρίνειν καὶ ἀποκρίνειν δυνατοὺς ... τοὺς ἀξίους ἑκατέρων L. VI 751 d 2.

2° τὸ ἐρωτώμενον ἀποκρίνεσθαι G. 449 b 9, 461 e 5 (cf. Ch. 166 d 8) ἀποκρίνεσθαι τὰ ἐρωτώμενα A. 106 b 7 (cf. 114 d 11) ἐν μέρει ἀποκρίνασθαί τε καὶ ἐρέσθαι Tht. 179 e 8 (cf. 190 a 1 Pr. 336 c 5 Cra. 390 c 10).

Ass. (2°) : διαλέγεσθαι.

Ass. et opp. : (1°) κρίνειν ; (2°) ἐρωτᾶν.

ἀπόκρισις, ἡ « réponse » ἐρωτήσεως ... ἡ ἀπόκρισις δεῖται Pr. 312 d 8 (cf. B. 204 d 7 L. II 673 c 2) ἐρώτημα δεόμενον ἀποκρίσεως R. VI 487 e 5 ἀποδέξασθαι τὰς ἀποκρίσεις L. VI 758 c 5 (cf. Pr. 329 b 5) ἄνευ φθόνων ἐρωτήσεσιν καὶ ἀποκρίσεσιν χρωμένων Le. VII 344 b 7.

Ass. et opp. : ἐρώτημα, ἐρώτησις.

ἀπολαμβάνειν « détacher, isoler » ἀπολαμβάνων ὃ ἂν ᾖ δυσχερέστατον τοῦ λόγου, τούτου ἔχῃ H. m. 369 b 9 ἀπολαμβάνοντες τὸ καλὸν ... ἐν τοῖς λόγοις κατατέμνοντες H. M. 301 b 4 περὶ ὅτου βούλει τοῦ σώματος ἀπολαβὼν σκόπει G. 495 e 11 ἀπολαβὼν μέρος τι πειράσομαί σοι ἐν τούτῳ δηλῶσαι ὃ βούλομαι R. III 392 e 1 οὐκ ἀπολαβόντες ὀλίγους R. IV 420 c 2 ἀπολαμβανόμενόν τε χρόνον ἑκάστοις (« un temps réservé ») Ep. 985 e 7.

App. : ἀποτέμνειν, ἀφαιρεῖν, ἀφορίζειν, χωρίζειν.

Ass. : κατατέμνειν.

ἀπολείπειν 1° (à l'actif et au moyen) « manquer » (de) ou (à) ; 2° « omettre ».

1° τοῦ περιττοῦ μηδέποτε ἀπολείπεσθαι Pd. 104 a 2 προθυμίας

οὐδὲν ἀπολείψω B. 210 a 3 μέτρον ... ἀπολεῖπον καὶ ὁτιοῦν τοῦ ὄντος R. VI 504 c 1 ἧς (σοφίας) ὁ ... ἀπολειπόμενος οἰκοφθόρος L. III 689 d 8 τῶν ἀπολειπομένων τοῦ θείου νόμου L. IV 716 a 2 τὸ δὲ ἀπολειπόμενον ἔτι τοῦ τοιούτου L. IV 724 a 3.

2° Μὴ ... ἀπολίπωμεν ὅσον ἐλλεῖπον αὐτοῦ Tht. 157 e 1.

App. : (1°) ἁμαρτάνειν ; (2°) ὑπερβαίνειν 3°.

Ass. et syn. : ἐλλείπειν.

Syn. : λείπειν ; (1°) ἐκλείπειν ; (2°) παραλείπειν.

ἀπολλύναι « perdre » ; au pf. 2 et au moyen, « périr » a) physiquement ; b) moralement.

a) διαφθείρηταί τε καὶ ἀπολλύηται (ψυχή) Pd. 70 a 4 (cf. 80 d 9) τὸ γὰρ εἰδέναι τοῦτ' ἔστι · λαβόντα του ἐπιστήμην, ἔχειν καὶ μὴ ἀπολωλεκέναι Pd. 75 d 8 (cf. e 2, 76 d 1 et 3) οὔτε γιγνόμενον οὔτε ἀπολλύμενον B. 211 a 1 (cf. a 4 R. VI 508 d 7 VII 527 b 6 Phr. 245 d 8 Pa. 156 a 8) τὸ σῶμα ἀπόλλυταί τε καὶ τελευτᾷ Cra. 399 e 2 ἀθάνατος ἡμῶν ἡ ψυχὴ καὶ οὐδέποτε ἀπόλλυται R. X 608 d 4 τὸ μὲν ἀπολλύον καὶ διαφθεῖρον ... τὸ δὲ σῷζον R. X 608 e 3 (cf. Cr. 47 d 5) διέλυσεν καὶ ἀπώλεσεν R. X 609 a 8 (cf. c 2) λύειν ἀπολλύον R. X 609 b 6 ἀποκτεῖναι καὶ ἀπολέσαι ψυχήν R. X 610 e 6 τὸ ... μὴ εἶναι καὶ ἀπόλλυσθαι ἡσυχία Tht. 153 a 7 τὸ δ' ἀπαλλάττεσθαι οὐσίας ἆρα οὐκ ἀπόλλυσθαι ; Pa. 156 a 6 τὸ ... ἀπολόμενον σῴζοντα L. IX 862 b 7 (cf. V 728 c 6).

b) ἕκαστον ... ἀπόλλυσι τὴν ... ψυχήν ... τὰ λεγόμενα ἀγαθὰ ... φθείρει R. VI 491 c 2.

App. : (ἀπο)θνῄσκειν.

App. et ass. : ἀποκτείνειν, διαλύειν, διαφθείρειν, τελευτᾶν.

Ass. : λύειν.

Ass. et opp. : γίγνεσθαι, σῴζειν.

Ass. et syn. : φθείρειν.

ἀπολύειν « délivrer, libérer » δῆλός ἐστιν ὁ φιλόσοφος ἀπολύων ... τὴν ψυχὴν ἀπὸ τῆς τοῦ σώματος κοινωνίας Pd. 64 e 6 ἕως ἂν ὁ θεὸς αὐτὸς ἀπολύσῃ ἡμᾶς Pd. 67 a 6 αἱ μὴ καθαρῶς ἀπολυθεῖσαι (ψυχαί) Pd. 81 d 4 τῶν ... ἀδικημάτων διδόντες δίκας ἀπολύονται εἴ τίς τι ἠδίκηκεν Pd. 113 d 8 τελετὰς ... αἳ τῶν ἐκεῖ κακῶν ἀπολύουσιν ἡμᾶς R. II 365 a 2.

App. : ἀπαλλάττειν.

Syn. : λύειν (avec les distinctions de J. Brunel, *L'Aspect...*, p. 121-122).

ἀπολυτροῦν « rançonner » ἀπολυτρώσῃ τῶν μακροτάτων ... λύτρων L. XI 919 a 8*.

Syn. : λυτροῦν (avec les distinctions de J. Brunel, *L'Aspect...*, p. 18).

ἀπομαντεύεσθαι « deviner, révéler » λέγω ... ἀπομαντευόμενος Ly. 216 d 4 ἀπομαντευομένη τι εἶναι R. VI 505 e 2 δυνατώτατα ἀπομαντευομένῳ τὸ μέλλον ἥξειν R. VII 516 d 3 (cf. So. 250 c 1)*.

App. : μαντεύεσθαι 2° (avec les distinctions de J. Brunel, *L'Aspect...*, p. 176).

ἀπομαραίνειν « atténuer » (au moyen « languir ») αἱ κατὰ τὸ σῶμα ἡδοναὶ ἀπομαραίνονται R. I 328 d 3 (cf. Tht. 177 b 6)*.

Syn. : μαραίνειν (cf. Brunel, p. 118).

ἀπομιμεῖσθαι « imiter, reproduire » ἀπομιμεῖσθαι τὴν οὐσίαν Cra. 424 b 1 (cf. 431 d 3 ; 427 a 1 b 7 c 10) ἀπομιμούμενα καὶ συνακολουθοῦντα τῷ τοῦ παντὸς μιμήματι Po. 273 e 11 (cf. συμμιμούμενοι καὶ συνεπόμενοι 274 d 6) τὸ τοῦ παντὸς σχῆμα ἀπομιμησάμενοι T. 44 d 4 (cf. 88 d 1 L. IX 865 b 1).

App. et ass. : συνακολουθεῖν (a).

Syn. : μιμεῖσθαι (avec les distinctions de J. Brunel, *L'Aspect...*, p. 183-184).

ἀπομνημονεύειν « rappeler, se rappeler » ἅπαξ ἀκούσας πεντήκοντα ὀνόματα ἀπομνημονεύσω H. M. 285 e 8 ὀρθῶς ἀπεμνημόνευσας So. 241 b 4 καλῶς ἀπεμνημόνευσας Po. 293 a 2 (cf. L. II 672 d 10) ἔξω ... ἐγερθεῖσιν ἀπομνημονευόμενα φαντάσματα T. 46 a 2.

App. : ἀναμιμνήσκειν.

ἄπονος a) « peu laborieux » ; b) « peu pénible ».

a) τὰ μὲν ... φιλόπονον, τὰ δ' ... ἄπονον R. VII 535 d 2 (cf. VIII 556 b 9) *.

b) ἀπονώτατος τῶν θανάτων T. 81 e 4*.

Ass. et opp. (a) : φιλόπονος.

Opp. (b) : ἐπίπονος (a).

ἀποπειρᾶσθαι « éprouver » ἀποπειρώμενος τοῦ Ἱπποκράτους τῆς ῥώμης Pr. 311 b 1 (cf. 341 d 9, 349 c 8 Pd. 60 e 1) ἕως ἀπεπειράθην τῆς σοφίας Cra. 396 c 6 ἀλλήλων ἀποπειρώμενοι Tht. 154 e 1 (cf. 157 c 6).

App. : βασανίζειν (cf. *R.E.G.*, 1938, p. 400).

ἀποπιμπλάναι « satisfaire, assouvir » τὰς ἐπιθυμίας ἀποπιμπλάναι G. 503 c 6, 505 a 6 (cf. 492 a 1 R. VIII 554 a 6 IX 579 e 2) ἀποπιμπλάναι τὰ αὑτοῦ ἤθη R. IX 571 c 7 θυμουμένοις ... καὶ ἀποπιμπλᾶσι τὸν θυμόν L. IV 717 d 3.

App. : ἀποπληροῦν, ἀποτελεῖν.

Syn. : πιμπλάναι (avec les distinctions de J. Brunel, *L'Aspect...*, p. 171-172).

ἀποπληροῦν « satisfaire ». « convaincre » (annonçant dans ce dernier sens, limité à Ch. 169 c 1, le πληροφορεῖν de la κοινή ?) τὴν τοῦ πυνθανομένου ψυχὴν ὁ βουλόμενος ἀποπληρῶσαι ..., ἱκανῶς πληρώσει Po. 286 a 3 (cf. Pr. 329 c 2 R. I 352 b 6) τὰς ἡδονὰς καὶ ἐπιθυμίας ... ἀποπληροῦντα L. VI 782 e 5 (cf. Ph. 45 b 9) ἀποπληρῶν ... τὰς βουλήσεις L. XI 932 b 2 (cf. R. IV 426 c 5).

App. : ἀποπιμπλάναι, ἀποτελεῖν.

Ass. et syn. : πληροῦν (avec les distinctions de J. Brunel, *L'Aspect...*, p. 172).

ἀπορεῖν « hésiter, être perplexe » (d'ordinaire à l'actif ; au moyen ἠπορούμην H. M. 286 d 2) σε ἠρόμην ἀπορῶν ὁπότερος... H. m. 370 d 7 (cf. Ap. 21 b 7 Ch. 156 b 2) ἀποροῦντος περὶ τῶν δικαίων A. 110 b 3 ἠπόρουν Ch. 155 c 5 (cf. H. M. 297 d 11 Ch. 167 b 6, 169 c 3 et 5 Pd. 84 c 8 d 5, 95 a 7 R. VII 515 d 6, 524 a 7) ἠπόρει τε καὶ ὤκνει Ly. 207 a 7 πλανῶμαι ... καὶ ἀπορῶ ἀεί H. M. 304 c 2 ἠπόρει ὅ τι χρήσαιτο Pr. 321 c 3 (cf. R. II 368 b 4 I. 536 b 7) ἀπορεῖν ποιεῖ G. 522 a 1 (cf. b 8) αὐτός τε ἀπορεῖς καὶ τοὺς ἄλλους ποιεῖς ἀπορεῖν M. 80 a 1 (cf. Tht. 149 a 10) οὐ γὰρ εὐπορῶν αὐτὸς τοὺς ἄλλους ποιῶ ἀπορεῖν, ἀλλὰ ... αὐτὸς ἀπορῶν ... τοὺς ἄλλους ποιῶ ἀπορεῖν M. 80 c 8-d 1 (cf. Pd. 84 c 8-d 3) νυστάζει τε καὶ ἀπορεῖ I. 533 a 3 (cf. b 4) ἀναγκάζοιτ' ἂν ... ψυχὴ ἀπορεῖν καὶ ζητεῖν R. VII 524 e 5 τοῦτ' ... ἐστὶν ὃ ἀπορῶ Tht. 145 e 8 (cf. d 6 Pd. 85 c 1) ἀδημονῶν τε καὶ ἀπορῶν Tht. 175 d 4 (cf. Phr. 251 d 9) οὐκ ἂν ... τὸ ἀπορηθὲν ... συγχωρήσειεν L. VII 799 c 6 ἀνέροιτ' ἂν αὐτὸν ... τὸ ἀπορούμενον L. VII 799 d 2 εἰς τοὐναντίον ὑπ' ἀμφοῖν ἑλκόμενος ἀπορεῖ L. VIII 837 b 7.

App. et ass. : ἀδημονεῖν.

Ass. : ζητεῖν, νυστάζειν, ὀκνεῖν, πλανᾶσθαι.

Ass. et opp. : εὐπορεῖν.

Syn. : διαπορεῖν (avec les nuances d'aspect).

ἀπορία, ἡ « difficulté, perplexité » εἰς ἀπορίαν με κατέβαλεν H. M. 286 c 4 ὑπ' ἐμοῦ ἀποροῦντος ... καὶ αὐτὸς ἁλῶναι ὑπὸ ἀπορίας Ch. 169 c 6 (cf. d 2) αὐτὸς ἰλιγγιῶ ὑπὸ τῆς τοῦ λόγου ἀπορίας Ly. 216 c 5 λοιπὴ ἀπορία ἐστὶν ἣν ἀπορεῖς Pr. 324 d 2 (cf. e 2) οὐκ ἀπορία εἰπεῖν ἀρετῆς πέρι ὅ τί ἐστιν M. 72 a 2 ὥστε μεστὸν ἀπορίας γεγονέναι M. 80 a 4 (cf. Tht. 151 a 6) ἐν πάσῃ ἐχομένη ἀπορίᾳ Pd. 108 c 1 (cf. G. 522 a 9) ταραχῆς καὶ ἀπορίας Tht. 168 a 4 τὰς ... ἀντιλήψεις καὶ ἀπορίας So. 241 b 6 ἀπεράντους ἀπορίας So. 245 d 12 ἀπορίας αἴτια ... καὶ εὐπορίας Ph. 15 c 2 ἡ περὶ σοφίαν ἀπορία καὶ ζήτησις Ep. 974 c 4 εἰς φθόνον καὶ ἀπορίαν καταβάλῃ Le. VII 344 c 3.

App. et ass. : ἀντίληψις, ταραχή.

Ass. : ζήτησις.

Ass. et opp. : εὐπορία.

ἄπορος (« sans issue ») « difficile, insoluble » οὗτοι ... ἀπορώτατοί εἰσιν Ap. 18 d 4 τὰ ... ἡμέτερα ὁρᾷς ὡς ἄπορα La. 194 c 3 ἄπορον θῦμα R. II 378 a 6 ἄπορον σωτηρίαν R. V 453 d 11 (cf. L. III 699 b 4) χαλεπὸν ... καὶ ... παντάπασιν ἄπορον So. 237 c 6 ἄπορος ... ἡ ... ζήτησις Po. 284 b 3.

Adv. : ἀπόρως (L. V 737 d 5 T. 51 b 1)*.

App. et ass. : χαλεπός (b).

Opp. : εὔπορος.

ἀπόρρητος (adj. et subst. n.) « interdit, secret, informulable » (un « tabou ») ἀπόρρητον μηδὲν ποιούμενοι L. XI 932 c 7 ὁ ... ἐν ἀπορρήτοις λεγόμενος ... λόγος Pd. 62 b 3 (cf. Cra. 413 a 3) δι' ἀπορρήτων ἀκούειν R. II 378 a 5 ἐν ἀπορρήτῳ τε καὶ ἀδήλῳ R. V 460 c 4 (cf. Tht. 152 c 10) τῶν μεγάλων ... καὶ ἀπορρήτων ἀδικιῶν L. IX 854 e 4 ἀπόρρητον εἶναι τὴν ... κρίσιν L. XII 961 b 4 ἀπόρρητα ... λεχθέντα οὐκ ἂν ὀρθῶς λέγοιτο L. XII 968 e 4.

Opp. : ῥητός.

ἀποτελεῖν « satisfaire » αἱ μὲν τῶν ἐπιθυμιῶν πληρούμεναι βελτίω ποιοῦσι ..., ταύτας μὲν ἀποτελεῖν G. 503 d 1 (cf. R. VIII 558 e 1 IX 580 e 6) τῶν ἐν ταῖς γενέσεσιν ἀποτελουμένων « quibus generationes satisfaciunt » (Ast ; cf. Hackforth Taylor ; mais Diès : « qui arrêtent tout leur achèvement aux genèses ») Ph. 54 e 2.

App. : ἀποπιμπλάναι, ἀποπληροῦν.

App. et ass. : πληροῦν.

ἀποτελευτᾶν « aboutir » εἰς ἡδονὰς ἀποτελευτᾷ Pr. 354 b 7 (cf. 353 e 8) ἀπὸ θεῶν ... ἀρξάμενα γενέσεως, εἰς ἡμᾶς τοὺς ἀνθρώπους ἀποτελευτᾶν Ep. 984 d 1.

Syn. : τελευτᾶν 3° (avec les oppositions d'aspect).

ἀποτέμνειν (à l'actif et au moyen) « détacher » τὸν ἀριθμὸν ... κατ' εἴδη δύο διαιρεῖν μυριάδα ἀποτεμνόμενος ἀπὸ πάντων, ὡς ἓν εἶδος ἀποχωρίζων Po. 262 d 7 (cf. 280 d 6 Ph. 42 b 9) μοίρας ... ἐκεῖθεν ἀποτέμνων T. 36 a 2 τοῦτ' αὐτὸ ἀποτεμὼν τῷ λόγῳ L. II 653 c 2.

App. : ἀπολαμβάνειν, ἀφαιρεῖν (Po. 280 d 1), κατατέμνειν (T. 36 b 6).

App. et ass. : ἀποχωρίζειν.

Ass. : διαιρεῖν.

ἀποτίκτειν « produire » εἴδωλον ... ἀποτίκτει Tht. 150 c 2 (cf. 182 b 6 T. 85 a 5) ἀποτέκῃ μίαν μορφήν Ep. 981 a 8*.

App. : τίκτειν (cf. J. Brunel, *L'Aspect...*, p. 171).

ἀποτυποῦσθαι « modeler » εἰς τοῦτο ὅ τι ἂν βουληθῶμεν μνημονεῦσαι ... ἀποτυποῦσθαι Tht. 191 d 6 πρὸς τὴν τοῦ παραδείγματος ἀποτυπούμενος φύσιν T. 39 e 7 τὰς αὐτῶν ... αἱρέσεις εἰς τοὺς παῖδας ἀποτυπουμένους L. III 681 b 5 εἶδος καὶ γένος ἀποτυποῦται ... ἡ φύσις Ep. 991 a 1*.

Syn. : τυποῦν (avec les distinctions de J. Brunel, *L'Aspect...*, p. 184).

ἀποτύπωμα, τό « empreinte » τὰ οἰκεῖα συνάγουσα ἀποτυπώματα καὶ τύπους Tht. 194 b 5*.

App. et ass. : τύπος.

ἀποφαίνειν (à l'actif et au moyen) « montrer, déclarer » ἀποφαίνειν ὅτι ἰσχυρόν τί ἐστιν ἡ ψυχή Pd. 95 c 5 (cf. 97 e 4) ἀλλ' ὁτιοῦν δεῖ ἀποφαίνειν τὸ τὰ ψευδῆ δοξάζειν Tht. 196 c 4 μὴ εἰδότας ἐπιστήμην ἀποφαίνεσθαι τὸ ἐπίστασθαι οἷόν ἐστιν Tht. 196 d 12.

App. : ἀποδεικνύναι, δεικνύναι.

Syn. : φαίνειν (avec les distinctions de J. Brunel, *L'Aspect...*, p. 170).

ἀποφάναι « nier » οὔτε σὺ φῇς ἃ ἐρωτῶ οὔτε ἀπόφῃς Pr. 360 d 9.
Ass. et opp. : φάναι.
Syn. : ἀπαρνεῖσθαι.

ἀπόφασις, ἡ « négation » ἡ δὲ στάσις ἀπόφασις τοῦ ἰέναι βούλεται εἶναι Cra. 426 d 1 ἐναντίον ὅταν ἀπόφασις λέγηται σημαίνειν So. 257 b 9 (cf. c 2) φάσιν τε καὶ ἀπόφασιν So. 263 e 12*.
Ass. et opp. : φάσις (a).

ἀποχωρίζειν « séparer » τό γε πᾶν ἀπὸ παντὸς ... ἀποχωρίζειν So. 259 e 1 τὸ ... χεῖρον ἀπὸ βελτίονος ἀποχωρίζειν So. 226 d 2 (cf. 256 b 3) τὸν ἀριθμὸν ... κατ' εἴδη δύο διαιρεῖν μυριάδα ἀποτεμνόμενος ἀπὸ πάντων, ὡς ἓν εἶδος ἀποχωρίζων Po. 262 e 1 (cf. 289 c 9, 291 a 4, 303 e 9).
App. : ἀφαιρεῖν. — App. et ass. : ἀποτέμνειν.

ἀπράγμων « étranger aux affaires » ὅσοι αὐτουργοί τε καὶ ἀπράγμονες R. VIII 565 a 2 βίον ἀνδρὸς ἰδιώτου ἀπράγμονος R. X 620 c 7*.
App. et ass. : ἰδιώτης. — Opp. : πολιτικός.

ἀπραξία, ἡ « inaction » οὐδεμίαν ... πρᾶξιν οὐδ' ἀπραξίαν So. 262 c 3*.
App. : ἀπραγμοσύνη (qui manque chez Platon).
Ass. et opp. : πρᾶξις.

ἀπρέπεια, ἡ « inconvenance, inopportunité » τὸ δ' εὐπρεπείας δὴ γραφῆς πέρι καὶ ἀπρεπείας Phr. 274 b 6 (cf. R. V 465 c 1) ἀσχημοσύνην ἀπρέπειάν τε ... ἀηδῆ L. X 893 a 2 εἰς ἀναρμοστίαν καὶ ἀπρέπειαν ἐκβάλλειν Le. VII 344 d 9*.
App. et ass. : ἀναρμοστία, ἀσχημοσύνη. — Opp. : εὐπρέπεια.

ἀπρεπής « malséant, inopportun » μέθη γε φύλαξιν ἀπρεπέστατον R. III 398 e 8 οὔτε ... πρέποντα φαίνεται ἀλλ' ἀπρεπῆ Mx. 246 e 6 ἀπρεπῆ ... τὰ τοιαῦτα ... λέγειν Pa. 136 d 8 ἀπρεπὲς ἅμα καὶ ἄσχημον L. VII 788 b 6*.
Adv. : ἀπρεπῶς Phr. 274 b 7*.
App. : ἀσχήμων.
Opp. : εὐπρεπής, πρέπων.

ἀπροβουλεύτως « sans délibérer » ἀπροβουλεύτως τε καὶ ἐξαίφνης L. IX 867 b 6 (cf. a 6, 866 e 1)*.
App. et ass. : ἐξαίφνης.

ἀπταίστως « sans heurts » οὕτω λείως τε καὶ ἀπταίστως ἔρχεται ἐπὶ τὰς μαθήσεις Tht. 144 b 4*.
App. et ass. : λείως.

ἅπτεσθαι « toucher », « s'attacher » (a) ὀρθῶς ἁπτόμενοι φιλοσοφίας Pd. 64 a 4 φιλοσοφία ... ἐστὶν ... χαρίεν, ἄν τις αὐτοῦ μετρίως ἅψηται G. 484 c 6 (cf. R. III 411 c 6 V 474 b 8 c 3 VI 487 d 1, 497 e 7 et 9) πλησιάζοντα καὶ ἁπτόμενον M. 80 a 7 (cf. Phr. 255 b 8) πότε ... ἡ ψυχὴ τῆς ἀληθείας ἅπτεται Pd. 65 b 7 (cf. R. IX 572 a 8 X 600 e 7, 608 a 7 Phr. 260 e 6 Tht. 186 d 4 e 4 ; (προσ)άπτοιτο T. 71 e 1) ὅταν ... ἐκεῖνο τὸ καλὸν ἄρχηται καθορᾶν, σχεδὸν ἄν τις ἅπτοιτο τοῦ τέλους B. 211 b 7 τῆς ψυχῆς ... ἁρμονία ... ἐρρωμενέστατα ἅπτεται R. III 401 d 7 αὐτοῦ ὅ ἔστιν ἑκάστου τῆς φύσεως ἅψασθαι R. VI 490 b 3 ἐννοεῖν ὧν ἅπτεται (ἡ ψυχή) R. X 611 e 1 παιδείας ... ὀρθῆς οὐχ ἧφθαι L. III 694 c 8.

Adj. verbal : ἁπτός « tangible » ὁρατὰ ἢ ἁπτὰ σώματα ἔχοντας ἀριθμούς R. VII 525 d 8 (cf. So. 247 b 3 T. 28 b 8, 32 b 8) σωματοειδὲς ... καὶ ὁρατὸν ἁπτόν τε T. 31 b 5 οὐδὲν ... ἁπτὸν ἄνευ τινὸς στερεοῦ T. 31 b 7 (cf. Ep. 991 a 4) μετ' ἀναισθησίας ἁπτὸν λογισμῷ τινι νόθῳ T. 52 b 3. App. et ass. : ὁρατός, σωματοειδής.

App. : ἐφάπτεσθαι, μεταχειρίζεσθαι.

App. et ass : πλησιάζειν.

ἀπώτερος « plus éloigné » εἰς ἀπώτερον [i. m. A³ O³ : ἀγριώτερον i. m. A² O³ ἀγιώτερον AO] ἔτι διακομισθεὶς τόπον L. X 905 b 1 (cf. *Wiener Studien*, LXX, 1957, p. 256-259)*.

Adv. : ἀπωτέρω (R. V 449 b 2 Phr. 254 c 4)*.

ἀρά, ἡ « malédiction » ὅρκος ... μεγάλας ἀρὰς ἐπευχόμενος Criti. 119 e 5 ἀρᾷ καὶ ὀνείδει ... ἔνοχος L. V 742 b 9 ἡ τοῦ νόμου ἀρά L. IX 871 b 5 ἀρᾷ ἐνεχέσθω Διὸς ὁμογνίου L. IX 881 d 1*.

Ass. : ὄνειδος.

Opp. : εὐχή.

ἀραῖος « à la malédiction redoutable » ἀραῖος ... γονεὺς ἐκγόνοις L. XI 931 c 2*.

(**ἀρᾶσθαι,** poétique, manque chez Platon, qui a ἐπαρᾶσθαι et καταρᾶσθαι).

ἀργεῖν « être oisif » ἀργῶν καὶ πάντων ἀμελῶν R. VIII 561 d 1 (cf. II 371 c 3 IV 426 a 8)*.

App. et ass. : ἀμελεῖν.

ἀργία, ἡ « inertie, paresse, oisiveté » διὰ τὴν ... τῆς ψυχῆς ἀργίαν B. 182 d 4 (cf. 191 b 1 R. III 405 d 1 Phr. 259 a 4 So. 232 b 1) μαλακία καὶ ἀργία R. III 398 e 9 ὡς τοῦ μὲν (= πλούτου) τρυφὴν καὶ ἀργίαν ... ἐμποιοῦντος R. IV 422 a 2 (cf. L. X 900 e 10, 901 e 9) ἡσυχίας ... καὶ ἀργίας Tht. 153 b 6 ἐν ἀργίᾳ διάγον καὶ ... ἡσυχίαν ἄγον T. 89 e 8 ἀργίᾳ δὲ καὶ ἀνανδρίας δειλίᾳ L. IX 873 c 7 δειλίας ... ἔκγονος ἔν γε ἡμῖν ἀργία, ῥᾳθυμία δὲ ἀργίας καὶ τρυφῆς L. X 901 e 6-7*.

App. et ass. : δειλία, ἡσυχία, μαλακία, ῥᾳθυμία, τρυφή.

ἀργός « inerte, paresseux, oisif » (adj. et subst. m.) ἀργοὺς καὶ δειλοὺς G. 515 e 4 (cf. L. X 903 a 2) ἀργὸς καὶ ἀμελὴς ... αὐτὸς αὑτοῦ R. IV 421 d 9 οἱ ἀργοὶ τὴν διάνοιαν R. V 458 a 1 (cf. a 7-8) ἀργῶν ... ἡγουμένων ... δεῖν γίγνεσθαι Le. VII 326 d 1.

App. et ass. : ἀμελής, δειλός.

ἀρέσκειν « plaire » (au sens de *placita philosophorum*) ἀρέσκει ... τὸ τὰ ψευδῆ δοξάζειν ἀλλοδοξεῖν εἶναι ; Tht. 189 d 4 (cf. R. VII 533 e 4).

Adv. : ἀρεσκόντως (R. VI 504 b 7)*.

App. : δοκεῖν 3°.

ἀρετή, ἡ 1° « qualité, perfection » ; 2° « mérite » ; 3° « courage » ; 4° « vertu » (traditionnelle ou philosophique ; cf. R. Schaerer, ΕΠΙΣΤΗΜΗ, p. 96, n. 2).

1° ἡ ὑγίεια καὶ ἀρετὴ σώματος G. 479 b 4 (cf. 499 d 10, 504 c 9 H. m. 374 b 10 R. III 403 d 3 IV 444 d 13) αἱ ... ἄλλαι ἀρεταὶ καλούμεναι ψυχῆς R. VII 518 d 9 πεδίον ... ἀρετῇ ... ἱκανόν « fertile » Criti. 113 c 6 φαυλότητός τε καὶ ἀρετῆς χώρας L. V 745 d 3.

2° ἐν ἄλλῳ μηδενὶ μέρει ἀρετῆς ὑστεροῦντας R. VI 484 d 7.

3° ἦ ... ἔδωκας σαυτοῦ πεῖραν ἀρετῆς La. 189 b 6 σωφροσύνης καὶ ἀρετῆς Mx. 243 a 6 ἡ τῆς πόλεως ῥώμη τε καὶ ἀρετή Mx. 243 c 2 (cf. T. 25 b 7) τὸ στρατόπεδον τοῦτο τοῦ ἐπὶ Τροίαν ἀφικομένου διαφέρειν πρὸς ἀρετήν L. III 685 e 1.

4° ἓν αὐτὸ προσαγορεύω εἶναι ἀνδρὸς ἀρετήν Pr. 325 a 3 (cf. M. 71 e 3) σκέψασθαι ... τί ποτ' ἐστὶν αὐτό, ἡ ἀρετή Pr. 360 e 9 (cf. 361 c 5 M. 71 a 8, 77 a 7) ἐν ἀρετῆς καὶ σοφίας μέρει R. I 348 e 2 (cf. 349 a 1, 350 d 4, 354 b 6 Tht. 176 c 5) ἀρετῆς πέρι καὶ κακίας R. II 365 a 5 (cf. L. X 904 d 5) ἀρετὴν ἀσκεῖν R. III 407 a 8 (cf. μελετητέον a 11) ἀρετῇ καὶ εὐδαιμονίᾳ R. IX 576 c 10 (cf. 580 b 7) διαφέρειν πρὸς ἀρετήν Ph. 55 c 1 (cf. L. III 696 a 3) ἄνευ πάσης τῆς ἄλλης ἀρετῆς L. III 696 d 3 ἀρετῆς τε καὶ παιδείας L. VI 757 c 4 (cf. II 673 a 4) ἀρετῇ θείᾳ προσμείξασα L. X 904 d 7 οὐκ ... ἂν ... ψυχὴ ... πᾶσαν ἀρετὴν λάβοι Ep. 977 c 4 (cf. d 3 R. VI 492 a 2 L. I 630 e 3).

App. et ass. : (1°) ὑγίεια ; (3°) ῥώμη (b) ; 4° εὐδαιμονία, παιδεία, σοφία.

Ass. (3°) : σωφροσύνη.

Ass. et opp. : (1°) φαυλότης (a) ; (4°) κακία (a).

Opp. : (1° et 3°) κακία ; (3°) ἀνανδρία, δειλία, κάκη (a).

Syn. (3°) : ἀνδρεία.

ἀριθμεῖν (à l'actif et au moyen) « compter, nombrer » λογίζεσθαί τε καὶ ἀριθμεῖν R. VII 522 e 2 μετρεῖν καὶ ἀριθμεῖν καὶ ἱστάναι R. X 602 d 7 ὅταν ἀριθμήσων ἴῃ ὁ ἀριθμητικός Tht. 198 e 2 (cf. c 1) μηδὲ ἀριθμεῖν ... μηδὲ διαριθμεῖσθαι L. VII 818 c 5.

App. et ass. : διαριθμεῖσθαι (cf. J. Brunel, *L'Aspect...*, p. 36).

App. et ass. : λογίζεσθαι (1° a), μετρεῖν.

ἀριθμός, ὁ « nombre » ἀριθμόν τε καὶ λογισμόν R. VII 522 c 6 (cf. H. m. 367 b 1 Phr. 274 c 8 L. VII 817 e 6) τὸν ἀριθμὸν πάντα ... διελάβομεν Tht. 147 e 5 εἴδεσί τε καὶ ἀριθμοῖς T. 53 b 5 τὴν ἄλλην ... φρόνησιν ... σὺν ἀριθμῷ παντί Ep. 977 b 6 (et saepe) ἀριθμῶν αὐτῶν ἀλλ' οὐ σώματα ἐχόντων Ep. 990 c 6 πᾶν διάγραμμα ἀριθμοῦ τε σύστημα Ep. 991 e 2.

App. et ass. : λογισμός (1° a).

Ass. : εἶδος 6°.

ἄριστος sup. d'ἀγαθός. 1° adj. : a) « très (le plus) valeureux » ; b) « excellent, le meilleur ». 2° subst. a) m. ; b) n. « le meilleur, le mieux » (finalité, ordre moral).

1° a) περὶ τὸν πόλεμον ἄριστος L. I 629 b 3 (cf. 630 a 2).

b) τῶν νέων ... ἐπιμεληθῆναι ὅπως ἔσονται ὅτι ἄριστοι Euph. 2 d 2 (cf. La. 179 b 2 d 8) οἵπερ ἄριστοί εἰσι τῶν ὄντων ἐπιστάται, θεοί Pd. 62 d 4 (cf. T. 30 a 6) ; dans le *Timée*, exprime la finalité : ὅπως ὅτι κάλλιστον εἴη ... ἄριστόν τε ἔργον ἀπειργασμένος 30 b 7 (cf. 40 b 4, 53 b 5, 71 d 7) ἕνεκα τῶν ἀναγκαίων καὶ τῶν ἀρίστων 75 d 7 (cf. e 2 L. I 628 d 1) ἀρίστη κίνησις ... χειρίστη δέ T. 89 a 2.

2° a) τῶν γενναιοτάτων καὶ ἀρίστων B. 182 d 8.

b) οὐδὲν ἄλλο σκοπεῖν ... ἀλλ' ἢ τὸ ἄριστον καὶ τὸ βέλτιστον Pd. 97 d 2 πρὸς τὴν τοῦ ἀρίστου ἐν τοῖς οὖσι θέαν R. VII 532 c 6 τό τε ἄριστον καὶ τὸ δικαιότατον ... περιλαβὼν τὸ βέλτιστον ἐπιτάττειν Po. 294 a 10 (cf. L. V 728 d 2) τὴν τοῦ ἀρίστου κατὰ τὸ δυνατὸν ἰδέαν ἀποτελῶν T. 46 c 8 ὁ τοῦ καλλίστου τε καὶ ἀρίστου δημιουργός T. 68 e 2 τὴν ... τοῦ ἀρίστου δόξαν L. IX 864 a 1 ἀγνοῶν ὅπῃ τὸ περὶ σὲ ἄριστον τῷ παντὶ συμβαίνει καὶ σοί L. X 903 d 1 ὅταν ψυχὴ τὸ ἄριστον κατὰ τὸν ἄριστον βουλεύσηται νοῦν Ep. 982 b 8.

Adv. : (ὅτι κάλλιστα καὶ) ἄριστα (τὸ θνητὸν διακυβερνᾶν ζῷον) T. 42 e 3.

App. et ass. : βέλτιστος, γενναῖος.

Ass. : ἀναγκαῖος, κάλλιστος.

Ass. et opp. : χείριστος.

Syn. : κράτιστος.

ἁρμονία, ἡ a) « harmonie, accord ». b) « l'âme-harmonie ».

a) ἁρμονίαν καλλίστην ἡρμοσμένος La. 188 d 3 ἥπερ μόνη ἑλληνική ἐστιν ἁρμονία La. 188 d 8 εἰς τὴν ἁρμονίαν καὶ εἰς τὸν ῥυθμόν I. 534 a 3 (cf. R. III 397 b 7 c 4, 398 d 2 et 8, 399 e 9, 400 d 4, 401 d 6 IV 442 a 2 X 601 a 8 L. II 653 e 5, 655 a 5, 660 a 7, 661 c 7, 669 e 3, 670 d 4 e 4, 672 c 9 e 6 VII 802 e 2 et 3, 810 c 1) καθ' ἁρμονίας ῥυθμοῖς κραθείσας L. VIII 835 a 8 συμφωνίᾳ τινὶ καὶ ἁρμονίᾳ προσέοικεν (ἡ σωφροσύνη) R. IV 430 e 4 (réc. 431 e 9 ; cf. B. 187 b 4 Cra. 405 d 1) ἐν μέτρῳ ... καὶ ἁρμονίᾳ R. X 601 a 9 ἁρμονίαν λόγων λαβόντος ὀρθῶς Tht. 175 e 7 λογισμοῦ ... μετέχουσα καὶ ἁρμονίας ψυχή T. 37 a 1 διὰ τὴν τῆς θείας ἁρμονίας μίμησιν T. 80 b 7 τὰς τοῦ παντὸς ἁρμονίας τε καὶ περιφοράς T. 90 d 4 κατ' ᾠδὰς καὶ καθ' ἁρμονίας L. VIII 835 a 8 ἁρμονίας σύστασιν ἅπασαν Ep. 991 e 2 (cf. L. VII 812 c 1).

b) εἰ ... τυγχάνει ἡ ψυχὴ οὖσα ἁρμονία τις Pd. 86 c 3 (cf. 88 d 4, 91 d 1, 92 a 8 c 7 e 4, 93 c 1, 94 b 1 c 3, 95 a 6) κρᾶσιν εἶναι καὶ ἁρμονίαν ... τὴν ψυχὴν ἡμῶν Pd. 86 b 8 (cf. B. 188 a 4) ἁρμονίᾳ ἢ ἄλλῃ τινὶ συνθέσει Pd. 92 e 5 εἴπερ ἡ μὲν κακία ἀναρμοστία, ἡ δὲ ἀρετὴ ἁρμονία εἴη Pd. 93 e 6.

App. et ass. : a) μέτρον (b), ῥυθμός, συμφωνία, σωφροσύνη ; b) κρᾶσις.

Ass. : (a) μέλος, ᾠδή ; b) σύνθεσις.

Ass. et opp. : ἀναρμοστία.

ἁρμόττειν 1° « accorder » ; 2° (intr.) « s'accorder ».

1° τὸ σύμφωνον ἁρμόττουσα Ph. 56 a 4 ἡ ... ἁρμονία ἀόρατον ... καὶ πάγκαλόν τι καὶ θεῖόν ἐστιν ἐν τῇ ἡρμοσμένῃ λύρᾳ Pd. 86 a 1 (cf. R. I 349 e 11) ; οὐχ οὕτως ἁρμονία πέφυκεν εἶναι ... ὡς ἂν ἁρμοσθῇ Pd. 93 a 9 (cf. a 10 c 4 d 6 e 2) ἁρμονίαν καλλίστην ἡρμοσμένος La. 188 d 3 (cf. 193 d 11 R. IX 591 d 2) ἡρμόσθαι δεῖ (τὼ φύσει) R. III 410 e 8 τοῦ ... ἡρμοσμένου σώφρων ... ἡ ψυχή R. III 410 e 10 (cf. IV 443 e 3) ὁμονοητικῆς ... καὶ ἡρμοσμένης τῆς ψυχῆς R. VIII 554 e 5.

2° πρέποντα ἀλλήλοις καὶ ἁρμόττοντα La. 188 d 2 (cf. G. 503 e 7 L. VI 772 e 1 VII 802 b 1) ἀνάρμοστον δ' ἐστὶ τὸ αἰσχρὸν παντὶ τῷ θείῳ, τὸ δὲ καλὸν ἁρμόττον B. 206 d 2.

App. et ass. à ἡρμοσμένος (1°) : σώφρων ; à ἁρμόττων (2°) : πρέπων.

Ass. et opp. à ἁρμόττων (2°) : ἀνάρμοστος.

Opp. (2°) : ἀναρμοστεῖν.

Syn. : προσαρμόττειν, συναρμόττειν (avec les nuances d'aspect).

ἄρρητος 1° « non dit » ; 2° « ineffable » ; 3° « irrationnel ».

1° μηδὲ τοῦθ' ἡμῶν ἄρρητον ἔστω A. 122 d 3 (cf. L. VI 754 a 6 VII 788 a 3, réc. 793 b 3) καί μοι ἔστω ἄρρητα B. 189 b 4.

2° ἀδιανόητόν τε καὶ ἄρρητον καὶ ἄφθεγκτον καὶ ἄλογον So. 238 c 11 (réc. e 6 ; cf. 239 a 5, 241 a 5).

3° ἀρρήτων ἑκατέρων ὄντων τάχα μὲν ῥητὰ τὰ συναμφότερα εἶναι, τάχα δ' ἄρρητα H. M. 303 b 8 c 1 διαμέτρων ῥητῶν ... ἀρρήτων R. VIII 546 c 5.

App. et ass. (2°) : ἄλογος 2°, ἄφθεγκτος.

Ass. et opp. (3°) : ῥητός.

Opp. (2°) : ῥητός.

ἀρρυθμία, ἡ « défaut de rythme » ἡ μὲν ἀσχημοσύνη καὶ ἀρρυθμία καὶ ἀναρμοστία R. III 401 a 6 μετὰ ἀρρυθμίας τε καὶ ἀχαριστίας ζῇ R. III 411 e 2*.

App. et ass. : ἀναρμοστία.

Ass. : ἀσχημοσύνη, ἀχαριστία.

Opp. : εὐρυθμία.

ἄρρυθμος « sans rythme » (adj. et subst. n.) τὸ τῆς εὐσχημοσύνης τε καὶ ἀσχημοσύνης τῷ εὐρύθμῳ γε καὶ ἀρρύθμῳ ἀκολουθεῖ R. III 400 c 9 (cf. d 1) ἡ ... ἄρρυθμος ἀνάρμοστός τε φορά Ep. 978 a 7*.

App. et ass. : ἀνάρμοστος.

Ass. et opp. : εὔρυθμος.

ἀρτᾶν (« suspendre ») au moyen « dépendre de » ὁρμαθὸς ... δακτυλίων ἐξ ἀλλήλων ἤρτηται I. 533 e 2 ἀρχὴ δὲ ἐξ ἧς ... πάντα ἤρτηται Tht. 156 a 4 ἤρτηται δ' ἐκ τῶν θείων θάτερα (sc. τἀνθρώπινα) L. I 631 b 7 ὁρῶ πάντα ... ἐκ τριττῆς ... ἐπιθυμίας ἠρτημένα L. VI 782 d 11 (cf. X 884 a 5)*.

Syn. : ἀναρτᾶν, ἐξαρτᾶν.

ἀρχαῖος « primitif, antique » a) adj. ; b) subst. n.

a) καινοὺς ποιοῦντα θεούς, τοὺς δ' ἀρχαίους οὐ νομίζοντα Euph. 3 b 3 ἡ ἀρχαία φύσις ἡμῶν B. 192 e 10 (cf. 191 d 2, 193 c 5 T. 90 d 5) τὰ σεμνότατα καὶ μάλιστα πάτρια τῶν ἀρχαίων θυσιῶν Po. 290 e 7 μὴ ἐκβαίνειν τἀρχαῖά ποτε νομοθετηθέντα Po. 295 d 2 ἕνα λόγον ἔχουσα ἀρχαῖον L. IV 716 c 2 πάτρια καὶ παντάπασιν ἀρχαῖα νόμιμα L. VII 793 b 7.

b) τὸ ἀρχαῖον αὐτῶν ἐπὶ τὴν ἀγριότητα ... ἐπανενεγκών L. III 680 d 3 τὸ μὲν ἀρχαῖον ... ἄτιμον, τὸ δὲ νέον ἔντιμον L. VII 797 c 5 ἀρχαίας καὶ πατρῴας οἰκήσεις Le. VIII 357 b 2.

Adv. : ἀρχαίως (Phr. 267 b 1*, ass. et opp. à καινῶς).

App. : παλαιός, πρεσβύτατος.

App. et ass. : πάτριος, πατρῷος.

Ass. et opp. : καινός, νέος.

ἀρχαιότης, ἡ « archaïsme » ἐπικαλοῦσα ἀρχαιότητα L. II 657 b 7 τὸ ψέγεσθαι τὴν ἀρχαιότητα L. VII 797 d 1*.

App. : παλαιότης.

ἄρχειν 1° « commencer » (en ce sens, plus souvent au moyen) ; 2° « commander ».

1° « commencer » ἦρξε ... ἡμῖν ... ἡ πάντων εἰς πάντα σοφίας δόξα L. III 701 a 5 τὴν μάχην τὴν ἐν Μαραθῶνι γενομένην ... ἄρξαι τῆς σωτηρίας τοῖς Ἕλλησι L. IV 707 c 3 ἀρχὴ ... ἀφ' ἱερῶν ἠργμένη L. VI 771 a 6.

2° « commander » αὐτὸν ἑαυτοῦ ἄρχειν G. 491 d 7 (cf. d 8 R. IV 443 d 5 L. I 627 e 1, 644 b 7) τῶν ἡδονῶν ... ἄρχοντα τῶν ἐν ἑαυτῷ G. 491 e 1 (cf. R. III 389 d 10) ἄρχειν καὶ δεσπόζειν Pd. 80 a 2 ἀεὶ τοῦ παντὸς νοῦς ἄρχει Ph. 30 d 8 ἄρχεσθαι πρεσβύτερον ὑπὸ νεωτέρου T. 34 c 2 (cf. Ep. 980 e 1) σῶμα ... ψυχῆς ἀρχούσης ... ἀρχόμενον L. X 896 c 3 (cf. Ep. 982 b 7, 983 d 7).

App. (2°) : ἡγεῖσθαι 1°.

App. et ass. (2°) : δεσπόζειν.

Opp. : (1°) λήγειν, παύεσθαι, τελευτᾶν ; (2°) δουλεύειν, πείθεσθαι, ὑπηρετεῖν.

ἀρχή, ἡ A « commencement » : 1° temporel ; 2° spatial ; 3° ontologique : « principe d'être, origine » ; 4° épistémologique : a) « point de départ » ; b) « principe de connaissance ». B « commandement, autorité » : a) avec gén. subjectif ; b) avec gén. objectif ; c) avec les deux.

A 1° « commencement » (dans le temps). Sens courant, mais parfois difficile à distinguer du sens ontologique traité sous 3° (ainsi Phr. 245 c-d Pa. 153 c 3) ἀρχὴ παντὸς ἔργου μέγιστον R. II 377 a 12 (cf. L. VI 753 e 6, 775 e 2) περὶ τῆς ἀρχῆς παντὸς πράγματος Cra. 436 d 5 οὐκοῦν πάντων πρῶτον ἀρχὴ γίγνεται Pa. 153 c 3 πότερον ἦν ἀεί (ὁ οὐρανός), γενέσεως ἀρχὴν ἔχων οὐδεμίαν T. 28 b 7 (cf. b 8 ; mais voir 29 e 5 à 3°) ἡ δὲ (ψυχή) ... θείαν ἀρχὴν ἤρξατο ἀπαύστου ... βίου T. 36 e 4.

2° « commencement » (dans l'espace) : εἰ μηδὲν ἔχει μέρος, οὔτ' ἂν ἀρχὴν οὔτε τελευτὴν οὔτε μέσον ἔχοι Pa. 137 d 5 (cf. d 7, 153 c 2 ; mais v. L. IV 715 e 8 à 3°).

3° « principe (d'être) », « origine » ἀνάγκη ...' ἀφικέσθαι ἐπί τινα ἀρχήν, ἣ οὐκέτ' ἐπανοίσει ἐπ' ἄλλο φίλον Ly. 219 c 7 τοῦτο πηγὴ καὶ ἀρχὴ κινήσεως Phr. 245 c 10 (cf. L. X 896 b 4) ἀρχὴ δὲ ἀγένητον · ἐξ ἀρχῆς γὰρ ἀνάγκη πᾶν τὸ γιγνόμενον γίγνεσθαι ... · εἰ γὰρ ἔκ του ἀρχὴ γίγνοιτο, οὐκ ἂν ἐξ ἀρχῆς [BTW Oxy. Stob. : ἀρχὴ Vindob. 89 Cic.] Phr. 245 c 10, d 1, 2, 3 (cf. d 4, 6, 7) τὸ θαυμάζειν ... ἀρχὴ φιλοσοφίας Tht. 155 d 3 γενέσεως καὶ κόσμου ... ἀρχὴν κυριωτάτην T. 29 e 5 (cf. 42 e 8, 53 d 5 et 7, 69 c 5) λέγομεν ἀρχὰς αὐτὰ τιθέμενοι στοιχεῖα τοῦ παντός T. 48 b 7 τὴν μὲν περὶ ἁπάντων εἴτε ἀρχὴν εἴτε ἀρχάς T. 48 c 3 μουσικῆς ... ἔφαμεν ἀρχὰς ταύτας εἶναι L. II 672 c 6 πολιτείας δὲ ἀρχὴν τίνα ποτὲ φῶμεν γεγονέναι L. III 676 a 1 (cf. 681 c 4 IV 720 e 10, 721 a 3) ὁ ... θεός ... ἀρχήν τε καὶ τελευτὴν καὶ μέσα τῶν ὄντων ... ἔχων L. IV 715 e 8 σωτηρίας ... ἀρχὴ μεγίστη πόλεως L. V 736 e 4 ἐπαναφέρων εἰς τὴν ἀρχὴν ἀεὶ καὶ τὴν βούλησιν L. V 742 d 1 ἀρχὴ λαβοῦσα αὔξην L. X 894 a 3 τούτων ... ἀρχαὶ πάντων αἱ ... ἐπιθυμίαι L. XI 922 b 2 ἀρχὴν βαλέσθαι τῶν νῦν γενομένων πραγμάτων Le VII 326 e 2 (cf. 327 a 1). P.-ê. faut-il ajouter les textes de R. VI-VII cités sous 4° b : pour Platon les Idées sont principes d'être autant que de connaissance.

4° a) « point de départ » (d'une argumentation, d'une enquête) ἡ αὐτή μοι ἀρχή ... ἥπερ ἄρτι Pr. 318 a 2 οὗ μοι δοκεῖ ἐξ ἀρχῆς ἡμῖν ὡμολογῆσθαι (« première régression dialectique » P. Grenet, *M. Diès*, p. 123) La. 185 b 10 (au contraire 184 b 1 c 6, 187 c 5, 200 c 5 sont de « purs renvois au début chronologique » ou des récurrences) ἡ τοιάδε σκέψις ... καὶ μᾶλλον ἐξ ἀρχῆς εἴη ἄν (« 2e régression ») La. 189 e 3 τὴν ἀνδρείαν κατ' ἀρχὰς τοῦ λόγου ἐσκοποῦμεν ὡς μέρος ἀρετῆς (« 3e régression ») La. 198 a 1 λέγε δή μοι ... ὥσπερ ἂν εἰ ἐξ ἀρχῆς σε ἠρώτων G. 474 c 4 (cf., souvent avec πάλιν, Pr. 349 a 8 G. 489 d 6, 506 c 4 M. 79 c 4 e 6 Euth. 291 b 8, 295 e 3 R. I 348 b 9 V 450 a 8 Tht. 164 c 1, 179 e 1, 187 b 1 Pa. 142 b 1, 159 b 7, 160 b 3, 163 b 7, 165 e 3 Po. 264 b 6, 268 d 5 T. 48 b 3 d 3, 69 a 8 L. I 626 d 5, 632 d 8 III 683 b 5 IV 720 d 3 IX 857 d 3 Ep. 981 a 2 et 3) ταύτην τὴν ἀρχὴν πάνυ ἄγαμαι B. 199 c 7 ἀρχὴ δὲ ἀποδείξεως ἥδε Phr. 245 c 5 μία ἀρχὴ τοῖς μέλλουσι καλῶς βουλεύεσθαι Phr. 237 b 8 (cf. c 4 T. 28 b 6) ἀρχή ... τῆς σκέψεως κινήσεως πέρι Tht. 181 c 1.

b) « principe (de connaissance) » περί τε τῆς ἀρχῆς διαλεγόμενος καὶ τῶν ἐξ ἐκείνης ὡρμημένων Pd. 101 e 2 τὸ μὲν αὐτοῦ ψυχὴ ζητεῖν ἀναγκάζεται ἐξ ὑποθέσεων, οὐκ ἐπ' ἀρχὴν πορευομένη ἀλλ' ἐπὶ τελευτήν · τὸ δ' αὖ ἕτερον, τὸ ἐπ' ἀρχὴν ἀνυπόθετον R. VI 510 b 6-7 (réc. 511 a 6 οὐκ ἐπ' ἀρχὴν ἰοῦσαν et b 7 μέχρι τοῦ ἀνυποθέτου ἐπὶ τὴν τοῦ παντὸς ἀρχήν) τὰς ὑποθέσεις ποιούμενος οὐκ ἀρχὰς ἀλλὰ τῷ ὄντι ὑποθέσεις R. VI 511 b 5 (cf. c 7 d 2 VII 533 c 11) νοῦν οὐκ ἴσχειν περὶ αὐτὰ δοκοῦσί σοι, καίτοι νοητῶν ὄντων μετ' ἀρχῆς R. VI 511 d 4.

B « commandement, autorité ».

a) avec génitif subjectif ἡ Περσῶν ἀρχή Mx. 240 a 4.

b) avec génitif objectif ἀρχήν τινων G. 514 a 2.

c) avec les deux génitifs : ψυχῆς ... τὴν ἀρχὴν τοῦ ζῴου παντός « l'autorité de l'âme sur tout l'être » (H. Cherniss, *Am. J. of Philol.*, 1947, p. 226 ; mais Diès : « le principe moteur de tout animal » ; cf. Hackforth, Taylor) Ph. 35 d 3 τὴν τοῦ νόμου ἑκόντων ἀρχήν L. III 690 c 3.

App. (A 3°) : αἰτία, αἴτιον.

Ass. : (A) ὁρμή (Po. 305 d 3) ; (A 4° a) πάλιν (avec ἐξ ἀρχῆς) ; (A 4° b) νοητά.

Ass. et opp. : (A) τελευτή ; (A 4° b) ὑπόθεσις.

Opp. (A 1°) : παῦλα.

ἀρχικός « fait pour commander » (adj. et subst. m. ou n.) οὐδ' ἡγεμονικὸν οὐδ' ἀρχικόν Pr. 352 b 5 τοῦ ἀρχικοῦ γένους R. IV 444 b 5 (cf. VI 488 d 8 Phr. 248 d 5) τὸ πρόσθεν τιμιώτερον καὶ ἀρχικώτερον νομίζοντες θεοί T. 45 a 3 τοῖς φύσει ἀρχικοῖς L. III 689 b 3 τὸ μὲν ὑπηρετικώτατον ἅπαντι τῷ σώματι, τὸ δὲ ἀρχικώτατον L. XII 942 e 4*.

Ass. et opp. : ὑπηρετικός (1° b).

Ass. et syn. : ἡγεμονικός.

ἄρχων, ὁ « chef » καὶ ἡμᾶς ἀπολείπων καὶ ἄρχοντας ἀγαθούς ... θεούς Pd. 63 a 8 (cf. ὑπὸ θεῶν ἀρχόντων Po. 271 d 5) πᾶς ... ἄρχων ἱκανὸς ἀξιοῖ ἑαυτοῦ τε καὶ τῶν ἄλλων γεγονέναι L. II 671 b 5 τούς ... ἄρχοντας ... ὑπηρέτας τοῖς νόμοις ἐκάλεσα L. IV 715 c 7 νοῦν οὐδενὸς ὑπήκοον οὐδὲ δοῦλον ἀλλὰ πάντων ἄρχοντα εἶναι L. IX 875 d 1 τούτοις δ' εἰσὶν ἄρχοντες προστεταγμένοι L. X 903 b 8 (cf. 905 e 2).

Ass. et opp. : δοῦλος, ὑπήκοος, ὑπηρέτης.

ἀσάφεια, ἡ « obscurité, incertitude » (δόξα) ὑπερβαίνουσα ἢ γνῶσιν σαφηνείᾳ ἢ ἄγνοιαν ἀσαφείᾳ R. V 478 c 11 (cf. VI 509 d 10) ἀπορίας τε καὶ ἀσαφείας ἐμπίμπλησι Le. VII 343 c 5*.

Ass. : ἀπορία.

Ass. et opp. : σαφήνεια.

ἀσαφής « obscur », ἔτι ἀσαφέστερα ἐκείνων Tht. 195 a 4 (cf. 194 e 6-7) τέχνην ... σαφεστέραν καὶ ἀσαφεστέραν Ph. 57 b 6 σκοτωδέστερα ... καὶ ἀσαφῆ L. XII 952 a 5.

Adv. : ἀσαφῶς (Cra. 427 d 7).

App. : ἄδηλος, ἀφανής.

App. et ass. : σκοτώδης.

Ass. et opp. : σαφής.

Opp. : δῆλος, καταφανής, φανερός.

ἀσέβεια, ἡ « impiété » ἀσεβείας ἐγράψατο Euph. 5 c 7 (cf. Ap. 35

d 2 L. VII 799 b 8 X 907 e 4) ἡ ἀδικία καὶ ἡ ἀσέβεια Pr. 323 e 4 ὅσα τείνει πρὸς θέμιν καὶ ἀσέβειαν [codd. : εὐσέβειαν Stob.] B. 188 d 2 εἰς ... θεοὺς ἀσεβείας τε καὶ εὐσεβείας ... τοὺς μισθούς R. X 615 c 3 ἀσεβείας ... καὶ ἱεροσυλίας L. IX 869 b 3 ὅθεν ἀσέβειαί τε ... ἐμπίπτουσιν L. X 890 a 4 ἄγουσί σε πρὸς ἀσέβειαν L. X 899 e 3 ἀσεβείας ... πέρι νόμος L. X 907 d 8 (cf. d 1) περὶ ἀσέβειαν ... ὄντων L. X 908 a 8 (cf. 907 b 2).

App. et ass. : ἀδικία, ἱεροσυλία.

Ass. et opp. : εὐσέβεια.

Syn. : ἀνοσιότης.

ἀσεβεῖν « être impie », « commettre une impiété » μὴ ἐπιτρέπειν τῷ ἀσεβοῦντι Euph. 5 e 5 οὐκ ἂν ἀσεβοῖμεν ; Ph. 28 a 6 τοῖσιν ἐπιθυμοῦσιν ἀσεβεῖν L. X 887 a 5 περὶ θεοὺς μηδὲν ἀσεβῆσαι L. X 888 d 3 ἐάν τις ἀσεβῇ λόγοις εἴτ' ἔργοις L. X 907 d 10 Ἑρμοῦ ... ἀγγελίας ... παρὰ νόμον ἀσεβησάντων L. XII 941 a 7 ὅταν ... τις ... δυστυχήσῃ [Richards Diès : -ηθῇ AO] καὶ ἀσεβηθῇ τῶν οἴκων L. IX 877 e 3.

Opp. : εὐσεβεῖν.

ἀσέβημα, τό « impiété » προστυχὴς πολλῶν ἀσεβημάτων καὶ δεινῶν γενομένων L. X 900 a 4 ἀσεβήσας μὴ παιδίων ἀλλ' ἀνδρῶν ἀσέβημα ἀνοσίων L. X 910 c 8*.

ἀσεβής « impie » 1° adj. ; 2° subst. a) m. b) n.

1° τὰ δ' ἐναντία τῶν κεχαρισμένων (τοῖς θεοῖς) ἀσεβῆ Euph. 14 b 6 ὅταν ἐξ ἀνδρὸς ... θεοσεβοῦς ἀσεβὴς γίγνηται Cra. 394 d 7 (cf. e 1) δεινὰ καὶ ἀσεβῆ ἐργάσασθαι R. III 391 d 2 (cf. L. X 885 b 5) ἐπὶ τὸν ἀσεβῆ βίον ὁρμᾶσθαι L. X 886 b 1 ἐν ἀσεβέσιν ἀνθρώποις L. X 886 e 9 (cf. Le. VII 325 c 2) οἱ λόγων ἁπτόμενοι ἀσεβῶν L. X 891 d 2 (cf. Phr. 242 d 7 Ep. 980 c 10).

2° a) τῶν ἀσεβῶν ... κάκιστός τε ... καὶ ἀσεβέστατος L. X 907 b 3-4 (cf. d 7, 891 e 7).

b) τὸ εὐσεβὲς ... καὶ τὸ ἀσεβές Euph. 5 c 9.

Ass. et opp. : εὐσεβής.

Syn. : ἀνόσιος.

ἀσελγαίνειν « être insolent » ὅπως ἐῷεν ἀσελγαίνειν B. 190 c 7 (cf. d 5) ἀσελγαίνοντα καὶ θρασυνόμενον L. IX 879 d 6*.

App. et ass. : θρασύνεσθαι.

ἀσέλγεια, ἡ « insolence » σὺν πολλῇ ... ἀσελγείᾳ R. IV 424 e 2*.

App. : αὐθάδεια, θράσος (b), ὕβρις (b).

ἀσθένεια, ἡ « faiblesse » ἰσχὺν καὶ ἀσθένειαν G. 496 b 5 τὴν ἀνθρωπίνην ἀσθένειαν ἀτιμάζων Pd. 107 b 1 (cf. L. IX 854 a 1) ὑπ' ἀσθενείας καὶ βραδυτῆτος Pd. 109 d 8 (cf. c 8) ἀρετὴ .. ἂν εἴη ... εὐεξία ψυχῆς, κακία δὲ νόσος τε ... καὶ ἀσθένεια R. IV 444 e 2.

App. et ass. : νόσος.

Ass. et opp. : εὐεξία, ἰσχύς.

ἀσθενής « faible » (adj. et subst. m.) ἀσθενὴς ἢ ἰσχυρός Euth. 281 c 5 (cf. H. m. 374 b 1 Ly. 215 d 6 R. IV 432 a 3).

Adv. : ἀσθενῶς (Pr. 332 b 8, ass. et opp. à ἰσχυρῶς) ; cp. ἀσθενεστέρως (Phr. 255 e 3).

Ass. et opp. : ἰσχυρός.

ἀσινής « innocent » ἀσινέσταται αὗται τῶν ἡδονῶν εἰσι H. M. 303 e 4 (cf. L. II 670 d 7) εὐτελῆ τε καὶ ἀσθενεστέραν ... πεῖραν L. I 649 d 8*.

ἀσκεῖν « exercer », « s'entraîner » (à) μαθόντα καὶ ἀσκήσαντα A. 119 b 6 (cf. c 1, 123 e 1 G. 509 e 2) πεπαιδευμένος καὶ ἠσκηκώς La. 184 e 3 πάντας τοῦτο ἀσκήσειν, τὴν σοφίαν Pr. 342 b 6 (cf. G. 487 c 6 Euth. 283 a 4) σωφροσύνην ... ἀσκητέον G. 507 d 1 ἀσκῶν ἀρετήν G. 527 d 3 (cf. d 4 e 5 Euth. 283 a 4 R. III 407 a 8 c 4) ἀσκεῖται δὴ τὸ ἀεὶ τιμώμενον R. VIII 551 a 4.

Adj. verbal : ἀσκητός : ἆρα διδακτὸν ἡ ἀρετή, ἢ ... ἀσκητόν, ἢ οὔτε ἀσκητὸν οὔτε μαθητόν M. 70 a 2 (cf. Cl. 407 b 6, app. et ass. à μελετητός)*.

App. : ἐπιτηδεύειν, μελετᾶν 1°.

Ass. : διδάσκειν, μανθάνειν, πεπαιδεῦσθαι.

ἄσκεπτος a) « surpris » ; b) « non examiné ».

a) μήτοι τις ... ἀσκέπτους ... θορυβήσῃ R. IV 438 a 1*.

b) μὴ ... ἄσκεπτον γένηται Tht. 184 a 4*.

Adv. : ἀσκέπτως (H. M. 301 c 2, app. et ass. à ἀλογίστως ; G. 501 c 4).

ἄσκησις, ἡ « exercice, entraînement » ὅσα δεῖται ἀσκήσεως A. 120 c 1 (cf. R. III 404 a 9 L. VIII 846 d 4) ἐξ ἐπιμελείας καὶ ἀσκήσεως καὶ διδαχῆς Pr. 323 d 8 ἔθεσι καὶ ἀσκήσεσιν R. VII 518 e 2 ἐπὶ ... μάθησιν καὶ ... ἄσκησιν R. VII 536 b 2 δειλίας ἄσκησιν ἀλλ' οὐκ ἀνδρείας L. VII 791 b 8 κατὰ μελέτην τὴν πρὸς πόλεμον, ποιουμένων ἄσκησιν L. IX 865 a 7.

App. et ass. : μελέτη.

Ass. : διδαχή, ἔθος, ἐπιμέλεια, μάθησις 1°.

ἀσκητής, ὁ « athlète » ἡ τῶνδε τῶν ἀσκητῶν ἕξις R. III 403 e 11 (cf. 404 a 7 c 8)*.

App. : ἀθλητής.

ἀσκητικός « laborieux » ἀσκητικὸν δή τινα βίον ... διαπλέκειν L. VII 806 a 3*.

ἀσκητός* : v. ἀσκεῖν.

ἄσμενος « avec joie » εἰ μὴ ἄσμενοι ἐκεῖσε ἴοιεν Pd. 67 e 8 (réc. 68 b 1 ; cf. 90 d 4 Pr. 317 d 6, 346 a 4 G. 486 d 4, 499 b 6 R. X 614 e 4).

Adv. : ἀσμένως Ch. 153 a 2 ; sup. ἀσμενέστατα R. I 329 c 4 X 616 a 7.

App. : ἑκών.

ἀσπάζεσθαι « accueillir, saluer » ἐγὼ ὑμᾶς ... ἀσπάζομαι μὲν καὶ φιλῶ Ap. 29 d 2 (cf. Ly. 217 b 4 R. X 607 a 1 L. III 689 a 7) ἀσπάζεσθαι τοὺς ἐπαίνους Cr. 47 b 6 ἀεὶ τὸ συγγενὲς ἀσπαζόμενος B. 192 b 6 (cf. a 6, 205 e 6, 209 b 6) ἀγαθόν, ὃ δεξαίμεθ' ἂν ἔχειν ...

αὐτὸ αὑτοῦ ἕνεκα ἀσπαζόμενοι R. II 357 b 6 (cf. c 3) ἐλθόντος ... τοῦ λόγου ἀσπάζοιτ' ἂν αὐτὸν γνωρίζων δι' οἰκειότητα R. III 402 a 3 (cf. II 376 a 6 V 480 a 11) ἄξιοι ... ἐπιμελείας τε καὶ τοῦ ἀσπάζεσθαι R. V 474 d 6 (cf. III 402 d 12 VIII 549 b 2) τοὺς μὲν ... ἀσπάζεσθαι, τοὺς δὲ ... μὴ στέργειν Po. 310 c 6 τὸ περὶ τὴν ἡδονὴν πότερον ὅλον ἐστὶ τὸ γένος ἀσπαστόν Ph. 32 d 2 ἢ ... τότε μὲν ἀσπαστέον ... τότε δὲ οὐκ ἀσπαστέον Ph. 32 d 4-5 τὰ μὲν ἀσπαζόμενος ... τὰ δὲ δυσχεραίνων L. II 654 d 2 ὃ ποθοῦντες καὶ ἀσπαζόμενοι L. II 657 d 5 ἵνα τὴν μὲν ἀσπάζωνται τὴν δὲ μισεῖν ὀρθῶς ἐθίζωνται L. II 660 a 3 (cf. Ep. 985 a 4) τὸ ... ἄδικον ... φιλῇ τε καὶ ἀσπάζηται L. III 689 a 7 (cf. R. V 479 e 10 X 607 a 1) τοὺς δὲ δυνατοὺς (νόμους) ἀσπάζεσθέ τε καὶ φιλοφρόνως δεχόμενοι ζῆτε ἐν αὐτοῖς L. VI 771 a 2 ἀσπάζεσθαι τὸ μέσον L. VII 792 d 1 ἀσπαζόμενον ἅπτεσθαι τούτων L. VIII 838 b 3 ἐπιθυμιῶν ... ἃς αὐτὸς ἀσπαζόμενος οὐκ ἂν ἐθέλοιμι ζῆν Le. VII 331 c 6.

Ironique : πόρρωθεν ἀσπαζομένων (= χαίρειν ἐώντων) R. VI 499 a 9.

Adj. verbal : ἀσπαστός « désirable » (Ph. 32 d 2*).

App. : ἀγαπᾶν.

App. et ass. : (ἀπο) δέχεσθαι, ποθεῖν, στέργειν, φιλεῖν.

Ass. et opp. : δυσχεραίνειν, μισεῖν.

ἀσπασμός, ὁ « empressement » (pour) τοῖς νεωτέροις ἡγεμόνες ἠθῶν χρηστῶν ἀσπασμοῦ προσήκοντος L. II 670 e 1 τῷ ἐκείνων μίσει τε καὶ ἀσπασμῷ L. XI 919 e 5*.

Ass. et opp. : μῖσος.

ἀσπαστός* : v. ἀσπάζεσθαι.

ἀστάθμητος « déséquilibré » ἐμπλήκτους τε καὶ ἀσταθμήτους Ly. 214 d 1*.

App. et ass. : ἔμπληκτος.

ἀστασίαστος « sans discordes » πολίτας ... ἐλευθέρους καὶ ἀστασιάστους Euth. 292 b 6 (cf. R. V 459 e 4, 464 d 10 L. IV 713 e 2) ἀστασίαστος ... ἐν ἑαυτῷ R. VIII 554 d 9 (cf. Ph. 64 a 1)*.

Adv. : ἀστασιάστως (au sup. ἀστασιαστότατα R. VII 520 d 4*).

Opp. : στασιαστικός.

ἀστεῖος 1° « courtois, exquis » ; 2° (ironique) « plaisant » (adj. et subst. m.)

1° μάλα ... ἀστείας ἑορτῆς G. 447 a 5 (cf. Phr. 227 d 1 L. III 680 c 3) ὡς ἀστεῖος ... ὁ ἄνθρωπος Pd. 116 d 4*.

2° ἀστεῖόν γε ... ὅτι ἐρυθριᾷς Ly. 204 c 4 ἀστεῖος ... καὶ εὐήθης R. I 349 b 4 (cf. Phr. 243 a 1) ἐξῆν τοῖς τότε ἀστείοις ... κομῳδεῖν R. V 452 d 2*.

Ass. (2°) : εὐήθης.

Opp. (1°) : ἄγροικος.

ἀστήρ, ὁ « étoile, astre », ᾄττοντας ὥσπερ ἀστέρας R. X 621 b 4 (cf. Euth. 294 b 8) φανερούς ... ἀστέρας ... σύμπαντας καθορῶντας Ep. 987 a 3 (cf. c 4).

App. : ἄστρον.

ἀστός, ὁ « citoyen » ἢ ξένος ἢ ἀστός G. 515 a 7 (cf. 514 e 1 M. 92 b 3).

Ass. et opp. : ξένος.

Syn. : πολίτης.

ἄστοχος « sans flair » T. 19 e 6*.

Opp. : εὔστοχος.

ἄστρον, τό « astre » τῷ οὐρανῷ, ἐν ᾧπέρ ἐστι τὰ ἄστρα Pd. 109 b 7 (cf. d 8) τὸν ἥλιον καὶ τὰ ἄλλα ἄστρα Pd. 109 c 7 (cf. T. 38 c 5 L. X 886 a 2) εἰς τὴν τοῦ συννόμου πορευθεὶς οἴκησιν ἄστρου T. 42 b 5 ἥλιόν τε καὶ σελήνην καὶ ἄστρα καὶ γῆν L. X 886 d 7 θεῖον γένος ἄστρων Ep. 981 e 4 τὴν τῶν ἄστρων φύσιν Ep. 982 e 4.

App. : ἀστήρ.

Ass. : γῆ, ἥλιος, οὐρανός, σελήνη.

ἀστρονομεῖν « étudier les astres » οὐρανοῦ θ' ὕπερ ἀστρονομοῦσα (ce mot ne vient pas comme les précédents de Pindare, fr. 292 S.) Tht. 173 e 7 (cf. R. VII 530 c 4 Ep. 990 a 6)*.

ἀστρονομία, ἡ « astronomie » μετὰ γεωμετρίαν ἀστρονομίαν ... φορὰν οὖσαν βάθους R. VII 528 d 11 (cf. Pr. 318 e 2 Phr. 274 d 1) τὸ δ' ὄνομα ... λέγομεν ... ἀστρονομίαν Ep. 990 a 4.

App. : ἀστρολογία (étranger à Platon ; cf. W. Capelle, *Philol.*, LXX, 1912, p. 442, n. 81).

Ass. : γεωμετρία.

ἀστρονομικός 1° « relatif à l'astronomie » ; 2° « féru d'astronomie ».

1° περὶ φύσεώς τε καὶ τῶν μετεώρων ἀστρονομικὰ ἄττα διερωτᾶν Pr. 315 c 6*.

2° ἔδοξεν ... Τίμαιον ... ἅτε ὄντα ἀστρονομικώτατον ἡμῶν ... πρῶτον λέγειν T. 27 a 4 (cf. R. VII 530 a 4 Tht. 145 a 7)*.

ἀστρονόμος, ὁ « astronome » οἱ δ' αὖ γεωμέτραι καὶ οἱ ἀστρονόμοι καὶ οἱ λογιστικοί Euth. 290 c 1 ἀνήνυτα, ὥσπερ οἱ ἀστρονόμοι, πονοῦσιν R. VII 531 a 3 (cf. H. m. 367 e 8, 368 a 6 Ep. 990 a 5)*.

App. : ἀστρολόγος (étranger à Platon et à Aristote ; cf. W. Capelle, *l. c.*, s. v. ἀστρονομία).

Ass. : γεωμέτρης, λογιστικός.

ἄστυ, τό « ville » (d'ordinaire Athènes) πόλιν ... καὶ ἄστη ... διοικεῖν L. II 667 a 1.

App. et ass. : πόλις.

ἀσυμμετρία, ἡ « disproportion » ἀσυμμετρίας τε καὶ αἰσχρότητος γέμουσαν τὴν ψυχήν G. 525 a 5*.

Opp. : συμμετρία.

ἀσύμμετρος « disproportionné » ἀσύμμετρον ... ταῖς μεγίσταις συμμετρίαις T. 87 d 7 ὃς ἂν οὐσίαν χρημάτων ... ἀσύμμετρον οὖσαν καὶ ἀνώμαλον ὁμαλήν τε καὶ σύμμετρον ἀπεργάζηται L. XI 918 b 3*.

Ass. et opp. : σύμμετρος.

ἀσύμφορος « inutile » ἀσύμφορον καὶ ἀνωφελὲς καὶ ἀλυσιτελὲς καὶ ἀκερδές Cra. 417 d 5.

Ass. et ass. : ἀκερδής, ἀλυσιτελής, ἀνωφελής.

ἀσυμφωνία, ἡ « discordance » περὶ τὰ δίκαια ... παμπολλή τις ... ταραχή τε καὶ ἀσυμφωνία L. IX 861 a 10*.

App. : ἀναρμοστία, ἀρρυθμία.

Ass. : ταραχή.

Opp. : συμφωνία.

ἀσύμφωνος « de langues différentes » (δούλους) ἀσυμφώνους L. VI 777 d 1 (cf. Po. 262 d 4) ; « en désaccord » (avec) ἐμαυτῷ ἀσύμφωνον G. 482 c 2 (cf. R. III 402 d 9)*.

Adv. : ἀσυμφώνως (L. IX 860 c 2*).

App. : ἀνάρμοστος, ἄρρυθμος.

Opp. : σύμφωνος.

Syn. : ἀντίφωνος.

ἀσύνθετος « incomposé » (adj. et subst. n.) ἅπερ ἀεὶ ... ὡσαύτως ἔχει, ταῦτα ... εἶναι τὰ ἀσύνθετα Pd. 78 c 6 (cf. c 3) αὐτὸ καθ' αὑτὸ ... ἀσύνθετον Tht. 205 c 6 (cf. Po. 288 e 6)*.

App. : μονοειδής.

Opp. : σύνθετος.

ἀσύννους « inintelligent » παλαιά τις ... ἀργία καὶ ἀσύννους So. 267 d 1*.

App. : ἀνόητος (1° a), ἠλίθιος.

ἀσφαλής « sûr » 1° adj. ; 2° subst. n.

1° τἀληθῆ εἰδότα λέγειν ἀσφαλὲς καὶ θαρραλέον R. V 450 e 2 τοῖς ἀσφαλὲς ἡγουμένοις εἶναι λέγειν περὶ θεῶν L. II 672 b 7 ἡ ... πεῖρα αὕτη γίγνεται ἡ σαφής τε καὶ ἀσφαλεστάτη Le. VII 341 a 4 (cf. L. V 728 e 3).

2° ἐχόμενος ἐκείνου τοῦ ἀσφαλοῦς τῆς ὑποθέσεως Pd. 101 d 2.

Adv. : ἀσφαλῶς (Ep. 976 b 8) ; cp. ἀσφαλέστερον (Pd. 85 d 3) ; sup. ἀσφαλέστατα (R. V 467 e 6).

App. : βέβαιος.

App. et ass. : θαρραλέος 2°.

Ass. : σαφής.

ἀσχημάτιστος « sans figure » ἡ γὰρ ἀχρώματός τε καὶ ἀσχημάτιστος καὶ ἀναφὴς οὐσία ὄντως οὖσα Phr. 247 c 7*.

ἀσχημονεῖν a) « tomber dans l'indécence » ἠσχημόνουν Criti. 121 b 2 ;

b) « avoir l'air gauche » ἀσχημονεῖ τε καὶ φαίνεται σφόδρα γελοῖος R. VII 517 d 6 (cf. VI 506 d 7 Tht. 165 b 1)*.

Opp. : εὐσχημονεῖν.

ἀσχημοσύνη, ἡ a) « indécence » ; b) « difformité » ; c) « gaucherie » ; d) « impropriété ».

a) ὑπ' ἀσχημοσύνης L. I 648 e 2.

b) χωλεία δὲ ποδῶν οὐχὶ πονηρία καὶ ἀσχημοσύνη ἐστίν ; H. m. 374 d 1 (cf. b 10 B. 196 a 6) τὸ τῆς εὐσχημοσύνης τε καὶ ἀσχημοσύνης τῷ εὐρύθμῳ τε καὶ ἀρρύθμῳ ἀκολουθεῖ R. III 400 c 8 (cf. 401 a 6).

c) ἀσχημοσύνην ἀπρέπειάν τε L. X 893 a 2 (cf. Tht. 174 c 5).

d) εὐσχημοσύνης τε καὶ ἀσχημοσύνης ῥημάτων L. I 627 d 1.

App. et ass. : ἀναρμοστία, ἀρρυθμία.

Ass. : ἀπρέπεια, πονηρία.

Ass. et opp. : εὐσχημοσύνη.

ἀσχήμων a) (adj. et subst. n.) « indécent » ; b) « difforme » ; c) « impropre ».

a) ἀνελεύθερον καὶ ἄσχημον R. III 401 b 5 (cf. Cr. 53 d 1 Ph. 33 b 10, 46 a 5) ἀπρεπὲς ἅμα καὶ ἄσχημον L. VII 788 b 6 Le. VII 329 b 2 τό τ' εὔσχημον καὶ ἄσχημον L. VII 797 b 8 (cf. VIII 831 d 6 XI 918 b 8 XII 949 b 2).

b) τό γε τῆς ἀμούσου τε καὶ ἀσχήμονος φύσεως R. VI 486 d 6 ἡ ... ἀσχήμων τε καὶ ἄρρυθμος ἀνάρμοστός τε φορά Ep. 978 a 7.

c) οὗτος ὁ τρόπος οὐκ ἂν ... ἀσχήμων γίγνοιτο L. II 666 c 9 (cf. VII 807 e 4 XII 957 a 6).

Adv. : ἀσχημόνως (au sup. ἀσχημονέστατα L. XII 959 d 2*).

App. et ass. : (a) ἀπρεπής ; (b) ἀνάρμοστος, ἄρρυθμος.

Ass. : (b) ἄμουσος ; (a) ἀνελεύθερος.

Ass. et opp. : εὐσχήμων.

ἀσχολία, ἡ « manque de loisir, occupation » ὑπὸ ταύτης τῆς ἀσχολίας οὔ ... μοι σχολή Ap. 23 b 8 (cf. Pr. 335 c 5 G. 458 c 6 Pd. 58 d 3, 66 b 9 R. III 406 b 6 L. VII 807 c 4 οἱ ἄρχοντες ἀσχολίαν ἄγουσι Ap. 39 e 3 ἀσχολίαν ἄγομεν φιλοσοφίας Pd. 66 d 1 (cf. Tht. 172 d 9) ἀπαίδευτον ὑπὸ ἀσχολίας Tht. 174 d 8 τῆς περὶ τὰ κοινὰ ἀσχολίας Le. IX 357 e 5*.

Ass. et opp. : σχολή.

ἄσχολος « sans loisir » ἄσχολον ποιοῦντος ... ἐπιμελεῖσθαι L. VIII 831 c 4 (réc. 832 b 1)*.

ἀσώματος « incorporel » a) adj. ; b) subst. n.

a) ἡ ... ἁρμονία ἀόρατον καὶ ἀσώματόν ... τι Pd. 85 e 5 νοητὰ ἄττα καὶ ἀσώματα εἴδη So. 246 b 8 (cf. 247 d 1) καθαπερεὶ κόσμος τις ἀσώματος ἄρξων καλῶς ἐμψύχου σώματος Ph. 64 b 7 οὐ γάρ ἐστιν ἀσώματον ὅ τί τ' ἄλλο γίγνοιτ' ἂν καὶ χρῶμα οὐδὲν ... ἔχον Ep. 981 b 6.

b) τὰ ἀσώματα ... λόγῳ μόνον ... δείκνυται Po. 286 a 5.

App. et ass. : ἀόρατος.

Opp. : σωματοειδής.

ἀσωτία, ἡ « prodigalité » ὕβριν καὶ ἀναρχίαν καὶ ἀσωτίαν καὶ ἀναίδειαν R. VIII 560 e 3 καλοῦντες ... ἀσωτίαν ... μεγαλοπρέπειαν R. VIII 560 e 6*.

Ass. : ἀναίδεια, ἀναρχία, ὕβρις.

Ass. et opp. : μεγαλοπρέπεια.

ἄσωτος « prodigue » L. V 743 b 8*.

ἄτακτος « sans ordre, déréglé » (adj. et subst. n.) ὅσαι (αἰτίαι) τὸ τυχὸν ἄτακτον ... ἐξεργάζονται T. 46 e 6 μεταβαλλόμενα ... ὑπό τινων ἀτάκτων ἡδονῶν L. II 660 b 6 τῶν δὲ ἀτάκτων ἢ τῶν κακῶς ταχθέντων L. VI 780 d 7 (cf. VII 802 c 4 VIII 840 e 4) διαίταις ἀτάκτοις (O² : ἀτάκτως AO) χρώμενον L. VII 806 c 5 οὐδὲ ... ἄτακτον δυνατόν ἐστ' αὐτὸ ἐᾶν L. XI 922 b 6 ἡ ... ἀλόγιστός τε καὶ ἄτακτος ... καὶ ἄρρυθμος ἀνάρμοστός τε φορά Ep. 978 a 7*.

Adv. : ἀτάκτως (ἔχειν Ph. 29 a 4 cf. T. 69 b 3 κινούμενον πλημμελῶς καὶ ἀτάκτως T. 30 a 4 ἀτάκτως ... προϊέναι καὶ ἀλόγως T. 43 b 1 μαίνεταί τε καὶ βοᾷ ἀτάκτως L. II 672 c 4 ἀτάκτως πηδᾷ L. II 672 c 5 (cf. 664 e 6) μανικῶς τε καὶ ἀτάκτως ἔρχεται L. X 897 d 1 ἀτάκτως καὶ ἀορίστως L. XI 916 e 2*).

Ass. : ἀλόγιστος, ἀνάρμοστος, ἄρρυθμος.

ἀταξία, ἡ « désordre » ἀταξία καὶ ἀκολασία Cr. 53 d 4 ἀταξίας τυχοῦσα ... ἢ τάξεώς τε καὶ κόσμου τινός G. 504 b 4 (cf. a 8 T. 30 a 5 L. II 653 e 5 VI 782 a 6 Ep. 982 a 7-8) πολλῆς ἦν μετέχον ἀταξίας Po. 273 b 6 (cf. T. 85 e 3)*.

Ass. : ἀκολασία.

Ass. et opp. : κόσμος, τάξις.

ἀτάρακτος « sans trouble » ἵνα τὰς ἐν οὐρανῷ ... κατιδόντες περιόδους χρησαίμεθα ἐπὶ τὰς περιφορὰς ... ἀταράκτοις τεταραγμένας T. 47 c 1*.

Ass. et opp. : τεταραγμένος.

ἀτέλεστος « non initié » ὃς ἂν ἀμύητος καὶ ἀτέλεστος εἰς Ἅιδου ἀφίκηται Pd. 69 c 4*.

App. : ἀτελής 2°.

App. et ass. : ἀμύητος.

ἀτελής 1° « incomplet » ; 2° « non initié ».

1° πολλοὶ ἀτελεῖς ... τὰς φύσεις R. VI 495 d 7 (cf. p.-ê. c 2, à 2°) ἀτελὴς αὐτός τε καὶ ἡ ποίησις ... ἠφανίσθη Phr. 245 a 7 ἀτελεῖ ... ἐοικὸς οὐδὲν ... καλόν T. 30 c 6 ἀτελὲς εἶναι τὸ ὅλον L. XII 960 c 1 (réc. Ep. 973 b 4).

2° ἔρημον καὶ ἀτελῆ φιλοσοφίαν λείποντες R. VI 495 c 2 ἀτελεῖς τῆς τοῦ ὄντος θέας ἀπέρχονται Phr. 248 b 5 ἀτελὴς καὶ ἀνόητος εἰς Ἅιδου ... ἔρχεται T. 44 c 3.

App. (2°) : ἀτέλεστος.

Opp. (1°) : τέλειος.

ἀτεχνία, ἡ « impéritie » αἰτιῷτο ... τὴν ἑαυτοῦ ἀτεχνίαν Pd. 90 d 3 τὸ ... τέχνης τε καὶ ἀτεχνίας λόγων πέρι Phr. 274 b 3 (cf. So. 253 b 6)*.

Ass. et opp. : τέχνη.

ἄτεχνος « sans art » εἴτε ... ἄτεχνον εἴτε ἔντεχνον Po. 304 e 6 (cf. Phr. 262 c 3 et 6 e 6) ἀτεχνότεροι ... καὶ ἀμαθέστεροι L. III 679 d 4 εἴτ' οὖν τέχνη εἴτε ἄτεχνός ἐστίν τις ἐμπειρία καὶ τριβή L. XI 938 a 4.

Adv. : ἀτέχνως G. 501 a 5 [B² W : ἀτεχνῶς BTF], Pd. 100 d 3*.

Ass. : ἀμαθής.

Ass. et opp. : ἔντεχνος.

ἀτιμάζειν « mépriser » τὴν ἀνθρωπίνην ἀσθένειαν ἀτιμάζων Pd. 107 b 1 τιμᾶν ... τοὺς δὲ ἀτιμάζειν καὶ ὑπερορᾶν R. II 364 a 8 (cf. VI 496 b 4 VIII 549 d 7, 551 a 4 Pd. 64 d 10 L. V 727 d 1 VI 784 e 7).

App. et ass. : ὑπερορᾶν.

Ass. et opp. : τιμᾶν.

ἀτιμία, ἡ « infamie » τιμάς τε καὶ ἀτιμίας διανέμειν ὀρθῶς L. III 697 b 2 (cf. XI 930 e 7) ὀνείδεσί τε καὶ ἀτιμίαις L. VIII 847 a 6.

App. et ass. : ὄνειδος.

Ass. et opp. : τιμή.

ἄτιμος « sans honneur » ἔντιμος ἢ ἄτιμος Euth. 281 c 6 τιμιώτερον ἀντὶ ἀτιμοτέρου ποιήσει R. VII 539 d 1 (cf. Po. 288 a 6).

Adv. : ἀτίμως (R. VIII 560 d 4) ; cp. ἀτιμότερον (Le. I 309 b 4*) ; sup. ἀτιμότατα (L. V 728 b 1*, app. et ass. à κακοσχημονέστατα).

Ass. et opp. : ἔντιμος, τίμιος.

ἄτμητος « indivisible » (subst. n.) κατ' εἴδη μέχρι τοῦ ἀτμήτου τέμνειν Phr. 277 b 7*.

Opp. : τμητός (chez Aristote, non chez Platon).

Syn. : ἄτομος.

ἄτομος « indivisible » ἆρ' ἄτομον ἤδη ἐστὶ πᾶν ἤ τινα ἔχον διαίρεσιν So. 229 d 5*.

Syn. : ἄτμητος.

ἀτραπός, ἡ « sentier » (au fig.) κινδυνεύει ... ὥσπερ ἀτραπός τις ἐκφέρειν ἡμᾶς Pd. 66 b 4 τὴν ... πολιτικὴν ἀτραπόν Po. 258 c 3*.

App. : οἶμος.

ἀτυχής a) « manqué » ; b) « infortuné ».

a) μὴ ἀτυχῆ ... λόγον L. VI 781 d 3*.

b) ἀτυχὴς γενόμενος L. X 905 a 2*.

Syn. : δυστυχής.

ἀτυχία, ἡ « malchance » πολλὴν ... ἀτυχίαν [T¹ Y : δυστυχίαν BT² W] Ap. 25 a 8 πλάνην καὶ εὐτυχίαν Le. VII 350 d 6 (cf. Cra. 420 c 7)*.

Syn. : δυστυχία.

αὐγή, ἡ « clarté, lumière » ἀνακλίναντας τὴν τῆς ψυχῆς αὐγὴν R. VII 540 a 7 ἐποπτεύοντες ἐν αὐγῇ καθαρᾷ καθαροὶ ὄντες Phr. 250 c 4.

App. : φῶς.

αὐθάδεια, ἡ « arrogance » ἡ δ' αὐθάδεια καὶ δυσκολία ψέγεται R. IX 590 a 10 ἡ δ' αὐθάδεια ἐρημίᾳ σύνοικος Le. IV 321 c 1*.
App. : ἀσέλγεια.

αὐθάδης « arrogant » αὐθαδέστερόν τε ... καὶ ὑποαμουσότερον R. VIII 548 e 4 ὥσπερ τινὰ ἄνθρωπον αὐθάδη καὶ ἀμαθῆ Po. 294 c 1 τῇ κατὰ γένος αὐθάδει ῥώμῃ L. III 692 a 1 τρόποις αὐθάδεσι καὶ χαλεποῖς L. XII 950 b 3*.
Adv. : αὐθαδῶς (Ap. 34 c 7 L. IV 720 c 7)*.

αὐξάνειν (αὔξειν) « faire croître » ; d'ord. au moyen-passif « croître » τὸ μὲν αὐξάνεσθαι, τὸ δὲ φθίνειν Pd. 71 b 4 (cf. B. 211 a 2 R. VIII 546 b 8 Pa. 156 b 7, 157 b 1 Tht. 155 a 8 T. 81 b 5 Criti. 121 a 5 L. X 893 e 6 Ep. 979 a 2) ταῦτα ... μετ' ἀρετῆς αὐξάνεται Criti. 121 a 5 (cf. a 8).
Ass. et opp. : φθίνειν.

αὔξη, ἡ « croissance » τὴν γένεσιν καὶ αὔξην καὶ τροφήν R. VI 509 b 4 σώματος ... αὔξης καὶ φθίσεως R. VII 521 e 5 (cf. Ph. 42 d 1) τὴν βάθους αὔξης μέθοδον R. VII 528 d 9 (cf. b 2 et 3) ἔν τε διακρίσεσιν αὔξαις τε ... καὶ γενέσεσι καὶ φθοραῖς L. X 894 b 11.
Ass. : γένεσις, τροφή.
Ass. et opp. : φθίσις, φθορά.
Syn. : αὔξησις.

αὔξησις, ἡ « accroissement » αὔξησις καὶ φθίσις Pd. 71 b 3 αὐξήσεις R. VIII 546 b 6 εἰς αὔξησιν καὶ φθίσιν L. X 897 a 6*.
Ass. et opp. : φθίσις.
Syn. : αὔξη.

αὐτάρκεια, ἡ « autarcie » στερομένοιν αὐταρκείας καὶ τῆς τοῦ ἱκανοῦ καὶ τελέου δυνάμεως Ph. 67 a 7*.

αὐτάρκης « qui se suffit » τυγχάνει ἡμῶν ἕκαστος οὐκ αὐτάρκης ἀλλὰ πολλῶν ἐνδεής R. II 369 b 6 αὐτὸς αὑτῷ αὐτάρκης πρὸς τὸ εὖ ζῆν R. III 387 d 12 αὐτάρκης εἰς πάντα ἕκαστος Po. 271 d 7 (cf. Tht. 169 d 5) αὔταρκες ... μᾶλλον ἢ προσδεὲς ἄλλων T. 33 d 2 τὸν αὐτάρκη τε καὶ τὸν τελεώτατον θεόν T. 68 e 3*.
App. : ἱκανός.
Ass. : τέλειος.
Ass. et opp. : ἐνδεής, προσδεής.

αὐτοκίνητος : v. ἀεικίνητος*.

αὐτοκράτωρ « indépendant, (en) maître » νοῦν εἶναι τοῦτο · αὐτοκράτορα γὰρ ... ὄντα Cra. 413 c 6 τῷ κόσμῳ ... αὐτοκράτορι τῆς αὐτοῦ πορείας Po. 274 a 5 ἄρχειν αὐτοκράτορι Po. 298 c 1 (cf. 299 c 2) ἀνθρωπεία φύσις ... τὰ ἀνθρώπινα διοικοῦσα αὐτοκράτωρ πάντα L. IV 713 c 7 ἀνυπεύθυνός τε καὶ αὐτοκράτωρ L. IX 875 b 4 ἄρχοντες κατέστησαν αὐτοκράτορες Le. VII 324 d 2 (cf. VIII 353 b 3).
Ass. : ἀνυπεύθυνος.

αὐτόματος « de soi-même ». « au (par) hasard » (adj. ; subst. n. dans la locution ἀπὸ τοῦ αὐτομάτου) ἐάν που αὐτόματοι περιτύχωσιν τῇ ἀρετῇ Pr. 320 a 3 (cf. R. IV 427 a 6 VII 520 b 3 VIII 567 d 9 Tht. 180 c 1 Po. 269 c 7) ἀπὸ τοῦ αὐτομάτου ἂν ὑμῖν τοῦτο ἐγένετο Ap. 38 c 5 (cf. 41 d 3 M. 90 a 2 Cra. 397 a 7 R. VI 498 e 2) οὐ φύσει οὐδ' ἀπὸ τοῦ αὐτομάτου ἀλλὰ διδακτόν Pr. 323 c 6 (cf. M. 92 e 7 Euth. 282 c 2) ἀπό τινος αἰτίας αὐτομάτης So. 265 c 8 πάντα αὐτόματα γίγνεσθαι Po. 271 d 1 (cf. e 4, 272 a 5, 274 c 2 L. IV 713 c 3).

App. : αὐτοφυής.

App. et ass. : φύσει.

Ass. et opp. : διδακτός, ἐξεπίτηδες (R. VI 498 e 2).

αὐτός « lui-même », « en soi ».

A. Pris absolument : a) « seul » ; b) « en soi ».

B. Déterminant un substantif, ou faisant partie d'une locution.

1° Sans article : a) sans accord ; b) avec accord.

2° Avec article : a) sans accord ; b) avec accord.

3° Élargi en (τὸ) ὃ ἔστιν ... : a) sans article ; b) avec article.

4° Dans la locution αὐτὸ καθ' αὑτό ou une locution semblable avec préposition (διά, ἕνεκα, ἐπί, πρός).

C. « Le même » (précédé immédiatement de l'article).

A. pris absolument : Pr. 309 a 4, 320 a 2 Pa. 127 a 8 L. VIII 836 b 8 ; b) αὐτὸ ταὐτό A. 129 b 1, 130 d 4 αὐτὸ ἕκαστον διανοηθῆναι περὶ οὗ σκοπεῖ Pd. 65 e 3 (cf. R. VI 493 e 3) οὐκ ἂν ἔχοις ... εἰπεῖν οὐδέτερον ὁπότερόν ἐστι τὸ μὲν αὐτό (« l'objet »), τὸ δὲ ὄνομα Cra. 432 d 9 αὐτὸ τοίνυν ἐκεῖνο σκεψώμεθα Cra. 439 d 3 (cf. R. II 366 e 5 IV 438 d 13 V 479 e 7 VI 510 e 3) εἰκόνας γραμμάτων ... οὐ πρότερον γνωσόμεθα πρὶν ἂν αὐτὰ γνῶμεν R. III 402 b 7 (cf. c 6 καὶ αὐτὰ καὶ εἰκόνας αὐτῶν et L. II 655 b 4) αὐτὸ ... εἶναι ᾧ ἔοικεν R. V 476 c 7 (cf. d 1-2) τὰ τῶν ἄλλων εἴδωλα, ὕστερον δὲ αὐτά (« les objets eux-mêmes ») R. VII 516 a 7 τὸ μὲν αὐτῶν (« de choses ») ὄν, τὸ δὲ ὁμοιωμάτων τινῶν γέννημα So. 266 d 7 (cf. b 6 c 7 d 3, 265 b 2 Po. 306 d 1).

B. Dans un groupe.

1° Sans article.

a) Sans accord : οὐκ αὐτὸ [AT : αὐτὴν F] δικαιοσύνην ἐπαινοῦντες ἀλλὰ τὰς ἀπ' αὐτῆς εὐδοκιμήσεις R. II 363 a 1 (cf. V 472 c 5 X 612 b 3) γνῶναι ἐπιστήμην αὐτὸ ὅ τί ποτ' ἐστίν Tht. 146 e 9. — Adverbial (indéclinable) : αὐτὸ ἐν μέσῳ T. 62 d 8.

b) Avec accord : φαμέν τι εἶναι δίκαιον αὐτό Pd. 65 d 4 αὐτὸ καλόν Cra. 439 c 9 (cf. R. V 476 c 10, 479 a 1-2 VI 507 b 5) ἐπιθυμία ... αὐτοῦ πώματος R. IV 437 e 5 (réc. 439 a 6) ἐπιστήμη ... αὐτὴ μαθήματος αὐτοῦ ἐπιστήμη ἐστίν R. IV 438 c 8 αὐτὴν δικαιοσύνην R. VII 517 e 2 (cf. X 612 c 10-11 Phr. 247 d 6 Tht. 175 c 2) αὐτῇ ψυχῇ ἄριστον R. X 612 b 3 (cf. VII 532 b 1) αὐτὴ ὁμοιότης χωρὶς ἧς ἡμεῖς ὁμοιότητος ἔχομεν Pa. 130 b 4 (cf. 133 e 3) αὐτό τι εἶδος ἀνθρώπου Pa. 130 c 2.

2° Avec article.

a) Sans accord : τί ποτ' ἐστὶν αὐτὸ ἡ ἀρετή Pr. 360 e 9 (cf. Cra. 411 d 8).

b) Avec accord : αὐτὸ τὸ ἑκάτερον καὶ τὸ ἀμφότερον H. M. 303 a 12 αὐτῇ τῇ διανοίᾳ Pd. 65 e 6 αὐτῇ τῇ ψυχῇ θεατέον αὐτὰ τὰ πράγματα Pd. 66 d 9 αὐτὰ τὰ ἴσα Pd. 74 b 8 (cf. Pa. 129 b 1) αὐτὰ αὑτῶν οὐσίαν ἔχοντα ... τὰ πράγματα Cra. 386 e 1 αὐτὸ ... τὸ καλόν Cra. 439 d 5 (cf. 413 c 3 H. M. 286 d 8 B. 211 d 3 e 1 Euth. 301 a 3 R. V 476 b 10 VI 493 e 3) αὐτὸ τὸ ἕν R. VII 524 e 6, 525 e 1 τῇ νοήσει αὐτῇ R. VII 525 c 3 (cf. 526 b 2) αὐτὴ ... ἡ δικαιοσύνη R. X 614 a 2 τὸ τοιοῦτον (= πῦρ) ... αὐτὸ καθαρόν T. 45 c 3 αὐτὸ τὸ δίκαιον L. VI 757 c 6.

3° Élargi en (τὸ) ὃ ἔστιν ...

a) Sans article : αὐτὸ ἕκαστον ὃ ἔστι τὸ ὄν Pd. 78 d 3 ἐκεῖνο δικαιότατ' ἂν αὐτὸ ὃ ἔστιν κερκὶς καλέσαιμεν Cra. 389 b 5 (cf. d 6) αὐτοῦ ὃ ἔστιν ἑκάστου τῆς φύσεως R. VI 490 b 3 (cf. 507 b 5-7 VII 532 a 7) πρὶν ἂν αὐτὸ ὃ ἔστιν ἀγαθὸν αὐτῇ νοήσει λάβῃ R. VII 532 a 8 αὐτοῦ γε ἑκάστου πέρι ὃ ἔστιν ἕκαστον R. VII 533 b 2 ἐποίησεν μίαν μόνον αὐτὴν ἐκείνην ὃ ἔστιν κλίνη R. X 597 c 3 (cf. c 9 et Cra. 386 e 3, sans αὐτός) ὃ ἔστιν ἕν, αὐτὸ τοῦτο Pa. 129 b 7 οὐκ αὐτοῦ δεσπότου ... ὃ ἔστιν δεσπότης ... οὐδὲ αὐτοῦ δούλου, ὃ ἔστι δοῦλος Pa. 133 d 8-e 1 (cf. 134 a 4-5, où αὐτή 4 précède ὃ ἔστι tandis que αὐτῆς 5 le suit, en vertu d'un chiasme). Avec attributs : πέμπτον δ' αὐτὸ τιθέναι δεῖ ὃ δὴ γνωστόν τε καὶ ἀληθῶς ἐστιν ὄν Le. VII 342 a 8.

b) Avec article : αὐτὸ τὸ [W Y²] ὃ ἔστιν ἴσον [B² T] Pd. 74 d 5 (cf. αὐτὸ τὸ ἴσον a 10 c 3 e 5) περὶ ἁπάντων οἷς ἐπισφραγιζόμεθα τὸ « αὐτὸ ὃ ἔστι » [τὸ αὐτὸ Burnet Robin : τοῦτο codd. Loriaux 24-25 τὸ Jambl.] Pd. 75 d 2. — L'emploi avec article reste douteux.

4° Dans αὐτὸ καθ' αὑτό et dans les locutions apparentées :

a) Avec κατά : ἑκάτερον ... αὐτὸ καθ' αὑτὸ ... καλόν H. M. 299 c 8 τῶν ἄλλων ἃ δή φαμεν αὐτὰ καθ' αὑτὰ οὔτε κακὰ εἶναι οὔτε ἀγαθά Ly. 220 c 4 χωρὶς ... ἀπὸ τῆς ψυχῆς ἀπαλλαγὲν αὐτὸ καθ' αὑτὸ τὸ σῶμα γεγονέναι Pd. 64 c 5 (cf. c 7) ὅταν ... (ἡ ψυχὴ) αὐτὴ καθ' αὑτὴν γίγνηται Pd. 65 c 5 (cf. d 1, 66 a 1 e 6, 67 c 6 d 1 e 6, 70 a 7, 79 d 1 et 4, 83 a 9 b 1 Tht. 186 a 11, 187 a 5) αὐτὸ καθ' αὑτὸ ... ἕκαστον ... τῶν ὄντων Pd. 66 a 2 (cf. Tht. 201 e 3) εἶναί τι καλὸν αὐτὸ καθ' αὑτό Pd. 100 b 5 αὐτὸ καθ' αὑτὸ-μεθ' αὑτοῦ μονοειδὲς ἀεὶ ὄν B. 211 b 1 (cf. Pd. 78 d 5) τίνα ἔχει δύναμιν αὐτὸ καθ' αὑτό R. II 358 b 5 (cf. d 2 et, sans καθ' αὑτό, la réc. 366 e 5) ἐπ' αὐτὸ τὸ καλὸν ... ἰέναι τε καὶ ὁρᾶν καθ' αὑτό R. V 476 b 11 τὸν ἥλιον ... αὐτὸν καθ' αὑτὸν ... κατιδεῖν R. VII 516 b 5 αὐτὸ καθ' αὑτὸ λαβεῖν R. VII 528 a 11 (cf. IX 572 a 2) μόνος αὐτὸς καθ' αὑτόν R. X 604 a 3 (cf. Po. 307 e 3 T. 89 e 1 Criti. 112 b 3) εἶναι αὐτὸ καθ' αὑτὸ εἶδός τι ὁμοιότητος Pa. 128 e 6 (cf. 130 b 8) ἐάν τις ὡς εἴδη ὄντα αὐτὰ καθ' αὑτὰ διορίζηται Pa.

133 a 9 ἓν ... αὐτὸ καθ' αὑτὸ οὐδέν ἐστιν Tht. 152 d 3 (réc. 153 e 4, 156 e 8, 157 a 8, 182 b 4 ; cf. 188 d 9, 189 b 2) διανοηθῆναι τὸ μὴ ὂν αὐτὸ καθ' αὑτό So. 238 c 10 τῶν ὄντων τὰ μὲν αὐτὰ καθ' αὑτά, τὰ δὲ πρὸς ἄλλα ἀεὶ λέγεσθαι So. 255 c 13 (cf. T. 51 c 1) οὐδ' ἂν ἓν αὐτὸ καθ' αὑτὸ ... μάθοι Ph. 18 c 7.

b) Avec d'autres prépositions : αὐτὴ δι' αὑτήν R. II 367 b 4 d 3 e 3 αὐτὰ αὑτῶν (ἕνεκα) R. II 367 c 8 χρυσὸν ... αὐτὸν μόνον ἐφ' ἑαυτοῦ Po. 303 e 4 (cf. Tht. 152 b 5, 160 b 9 πῦρ αὐτὸ ἐφ' ἑαυτοῦ T. 51 b 8) λόγον ὃν αὐτὴ πρὸς αὑτὴν ἡ ψυχὴ διεξέρχεται Tht. 189 e 6.

C. « Le même » ταὐτόν ... ἢ ἐγγύς τι καὶ παραπλήσιον G. 520 a 6 εἰς τεταγμένα ἄττα καὶ κατὰ ταὐτὰ ἀεὶ ἔχοντα R. VI 500 c 3 κατὰ παντὸς ἑνὸς ... καὶ ταὐτοῦ Ph. 19 b 6 τὸ ... ἀεὶ κατὰ ταὐτὰ ὄν T. 28 a 2 (cf. a 7 avec ἔχον) πρὸς τὸ κατὰ ταὐτὰ καὶ ὡσαύτως ἔχον T. 29 a 1 ταὐτὸν καὶ ἓν ὂν ἀεί L. IV 721 c 6 τὰ αὐτὰ κατὰ τὰ αὐτὰ καὶ ὡσαύτως ἀεὶ τοὺς αὐτοὺς παίζειν L. VII 797 b 1-2. — « Le même et l'autre » : τὸ ταὐτόν τε καὶ τὸ ἕτερον Tht. 185 c 9 (cf. 186 a 13) τό τε ταὐτὸν καὶ θάτερον So. 254 e 2 ὁ τοῦ ταὐτοῦ κύκλος T. 37 c 2 (opp. ὁ τοῦ θατέρου b 7).

Adv. (C) : ὡσαύτως (q. v.).

App. (A) : ὄν, οὐσία.

App. et ass. (C) : εἷς, παραπλήσιος.

Ass. : (B 3°) ἕκαστος ; (B 4°) μόνος.

Ass. et opp. : (A) εἴδωλον, εἰκών, ὁμοίωμα, ὄνομα ; (C) θάτερον.

αὐτοσχεδιάζειν « improviser » αὐτοσχεδιάζοντα ... καὶ καινοτομοῦντα περὶ τῶν θείων Euph. 5 a 7 (cf. 16 a 2).

App. et ass. : καινοτομεῖν.

αὐτοφυής « naturel, spontané » a) adj. ; b) subst. n.

a) στρωμνὴ οἰκεία τε καὶ αὐτοφυὴς ἑκάστῳ Pr. 321 a 8 ὅσα μεθ' ἡμέραν φαντάσματα αὐτοφυῆ λέγεται So. 266 c 1 παιδιαὶ ... αὐτοφυεῖς τινες L. VII 794 a 3*.

b) διάνοιαν ... ἣν ... τὸ αὐτοφυὲς εὐάγωγον παρέξει R. VI 486 e 1 (cf. VII 520 b 4)*.

Adv. : αὐτοφυῶς (οὐ γὰρ μιμητὴν ... ἀλλ' αὐτοφυῶς ὅμοιον G. 513 b 4 αὐτοφυῶς, θείᾳ μοίρᾳ, ... οὔτι πλαστῶς L. I 642 c 8)*.

App. : αὐτόματος.

App. et ass. : οἰκεῖος.

ἀφαιρεῖν « enlever, séparer » διορίσασθαι τῷ λόγῳ ἀπὸ τῶν ἄλλων πάντων ἀφελὼν τὴν τοῦ ἀγαθοῦ ἰδέαν R. VII 534 b 9 τῇ διανοίᾳ τῶν τοιούτων ἀφελεῖν ... ὅτι ὀλίγιστον Pa. 158 c 3 (cf. B. 205 b 4 Po. 280 c 3 d 1) ἐγγενόμενα τὸ ... πολὺ λίαν καὶ ἄπειρον ἀφείλετο Ph. 26 a 8 μίαν ἀφεῖλεν ... ἀπὸ παντὸς μοῖραν, μετὰ δὲ ταύτην ἀφῄρει διπλασίαν ταύτης T. 35 b 4-5.

Adj. verbal : ἀφαιρετός (Po. 303 e 2*).

App. : ἀπολαμβάνειν, ἀποτέμνειν, ἀφορίζειν, χωρίζειν. (Mais ἀφαίρεσις n'a jamais chez Platon de sens philosophique comparable au sens aristotélicien d' « abstraction »).

ἀφανής « caché » περὶ τῶν θείων ὅσ' ἀφανῆ τοῖς πολλοῖς ... τί δ' ὅσα φανερὰ γῆς So. 232 c 1 (cf. T. 27 b 4).
App. : ἄδηλος, ἀσαφής.
Ass. et opp. : φανερός.
Opp. : δῆλος, καταφανής, σαφής.

ἀφήκειν « aboutir » οὐκ ἐξῆκον ἐκεῖσε ἀεὶ οἷ πάντα δεῖ ἀφήκειν R. VII 530 e 8*.
App. : ἀποτελευτᾶν, τελευτᾶν.
Ass. et syn. : ἐξήκειν (cf. J. Brunel, *L'Aspect...*, p. 166 et 188).

ἄφθεγκτος « imprononçable » τὸ μὴ ὂν ... ἐστιν ἀδιανόητόν τε καὶ ἄρρητον καὶ ἄφθεγκτον καὶ ἄλογον So. 238 c 11 (cf. e 5, 239 a 5, 241 a 5)*.
App. et ass. : ἄλογος 2°, ἄρρητος 2°.

ἀφθονία, ἡ « abondance, générosité » πολλὴν ἀφθονίαν οἰομένων Ap. 23 c 6 (cf. 24 e 8 L. IV 713 e 2, 718 d 7) εἰ ... πᾶσαν προθυμίαν καὶ ἀφθονίαν εἴχομεν ἀλλήλους διδάσκειν Pr. 327 b 5.
Ass. : προθυμία.

ἄφθονος « abondant, généreux » ἐν φιλοσοφίᾳ ἀφθόνῳ (« dans une philosophie que rien ne rétrécit » Diès, *Autour de Platon*, p. 435, n. 2) B. 210 d 6 ἢ οἴει τινὰ ... φθονεῖν τῷ μὴ φθονερῷ ἄφθονόν τε καὶ πρᾷον ὄντα ; R. VI 500 a 5 ἄφθονά τε καὶ αὐτόματα πάντ' εἶχεν L. IV 713 c 3 γῆν ἄφθονον ὑπάρχειν L. V 736 d 5 (cf. VI 761 c 2 d 1 IX 861 e 4).
Adv. : ἀφθόνως « en abondance » G. 494 c 7 e 6, « généreusement » T. 25 c 6, « sans envie » φιλονικείτω ... πᾶς πρὸς ἀρετὴν ἀφθόνως L. V 731 a 3.
Ass. et opp. : φθονερός (cf. L. V 731 a 5).

ἀφικνεῖσθαι « arriver, revenir » ἀφικέσθαι ἐπί τινα ἀρχὴν ἢ οὐκέτ' ἐπανοίσει ἐπ' ἄλλο φίλον ἀλλ' ἥξει ἐπ' ἐκεῖνο Ly. 219 c 6 ἐπὶ τὰ αὐτὰ πάλιν ἀφίγμεθα L. III 682 e 10.
App. : ἀφήκειν, ἐξήκειν.
App. et ass. : ἥκειν.

ἀφιλάσκεσθαι « apaiser » πρὶν ... τὸν θυμὸν ἀφιλασαμένη κοιμίσῃ L. IX 873 a 2*.
App. : ἱλάσκεσθαι (Pd. 95 a 4*).

ἄφιλος « sans amis » φθονερῷ, ἀπίστῳ, ἀδίκῳ, ἀφίλῳ, ἀνοσίῳ R. IX 580 a 4 (cf. L. V 730 c 6) αὐτήν τε πρὸς αὐτὴν τὴν πόλιν ἄπιστον καὶ ἄφιλον ποιεῖ L. IV 705 a 7*.
Ass. : ἄπιστος.
Opp. : φίλος.

ἀφιλόσοφος « peu philosophe » διαίτῃ φορτικωτέρᾳ τε καὶ ἀφιλοσόφῳ φιλοτίμῳ δέ Phr. 256 b 8 ἀμούσου τινὸς καὶ ἀφιλοσόφου So. 259 e 2 (cf. T. 73 a 7)*.
App. et ass. : ἄμουσος, φορτικός (b).
Ass. et opp. : φιλότιμος (1° a β).
Opp. : φιλόσοφος (1° b).

ἀφοβία, ἡ « intrépidité » τήν τε ἀνδρείαν καὶ τὴν ἀφοβίαν L. I 649 c 4 (cf. a 4 b 4).

App. et ass. : ἀνδρεία.

Opp. : φόβος.

ἄφοβος « intrépide » (adj. et subst.) ὁ ... ἀνδρειότατος ἄφοβον καὶ ἀδεᾶ παρασκευάζει A. 122 a 7 τὸ ἄφοβον καὶ τὸ ἀνδρεῖον οὐ ταὐτόν ἐστιν La. 197 b 2 (cf. a 8 b 4) ψυχὴ πᾶσα ... ἄφοβός τέ ἐστι καὶ ἀήττητος R. II 375 b 3 ἄφοβον ... καὶ φοβερόν L. I 647 b 9 (cf. c 3).

Adv. : ἀφόβως (H. m. 364 a 4, app. et ass. à πιστευτικῶς ; L. VI 752 b 9, ass. à εὐκόλως).

App. : θρασύς.

App. et ass. : ἀδεής, ἀήττητος, ἀνδρεῖος.

Ass. et opp. : φοβερός 2°.

ἀφομοιοῦν 1° « assimiler » = « rendre semblable » ; au moyen-passif « se rendre » ou « devenir semblable » (à) ; 2° « copier » (sur) ; 3° « reproduire » ; 4° « comparer » (à).

1° « assimiler » τὸ ... ῥῶ ... καλὸν ἔδοξεν ὄργανον εἶναι ... τῷ τὰ ὀνόματα τιθεμένῳ πρὸς τὸ ἀφομοιοῦν (sc. αὐτὰ) τῇ φορᾷ Cra. 426 d 5 (cf. 427 b 3) οὐδὲ μαινομένοις ἐθιστέον ἀφομοιοῦν αὑτούς R. III 396 a 3 (cf. b 8) φυλακτέον ... μὴ ... δεσπόταις ἀγρίοις ἀφομοιωθῶσιν R. III 416 b 4 ταῦτα μιμεῖσθαί τε καὶ ὅτι μάλιστα ἀφομοιοῦσθαι R. VI 500 c 6 τὰ σώματα ... εἰς τὴν τοῦ ... παιδὸς φύσιν ἀπῄει, κατά τε τὴν ψυχὴν ... ἀφομοιούμενα Po. 270 e 7.

2° « copier » (le modèle est au datif ou introduit par une préposition) ἀφομοιοῦντες τῷ ἀληθεῖ τὸ ψεῦδος R. II 382 d 2 οἷόν τε ... τὸ εἶδος μὴ ὅμοιον εἶναι τῷ εἰκασθέντι, καθ' ὅσον αὐτῷ ἀφομοιωθῇ (τοῦτο) Pa. 132 d 7 ἀπ' αὐτῆς τῆς πράξεως ἀφομοιωθὲν τοὔνομα So. 221 c 1 εἴδωλον ἂν φαῖμεν εἶναι ... τὸ πρὸς τἀληθινὸν ἀφωμοιωμένον ἕτερον τοιοῦτον So. 240 a 8 ἐκείνῳ τῷ περιέχοντι τόδ' ἂν ἀφωμοιωμένον λέγοιτο ὀρθότερον T. 31 a 8 (cf. 50 d 1) τοσαῦτα ... ἀφομοιωθέντα ἐντὸς ... φαντάσματα T. 46 a 1.

3° « reproduire » ὥσπερ οἱ ζωγράφοι βουλόμενοι ἀφομοιοῦν (« obtenir la ressemblance ») Cra. 424 d 8 ἀφομοιῶν τοῖς γράμμασι τὰ ἔργα Cra. 427 c 2 τὰ τῆς ἐναντίας ... φύσεως ... κακῶς ἂν ἀφομοιοῖ T. 50 e 4 (cf. 68 d 1).

4° « comparer » τὴν ... δι' ὄψεως φαινομένην ἕδραν τῇ τοῦ δεσμωτηρίου οἰκήσει ἀφομοιοῦντα R. VII 517 b 3 (cf. VIII 564 b 6).

App. : (1°) ἐοικέναι 1° ; (2°) εἰκάζεσθαι ; (2°-4°) ἀπεικάζειν.

App. et ass. (1°) : **μιμεῖσθαι.**

Syn. : ἐξομοιοῦν, ὁμοιοῦν (avec les distinctions de J. Brunel, *L'Aspect...*, p. 178).

ἀφομοίωμα, τό « reproduction » αὐτὰ ἐκεῖνα πράττειν ὧν δὴ καὶ τὰ μιμήματά ἐστιν ἀφομοιώματα R. III 395 b 7 τῶν ... ἀεὶ ... ὄντων ... ἀφομοιώματα ... δέχεσθαι T. 51 a 3*.

App. : εἰκών 2°, ὁμοίωμα.

App. et ass. : μίμημα (b).

ἀφορᾶν « fixer le regard » (sur) ἀφορῶντα ὅθεν ἐνήνεκται R. IX 584 d 9 (cf. 585 a 5) πρὸς τὸ θεῖον ἀφορῶντα So. 254 b 1 (cf. 250 b 10 L. VII 804 b 8) εἰς ἀριθμὸν οὐδένα ... ἀπιδόντα Ph. 17 e 5.
App. (ἀπο)βλέπειν.

ἀφορίζειν (à l'actif et au moyen) 1° « détacher » ; 2° « définir ».
1° « détacher » τί ... ἀφωρίσατε τοῦ ἡδέος τὸ ταύτῃ ἡδὺ ᾗ λέγετε καλὸν εἶναι H. M. 298 d 7 ἀπὸ δὲ πάσης τῆς ποιήσεως ἓν μόριον ἀφορισθὲν B. 205 c 5 (cf. ἀφελόντες b 4 ; R. IV 423 b 6 So. 229 c 1, 231 b 5, 257 c 10, 268 d 2 Po. 280 c 3 L. I 644 a 1) εἰ ἓν εἶδος ἕκαστον τῶν ὄντων ἀεί τι ἀφοριζόμενος θήσεις Pa. 133 b 2 ἀφωρισμένον τῶν ἄλλων Pa. 158 a 2 (cf. T. 24 a 5, 60 b 5 Criti. 110 d 7 L. VI 785 b 3) πρὸς θαλάττης ἀφορίζοντας τὸν 'Ασωπόν (« excluant ») Criti. 110 e 2 (cf. R. VI 501 d 10).
2° « définir » περί τινων ἐπιστημόνως ζῶντα ... ἀφορίζεσθαι τὸν εὐδαίμονα Ch. 173 e 7 τὴν τέχνην αὐτοῦ τίνα ἀφορίσαντες So. 240 c 7 εἴ ... τις ... ἁπλῶς ἀγῶνα θείη ὁντινοῦν, μηδὲν ἀφορίσας μήτε γυμνικόν ... L. II 658 a 7 (cf. ἀφορίσασθαι VII 815 c 8).
App. (1°) : (ἀπο)τέμνειν.
Syn. : διορίζειν, ὁρίζειν (avec les distinctions de J. Brunel, *L'Aspect...*, p. 17 et 158-159).

ἀφοσιοῦν « purifier » ; (moyen) « se purifier », « se laver les mains » (de) ἐὰν ... μὴ ἀφοσιοῖς σεαυτόν τε καὶ ἐκεῖνον Euph. 4 c 2 (cf. L. IX 873 b 8, 874 a 2) μὴ ἀπιέναι πρὶν ἀφοσιώσασθαι Pd. 61 a 8 (cf. 60 e 2 Phr. 242 c 3) ἀφοσιοῦμαι καὶ μαρτύρομαι ... τὴν θεόν Ph. 12 b 1 (cf. L. VI 752 d 4 Le. VII 331 b 4).

ἀφροδίσιος « d'amour » a) adj. ; b) plus souvent, subst. n. pl. (« plaisirs d'amour »).
a) ἀφροδίσιον ... ὅρκον B. 192 c 6 (cf. Le. VII 335 b 4).
b) περὶ ἀφροδισίων καὶ ἁπάντων τῶν ἐρωτικῶν L. VIII 841 e 5 (cf. Pd. 64 d 6, 81 b 6 B. 192 c 6 R. III 389 e 2 Phr. 254 a 6).
App. et ass. (b) : ἐρωτικά.

ἀφροντιστεῖν « négliger » ἀφροντιστῶν ... ἀρχόντων L. X 885 a 4 ἀφροντιστῶν δὲ καὶ ἀπειθῶν L. XI 917 c 7*.
Opp. : φροντίζειν.

ἀφροσύνη, ἡ « sottise, démence » ὑπ' ἠλιθιότητος καὶ ἀφροσύνης H. m. 365 e 5 τῇ δὲ ἀφροσύνῃ ... σοφία ἐναντία καὶ σωφροσύνη αὖ φαίνεται Pr. 333 b 1 (cf. 332 d 7 e 3, 5, 7) καθαροὶ ἀπαλλαττόμενοι τῆς τοῦ σώματος ἀφροσύνης Pd. 67 a 7 ἐν ἀφροσύνῃ λαβόντες ὡς νέον B. 181 d 6 ἄγνοια δὲ καὶ ἀφροσύνη R. IX 585 b 3 βοὰς μετὰ ἀφροσύνης ἐνεργάζεται Ph. 47 a 10 μαντικὴν ἀφροσύνῃ θεὸς ἀνθρωπίνῃ δέδωκεν T. 71 e 2 φθείρει δὲ ἡμᾶς ἀδικία καὶ ὕβρις μετὰ ἀφροσύνης, σῴζει δὲ δικαιοσύνη καὶ σωφροσύνη μετὰ φρονήσεως L. X 906 b 1.
App. : ἄνοια, παράνοια, παραφροσύνη.
App. et ass. : ἄγνοια, ἠλιθιότης.
Ass. : ὕβρις.

ἄφρων « déraisonnable, insensé » 1° adj. ; 2° subst. a) m. ; b) n.

1° ἀφρονεστέρα ἡ τούτου ... καρτερία La. 193 b 2 (cf. d 1) εἰ ἡ σώφρων (ψυχὴ) ἀγαθή ἐστιν, ἡ τοὐναντίον ... πεπονθυῖα ... ἡ ἄφρων τε καὶ ἀκόλαστος G. 507 a 7 (cf. c 6 Ph. 47 b 5 L. III 696 b 11) νοῦν ἔχοντι ὀλίγοι ἔμφρονες πολλῶν ἀφρόνων φοβερώτεροι B. 194 b 8 (cf. T. 86 b 6 Ep. 983 d 8) ψυχὴν ... τὴν μὲν φρόνιμον, τὴν δ' ἄφρονα So. 247 a 3 (cf. R. I 349 e 3) θάρρος καὶ φόβον, ἄφρονε συμβούλω T. 69 d 3 (cf. 86 d 1) θρασεῖς καὶ ἄδικοι καὶ ὑβρισταὶ καὶ ἀφρονέστατοι L. I 630 b 7 (cf. Ph. 45 e 2) ἀνοητότατον ... καὶ ἀφρονέστατον Ep. 976 d 8 (cf. 982 d 5, 988 b 4) τὸ ... ἐν ἀταξίᾳ κινούμενον ἄφρον Ep. 982 a 8 (cf. d 7, 988 a 7).

2° a) τοὺς ... φρονίμους ἀγανακτεῖν ἀποθνήσκοντας πρέπει, τοὺς δὲ ἄφρονας χαίρειν Pd. 62 e 6.

b) τὸ ... ἄφρον τῆς διανοίας Phr. 265 e 4.

Adv. : ἀφρόνως (La. 193 c 9 Pr. 322 b 2 et 5).

App. et ass. : ἀνόητος.

Ass. : ἄδικος, ἀκόλαστος, θρασύς, ὑβριστής.

Ass. et opp. : ἔμφρων, σώφρων, φρόνιμος.

ἀφυής « peu doué, inapte » πρὸς ταύτην τὴν σκέψιν ἀφυής Pd. 96 c 2 (cf. Le. VII 338 d 7) νέου ψυχῆς μὴ ἀφυοῦς B. 218 a 7 τὸν μὲν εὐφυῆ πρός τι εἶναι, τὸν δὲ ἀφυῆ R. V 455 b 6 ἔμπειρος ... καὶ μὴ ἀφυής Pa. 133 b 8 οὐκ ἀφυεῖς ὄντας, δυστυχοῦντάς γε μήν L. VIII 832 a 2*.

Ass. et opp. : εὐφυής.

ἄχαρις « ingrat » (= « désagréable ») Phr. 265 d 1 Le. XIII 360 c 7*.

Opp. : εὔχαρις.

ἀχθηδών, ἡ « douleur » ὑπερβαλλούσας ... τὰς ἡδονὰς τῶν ἀχθηδόνων L. V 734 a 6 (cf. Cra. 419 c 6)*.

ἄχραντος « immaculé » τεκμήριον καθαρὸν καὶ ἄχραντον A. 114 a 1*.

App. et ass. : καθαρός.

ἀχρεῖος, ἄχρηστος « inutile » ἀχρειότατον ὑπὸ γήρως A. 122 b 2 (cf. R. II 371 c 8) χρήσιμον ἐξ ἀχρήστου ... ἐποίησεν R. III 411 b 2 (cf. VII 530 c 3).

App. : ἀσύμφορος.

Ass. et opp. : χρήσιμος.

ἀψεύδεια, ἡ « sincérité » τὴν ἀψεύδειαν καὶ τὸ ... μηδαμῇ προσδέχεσθαι τὸ ψεῦδος R. VI 485 c 4*.

Ass. et opp. : ψεῦδος.

ἀψευδεῖν « être sans erreur » ἀψευδεῖν τε καὶ τὰ ὄντα δοξάζειν Tht. 199 b 8*.

Opp. : ἁμαρτάνειν.

ἀψευδής « vérace, infaillible » ἀψευδὲς τὸ δαιμόνιον R. II 382 e 8 (cf. H. m. 369 c 5) αἴσθησις ... τοῦ ὄντος ἀεί ἐστιν καὶ ἀψευδές

Tht. 152 c 5 (cf. 160 d 1) σαφεῖ τε καὶ ἀψευδεῖ ... πράγματι L. XI 921 b 5.

Opp. : ψευδής.

ἄψυχος « sans âme » ou « vie », « inanimé » a) adj. ; b) subst. n.

a) πᾶν ... σῶμα, ᾧ μὲν ἔξωθεν τὸ κινεῖσθαι, ἄψυχον · ᾧ δὲ ἔνδοθεν αὐτῷ ἐξ αὐτοῦ, ἔμψυχον Phr. 245 e 6 (cf. So. 219 e 6, 220 a 2, 227 b 8, 265 c 2 Po. 261 b 7, 292 b 12 T. 74 e 3 L. VI 782 c 8 VIII 830 c 1 XI 931 a 2 e 2) σώματος ... ἀψύχου μεταβολή L. X 896 b 8 (cf. 889 b 5 IX 873 e 6 XII 967 a 8 b 3 c 4 So. 227 a 3, 265 c 2) ὡς εἰς ἄψυχον χθονίων βωμόν L. XII 959 d 1.

b) ψυχὴ πᾶσα παντὸς ἐπιμελεῖται τοῦ ἀψύχου Phr. 246 b 7 ἀγαθὸν οὐδέν ... ἐστιν τοῖς ἀψύχοις Le. VII 335 a 1.

Ass. et opp. : ἔμψυχος.

B

βάθος, τό « profondeur » Παρμενίδης ... μοι ἐφάνη βάθος τι ἔχειν παντάπασι γενναῖον Tht. 183 e 8 ἐν μήκει καὶ πλάτει καὶ βάθει So. 235 d 9 ὕψη τε καὶ βάθη T. 44 e 1.
Ass. : μῆκος, πλάτος.
Ass. et opp. : ὕψος.

βαθύς « rassis » βαθύτερα ... καὶ πρᾳότερα τρόπων ἤθη σύννομα ... προσαρμόττειν L. XI 930 a 6.

βαίνειν « marcher » (moralement) ὃς ... ἂν ἐκτὸς βαίνῃ τούτων (= νόμων) Pr. 326 d 8 (cf. L. III 697 b 7 VII 793 c 1 Le. VII 330 e 3).
App. : ἰέναι (a), πορεύεσθαι.

βακχεία, ἡ « frénésie » κεκοινωνήκατε τῆς φιλοσόφου μανίας τε καὶ βακχείας B. 218 b 4 τάς τε βακχείας καὶ πᾶσαν τὴν μανικὴν ἐμβάλλει χορείαν L. II 672 b 5 καταυλοῦσι τῶν παιδίων καθάπερ ἡ [AO : καθαπερεὶ Bury] τῶν ἐμφρόνων βακχειῶν ἴασις [F. H. Dale : ἰάσεις AO] L. VII 790 e 3 ὅση μὲν βακχεία τ' ἐστίν (p.-ê. adj. avec un ὄρχησις à tirer d'ὄρχησιν b 7) L. VII 815 c 2*.
App. et ass. : μανία.

βακχεύειν « être pris de frénésie » καὶ βακχεύουσι καὶ κατεχόμενοι ὥσπερ αἱ βάκχαι ἀρύονται I. 534 a 3 βακχεύοντες καὶ ... κατεχόμενοι ὑφ' ἡδονῆς L. III 700 d 5*.
App. : κορυβαντιᾶν.
Ass. : κατέχεσθαι.

βαναυσία, ἡ « artisanat », « travail de vilain » τὰς ψυχὰς συγκεκλασμένοι τε καὶ ἀποτεθρυμμένοι διὰ τὰς βαναυσίας R. VI 495 e 2 βαναυσία δὲ καὶ χειροτεχνία διὰ τί ... ὄνειδος φέρει ; R. IX 590 c 2 ἐπονείδιστος λεγομένη βαναυσία ἦθος ἀποτρέπει ἐλεύθερον L. V 741 e 4 (cf. 743 d 4)*.
App. : χειρουργία (B. 203 a 6).
App. et ass. : χειροτεχνία.

βάναυσος (adj. et subst.) « artisan(al) », « vil » ὁ ... σοφὸς ... ἢ περὶ τέχνας ἢ χειρουργίας τινάς, βάναυσος B. 203 a 6 βάναυσοι αὗται αἱ τέχναι δοκοῦσιν εἶναι A. 131 b 7 (cf. R. VII 522 b 4 Tht. 176 d 1) τὴν δὲ εἰς χρήματα τείνουσαν (τροφὴν) ... βάναυσόν τ' εἶναι καὶ ἀνελεύθερον L. I 644 a 4 ὁ δὲ λαβὼν (σοφίαν) οὔτε βάναυσος οὔτ' ἠλίθιος ἔσται Ep. 976 d 3 οὐ ... διὰ βαναύσου φιλότητος ... διὰ δὲ ἐλευθέρας παιδείας κοινωνίαν Le. VII 334 b 5*.

App. et ass. : ἀνελεύθερος.

Ass. et opp. : ἐλεύθερος.

Opp. : ἐλευθέριος.

βάρος, τό « poids » a) au pr. ; b) au fig.

a) βάρος οὐδὲν περιφέρειν δυναμένη Ep. 988 d 4.

b) τὸ τῶν τοιούτων νόμων ... βάρος L. XI 925 d 6 (cf. XII 945 b 7).

App. (a) : βαρύτης.

βαρύνειν « alourdir » ἡ τοιαύτη ψυχὴ βαρύνεταί τε καὶ ἕλκεται πάλιν εἰς τὸν ὁρατὸν τόπον Pd. 81 c 7 ἐπὶ τὴν γῆν ῥέπων τε καὶ βαρύνων ᾧ μὴ καλῶς ᾖ τεθραμμένος Phr. 247 b 4 ὅταν ... λήθης τε καὶ κακίας πλησθεῖσα βαρυνθῇ, βαρυνθεῖσα δὲ πτερορρυήσῃ τε καὶ ἐπὶ τὴν γῆν πέσῃ Phr. 248 c 8

Ass. : ἕλκειν, ῥέπειν.

βαρύς « lourd » (adj. et subst. n.) a) au pr. ; b) au fig.

a) κοῦφα καὶ βαρέα R. V 479 b 6 (cf. IV 438 c 2 VII 524 a 9-10 Tht. 178 b 4 Ph. 14 d 2) ἐν ... ὀξεῖ καὶ βαρεῖ Ph. 26 a 2 πυκνὰ καὶ βαρέα T. 53 a 1.

b) τὰ ... βαρύτερα καὶ [TW : om. BY] βραδύτερα Po. 307 c 1 κούφων ... λόγων βαρυτάτη ζημία L. IV 717 d 1.

Adv. : βαρέως (a) Tht. 189 d 2* ; (b) Mx. 248 c 2*, ass. et opp. à κούφως ; et βαρύ (a) T. 58 e 2* ; sup. βαρύτατα (b) Cr. 43 c 8*.

App. et ass. : (a) πυκνός ; (b) βραδύς.

Ass. et opp. : κοῦφος, ὀξύς.

βαρύτης, ἡ a) « pesanteur » ; b) le « grave » (en acoustique).

a) βαρύτητας κουφότητας L. X 897 a 7*.

b) ὀξύτητα βαρύτητι σύμφωνον L. VII 812 d 7 (cf. Pr. 316 a 1 Tht. 163 c 1 Ph. 17 c 12)*.

App. (a) : βάρος (a).

Ass. et opp. : (a) κουφότης ; (b) ὀξύτης (a).

βασανίζειν « éprouver » εὑρεῖν τούτων τινὰ τῶν λίθων ᾗ βασανίζουσιν τὸν χρυσόν G. 486 d 5 (cf. R. III 413 e 1 VI 503 a 6) οὐ πρότερον αὐτὸν ἀφήσει Σωκράτης πρὶν ἂν βασανίσῃ ταῦτα La. 188 a 3 (cf. G. 487 e 1 Euth. 307 b 8 Tht. 203 a 1 Ph. 19 d 3) ὑπὸ Σωκράτους βασανίζεσθαι La. 188 b 5 βασανιεῖν ἱκανῶς ψυχῆς πέρι ὀρθῶς τε ζώσης καὶ μή G. 487 a 1 (cf. a 4) χρόνος ... ὃς δὴ δοκεῖ τὰ πολλὰ ... βασανίζειν B. 184 a 7 (cf. Ep. 987 a 6) βεβασανισμένος εἰς δικαιοσύνην R. II 361 c 6 (cf. III 413 e 7 VI 503 a 2 d 13 VII 539 e 6 L. XI 922 d 6) τῇ τοῦ διαλέγεσθαι δυνάμει βασανίζοντα R. VII 537 d 6 πάντα μεταστρέφοντα λόγον βασανίζειν Tht. 191 c 2 (cf. So. 237 b 2, 241 d 6) παιδιᾷ πρῶτον βασανιεῖ Po. 308 d 4 (cf. 290 c 4) τοὺς σμικρᾷ παιδείᾳ βασανισθέντας L. V 735 a 4 δυνατοὶ μὲν μαθεῖν, δυνατοὶ δὲ μνημονεῦσαι καὶ βασανίσαντες ... κρῖναι Le. II 314 b 1.

App. : ἀποπειρᾶσθαι, δοκιμάζειν, ἐλέγχειν, ἐξελέγχειν, ἐξετάζειν.

βάσανος, ἡ « épreuve » οὐδέν μοι δεῖ ἄλλης βασάνου G. 486 d 8 (réc. 487 e 3) αὕτη τῶν βασάνων οὐκ ἐλαχίστη R. VII 537 b 5 μετὰ βασάνων ταῖς ἐψήσεσι ... ἀφαιρεθέντα τὸν ... ἀκήρατον χρυσὸν εἴασεν ... ἰδεῖν Po. 303 e 3 τὴν ἀκριβεστάτην ... προσφέροντα βάσανον καὶ ἐξελέγχοντα Ph. 23 a 7 εἰ δέ τις τούτων ... βάσανον λαμβάνοι T. 68 d 2 (cf. L. I 648 b 1, 650 a 3) τῆς ἐν οἴνῳ βασάνου L. I 649 d 9 (cf. 650 b 3) βάσανον ἱκανὴν ... δεδωκότας L. VI 751 c 8 βάσανον οὐχ εὑρήσειν τῶν τε ἀμεινόνων καὶ χειρόνων L. VIII 831 a 7 πάσαις βασάνοις χρώμεναι ἐλευθέραις L. XII 946 c 7 τούτων πάντων ... βάσανος ... σαφής L. XII 957 d 4 (cf. Ep. 991 c 5 Le. II 313 d 2 VIII 355 c 7).

App. : ἔλεγχος, πεῖρα (a).

βασιλεύειν « régner » νόησον ... βασιλεύειν τὸ μὲν νοητοῦ ... τόπου, τὸ δ' αὖ ὁρατοῦ R. VI 509 d 2 τυραννουμένης μὲν οὐκ ἔστιν ἀθλιωτέρα, βασιλευομένης δὲ οὐκ εὐδαιμονεστέρα R. IX 577 e 4.

Ass. et opp. : τυραννεῖν.

βασιλεύς, ὁ a) « roi » ; b) « le Roi ».

a) ἀηδέστατα ... ὁ τύραννος βιώσεται, ὁ δὲ βασιλεὺς ἥδιστα R. IX 587 b 10.

b) τρίτος τις ἀπὸ βασιλέως καὶ τῆς ἀληθείας R. X 597 e 2 ἐπειδὴ κατεῖδεν ἡμῶν ὁ βασιλεύς L. X 904 a 6 περὶ τὸν πάντων βασιλέα πάντ' ἐστί Le. II 312 e 1 (cf. 313 a 1).

Ass. et opp. (a) : τύραννος (a).

βασιλικός a) adj. « royal » ; b) subst. f. (sous-entendu ἀρχή) « royauté ».

a) ἐν μὲν τῇ τοῦ Διὸς ἐρεῖς φύσει βασιλικὴν μὲν ψυχήν, βασιλικὸν δὲ νοῦν ἐγγίγνεσθαι Ph. 30 d 1-2.

b) τυραννίδι ... βασιλικῇ Po. 291 e 5.

Ass. et opp. (b) : τυραννίς (a).

βασκανία, ἡ « mauvais œil » Pd. 95 b 5*.

βέβαιος « ferme, solide » 1° adj. ; 2° subst. a) m. b) n.

1° ἐπὶ βεβαιοτέρου ὀχήματος ... διαπορευθῆναι Pd. 85 d 3 τῶν πραγμάτων οὐδενὸς οὐδὲν ὑγιὲς οὐδὲ βέβαιον Pd. 90 c 3 (cf. Mx. 245 c 7 Le. VI 322 d 4 X 358 c 3) ἀληθοῦς καὶ βεβαίου λόγου Pd. 90 c 8 (cf. Ph. 59 c 3 T. 37 c 1) φιλία βέβαιος γενομένη B. 182 c 6 (cf. 209 c 7 Mx. 244 a 2 Le. VI 322 d 4) οὐδὲν ... οὔτε βέβαιον οὔτε μόνιμον B. 184 b 3 (cf. Cra. 411 c 3 et à 2° b T. 29 b 6) οὐσίαν ἔχοντά τινα βέβαιόν ἐστι τὰ πράγματα Cra. 386 e 1 (cf. Tht. 180 b 1) βίος ... μέτριος καὶ βέβαιος R. V 466 b 7 τὰ βέβαια ... ἤθη καὶ οὐκ εὐμετάβολα R. VI 503 c 9 (cf. c 6) μόνη ... ἡ τοιαύτη μάθησις βέβαιος R. VII 537 c 4 οὐδὲ βεβαίου τε καὶ καθαρᾶς ἡδονῆς ἐγεύσαντο R. IX 586 a 6 (cf. Ph. 62 b 6) καλά τε καὶ βέβαια (ἆθλα) R. X 614 a 4 ὥς τι σαφὲς καὶ βέβαιον ... ἐσόμενον Phr. 275 c 7 (cf. Ph. 56 a 7) βέβαιον ... στάσιμον Tht. 180 b 1 πιστῷ καὶ βεβαίῳ χρήσασθαι λόγῳ T. 49 b 5 ἀποδείξεις βεβαιοτάτας T. 91 e 1 φρόνησιν ... καὶ ἀληθεῖς δόξας βεβαίους L. II 653 a 8 (cf. T. 51 e 1) τὸ ... ἀνθρώπινον οὐ παντάπασιν βέβαιον Le. VI 323 b 3 ὄνομα ... οὐδὲν οὐδενὶ βέβαιον Le. VII 343 b 1.

2° a) τοὺς ... βεβαιοτάτους καὶ τοὺς ἀνδρειοτάτους προαιρετέον R. VII 535 a 10.

b) τό τε βέβαιον καὶ τὸ καθαρὸν καὶ ἀληθές Ph. 59 c 3 (cf. T. 29 b 6).

Adv. : βεβαίως (— θεοσεβῆ L. XII 967 d 4 ; cf. II 657 a 7 Le. II 313 b 7 VII 343 b 3 et 6).

App. et ass. : μόνιμος, στάσιμος.

Ass. : ἀληθής, καθαρός, πιστός, σαφής, ὑγιής.

Ass. et opp. : εὐμετάβολος.

βεβαιότης, ἡ « fermeté, solidité » ἔχειν δοκεῖ σοι (τὰ πράγματα) αὐτὰ αὑτῶν τινα βεβαιότητα τῆς οὐσίας Cra. 386 a 3 (cf. Ph. 59 b 4 T. 49 d 8) κοσμίως μετὰ ἡσυχίας καὶ βεβαιότητος ... ζῆν R. VI 503 c 5 βεβαιότητα ... καὶ σαφήνειαν Phr. 277 d 8 τινα βεβαιότητα ἐν τοῖς τρόποις L. V 735 a 1 (cf. VII 790 b 4)*.

Ass. : ἡσυχία, σαφήνεια.

βεβαιοῦν (à l'actif et au moyen) « affermir, établir » ἃ νοεῖς τῷ λόγῳ βεβαίωσαι La. 194 c 5 (cf. 200 b 7 G. 489 a 6 R. IV 435 a 4) τὰς ... τοιαύτας ἀμφισβητήσεις ... βεβαιούμενοι ὡς οὐκ ἀληθεῖς οὔσας R. IV 437 a 4 (cf. 442 e 1 V 461 e 9 Tht. 169 e 2) βεβαιώσομεν δὲ τότε αὐτό, ὁπόταν σκεψώμεθα ἱκανῶς L. VII 799 e 1 (cf. d 3).

βεβαίωσις, ἡ « fixation » ἀληθῆ δόξαν μετὰ βεβαιώσεως Po. 309 c 7* (cf. M. 98 a).

βέβηλος « profane » εἴ τις ἄλλος ἐστὶν βέβηλός τε καὶ ἄγροικος, πύλας ... τοῖς ὠσὶν ἐπίθεσθε B. 218 b 6* (parodie du fr. orphique 334 Kern : ... θύρας δ' ἐπίθεσθε βέβηλοι).

βέλτιστος sup. d'ἀγαθός 1° adj. « excellent », « le meilleur » a) moralement ; b) pour exprimer la finalité ; 2° subst. n. a) « le meilleur » (de l'âme ou de l'homme) ; b) « le meilleur, le mieux » α) moralement ; β) « le plus utile » ; c) « le meilleur » (finalité).

1° a) ἑαυτὸν παρασκευάζειν ὅπως ἔσται ὡς βέλτιστος Ap. 39 d 8 (cf. Pr. 325 d 1 G. 502 e 4, 503 a 8, 513 e 2 et 6, 520 e 3, 521 a 4, 526 d 7 B. 218 d 2 L. IV 707 d 4) ὑπὸ τῶν ἡδονῶν ἡττᾶσθαι καὶ οὐ πράττειν ... τὰ βέλτιστα, ἐπεὶ γιγνώσκειν γε αὐτά Pr. 353 a 1 ἀεὶ διαμάχεσθαι λέγοντα τὰ βέλτιστα, εἴτε ἡδίω εἴτε ἀηδέστερα ἔσται G. 503 a 10 πρὸς ἔρωτα ... τοῦ βελτίστου βίου Le. VII 339 e 5.

b) ὅπῃ βέλτιστόν ... ἐστιν ... εἶναι Pd. 97 c 7 (cf. 98 a 6) τὴν δὲ τοῦ ὡς οἷόν τε βέλτιστα αὐτὰ τεθῆναι δύναμιν Pd. 99 c 1 χειρίστη (πολιτεία) ... βελτίστη Po. 303 a 8.

2° a) τὴν ... ἐπαναγωγὴν τοῦ βελτίστου ἐν ψυχῇ πρὸς τὴν τοῦ ἀρίστου ἐν τοῖς οὖσι θέαν R. VII 532 c 5 (cf. IX 572 a 1, 590 c 4 X 603 a 4, 605 b 2, 606 a 7 T. 70 b 9) καταδουλοῦται τὸ βέλτιστον ἑαυτοῦ τῷ μοχθηροτάτῳ R. IX 589 d 8 (cf. 590 e 5, 591 a 1 X 604 d 5).

b) α) τοῦ ἡδέος στοχάζεται ἄνευ τοῦ βελτίστου G. 465 a 2 πρὸς τὸ βέλτιστον βλέπων G. 502 a 4 (cf. e 2, 503 d 6 R. V 457 b 2) τρέποντα εἰς τὸ βέλτιστον L. VI 783 a 5.

β) τὸ ... ἄριστον ... περιλαβὼν τὸ βέλτιστον ἐπιτάττειν Po. 294 d 1 παρὰ τὰ γεγραμμένα τό γε βέλτιστον ποιητέον Po. 301 c 2.

c) οὐδὲν ἄλλο σκοπεῖν ... ἀλλ' ἢ τὸ ἄριστον καὶ τὸ βέλτιστον Pd. 97 d 3 (cf. c 7) τὸ ἑκάστῳ βέλτιστον ... καὶ τὸ κοινὸν πᾶσιν Pd. 98 b 2 ἵν' ... εἰδείην τὸ βέλτιστον καὶ τὸ χεῖρον Pd. 98 b 5 ὑπὸ δόξης φερόμενα τοῦ βελτίστου Pd. 99 a 2 (cf. a 9) τῶν γιγνομένων τὰ πλεῖστα εἰς τὸ βέλτιστον ἄγειν T. 48 a 3.

Adv. : βέλτιστα (Pd. 97 c 5, 99 c 1 R. IV 431 c 7 X 604 c 7 Ep. 983 b 7).

App. et ass. : ἄριστος.

Ass. et opp. : (1° b) χείριστος ; (2° c) χείρων.

βελτίων cp. d'ἀγαθός « meilleur » 1° adj. a) au sens d'un progrès moral ; b) « plus avantageux, préférable » ; 2° subst. a) m. ; b) n. « le (un) mieux ».

1° a) ὡς βελτίους ἐσομένους Pr. 316 c 8 (cf. G. 505 b 5 M. 86 b 9 B. 185 b 3) ἔσται ... σοι ... ἀπιέναι οἴκαδε βελτίονι γεγονότι Pr. 318 a 8 (cf. b 4 d 3) συνὼν αὐτῷ βελτίων ἔσται καὶ ἐπιδώσει Pr. 318 c 2 (cf. c 3 et 7) αὐτοὶ ἀγαθοὶ ὄντες οὐδένα πώποτε βελτίω ἐποίησαν Pr. 320 b 3 (cf. 324 d 6) ἕωσπερ ἂν κολαζόμενος βελτίων γένηται Pr. 325 a 8 (cf. G. 477 a 7, 525 b 1 L. VI 784 d 1) εἰ ... βελτίους ἔσονται ἢ χείρους ... οὐδὲν φροντίζουσιν G. 503 a 1 βελτίους ἐποίει τοὺς πολίτας ἀντὶ χειρόνων G. 515 d 5 (cf. M. 92 e 5 B. 210 c 2 R. X 600 c 3) ἐπιθυμίας δὲ ἐπιθυμιῶν ... βελτίους χειρόνων R. VIII 554 e 2 ἵνα βελτίους τε καὶ εὐδαιμονέστεροι ἀντὶ χειρόνων καὶ ἀθλιωτέρων γιγνώμεθα R. X 606 d 6 ἡδονῆς ... νοῦς ... βέλτιόν τε καὶ ἄμεινον Ph. 66 e 4.

b) ἐπειδὴ Ἀθηναίοις ἔδοξε βέλτιον εἶναι ἐμοῦ καταψηφίσασθαι ... καὶ ἐμοὶ βέλτιον αὖ δέδοκται ... καθῆσθαι Pd. 98 e 1-2.

2° a) τὸν χείρω τῶν βελτιόνων ἐπιστατεῖν Pr. 338 b 7 (cf. G. 488 b 5) ἀεὶ εἶναι παρὰ τῷ αὑτοῦ βελτίονι (= Dieu) Pd. 62 e 3.

b) ἀεὶ ἐπὶ τὸ βέλτιον ἐπιδιδόναι Pr. 318 a 9 ὡς τὸ κρεῖττον ... καὶ βέλτιον ταὐτὸν ὂν G. 488 c 6 (cf. d 2-3) ἄν ... τις ... βιάζηται τὸ βέλτιον Po. 296 b 1 (cf. παρὰ τὰ γεγραμμένα τὸ βέλτιον b 6) τῶν ... νῦν παρόντων ἐπὶ τὸ βέλτιον μεταβολάς L. V 732 d 2.

Adv. : βέλτιον (εἴτε βέλτιον εἴτε χεῖρον G. 501 c 1 ; cf. R. I 344 e 5) ; **βελτιόνως** R. VI 484 a 5*.

App. : κρείττων (ass. G. 484 c 2, 490 b 7), λῴων.
App. et ass. : ἀμείνων.
Ass. : εὐδαίμων.
Ass. et opp. : χείρων.

βία, ἡ « violence, contrainte » οὐχ ὑπὸ πειθοῦς ἀλλ' ὑπὸ βίας πεπαιδευμένοι R. VIII 548 b 7 (cf. Po. 304 d 4) τὴν τοιαύτην πειθὼ καὶ ἅμα βίαν εἰληφότι L. IV 711 c 5 (cf. 718 b 2, 722 b 7 c 2) ῥώμῃ τινὶ μεγάλῃ καὶ βίᾳ L. VII 814 a 7.
App. : ἀνάγκη.
App. et ass. : ῥώμη (a).
Ass. et opp. : πειθώ.

βιάζεσθαι a) « violenter, forcer » ; b) « établir de force ».
a) εἰ πείθοιμι ὑμᾶς καὶ τῷ δεῖσθαι βιαζοίμην Ap. 35 d 3 (cf. Cr. 51 c 2) πείθοντες καὶ βιαζόμενοι G. 517 b 7 (cf. R. II 365 d 5 VI 488 d 3 Po. 296 b 1 L. VI 753 a 4) βιάζεσθαι φασκόντων εἶναι τὸ δικαιότατον ὅ τί τις ἂν νικᾷ βιαζόμενος L. X 890 a 4 οὐκ ἔρχομαι συμβουλεύσων, βιασόμενος δέ Le. VII 331 b 7.
b) τὸ ... μὴ ὂν ὡς ἔστι So. 241 d 6 (cf. 246 b 8).
App. : (a) ἀναγκάζειν ; (b) δισχυρίζεσθαι, ἰσχυρίζεσθαι (b).
Ass. et opp. (a) : πείθειν.

βίαιος « violent », « imposé par la force » πρὸς πατέρα ... βίαιόν τι πράξαντες Pd. 113 e 8 βιαίους ἢ ἑκουσίας πράξεις R. X 603 c 6 (cf. III 399 a 7 b 3 c 1 Po. 276 d 11 e 7, 291 e 1, 292 a 7) ἑκόντων ἀρχὴν ἀλλ' οὐ βίαιον L. III 690 c 3 τὰ βίαια καὶ ἀκούσια λέγωμεν L. IX 865 a 3 (cf. 874 d 6).
Adv. : βιαίως (Po. 291 e 10, ass. et opp. à ἑκουσίως).
Ass. : ἀκούσιος (dans les dern. ex., qui distinguent entre les deux adj.).
Ass. et opp. : ἑκούσιος.

βίος, ὁ « vie, mode de vie » εἰ ἡδέως βιοὺς τὸν βίον τελευτήσειεν Pr. 351 b 7 ἀντὶ τοῦ ἀπλήστως καὶ ἀκολάστως ἔχοντος βίου τὸν κοσμίως καὶ ... ἐξαρκούντως ἔχοντα βίον ἑλέσθαι G. 493 c 7-8 (cf. d 6, 494 a 2) τὸν βίον τὸν ἐν φιλοσοφίᾳ G. 500 c 7 (cf. d 2) εἰ ... βίον ἐξευρήσεις ἀμείνω τοῦ ἄρχειν R. VII 520 e 4 (cf. 521 b 1 et 9) τὸν κολακεύοντα (βίον) R. VII 538 e 8 ἀγαθοῦ τε βίου καὶ κακοῦ R. IX 578 c 8 (cf. X 618 d 8) τίς τούτων τῶν βίων ἥδιστος R. IX 581 c 11 πρὸς ἀρετὴν βίου R. X 618 c 8 εἴπερ ... ἡμῶν ὁ βίος ἔσται καὶ ὁπωσοῦν ποτε βίος Ph. 62 c 4-5 (cf. L. VII 807 d 1 Le. VII 328 a 5) χωλὴν τοῦ βίου διαπορευθεὶς ζωήν T. 44 c 3 τὸν μετὰ τὸν ἐνθάδε βίον L. XII 959 c 3 ἤ τινα μακραίωνα βίον ... ζωῆς Ep. 982 a 2.
App. : διαγωγή, δίαιτα, ἤθη.
App. et ass. : ζωή.
Opp. : θάνατος (dont l'antonyme est plutôt ζωή).

βιοῦν, forme attique (cf. Eurip. fr. 238 N²) mais non attestée chez Platon : v. ζῆν.

βιωτός « qui mérite d'être vécu, qui vaut la peine de vivre » ὁ δ' ἀνεξέταστος βίος οὐ βιωτὸς ἀνθρώπῳ Ap. 38 a 5 ἆρα βιωτὸν ἡμῖν ; Cr. 47 d 9 (cf. e 4 et 7 B. 211 d 2, 216 a 1 R. IV 445 a 7 b 1 L. IX 874 d 3 Le. VII 340 c 4)*.

Opp. : ἄβιος, ἀβίωτος.

βλαβερός « nuisible, dommageable » (a) adj. ; b) subst. n.

a) βλαβερὰ καὶ κακοῦργος La. 192 d 2 (cf. d 5) ἀγαθαὶ μὲν αἱ ὠφέλιμοι (ἡδοναί), κακαὶ δὲ αἱ βλαβεραί G. 499 d 1 (cf. M. 88 c 1 et 10 d 1) βλαβερόν γε καὶ ζημιῶδες Cra. 417 d 8 ἡ ... ἐπιθυμία ... βλαβερὰ μὲν σώματι, βλαβερὰ δὲ ψυχῇ R. VIII 559 b 10-11.

b) τὸ μὲν ὠφέλιμον καλόν, τὸ δὲ βλαβερὸν αἰσχρόν R. V 457 b 6.

Adv. : βλαβερῶς (Ch. 164 c 1 et Ly. 221 b 1, ass. et opp. à ὠφελίμως).

App. et ass. : ζημιώδης, κακοῦργος.

Ass. et opp. : ὠφέλιμος.

Opp. : κερδαλέος, λυσιτελής.

βλάβη, ἡ « tort, dommage » ὠφελίας τε καὶ βλάβας R. I 332 d 6 (cf. H. M. 284 d 1 Phr. 237 d 2, 274 e 9) βλάβη ... καὶ ... κακουργία R. IV 434 c 2 τὰς βλάβας πάσας ἀδικίας τιθείς L. IX 861 e 6 πρός τε ἀδικίαν καὶ βλάβην L. IX 862 b 6 (cf. 863 a 5) τὰς ... ἀδίκους ... βλάβας καὶ κέρδη L. IX 862 c 6 ἀκούσιον ἀδικίαν τὴν ... βλάβην L. IX 864 a 8 μετὰ τῶν ἄλλων ζημιῶν ἐκτίνειν ... τὴν βλάβην L. IX 878 c 8.

App. : ζημία 2°.

App. et ass. : ἀδικία, κακουργία.

Ass. : ζημία 1°.

Ass. et opp. : κέρδος, ὠφελία.

Syn. : βλάβος, λώβη.

βλάβος, τό « dommage » (matériel) τὸ ... βλάβος ἀποτινέτω L. VIII 843 c 7 (cf. d 2, 844 d 2 VI 767 e 5 IX 868 a 5, 877 b 2, 878 c 1, 879 b 1 XI 915 a 2).

Syn. : βλάβη, λώβη.

βλακικός « mou » ὀξύτερα μὲν αὐτὰ ... σκληρότερα φαινόμενα ... μανικὰ λέγοντες, τὰ δὲ ... μαλακώτερα δειλὰ καὶ βλακικά Po. 307 c 2 (cf. L. I 637 c 1).

App. et ass. : δειλός, μαλακός.

Ass. et opp. : σκληρός.

Syn. : βλάξ.

βλάξ « lâche » πάνυ με ἡγοῦ βλᾶκα εἶναι G. 488 b 1*.

Syn. : βλακικός.

βλάπτειν « nuire, porter préjudice » (à) οἴει τι βλαβήσεσθαι ... ; οὐδαμῶς, ἀλλὰ καὶ ... ὀνήσεσθαι A. 120 d 4 (cf. H. m. 373 a 5) οὐκ ἐμὲ μείζω βλάψετε ἢ ὑμᾶς αὐτούς Ap. 30 c 8 (cf. d 1) ὠφελεῖν ἢ βλάπτειν τὸν τελευτήσαντα Pd. 107 d 4 (cf. Pr. 314 b 3 R. I 332 e 4) ὁμοίως δίκαιον ἀδίκῳ βλάψειν ἐπαγωγαῖς τισιν καὶ κατα-

δέσμοις R. II 364 c 4 τὸ μὲν ... βλάπτειν ... ἀνθρώπου παντός, τὸ δ' ἐπωφελεῖν οὐδαμῇ ἅπαντος L. VIII 843 c 4.
App. : ἀδικεῖν.
Ass. et opp. : ἐπωφελεῖν, ὀνινάναι, ὠφελεῖν.
Opp. : λυσιτελεῖν.
Syn. : λωβᾶσθαι.

βλασφημεῖν 1° « blasphémer » ; 2° « maudire ».
1° ἵνα μὴ ... εἰς θεοὺς βλασφημῶσιν R. II 381 e 5 βλασφημοῖ πᾶσαν βλασφημίαν L. VII 800 c 1 μὴ βλασφημεῖν, εὐφημεῖν δὲ ἀεί L. VII 821 d 2.
2° κακῶς ἀλλήλους βλασφημοῦντες λέγουσιν L. XI 934 e 1*.
Ass. et opp. : εὐφημεῖν.

βλασφημία, ἡ « blasphème » πᾶσαν βλασφημίαν τῶν ἱερῶν καταχέουσιν L. VII 800 d 1 (cf. c 1)*.
Opp. : εὐφημία (a).

βλέπειν « regarder » (vers) πρὸς τί βλέπων A. 107 e 9 (cf. 120 b 6 La. 197 e 3 G. 503 d 8 Cra. 389 a 5 b 2 d 6 R. I 342 e 10, 343 b 3 IV 421 b 4 et 6 V 477 d 1) κάτω βλέπειν εἰς ἀνθρώπων πραγματείας R. VI 500 b 9 πρὸς τὴν ἰδέαν βλέπων R. X 596 b 7 (cf. L. XII 965 c 3) ἐκεῖσε βλέπειν R. X 611 d 7 (cf. Tht. 175 a 2 So. 232 a 5, 247 d 3 L. I 632 e 6) ὄρνιθος δίκην βλέπων ἄνω Phr. 249 d 8 (cf. Le. VII 348 a 1) πρὸς τὸ κατὰ ταὐτὰ ἔχον βλέπων T. 28 a 7 εἰς ἄλλα ... βλέψας T. 55 d 6 (cf. L. I 625 e 2, 630 c 4 d 6, 631 d 4 et 6 XII 962 d 8 e 5 et 9, 965 d 6) εἰς τὸ πᾶν συντείνει βλέπον ἀεί L. X 903 c 2 (cf. e 5 III 688 b 1 XI 922 e 3, 923 b 6) μὴ πρὸς πολλὰ στοχαζόμενον, ἀλλ' εἰς ἓν βλέποντα L. XII 962 d 4 (cf. 963 a 3 b 1 et 9 Ep. 992 a 1).
App. : ἀποβλέπειν (cf. J. Brunel, *L'Aspect...*, p. 169), ἀφορᾶν, ὁρᾶν 2°, σκοπεῖν 2°.
App. et ass. : στοχάζεσθαι 1°, συντείνειν 2° b.

βοήθεια, ἡ « secours, défense » αὕτη ... τῆς βοηθείας [F : τις βοήθεια BTPWf ἡ βοήθεια Cobet Theiler] ἑαυτῷ ... κρατίστη G. 522 d 2 ἰὼν ἐπὶ τὴν τῷ δικαίῳ (AF : τῶν δικαίων F² W) βοήθειαν R. VI 496 d 1 βοήθεια γίγνοιτ' ἂν μυρία μυρίοις Ep. 975 e 1.

βοηθεῖν « secourir, aider » τῷ θεῷ βοηθῶν Ap. 23 b 7 οὐχ οἷός τ' εἰμὶ βοηθῆσαι ... ἐμαυτῷ G. 508 c 6 (cf. 509 b 5 et 8 c 9, 522 c 6 d 4 Euth. 273 c 8) πρᾴως ἐβοήθει τῷ λόγῳ Pd. 88 e 2 (cf. e 3) ἂν μή τις ... βοηθήσας θεῶν τύχῃ R. VI 492 a 5 ταύτῃ μοι βεβοηθημένον ἐγεγόνει φιλοσοφίᾳ Le. VII 347 e 6 (cf. R. II 368 c 1) ὁ δυνάμενος ... τιμωρεῖν ... βοηθεῖ L. V 729 e 7 (cf. B. 179 e 6).
App. et ass. : τιμωρεῖν.

βόρβορος, ὁ « bourbier » ὃς ἂν ἀμύητος ... εἰς Ἅιδου ἀφίκηται ἐν βορβόρῳ κείσεται Pd. 69 c 5 πηλὸς ἀμήχανος καὶ βόρβοροι (« lagunes ») Pd. 110 a 6 τῷ ὄντι ἐν βορβόρῳ βαρβαρικῷ τινι R. VII 533 d 1*.
App. et ass. : πηλός.

βούλεσθαι 1° « souhaiter, préférer » ; 2° « vouloir dire ». 1° ἐὰν βούλῃ σύ, ὦ Σώκρατες. — Οὐ καλῶς λέγεις, ὦ 'Αλκιβιάδη. — 'Αλλὰ πῶς χρὴ λέγειν ; — "Οτι ἐὰν θεὸς ἐθέλῃ A. 135 d 3 εἰμὶ δὲ ἐπὶ τῷ βουλομένῳ [ἐ. τ. β. BTW Oxy. : secl. Morstadt Burnet Wilamowitz Theiler] ὥσπερ οἱ ἄτιμοι τοῦ ἐθέλοντος, ἄν τε τύπτειν βούληται ... G. 508 c 8-d 1 (où les distinctions de Wilamowitz II 374 favoriseraient plutôt le maintien d'ἐπὶ τῷ βουλομένῳ) εἰ δὲ βούλει, σοὶ ἐγὼ ... ἐθέλω λόγον λέξαι G. 522 e 5 φημὶ ... τοὺς τυράννους ... οὐδὲν ... ποιεῖν ὧν βούλονται G. 466 e 1 (cf. 467 a 10 b 2, 468 e 6) τὰ γὰρ ἀγαθὰ βουλόμεθα ... τὰ δὲ μήτε ἀγαθὰ μήτε κακὰ οὐ βουλόμεθα G. 468 c 6-7 (cf. M. 78 a 6, 9-10 b 1, 3, 6 L. V 733 a 9-b 5 c 4 et 6 d 1 et 4) βούλεται ... τοῦτο ... εἶναι οἷον ἄλλο τι Pd. 74 d 8 τὸ ἐθέλειν καὶ τὸ βούλεσθαι R. IV 437 b 8.

2° ἱκανῶς δηλοῖ ὃ βούλεται ὁ « 'Ατρεύς » Cra. 395 b 8 ἵν' ᾖ σαφέστερον ὅ μοι δοκεῖ βούλεσθαι Γλαύκων R. II 362 e 4 τί ... βούλεται ... ὁ μῦθος Tht. 156 c 3 μὴ ... γιγνώσκων τὴν οὐσίαν τί ποτε βούλεται L. II 668 c 6.

App. : (1°) ἐπιθυμεῖν (cf. M. 78 a 10-11), ἐφίεσθαι, ὀρέγεσθαι ; (2°) νοεῖν 4°, φράζειν 1°.

App. et ass. : ἐθέλειν.

Opp. : ἀβουλεῖν.

βουλεύεσθαι « délibérer, décider » βουλεύου, μᾶλλον δὲ οὐδὲ βουλεύεσθαι ἔτι ὥρα, ἀλλὰ βεβουλεῦσθαι Cr. 46 a 4-5 (cf. 49 d 6) ὡμολογῆσθαι τί ποτ' ἔστιν περὶ οὗ βουλευόμεθα La. 185 b 10 μετ' ἐμοῦ κοινῇ βουλεύεσθαι M. 91 a 1 βουλεύεσθαι περὶ τὸ γεγονός R. X 604 c 5 βουλευέσθωσαν ὡς ... οὐχ ἕξουσιν L. VI 762 e 10 ὅταν ψυχὴ τὸ ἄριστον ... βουλεύσηται Ep. 982 c 1 (cf. c 4 et 8).

βούλευμα, τό « dessein, résolution » ἀλλήλων καταφρονεῖν ὁρῶντας τὰ ἀλλήλων βουλεύματα Cr. 49 d 5 τοῖς ... τῶν παιδικῶν βουλεύμασίν τε καὶ λόγοις οὐχ οἷός τ' εἶ ἐναντιοῦσθαι G. 481 e 5 τὰ τῶν πολεμίων ... βουλεύματα R. I 334 a 2.

App. : βουλή.

βουλή, ἡ « délibération, avis » μία δὲ βουλή Cr. 46 a 6 περὶ ὧν νῦν ἡ βουλὴ ἡμῖν ἐστιν Cr. 47 c 11 (cf. 49 d 3 La. 185 c 6 d 6) τὸ βελτίστῃ βουλῇ βεβουλευμένον Ep. 982 c 4.

App. : βούλευμα.

βούλημα, τό « intention » τὸ βούλημα ... τῆς κρίσεως Ph. 41 e 2 λόγον τινὰ πρέποντα τοῖς βουλήμασιν ὑποθέσθαι T. 26 a 6 τὸ τοῦ νομοθέτου βούλημα L. VI 769 d 2 (cf. VII 802 c 2)*.

App. : βούλησις (cf. Ph. 41 e 2 et 7), εὐχή 2°.

βούλησις, ἡ « intention, désir » δύναμιν ᾗ βούλησιν ; G. 509 d 2 τὴν βούλησιν καὶ τὸν ἔρωτα τοῦτον ... τἀγαθὰ βούλεσθαι ... εἶναι ἀεί B. 205 a 5 τήν γε ὀρθότητα τῆς βουλήσεως L. II 668 c 8 ἕπεσθαι πάντα τῇ ἑαυτοῦ βουλήσει, τὴν βούλησιν δὲ ... τῇ ἑαυτοῦ φρονήσει L. III 687 e 7 (cf. 688 c 1 IX 863 e 3) ἡ βούλησις τῆς αἱρέσεως τῶν βίων L. V 734 c 1 (cf. 733 b 8 Ph. 41 e 7) ἀφῆκε ταῖς βουλήσεσιν ἑκάστων ... τὰς αἰτίας L. X 904 c 1 (cf. d 6) ἀποπληρῶν ... τὰς βουλήσεις L. XI 932 b 3 (cf. Le. VII 336 c 4) ταῖς ... βουλήσεσιν καὶ ἐπιθυμίαις ... ὑπηρετοῦντας Le. VII 331 a 2.

App. : βούλημα, εὐχή 2°.

App. et ass. : ἐπιθυμία.

βουλητός « souhaité » (subst. n.) τὸ βουλητόν τε καὶ ἑκούσιον ἀβούλητόν τε καὶ ἀκούσιον L. V 733 d 8*.

App. et ass. : ἑκούσιος.

Ass. et opp. : ἀβούλητος.

βραδύς « lent » 1° adj. a) au pr. ; b) au fig. ; 2° subst. a) m. (au fig.) ; b) n. α) au pr. ; β) au fig.

1° a) ὅσοι φθόγγοι ταχεῖς τε καὶ βραδεῖς T. 80 a 3 (cf. Ep. 986 e 5).

b) θάττους ... ἤθεσι πρὸς βραδυτέρους καὶ βραδυτέρους πρὸς θάττους ... πορεύεσθαι L. VI 773 c 6.

2° a) ἥττων ... βραδὺς ἀγχίνου Phr. 239 a 4.

b) α) ἐν ... ταχεῖ καὶ βραδεῖ Ph. 26 a 2 (cf. B. 187 b 7).

β) λέγοντες τὰ ... βαρύτερα καὶ βραδύτερα καὶ μαλακώτερα δειλὰ καὶ βλακικά Po. 307 c 1.

Adv. : βραδέως Ch. 159 e 3, 5, 6, app. et ass. à ἡσυχῇ, ass. et opp. à ταχέως et à σφόδρα ; Pr. 336 a 5, ass. et opp. à ταχύ ; cp. βραδύτερον (Tht. 190 a 3, ass. et opp. à ὀξύτερον ; Ph. 17 a 2, ass. et opp. à θᾶττον) ; sup. βραδύτατα (T. 39 b 1).

App. : ἡσύχιος, ἥσυχος.

App. et ass. : βαρύς, βλακικός, δειλός, μαλακός.

Ass. et opp. : ἀγχίνους, ταχύς.

Opp. : ὀξύς.

βραδυτής, ἡ « lenteur » τὰ τοῦ τάχους τε καὶ τῆς ὀξύτητος καλλίω φαίνεται ἢ τὰ τῆς βραδυτῆτός τε καὶ ἡσυχιότητος Ch. 160 b 5 τάχος καὶ βραδυτῆτα G. 496 b 7 (cf. Tht. 156 c 8 L. X 893 d 4) τὸ ὂν τάχος καὶ ἡ οὖσα βραδυτής R. VII 529 d 2.

App. et ass. : ἡσυχιότης.

Ass. et opp. : ὀξύτης, τάχος.

βραχυλογία, ἡ « concision » καὶ ἐν μακρολογίᾳ καὶ ἐν βραχυλογίᾳ οἷός τ' εἶ συνουσίας ποιεῖσθαι Pr. 335 b 8 (cf. a 3 G. 449 c 5) βραχυλογία τις λακωνική Pr. 343 b 5 (cf. Phr. 269 a 7, 272 a 4) προτιμᾶν βραχυλογίαν μᾶλλον ἢ μῆκος L. X 887 b 3*.

App. : βραχύτης.

Ass. et opp. : μακρολογία, μῆκος.

βραχυλόγος « concis » τὴν πόλιν ... ἡμῶν Ἕλληνες ὑπολαμβάνουσιν ὡς ... ἐστι ... πολυλόγος, Λακεδαίμονα δὲ ... βραχυλόγον L. I 641 e 7 (cf. G. 449 c 7)*.

Ass. et opp. : πολυλόγος.

Opp. : μακρολόγος.

βραχύς « court, bref » τὰς ἀποκρίσεις ... βραχυτέρας ποίει Pr. 334 d 5 (cf. d 6 et 7, 336 a 7 G. 449 c 2, 465 e 5) εἰς βραχύ τε καὶ μακρόν

R. III 400 b 7 ῥᾴων καὶ βραχυτέρα ... ὁδός Phr. 272 c 1 (cf. Po. 277 e 6).

Adv. : βραχύ (T. 48 c 1), βραχέως (Tht. 147 c 3) ; cf. βραχύτερον (Po. 275 a 5).

App. et ass. : ῥᾴδιος.

Ass. et opp. : μακρός.

βραχύτης, ἡ « brièveté » μήκους τε πέρι καὶ βραχύτητος Po. 283 c 11 (cf. R. III 400 b 9)*.

App. : βραχυλογία.

Ass. et opp. : μῆκος.

βραχυχρόνιος « éphémère » T. 75 c 1*, ass. et opp. à πολυχρόνιος.

Syn. : ὀλιγοχρόνιος.

βυθός, ὁ « abîme » Pa. 130 d 7 (βυθὸν BW L.-S.-J. : ἄδυθον TY Diès).

βωμολοχία, ἡ « bouffonnerie » δόξαν βωμολοχίας [A² F : βωμολογίας Chambry] R. X 606 c 7*.

βωμός, ὁ « autel » βωμούς ... ἱδρύεσθαι Pr. 322 a 5 (cf. L. X 910 a 4 b 2) ἱερὰ ... καὶ βωμούς B. 189 c 7 (cf. Euth. 302 c 4 [TW : βωμοὶ καὶ om. B] L. VII 800 b 9) ἀγάλματα καὶ βωμοὺς καὶ ναούς L. V 738 c 7 (cf. VII 814 b 5) ἐπὶ τὸν τοῦ θεοῦ βωμόν L. VI 753 c 2 (cf. 782 c 6).

Ass. : ἄγαλμα, ἱερόν, νεώς.

Γ

γαλήνη, ἡ « calme » 1° physique ; 2° moral.

1° νηνεμίας τε καὶ γαλήνας Tht. 153 c 6 (cf. B. 197 c 5) τῶν σεισμῶν γαλήνης ἐπιλαβόμενος Po. 273 a 6 (cf. T. 44 b 4) εὐδιεινὴν γαλήνην παρασχών L. XI 919 a 4.

2° γαλήνην τούτων (= ἡδοναῖς καὶ λύπαις a 4) παρασκευάζουσα Pd. 84 a 6 γαλήνην ἡσυχίαν τε ἐν τῇ ψυχῇ φαίνεσθαι ἀπεργασαμένη L. VII 791 a 3.

App. et ass. : (1°) νηνεμία ; (2°) ἡσυχία.

γαστριμαργία, ἡ « gloutonnerie » Pd. 81 e 5 Phr. 238 b 1 T. 73 a 6*.

γελοῖος (adj. et subst. n.) a) « ridicule » ; b) « risible ».

a) τί ... γελοιότατον αὐτῶν ὁρᾷς ; R. V 452 a 10 αἰσχρὰ ... καὶ γελοῖα R. V 457 c 7 (cf. d 7, 9, 10) ἄνευ ... γελοίων τὰ σπουδαῖα ... μαθεῖν ... οὐ δυνατόν L. VII 816 d 9.

b) οὔ τι μὴ γελοῖα εἴπω ... ἀλλὰ μὴ καταγέλαστα B. 189 b 8.

Adv. : γελοίως (Cr. 53 d 5).

Ass. et opp. : (a) σπουδαῖος (b) ; (b) καταγέλαστος.

Syn. (a) : καταγέλαστος.

γένεσις, ἡ 1° « génération, genèse, formation » : a) d'un être ; b) d'une notion ; 2° « (le) devenir ».

1° « génération » a) κατὰ ζῴων πάντων καὶ φυτῶν καὶ συλλήβδην ὅσαπερ ἔχει γένεσιν Pd. 70 d 9 μεταξὺ ἀμφοτέρων πάντων τῶν ἐναντίων δυοῖν ὄντοιν δύο γενέσεις Pd. 71 a 9 (cf. b 8 c 4 et 7 d 1 e 3, 6, 8, 72 b 2, 103 a 8 b 9) ἐκ τῶν τεθνεώτων ἂν εἴη γένεσις εἰς τοὺς ζῶντας ... τὸ ἀναβιώσκεσθαι Pd. 71 e 10 εἰς τὰς τῶν ζῴων γενέσεις Pd. 113 a 5 (cf. L. X 904 a 10) γενέσεις καὶ θεῶν καὶ ἡρώων I. 531 c 8 (cf. Ep. 981 a 4, 984 c 8, 991 b 7) διὰ τὴν τοῦ Ἴωνος γένεσιν Euth. 302 d 2 παρέχειν ... τὴν γένεσιν καὶ αὔξην καὶ τροφήν R. VI 509 b 3 (cf. Po. 261 d 3 L. V 740 a 2 VIII 842 e 2 XI 920 a 8) ἕως ἂν ... τὴν τῇδε πρώτην γένεσιν βιοτεύῃ Phr. 252

d 4 περὶ γενέσεως καὶ φθορᾶς Pa. 136 b 6 (cf. Pd. 95 e 8 R. VI 485 b 3 Ph. 55 a 5 L. X 891 e 5, 894 b 11) κατὰ τὴν τῆς γενέσεως ἀναγκαίαν οὐσίαν Po. 283 d 8 μήτε γένεσιν μήτε ὄλεθρον Ph. 15 b 3 γένεσιν εἰς οὐσίαν Ph. 26 d 9 μείξεως ... καὶ γενέσεως Ph. 27 b 9 δύο ... λάβωμεν ... ἓν μέν τι γένεσιν πάντων, τὴν δὲ οὐσίαν ἕτερον ἕν Ph. 54 a 6 (cf. 53 c 5, 54 a 10 c 4 d 1 et 5 e 5) γενέσει τῆς ἀθανασίας μετειληφέναι L. IV 721 c 6 (cf. B. 207 d 3) οἷς ἂν εὕρους ᾖ γένεσις L. V 740 d 7 ἡ τῶν ἀνθρώπων γένεσις L. VI 781 e 7 τὴν πρώτην γένεσιν καὶ κίνησιν L. X 896 a 7 (cf. 899 c 7, 904 a 1 b 8 XII 966 e 1 Ep. 981 a 1) γένεσις ἕνεκα ἐκείνου (= τὸ πᾶν c 1-2) γίγνεται πᾶσα L. X 903 c 3 τὴν τῶν οἰκείων ... ὑποδημάτων γένεσιν καὶ φύσιν L. XII 942 e 1 (cf. X 892 c 2) ἡ 'κείνῃ τῇ γενέσει ἐναντία γένεσις, εἰς γυναῖκα ἐξ ἀνδρός L. XII 944 e 1-2 τὸ θεῖον τῆς γενέσεως καὶ τὸ θνητόν Ep. 977 e 5 τῆς τοῦ περιττοῦ ... γενέσεώς τε καὶ δυνάμεως Ep. 990 c 8 τῆς γενέσεως ἡμῶν ... ἡ πατρὶς μερίζεται Le. IX 358 a 4.

b) γένεσίν τε καὶ οὐσίαν δικαιοσύνης R. II 359 a 5 (cf. VIII 550 b 8) τίς ... ὁ τρόπος τῆς γενέσεως αὐτῆς (= δόξαν b 4) Le. VII 324 b 6.

2° « (le) devenir » φορᾶς καὶ γενέσεως Cra. 411 c 5 τὸν ἥλιον ... παρέχειν ..., οὐ γένεσιν αὐτὸν ὄντα R. VI 509 b 4 τὰς τῆς γενέσεως συγγενεῖς ὥσπερ μολυβδίδας R. VII 519 a 9 (cf. 525 b 5) τῆς ψυχῆς ... μεταστροφῆς ἀπὸ γενέσεως ἐπ' ἀλήθειάν τε καὶ οὐσίαν R. VII 525 c 6 εἰ μὲν οὐσίαν ἀναγκάζει θεάσασθαι ... εἰ δὲ γένεσιν R. VII 526 e 9 δόξαν ... περὶ γένεσιν, νόησιν δὲ περὶ οὐσίαν · καὶ ὅ τι οὐσία πρὸς γένεσιν, νόησιν πρὸς δόξαν R. VII 534 a 3-4 (cf. T. 29 c 2) πάντα τε οὐρανὸν πᾶσάν τε γένεσιν Phr. 245 e 1 (cf. 247 e 1) ὁπόταν γενέσεως καὶ οὐσίας πέρι κατὰ πάντων λέγηταί τι So. 232 c 8 (cf. 245 d 5, 246 c 1, 248 a 7, 10, 12) ὄν τε καὶ χώραν καὶ γένεσιν εἶναι T. 52 d 3 κατὰ δύναμιν τὴν τῆς κοινῆς γενέσεως L. X 903 d 3 (cf. p.-ê. XII 966 e 1).

App. : (1° a) γέννησις.

App. et ass. : (1° a) αὔξη, τροφή, φύσις (A et B 1° a α) ; (2°) φορά (a),

Ass. : (1° a) μεῖξις ; (2°) χώρα (a).

Ass. et opp. : (1°-2°) οὐσία ; (1° a) ὄλεθρος, φθορά ; (2°) ὄν.

γέννα, ἡ « race » συμμείγνυ ... εἰς αὐτὴν ... τὴν αὖ τοῦ πέρατος γένναν Ph. 25 d 3*.

App. : γένος.

γενναῖος 1° laudatif « de bonne naissance, racé, généreux » a) adj. ; b) subst. m. ; 2° ironique « beau, brave ».

1° a) ἵππῳ ... γενναίῳ Ap. 30 e 5 (cf. R. II 375 a 1 e 2) γενναῖος ἢ ἀγεννής A. 107 b 8 (cf. L. V 735 b 5) ἐν γενναίοις γένεσιν A. 120 d 12 ὄψου πάνυ γενναίου H. M. 290 e 10 (cf. R. II 372 b 4) γενναῖον καὶ νεανικὸν ... ἔρωτα Ly. 204 e 9 οὔτε καλοῦ οὔτε γενναίου πράγματος G. 485 d 1 γενναιότατον ... ἄνδρα Pd. 116 c 4 ψυχῇ ...

γενναίᾳ καὶ εὐφυεῖ B. 209 b 6 γενναῖον καὶ ἐλεύθερον Mx. 245 c 6 (cf. L. VIII 841 d 2) ἄνδρα ἁπλοῦν καὶ γενναῖον R. II 361 b 7 (cf. III 409 c 2, 414 b 10) διαφέρειν ... γενναίου σκύλακος ... νεανίσκου εὐγενοῦς R. II 375 a 2 γενναῖον καὶ εὖ τεθραμμένον ἦθος R. VI 496 b 2 (cf. VII 535 b 1 L. III 679 b 8 IV 705 b 5) ἄνευ θυμοῦ γενναίου L. V 731 b 7.

b) τῶν γενναιοτάτων καὶ ἀρίστων B. 182 d 8.

2° ὦ γενναῖε A. 111 a 5 γενναίαν εὐήθειαν R. I 348 d 1 (cf. II 363 a 8 VI 488 c 6) ἡ γενναία δὴ τυραννίς R. VIII 544 c 6 (cf. 558 c 2 V 453 e 8).

Adv. : γενναίως (1°) Pd. 58 e 5, 116 d 6 ; Tht. 146 d 4, app. et ass. à φιλοδώρως ; (2°) H. m. 366 e 2, ass. à μεγαλοπρεπῶς ; 370 d 5 G. 475 d 10.

App. : (1°) γεννικός ; (2°) εὐήθης.

App. et ass. (1°) : ἁπλοῦς, ἄριστος (2° a), εὐγενής, εὐφυής, νεανικός (a).

Ass. et opp. (1°) : ἀγεννής.

γεννᾶν « engendrer » a) litt. ; b) métaph.

a) ἐγέννων καὶ ἔτικτον B. 191 c 1 (cf. 206 d 5).

b) μιγεὶς τῷ ὄντι ὄντως, γεννήσας νοῦν καὶ ἀλήθειαν R. VI 490 b 5 τὴν φύσιν αὐτὰ (= ζῷα ... φυτὰ ... ἄψυχα c 1-2) γεννᾶν ἀπό τινος αἰτίας ... ἄνευ διανοίας φυούσης So. 265 c 8 ὁ τόδε τὸ πᾶν γεννήσας T. 41 a 6 (cf. 34 b 9, 37 c 7) ἀπεργάζεσθε ζῷα καὶ γεννᾶτε T. 41 d 2.

App. et ass. (a) : τίκτειν 1°, φύειν 1°.

γέννημα, τό « produit » θεοῦ γεννήματα πάντα ἴσμεν So. 266 b 3 (cf. d 8 T. 24 d 6, 69 c 4) νοῦ ... γεννήματα κατὰ λόγον ὀρθόν L. X 890 d 7 μὴ ψυχῆς τε καὶ σώματος οὕτως εἶναι γεννήματα Ep. 983 e 2.

γέννησις, ἡ « génération » τῆς γεννήσεως καὶ τοῦ τόκου ἐν τῷ καλῷ B. 206 e 3 (cf. 207 a 1) τῶν περὶ τὴν τροφήν τε καὶ γέννησιν ἡδονῶν R. IV 435 b 11 (cf. Po. 274 a 2 L. I 631 d 7).

App. : γένεσις.

App. et ass. : τόκος.

Ass. : τροφή.

γεννητός « engendré » γεννητῷ παραδείγματι προσχρώμενος T. 28 b 2 (cf. 37 d 5) γιγνόμενα καὶ γεννητὰ [AF : γενητὰ A² P W Y] ἐφάνη T. 28 c 2 θεῶν ὁρατῶν καὶ γεννητῶν T. 40 d 5.

Opp. : ἀγέννητος.

γεννικός « noble » ἤθει γεννικωτέρῳ κεκρᾶσθαι Phr. 279 a 4 γεννικὸν λέγεις τὸν ἄνδρα Tht. 144 d 5*.

App. : γενναῖος 1° (dont il est le « doublet rare et insistant » : P. Chantraine, *Études*, p. 144).

Opp. : ἀγεννής.

γένος, τό 1° « race » ; 2° « famille, gent, classe » ; 3° « genre » ou « espèce » (non rapproché d'εἶδος) ; 4° « genre » (rapproché d'εἶδος).

1° « race » ἐν γενναίοις γένεσιν A. 120 e 1 τὸ ἀνθρώπινον γένος Pd. 82 b 7 (cf. R. V 473 d 6) τῷ ἀνθρωπείῳ γένει B. 189 d 3 τὸ τῶν ἀνθρώπων γένος T. 75 b 5 (cf. L. II 653 d 1 III 679 b 3 VII 791 e 6 XI 932 e 5) τὸ τῶν ζῴων γένος Tht. 153 b 2 τὸ ... θνητὸν ... γένος T. 70 e 5 (cf. 71 d 7, 72 e 5, 73 a 1 b 5).

Adverbial (presque synonyme de φύσει) : γένει (οὐ προσῆκον αὐτῷ γένει R. IV 442 b 1 τοῖς ἐγγυτάτω γένει ... πεφυκόσιν So. 265 a 1 ; cf. 231 b 7).

2° « gent, famille, classe » εἰς τοιοῦτον ... ἀφικνεῖσθαι πολιτικὸν καὶ ἥμερον γένος Pd. 82 b 5 (cf. θεῶν γένος b 7, à rapprocher d'οὐράνιον θεῶν γένος T. 40 a 1, — voisinant lui-même, sans nuance appréciable, avec ἔνυδρον εἶδος a 2, — et de θεῖον γένος ἄστρων Ep. 981 e 4) τὸ φιλόσοφον γένος R. VI 501 e 3 (cf. 497 b 6) ἕν τι γένος ἐν πόλει R. VII 519 e 2 (cf. IV 434 b 10, 435 b 5 et 7, 441 c 6 d 9, 443 d 4) τὸ τοῦ εἰκασθέντος γένος Phr. 250 b 6 τὸ χρηματιστικὸν γένος So. 226 a 1.

3° « genre, espèce », (sans valeur métaphysique) φήσομεν δυνάμεις εἶναι γένος τι τῶν ὄντων R. V 477 c 1 (repris c 4 par εἶδος) ἐπιστήμην πότερον δύναμίν τινα φῂς εἶναι αὐτήν, ἢ εἰς τί γένος τίθης ; R. V 477 d 8 (repris e 2 par εἶδος ; cf. VI 507 c 13 d 9) τὰ λόγων τε καὶ ψυχῶν γένη Phr. 271 b 2 (= εἴδη 270 d 6, 271 d 2 ; cf. Hackforth, *The Phaedrus...*, p. 147, n. 1) τὸ τῶν στοιχείων γένος Tht. 206 b 7 δύο ποιητικῆς γένη So. 265 e 5 (cf. 264 e 1, 267 d 4 Po. 260 b 1, 285 b 6 et 8 T. 51 d 4, 53 e 6 et 8, 56 c 8, 83 c 3 L. IX 864 c 1) τρίτον ἄλλο γένος T. 48 e 4 (après δύο εἴδη e 3 ; cf. 57 c 9 d 3) τὸ... ἄλλο γένος ... ἔχει μορφὴν μίαν Ep. 981 b 5.

4° « genre » (rapproché d'εἶδος, avec lequel cependant il n'est jamais dans le rapport aristotélicien de « genre » à « espèce » ; l'εἶδος du *Parménide* et du *Sophiste* désigne d'ordinaire la « forme en soi » de Diès, l'Idée, avec laquelle γένος paraît souvent s'identifier ; cf. Diog. La., III 64) τὰ γένη τε καὶ εἴδη Pa. 129 c 2 (cf. So. 267 d 4) γιγνώσκεται ... ὑπ' αὐτοῦ τοῦ εἴδους τοῦ τῆς ἐπιστήμης αὐτὰ τὰ γένη ἃ ἔστιν ἕκαστα Pa. 134 b 7 (cf. c 6). Distinction des « genres suprêmes » et de « l'universalité des formes » : τὰ μὲν ... τῶν γενῶν ὡμολόγηται κοινωνεῖν ἐθέλειν ἀλλήλοις, τὰ δὲ μή ... μὴ περὶ πάντων τῶν εἰδῶν So. 254 b 8 (cf. d 4 e 3, 256 b 8, 257 a 9, 259 a 5 b 2, 260 b 7 Ph. 25 a 1, 30 b 1, 63 b 9). Identification du « genre en soi » et de la « forme en soi » : τὸ κατὰ γένη διαιρεῖσθαι καὶ μήτε ταὐτὸν εἶδος ἕτερον ἡγήσασθαι μήτε ἕτερον ὂν ταὐτόν So. 253 d 1 (cf. b 9 et 12, e 2, 255 c 9 [=c 5 e 1], 256 d 12 [=e 6], 257 e 2, 260 a 5, 263 d 7 Pa. 135 a 8 [=a 3]). En relation avec μέρος et μόριον, et ici encore quasi-synonyme de εἶδος : μὴ σμικρὸν μόριον ... ἀφαιρῶμεν, μηδὲ εἴδους χωρίς · ἀλλὰ τὸ μέρος ἅμα εἶδος ἐχέτω ... γένος ἅμα καὶ μέρος εὑρίσκειν ἑκάτερον τῶν σχισθέντων Po. 262 e 7 (cf. a 9 b 2 e 8) σύνθετα ἐκ μὴ συντιθεμένων εἴδη γενῶν Po. 288 e 4 οὗ δ' ἔστιν τἆλλα ζῷα καθ' ἓν καὶ κατὰ γένη μόρια T. 30 c 8 (γένη = ἰδέας 39 e 8) πάντων ἐκτὸς εἰδῶν εἶναι χρεὼν τὸ τὰ πάντα ἐκδεξόμενον ἐν αὑτῷ γένη T. 50 e 6 (γένη = μορφαί b 10, ἰδέαι e 1, εἴδη e 5 ; cf. Cornford, *Plato's Cosmology*, p. 186, n. 1).

Adverbial : γένει μέν ἐστι πᾶν ἕν, τὰ δὲ μέρη ... ἐναντιώτατα Ph. 12 e 7.

App. (1°) : γέννα, ἔθνος.

App. et ass. (3°-4°) : εἶδος, ἰδέα.

γεραίρειν « honorer » χορείαις ... γεραίρειν τὴν θυσίαν L. VII 799 a 9 (cf. R. V 468 d 3) τιμῶντι θεούς, ὕμνοις ... γεραίροντι διάγειν Ep. 980 b 1*.

Ass. et syn. : τιμᾶν 1°.

γέρας, τό « privilège » τιμαὶ δὲ καὶ ἔπαινος ... καὶ γέρα R. VII 516 c 8 (cf. Euph. 15 a 9) ὃ γέρας παρὰ θεῶν ἔχουσιν ἀνθρώποις διδόναι Phr. 259 b 1 (cf. c 3, 262 d 5).

App. et ass. : τιμή (a).

γεύειν « 1° faire goûter » ; 2° d'ordinaire au moyen « goûter ».

1° ἐπιτηδεύματα ... γεύοντα τῶν ἡδονῶν καὶ οὐ φεύγοντα αὐτάς L. I 634 a 7 (cf. R. IX 586 a 7).

2° τῆς τοῦ ὄντος θέας ... γεγεῦσθαι R. IX 582 c 9 οἱ γευσάμενοι παῖδες τῶν νόμων καὶ συστραφέντες L. VI 752 c 3 (cf. 780 b 7 V 733 a 2 et 5).

γεωμετρία, ἡ « géométrie » λογισμούς τε καὶ ἀστρονομίαν καὶ γεωμετρίαν Pr. 318 e 2 περὶ τὰς γεωμετρίας τε καὶ λογισμούς R. VI 510 c 2 (cf. VII 536 d 6 Ph. 56 e 9) ὃ καλοῦσι ... γελοῖον ὄνομα γεωμετρίαν Ep. 990 d 2.

Ass. : ἀστρονομία, λογισμός 1°.

γῆ, ἡ « terre » τῶν περὶ γῆν καὶ [A F W Y Clemens : om. Proclus Rivaud] κατ' οὐρανὸν ἰόντων T. 22 d 1 γῆν ... τροφὸν ἡμετέραν T. 40 b 8 (cf. L. XII 958 e 4) γῆ καὶ ἥλιος ἄστρα τε L. X 886 a 2 ἥλιόν τε καὶ σελήνην καὶ ἄστρα καὶ γῆν L. X 886 d 7 γῆ ... ἑστία τε οἰκήσεως ἱερὰ πᾶσι πάντων θεῶν L. XII 955 e 6.

Ass. : ἄστρα, ἥλιος, σελήνη.

Ass. et opp. : οὐρανός.

γίγνεσθαι 1° « naître » ; 2° « devenir » (par opposition à l'être immuable) ; 3° « arriver » (événements).

1° « naître » εἰ φύσει οἱ ἀγαθοὶ ἐγίγνοντο M. 89 b 2 ἀναγκαῖον γίγνεσθαι αὐτὰ (= τὰ ἐναντία) ἐξ ἀλλήλων γένεσίν τε εἶναι ἑκατέρου εἰς ἄλληλα Pd. 71 b 8 πρὶν γενέσθαι Pd. 74 c 2 (cf. c 4-5 d 4 e 2, 77 a 1 b 1 c 3) πρὶν γενονέναι ἡμᾶς Pd. 76 e 4 (cf. e 7) εὐθὺς γενόμενοι Pd. 75 c 6 ἀνάγκη αὐτὴν καὶ ἐπειδὰν ἀποθάνῃ εἶναι, ἐπειδή γε δεῖ αὖθις αὐτὴν γίγνεσθαι Pd. 77 d 4 γίγνεσθαί τε καὶ εἶναι Pd. 102 e 8 τὸ γιγνόμενόν τε καὶ ἀπολλύμενον R. VI 508 d 7 (cf. VII 521 e 4, 527 b 5) τὸ ... οὔτ' ἀπόλλυσθαι οὔτε γίγνεσθαι δυνατόν Phr. 245 d 8 τῷ γίγνεσθαί γε τοὐναντίον ... τὸ φθείρεσθαι φαῖμεν ἄν Ph. 55 a 2 ἐξ ἀρχῆς ... ἀνάγκη πᾶν τὸ γιγνόμενον γίγνεσθαι Phr. 245 d 1-2 (cf. 6-7 Ph. 26 e 3-4) εἰ ... ἔκ του ἀρχὴ γίγνοιτο Phr. 245 d 3 τὸ ... οὐσίας μεταλαμβάνειν ... γίγνεσθαι καλεῖς; Pa. 156 a 5 (réc. 163 d 1).

2° « devenir » τὸ ὄργανον ... σὺν ὅλῃ τῇ ψυχῇ ἐκ τοῦ γιγνομένου περιακτέον εἶναι ... εἰς τὸ ὄν R. VII 518 c 8 (cf. 521 d 4) τὸ ἦν καὶ τὸ γέγονε καὶ τὸ ἐγίγνετο Pa. 141 d 8 χρόνου ... τοῦ ποτε γεγονότος Pa. 141 d 9 τὸ ἔσται καὶ τὸ γενήσεται καὶ τὸ γενεθήσεται Pa. 141 e 1 (ces trois cas, importants pour l'expression du temps, se rapprochent de ceux, innombrables, où γίγνεσθαι complète la conjugaison d'εἶναι) τὰ δ' αἰσθητὰ ... γιγνόμενα καὶ γεννητὰ ἐφάνη T. 28 c 1 πότερον πρὸς τὸ ... ὡσαύτως ἔχον (sc. παράδειγμα) ἢ πρὸς τὸ γεγονός T. 29 a 2.

3° « arriver » μοι θεῖόν τι καὶ δαιμόνιον γίγνεται Ap. 31 d 2 (cf. So. 228 b 6 Ph. 26 b 2) ταῦτα ... φύσει καὶ τύχῃ τοῖς ἀνθρώποις γίγνεται τὰ καλά Pr. 323 d 6 τὰ ... ἐχθὲς καὶ πρῴην γεγονότα G. 470 d 1 βλέψαντας πρὸς τὸ πρότερον γενόμενον L. III 699 b 5 (cf. Tht. 201 b 3).

Ass. et opp. : (1° et 2°) εἶναι ; (1°) ἀπόλλυσθαι, φθείρεσθαι.

Opp. (1°) : ἀποθνήσκειν.

γιγνώσκειν 1° « connaître, reconnaître » ; 2° « décider ».

1° ψυχὴν ... ἡμᾶς κελεύει γνωρίσαι ὁ ἐπιτάττων γνῶναι ἑαυτόν A. 130 e 7 (cf. 131 a 3 et 9 b 4, 133 c 6, 15, 17, 20 Ch. 167 a 7, 169 e 4 Phr. 229 e 6 Ph. 48 d 2 L. XI 923 a 4) γνῶναι ἐρῶντά τε καὶ ἐρώμενον Ly. 205 c 2 (cf. e 3, 5, 7) αἰσθομένη, οὐ γνοῦσα ... ἀλλὰ στοχασαμένη G. 464 c 7 ἢ γιγνώσκειν ἢ ἀγνοεῖν G. 472 c 9 γνῶναι ἕκαστον Pd. 65 e 4 γνῷ αὐτὸ ... ὃ ἔστι καλόν B. 211 c 9 παθόντα γνῶναι (proverbe) B. 222 b 7 γνῶσις ... οὐδεμία γιγνώσκει ὃ γιγνώσκει μηδαμῶς ἔχον Cra. 440 a 3 (cf. So. 248 d 2 e 2-3) πᾶς ... ὁ γιγνώσκων R. I 347 d 6 (cf. Ph. 20 d 8) ὄν φαμεν δοξάζειν ἀλλ' οὐ γιγνώσκειν R. V 476 d 9 (cf. 479 e 4) γεννήσας νοῦν καὶ ἀλήθειαν γνοίη τε καὶ ἀληθῶς ζῴη R. VI 490 b 6 ἐνόησέν τε καὶ ἔγνω ... καὶ νοῦν ἔχειν φαίνεται R. VI 508 d 6 τὸ σύμπαντα γιγνώσκειν, ... μὴ λανθάνειν αὐτὸν αὐτόν Ph. 19 c 2 γνῶναί τε καὶ εἰδέναι L. XII 964 c 1 (cf. 965 b 9-10) οὐδείς ποτε μὴ γιγνώσκων, ἀληθοῦς δόξης ἐπιλαβόμενος Ep. 978 b 4 ἀοράτῳ τε εἶναι καὶ γιγνώσκοντι Ep. 981 c 3.

2° εἰ δὲ βουλομένοις ὑμῖν ἐστι ... ἐρωτᾶσθαι ..., αὐτοὺς δὴ χρὴ γιγνώσκειν La. 187 c 2.

Adj. verbal : γνωστός (q. v.).

App. et ass. (1°) : εἰδέναι, νοεῖν.

Ass. et opp. (1°) : ἀγνοεῖν, αἰσθάνεσθαι, δοξάζειν, λανθάνειν, στοχάζεσθαι.

γλίσχρος 1° « visqueux » ; 2° « laborieux ».

1° τὸ « γλίσχρον » ἀπεμιμήσατο καὶ « γλυκύ » Cra. 427 b 7 (cf. T. 74 d 5, 82 d 3, 84 a 4)*.

2° μὴ ... γλίσχρα ᾖ ἡ ὁλκὴ ... τῆς ὁμοιότητος Cra. 435 c 4 (réc. de 414 c 3)*.

Adv. : γλίσχρως (1°) Cr. 53 e 2 ; (2°) Cra. 414 c 3 R. VI 488 a 2 VIII 553 c 3*.

γλίχεσθαι « s'attacher » (à) γλιχόμενος τοῦ ζῆν καὶ φειδόμενος Pd. 117 a 2 γλιχόμενος σαφῶς εἰδέναι ὅ τι λέγεις G. 489 d 3 γλιχόμεναι ... τοῦ ἄνω Phr. 248 a 7*.

App. et ass. : φείδεσθαι 1°.

γλυκύς a) adj. « doux » ; b) subst. n. « douceur ».

a) ἔχθιστα τὰ ἐναντιώτατα ... πικρὸν γλυκεῖ B. 186 d 7 (cf. Ly. 215 e 6 Ph. 46 c 9) ἡδονὴν ... γλυκυτάτην ... καρποῦται Phr. 251 e 6.

b) τὸ αὑτοῦ γλυκὺ ... καρποῦσθαι Phr. 240 a 8 γλυκὺ καὶ πικρότητα T. 71 b 2.

Ass. et opp. : (a) πικρός ; (b) πικρότης.

γνήσιος « légitime, de bon aloi » (au pr. et au fig.) τῷ γνησίῳ ἐραστῇ καὶ μὴ προσποιήτῳ Ly. 222 a 6 τὸν γνήσιον ... Περδίκκου ὑόν G. 471 c 1 (cf. Phr. 276 a 1, 278 a 6 L. VI 759 c 3, 765 d 7) εἰ μέλλεις τι γνήσιον ἀπεργάζεσθαι εἰς φιλίαν G. 513 b 5 ἀκοῦσαι σοφίσματα καὶ οὐδὲν γνήσιον R. VI 496 a 8 οὐ ... νόθους ἔδει ἅπτεσθαι, ἀλλὰ γνησίους R. VII 535 c 9 (cf. 536 a 4 IX 587 b 15) οὐ γνησίας (sc. πολιτείας) οὐδ' ὄντως οὔσας λεκτέον, ἀλλὰ μεμιμημένας Po. 293 e 3.

Adv. : γνησίως Ap. 31 e 4 ; Pd. 66 b 2 (τοῖς γνησίως φιλοσόφοις ; cf. R. V 473 d 2) ; et p.-ê. Po. 293 e 3 (γνησίως TW : γνησίας B).

Ass. et opp. : νόθος, προσποίητος.

γνώμη, ἡ 1° « connaissance » ; 2° « avis, jugement ».

1° ἐπισκεπτέον ... φρόνησιν καὶ σύνεσιν καὶ γνώμην καὶ ἐπιστήμην Cra. 411 a 8 τούτου μὲν τὴν διάνοιαν ὡς γιγνώσκοντος γνώμην [AFT : γνῶσιν F²] ἂν ὀρθῶς φαῖμεν εἶναι, τοῦ δὲ δόξαν R. V 476 d 5 γνώμῃ [O⁴ : γνώμην AO] λαβεῖν ... ἀλλὰ μὴ μόνον ἔθεσιν [O⁴ : ἤθεσιν AO] L. XII 951 b 3.

2° κατὰ γνώμην τὴν ἐμήν So. 225 d 10 κατὰ τὴν τῶν εὐθύνων γνώμην L. XII 946 d 5.

App. (1°) : γνῶσις (var^te du 2e ex.).

App. et ass. (1°) : ἐπιστήμη 1°, σύνεσις, φρόνησις.

Ass. et opp. (1°) : δόξα.

γνωρίζειν 1° « apprendre à connaître », « se familiariser » (avec) ; 2° « reconnaître ».

1° ψυχὴν ... κελεύει γνωρίσαι ὁ ἐπιτάττων γνῶναι ἑαυτόν A. 130 e 6 σύνισθί τε καὶ γνώριζε καὶ ἡμᾶς καὶ τούσδε τοὺς νεωτέρους La. 181 c 4 ὁ μὴ ἐγνωρικὼς ὃ ἔστιν ἕκαστον τῶν ὄντων Phr. 262 b 8 ὅπως ἂν ... φιλοφρονῶνταί τε ἀλλήλους ... καὶ οἰκειῶνται καὶ γνωρίζωσιν L. V 738 e 1 ἀνάγκη ... θεάσασθαι καὶ γνωρίζειν L. VII 816 d 8 (cf. R. VII 525 d 2 Po. 278 e 10).

2° ἐλθόντος ... τοῦ λόγου ἀσπάζοιτ' ἂν αὐτὸν γνωρίζων δι' οἰκειότητα R. III 402 a 3 (cf. c 5) εἰ ... τὰ τρία πρότερον ἐγνωρίσαμεν, αὐτῷ ἂν τούτῳ ἐγνώριστο τὸ ζητούμενον R. IV 428 a 5-6.

App. et ass. (1°) : οἰκειοῦσθαι 2°, συνεῖναι (1° b), φιλοφρονεῖσθαι.

γνώριμος a) adj. « connu » ; b) subst. m. « connaissance ».

a) γνώριμον ... καὶ φίλον ἱκανῶς αὐτὸν αὐτῷ T. 34 b 7 (cf. L. V 738 e 1) ἀμφοτέροις γνώριμα L. II 673 c 6 φίλα τε καὶ συνήθη καὶ γνώριμα γενόμενα ... τῇ διαίτῃ L. VII 798 a 1.

b) συνήθεις τε καὶ γνωρίμους R. II 375 e 3 οἰκεῖοί τε ... καὶ γνώριμοι Le. VII 324 d 3 (cf. III 317 c 1).

App. et ass. : (a) φίλος ; (b) οἰκεῖος (2° b α), συνήθης (2° a).

γνώρισις, ἡ « connaissance (action de faire —) » τὸ τῆς γνωρίσεως (εἶδος) So. 219 c 3 (cf. L. VI 763 b 1) τῆς Θεαιτήτου γνωρίσεως Po. 257 a 1 οἰκειότητός τε πέρι καὶ γνωρίσεως ἀλλήλων L. VI 771 d 7*.

App. et ass. : οἰκειότης (b).

γνῶσις, ἡ « connaissance » ὅταν ... γνῶσιν αὐτὴν αὑτῆς τις ἔχῃ Ch. 169 e 4 (cf. e 3) γνῶσις ... οὐδεμία γιγνώσκει ὃ γιγνώσκει μηδαμῶς ἔχον Cra. 440 a 3 (cf. a 6, 8, 9 b 1, 2, 3) εἰ ἐπὶ ... τῷ ὄντι γνῶσις ἦν, ἀγνωσία δ' ... ἐπὶ μὴ ὄντι R. V 477 a 10 (cf. So. 267 b 9) μὴ ὄντι ... ἄγνοιαν ... ἀπέδομεν, ὄντι δὲ γνῶσιν R. V 478 c 4 οὔτε ... ἄγνοια οὔτε γνῶσις δόξα ἂν εἴη R. V 478 c 8 οἱ ... τοῦ ὄντος ἑκάστου ἐστερημένοι τῆς γνώσεως R. VI 484 c 8 (cf. VII 527 b 1, 5, 8 Ph. 58 a 5) γνώσεώς τε καὶ ἀληθείας R. VI 508 e 5 (cf. ἐπιστήμης ... καὶ ἀληθείας e 3) τὴν οὐσίαν ... γιγνωσκομένην ὑπὸ τῆς γνώσεως So. 248 e 3 (cf. Tht. 176 c 4, 193 d 7, 206 b 7 Po. 259 e 11).

App. : γνώμη, ἐπιστήμη.

Ass. : ἀλήθεια.

Ass. et opp. : ἄγνοια, ἀγνωσία, δόξα.

γνωστικός « théorique » (épithète d'ἐπιστήμη) συμπάσας ἐπιστήμας διαίρει, τὴν μὲν πρακτικὴν προσειπών, τὴν δὲ μόνον γνωστικήν Po. 258 e 5 (cf. 259 c 10 d 8 e 3, 260 a 1 et 9 b 3, 261 b 10, 263 e 8, 267 a 8)*.

Ass. et opp. : πρακτικός.

γνωστός « connaissable » (objet de science), « intelligible » a) adj. ; b) subst. n.

a) τὸ μὲν ... ὂν ... γνωστόν, μὴ ὂν δὲ ... ἄγνωστον R. V 477 a 3 ἔσται γνωστόν τε καὶ δοξαστὸν τὸ αὐτό ; R. V 478 a 12 (cf. b 2-3, 479 d 8) συλλαβὰς γνωστάς τε καὶ ῥητὰς καὶ ἀληθεῖ δόξῃ δοξαστάς Tht. 202 b 8 (cf. 203 c 1, 205 b 3 d 8 e 7, 206 b 10) αὐτὸ ... ὃ δὴ γνωστόν Le. VII 342 b 1 (cf. Pa. 160 c 7).

b) ἐν τῷ γνωστῷ τελευταία ἡ τοῦ ἀγαθοῦ ἰδέα R. VII 517 b 8 (cf. VI 510 a 10).

Ass. : ῥητός.

Ass. et d'ordinaire opp. : δοξαστός.

Ass. et toujours opp. : ἄγνωστος.

γόης, ὁ « sorcier, charlatan » (Ἔρως) δεινὸς γόης καὶ φαρμακεὺς καὶ σοφιστής B. 203 d 8 (cf. R. II 380 d 1, 383 a 4) γόητί τινι καὶ μιμητῇ R. X 598 d 4 (cf. So. 235 a 1 et 8 Po. 303 c 4) τὸν ... τῶν σοφιστῶν μέγιστον γόητα Po. 291 c 3 (cf. 303 c 4).

App. et ass. : μιμητής, σοφιστής, φαρμακεύς.

γοητεία, ἡ « prestiges, sorcellerie » τὰς ἐπῳδὰς καὶ τὴν μαντείαν [μαγγανείαν edd. multi μαγείαν Badham] καὶ γοητείαν B. 203 a 2 οὐδὲν ὑγιὲς τούτων τῶν φαντασμάτων, ἀλλὰ γοητεία τις R. IX 584 a 10 (cf. III 413 d 7 X 602 d 3)*.

App. et ass. : ἐπῳδή (où l'on trouvera les autres mots apparentés).

γοητεύειν « ensorceler » γοητεύεις με καὶ φαρμάττεις καὶ ἀτεχνῶς κατεπᾴδεις M. 80 a 3 (cf. G. 484 a 1) γεγοητευμένη ὑπ' αὐτοῦ (= τοῦ σώματος, sc. ψυχή) Pd. 81 b 3 (cf. Mx. 235 a 2) ἐξαπατῶντες καὶ γοητεύοντες R. II 381 e 10 (cf. III 413 c 4) μήτε γοητευόμενοι μήτε βιαζόμενοι R. III 412 e 7 (réc. 413 b 1 ; cf. 413 b 12) ἐπῳδαῖς γοητεύοντες L. X 909 b 4 δυναμένων γοητεύειν L. XI 933 a 5 (cf. Euth. 288 b 8 So. 234 c 5)*.

App. et ass. : ἀπατᾶν, ἐξαπατᾶν, κατεπᾴδειν, φαρμάττειν.

App. : ἐπᾴδειν.

γοήτευμα, τό « sortilège » αὐτῆς τὸ ἐπαγωγὸν γοήτευμα, οὐχ ἡδονὴν εἶναι Ph. 44 d 1*.

γράμμα, τό (d'ordinaire au pl.) a) « lettre » ; b) « écrit », « la lettre écrite ».

a) μιμεῖσθαι ... τὴν οὐσίαν γράμμασί τε καὶ συλλαβαῖς Cra. 423 e 8 (cf. Po. 285 c 8).

b) καταπατήσας τὰ ἡμέτερα γράμματα ... καὶ νόμους G. 484 a 5 ἐάντε ... ἄρχωσιν κατὰ γράμματα ἐάντε ἄνευ γραμμάτων Po. 293 a 7 (cf. b 3, 295 c 7, 296 d 9-e 1, 297 a 1, 300 a 5 c 9) καὶ ἐν γράμμασιν ... καὶ ἐν ἀγραμμάτοις πατρίοις δὲ ἔθεσι νομοθετῶν Po. 295 a 7 (cf. 301 e 9) ἐν γράμμασιν ἀγαθοῖς, οὓς νόμους λέγομεν Po. 302 e 10 τὰ γράμματά τε καὶ ζωγραφήματα Ph. 39 d 7 τά τε τῶν νόμων γράμματα καὶ ἔθη Le. VII 325 d 6.

App. (b) : γεγραμμένα.

Ass. (b) : ζωγράφημα, νόμος.

Ass. et opp. (b) : ἀγράμματα, ἔθος.

Opp. (b) : ἄγραφα.

γράφειν (« écrire » ; « démontrer par une construction géométrique » Tht. 147 d 4) au pcp. pf. « écrit » νόμων ... γεγραμμένων ἢ ἀγράφων R. VIII 563 d 8 τὰ παρὰ τῶν εἰδότων ... γεγραμμένα Po. 300 c 5 βελτίω ... παρὰ τὰ γεγραμμένα Po. 300 d 1 (cf. 296 b 6) παρὰ τὰ γεγραμμένα καὶ πάτρια ἔθη Po. 301 a 2 (cf. c 2, 299 d 1).

Adj. verbal : γραπτός (L. VI 773 e 3*).

App. : γράμμα(τα).

Ass. et opp. : ἀγράμματος, ἄγραφος, πάτριος.

γυμνάζειν « exercer » γύμνασαι ... καὶ μάθε A. 132 b 1 (cf. Pa. 135 d 4) μόνοι οὗτοι γυμνάζονται οἱ ... γυμναζόμενοι La. 182 a 3-4 ἐν μαθήμασι πολλοῖς γυμνάζειν δεῖ R. VI 503 e 3 ἂν ἐν τούτῳ παιδευθῶσι καὶ γυμνάσωνται R. VII 526 b 7 εἰ βούλει μᾶλλον γυμνασθῆναι Pa. 136 a 2 (cf. 135 c 8, 136 c 5) ταῦτα μάλιστα τῶν αὑτοῦ γεγυμνασμένῳ T. 90 b 8 (cf. L. I 635 c 2) γεγυμνάσθαι πρὸς τὸ διειδέναι L. I 626 b 5 (« exercé à » ; cf. VII 816 a 1) πρὸς τοὺς φόβους γυμνάζοιτο L. I 648 d 3 (« s'entraîner contre »).
Ass. : μανθάνειν, παιδεύειν.

γυμνασία, ἡ « exercice » γυμνασία ... θαυμαστὴ ... ἂν εἴη L. I 648 c 7 (cf. Tht. 169 c 2 Pa. 135 d 7 L. VIII 830 d 7)*.

γυμνάσιον, τό id. (au fig.) ἐπιτείνειν τὰ ἐκείνης (sc. ψυχῆς) γυμνάσια R. VI 498 b 9.

γυμνός « nu, dépouillé » (de) (au fig.) ἡ ψυχὴ γυμνὴ τοῦ σώματος Cra. 403 b 5 (cf. G. 523 e 1).
App. : ψιλός.

Δ

δαιμόνιος « d'un esprit divin, divin » 1° adj. ; 2° subst. n. δαιμόνιον, τό « esprit divin, divinité ».

1° μοι θεῖόν τι καὶ δαιμόνιον γίγνεται Ap. 31 d 1 τούτου δὲ τὸ αἴτιον γέγονεν οὐκ ἀνθρώπειον, ἀλλά τι δαιμόνιον ἐναντίωμα A. 103 a 5 ἐμὲ ... δαιμονία τις τύχη ... κατέχει H. M. 304 c 1 (cf. So. 266 b 7) δαιμονίαν ἰσχὺν ἔχειν Pd. 99 c 3 (cf. G. 456 a 5) ὁ ... περὶ τὰ τοιαῦτα σοφὸς δαιμόνιος ἀνήρ B. 203 a 5 (cf. 219 c 1 Cra. 398 c 3 R. V 469 a 4) τὸ εἰωθὸς σημεῖον τὸ δαιμόνιον Euth. 272 e 4 (cf. R. VI 496 c 3 Phr. 242 b 9) (δόξαν) θείαν ... ἐν δαιμονίῳ ... γένει Po. 309 c 8.

2° τὸ δαιμόνιον φῂς σαυτῷ ἑκάστοτε γίγνεσθαι Euph. 3 b 5 (cf. Ap. 40 a 5 Tht. 151 a 3) ἕτερα ... δαιμόνια καινά Ap. 24 c 1 πᾶν τὸ δαιμόνιον μεταξύ ἐστι θεοῦ τε καὶ θνητοῦ B. 202 e 1 ἀψευδὲς τὸ δαιμόνιόν τε καὶ τὸ θεῖον R. II 382 e 8 τούτοισιν μόνοις τὰ τοῦ δαιμονίου σύμπαντα ἱκανῶς εἴληχε Ep. 992 d 2.

Adv. : δαιμονίως (Phr. 234 d 1 T. 25 e 4).

Ass. : θεῖος.

Ass. et opp. (1°) : ἀνθρώπειος.

δαίμων, ὁ 1° « dieu » (en général ou tel dieu) ; 2° « démon » (intermédiaire entre dieu et homme ; distingué des dieux, des héros et des hommes) ; 3° « génie » (tutélaire de l'âme).

1° τις δαίμων ἔμιξε τοῖς πλείστοις (sc. κακοῖς) ἐν τῷ παραυτίκα ἡδονήν Phr. 240 a 10 ὄνομα τῷ δαίμονι Θεύθ Phr. 274 e 7 (cf. L. XI 914 b 5) οἱ ... συνάρχοντες τῷ μεγίστῳ δαίμονι θεοί Po. 272 e 7 (cf. 274 b 6) περὶ ... τῶν ἄλλων δαιμόνων εἰπεῖν T. 40 d 6 (cf. R. X 619 c 5) τὸν δαίμονά τε καὶ θεόν L. VII 804 a 6 (cf. Le. VII 336 b 4).

2° εἰ ... δαιμόνια νομίζω, καὶ δαίμονας ... ἀνάγκη νομίζειν μέ ἐστιν ... Τοὺς δὲ δαίμονας οὐχὶ ἤτοι θεούς γε ἡγούμεθα ἢ θεῶν παῖδας ; ... μήτε δαίμονας μήτε θεοὺς μήτε ἥρωας (sc. ἡγεῖσθαι)

Ap. 27 c 6 d 1, 28 a 1 (cf. 27 d 7) τί ... ἂν ... εἴη ὁ Ἔρως ; ... μεταξὺ θνητοῦ καὶ ἀθανάτου ... δαίμων μέγας B. 202 d 9 δαίμονάς τε καὶ ἥρωας καὶ ἀνθρώπους Cra. 397 d 10 (cf. 398 c 1, 3-4, 438 c 6 R. III 392 a 5 V 469 a 8 VII 540 c 2) ἕπεται στρατιὰ θεῶν τε καὶ δαιμόνων Phr. 246 e 7 τὰ ζῷα ... οἷον νομῆς θεῖοι διειλήφεσαν δαίμονες Po. 271 d 7 ἄρχοντας ... οὐκ ἀνθρώπους ἀλλὰ γένους θειοτέρου τε καὶ ἀμείνονος, δαίμονας L. IV 713 d 2 (rec. d 7) μετὰ θεοὺς ... καὶ τοῖς δαίμοσιν ... ἥρωσιν δὲ μετὰ τούτους L. IV 717 b 3 (cf. V 738 b 8 d 2, 740 a 8, 747 e 4) ἑκάστοις τῶν θεῶν καὶ παισὶ τούτων (= ἥρωσι) καὶ δαίμοσι L. VII 799 a 7 (cf. VIII 828 b 2, 848 d 2 X 906 a 7, 910 a 1 Ep. 977 a 4, 984 e 1).

3° τελευτήσαντα ἕκαστον ὁ ἑκάστου δαίμων, ὅσπερ ζῶντα εἰλήχει, οὗτος ἄγειν ἐπιχειρεῖ Pd. 107 d 7 (cf. 108 b 2, 113 d 2) οὐχ ὑμᾶς δαίμων λήξεται, ἀλλ' ὑμεῖς δαίμονα αἱρήσεσθε R. X 617 e 1 (cf. 620 d 9) αὐτὸ δαίμονα θεὸς ἑκάστῳ δέδωκεν T. 90 a 4 (cf. c 5 L. V 732 c 4 et 5) ὁ ξένιος ἑκάστων δαίμων καὶ θεός L. V 730 a 1 τὴν ... τύχην αὐτοῦ ... καὶ τὸν δαίμονα L. IX 877 a 3 (cf. a 6).

Ass. : (2°) ἥρως ; (3°) τύχη.

Ass. et d'ordinaire opp. : θεός.

δεδιέναι « craindre » (pour l'avenir), « appréhender » τὸν θάνατον ... δεδίασι Ap. 29 b 1 (cf. Pd. 77 e 6 R. III 386 a 8) ἔστιν ὅστις αἰδούμενός τι πρᾶγμα καὶ αἰσχυνόμενος οὐ πεφόβηταί τε καὶ δέδοικεν ἅμα δόξαν πονηρίας ; Euph. 12 c 1 (cf. b 6 Pd. 82 c 7 Phr. 254 e 10 L. V 746 e 4) τοὺς θεοὺς ἂν ἔδεισας Euph. 15 d 7 δεδιὼς τὸ μέλλον ὅπῃ ἀποβήσεται Ly. 206 a 3 τῷ δεδιέναι ... καὶ δέει ἀνδρεῖοί εἰσι πάντες Pd. 68 d 8 ἀδεὲς ... δέος δεδιέναι B. 198 a 5 μήτε αἰσχύνεσθαι μήτε δεδιέναι τοὺς γονέας R. VIII 562 e 8 (cf. Phr. 251 a 1) ἔδεισέ τε καὶ σεφθεῖσα ... Phr. 254 b 9 φοβοῦμαι ... ταῦτα ... μᾶλλον δ' ἔτι δέδοικα L. VII 819 a 2.

App. et ass. : αἰδεῖσθαι, αἰσχύνεσθαι, σέβεσθαι, φοβεῖσθαι.

δέησις, ἡ « demande, prière » ἱκετείας τε καὶ ἀντιβολήσεις ἐν ταῖς δεήσεσι ποιούμενοι B. 183 a 5 δεήσεις καὶ θυσίας B. 202 e 4.

App. : αἴτησις.

App. et ass. : θυσία, ἱκετεία.

δεῖγμα, τό « échantillon » εἰ μέλλει τὸ τῶν νομοφυλάκων δεῖγμα εἰς τὰς ἄλλας μεθήσειν πόλεις L. XII 951 d 2 (cf. IV 718 b 7 VII 788 c 3 Pd. 110 b 8)*.

App. : παράδειγμα.

δεικνύναι « montrer, démontrer » δείξαντα ... τὴν ἀλήθειαν τῶν ὄντων Cra. 438 d 7 τὴν οὐσίαν δείξει ... τῆς φύσεως Phr. 270 e 3 τὴν τοῦ παντὸς φύσιν ἔδειξεν T. 41 e 2 τὸν τὸ παράδειγμα δεικνύντα οἷον δεῖ ... γίγνεσθαι L. V 746 b 7 (cf. Le. VII 332 b 4) δέδεικται ψυχὴ ... πρεσβυτάτη L. X 896 b 3 (cf. a 6).

Syn. : ἀποδεικνύναι, ἀποφαίνειν, δηλοῦν, ἐνδεικνύναι, ἐπιδεικνύναι (avec les distinctions de J. Brunel, *L'Aspect...*, p. 58-59, 170, 184).

δειλία, ἡ « lâcheté » οἱ δ' ἐν φόβοις τὴν ἀνδρείαν ἔκτηνται · οἱ δὲ ... δειλίαν La. 191 e 6 ἄλογον ... δέει τινὰ καὶ δειλίᾳ ἀνδρεῖον εἶναι Pd. 68 e 1 τήν τε ἀδικίαν καὶ ἀκολασίαν καὶ δειλίαν καὶ ἀμαθίαν R. IV 444 b 7 δειλίᾳ τε καὶ ἀνανδρίᾳ Phr. 254 c 9 (cf. L. II 659 a 7) δειλίας ἄσκησιν ἀλλ' οὐκ ἀνδρείας L. VII 791 b 8 (cf. I 648 b 2) ἀργίᾳ δὲ καὶ ἀνανδρίας δειλίᾳ L. IX 873 c 7 δειλίας ... ἔκγονος ... ἀργία L. X 901 e 6 δειλίας τῆς πρὸς τὰς ἡδονάς Le. VII 351 a 9.

App. et ass. : ἀργία.
Ass. : δέος.
Ass. et opp. : ἀνδρεία.
Ass. et syn. : ἀνανδρία.
Opp. : ἀρετή 3°.
Syn. : κάκη (a), κακία (a).

δειλός « lâche » a) adj. ; b) subst. m.

a) πεποιηκέναι Ἀθηναίους ἀργοὺς καὶ δειλούς G. 515 e 4 δειλὴν ἢ ἀνδρείαν πόλιν R. IV 429 b 1 τὰ δὲ ... μαλακώτερα δειλὰ καὶ βλακικά Po. 307 c 2 δειλός τε ἅμα καὶ κακὸς ... πολίτης L. VI 774 c 1.

b) δειλῷ καὶ κακῷ Mx. 246 e 5 ἥττων ... δειλὸς ἀνδρείου Phr. 239 a 4 (αἰδῶ) ἧς ὁ δειλὸς ἐλεύθερος L. III 699 c 6 ἀργὸν ἢ δειλόν τινα L. X 903 a 2.

App. : μαλθακός.
App. et ass. : ἀργός, βλακικός, κακός, μαλακός.
Ass. et opp. : ἀνδρεῖος.

δεῖμα, τό « frayeur » ὑποψίας ... καὶ δείματος μεστός R. I 330 e 4 τὰ προσπίπτονθ' ἡμῖν δείματά τε καὶ φόβους L. VII 791 c 2 (cf. b 6 790 e 9 IX 865 e 1).

App. : δέος.
App. et ass. : ὑποψία (b), φόβος.

δειμαίνειν « s'effrayer » ὥσπερ οἱ παῖδες θάμα ἐγειρόμενος δειμαίνει R. I 330 e 7 καθάπερ παῖδας τοὺς πολλοὺς τῶν ἀνθρώπων δειμαίνοντας [AO : δειματοῦντας England Diès] φοβεῖν L. XI 933 c 3 (cf. VII 790 e 8 IX 865 e 4)*.

App. : δεδιέναι, φοβεῖσθαι.

δεῖν I « lier, enchaîner » ὡς ἂν μάλιστα αὐτὸς ὁ δεδεμένος συλλήπτωρ εἴη τῷ δεδέσθαι Pd. 82 e 5-83 a 1 καὶ ταῦτα, ἐὰν μὲν μὴ δεδεμένα ᾖ, ἀποδιδράσκει ... ἐὰν δὲ δεδεμένα, παραμένει M. 97 d 9-10 (cf. e 3) ἕως ἄν τις ... δήσῃ αἰτίας λογισμῷ M. 98 a 4 (cf. a 6) δήσας τῇ περὶ ἀρετὴν ἐπιθυμίᾳ Cra. 404 a 3 τῶν ἀπείρων ὑπὸ τοῦ πέρατος δεδεμένων Ph. 27 d 9 δεσμοῖς ... ἐμψύχοις σώματα δεθέντα T. 38 e 5 τὸ ... δεθὲν πᾶν λυτόν T. 41 b 1.

Opp. : λύειν.
Syn. : καταδεῖν, συνδεῖν (avec les distinctions de J. Brunel, *L'Aspect...*, p. 107-108).

δεῖν II « falloir » 1° avec inf. ; 2° avec sujet n. ou régime au gén.

1° οὐδὲν δεῖ ... διαμάχεσθαι Cra. 433 c 8.

2° τοῦτο ... οὐδὲν δεῖ, αὐτὸν ἑαυτοῦ ἄρχειν G. 491 d 7 ὧν ... δεῖ θνητῷ γένει Ep. 974 d 8.

Syn. (1°) : χρῆναι.

δεινός 1° « redoutable, terrible » (adj. et subst. n.) ; 2° « habile » (adj. et subst. m.).

1° τῶν δεινῶν καὶ θαρραλέων La. 194 e 11 (réc. 196 d 2 ; cf. 195 b 9 e 5, 198 b 3 Pr. 359 c 6) φοβερὸν ἢ δεινόν I. 535 c 7 (cf. R. III 387 b 9).

2° Πρωταγόρας σοφὸς καὶ δεινός ἐστιν ἀνήρ Pr. 341 b 1 (cf. Tht. 154 d 8, 173 b 3) ἡ ... ἀπόδειξις ἔσται δεινοῖς μὲν ἄπιστος, σοφοῖς δὲ πιστή Phr. 245 c 1 ὅταν ἀνὴρ δεινὸς φῇ ταῦτα ... ἀτάκτως ἔχειν Ph. 29 a 4 μάλα δεινοὺς ... τὰ περὶ φύσιν Ph. 44 b 9 δεινοῖς περὶ λόγων ὁλκήν Ph. 57 d 4.

Adv. : δεινῶς (Phr. 273 c 7).

App. (2°) : δεξιός, κομψός.

App. et ass. (1°) : φοβερός 1°.

Ass. et syn. (parfois opp.) (2°) : σοφός.

Ass. et opp. (1°) : θαρραλέος 2°.

δεινότης, ἡ « habileté » τοῦ εἱργμοῦ τὴν δεινότητα κατιδοῦσα Pd. 82 e 4 ἡ ὡς ἀληθῶς δεινότης ἀνδρός Tht. 176 c 3 (cf. 177 a 4) αἱ δ' ἄλλαι δεινότητές τε δοκοῦσαι καὶ σοφίαι Tht. 176 c 6 (cf. Le. X 358 c 5, qui ajoute κομψότητας).

App. et ass. : κομψότης, σοφία (1° b).

δεῖσθαι a) « avoir besoin » (de) ; b) « demander » (à), « prier ».

a) ἐπιμελείας δεόμεθα A. 124 d 2 συνηθείας ... δέοιτ' ἄν R. VII 516 a 4 εὐλαβείας δεόμενα L. VII 798 d 5.

b) τούτου ὑμῶν δέομαι καὶ παρίεμαι Ap. 17 c 6 δέομαι καὶ συμβουλεύω Pr. 337 e 3 ἱκετεύουσι καὶ δέονται ἐᾶσαι σφᾶς ἐκβῆναι Pd. 114 a 9 (cf. Ap. 34 c 2 Euth. 282 b 2).

App. (b) : αἰτεῖν, παραιτεῖσθαι.

App. et ass. (b) : ἱκετεύειν, παρίεσθαι 3°.

Ass. (b) : συμβουλεύειν 1°.

δέλεαρ, τό « amorce » ἡδονήν, μέγιστον κακοῦ δέλεαρ T. 69 d 1 (cf. Euth. 272 d 2 So. 222 e 6)*.

App. et ass. : ἡδονή.

δεξιός « adroit » (adj. et subst.) πρὸς τὰ δεξιὰ καὶ κομψά L. I 634 a 3 (cf. Mx. 235 c 5).

App. : δεινός 2°.

Ass. : κομψός.

δέον, τό « devoir, obligation » ἡγοῦνται ... τὸ ἀγαθὸν καὶ δέον συνδεῖν Pd. 99 c 6 ἀγαθοῦ ... ἰδέα οὖσα τὸ δέον φαίνεται δεσμὸς εἶναι Cra. 418 e 7 (cf. 419 a 4). Dans les deux cas, jeu sur un rapport avec δεῖν « lier ».

(?) Adv. : δεόντως L. VIII 837 c 5 [AO : δὲ ὄντως edd.].

Ass. : ἀγαθόν (2° b β).

δέος, τό « crainte » (pour l'avenir), « appréhension » (raisonnée) ἐπὶ πλέον ... δέος αἰδοῦς · μόριον γὰρ αἰδὼς δέους Euph. 12 c 5-6 (cf. R. V 465 b 1 L. III 699 c 6) ἡγούμεθα ... δέος ... εἶναι προσδοκίαν μέλλοντος κακοῦ La. 198 b 8 προσδοκίαν τινὰ λέγω κακοῦ τοῦτο, εἴτε φόβον εἴτε δέος καλεῖτε Pr. 358 d 8 (cf. d 9-e 1) δέει ... ἀνδρεῖοι πάντες ... · καίτοι ἄλογόν γε δέει τινὰ καὶ δειλίᾳ ἀνδρεῖον εἶναι Pd. 68 d 8-9 (sans différence sensible entre δέει et φόβῳ d 6) εἰσέρχεται αὐτῷ δέος καὶ φροντίς R. I 330 d 6 τὸ δ' ἐμὸν δέος ... ἀεὶ πρὸς τὰ τῶν θεῶν ὀνόματα οὐκ ἔστι κατ' ἄνθρωπον, ἀλλὰ πέρα τοῦ μεγίστου φόβου Ph. 12 c 1.
App. : δεῖμα.
App. et ass. : φόβος (a).
Ass. : δειλία, προσδοκία, φροντίς.
Ass. et syn. : φόβος (b).

δεσμός, ὁ « lien » φοβηθέντα δεσμὸν ἢ θάνατον Ap. 32 c 2 (cf. Pd. 60 c 6, 67 d 2 R. VII 514 a 6) δεσμοὶ φιλίας συναγωγοί Pr. 322 c 3 (citat. poét. ? ; cf. T. 31 c 1) διαφέρει δεσμῷ (sc. αἰτίας λογισμῷ a 4) ἐπιστήμη ὀρθῆς δόξης M. 98 a 8 δεσμὸς ... πότερος ἰσχυρότερός ἐστιν, ἀνάγκη ἢ ἐπιθυμία Cra. 403 c 2 (cf. c 6 et 9 d 2) ἀγαθοῦ ... ἰδέα οὖσα τὸ δέον φαίνεται δεσμὸς εἶναι Cra. 418 e 7 δεῖ ... αὐτὸ δεσμὸν ἔχειν τοῦ μὴ εἶναι τὸ εἶναι μὴ ὄν Pa. 162 a 4 τὰ ... φωνήεντα ... οἷον δεσμὸς διὰ πάντων κεχώρηκεν So. 253 a 5 τοὺς ... ἀνθρωπίνους δεσμούς, ὑπάρχοντος τούτου τοῦ θείου (cf. θείῳ ... δεσμῷ 309 c 2), ... οὐδὲν χαλεπὸν ... ἀποτελεῖν Po. 310 a 7 (cf. e 5) τοῦτον τὸν δεσμὸν ... λογισάμενος ὡς ὄντα ἕνα Ph. 18 c 8 δεσμῶν ... κάλλιστος ... ἀναλογία T. 31 c 2 δεσμοῖς ... ἐμψύχοις σώματα δεθέντα ζῷα ἐγεννήθη T. 38 e 5 τῆς ἐμῆς βουλήσεως μείζονος ἔτι δεσμοῦ ... λαχόντες T. 41 b 5 (cf. 43 a 4) οἱ ... τοῦ βίου δεσμοί T. 73 b 3 (cf. d 6, 77 e 3, 81 d 7-8, 84 a 3) δεσμοὶ ... οὗτοι πάσης εἰσὶν πολιτείας L. VII 793 b 4 (cf. Le. VIII 354 b 6) δεσμὸς ... πεφυκὼς πάντων εἷς ἀναφανήσεται Ep. 992 a 1.
App. : ζυγόν (b).
Ass. (R. X 616 c 2-3) et syn. : σύνδεσμος.

δεσμωτήριου, τό « prison » G. 486 a 9 Cra. 400 c 7 L. X 909 c 1. — App. : φρουρά (a).

δεσπόζειν « dominer, agir en maître » τῷ μὲν δουλεύειν καὶ ἄρχεσθαι ἡ φύσις προστάττει, τῇ δὲ ἄρχειν καὶ δεσπόζειν Pd. 80 a 2 (cf. 94 d 1 e 3 R. IX 576 a 5 L. IV 713 a 1) τοῦ ... τῶν τὸν νοῦν ἐχόντων δεσπόζοντος θεοῦ L. IV 713 a 4 (cf. d 5 V 726 a 4-5).
App. : δεσποτεῖν.
App. et ass. : ἄρχειν.
Ass. et opp. : δουλεύειν.

δέσποινα, ἡ « maîtresse » δέσποιναν θεὸν αὐτὴν οὖσαν θνητῶν ὄντων γεγονέναι L. V 740 a 6 ἀσθενεστέραν ἂν αὐτὴν (sc. τὴν τῶν ἀφροδισίων χρῆσιν ; cf. a 9) δέσποιναν κτῷντο L. VIII 841 b 2.
Syn. : δεσπότις.

δεσποτεία, ἡ « maîtrise, despotisme » αὐτὴ ... δεσποτεία αὐτῆς δουλείας ἐστὶν ὅ ἐστι Pa. 133 e 3 (cf. e 4, 134 d 10 e 1) διὰ τὴν σφόδρα δουλείαν τε καὶ δεσποτείαν L. III 698 a 6.

Ass. et opp. : δουλεία.

δεσποτεῖν « commander » (à) τῶν ἐν ἡμῖν πάντων δεσποτοῦν T. 44 d 6*.

App. : δεσπόζειν.

δεσπότης, ὁ « maître » φευκτέον ... ἀπὸ τοῦ δεσπότου Pd. 62 d 8 (en parlant des dieux ; cf. 63 a 6 c 3, 69 e 1, 85 b 6 Phr. 274 a 2 Pa. 134 e 5 L. V 727 a 1 X 906 b 8) δεσπότης τῶν ἀρχόντων (sc. νόμος) L. IV 715 d 4 (cf. Le. VIII 354 e 3) δοῦλοι ... καὶ δεσπόται οὐκ ἄν ποτε γένοιντο φίλοι L. VI 757 a 1 (cf. Mx. 238 e 5, 239 a 2 Pa. 133 d 7).

Ass. et opp. : δοῦλος.

δεσποτικός « despotique » (adj. et subst. n.) τὸ ἐλεύθερον ..., τὸ δεσποτικὸν δέ L. III 697 c 8 πολιτείας τήν τε δεσποτικωτάτην προελόμενοι καὶ τὴν ἐλευθερικωτάτην L. III 701 e 2 (cf. R. I 344 c 5 VIII 563 b 2)*.

Ass. et opp. : ἐλευθερικός, ἐλευθέριος, ἐλεύθερος.

δεσπότις, ἡ « maîtresse » πρεσβυτέραν ψυχὴν σώματος ὡς δεσπότιν καὶ ἄρξουσαν ἀρξομένου T. 34 c 6 δεσπότις ἐνῆν τις αἰδώς L. III 698 b 5.

Syn. : δέσποινα.

δεῦρο « ici-bas » (syn., avec mouvement, d'ἐνθάδε et de τῇδε) τὴν ἐνθένδε ἐκεῖσε καὶ δεῦρο πάλιν πορείαν R. X 619 e 4 τἀκεῖ ... δεῦρο πεσοῦσαι Phr. 250 a 2.

Ass. et opp. : ἐκεῖ, ἐκεῖσε.

Opp. : ἐκεῖθεν.

δεύτερος « second » ψυχὴν μὲν προτέραν..., σῶμα δὲ δεύτερόν τε καὶ ὕστερον L. X 896 c 2.

Adv. : δευτέρως (L. X 885 a 2).

App. et ass. : ὕστερος.

Ass. et opp. : πρότερος.

δέχεσθαι 1° « recevoir » a) des réponses, des explications ; b) des figures, des images ; 2° « accepter » (divinité) ; 3° « admettre » (ontologiquement) ; 4° « préférer », « choisir » (de).

1° διδόντες τε καὶ δεχόμενοι λόγον παρ' ἀλλήλων La. 187 d 3 λόγον τε δοῦναι καὶ δέξασθαι Pr. 336 c 2 λόγον ἑκάστου ... δοῦναι καὶ δέξασθαι Po. 286 a 5.

b) (appliqué au réceptacle du *Timée*, δεξαμενή 53 a 3) περὶ τῆς τὰ πάντα δεχομένης σώματα φύσεως T. 50 b 7 (cf. b 10 d 3) ἄμορφον ὂν ἐκείνων ἁπασῶν τῶν ἰδεῶν ὅσας μέλλοι δέχεσθαί ποθεν T. 50 e 1 (cf. e 3, 51 a 3, 52 d 6). Emploi analogue dans le *Phédon* : ci-après, 3°.

2° ἵλεῳ δεχόμενοι L. V 747 e 4.

3° ὑπομένον ... καὶ δεξάμενον τὴν σμικρότητα (sc. τὸ ... μέγεθος d 7) οὐκ ἐθέλειν εἶναι ἕτερον ἢ ὅπερ ἦν Pd. 102 e 2 (cf. e 3, 106 a 5) αὐτὰ (τὰ ἐναντία b 6) ... οὐκ ἄν ποτέ φαμεν ἐθελῆσαι γένεσιν ἀλλήλων δέξασθαι Pd. 103 b 9 (cf. d 3 et 8, 104 b 7 et 8 e 4 et 6, 105 a 2, 5, 6, 8 d 5, 7, 9 e 1) ψυχὴ οὐ δέχεται θάνατον Pd. 105 e 2 (cf. 106 b 4 d 3-4) ποῖα ... τῶν γενῶν ... ἄλληλα οὐ δέχεται So. 253 c 1 (cf. Po. 309 b 2 Ph. 25 a 7-8, 41 d 8).

4° πότερ' ἂν δέξαιό σοι εἶναι, ἀγαθὰ ἢ κακά ; A. 115 c 10 (cf. d 3, 6, 7 Ap. 22 e 2, 41 a 7 b 8 Ly. 211 e 7 G. 468 e 7, 469 c 4, 474 b 6, 475 d 8 e 2) αὐτὰ ... ἑαυτῶν ἕνεκα οὐκ ἂν δεξαίμεθα ἔχειν R. II 357 d 2 (cf. b 5 Ph. 60 e 4).

App. (4°) : ἀγαπᾶν (R. II 357 c 1), αἱρεῖσθαι.

App. et ass. : (3°) ὑπομένειν (1° a β) ; (4°) ἀσπάζεσθαι (R. II 357 b 6).

Ass. et opp. (1°) : διδόναι.

Syn. : ἀποδέχεσθαι (avec les distinctions de J. Brunel, *L'Aspect*..., p. 168-169).

δῆλος « clair, évident » οὔτε δήλου ὄντος τοῦ ἀγαθοῦ τε καὶ κακοῦ R. X 604 b 11 δῆλος εἶ ... καταφρονῶν μου Tht. 189 c 8 δῆλόν που καὶ παντί T. 53 c 6.

App. : ἐναργής, καταφανής, σαφής.

Opp. : ἄδηλος, ἀσαφής, ἀφανής.

Syn. : φανερός.

δηλοῦν « montrer, manifester » ὡς αὐτὸ [Paris. gr. 1811 : αὐτὰ BTW] δηλοῖ Pr. 329 b 3 (sujet indéterminé ; cf. R. VI 497 c 2 et p.-ê. le cas suivant, G. 483 d 3) (ἡ φύσις) δηλοῖ ... ταῦτα πολλαχοῦ ὅτι οὕτως ἔχει G. 483 d 3 ἡ οὐσία τοῦ πράγματος δηλουμένη ἐν τῷ ὀνόματι Cra. 393 d 4 (cf. 398 c 8 So. 261 e 1) ὡς δηλοῦσί μοι οἱ σοφοί R. II 365 c 2 ὁ λόγος αὐτὸς ἂν δηλώσειε So. 237 b 2 διερευνήσασθαι τί ποθ' οἱ λέγοντες αὐτὸ δηλοῦν ἡγοῦνται So. 243 d 4 ἵνα ... σαφέστερον ὃ λέγω δηλώσω Criti. 107 b 5.

Syn. : δεικνύναι.

δήλωμα, τό « manifestation » εἶναι τὸ ὄνομα δήλωμα τοῦ πράγματος Cra. 433 d 2 (cf. 7 et 8 b 3) τὸ ... ἐπὶ ταῖς πράξεσιν ὂν δήλωμα ῥῆμά που λέγομεν So. 262 a 3 (cf. 261 e 5) τοῖς ... παιδίοις τὸ δήλωμα ὧν ἐρᾷ καὶ μισεῖ ... βοαί L. VII 792 a 3.

δήλωσις, ἡ « représentation » πρὸς δήλωσιν ὧν διανοούμενοι λέγομεν Cra. 435 b 6 διαλεκτικωτέρους καὶ τῆς τῶν ὄντων λόγῳ δηλώσεως εὑρετικωτέρους Po. 287 a 3.

δημηγορεῖν « haranguer » (le peuple) χωρὶς ... ᾤμην εἶναι τὸ συνεῖναί τε ἀλλήλοις διαλεγομένους καὶ τὸ δημηγορεῖν Pr. 336 b 3 (cf. G. 482 c 4, 503 b 8, 519 d 5 L. VII 817 c 5).

Ass. et opp. : διαλέγεσθαι, συνεῖναι (1° b).

δημηγορία, ἡ « harangue populaire » ῥητορικὴ δημηγορία ἂν εἴη G. 502 d 3 (cf. d 1).

Ass. : ῥητορική.

δημηγορικός « des harangues » φορτικὰ καὶ δημηγορικά G. 482 e 4

σοφίαν δημηγορικήν τε καὶ δικανικήν R. II 365 d 4 (cf. So. 222 c 9)*.
Ass. et opp. : δικανικός (a).

δημιουργεῖν « fabriquer, œuvrer » τῶν ... μὴ καλῶς δημιουργηθέντων ἢ μὴ καλῶς φύντων R. III 401 e 1 τήν γε ἰδέαν αὐτὴν δημιουργεῖ οὐδεὶς τῶν δημιουργῶν R. X 596 b 9 (cf. So. 219 c 4) θεοῦ δημιουργοῦντος So. 265 c 4 πᾶσα ἐπιστήμη ... μίαν τινὰ δύναμιν καὶ ἰδέαν δημιουργεῖ Po. 308 c 7 τὸ ... πάντα ταῦτα δημιουργοῦν λέγομεν τέταρτον, τὴν αἰτίαν Ph. 27 b 1 (cf. 59 e 2) κατὰ τὸ παράδειγμα δεδημιουργημένος ἔσται (sc. οὐρανός) T. 31 a 4 (cf. 29 a 8) τὰ διὰ νοῦ δεδημιουργημένα T. 47 e 4 (cf. 69 c 4, 76 d 7, 80 e 5) ᾧ μόνῳ (sc. ψυχῇ) πλάττειν καὶ δημιουργεῖν προσήκει Ep. 981 b 8 (cf. 984 c 4).
App. : τεκταίνεσθαι.
App. et ass. : πλάττειν.
Ass. et opp. : φύεσθαι.

δημιουργία, ἡ « métier » τῶν τεχνῶν τε καὶ δημιουργιῶν R. VI 495 d 8 (cf. B. 197 a 4).
App. et ass. : τέχνη.

δημιουργός, ὁ a) « ouvrier, artiste » (au pr. et au fig.) ; b) « démiurge ».
a) δημιουργὸν τούτου τοῦ πράγματος Pr. 327 c 8 (cf. R. VII 529 e 2) πειθοῦς δημιουργός ἐστιν ἡ ῥητορική G. 453 a 2 (cf. 454 a 3, 452 c 4 d 4) ἐν τοῖς τῶν δημιουργῶν ἔργοις Pd. 86 c 7 (cf. Ph. 39 b 3, 59 e 1) οἱ ... δημιουργοὶ ... ποιηταὶ B. 205 c 2 ἰδιωτῶν καὶ δημιουργῶν I. 531 c 6 (cf. Po. 298 c 4 L. XI 916 b 2) δημιουργὸν ... σωφροσύνης R. VI 500 d 6 μετὰ νοῦ καλῶν ... δημιουργοί (sc. αἰτίαι) T. 46 e 5 (cf. 40 c 1) φαῦλοι δημιουργοὶ ... καλῶν εἰκόνων L. X 898 b 3 (cf. VIII 829 d 3).
b) τὸν τῶν αἰσθήσεων δημιουργόν R. VI 507 c 9 τῷ τοῦ οὐρανοῦ δημιουργῷ R. VII 530 a 7 τὴν τοῦ δημιουργοῦ καὶ πατρὸς ... διδαχήν Po. 273 b 1 (cf. 270 a 5 T. 41 a 7) εἰ ... ὁ ... δημιουργὸς ἀγαθός T. 29 a 3 (cf. 28 a 6, 68 e 2, 69 c 3, 75 b 8).
App. : χειροτέχνης.
App. et ass. (a) : ποιητής, τέκτων (R. X 597 d 9).
Ass. (b) : πατήρ (Po. 273 b 1 T. 41 a 7).
Ass. et opp. (a) : ἰδιώτης.

δῆμος, ὁ « peuple » πρὸς πολὺν ὄχλον καὶ δῆμον G. 502 c 10 δῆμός τε καὶ πλῆθος πόλεως L. III 689 b 1 (cf. 684 c 3).
App. et ass. : ὄχλος, πλῆθος (c).

δημόσιος « populaire » πρὸς ταῖς δημοσίαις ἀρεταῖς L. XII 968 a 2.
App. : δημοτικός, δημώδης.

δημοτικός « social, civil » οἱ τὴν δημοτικὴν καὶ πολιτικὴν ἀρετὴν ἐπιτετηδευκότες, ἣν δὴ καλοῦσι σωφροσύνην τε καὶ δικαιοσύνην Pd. 82 a 9 δημιουργὸν σωφροσύνης τε καὶ δικαιοσύνης καὶ συμπάσης τῆς δημοτικῆς ἀρετῆς R. VI 500 d 8.
App. : δημόσιος, δημώδης.
App. et ass. : πολιτικός.

δημώδης « commun » ταύτην τὴν δημώδη μουσικὴν ποιεῖν Pd. 61 a 7 τὴν δημώδη γε (sc. σωφροσύνην a 3) L. IV 710 a 5*.
App. : δημόσιος, δημοτικός.

διά a) (gén.) « à travers » ; b) (acc.) « à l'occasion de ».
a) μίαν ἰδέαν διὰ πολλῶν ... πάντῃ διατεταμένην So. 253 d 5 (cf. d 8).
b) ἕνεκά του καὶ διά τι Ly. 218 d 6 (cf. d 7, 219 a 1, 2, 6 b 3) δι' ἐκεῖνα ὑπὸ τῆς αὐτοῦ κακίας R. X 609 e 5 (cf. 610 d 3).

διαβασανίζειν « discriminer » ταῖς ἐμπειρίαις διαβασανίζοντας L. XII 957 b 3 (cf. 961 a 7 V 736 c 2)*.
App. : βασανίζειν.

(διαβιοῦν, — forme douteuse à l'époque de Platon, — v. διαζῆν).

διαβολή, ἡ « calomnie » φθόνῳ καὶ διαβολῇ χρώμενοι Ap. 18 d 2 (réc. 28 a 8 ; cf. Le. III 316 e 2).
Ass. : φθόνος (a).

διάγειν « passer » (sa vie), « vivre » βίου διαγωγήν, ᾗ ἂν διαγόμενος R. I 344 e 1 (de ce moyen-passif, moyen pour Ast, passif pour Adam, rappr. L. VI 758 a 6 et peut-être 757 a 2 διαγόμενοι [Stobaei SMA : διαγορευόμενοι AO Stobaei L διαγενόμενοι Phot. Suid.]) διάγουσιν ἀξίως οὗ ἐν ἀνθρώπου εἴδει ἐβίωσαν βίου Phr. 249 b 1 (cf. L. II 657 d 3) μακάριον ... τὸν ἐνθάδε βίον διάγουσιν Phr. 256 b 1 (cf. d 9 L. III 702 b 1 Ep. 980 b 1 et 4, 986 d 1) τοὺς ἐν φιλοσοφίᾳ διάγοντας Phr. 259 d 3 (cf. Tht. 174 b 1).
App. : διαζῆν.

διαγιγνώσκειν « distinguer, discerner » διαγιγνώσκειν τὸ δικαιότερόν τε καὶ ἀδικώτερον A. 109 d 3 (cf. Ch. 170 e 5 B. 186 c 8 R. V 461 d 1 VII 522 c 6 X 605 c 2, 618 c 5 Phr. 272 a 6 L. II 668 c 8) οὐδὲ φαύλου διαγνῶναι νομοθέτου L. I 637 d 4 (cf. II 654 d 8 Phr. 262 a 11 So. 225 c 2).
App. : διαιρεῖν, διαισθάνεσθαι, διακρίνειν.

διαγωγή, ἡ a) « vie, conduite » ; b) « promenade à travers ».
a) βίου διαγωγήν R. I 344 e 1 (cf. VIII 558 a 2) τὴν αὐτοῖς ὁμοιότητα τῆς διαγωγῆς Tht. 177 a 6 (cf. Po. 274 d 4 T. 71 d 3 L. VII 806 e 7).
b) ἡ ... διὰ πάντων ... διαγωγή Le. VII 343 e 1.
App. (a) : δίαιτα.
App. et ass. (a) : βίος.

διαδοξάζειν « distinguer entre opinions » τὸ διαδοξάζειν ἐπιχειρεῖν γίγνεται Ph. 38 c 1*.

διάζευξις, ἡ « séparation » ἐν τῇ ... τοῦ σώματος διαζεύξει (sc. τῆς αὐτοῦ ψυχῆς) Pd. 88 b 7 τὴν διάζευξίν τε καὶ σύζευξιν ποιεῖσθαι L. XI 930 b 2*.
App. : διάλυσις (Pd. 88 b 1).
Ass et opp. : σύζευξις.

διαζῆν « passer sa vie » ἀναμάρτητοι ... ἂν τὸν βίον διεζῶμεν (T : ἐζῶμεν BWt) Ch. 171 d 7 δικαίως διαβιῶναι G. 526 a 5 (cf. 473 c 7 M. 81 b 7 L. III 679 a 2 d 2 V 730 c 4 VII 802 c 8, 806 b 7) διαζῇ τὸ καθ' ἡμέραν ... χαριζόμενος τῇ ... ἐπιθυμίᾳ R. VIII 561 c 6 (cf. L. V 739 d 7 VII 792 e 7, 803 c 8 e 1, 804 b 3 IX 875 b 5) τὸν ἥδιστον διαβιοῦντας βίον L. II 662 d 6.

App. : διάγειν.

Syn. : ζῆν (avec les distinctions de J. Brunel, *L'Aspect...*, p. 32-33).

διάθεσις, ἡ « disposition » : 1º de l'âme ; 2º des thèmes, des lois, de l'État ...

1º ἕξιν ψυχῆς καὶ διάθεσιν Ph. 11 d 4 (cf. 32 e 9, 48 a 8, 62 b 3, 64 c 7 So. 264 d 5) τῆς ἑκάστων διαθέσεως ... τὸ καλόν L. I 632 a 8 ἀντὶ μανικῶν ... διαθέσεων ἕξεις ἔμφρονας ἔχειν L. VII 791 b 1 (cf. 792 d 3).

2º ταῖς πόλεσι ... τὴν διάθεσιν ἔοικεν R. VI 489 a 6 (cf. IX 579 e 6 L. I 624 a 2 IV 710 b 8) τῶν ... τοιούτων οὐ τὴν εὕρεσιν ἀλλὰ τὴν διάθεσιν ἐπαινετέον Phr. 236 a 4 τὴν τῶν ξενίων ... διάθεσιν T. 27 a 2.

App. et ass. (1º) : ἕξις.

Ass. (2º) : εὕρεσις.

διαθραύειν « morceler » τὴν ... ἀλήθειαν κατὰ σμικρὰ διαθραύοντες So. 246 c 1 τὰ ... σμικρότερα ὅταν ... διαθραυόμενα κατασβεννύηται T. 57 b 1*.

App. : (κατα)κερματίζειν.

διαιρεῖν (à l'actif et au moyen) 1º « diviser » ; 2º « distinguer » ; 3º « décider ».

1º κατὰ βραχὺ διῃρημένα H. M. 304 a 7 τῷ συνθέτῳ ... προσήκει ... διαιρεθῆναι ταύτῃ ᾗπερ συνετέθη Pd. 78 c 2 (cf. R. X 618 c 7 So. 252 b 2) διελόντες δὲ αὐτὸ (sc. τὸ ὄνομα) διχῇ Cra. 396 a 2 (cf., avec δίχα, 410 d 4 So. 225 a 4, 265 a 12 Po. 262 d 1 e 4, 265 c 6 L. X 895 e 1 et 7) τριχῇ διελεῖν L. III 697 a 6 κατ' εἴδη διαιρούμενοι R. V 454 a 6 (cf. Phr. 273 e 1 Po. 262 d 7 e 4, 286 e 1 L. III 700 a 9) χωρὶς ἕκαστα διῄρηται τὰ ... εἴδη R. X 595 b 1 (cf. Pa. 129 d 7, 130 b 2) κατὰ γένη διαιρεῖσθαι So. 253 d 1 διαιροῦντες ... κατὰ μέρη L. II 658 a 5 ταῦτα ὁδῷ διῃρῆσθαι Phr. 263 b 7 διελέσθαι φύσιν σώματος ... (« analyser ») Phr. 270 b 4 τέμνοντες ... διῃρούμεθα Po. 279 b 9 διαιροῦντας ἀεὶ τὴν ... μοῖραν So. 235 c 3 ἤρχετο διαιρεῖν ὧδε T. 35 b 4 τοιαῦτα διῃρεῖτο σχήματα T. 73 c 6 (cf. d 4).

2º ἱκανὸς ... ταῦτα διελέσθαι Ch. 169 a 7 (cf. a 2, 170 a 5 H. M. 285 d 1 Pr. 339 a 2 G. 495 c 3 Pd. 99 b 2, 107 b 6) τὰ ... ὀνόματα διαιρεῖν La. 197 d 5 (cf. Ch. 163 d 4) τό τε βούλεσθαι καὶ ἐπιθυμεῖν διαιρεῖς Pr. 340 b 1.

3º διελέσθαι ... οὐ σμικροῦ λόγου R. III 400 c 5 (cf. c 10) πρὸς τὸ διελέσθαι τί ... ἄριστον Ph. 19 c 6.

App. : (1º-3º) διακρίνειν, διορίζειν ; (1º-2º) διατέμνειν, διαχω-

ρίζειν ; (1°) διαλαμβάνειν 1° ; (2°) διαγιγνώσκειν, διαισθάνεσθαι.
App. et ass. (1°) : τέμνειν.
Opp. (1°) : συναιρεῖν, συντιθέναι.

διαίρεσις, ἡ 1° « division » ; 2° « distinction ».
1° τὴν ... διαίρεσιν διχῇ ἑκατέρου R. VII 534 a 6 (cf. So. 229 d 6, 235 c 9, 253 c 3, 267 b 8 Po. 265 b 6, 276 a 1 Ph. 15 a 7, 20 c 4) τῶν διαιρέσεων καὶ συναγωγῶν Phr. 266 b 4 (cf. Le. XIII 360 b 8) τῶν ... κατ' εἴδη διαιρέσεων So. 264 c 2 τῆς τῶν γενῶν κατ' εἴδη διαιρέσεως So. 267 d 5.
2° τὴν Προδίκου διαίρεσιν τῶν ὀνομάτων Pr. 358 a 7 (cf. Cra. 424 b 7 L. VI 768 c 8).
App. : διάκρισις.
Ass. et opp. (1°) : συναγωγή.
Opp. : συμπλοκή.

διαισθάνεσθαι « apercevoir, discerner » μίαν ἰδέαν διὰ πολλῶν ... πάντῃ διατεταμένην ... διαισθάνεται So. 253 d 7 τά τε ἀδύνατα ... καὶ τὰ δυνατὰ διαισθάνεται R. II 360 e 9 διαισθάνεσθαι οἷον πέφυκε κακόν R. III 409 b 8 (cf. Phr. 250 b 1, 255 b 5, 271 e 4 Po. 277 e 7 T. 87 c 7).
App. : διαγιγνώσκειν, διαιρεῖν.

δίαιτα, ἡ « régime, vie » τῆς τεταγμένης διαίτης R. III 404 a 6 (cf. 406 b 8 e 1, 407 d 4 et 6) φύσει τε καὶ διαίτῃ R. III 407 c 9 (cf. Le. VII 339 a 1) κοσμίους ἐν διαίτῃ R. III 408 a 8 (cf. Le. VII 336 c 4, 340 e 2) πονηρᾶς διαίτης R. IV 425 e 9 (cf. T. 84 a 5 Le. VII 330 c 10) εἰς τεταγμένην τε δίαιταν καὶ φιλοσοφίαν Phr. 256 a 7 (cf. 239 c 9) τῆς καθ' ἡμέραν διαίτης L. VI 762 e 7 (cf. Mx. 238 b 4 Le. VII 340 e 2 XI 359 a 5) τὴν τῆς τροφῆς σώφρονα δίαιταν Le. VII 336 c 4.
App. : βίος, διαγωγή.
App. et ass. : τροφή (2° a).
Ass. et opp. : φύσις.

διαιτᾶσθαι « vivre » (selon tel ou tel régime) τίνα τρόπον διαιτήσονται R. II 372 a 5 (cf. 373 d 2 G. 449 e 2 L. VI 762 b 7) ; « séjourner » Pd. 61 e 6.

διαιώνιος « éternel » κατὰ τὸ παράδειγμα τῆς διαιωνίας [AF : αἰωνίας PWY] φύσεως T. 38 b 8 πρὸς τὴν τῆς διαιωνίας μίμησιν φύσεως T. 39 e 2*.
Syn. : αἰώνιος.

διακεῖσθαι (sert de pf. passif à διατιθέναι, q. v.) « être dans telles ou telles dispositions » πρὸς ... ἡδονὴν οὕτω διάκεινται R. IX 584 e 9 (cf. VI 500 b 2 Le. VII 339 b 6).

διακονεῖν « servir » διακονεῖν καὶ ὑπηρετεῖν ... τὰ περὶ τὸν πόλεμον R. V 466 e 7 τοὺς τῇ πατρίδι διακονοῦντάς τι L. XII 955 c 7.
App. et ass. : ὑπηρετεῖν.

διακοσμεῖν « organiser » νοῦς ἐστιν ὁ διακοσμῶν τε καὶ πάντων αἴτιος Pd. 97 c 1 (cf. 98 c 1 Cra. 400 a 9 Phr. 246 e 5 Ph. 28 e 3, réc. de συντάττουσαν d 10 ; L. XII 966 e 4, 967 b 6) ἕνεκα ... τῶν ἀρίστων διεκόσμησαν οἱ διακοσμοῦντες ἣ νῦν διατέτακται T. 75 d 8 (cf. 53 a 8 Ph. 16 d 1 L. IX 864 a 3) τὰ τῶν ὡρῶν διακεκοσμημένα L. X 886 a 3 (cf. I 626 a 1 III 686 a 3).

App. : κατακοσμεῖν (a), κοσμεῖν (cf. J. Brunel, *L'Aspect...*, p. 162-163).

App. et ass. : διατάττειν, συντάττειν.

διακόσμησις « arrangement » σύμπασαν τὴν διακόσμησιν καὶ σύνταξιν T. 24 c 4.

App. et ass. : σύνταξις.

διακρίνειν (à l'actif et au moyen) 1° (surtout au passif) « séparer » ; 2° « distinguer » ; 3° « décider ».

1° διακρίνεσθαι καὶ συγκρίνεσθαι Pd. 71 b 5 (cf. 72 c 3 Pa. 156 b 4, 157 a 6 Ph. 47 a 1 T. 58 b 9, 67 d 7, 80 c 5 L. X 893 e 6) συγκεράννυσθαι καὶ διακρίνεσθαι Pa. 129 e 3 διακρίνειν κατὰ γένος So. 253 e 1 διακρινομένης ... τῆς σαρκός T. 83 e 5 (cf. 84 e 3) διακεκρίσθω ... τὸ γένος ἑκατέρων L. VII 794 c 4.

2° ὄψιν ... φίλην καὶ ἐχθρὰν διακρίνει R. II 376 b 4 (cf. Cra. 388 b 11) διακεκρίμεθα χωρίς τάς τε καθαρὰς ἡδονὰς καὶ τὰς ... ἀκαθάρτους Ph. 52 c 1.

3° διακρῖναι ὁπότερος ... ἀληθῆ λέγει La. 186 e 1 (Ἱππίας) ἑκάστοις αὐτῶν διέκρινεν (« prononçait des arrêts ») καὶ διεξῄει τὰ ἐρωτώμενα Pr. 315 c 7 βούλει ... σοι ... διακρίνω ; Po. 272 b 7 (repr. κρῖναι b 3) διακρίνασθαι τὸ νῦν ζητούμενον Ph. 46 b 4 (cf. 58 a 5 L. V 742 d 1 XI 937 b 5).

App. : (1°-3°) διαιρεῖν ; (1°) διαλαμβάνειν 1°.

Ass. et opp. : (1°) συγκεραννύναι, συγκρίνειν.

διάκρισις, ἡ 1° « séparation » ; 2° « distinction » ; 3° « décision ».

1° ἐν ταῖς ... διακρίσεσι So. 226 d 1 (cf. d 6) διάκρισις ... καὶ διάλυσις Ph. 32 a 1 συγκρίσεσι καὶ διακρίσεσι Ph. 42 c 10 (cf. So. 243 b 5 T. 64 e 4, 65 c 5 L. X 894 b 10, 897 a 6).

2° διακρίσεως ἄξια γένη L. X 908 b 2.

3° τὴν διάκρισιν ... ἀποδιδούς L. VI 765 a 3 (cf. 768 a 3 XI 937 c 1).

App. et ass. (1°) : διάλυσις.

Ass. et opp. (1°) : σύγκρισις.

διακυβερνᾶν « gouverner » οἰκεῖν διακυβερνῶντα ὀρθὴν ... πολιτείαν Po. 301 d 5 νοῦν καὶ φρόνησιν ... συντάττουσαν διακυβερνᾶν Ph. 28 d 10 (cf. R. IX 573 d 5 T. 42 e 3) τἀνθρώπινα διακυβερνῶσι σύμπαντα (repris 713 e 6 par διοικεῖν) L. IV 709 e 8.

App. : διοικεῖν.

App. et ass. : οἰκεῖν, συντάττειν.

Syn. : κυβερνᾶν (b), avec les nuances d'aspect.

διαλαμβάνειν 1° « diviser » ; 2° « répartir » ; 3° « saisir, fixer ».

1° χρώμασι ... διειλημμένη Pd. 110 b 7 διείληπται ... δίχα (réc. de διελόντες ... διχῇ a 2) Cra. 396 b 2 (cf., avec δίχα, Tht. 147 e 5

Po. 261 b 4 Ph. 41 c 3 L. XI 935 d 5 ; avec διχῇ, Ph. 23 c 4 T. 62 c 5 L. IX 866 d 7 XI 933 b 6) τριχῇ ... διαλαβόντες L. VI 763 c 5.

2° τὰ τοῦ κόσμου μέρη διειλημμένα ... θεῖοι διειλήφεσαν δαίμονες Po. 271 d 6-7.

3° (ψυχὴν) διειλημμένην ὑπὸ τοῦ σωματοειδοῦς Pd. 81 c 2 τοὺς μὲν διαλαβόντες ἦγον R. X 615 e 6 ὅσα μόνιμα, διειλημμένα ῥίζαις Ep. 981 d 3.

App. (1°) : διαιρεῖν 1°, διακρίνειν 1°.

διαλέγειν « trier » διαλέξας ... τά τε ὑγιῆ καὶ τὰ μή L. V 735 b 4* ; au moyen « parler, converser, discuter » τὸ ... διαλέγεσθαι καὶ τὸ λόγῳ χρῆσθαι ταὐτόν που καλεῖς A. 129 c 2 (cf. b 5, 10, 14) τηλικοῦτος ὢν ἤδη ἐθέλει διαλέγεσθαι Ch. 154 e 6 (cf. 155 a 6 c 7 R. VII 539 c 7) χωρὶς ... ᾤμην εἶναι τὸ συνεῖναί τε ἀλλήλοις διαλεγομένους καὶ τὸ δημηγορεῖν Pr. 336 b 3 (cf. b 5 c 4 Ap. 41 c 3 G. 471 d 5 R. I 328 a 8) τοῦ ... διαλέγεσθαι οἷός τ' εἶναι καὶ ἐπίστασθαι λόγον τε δοῦναι καὶ δέξασθαι Pr. 336 b 9 διαλεγέσθω ἐρωτῶν τε καὶ ἀποκρινόμενος Pr. 336 c 5 (cf. Tht. 189 e 8) οὐκ ἐρίζειν ἀλλὰ διαλέγεσθαι R. V 454 a 5 τῆς τοῦ διαλέγεσθαι ἐπιστήμης R. VI 511 c 5 ἡ τοῦ διαλέγεσθαι δύναμις R. VII 533 a 8 (cf. 532 d 9, 537 d 6 VI 511 b 4 Pa. 135 c 2 Ph. 57 e 7) ἡ τοῦ διαλέγεσθαι πραγματεία Tht. 161 e 6 συγγενόμενός τε καὶ διαλεχθείς Tht. 142 c 7 χωρὶς μὲν ὡς ἀγωνιζόμενος ... χωρὶς δὲ διαλεγόμενος Tht. 167 e 4.

App. et ass. : ἐρωτᾶν καὶ ἀποκρίνεσθαι, λόγον διδόναι καὶ δέχεσθαι, συνεῖναι (1° b).

Ass. : συγγίγνεσθαι.

Ass. et opp. : ἀγωνίζεσθαι, δημηγορεῖν, ἐρίζειν.

διαλεκτικός ; 1° adj. « dialectique » ; 2° subst. a) m. « dialecticien » ; b) f. (sous-entendu τέχνη) « dialectique » ; c) n. « don dialectique ».

1° οὐ διαλεκτικὴν ταύτην τὴν πορείαν καλεῖς ; R. VII 532 b 5 ἡ διαλεκτικὴ μέθοδος R. VII 533 c 9 μεγίστη ... πεῖρα διαλεκτικῆς φύσεως καὶ μή R. VII 537 c 6 τοῦτο ... τὸ εἶδος ὀρθῶς ... καλεῖν, διαλεκτικὸν καλῶν · τὸ δὲ ῥητορικόν ... Phr. 266 c 8 τῇ διαλεκτικῇ τέχνῃ Phr. 276 e 5 τῆς διαλεκτικῆς ... ἐπιστήμης So. 253 d 2.

2° a) παραδιδόασι ... τοῖς διαλεκτικοῖς Euth. 290 c 5 τὸν ... ἐρωτᾶν καὶ ἀποκρίνεσθαι ἐπιστάμενον ... καλεῖς ... διαλεκτικόν ; Cra. 390 c 11 (cf. d 6, 398 d 7) διαλεκτικὸν καλεῖς τὸν λόγον ἑκάστου λαμβάνοντα τῆς οὐσίας ; R. VII 534 b 3 (cf. 531 e 2 Phr. 266 c 1) ὁ ... συνοπτικὸς διαλεκτικός R. VII 537 c 7 βραχύτερα ἂν γενόμενα ... τοὺς συνόντας ἀπηργάζετο διαλεκτικωτέρους « meilleurs dialecticiens » Po. 287 a 3 (cf. 285 d 7).

b) ὥσπερ θριγκὸς τοῖς μαθήμασιν ἡ διαλεκτική R. VII 534 e 3 (cf. 536 d 7).

c) τό γε διαλεκτικὸν ... δώσεις ... τῷ ... φιλοσοφοῦντι So. 253 e 4.

Adv. : διαλεκτικῶς (Ph. 17 a 4, ass. et opp. à ἐριστικῶς) ; cp. διαλεκτικώτερον (ἀποκρίνεσθαι) M. 75 d 4 et 5.

App. (2° b) : διάλεκτος, φιλοσοφία.

App. et ass. (2° a) : συνοπτικός.

Ass. et opp. (1°) : ῥητορικός.

Opp. : ἀντιλογικός, ἐριστικός.

διάλεκτος, ἡ « colloque » διὰ τούτου (sc. τὸ δαιμόνιον 202 e 1) πᾶσά ἐστιν ἡ ὁμιλία καὶ ἡ διάλεκτος θεοῖς πρὸς ἀνθρώπους B. 203 a 3 ἔριδι, οὐ διαλέκτῳ πρὸς ἀλλήλους χρώμενοι (repr. διαλέγεσθαι a 5) R. V 454 a 8 ἀήθης τῆς τοιαύτης διαλέκτου (repr. διαλέγεσθαι a 7) Tht. 146 b 3.

App. : διαλεκτική.

διαλογίζεσθαι « considérer » πρὸς ἡμᾶς αὐτοὺς διαλογισώμεθα ... ὁπόσα ... So. 231 c 9 σφόδρα διανοηθέντες καὶ ἱκανῶς διαλογισάμενοι Ph. 58 d 2 τἆλλα ... οὐδὲν ποικίλον ἔτι διαλογίσασθαι T. 59 c 6*.

App. et ass. : διανοεῖσθαι.

διάλογος, ὁ « entretien, dialogue » τὸ ἀκριβὲς τοῦτο εἶδος τῶν διαλόγων Pr. 338 a 2 (cf. 335 d 3, 336 b 2) ἵνα ... συνουσία τε καὶ διάλογοι ἡμῖν γίγνωνται Pr. 338 c 8 (cf. A. 110 a 3 La. 200 e 3 R. I 354 c 2) ὁ ... ἐντὸς τῆς ψυχῆς πρὸς αὑτὴν διάλογος ... διάνοια So. 263 e 4 (réc. 264 a 9).

App. et ass. : συνουσία 1°.

διαλύειν 1° « rompre » (l'entretien) ; 2° « séparer » ; 3° « dissoudre » ; 4° « résoudre ».

1° μὴ μεταξὺ διαλῦσαι τὴν συνουσίαν Pr. 336 e 4 (cf. La. 201 c 3 Ly. 223 b 3 G. 457 d 1, 458 b 4).

2° διαλυθέντες ... τῶν σωμάτων L. X 904 d 4 (cf. G. 524 b 4).

3° σώματι ... ταχὺ διαλύεσθαι προσήκει Pd. 80 b 8 (cf. c 3) τῷ ... ἀνθρωπίνῳ ... διαλυτῷ εἶναι Pd. 80 b 3 (cf. p.-ê. T. 57 b 5 διαλυτὰ ὄντα [A² FWY : καὶ διαλυθέντα A Burnet Rivaud]) διαλύει τε καὶ ἀπόλλυσι R. X 609 c 2 (cf. a 7) ἐξ ἑνὸς εἰς πολλὰ διαλύειν T. 68 d 5 διαλυθεῖσαν οἴχεσθαι πολιτείαν L. XII 945 d 1.

4° τοῦτο ... οἷός τε κἀγὼ διαλύειν So. 252 d 4.

Adj. verbal : διαλυτός (Pd. 80 b 3 et v. l. T 57 b 5 διαλυτὰ ὄντα A² cf. FWY : διαλυθέντα A)*.

διάλυσις, ἡ 1° « séparation » ; 2° « dissolution ».

1° δυοῖν πραγμάτοιν διάλυσις, τῆς ψυχῆς καὶ τοῦ σώματος G. 524 b 3 κοινωνία ... ψυχῇ καὶ σώματι διαλύσεως οὐκ ἔστιν ᾗ κρεῖττον L. VIII 828 d 5 (cf. I 632 b 4).

2° διάλυσιν τοῦ σώματος (gén. subjectif) Pd. 88 b 1 (cf. Cra. 419 c 2) διάκρισις ... καὶ διάλυσις Ph. 32 a 1.

App. et ass. (2°) : διάκρισις.

Ass. et opp. (1°) : κοινωνία.

διαλυτός* : v. διαλύειν.

διαμάχεσθαι « soutenir » M. 86 c 2 Pd. 106 c 2, 4, 8 Cra. 433 c 8 R. VI 499 d 2 Pa. 127 e 9 Tht. 158 d 3, 170 c 7, 177 d 3 So. 256 d 6, 260 e 1 Po. 268 a 1.

διανέμειν « distribuer » (en), « répartir » (entre) τὰς ἀρχὰς ... διανενεμῆσθαι ... εἰς πολλούς Po. 303 a 6 (cf. Criti. 119 a 6) μέρη ... διανείμαντας τέτταρα L. VI 756 c 1.
App. : νέμειν.

διανοεῖσθαι 1° « penser » ; 2° « projeter » (de).
1° ἕν τι τοῦτο διανοεῖσθαι ἀληθές, ὅτι ... Ap. 41 c 9 ὃ διανοούμενος φθέγγομαι Cra. 435 a 5 (cf. 434 e 7) διανοηθέντες καὶ ... διαλογισάμενοι Ph. 58 d 2 (cf. Tht. 209 b 3) φρονῶν ... καὶ ... διανοούμενος Ph. 62 a 3 ἀεὶ τὰ αὐτὰ ἑαυτῷ διανοουμένῳ T. 40 b 1 ταῦτ' οὖν διανοούμενος L. IV 713 c 8 (cf. 716 b 6 et 9 III 685 b 8, 686 d 2 et 4) περὶ τοὺς θεοὺς ὀρθῶς διανοηθέντα L. X 888 b 4 (cf. 890 b 6, 903 a 6) ἄψυχα αὐτὰ (sc. τὰ ἄστρα) οἱ διανοούμενοι διενοοῦντο L. XII 967 a 8 (cf. a 1 b 8) ἐγκαθορῶσί τε καὶ διανοουμένοις Ep. 990 e 3 (cf. 992 a 2).
2° διανοῇ τοὺς ... νόμους ... ἀπολέσαι Cr. 50 b 1 διανοεῖ ἐμοὶ πράγματα παρέχειν R. VI 504 e 8 (cf. So. 217 a 5).
App. : νοεῖν, νομίζειν.
App. et ass. (1°) : διαλογίζεσθαι, φρονεῖν.

διανόημα, τό 1° « pensée » ; 2° « dessein ».
1° διανοήματά τε καὶ δόξας R. VI 496 a 7 (cf. B. 210 d 6 Tht. 196 c 6) νῷ μόνῳ δὴ καὶ διανοήματι λάβωμεν L. X 898 e 3 περὶ θεῶν ... διανοήματα πρῶτα Ep. 988 c 1 (cf. L. X 903 a 5).
2° τῆς ... φθορᾶς ... ὅλου τοῦ διανοήματος L. III 688 c 4 (cf. 692 e 6).
App. : (1°) διανόησις, διάνοια, νόημα 1° a ; (2°) διάνοια 2°, νόημα 2°.
Ass. (1°) : δόξα, νοῦς.

διανόησις, ἡ « pensée » ὀξύτητα διανοήσεως Po. 306 e 5 (cf. T. 47 b 8) αἱ τοῦ παντὸς διανοήσεις T. 90 c 8 (cf. 87 c 2) μείναντα ἐν ταύτῃ τῇ διανοήσει L. X 888 c 3.
App. : διανόημα 1°, διάνοια 1°, νόησις (a).

διανοητικός « intellectuel » τῇ διανοητικῇ ... κινήσει T. 89 a 3.

διάνοια, ἡ 1° « pensée » : a) acte de la faculté discursive ; b) faculté (« entendement ») ; c) « discours » (par opposition à « opinion » ou à « intuition » : « pensée moyenne » Diès ; « pensée médiatrice » Robin) ; 2° « dessein ».
1° a) « pensée » (acte) τὴν τούτου (sc. Ὁμήρου) διάνοιαν ἐκμανθάνειν I. 530 b 10 (cf. c 4 R. V 476 d 5) πολλὰς καὶ καλὰς διανοίας I. 530 d 3 γενώμεθα δὴ ταῖς διανοίαις ἐν τῷ τότε χρόνῳ L. III 683 c 8.
b) « pensée » (faculté) αὐτῇ τῇ διανοίᾳ Pd. 65 e 6 (cf. 66 a 1, 67 c 3 Ly. 205 b 2 R. VI 511 a 1) τῷ τῆς διανοίας λογισμῷ Pd. 79 a 3 ἡ τῆς διανοίας ὄψις B. 219 a 3 λόγῳ ... καὶ διανοίᾳ ληπτά, ὄψει δ' οὔ R. VII 529 d 5 (cf. VI 511 c 7) ἡ τοῦ φιλοσόφου διάνοια Phr. 249 c 5 (cf. R. VII 527 b 10 So. 260 c 3 L. X 909 e 5) τὰ βελτίω τῆς διανοίας Phr. 256 a 8. — « Pensée » divine : θεοῦ

διάνοια ... καὶ ἁπάσης ψυχῆς ὅση ἂν μέλῃ τὸ προσῆκον δέξασθαι Phr. 247 d 2 (cf. Cra. 407 b 2, 416 c 4).

c) « discours » διάνοιαν ... καλεῖν μοι δοκεῖς τὴν τῶν γεωμετρικῶν ... ἕξιν, ἀλλ' οὐ νοῦν, ὡς μεταξύ τι δόξης τε καὶ νοῦ τὴν διάνοιαν οὖσαν R. VI 511 d 4 et 6 (cf. e 1 VII 533 d 6 e 5) ὅ τι νόησις πρὸς δόξαν, ... διάνοιαν πρὸς εἰκασίαν R. VII 534 a 5 τὴν μὲν σοφίαν ἀληθῆ διάνοιαν ἡγοῦνται, τὴν δὲ ἀμαθίαν ψευδῆ δόξαν Tht. 170 b 9 διάνοιά τε καὶ δόξα καὶ φαντασία So. 263 d 6 διάνοια ... καὶ λόγος ταὐτόν · πλὴν ὁ ... ἐντὸς τῆς ψυχῆς πρὸς αὑτὴν διάλογος ... ἐπωνομάσθη διάνοια So. 263 e 5 (réc. 264 a 9 ; cf. a 1).

2° « dessein » ἀπό τινος αἰτίας αὐτομάτης καὶ ἄνευ διανοίας φυούσης So. 265 c 9 (cf., en parlant du « dessein » divin, T. 38 c 4, 76 d 7 Criti. 109 c 4) γενομένη ... ἡ τότε διάνοια L. III 686 b 3 (cf. 685 e 4) ἐπὶ μείζοσι γάμοις τὴν διάνοιαν ἐπέχων L. XI 926 b 2 διανοίαις βουλήσεως ἀγαθῶν πέρι τελουμένων L. XII 967 a 5.

App. : (1° a) διανόημα 1°, διανόησις, νόημα 1° a ; (1° b) νόημα 1° b ; (2°) διανόημα 2°, νόημα 2°.

Ass. (1°) : λογισμός, λόγος, νοῦς.

Ass. et d'ordinaire opp. (1°) : δόξα, νόησις.

διαπαιδαγωγεῖν « diriger » καὶ διαπαιδαγωγῶν καὶ διαπαιδαγωγούμενος ὑφ' αὐτοῦ T. 89 d 4*.

διαπονεῖν (à l'actif et au moyen) « s'exercer » (à ou contre) ὁπόταν ... τοὺς ἐπαινουμένους πόνους ... μὴ διαπονῇ καρτερῶν L. V 727 c 6 (cf. Cra. 395 a 6) τὸν μὴ θεῖον καὶ διαπεπονηκότα πρὸς αὐτά L. XII 966 d 1 δεῖ διαπονήσασθαι παῖδα ὄντα Ep. 990 c 4.

App. et ass. : καρτερεῖν.

διαπορεία, ἡ « procession » (des astres) νοῦν ἔχειν ἄστρα τε καὶ σύμπασαν ταύτην τὴν διαπορείαν Ep. 982 c 7 « médiation » (des démons) χάριν τῆς εὐφήμου διαπορείας Ep. 984 e 4 « développement » ἐκ τῆς τοῦ λόγου διαπορείας ἀπήλλαγμαι Criti. 106 a 2*.

διαπορεῖν (à l'actif et au moyen-passif) « hésiter » (sur) τί ... διαπορηθεὶς ἐρέσθαι διενοήθης So. 217 a 4 (cf. 250 e 5 Phr. 237 a 5 T. 49 b 6 ; mais Ph. 32 d 7 le διαπορηθῆναι conjecturé par Solomon ne devrait pas prévaloir sur le διαπορευθῆναι de BTW, qui « poursuit » la métaphore de μεταδιωκόμενον) τὸ νῦν διαπορούμενον (repr. l'ἀπορούμενον de d 2) L. VII 799 e 6 (cf. VI 777 c 7 T. 55 d 4)*.

Syn. : ἀπορεῖν (avec les nuances d'aspect).

διαπορεύεσθαι « passer » (dialectiquement ou mathématiquement) ὃς ἂν μὴ ... ἐν πᾶσι τούτοις ... διαπορεύηται R. VII 533 c 4 (ἀναλογία) ἀφ' ἑνὸς εἰς ὀκτὼ διαπορευθεῖσα Ep. 991 a 5.

διαπορθμεύειν « transmettre » (τὸ δαιμόνιον) ἑρμηνεῦον καὶ διαπορθμεῦον θεοῖς τὰ παρ' ἀνθρώπων B. 202 e 3*.

διαπραγματεύεσθαι « traiter à fond » διαπραγματεύσασθαι τὸν λόγον Pd. 77 d 6 (cf. 96 a 1)*.

διαπράττεσθαι « atteindre » (un but), « réussir » ὃς ἂν ... διαπράξηται ὥστε μήτε νουθετεῖσθαι ... G. 478 e 13 (cf. 479 a 5 et 7, 511 d 5) οὐδὲν μέγα διαπέπραγμαι Ep. 986 a 10.

διαριθμεῖν (d'ordinaire au moyen) a) « calculer » ; b) « dénombrer ».

a) οὐδὲν διαριθμησαμένη G. 501 a 7.

b) ἐὰν μή τις ... τὰς φύσεις διαριθμήσηται Phr. 273 e 1 (cf. Cra. 437 d 3 L. I 633 a 8 V 728 a 6 Ep. 978 a 3 b 5) μηδὲ ἀριθμεῖν ... μηδὲ διαριθμεῖσθαι L. VII 818 c 6.

App. et ass. : ἀριθμεῖν (cf. J. Brunel, *L'Aspect...*, p. 36).

διάσκεψις, ἡ « examen » ἡ Περσῶν περὶ διάσκεψις τῆς πολιτείας L. III 697 c 6*.

διασπᾶν « détacher, émietter, éparpiller » διασπασθεῖσα (sc. ψυχή) ἐν τῇ ἀπαλλαγῇ τοῦ σώματος Pd. 84 b 5 ὃν ταὐτὸν ἐν ἑτέρῳ διεσπασμένῳ Po. 278 c 6 (cf. R. VI 503 b 11) ἐν τοῖς ... ἀπείροις ... διεσπασμένην Ph. 15 b 5 πολλὰ ἑκάτερον ἐσχισμένον καὶ διεσπασμένον Ph. 23 e 5 (réc. ὅσα διέσπασται καὶ διέσχισται συναγαγόντας 25 a 3) πᾶσα ἀρχὴ διεσπάσθη χωρίς L. XII 945 d 7 (cf. IX 875 a 8, ass. et opp. à συνδεῖν ; R. V 462 a 10, 464 c 7).

App. : διασπείρειν.

App. et ass. : (δια)σχίζειν.

Ass. et opp. : συνάγειν, συνδεῖν.

διασπείρειν « disperser » τὰ πολλαχῇ διεσπαρμένα Phr. 265 d 4 (cf. Po. 269 b 8) ἓν ... γένος ... κατὰ πάντα τὰ ὄντα διεσπαρμένον So. 260 b 8 (cf. L. III 680 d 8 VII 795 e 6) μίαν οὖσαν φύσιν διεσπαρμένην L. XII 945 c 6 (cf. R. V 455 d 9).

App. : διασπᾶν.

διασχίζειν « diviser » ἐάν τις ἓν διασχίσῃ Pd. 97 a 6 (réc. 101 e 1 ; cf. G. 469 d 7) ὅσα διέσπασται καὶ διέσχισται συναγαγόντας Ph. 25 a 3 τοῖς ἑστῶσι μὲν διασχίζεται, τοῖς δ' ἄλλοις ... συγκρίνεται L. X 893 e 2*.

App. et ass. : διασπᾶν.

Ass. et opp. : συγκρίνειν, συνάγειν.

Syn. : σχίζειν (avec les nuances d'aspect).

διάταξις, ἡ « ordonnance » τὴν διάταξιν αὐτῶν ... καὶ γένεσιν ... δηλοῦν T. 53 c 1*.

διατάττειν « régler, disposer » ὁ ... ἅπαντα ταῦτα διατάξας T. 42 e 5 διεκόσμησαν ... ᾗ νῦν διατέτακται T. 75 d 8 τούτων ... οὕτως φύσει διατεταγμένων L. XI 932 a 1 (cf. IV 716 b 6 VI 758 e 1 XI 922 a 8).

App. et ass. : διακοσμεῖν.

Syn. : τάττειν (avec les distinctions de J. Brunel, *L'Aspect...*, p. 162).

διατείνειν 1° « déployer » ; 2° « maintenir » (que).

1° ἰδέαν διὰ πολλῶν ... διατεταμένην So. 253 d 6 (cf. T. 78 b 7, 79 d 4).

2° διατείνοιντ' ἂν ... ὡς ... οὐδὲν τὸ παράπαν ἐστίν So. 247 c 5.

διατέμνειν 1° « diviser, détacher » ; 2° « distinguer ».

1° κατ' εἴδη ... διατέμνειν [TW : τέμνειν B] κατ' ἄρθρα, ᾗ πέφυκεν Phr. 265 e 1 τὴν μὲν διετέμομεν ... χωρίζοντες Po. 280 b 8 (cf. B. 190 d 2).

2° διατεμεῖν χωρὶς τά τε μέγιστα καὶ δεύτερα καὶ τρίτα L. III 697 a 8.

App. : διαιρεῖν.

App. et ass. : χωρίζειν 2°.

Syn. (1°) : συντέμνειν, τέμνειν (avec les nuances d'aspect).

διατιθέναι « disposer » (mettre dans telles ou telles dispositions) a) à l'actif ; b) au passif.

a) τοὺς νέους ὡσαύτως διατιθέντες Po. 307 e 9 (cf. R. VIII 556 b 7 L. V 728 b 2).

b) ἐρωτικῶς διατιθέμενα B. 207 b 1 (cf. a 8 c 1) ὑπὸ τουτουῒ τοῦ Μαρσύου ... οὕτω διετέθην B. 215 e 7 (cf. Euth. 303 b 7 Tht. 151 c 6 Le. VII 329 d 2, 337 b 2).

V. aussi διακεῖσθαι.

διατρίβειν 1° « passer le temps » ; 2° « s'occuper » (de) ; 3° « s'entretenir ».

1° μηκέτι ἐν ταύτῃ τῇ ζητήσει διατρίβειν μηδὲ φιλοσοφεῖν Ap. 29 c 8 (cf. Pd. 63 e 9) μετ' ἐμοῦ ... πολὺν χρόνον διατρίβοντες Ap. 33 b 10 κατ' οἰκίαν τὰ πολλὰ διατρίβοντες La. 180 d 7 (cf. 181 e 2 Euph. 2 a 2 Ly. 203 b 6 Pr. 311 a 4 et 6) διατριβὴν ... πολὺ χαριεστέραν ... διατρίβοντα L. VII 820 c 8.

2° πρὸς φιλοσοφίᾳ διατρίβοντας R. VII 540 b 2 τοῖς περὶ τοὺς τοιούσδε λόγους διατρίβουσιν R. X 597 a 10 (cf. Phr. 227 c 4) περὶ ἐκεῖνα πραγματευόμενος διατρίβω Pa. 130 d 9 τούς γε φαύλως διατρίβοντας ἐν φιλοσοφίᾳ Tht. 173 c 7 (cf. I. 530 b 8 ; mais Pd. 63 e 9 ἀνὴρ ... ἐν φιλοσοφίᾳ διατρίψας τὸν βίον rentre plutôt dans 1°).

3° περιεμένομεν ... διατρίβοντες μετ' ἀλλήλων Pd. 59 d 5.

App. : (1°) διάγειν (τὸν βίον) ; (3°) διαλέγεσθαι, συνδιατρίβειν.

App. et ass. (2°) : πραγματεύεσθαι.

διατριβή, ἡ 1° « emploi du temps, passe-temps » ; 2° « occupation » ; 3° « entretien » ; 4° « fréquentation » (d'un maître).

1° θαυμαστὴ ἂν εἴη ἡ διατριβὴ αὐτόθι Ap. 41 b 1 τίς ... ἦν ἡ διατριβή ; Phr. 227 b 6 (cf. b 11 La. 180 c 2, 181 e 3 Ly. 204 a 2 et 3) τῆς ἐν τοῖς οἴνοις διατριβῆς L. I 645 c 4 (cf. 646 c 5 B. 177 d 2) διατριβὴν ... πολὺ χαριεστέραν L. VII 820 c 8.

2° ᾧ περὶ Διόνυσον ... πᾶσα ἡ διατριβή B. 177 e 3 ἡ περὶ ἀριθμοὺς διατριβή « science des nombres » L. V 747 b 3 πᾶσα ... περὶ μοῦσαν διατριβή « toute création musicale » L. VII 802 c 5.

3° τῆς ἐν φιλοσοφίᾳ διατριβῆς « entretiens philosophiques » H. m. 363 a 5 τὰς ἐν Λυκείῳ διατριβάς Euph. 2 a 2 (cf. Ch. 153 a 3 Tht. 167 e 4) τὰς ἐμὰς διατριβὰς καὶ τοὺς λόγους Ap. 37 c 8 (cf. G.

484 e 2) περὶ ... νόμων τὴν διατριβὴν ... ποιήσεσθαι L. I 625 a 7 (cf. 645 c 8).

4° ὧν οἱ ἀδελφοὶ ἐν ταύτῃ τῇ διατριβῇ γεγόνασιν « à cette école » Ap. 33 e 5 τὰς ... μετὰ Σωκράτους διατριβάς Cl. 406 a 3 τοὺς ἐν φιλοσοφίᾳ καὶ τῇ τοιᾷδε διατριβῇ τεθραμμένους Tht. 172 d 1.

App. et ass. (3°) : λόγος.

διαφέρειν 1° à l'actif a) « différer » ; b) « importer » (souvent impersonnel) ; c) « l'emporter » (sur) ; 2° (au moyen) « différer » (d'avis).

1° a) εἴ τι διοίσουσιν ἀλλήλων G. 472 c 6.

b) ἔδοξεν μέγα διαφέρειν ... τὸ νόμιμον L. VI 780 b 8 διαφέρει δ' οὐ σμικρόν L. X 887 b 6.

c) οἱ διαφέροντες ... εἰς ἀρετὴν ... γυναικῶν οὐδὲν διαφέρουσιν Ap. 35 b 1 et 4 (cf. a 1-2).

2° διαφέρονται ἀλλήλοις Euph. 7 b 3 (cf. 8 b 6 La. 186 d 4) ἐκ διαφερομένων ... ὁμολογησάντων B. 187 a 9 τὰ μὲν ὁμονοοῦντας, τὰ δὲ διαφερομένους Le. II 311 b 6.

Adv. (1° c) : διαφερόντως (Pr. 328 b 2).

Ass. et opp. (2°) : ὁμολογεῖν 3°, ὁμονοεῖν.

Opp. (2°) : συμφέρεσθαι.

διαφθείρειν 1° « détruire, ruiner » (la vie, l'État, les lois, l'argument) ; 2° « corrompre » (moralement : l'âme, les mœurs, la jeunesse).

1° διαφθεῖραι (τοὺς νόμους) Cr. 52 c 9 διαφθείρεις ... τοὺς ... λόγους G. 495 a 7 (cf. Pr. 360 a 6 Euth. 297 a 5) μὴ (ἡ ψυχὴ) ... διαφθείρηταί τε καὶ ἀπολλύηται Pd. 70 a 3 (cf. Cr. 47 d 3 e 7 R. X 608 e 3, 609 d 1) πολιτείας ... σῳζούσας καλὰ ... πράγματα ἢ καὶ τοὐναντίον διαφθειρούσας L. III 686 c 2 (cf. 688 c 7, 690 e 1 et 8, 691 a 8, 692 d 6).

2° Σωκράτης ... διαφθείρει τοὺς νέους Ap. 23 d 1 (cf. 24 b 9 c 4 d 3, 25 a 3 et 6 d 4, 30 b 5, 33 d 1 Euph. 2 c 4-5-6, 3 a 1 et 9 M. 89 b 5, 91 e 4) μὴ ... λήσετε διαφθαρέντες G. 487 d 2 ἐὰν μὴ ὑπὸ κακῆς τροφῆς διαφθαρῇ R. IV 441 a 4 (cf. L. III 695 a 6 V 735 c 1) τὰς κατὰ φύσιν ... ἡδονὰς ... διεφθαρκέναι L. I 636 b 6 ἐν ψυχαῖς διεφθαρμέναις L. VIII 835 c 6 (cf. 841 b 7 X 888 a 6 XI 919 b 8).

App. : διολλύναι.

App. et ass. (1°) : ἀπολλύναι.

Ass. : λωβᾶσθαι.

Ass. et opp. (1°) : σῴζειν.

Syn. : φθείρειν (avec les distinctions de J. Brunel, *L'Aspect...*, p. 222-223).

διαφθορά, ἡ 1° « destruction, ruine » ; 2° « corruption ».

1° πολεμεῖν ... μεχρὶ διαφθορᾶς Mx. 242 d 4 ἐπὶ διαφθορᾶς κίνδυνον Po. 273 d 3 ἐν τῇ καταστάσει ... ἢ τῇ διαφθορᾷ Ph. 46 c 6 (cf. So. 228 a 7).

2° φιλοσοφία ... διαφθορὰ τῶν ἀνθρώπων G. 484 c 8 λώβη τε καὶ διαφθορὰ τῶν συγγιγνομένων M. 91 c 5 ταύτης ... τῆς φύσεως ... τὰς φθοράς ... Τίνας ... τὰς διαφθορὰς λέγεις ; R. VI 491 a 6 (réc. 495 a 10 ὄλεθρός τε καὶ διαφθορά ; cf. L. VII 792 c 3).

App. et ass. (2°) : λώβη, ὄλεθρος, φθορά (a).

Ass. et opp. (1°) : κατάστασις.

διαφθορεύς, ὁ « destructeur, corrupteur » ὅστις ... νόμων διαφθορεύς ... δόξειεν ἂν νέων ... διαφθορεὺς εἶναι Cr. 53 c 1 et 2 (cf. b 7)*.

διαφορά, ἡ a) « différence » (intrinsèque) ; b) « dissentiment, différend ».

a) τὴν διαφορὰν ἑκάστου ἂν λαμβάνῃς ᾗ τῶν ἄλλων διαφέρει, λόγον ... λήψῃ Tht. 208 d 6 (cf. e 4).

b) ἔχθραν ... ἡ περὶ τίνων διαφορὰ ποιεῖ ; Euph. 7 b 7 τὴν πρὸς τοὺς Ἕλληνας διαφορὰν ... στάσιν ἡγήσονται R. V 470 e 13 ἐκ διαφορᾶς εἰς φιλίαν ... καθιστάναι L. IX 862 c 3 (cf. Le. II 311 b 4).

App. et ass. (b) : ἔχθρα, στάσις.

Ass. et opp. (b) : φιλία.

Syn. (a) : διαφορότης (b ; cf. Tht. 209 a 5).

διάφορος 1° « différent » (intrinsèquement) ; 2° « hostile » a) adj. ; b) subst. m.

1° διάφορόν τι μνημεῖον παρ' ἐμοὶ ... κατάθηται Tht. 209 c 6.

2° a) ὁ μὴ σώφρων (θεῷ) ἀνόμοιός τε καὶ διάφορος L. IV 716 d 3.

b) οἱ διάφοροί τε καὶ ἐχθροὶ ἀλλήλοις Pr. 337 b 3.

Adv. (1°) : διαφόρως (I. 531 b 4, ass. et opp. à ὁμοίως).

App. (1°) : ἀνόμοιος.

App. et ass. (2° b) : ἐχθρός.

Ass. (2° a) : ἀνόμοιος.

Opp. (1°) : ὁ αὐτός, ὅμοιος.

διαφορότης, ἡ « différence » a) numérique ; b) intrinsèque.

a) λογισμὸν ... τῆς διαφορότητος τοῖν ἀνδροῖν R. IX 587 e 6 (cf. Ph. 14 b 1) τό γε πρεσβύτερον διαφορότης νεωτέρου ἐστίν Pa. 141 c 1.

b) λόγος ... ἡ τῆς σῆς διαφορότητος ἑρμηνεία Tht. 209 a 5 (réc. de διαφορά 208 d 6 e 4 ; cf. 209 d 1) (ἐπιστήμη) ... δόξα ὀρθὴ μετ' ἐπιστήμης διαφορότητος Tht. 210 a 4 (cf. a 8) τὰς διαφορὰς ... ὁπόσαιπερ ἐν εἴδεσι κεῖνται Po. 285 b 2*.

Syn. (b) : διαφορά (a).

διαφωνεῖν « dissoner » οὔ σοι ὁμολογήσει Καλλικλῆς ... ἀλλὰ διαφωνήσει G. 482 b 5 τὴν λύραν ... ἀναρμοστεῖν τε καὶ διαφωνεῖν G. 482 b 7 εἴ σοι ἀλλήλοις συμφωνεῖ ἢ διαφωνεῖ Pd. 101 d 6 (cf. L. IX 860 a 5) οὐκ ἂν διαφωνοῦντα παρέχοι τὸν λόγον L. IX 860 a 1 (cf. 859 a 1).

App. et ass. : ἀναρμοστεῖν.

Ass. et opp. : ὁμολογεῖν, συμφωνεῖν.

διαφωνία, ἡ « dissonance » τὴν διαφωνίαν λύπης τε καὶ ἡδονῆς πρὸς τὴν κατὰ λόγον δόξαν ἀμαθίαν φημὶ εἶναι L. III 689 a 7 (réc. 691 a 5)*.

Opp. : συμφωνία.

διαχωρίζειν 1° « séparer » ; 2° « distinguer ».

1° ἀπὸ τῶν ἄλλων ... διαχωρίζειν τὸ ζητούμενον Po. 262 b 2 (cf. 287 b 6 T. 59 c 4) κατὰ γένη διαχωρισθέντα ἕκαστα T. 58 a 3.

2° διακεχώρισται τό τε διαλεκτικῶς ... καὶ τὸ ἐριστικῶς ... ποιεῖσθαι ... τοὺς λόγους Ph. 17 a 3*.

App. : διαιρεῖν.

Syn. : χωρίζειν (avec les nuances d'aspect).

διδακτός : v. διδάσκειν.

διδασκαλία, ἡ « enseignement » ὁ τρόπος οὗτος τῆς διδασκαλίας τῶν ὄντων Cra. 435 e 7 τούτων ... αὐτῶν διδασκαλία καὶ παράδοσις L. VII 803 a 2.

App. et ass. : παράδοσις (b).

Syn. : διδαχή.

διδασκαλικός 1° adj. « apte à enseigner (à instruire) » ; 2° subst. a) m. « instructeur » ; b) f. (sous-entendu τέχνη) et c) n. « art, vertu d'instruire ».

1° πειθοῦς ... πιστευτικῆς ἀλλ' οὐ διδασκαλικῆς G. 455 a 1 (réc. a 4 avec πειστικός ; cf. Euph. 3 c 8) ὄνομα ... διδασκαλικόν τί ἐστιν ὄργανον καὶ διακριτικὸν τῆς οὐσίας Cra. 388 b 13.

2° a) διδασκαλικὸς δὲ ὀνόματι (καλῶς χρήσεται) Cra. 388 c 6 (cf. d 6).

b) διδασκαλικῆς ... ἓν μόνον γένος So. 229 a 11 (cf. a 9 b 7 c 11 d 10, 231 b 6).

c) μουσικῆς τὸ διδασκαλικὸν ... ἀπέδομεν L. VII 813 b 2.

Adv. : διδασκαλικῶς (Cra. 388 c 7*).

Ass. et opp. (1°) : πειστικός, πιστευτικός.

διδάσκαλος, ὁ « maître » εὑρηκέναι ᾤμην διδάσκαλον τῆς αἰτίας Pd. 97 d 6 οὐ ... ἂν ὁ θεὸς οὗτος διδάσκαλος γένηται, ἐλλόγιμος ... ἀπέβη B. 197 a 5 ἄρχοντας καὶ διδασκάλους ... θεοὺς ἐπηγάγετο Mx. 238 b 2 ἡγεμόνες καὶ διδάσκαλοι τοῖς ἄλλοις γενόμενοι Mx. 240 d 5 (cf. R. X 595 c 2) πειθοῦς ... διδάσκαλοι R. II 365 d 3 φοιτηταὶ ... διδασκάλων ὀλιγωροῦσιν R. VIII 563 a 6 (cf. a 5) οὐ ... μαθητὴς ἀλλὰ διδάσκαλος L. II 659 b 2 διδάσκαλος ... ἂν ὁ λόγος οὗτος γίγνοιτο ὡς οὐ χρὴ πλουτεῖν ζητεῖν L. IX 870 b 6.

Ass. : ἄρχων, ἡγεμών.

Ass. et opp. : μαθητής, φοιτητής.

διδάσκειν « enseigner, instruire » διδάσκειν καὶ νουθετεῖν Ap. 26 a 4 (cf. Pr. 323 d 2, 325 c 7 L. VIII 845 b 5 X 888 a 2) διδάσκειν καὶ πείθειν Ap. 35 c 2 (cf. La. 181 d 6) ὅπως ἄν με διδάξῃς περὶ τοῦ ὁσίου Euph. 11 e 3 (cf. 9 d 8, 12 e 1, 14 c 1) οὔτε νουθετεῖ οὐδὲ διδάσκει οὔτε κολάζει Pr. 323 d 2 (cf. 325 a 9) μαθεῖν τε καὶ διδάξαι Cra. 427 e 6 (cf. G. 457 c 8 Ph. 16 e 4 L. XI 934 e 5 XII 953 d 5).

Adj. verbal : διδακτός « enseignable » οὐ διδακτὸν εἶναι Pr. 319 b 2 (cf. a 9 d 7, 357 e 7 R. VI 488 b 7 et 8) διδακτόν ἐστιν ἡ ἀρετή Pr. 320 c 1 (cf. 324 c 5, 325 b 4, 328 c 4, 361 a 3 c 6 M. 70 a 1, 95 b 5 e 2, 98 d 7 Euth. 274 e 5, 282 c 5) μαθητά τε καὶ διδακτά Pr. 319 c 1 οὐ φύσει ... ἀλλὰ διδακτόν τε καὶ ἐξ ἐπιμελείας Pr. 323 c 6 διδακτὸν καὶ παρασκευαστόν Pr. 324 c 7 (cf. c 5, 319 b 2) διδακτοῦ ... καὶ θεραπευτοῦ Pr. 325 b 5 οὐ διδακτὸν ἀλλ' ἀσκητόν, ἢ οὔτε διδακτὸν οὔτε μαθητόν, ἀλλὰ φύσει M. 70 a 2.

App. et ass. : νουθετεῖν, πείθειν.

Ass. : κολάζειν. — Ass. et opp. : μανθάνειν.

App. et ass. à διδακτός : θεραπευτός, παρασκευαστός.

Ass. et opp. à διδακτός : ἀσκητός, μαθητός, φύσει.

διδαχή, ἡ « enseignement » φύσει τε καὶ τύχῃ ..., ὅσα δὲ ἐξ ἐπιμελείας καὶ ἀσκήσεως καὶ διδαχῆς Pr. 323 d 8 οὔ φημι διδαχὴν εἶναι ἀλλὰ ἀνάμνησιν M. 82 a 1 διδαχῇ καὶ νουθετήσει R. III 399 b 4 cf. L. VII 788 a 4 ἄνευ ἀνακρίσεως καὶ διδαχῆς Phr. 277 e 9 μετ' ἀναγκαίας διδαχῆς καὶ παιδεύσεως Po. 274 c 7 διὰ μυθολογίας ἀλλὰ μὴ διὰ διδαχῆς Po. 304 d 2 διδαχῆς χάριν L. IX 880 d 9 διδαχὴ μετὰ συνουσίας πολλῆς L. XII 968 c 6 πειθοῖ καὶ διδαχῇ Le. VII 332 a 5 (cf. T. 51 e 3).

Ass. : ἀνάκρισις, ἄσκησις, ἐπιμέλεια, παίδευσις, πειθώ, συνουσία 2°.

App. et ass. : νουθέτησις.

Ass. et opp. : ἀνάμνησις, μυθολογία (a). — Syn. : διδασκαλία.

διδόναι 1° « donner » ; 2° « accorder » (dans la discussion) ; 3° [avec a) ἔλεγχος et b) λόγος] « rendre » (compte, raison), [avec c) πεῖρα] « faire » (l'épreuve), « donner » (une preuve), [avec d) δίκη ou τιμωρία] « donner » (une satisfaction), « subir » (une peine).

1° « donner » (dieux) τοῦτο ... μοί πως ἐκ θεοῦ δέδοται Ly. 204 c 1 δίδου ... τίμιον εἶναι Phr. 257 a 9 δοίητέ μοι καλῷ γενέσθαι τἄνδοθεν Phr. 279 a 9 (prière en forme de trimètre iambique) οἷς ... θεὸς ἔδωκε ... οἰκίζειν L. V 737 b 5 εὐδαίμονι χορείᾳ Μουσῶν δεδομένη Ep. 991 b 5.

2° « accorder » (discussion) εἰ ... τις καὶ πλέον ... συγχωρήσειεν, δοὺς ... εἶναι ... τὰς ψυχάς Pd. 88 a 2 (cf. a 7, 100 b 6 c 1 Ch. 172 d 2) ἔδωκα ὑμῖν τὸν δίκαιον δοκεῖν ἄδικον εἶναι R. X 612 c 7 (cf. c 9 Tht. 166 b 5, 199 a 1) τυραννουμένην μοι δότε τὴν πόλιν L. IV 709 e 6 τὸ δέ μοι δεδομένον ὑπὸ σφῷν ἴτω L. VIII 837 e 6.

3° « rendre » (compte, raison) ..., d'ordinaire par l'échange dialectique des questions et réponses.

a) avec ἔλεγχος : διδόναι ἔλεγχον ἀποκρινόμενος τὰ ἐρωτώμενα G. 474 b 1 διδόναι ἔλεγχον τοῦ βίου Ap. 39 c 7 (cf. L. X 891 a 2).

b) avec λόγος : ἐρωτᾶσθαί τε καὶ διδόναι λόγον La. 187 c 2 (cf. Pr. 339 a 3) διδόντες τε καὶ δεχόμενοι λόγον παρ' ἀλλήλων La. 187 d 3 διδόναι περὶ αὑτοῦ λόγον ὅντινα τρόπον νῦν ... ζῇ La. 187 e 10 διαλέγεσθαι οἷός τ' εἶναι καὶ ἐπίστασθαι λόγον τε δοῦναι καὶ δέξασθαι Pr. 336 c 1 (cf. d 1, 338 e 6, 348 b 5 Ch. 165 b 3 Pd. 76 b 5 et 6 B. 202 a 3 Tht. 177 b 2, 202 c 3 Po. 286 a 5) λόγον ἔχει ... ἑκάστου δοῦναι ἡ ἰατρική G. 501 a 3 (cf. M. 81 b 1 B. 202 a 4) ἡ οὐσία ἧς λόγον δίδομεν τοῦ εἶναι καὶ ἐρωτῶντες καὶ ἀποκρινόμενοι Pd. 78 d 1 λόγον διδόναι ὡς ἀθάνατόν ἐστιν Pd. 95 d 7 (cf. 101 d 7 Cra. 426 a 3 R. VI 493 d 9, 510 c 8 VII 534 b 5 Tht. 160 a 7, 175 d 1, 183 d 5 L. IX 861 b 8 Ep. 977 c 7) δοῦναί τε καὶ ἀποδέξασθαι λόγον R. VII 531 e 5 (cf. L. IV 720 c 5) λόγον ἑαυτοῖς δόντες ἡγήσασθαι So. 230 a 5 ταύτης πέρι συμπάσης συμβουλὴν ... δόντες καὶ λόγον L. XI 918 a 9 παρὰ θεοὺς ἄλλους ἀπιέναι δώσοντα λόγον L. XII 959 b 5 ὅσα ... λόγον ἔχει, τούτων ... δοῦναι τὸν λόγον L. XII 968 a 1.

c) avec πεῖρα : ἔδωκας σαυτοῦ πεῖραν ἀρετῆς La. 189 b 5 ἐν τοῖς ἑαυτῶν λόγοις πεῖραν ἀλλήλων λαμβάνοντες καὶ διδόντες Pr. 348 a 2 (cf. a 6).

d) avec δίκη ou τιμωρία : v. ces mots.

App. : (3° b et d) ὑπέχειν 2° a-b.

App. et ass. : (2°) συγχωρεῖν 2° ; (3° b) διαλέγεσθαι, ἐπίστασθαι.

Ass. et opp. : (ἀπο)δέχεσθαι, λαμβάνειν. — Syn. (1°) : δωρεῖσθαι.

διειδέναι « connaître à fond » τὴν ὁμοιότητα τῶν ὄντων καὶ ἀνομοιότητα ἀκριβῶς διειδέναι Phr. 262 a 7 (cf. L. I 626 b 6)*.

App. : διορᾶν.

διελέγχειν « chicaner sans cesse » φοβοῦμαι ... διελέγχειν σε G. 457 e 4*.

διεξιέναι 1° « passer » (la vie) ; 2° « exposer ».

1° μετρίως τὸν βίον διεξελθοῦσα Pd. 108 c 3 (cf. L. VII 803 d 8, 823 a 2).

2° διεξῄει τὰ ἐρωτώμενα Pr. 315 c 7 (cf. Ep. 973 a 3 et 6).

App. (1°) : διάγειν, διαζῆν.

διέξοδος, ἡ « exposition » τῆς διὰ πάντων διεξόδου τε καὶ πλάνης Pa. 136 e 1.

App. et ass. : πλάνη (c).

διερευνᾶν (à l'actif et au moyen) « rechercher, pénétrer » πάντας χρὴ διερευνᾶσθαι ζητοῦντας τοιοῦτον ἐπῳδόν Pd. 78 a 4 (cf. Tht. 174 b 6) διερευνήσασθαι τί ... ἐστιν ἑκάτερον R. II 368 c 5 (cf. Ch. 166 d 1 So. 243 d 4, 260 e 5) ταῦθ' ... ἡμῖν αὖ καθάπερ κυσὶν ἰχνευούσαις διερευνητέον L. II 654 e 4 (cf. V 735 c 7 Mx. 240 b 4 So. 236 b 2, 241 b 6).

App. : ἐξετάζειν. — App. et ass. : ζητεῖν, ἰχνεύειν.

Syn. : ἐρευνᾶν (avec les différences d'aspect ; cf. J. Brunel, *L'Aspect...*, p. 148).

διηνεκής a) « continu » ; b) « perpétuel ».

a) διηνεκῆ [F : δια - TW] σώματα H. M. 301 b 6 (cf. e 3 [même var.])*.

b) νόμος ... διηνεκής L. VIII 839 a 3*.

App. : συνεχής.

διιστάναι (à l'actif et au moyen) 1° « séparer » ; 2° « distinguer ». 1° ἐὰν διαστησώμεθα τόν τε δικαιότατον καὶ τὸν ἀδικώτατον R. II 360 e 2 (cf. VIII 564 c 11) τρίτον ... εἶδος γραμμάτων διεστήσατο Ph. 18 c 2 (cf. 23 d 2).

2° τριττὰ εἴδη ψυχῆς διαστησάμενοι R. VI 504 a 6 τὰ τῶν βίων ... σχήματα διαστήσασθαι L. VII 803 a 7.

App. : διαιρεῖν.

διισχυρίζεσθαι « s'acharner à prétendre » ou « à soutenir » ὁ ... σαφῶς εἰδέναι διισχυρίζου Euph. 5 c 8 (cf. Ch. 168 a 7, 169 b 1) τοῦτο ... οὐκ ἂν πάνυ διισχυρισαίμην Pd. 63 c 2 (cf. c 4, 86 a 5, 100 d 6, 114 d 1 M. 86 b 8 Cra. 440 c 6 Tht. 158 d 6) ἐπίστασθαι ... διισχυριούμεθα Tht. 163 b 7 (cf. 180 e 3 T. 49 d 3, 51 c 7, 72 d 8 L. I 641 d 6 IV 712 e 8 VII 799 d 7 IX 859 d 6 Ep. 986 e 2, 992 b 2).

App. : ἀναγκάζειν 2°, βιάζεσθαι (b), ἰσχυρίζεσθαι (b).

δίκαιος « juste » 1° adj. ; 2° subst. a) m. ; b) n.

1° τὸ μὲν δίκαιον, τὸ δὲ ἄδικον Pr. 325 d 3 τῶν τότε ... ἀρίστου καὶ ἄλλως φρονιμωτάτου καὶ δικαιοτάτου Pd. 118 a 15 (cf. Le. VII 324 e 2) σοφή τ' ... καὶ ἀνδρεία καὶ σώφρων καὶ δικαία R. IV 427 e 10 (cf. 435 b 4 A. 121 e 7 Ep. 979 c 6 Le. VII 336 a 9) τὸν ὅσιον καὶ δίκαιον βίον L. II 663 b 3 d 4 ἀπαραμύθητοι τῶν περὶ τὰ δίκαια ... πράγματα Ep. 980 d 2.

2° a) ὁ ... δίκαιος ἡμῖν ἀναπέφανται ὡς ἀγαθός τε καὶ σοφός, ὁ δὲ ἄδικος ἀμαθής τε καὶ κακός R. I 350 c 10 ἄμεινον ... οἱ δίκαιοι τῶν ἀδίκων R. I 352 d 2.

b) παρὰ τὸ δίκαιον Ap. 32 a 7 (cf. a 2 c 1) βιαιῶν τὸ δικαιότατον G. 484 b 7 [codd.] (cf. L. X 890 a 4) τοῦ δικαίου καὶ δικαιοσύνης R. I 343 c 1 (cf. c 3 G. 460 e 6) τὸ φύσει δίκαιον R. VI 501 b 2 (cf. III 405 b 3) τὰ δίκαια καὶ ὅσια Po. 301 d 2 (cf. G. 507 b 2). τὸν ὅρον ... τῶν δικαίων L. XII 962 d 10 (cf. Ep. 976 b 4).

Adv. : δικαίως (R. I 331 a 4, app. et ass. à ὁσίως ; L. V 743 b 5-6 ass. et opp. à ἀδίκως).

App. et ass. : (1°) ἀγαθός, ὅσιος ; (2° b) δικαιοσύνη.

Ass. (1°) : ἀνδρεῖος, σοφός, σώφρων, φρόνιμος.

Ass. et opp. : ἄδικος.

δικαιοσύνη, ἡ « justice » (vertu cardinale) ἀνδρεία καὶ σωφροσύνη καὶ δικαιοσύνη Pd. 69 b 3 (cf. 82 b 2, 114 e 5 Pr. 323 a 2) περί τε τοῦ δικαίου καὶ δικαιοσύνης R. I 343 c 1 δέδοικα ... μὴ οὐδ' ὅσιον ᾖ παραγενόμενον δικαιοσύνη κακηγορουμένῃ ἀπαγορεύειν R. II 368 b 8 δικαιοσύνας τε καὶ ἀδικίας διόψεται R. X 611 c 5 (cf. I 351 a 3 ; défin. IV 444 d 8) ἀνδρεία, σωφροσύνη, δικαιοσύνη, φρόνησις L. XII 964 b 6 (cf. 965 d 2 Pd. 69 c. 1 R. IV 433 b 11 et, avec σοφία, VI 504 a 6).

App. : ὁσιότης. — App. et ass. : (τὸ) δίκαιον.

Ass. : ἀνδρεία, σοφία, σωφροσύνη, φρόνησις.

Ass. et opp. : ἀδικία. — Syn. : δικαιότης.

δικαιότης, ἡ « justice » (au lieu de δικαιοσύνη, pour l'assonance) ἤτοι ταὐτόν γ' ἐστὶν δικαιότης ὁσιότητι ἢ ὅ τι ὁμοιότατον Pr. 331 b 5 κοσμιότητα καὶ σωφροσύνην καὶ δικαιότητα G. 508 a 3*.

App. et ass. : ὁσιότης.

Ass. : κοσμιότης, σωφροσύνη.

Opp. : ἀδικία.

Syn. : δικαιοσύνη.

δικαίωμα, τό « sanction » L. IX 864 e 3*.

δικανικός a) « judiciaire » ; b) « chicanier ».

a) σοφίαν δημηγορικήν τε καὶ δικανικὴν διδόντες R. II 365 d 4 (cf. So. 222 c 9).

b) τὸν σμικρὸν ... τὴν ψυχὴν καὶ δριμὺν καὶ δικανικόν Tht. 175 d 2 (cf. Ap. 32 a 8).

Ass. et opp. (a) : δημηγορικός.

δίκη, ἡ a) « justice » (faite) ; b) « Justice » (personnifiée).

a) δίκην διδόναι Euph. 8 b 8 c 2 et 7 d 1 et 4 e 1 G. 472 e 6, 476 a 6 Pd. 113 d 8 Cra. 400 c 5 R. I 330 d 9 Tht. 181 a 1 L. VI 778 c 8 τίσεώς τε καὶ δίκης G. 523 b 4 δίκην τίνειν Pd. 81 d 8 Tht. 177 a 2 (δίκην ἐκτίνειν Phr. 249 a 7 L. IX 870 e 1) δίκην ὑπέχειν Pd. 98 e 4, 99 a 4 R. V 457 e 7 L. VI 754 e 4 VIII 844 d 1 XI 921 a 4 δίκας τε καὶ τιμωρίας R. X 616 a 8 (cf. G. 472 d 8 L. IX 857 a 4).

b) Αἰδῶ τε καὶ Δίκην Pr. 322 c 2 (cf. c 4 L. XII 943 e 3) ἀεὶ συνέπεται Δίκη τῶν ἀπολειπομένων ... τιμωρός L. IV 716 a 2 (cf. IX 872 e 2 T. 41 c 7 Ep. 988 e 5) ὑποσχὼν τιμωρίαν ... τῇ Δίκῃ L. IV 716 b 4 Δίκης Νέμεσις ἄγγελος L. IV 717 d 2.

App. : θέμις.

App. et ass. : (a) τιμωρία, τίσις ; (b) Νέμεσις.

Ass. : αἰδώς.

Ass. et opp. : τιμωρία (L. V 728 c 2, 735 e 1).

διοικεῖν « administrer » (ψυχὴ) πάντα τὸν κόσμον διοικεῖ Phr. 246 c 2 (cf. L. X 896 d 10 e 2, 905 e 3) τὰ ἀνθρώπινα διοικοῦσα ... πάντα L. IV 713 c 6 (réc. de διακυβερνῶσι 709 b 8).

App. : διακυβερνᾶν.

διολλύναι « ruiner à fond » τὸ τῆς ψυχῆς πτέρωμα αἰσχρῷ ... φθίνει τε καὶ διόλλυται Phr. 246 e 4 (cf. R. VI 491 e 5) τὴν πόλιν ... ταχὺ διώλεσαν L. XII 945 e 2.

App. : ἀπολλύναι, (δια)φθείρειν.

App. et ass. : φθίνειν.

διορᾶν « scruter, découvrir » λόγος ... οὐ ῥᾴδιος διιδεῖν Pd. 62 b 6 (cf. Phr. 264 c 1, 277 b 8 L. VI 772 d 5) δύναται τῇ διανοίᾳ εἰς ἀνδρὸς ἦθος ἐνδὺς διιδεῖν R. IX 577 a 3 (cf. a 5 IV 423 e 7 VII 519 a 3 X 611 c 5) διόψεσθαι τὸ ἀληθές Pa. 136 c 6 διορώμενον ὅλον αὐτῶν ἑκάτερον Ep. 984 e 5.

App. : διειδέναι.

διορίζειν (à l'actif et au moyen) 1° « diviser, séparer » ; 2° « distinguer » ; 3° « définir ».

1° οὐ συγκεχυμένα ἀλλὰ διωρισμένα R. VII 524 c 7 πολλὰς χωρὶς πάντη διωρισμένας (sc. ἰδέας) So. 253 d 9 (cf. οὗ δὴ διωρισμένη ἀρετὴ καὶ κακία κεῖται L. I 644 e 4) τὸ ... φανταστικὸν αὖθις διορίζωμεν δίχα So. 267 a 1.

2° διορίζηται τῶν ἡδονῶν ὁποῖαι ἀγαθαὶ καὶ κακαί G. 495 a 1 (cf. 488 d 3 Cra. 391 d 4 R. V 477 c 8 VI 507 b 3 Tht. 192 a 1 Po. 301 b 1) χρὴ δύ' αἰτίας εἴδη διορίζεσθαι T. 68 e 7 (cf. L. VI 777 b 6 IX 860 e 8, 863 e 6).

3° περὶ ὧν ἂν ἐπιχειρήσωσιν διαλέγεσθαι διορισάμενοι πρὸς ἀλλήλους G. 457 c 7 ἐπὶ ποτέραν ... με παρακαλεῖς τὴν θεραπείαν ... διόρισόν μοι G. 521 a 3 (cf. R. X 598 a 6 I 341 b 4, 344 e 1) ἐάνπερ βούλῃ ἀκριβῶς διορίζειν R. I 346 b 3 (cf. IV 436 b 3 V 474 b 5) βούλει διορίζειν σαφέστερον εἶναι R. VI 511 c 4 (cf. Po. 267 d 11 L. IV 712 e 5 Ep. 973 c 5) διορίσασθαι τῷ λόγῳ ἀπὸ τῶν ἄλλων πάντων ἀφελὼν τὴν τοῦ ἀγαθοῦ ἰδέαν R. VII 534 b 9 (cf. T. 51 b 7) μήτε ὡς ἓν μήτε ὡς πολλὰ διορίζειν So. 239 a 9 (cf. Pa. 133 a 9) χαλεποὶ διορίζειν οἱ τῷ θυμῷ πραχθέντες φόνοι L. IX 867 b 1.

App. : διαιρεῖν.

Ass. et opp. (1°) : συγχεῖν.

Syn. : ὁρίζειν (avec les distinctions de J. Brunel, *L'Aspect*..., p. 158-159) ; (1°) χωρίζειν 2° (R. VII 524 c 4).

διόρισις, ἡ « distinction » L. VI 777 b 5*.

διορισμός, ὁ « division » ὁ διορισμὸς [BWY : ὅδ' ὁρισμὸς T] ἔγκαιρος ἄν σοι γένοιτο Po. 282 e 2 (cf. T. 38 c 6)*.

διπλοῦς « double » (moralement) οὐκ ἔστιν διπλοῦς ἀνὴρ παρ' ἡμῖν οὐδὲ πολλαπλοῦς R. III 397 e 1.

Ass. : πολλαπλοῦς.

Opp. : ἁπλοῦς.

διστάζειν « douter » τὸ αὐτὸ ἤδη φῇ καὶ μὴ διστάζῃ Tht. 190 a 4 (cf. I. 534 e 2) καὶ νῦν ἔτι διστάζων Tht. 187 d 7 (cf. So. 235 a 2 L. X 897 b 5 Le. VII 328 b 7)*.

App. : ἀμφιγνοεῖν, ἀμφισβητεῖν.

διχόνοια, ἡ « mésentente » φιλίαν λέγεις ὁμόνοιαν ἢ διχόνοιαν ; A. 126 c 4*.

Ass. et opp. : ὁμόνοια.

διχοτομεῖν « partager (intégralement) en deux » τὸ παράνομον καὶ ἔννομον ἑκάστην διχοτομεῖ Po. 302 e 7*.

Syn. : δίχα διαιρεῖν (Po. 262 e 4).

διώκειν « poursuivre » τὴν ... ἡδονὴν διώκετε ὡς ἀγαθὸν ὄν, τὴν δὲ λύπην φεύγετε ὡς κακόν ; Pr. 354 c 3 (cf. R. IX 586 d 7 Phr. 239 c 5, 251 a 1 L. VII 792 c 9 IX 875 b 9) τὸ ἀγαθὸν ... διώκοντες G. 468 b 1 (cf. 480 c 7) ὃ δὴ διώκει ... ἅπασα ψυχή R. VI 505 d 13.

Opp. : φεύγειν.

Syn. : μεταδιώκειν.

δίωξις, ἡ « poursuite » a) au pr. ; b) au fig.

a) φυγαὶ καὶ διώξεις L. I 638 a 4.

b) τοῦ ὅλου ... τῇ ἐπιθυμίᾳ καὶ διώξει ἔρως ὄνομα B. 192 e 11.

App. et ass. (b) : ἐπιθυμία, ἔρως.

Ass. et opp. (a) : φυγή.

δόγμα, τό « croyance, maxime, décision » φυλακικοί ... τούτου τοῦ δόγματος R. III 412 e 6 (réc. 413 c 6) μετὰ τούτου τοῦ δόγματός τε καὶ ῥήματος R. V 464 a 1 (cf. So. 265 c 5) ταῦτα τὰ τῶν πολλῶν δόγματα R. VI 493 a 8 τοῦτο ... τὸ δόγμα ἕως ἂν κέηται παρ' ἡμῖν Ph. 41 b 5 (cf. T. 48 d 6 L. XI 933 b 5) λογισμός ... ὃς γενόμενος δόγμα πόλεως κοινὸν νόμος ἐπωνόμασται L. I 644 d 3 ἐμμεῖναι τούτῳ τῷ δόγματι L. IX 875 b 5 κύρια τελοῦντες τὰ τούτων δόγματα L. XI 926 d 2 (cf. VII 800 a 3).

App. : δόξα (5°).

Ass. : ῥῆμα.

δοκεῖν 1° « paraître » (par opposition à « être » : a) exprimée ; b) implicite ; ou c) absolument) ; 2° « paraître tel » (au jugement), d'où « croire ; 3° « paraître bon » (à la volonté), d'où « décider ».

1° « paraître » : a) (en opposition exprimée à un εἶναι) ἔδοξέ μοι ... δοκεῖν|μὲν εἶναι σοφός ..., εἶναι δ' οὔ Ap. 21 c 7 (cf. 36 d 9 G. 527 b 6 Euth. 305 c 9 R. II 361 a 5 c 1 d 1) κατ' Αἰσχύλον οὐ δοκεῖν ἀλλ' εἶναι ἀγαθὸν ἐθέλοντα R. II 361 b 7 (cf. 362 a 3 et 6) δίκαια μὲν πολλοὶ ἂν ἕλοιντο τὰ δοκοῦντα ..., ἀγαθὰ δὲ οὐδενὶ ἀρκεῖ τὰ δοκοῦντα κτᾶσθαι ἀλλὰ τὰ ὄντα ζητοῦσιν R. VI 505 d 8 et 10 (cf. IV 421 a 6) τὸ δοκοῦν ἑκάστῳ τοῦτο καὶ εἶναι τῷ δοκοῦντι Tht. 162 c 8 (cf. 172 b 5 Phr. 260 a 2).

b) en opp. implicite à un εἶναι (souvent au sens de « passer pour ») τῶν ... δοκούντων σοφωτέρων εἶναι Ap. 21 d 8 (cf. R. III 404 d 8, 406 c 8 IV 420 a 6 X 613 a 5) τούς τι δοκοῦντας εἰδέναι Ap. 22 a 1 τοῖς ἀεὶ δόξασιν ἀρίστοις εἶναι Mx. 238 d 5 (cf. d 8 L. VI 764 a 3 XII 950 b 5).

c) absolument : « paraître » (τὰ δοκοῦντα) πράττειν καὶ κεκτῆσθαι καὶ δοκεῖν R. VI 505 d 9 (cf. p.-ê. ἀφαιρετέον δὴ τὸ δοκεῖν R. II 361 b 8).

2° « croire, s'imaginer » δοκεῖν σοφὸν εἶναι μὴ ὄντα Ap. 29 a 7 (cf. 41 e 4) σὲ μὲν οὐδὲ δοκεῖ ὁρᾶν Euph. 5 c 6 (cf. R. VIII 555 e 2) παρὰ τὰ δοκοῦντα σαυτῷ « contre ta pensée » G. 495 a 9 (cf. R. I 349 a 7 VI 506 b 7, 509 c 3) ὅ τις οὐκ ἄν ποτε δόξειεν Ep. 990 a 3 (cf. Tht. 162 d 1).

Au passif : ὁμολογεῖν περὶ αὐτῆς (= δικαιοσύνης d 4) δοκεῖσθαι οὕτω R. X 612 d 6 (cf. τοῖς νῦν δοκουμένοις περὶ αὐτοῦ VI 490 a 6 δεδογμένον γέ ἐστι Ap. 35 a 1 τὸ νῦν ... δεδογμένον L. XII 967 b 2 τά γε δεδογμένα ἐμοί L. XII 969 a 2) αἰσχρὸν δεῖ δεδόχθαι πᾶσι L. VII 808 a 2.

3° « juger bon, décider, décréter » ἡμῖν ... τούτων δέδοκται ἐπιμεληθῆναι La. 179 a 6 (cf. R. V 450 a 5 Phr. 228 e 2, 256 c 6) ἐγώ ... μοι δοκῶ ... ὑφηγήσασθαι Euth. 288 c 5 (cf. Phr. 230 e 3) διαφυλάξαι ἃ ἐδέδοκτο αὐτῇ Mx. 244 e 5 ἃ δόξειεν αὐτῷ διαπονεῖσθαι ... τέλος ἐπιτιθεὶς τοῖς δόξασι Cra. 395 a 6-7 (cf. Tht. 177 d 1) δοκεῖ μοι ... ἄρχεσθαι (sc. νομοθέτην b 5) L. IV 718 b 6 δεδόχθω ... νόμους τὰς ᾠδὰς ... γεγονέναι L. VII 799 e 10.

App. : (3°) ἀρέσκειν ; (2°-3°) συνδοκεῖν.

Ass. et opp. (1°) : εἶναι.

Syn. : (1°) φαίνεσθαι (2° b) ; (2°) οἴεσθαι.

δοκιμάζειν « éprouver » ἀρετῇ ἀσκεῖσθαι καὶ δοκιμάζεσθαι ... ἐμπόδιος R. III 407 c 4 δοκιμάζειν τὰ Ἡσιόδου ... γένη R. VIII 546 e 1 ἱκανῶς γνόντας τε καὶ δοκιμάσαντας Ep. 992 d 8 (cf. 988 e 5).

App. : βασανίζειν, ἐλέγχειν, ἐξετάζειν.

Ass. : ἀσκεῖν, γιγνώσκειν.

δόκιμος « réputé » δοκίμων ἀνδρῶν βίους ... καὶ ἀδοκίμων R. X 618 a 7*.

Ass. et opp. : ἀδόκιμος.

Syn. : εὐδόκιμος, εὔδοξος.

δόξα, ἡ 1° « apparence » (par opposition à « réalité » ou à « existence ») ; 2° « opinion » par opp. à « science » (souvent alors déterminée par ἀληθής, ὀρθή, ψευδής) ; 3° « opinion » a) personnelle (« pensée ») ; b) commune (« reçue ») ; c) l'un et l'autre ; 4° « réputation, gloire » ; 5° « décision ».

1° « apparence » ἀντὶ δόξης ἀλήθειαν καλῶν B. 218 e 7 ἐπιτηδεύοντα πρᾶγμα ἀληθείας ἐχόμενον καὶ οὐ πρὸς δόξαν ζῶντα R. II 362 a 6 τὰ ὄντα ζητοῦσιν, τὴν δὲ δόξαν ... πᾶς ἀτιμάζει R. VI 505 d 10 μὴ κατὰ δόξαν ἀλλὰ κατ' οὐσίαν προθυμούμενος ἐλέγχειν R. VII 534 c 2 σοφίας ... δόξαν, οὐκ ἀλήθειαν πορίζεις Phr. 275 a 6 (cf. L. IX 863 c 5) πληροῦσθαι ... δυνάμεως εἰς δόξαν « en imagination » L. I 649 b 3.

2° « opinion » ἕως γ' ἂν ... ὀρθὴν δόξαν ἔχῃ περὶ ὧν ὁ ἕτερος ἐπιστήμην M. 97 b 5 (cf. c 4, 7, 9 d 2, 98 a 8 b 2 c 1) ἀληθὴς δόξα ... οὐδὲν χεῖρον ἀπεργάζεται ἢ ἐπιστήμη M. 98 b 7 (cf. c 11, 97 b 9 c 2, 99 a 1 et 5) ἡ ὀρθὴ δόξα μεταξὺ φρονήσεως καὶ ἀμαθίας B. 202 a 7 (cf. L. I 632 c 5 II 653 a 8) οὐ κατὰ πᾶσαν δόξαν ... ἀλλὰ κατὰ τὴν ὀρθήν Cra. 387 b 3 (cf. R. IV 430 b 3 et 7) μετὰ νοῦ τε καὶ δόξης ὀρθῆς R. IV 431 c 6 (cf. Pd. 96 b 6-7 R. IX 585 b 14 Tht. 187 b 6 c 5) ὀνομάζοντα ... σοφίαν ... τὴν ἐπιστήμην, ... ἀμαθίαν δὲ τὴν ... δόξαν R. IV 444 a 2 τούτου μὲν τὴν διάνοιαν ὡς γιγνώσκοντος γνώμην ἂν ... φαῖμεν εἶναι, τοῦ δὲ δόξαν ὡς δοξάζοντος R. V 476 d 6 ἕτερον ἐπιστήμης δόξα R. V 478 a 1 (cf. 477 b 9 réc. e 6) τὰς ἄνευ ἐπιστήμης δόξας R. VI 506 c 5 (cf. 508 d 9 VII 534 c 6) μεταξύ τι δόξης τε καὶ νοῦ τὴν διάνοιαν οὖσαν R. VI 511 d 6 (réc. VII 532 d 6) ὅ τι οὐσία πρὸς γένεσιν, νόησιν πρὸς δόξαν R. VII 534 a 4 (cf. a 2 et 5) ἀληθινῆς δόξης ἑταῖρος Phr. 253 d 7 οὐδ' ἄρα δόξα ... οὐδέ τι φάντασμα Pa. 166 a 6 (δόξα) ὀρθὴ ἢ ψευδής Tht. 161 d 5 (cf. Ph. 37 e 10) καλῶ ... τὴν δόξαν λόγον εἰρημένον ... σιγῇ πρὸς αὐτόν Tht. 190 a 5 ψευδὴς ... δόξα ἔσται τἀναντία τοῖς οὖσι δοξάζουσα So. 240 d 6 (cf. d 9) δόξαν καὶ φαντασίαν So. 260 e 4 (cf. 264 a 2 b 1 Tht. 161 e 8) μίαν ἀληθῆ δόξαν Po. 278 c 7 (cf. 301 b 2) δόξαν τε ὀρθὴν καὶ ἀληθεῖς λογισμούς Ph. 11 b 8 (cf. L. X 896 c 9) δόξαι ἀληθεῖς ἢ ψευδεῖς Ph. 36 c 12 (cf. 37 b 6 c 1, 38 a 6 b 6 et 10) τὸ ... δόξῃ μετ' αἰσθήσεως ἀλόγου δοξαστόν T. 28 a 2 (cf. c 1, 52 a 8 Ch. 159 a 3 Tht. 179 c 4 So. 264 b 1 Ph. 38 b 12) δόξαι καὶ πίστεις ... βέβαιοι καὶ ἀληθεῖς T. 37 b 8 (cf. Po. 309 c 6) εἰ ... νοῦς καὶ δόξα ἀληθής ἐστον δύο γένη T. 51 d 3 (cf. d 6, 77 b 6 Le. VII 342 c 5) τὰ θνητὰ ... πρὸς δόξαν ὄντα ἀπεικάζειν Criti. 107 e 3 τὴν διαφωνίαν ... πρὸς τὴν κατὰ λόγον δόξαν ἀμαθίαν φημὶ εἶναι L. III 689 a 8 (cf. b 2 Pr. 358 c 5 Tht. 170 b 10) δόξης τῆς ἀληθοῦς περὶ τὸ ἄριστον L. IX 864 b 7 παιδικῆς δόξης μεστός Ep. 974 a 7 (cf. 976 a 5) μνήμῃ καὶ τριβῇ δόξης ἤθεσιν προσέχοντες ... ἀληθείας δὲ ... παρεσφαλμένοι Ep. 976 b 3 τὸ ... δίκαιον ... οὐδείς ποτε μὴ γιγνώσκων, ἀληθοῦς δόξης ἐπιλαβόμενος, διαριθμήσεται Ep. 978 b 4 κατὰ δόξαν τὴν ἐπιεικῆ Ep. 984 b 5 ᾧ καὶ βραχὺ δόξης ὀρθῆς μετέδωκεν Le. VII 336 e 3 οἱ ... μὴ φιλόσοφοι, δόξαις δ' ἐπικεχρωσμένοι Le. VII 340 d 7.

3° a) « opinion personnelle » (« pensée ») ὅρα ... ταῦτα καθομολογῶν ὅπως μὴ παρὰ δόξαν ὁμολογῇς Cr. 49 d 1 (cf. Pr. 337 b 8 R. I 346 a 4, 350 e 6 Tht. 162 a 6) ἢ καὶ πλανᾶταί σου ἡ δόξα περὶ ταῦτα ; A. 117 b 8 ἃ ἂν τηλικοῦτος ὢν λάβῃ ἐν ταῖς δόξαις δυσέκνιπτα ... φιλεῖ γίγνεσθαι R. II 378 d 9 (cf. Pd. 66 b 2 L. X 908 c 1) ἀνόητος ... δόξα ... εὐδαιμονίας πέρι ὁρμήσει αὐτόν R. V 466 b 8 (cf. So. 230 c 1) διανοήματά τε καὶ δόξας R. VI 496 a 7 κατὰ γοῦν ἐμὴν δόξαν R. X 613 b 10 (cf. G. 472 e 4 Ph. 32 c 8).

b) « opinion commune » ἀνάγκη ... τῆς τῶν πολλῶν δόξης μέλειν Cr. 44 d 2 (cf. c 7, 46 c 7 d 1 et 9, 47 a 3 c 11, 48 a 9 L. I 646 e 10) πειθόμενοι μὴ τῇ τῶν ἀπαϊόντων δόξῃ Cr. 47 d 9 τὸν λόγον ... θαυμαστῶς μοι εἶπες ὡς κατὰ δόξαν Pd. 95 a 7 (cf. R. V 473 e 4 VI 490 a 5) κατὰ τὴν αὐτῶν ... φύσιν ... αἱ πράξεις πράττονται, οὐ κατὰ τὴν ἡμετέραν δόξαν Cra. 387 a 2 (cf. R. II 367 d 2) δόξῃ ... καὶ νόμῳ αἰσχρόν R. II 364 a 4 τὴν περὶ τῶν δεινῶν δόξαν R. IV 429 c 1 (cf. c 8, 430 a 4) πάντα ... πρὸς τῶν πολλῶν ἀνθρώπων εἰς δόξαν διεπέρανας Ph. 47 c 1 (cf. L. XII 949 a 4) τύχαι ... ἀληθείᾳ μὲν οὐκ εὐδαίμονες, δόξαις δὲ εὐδαιμονιζόμεναι L. X 899 e 2.

c) « opinion personnelle et commune » (à la fois) ἰδίᾳ τε καὶ δημοσίᾳ δόξας παραγενομένας Ep. 985 c 5 (cf. L. IX 864 a 1).

4° « réputation » a) mauvaise δόξαν πονηρίας Euph. 12 c 1 δόξαν ... κακίας L. XI 914 a 5 (cf. Phr. 257 d 7).

b) bonne (d'où « gloire ») ἀρετῆς δόξῃ καὶ φρονήσεως Mx. 239 a 5 (cf. L. XI 914 a 5 XII 950 c 9) δόξαν εἶχον Πέρσαι ἄμαχοι εἶναι Mx. 241 b 2 δόξας τε καὶ τιμάς R. II 366 e 4 δόξας τε ... καὶ μισθούς R. II 367 d 7 (cf. d 4 X 612 d 4 G. 486 d 2 B. 208 d 8) πρὸς δόξαν σοφίας Ep. 976 b 5.

5° « décision » μετὰ τὴν δόξαν τῆς ... διανομῆς L. V 746 d 3.

App. (5°) : δόγμα.

App. et ass. : (2°) αἴσθησις, φαντασία (a), φάντασμα (b) ; (4° b) τιμή (a).

Ass. (2°) ἄγνοια, ἀμαθία, διάνοια, λογισμός, λόγος, νοῦς, φρόνησις ; (3° a) διανόημα ; (b) νόμος.

Ass. et opp. : (1°-2°-3° b) ἀλήθεια ; (2°) ἐπιστήμη, νόησις (a).

Opp. : (1°) ὄν, οὐσία ; (2°) γνώμη, νόησις ; (3° b) φύσις ; (4° b) ἀδοξία.

Syn. (3°) : δόξασμα.

δοξάζειν 1° « avoir une opinion » (par opp. à « savoir ») ; 2° « penser, juger » : a) individuellement ; b) collectivement.

1° « avoir une opinion » πότερον ... αὐτὸς περὶ ταῦτα δοξάζεις ... καὶ πλανᾷ, ἢ τῷ ἐπισταμένῳ ἐπιτρέπεις ; A. 117 c 6 (cf. R. VI 508 d 8) ὀρθῶς ... δοξάζων ἥτις ἐστὶν ἡ ὁδός, ἐληλυθὼς δὲ μὴ μηδ' ἐπιστάμενος M. 97 b 1 (cf. c 10) τὸ ὀρθὰ δοξάζειν καὶ ἄνευ τοῦ ἔχειν λόγον δοῦναι ... οὔτε ἐπίστασθαί ἐστιν ... οὔτε ἀμαθία B. 202 a 3 (cf. Tht. 201 c 6) τούτου μὲν τὴν διάνοιαν ὡς γιγνώσκοντος γνώμην ... τοῦ δὲ δόξαν ὡς δοξάζοντος R. V 476 d 6 δοξάζειν ἀλλ' οὐ γιγνώσκειν R. V 476 d 8 (cf. 479 e 4 et 8) ἀδύνατον καὶ δοξάσαι τὸ μὴ ὄν ; R. V 478 b 6 (cf. b 7-8 Tht. 167 a 7) οἱ ἄνευ νοῦ ἀληθές τι δοξάζοντες R. VI 506 c 8 (cf. VII 516 d 8) οὔτε ... εἴσεται οὔτε ὀρθὰ δοξάσει R. X 602 a 9 οὔ τί γε ψευδῆ δοξάζοντά τίς τινα ... ἀληθῆ ἐποίησε δοξάζειν Tht. 167 a 6-7 (cf. b 2-3 d 3, 170 c 3, 5, 8, 187 d 6, 191 e 4, 192 c 5, 193 a 3 b 5 et 9 Po. 278 a 9 c 6 d 4 L. X 897 a 2).

— Au passif : οὐκ ἐπιμένοι ἐπὶ τοῖς δοξαζομένοις εἶναι πολλοῖς ἑκάστοις R. VI 490 a 10.

2° « penser, juger » a) individuellement περὶ ὧν ἡ ἐμὴ ψυχὴ δοξάζει G. 486 e 6 (cf. Pd. 67 b 4 R. I 327 c 6) ἅμα περὶ ταὐτὰ ἐναντία δοξάζειν R. X 602 e 9 τὸ ... δοξάζον τῆς ψυχῆς R. X 603 a 1 εἰ ... ἑκάστῳ ἀληθὲς ἔσται ὃ ἂν δι' αἰσθήσεως δοξάζῃ Tht. 161 d 3 (cf. d 6) ὅταν (ἡ ψυχὴ) αὐτὴ καθ' αὑτὴν πραγματεύηται περὶ τὰ ὄντα ... τοῦτό γε καλεῖται ... δοξάζειν Tht. 187 a 8 εἰ τὸ λέγειν πρὸς ἑαυτὸν δοξάζειν ἐστίν Tht. 190 c 5 (cf. a 5 Ph. 43 e 9) ὁ περὶ ψυχῆς ἄλλως δοξάζων L. V 727 e 2 (cf. X 888 b 1, 908 d 1) εἰ ... μὴ ταύτῃ δοξάζομεν [Riccard. 67 : δόξομεν AO] L. VII 822 b 2 (cf. Ep. 974 d 1).

— Au passif : ἐκείνοις πρὸς ἐκεῖνα ὡς ἐναργέσι δεδοξασμένοις τε καὶ τετιμημένοις « objets qu'ils jugent plus clairs que les ombres et qu'ils prisent comme tels » (Chambry) « reputed to be more palpable and valued accordingly » (Cornford) R. VI 511 a 9 ὅταν ἀπ' ὄψεως ... τὰ τότε δοξαζόμενα καὶ λεγόμενα ἀπαγαγών τις τὰς τῶν δοξασθέντων καὶ λεχθέντων εἰκόνας ἐν αὑτῷ ὁρᾷ Ph. 39 b 10 (cf. 43 e 9).

b) collectivement τῶν δοξῶν ἃς οἱ ἄνθρωποι δοξάζουσιν ... τὰς μὲν περὶ πολλοῦ ποιεῖσθαι Cr. 46 e 1 τὰ τῶν πολλῶν δόγματα ἃ δοξάζουσιν ὅταν ἀθροισθῶσιν R. VI 493 a 8.

— Au passif : δοξάζεται ... ὑπὸ τῶν πλείστων T. 46 d 1 ὡς ἑκὼν κακὸς δοξάζεται T. 86 d 2 (cf. L. I 646 e 10 IX 864 a 7 XI 936 b 2) πάγκαλοι μακάριοί τε ἐδοξάζοντο Criti. 121 b 6 ὁ σοφὸς ὄντως ὢν καὶ μὴ μόνον δοξαζόμενος Ep. 976 c 7 (cf. 974 e 3).

App. (2° a) : διανοεῖσθαι.

Ass. (1°) : πλανᾶσθαι.

Ass. et opp. : (1°) γιγνώσκειν, εἰδέναι, ἐπίστασθαι ; (2° b passif) εἶναι.

δόξασμα, τό « opinion, avis » ἆρά γ' ἂν ἔθ' ἡμῖν μέλοι τῶν ἀνθρωπίνων δοξασμάτων ; Phr. 274 c 3 (cf. Tht. 158 e 3 Po. 260 b 11)*.

Syn. : δόξα (3°).

δοξαστής, ὁ « possesseur d'opinion » ἐπιστήμων γεγονὼς ἔσται οὗ πρότερον ἦν δοξαστής Tht. 208 e 5*.

Ass. et opp. : ἐπιστήμων.

δοξαστικός 1° « apparent » ; 2° « (en possession) d'opinion ».

1° δοξαστικὴν ... περὶ πάντων ἐπιστήμην ... ἀλλ' οὐκ ἀλήθειαν So. 233 c 10.

2° ἀντὶ δοξαστικοῦ τεχνικόν τε καὶ ἐπιστήμονα ... γεγονέναι Tht. 207 c 2 (cf. le subst. δοξαστικῆς So. 268 c 9)*.

Opp. (1°) : ἀληθής.

Ass. et opp. (1°) : ἐπιστήμων.

δοξαστός « objet d'opinion » a) adj. ; b) subst. n.

a) δοξαστὸν ... ἀλλ' οὐ γνωστόν R. V 479 d 8 (cf. 478 a 13 b 2-3) δοξαστοῦ τε καὶ νοητοῦ R. VII 534 a 7 (cf. τροφῇ δοξαστῇ χρῶνται Phr. 248 b 6, après 247 d 2 νῷ ... τρεφομένη) συλλαβὰς γνωστάς τε καὶ ... ἀληθεῖ δόξῃ δοξαστάς Tht. 202 b 8 δόξῃ μετ' αἰσθήσεως ἀλόγου δοξαστόν T. 28 a 3*.

b) ὡς τὸ δοξαστὸν πρὸς τὸ γνωστόν R. VI 510 a 10*.

Ass. et d'ordinaire opp. : γνωστός.

Ass. et opp. : νοητός.

δοξοσοφία, ἡ « faux semblant (fausse opinion) de sagesse » μάταιον δοξοσοφίαν So. 231 b 7 μεστὸν ... δοξοσοφίας ... ψευδοῦς [edd. : ψεύδους BTW] Ph. 49 a 2 τὴν ... τῶν φίλων δοξοσοφίαν καὶ δοξοκαλίαν Ph. 49 d 11*.

Opp. : σοφία.

δοξόσοφος « semblant de sage » δοξόσοφοι γεγονότες ἀντὶ σοφῶν Phr. 275 b 2*.

Opp. : σοφός.

δόσις, ἡ « présent » αἰτήσεως καὶ δόσεως θεοῖς Euph. 14 d 1 μανίας..., θείᾳ ... δόσει διδομένης Phr. 244 a 9 (cf. Ap. 30 e 1 Ph. 16 c 5).

App. : (θεία) μοῖρα.

Syn. : δωρεά, δῶρον.

δουλεία, ἡ « servitude » a) péjoratif ; b) laudatif.

a) τὴν ὑπὸ τῶν βαρβάρων δουλείαν R. V 469 c 2 οὐδὲν μάθημα μετὰ δουλείας τὸν ἐλεύθερον χρὴ μανθάνειν R. VII 536 e 1 εἰς ἄγαν δουλείαν R. VIII 564 a 5 et 9 (cf. 563 d 6, 569 b 10 c 3) δουλείας τε καὶ ἀνελευθερίας γέμειν R. IX 577 d 2 τὴν σφόδρα δουλείαν τε καὶ δεσποτείαν L. III 698 a 6 (cf. Pa. 133 e 3-4) δουλεία ... καὶ ἐλευθερία ὑπερβάλλουσα Le. VIII 354 e 4.

b) δουλείαν ἔτι μείζονα ἐποίησεν ἡμᾶς τοῖς τε ἄρχουσιν καὶ τοῖς νόμοις δουλεῦσαι L. III 698 b 8 (cf. 694 a 4) φεύγειν ... πρεσβυτέρων δουλείαν καὶ νουθέτησιν L. III 701 b 7 τῷ καλῶς δουλεῦσαι ... πρῶτον μὲν τοῖς νόμοις, ὡς ταύτην τοῖς θεοῖς οὖσαν δουλείαν L. VI 762 e 5 (cf. Le. VIII 354 e 6).

App. et ass. (a) : ἀνελευθερία.

Ass. et opp. : δεσποτεία, ἐλευθερία.

δούλειος « d'esclave, de l'esclavage » δούλειον ὑπομείνασα ζυγόν L. VI 770 e 2 (cf. Le. VIII 354 d 2) γυναικεῖά τε καὶ δούλεια ἤθη τροφῶν L. VII 790 a 7*.

App. : δουλοπρεπής.

Opp. : ἐλευθέριος.

Syn. : δουλικός.

δουλεύειν 1° « être asservi » (à) ; 2° « servir » ; 3° « obéir » (à).

1° τὰ ... χρήματα ... κτᾶσθαι διὰ τὸ σῶμα, δουλεύοντες τῇ τούτου θεραπείᾳ Pd. 66 d 1 (cf. Ap. 37 c 1 Ly. 208 e 6 B. 183 a 7, réc. 184 b 7 ; 210 d 3 R. VIII 569 a 2 IX 575 d 6, 577 d 4 Phr. 238 e 3 L. I 635 c 3 d 1 V 726 a 6).

2° ἐπειδὰν ... ὦσι ψυχὴ καὶ σῶμα, τῷ μὲν δουλεύειν καὶ ἄρχεσθαι ἡ φύσις προστάττει, τῷ δὲ ἄρχειν καὶ δεσπόζειν Pd. 80 a 1 (cf. a 6) τὸ δουλεῦον εἰς γένεσιν αἰτίᾳ Ph. 27 a 9 τὸν κατὰ φύσιν ... βίον ... μὴ δουλεύοντα ἑτέροισι κατὰ νόμον L. X 890 a 8 (cf. Le. VIII 355 b 6).

3° δουλεύοντες τοῖς ... νόμοις L. III 698 b 6 (cf. c 2, 699 c 3, 700 a 5 VI 762 e 2 et 4 Le. VIII 354 c 7) ἡ (ἐλευθερία) τοῦ μὴ ἐθέλειν τοῖς ἄρχουσι δουλεύειν L. III 701 b 6 (cf. R. IV 444 b 5 Le. VIII 354 e 2).

App. (2°) : ὑπηρετεῖν.

App. et ass. : ἄρχεσθαι.

Ass. et opp. : ἄρχειν, δεσπόζειν.

δουλικός « de l'esclavage, servile » ὅταν εἰς δουλικὰ ἐμπέσῃ διακονήματα Tht. 175 e 3 εἰς τὸ δουλικὸν ὑποζεύγνυσι γένος Po. 309 a 6*.

App. : δουλοπρεπής.

Opp. : ἐλευθέριος.

Syn. : δούλειος.

δουλοπρέπεια, ἡ « mœurs serviles » φεύγειν χρὴ ... τὴν δουλοπρέπειαν A. 135 c 8*.

δουλοπρεπής « servile » δουλοπρεπὲς ... ἡ κακία ... ἐλευθεροπρεπὲς δὲ ἡ ἀρετή A. 135 c 4 (cf. G. 485 b 7) δουλοπρεπεῖς τε ... καὶ ἀνελευθέρους εἶναι ... τὰς ἄλλας τέχνας G. 518 a 2*.
App. : ἀνδραποδώδης.
App. et ass. : ἀνελεύθερος.
Ass. et opp. : ἐλευθεροπρεπής.

δοῦλος « esclave » a) subst. ; b) adj.
a) ἀνεφάνη δεσπότης ἡμέτερος ὁ δοῦλος G. 484 a 7 (cf. Pa. 133 d 8 e 1) δούλων καὶ πάντων ὑπηρετῶν Po. 289 c 4 ἄρχοντες δοῦλοι τοῦ νόμου L. IV 715 d 5 (cf. IX 875 d 1) δοῦλον ... καὶ ἐλεύθερον καὶ δεσπότην L. VI 777 b 6 (cf. IV 720 b 9).
b) δούλην ἢ ἐλευθέραν τὴν τοιαύτην φήσεις εἶναι ψυχήν ; R. IX 577 d 7 (cf. c 6) ἔστιν ... ὁ τῷ ὄντι τύραννος τῷ ὄντι δοῦλος τὰς μεγίστας ... δουλείας R. IX 579 d 10 δούλαις τισὶ δορυφόροις ἡδοναῖς R. IX 587 c 2 τὴν ψυχὴν τῇ μὲν δούλην τῇ δ' ἐλευθέραν ἕξουσιν L. I 635 d 5 (cf. VI 777 a 6).
App. et ass. (a) : ὑπηρέτης.
Ass. et opp. : (a) ἄρχων, δεσπότης, ἐλεύθερος ; (b) ἐλεύθερος.
Syn. : ἀνδράποδον, παῖς 3°.

δουλοῦν (jamais à l'actif) ; a) au moyen ; b) au passif) « asservir ».
a) δουλούμενοι τοὺς βελτίους τὴν φύσιν ἀνθρώπους G. 492 a 6 (réc. de καταδουλούμεθα 484 a 1 ; cf. R. I 351 b 2-3 VIII 564 b 2 IX 589 d 4 L. I 627 b 5) δουλουμένους τὴν Εὐρώπην Mx. 239 d 2 (cf. e 1) ἄλλας πόλεις ... δουλοῦσθαι ... καὶ καταδεδουλῶσθαι R. I 351 b 2 (cf. b 3) δουλούμενος τὰς ἄλλας ἐπιθυμίας R. VIII 554 a 7 (cf. 561 c 3 Phr. 256 b 2 L. VIII 838 d 4-5, 839 c 5) τὸ ἑαυτοῦ θειότατον ὑπὸ τῷ ἀθεωτάτῳ ... δουλοῦται R. IX 589 e 5 (palindromie de καταδουλοῦται d 8 ; cf. e 2) ὃς ἂν ... δουλῶται ... τοὺς νόμους L. IX 856 b 2.
b) αἱ ... γνῶμαι δεδουλωμέναι ... ἦσαν Mx. 240 a 2 τοὺς ... μήπω δεδουλωμένους διεκώλυσεν δουλωθῆναι T. 25 c 4-5 (cf. Mx. 244 c 5, 245 a 1).
App. et ass. : χειροῦσθαι (L. VIII 838 d 4).
Ass. et syn. : καταδουλοῦν (cf. J. Brunel, *L'Aspect...*, p. 229 ; distinctions p. 277).

δούλωσις, ἡ « réduction en esclavage » ἥ τε σφοδρὰ ... δούλωσις, ... ἀνελευθέρους ποιοῦσα L. VII 791 d 8*.

δρᾶμα, τό 1° « fonction » ; 2° « drame ».
1° ἔλαττον ... τοῦ ἐμοῦ δράματος Tht. 150 a 9.
2° ὑμῖν ... ἀνταγωνισταὶ τοῦ καλλίστου δράματος L. VII 817 b 8 (cf. Po. 303 c 8).

δρᾶν « agir, faire » τίνα (δύναμιν) πρὸς τί πέφυκεν εἰς τὸ δρᾶν ἔχον ἢ τίνα εἰς τὸ παθεῖν Phr. 270 d 5 (cf. T. 33 d 1) τὴν (δίκην) τοῦ παθόντος ἅπερ αὐτὸς ἔδρασεν L. IX 870 e 2 (cf. 865 e 7, 872 e 3-4, 873 a 1, 879 a 1).
App. : ποιεῖν, πράττειν.
Ass. et opp. : πάσχειν.

δριμύς « âcre, aiguisé » (au pr. et au fig.) ὅσα θερμαντικὰ ὄντα δριμέα ἐκαλέσαμεν T. 67 e 1 (cf. 66 a 2) ἔντονοι καὶ δριμεῖς γίγνονται Tht. 173 a 2 (cf. 175 d 1 R. V 458 d 6 VIII 564 d 5) ἐπίβουλον καὶ δριμὺ καὶ ὑβριστότατον θηρίων γίγνεται L. VII 808 d 7*.

Adv. : δριμύ (δριμὺ ... βλέπει τὸ ψυχάριον R. VII 519 a 3).

App. : ὀξύς, πικρός.

Ass. : ἔντονος.

δριμύτης, ἡ « mordant » δριμύτητα ... πρὸς τὰ μαθήματα R. VII 535 b 5 δριμύτητος ... καὶ ... ἰταμότητος ὀξείας Po. 311 a 8*.

App. : ὀξύτης.

App. et ass. : ἰταμότης.

δυάς, ἡ « dualité » τὴν τῆς δυάδος μετάσχεσιν Pd. 101 c 5 (cf. Pa. 149 c 4)*.

δύναμις, ἡ 1° « force » ; 2° « puissance » (« potentialité ») ; 3° « vertu, effet » ; 4° « essence, nature » ; 5° « faculté, organe » ; 6° « propriété » ; 7° périphrastique ; (8° « puissance » à une élévation au carré ou au cube R. IX 587 d 10 T. 31 c 5 Ep. 990 c 8 e 4, 991 a 3 ; cf. Ch. Mugler, *Dictionnaire...*, p. 150).

1° πότερα δύναμιν ἢ βούλησιν ; G. 509 d 2 τὴν ... τοῦ ὡς οἷόν τε βέλτιστα αὐτὰ τεθῆναι δύναμιν Pd. 99 c 2 (cf. Ch. 156 b 3) ῥώμην καὶ δύναμιν Ph. 49 b 4 (cf. L. III 686 e 4).

2° δύναμιν ... περὶ αὐτὰς (sc. ὄρνιθας ἀγρίας c 2) παραγεγονέναι ... λαβεῖν καὶ σχεῖν ἐπειδὰν βούληται Tht. 197 c 7 (germe de la distinction aristotélicienne entre connaissances en puissance et en acte ; cf. J. Souilhé, *Étude...*, p. 184) οὔτε πρὸς τὸ ἓν ἔχετον τὴν δύναμιν τὴν τοῦ ὑπερέχειν καὶ ὑπερέχεσθαι Pa. 150 d 1 ὁρίζειν τὰ ὄντα ὡς ἔστι οὐκ ἄλλο τι πλὴν δύναμις So. 247 e 4 (cf. d 8 ; définition provisoire) πάθημα ἢ ποίημα ἐκ δυνάμεώς τινος So. 248 b 6.

3° τὸ μεῖζόν φαμεν τοιαύτην τινὰ ἔχειν δύναμιν ὥστε τινὸς εἶναι μεῖζον Ch. 168 b 5 (cf. b 3 d 1 e 4) οὐ καὶ ἐκείνην ἕξει τὴν οὐσίαν πρὸς ἣν ἡ δύναμις αὐτοῦ ἦν ; Ch. 168 d 2 οὐδὲν τῶν ὄντων τὴν αὑτοῦ δύναμιν αὐτὸ πρὸς ἑαυτὸ πέφυκεν ἔχειν Ch. 169 a 3 τὴν τοῦ κάππα δύναμιν προσλαβόν Cra. 412 e 2 (« effet » Méridier ; périphrastique pour Wilamowitz, II, p. 254).

4° ἑκάστῳ τῶν ὀνομάτων ... ὑπόκειταί τις ἴδιος οὐσία καὶ πρᾶγμα ἔχον ἑαυτοῦ δύναμιν ἕκαστον Pr. 349 b 4 (cf. c 5) οὐ τὰ ἐν ἡμῖν πρὸς ἐκεῖνα τὴν δύναμιν ἔχει οὐδὲ ἐκεῖνα πρὸς ἡμᾶς « essence relative à celle des Idées ... aux nôtres » Pa. 133 e 5 (réc. 134 d 5 ; cf. J. Souilhé, *Étude...*, p. 109-110) φύσις τις ἀνθρωπίνη μεμειγμένη θείᾳ τινὶ δυνάμει L. III 691 e 2.

5° λέγω ὄψιν καὶ ἀκοὴν τῶν δυνάμεων εἶναι R. V 477 c 3 (cf. c 6 et 9) διὰ τῶν τοῦ σώματος δυνάμεων Tht. 185 e 7 δόξαν εἰς δύναμιν ... οἴσομεν R. V 477 e 1 (cf. b 7).

6° δεινὰς δυνάμεις λαβὼν ἐν τῷ ὕδατι Pd. 113 c 3 (cf. T. 66 a 2) προσχρώμενος παραδείγματι τὴν ἰδέαν καὶ δύναμιν αὐτοῦ ἀπεργάζηται T. 28 a 8 (cf. Po. 308 c 7).

7° καταπέφευγεν ἡ τοῦ ἀγαθοῦ δύναμις εἰς τὴν τοῦ καλοῦ φύσιν Ph. 64 e 5 (cf. p.-ê. Cra. 412 e 2 à 3°, et v. Wilamowitz, II, p. 254).

App. et ass. : 1° ῥώμη (a) ; (2°) πάθημα, ποίημα ; (3°-4°) οὐσία ; (4°) φύσις (B 1° b β) ; (6°) ἰδέα.

δυσανάπειστος « difficile à retourner » Pa. 135 a 7*.

App. : ἀπίθανος 2°, δυσπειθής (a).

δυσδαίμων « malheureux » εἰς εὐδαιμονίαν τε καὶ δυσδαίμονα τύχην L. X 905 c 4*.

App. : ἄθλιος.

Opp. : εὐδαίμων.

δυσθυμία, ἡ « découragement » εἴδη δυσκολίας καὶ δυσθυμίας T. 87 a 6 (cf. L. II 666 b 7)*.

App. et ass. : δυσκολία.

δυσθύμως « tristement », au cp. δυσθυμότερον Pd. 85 b 6*.

δυσκοινώνητος « insociable » (ψυχὴ) ἥμερος ἢ δυσκοινώνητος καὶ ἀγρία R. VI 486 b 11*.

App. et ass. : ἄγριος.

Ass. et opp. : ἥμερος.

δυσκολία, ἡ « humeur chagrine » ἀκράχολοι ... γεγένηνται, δυσκολίας ἔμπλεῳ R. III 411 c 2 (cf. IX 586 c 8, 590 a 10) εἴδη δυσκολίας καὶ δυσθυμίας T. 87 a 5 (cf. L. VI 757 e 3 XI 935 a 6)*.

App. et ass. : δυσθυμία, δυσχέρεια (a).

Opp. : εὐκολία.

δύσκολος 1° adj. « chagrin, ingrat » ; 2° subst. a) m. « hypocondriaque » ; b) n. α) « humeur chagrine » ; β) « désagrément ».

1° χαλεπὴ δὴ καὶ δύσκολος ... ἡ ... ἡνιόχησις Phr. 246 b 5 δυσκόλου ψυχῆς καὶ ἀγρίας L. I 649 e 2 δύσκολόν ἐστι τὸ θρέμμα ἄνθρωπος L. VI 777 b 4 (cf. Tht. 174 d 6) δύσκολα καὶ ἀκράχολα ... ἤθη L. VII 791 d 6.

2° a) ἀπίστῳ, δυσκόλῳ, φθονερῷ Phr. 241 c 2 ὁ δὴ δύσκολος οὐδαμῶς τε ἵλεως ... θρηνώδης L. VII 792 a 8.

b) α) τὸ ... μὴ δύσκολον ἐν ψυχῇ καὶ τὸ δύσκολον L. VII 791 c 9. β) τὸ δύσκολον καὶ χαλεπόν L. XI 922 b 5.

Adv. : δυσκόλως ; au cp. δυσκολώτερον Pd. 84 e 2*.

App. : δυσχερής.

App. et ass. : ἄγριος, ἀκράχολος, χαλεπός.

Ass. : θρηνώδης.

Ass. et opp. : ἵλεως.

Opp. : εὔκολος.

δυσμαθής « lent à apprendre » (adj. et subst.) πᾶς ἄν μοι δοκεῖ ... συγχωρῆσαι ... καὶ ὁ δυσμαθέστατος Pd. 79 e 4 (cf. Ep. 978 d 4 e 4) ἀλλ' ἐγώ τις ... δυσμαθής R. II 358 a 9 (cf. La. 189 a 7) εὐμαθὴς ἢ δυσμαθής R. VI 486 c 3 τὸ ... κωφὸν καὶ δυσμαθὲς ἀμνῆμόν τε T. 88 b 4 (cf. Le. VII 344 a 7).

Adv. : δυσμαθῶς (R. VI 503 d 3*).
App. : ἄγροικος (cf. Aristoph., *Nuées*, 646).
App. et ass. : ἀμνήμων, κωφός (b).
Ass. et opp. : εὐμαθής.

δυσμαθία, ἡ « lenteur à apprendre » ἔστιν ... ἡ ... δυσμαθία ἡσυχῇ καὶ βραδέως (μανθάνειν) Ch. 159 e 2 εὐμαθίαι καὶ δυσμαθίαι R. X 618 d 4 τὰ ... ἐναντία ... δυσμαθίαν παρέχει L. VII 812 e 6 (cf. Tht. 195 c 1) εἴδη ... λήθης ἅμα καὶ δυσμαθίας T. 87 a 7 (cf. Le. III 315 c 5)*.
App. et ass. : λήθη.
Ass. et opp. : εὐμαθία.

δυσμένεια, ἡ « malveillance » φθόνοι τε ... καὶ ἄλλαι δυσμένειαι Pr. 316 d 3 (cf. R. VI 500 c 2 Phr. 253 b 7) φιλόδωρος εὐμενείας, ἄδωρος δυσμενείας B. 197 d 5*.
App. et ass. : φθόνος.
Ass. et opp. : εὐμένεια.
Opp. : εὔνοια.
Syn. : δύσνοια.

δυσμενής « malveillant » τιμῶσιν ... εὐμενεῖς ... καὶ ἀτιμάζουσιν δυσμενεῖς L. XI 927 b 5 (cf. Pr. 317 a 8)*.
Adv. : δυσμενῶς (Tht. 168 b 3*, ass. à μαχητικῶς).
Ass. et opp. : εὐμενής.
Syn. : δύσνους.

δυσμνημόνευτος « à la mémoire rebelle » δυσμνημονευτότερα καὶ κωφότερα τὰ περὶ τὴν διάνοιαν ποιοῖεν T. 74 e 9*.
App. et ass. : κωφός (b).
Opp. : μνήμων.
Syn. : ἀμνήμων.

δύσνοια, ἡ « malveillance » οὐδ' ἐγὼ δυσνοίᾳ ... δρῶ Tht. 151 d 1*.
Opp. : εὔνοια.
Syn. : δυσμένεια.

δύσνους « malveillant » οὐδεὶς θεὸς δύσνους ἀνθρώποις Tht. 151 d 1 (cf. R. V 450 d 5 Phr. 258 c 8)*.
Opp. : εὔνους.
Syn. : δυσμενής.

δυσπειθής a) « difficile à persuader » ; b) (adj. et subst. m.) « indocile ».
a) οἱ μὲν ... εὐπειθεῖς, οἱ δὲ ... δυσπειθεῖς Phr. 271 d 7.
b) τοῖς μὲν εὐπειθέσιν τῶν νόμων, ... τοῖς δὲ δυσπειθέσι L. I 632 b 8 (cf. IV 708 d 1 IX 880 a 8).
App. (a) : ἀπίθανος 2°, δυσανάπειστος.
Ass. et opp. : εὐπειθής.

δυστυχεῖν « échouer, être dans le malheur » δυστυχούντων, εὐτυχούντων R. III 399 c 2 (cf. Phr. 233 b 2) οὐκ ἀφυεῖς ὄντας, δυστυχοῦντάς γε μήν L. VIII 832 a 2 ὅταν ... τις ἅμα δυστυχήσῃ

[H. Richards : -ηθῆ codd.] καὶ ἀσεβηθῇ τῶν οἴκων L. IX 877 e 3 ὅτε φεύγοντες ἐδυστύχουν Le. VII 325 c 5.

Ass. et opp. : εὐτυχεῖν.

δυστυχής « malchanceux » a) adj. ; b) subst. m.

a) πῶς ... αὐτοὺς οὐ λέγοιμ' ἂν ... δυστυχεῖς ; L. VIII 832 a 6 (cf. I 647 e 3 R. IX 578 c 2).

b) τὸν ... κακὸν ... δεῖ κολάζειν ... οὐ τὸν δυστυχῆ L. XII 944 d 3*.

Adv. : δυστυχῶς (L. III 687 e 3*).

Ass. et opp. : κακός (1° a).

Opp. : εὐτυχής.

Syn. : ἀτυχής.

δυστυχία, ἡ « malchance » πολλήν γ' ἐμοῦ κατέγνωκας δυστυχίαν [BT²W : ἀτυχίαν T¹Y] Ap. 25 a 8 δυστυχίας τε καὶ βίον κακόν R. II 364 b 4 (cf. Mx. 244 a 7 Cra. 395 d 1) ὅσαι τε διὰ δυστυχίαν ταραχαὶ ... γίγνονται καὶ ὅσαι ἐν εὐτυχίαις ... ἀποφυγαί L. I 632 a 4 τρόπων δυστυχίᾳ [A² O³ : ἀτυχίᾳ Aᶜ Oᶜ] L. XI 929 e 10*.

Ass. et opp. : εὐτυχία.

Syn. : ἀτυχία.

δύσφημος « malséant » τοῦ ἀνθρώπου οὐδ' εὔφημα ... τὰ ἐρωτήματα. — Τί δέ ; τὸ ... φάναι ταῦτα οὕτως ἔχειν οὐ πάνυ δύσφημον ; H. M. 293 a 5*.

Ass. et opp. : εὔφημος.

δυσχεραίνειν 1° « répugner » (à), « repousser » ; 2° « épiloguer ».

1° θείᾳ φύσει δυσχεραίνων τὸ ἀδικεῖν R. II 366 c 6 (cf. III 388 a 1) ὀρθῶς ... δυσχεραίνων ... καὶ χαίρων R. III 401 e 3 τὰ μὲν ἀσπαζόμενος, ὅσα καλά, τὰ δὲ δυσχεραίνων L. II 654 d 3 οἱ μὴ δυσχεραίνουσι τὴν ... συνοικίαν ἀλλ' ὑπομενοῦσιν ... ἔχοντες L. V 746 a 1 δυσχεραίνοντάς τε καὶ ἀποδεχομένους L. VI 751 d 1 μισοῦντές τε γίγνονται τοὺς κακούς, τῷ δυσχεραίνειν τὴν ἀδικίαν ... καὶ τοὺς δικαίους στέργουσιν L. X 908 b 6.

2° δυσχεραίνειν ἐν τοῖς λόγοις G. 450 e 7.

App. et ass. (1°) : μισεῖν.

Ass. et opp. (1°) : ἀποδέχεσθαι, ἀσπάζεσθαι, στέργειν, ὑπομένειν (2° a), χαίρειν (dont les Athéniens ne percevaient plus le lien étymologique avec δυσχεραίνειν : M. Leumann, *Philologus*, XCVI, 1944, p. 169 = *Kleine Schriften*, Zurich, 1959, p. 210).

δυσχέρεια, ἡ a) « morosité » ; b) « répugnance, protestation ».

a) κατὰ τὸ τῆς αὐτῶν δυσχερείας ἴχνος Ph. 44 d 8 τῆς δυσχερείας ἣν ... ἀπεδεξάμεθα δυσχερῶς Po. 286 b 7.

b) τὴν ... τῶν γυναικῶν τῆς κτήσεως δυσχέρειαν R. VI 502 d 7 (cf. Po. 310 c 7) τινι δυσχερείᾳ φύσεως οὐκ ἀγεννοῦς Ph. 44 c 6 (cf. L. XII 967 c 6 Ep. 975 b 4)*.

App. (a) : δυσκολία.

δυσχερής « difficile, morose » (adj. et subst. m.) τὸν περὶ τὰ

σιτία δυσχερῆ R. V 475 c 4 τούτοις τοῖς δυσχερέσιν ἀποκρίνεσθαι Ph. 44 e 4 (cf. 46 a 5).
Adv. : δυσχερῶς (Po. 286 b 9).
App. : δύσκολος.

δωρεά, ἡ 1° « don » (des dieux) ; 2° « présent » (offert aux dieux).
1° τῆς τοῦ Διονύσου δωρεᾶς L. II 672 a 5 (cf. VIII 844 d 5).
2° παρὰ ... ἡμῶν δωρεὰς θεοῖς ... δωρεῖσθαι Po. 290 c 9.
App. (2°) : θυσία.
Syn. : δόσις, δῶρον.

δωρεῖσθαι 1° « donner » (dieux) ; 2° « offrir en présent » (aux dieux).
1° θεὸς αὔθ' (= αὐτά, sc. τὰ ὄμματα 46 e 7) ἡμῖν δεδώρηται T. 47 a 1 (cf. b 6 Pr. 321 d 4 L. II 672 a 8 V 732 c 7).
— Au passif : παρὰ θεῶν δεδωρῆσθαι T. 47 c 6 (réc. d'a 1 ; cf. b 2 Po. 274 c 6).
2° τὸ θύειν δωρεῖσθαί ἐστι τοῖς θεοῖς Euph. 14 c 8 δωρεὰς θεοῖς διὰ θυσιῶν ... δωρεῖσθαι Po. 290 d 1 θεοῖσι ... ἀναθήματα ... ἔμμετρα ... ἀνατιθέντα δωρεῖσθαι L. XII 955 e 6.
App. et ass. (2°) : ἀνατιθέναι.
Syn. (1°) : διδόναι 1°.

δωροδόκος « vénal » οὐ ... δωροδόκους ... οὐδὲ φιλοχρημάτους R. III 390 d 7*.
App. et ass. : φιλοχρήματος 1°.

δῶρον, τό 1° « don » (des dieux) ; 2° « présent » (offert aux dieux).
1° τὰ πάλαι λεχθέντα παρὰ θεῶν δῶρα ἡμῖν δεδώρηται Po. 274 c 6 τὴν μοῖραν διανοεῖσθαι ὡς οὖσαν ἱεράν, θεοῦ δῶρον L. VI 771 b 6 (cf. 782 b 5 VII 796 e 5).
2° θειότατα ... δῶρα ὄρνιθες L. XII 956 b 1.
App. : ἀνάθημα (cf. L. XII 955 e 5, 956 b 3).
Syn. : δόσις, δωρεά.

E

ἐᾶν 1° « négliger » ; 2° « laisser, permettre ».

1° ἐάσας ... φιλοσοφίαν G. 484 c 5.

2° εἰ τοῦτο ἐάσεις ἀνέλεγκτον G. 482 b 3 οὐκ ἐατέος ... δημιουργεῖν R. III 401 b 7 (cf. II 380 a 3 et 8 b 3 et 6).

App. : παριέναι, παρορᾶν.

ἑαυτοῦ « du moi » ἐκ ... κακοῦ ἑαυτοῦ θεωρούμενα L. II 663 c 4. — V. ἐμαυτοῦ, οἰκεῖος 1° et (τὰ ἑαυτοῦ) πράττειν.

ἐγγίγνεσθαι « naître » (dans), « se produire » (dans), souvent d'une qualité qui apparaît dans l'âme, dans une Idée τῷ ἐν τῇ ψυχῇ ἐγγιγνομένῳ ἐκ ... τοῦ κόσμου G. 504 c 1 (cf. 506 e 1 R. VI 501 b 6 VIII 560 a 7 Ph. 38 a 8 T. 37 c 3 L. II 653 b 3 Le. VII 327 c 2) εἰ ... ἐν τῷ ἑνὶ σμικρότης ἐγγίγνεται Pa. 150 a 2 (cf. a 1 et 3 Pd. 105 b 9 c 3, 4, 8 Ph. 24 d 1) ψυχῆς ἐν ᾗ ταῦτα (sc. δικαιοσύνη ...) ἐγγίγνεται So. 247 b 3 (cf. 263 d 8 Pa. 132 b 6, 133 d 7-8 Po. 309 c 7) ἐν ἀλλοτρίαις ἕξεσιν οὐκ ἐγγίγνεται Le. VII 344 a 4.

App. : εἶναι ἐν, ἐνεῖναι.

ἐγείρειν « éveiller » (au pr. et au fig.) 1° trans. ; 2° intr. a) au pf. 2 « être éveillé, veiller » ; b) au moyen « s'éveiller ».

1° δεομένῳ ἐγείρεσθαι Ap. 30 e 6 ἐγείρων καὶ πείθων Ap. 30 e 7 ὥσπερ οἱ νυστάζοντες ἐγειρόμενοι Ap. 31 a 4 τὰς ἐπιθυμίας ... ἐγείρειν R. VIII 555 a 4 τοῦτ' ἐγείρει τῆς ψυχῆς (sc. τὸ ἀλόγιστον 604 d 9) R. X 605 b 4 τοῦ ... μέλους ὑπομιμνήσκοντος καὶ ἐγείροντος τὸν ῥυθμόν L. II 673 d 3 τὸν ... νυστάζοντα ... ἐγείρει L. V 747 b 4 θυμὸν ἂν ἐγείραι [Ast : ἀνεγεῖραι AO] πολλοῖς L. VI 773 c 8.

2° a) ἐναντίον ... τῷ ἐγρηγορέναι τὸ καθεύδειν Pd. 71 c 2 (cf. c 8-9 d 1) ἐγρήγορα καὶ προσέχω τὸν νοῦν I. 532 c 3 (réc. 533 a 5) ἐάντ' ἐν ὕπνῳ ... ἐάντ' ἐγρηγορώς R. V 476 c 7 πότερον ... ὀνειρώττομεν, ἢ ἐγρηγόραμεν Tht. 158 c 1 (cf. Ph. 20 b 7 L. VII 800 a 2) ἐγρήγορε χρόνον ὡς πλεῖστον L. VII 808 c 1 (cf. c 3, 809 d 5, 819 c 6) μήτε ἐγρηγορόσιν μήτε εὕδουσιν L. VII 823 e 1.

b) οὐκ ἐθέλει ... ἐγείρεσθαι ὁ θυμός R. IV 440 c 5 (cf. IX 571 c 3).
App. et ass. (1°) : ὑπομιμνήσκειν (1° a).
Ass. et opp. : εὕδειν, καθεύδειν, νυστάζειν, ὀνειρώττειν.
Syn. : ἐπεγείρειν (avec les distinctions de J. Brunel, *L'Aspect...*, p. 57).

ἐγερτικός « éveilleur » νοήσεως οὐ ... παρακλητικὸν οὐδ' ἐγερτικόν R. VII 523 e 1 (réc. 524 d 5)*.
App. et ass. : παρακλητικός.

ἐγκαιρία, ἡ « opportunité » ἐγκαιρίας τε ... καὶ ἀκαιρίας Po. 305 d 4*.
Ass. et opp. : ἀκαιρία.
Syn. : εὐκαιρία.

ἐγκαίριος « opportun » τοῦτο μάλιστα ἐγκαιριώτατον γένοιτ' ἄν T. 51 d 2 (cf. ἐγκαίριον [A[2] O[4] : ἐν καίριον AO] L. XII 961 a 6)*.
Opp. : ἄκαιρος.
Syn. : ἔγκαιρος, εὔκαιρος, καίριος.

ἔγκαιρος id. ἴσως ... ὁ διορισμὸς ἔγκαιρος ἄν σοι γένοιτο Po. 282 e 2 (cf. L. IV 717 a 3 XI 928 a 3)*.
Opp. : ἄκαιρος.
Syn. : ἐγκαίριος, εὔκαιρος, καίριος.

ἐγκράτεια, ἡ « maîtrise » (de soi), tempérance » ἐπιτήδειον ... πρὸς ἐγκράτειαν ἑαυτοῦ R. III 390 b 3 κόσμος ... ἡ σωφροσύνη ἐστὶν καὶ ἡδονῶν ... καὶ ἐπιθυμιῶν ἐγκράτεια R. IV 430 e 7*.
App. et ass. : κόσμος, σωφροσύνη.
Opp. : ἀκράτεια.

ἐγκρατής a) « puissant, dominant » ; b) « maître » (de) ; c) « maître » (de soi), « tempérant ».

a) ὅταν ... ὁ μετὰ τῆς ὕβρεως ἔρως ἐγκρατέστερος περὶ τὰς ... ὥρας γένηται B. 188 a 8 ἕως ἂν ἐγκρατὴς ᾖ ἡ οὐσία τοῦ πράγματος Cra. 393 d 4 μοχθηροὺς ἐγκρατεῖς ποιῶν R. X 605 b 6.

b) οὐκ ἐγκρατὴς εἶ τῶν πατρῴων Cra. 391 c 2 (cf. 405 c 6) ὅταν ... τὸ βέλτιον φύσει τοῦ χείρονος ἐγκρατὲς ᾖ, τοῦτο λέγειν τὸ κρείττω ἑαυτοῦ R. IV 431 a 7 (cf. IX 589 a 9) τῆς τῶν ἡδονῶν νίκης ἐγκρατεῖς L. VIII 840 c 4 ἄστρων ... ἐγκρατὴς νοῦς L. XII 966 e 3 (cf. X 897 b 7).

c) σώφρονα ὄντα καὶ ἐγκρατῆ αὐτὸν ἑαυτοῦ, τῶν ἡδονῶν καὶ ἐπιθυμιῶν ἄρχοντα G. 491 d 10 (cf. L. I 645 e 8 Le. VII 331 d 9, 337 a 1) ἐγκρατεῖς αὐτῶν καὶ κόσμιοι Phr. 256 b 2.
Adv. : ἐγκρατῶς (L. IV 710 a 8*, ass. et opp. à ἀκρατῶς).
App. et ass. (b-c) : κόσμιος, κρείττων (ἑαυτοῦ), σώφρων.
Opp. : (b) ἀκρατής, ἀκράτωρ ; (c) ἀκόλαστος.

ἐγκύμων « fécond » ὅταν τις ἐκ νέου ἐγκύμων ᾖ τὴν ψυχήν B. 209 b 1 μὴ κενὸς ἀλλ' ἐγκύμων Tht. 148 e 7 (cf. 151 b 2, 210 b 11) ἐγκύμων ἡ γῆ γέγονεν Ep. 979 a 6*.
Ass. et opp. : κενός.

ἐγκωμιάζειν « louer, célébrer » ἐπαινέσαι καὶ ἐγκωμιάσαι Pr. 346 b 8 ἐπαινούντων ... καὶ ψεγόντων ... ἐγκωμιαζόντων καὶ λοιδορούντων

R. II 367 d 7 ἐγκωμιάζοντες καὶ ὑποκοριζόμενοι R. VIII 560 e 4 τοῦ μὲν τὸ φρόνιμον ἐγκωμιάζειν, τοῦ δὲ τὸ ἄφρον ψέγειν Phr. 235 e 7 τὴν θεὸν ... ὑμνοῦντας ἐγκωμιάζειν T. 21 a 4.

App. et ass. : ἐπαινεῖν, ὑμνεῖν (a), ὑποκορίζεσθαι.

Ass. et opp. : λοιδορεῖν, ψέγειν.

ἐγκώμιον, τό « (chant de) louange » ἔπαινοι καὶ ἐγκώμια Pr. 326 a 1 ἐγκώμιον εἰς Ἔρωτα B. 212 c 1 (cf. 194 d 6) ὕμνους θεοῖς καὶ ἐγκώμια τοῖς ἀγαθοῖς R. X 607 a 5 (cf. L. VII 801 e 1, 802 a 1) ἐγκώμιά τε καὶ ψόγους ποιεῖν ἀλλήλοις L. VIII 829 c 2.

App. et ass. : ἔπαινος, ὕμνος.

Ass. et opp. : ψόγος.

ἐγχώριος « national » τοὺς ἐγχωρίους θεούς τε ἅμα καὶ δαίμονας L. V 740 a 8*.

ἕδρα, ἡ « place » τὸν ἥλιον οὐκ ... ἐν ἀλλοτρίᾳ ἕδρᾳ ἀλλ' αὐτὸν καθ' αὑτὸν ἐν τῇ αὑτοῦ χώρᾳ ... κατιδεῖν R. VII 516 b 5 (cf. 517 b 2) τὴν ἕδραν κατέχον ἣ ἂν μετ' ἐκείνην ᾖ ἕδρα Pa. 148 e 6-7 (cf. Ph. 24 d 1) γένος ... τὸ τῆς χώρας ... ἕδραν ... παρέχον ὅσα ἔχει γένεσιν πᾶσιν T. 52 b 1 (cf. 53 a 2, 59 a 4) ποίαν ἕδραν ... καὶ τίνας ποτὲ τόπους L. X 904 b 7 (cf. VIII 849 e 5 Ep. 984 e 2).

App. et ass. : τόπος, χώρα.

ἐθέλειν 1° (personnes) « vouloir », « consentir (à) » ; avec négation « se refuser (à) » ; 2° (choses) mêmes sens, avec prépondérance du négatif.

1° ἐὰν βούλῃ σύ ... ἐὰν θεὸς ἐθέλῃ A. 135 d 6 (cf. L. III 688 e 2 V 739 e 5 VI 752 a 8) διδάξαι ἔφυγες καὶ οὐκ ἠθέλησας Ap. 26 a 6 ἐθέλοντα ... καὶ ἀξιοῦντα μανθάνειν La. 188 b 2 ἄτοπόν ... τί σοι ἐθέλω εἰπεῖν Pr. 309 b 8 εἰ δὲ βούλει, σοὶ ἐγὼ ... ἐθέλω λόγον λέξαι G. 522 e 6 ἐθέλειν ... ἂν τῷ ἀποθνήσκοντι τὸν φιλόσοφον ἕπεσθαι Pd. 61 d 3 (réc. 62 c 8) τὸ ἐθέλειν καὶ τὸ βούλεσθαι R. IV 437 b 8 (cf. c 3) τὸ ἀβουλεῖν καὶ μὴ ἐθέλειν μηδ' ἐπιθυμεῖν R. IV 437 c 7 μή ποτ' ἐθελῆσαι πάλιν ἀναβιῶναι Ep. 974 a 6.

2° ἐμοὶ ... φαίνεται ... αὐτὸ τὸ μέγεθος οὐδέποτ' ἐθέλειν ἅμα μέγα καὶ σμικρὸν εἶναι Pd. 102 d 6 (répugnance ontologique ; cf. d 8 e 3 et 7, 103 b 9 M. 98 a 1 R. IV 436 b 9 Pa. 149 a 1 So. 252 e 2, réc. 254 b 9 ; 256 b 9, 261 d 7-8) οὐ γὰρ ... ἐθέλει τὸ πραττόμενον τὴν τοῦ πράττοντος σχολὴν περιμένειν R. II 370 b 10 (cf. Phr. 230 d 5 Po. 276 b 8 L. IX 872 e 9 Ep. 975 b 2).

App. et ass. (1°) : ἀξιοῦν (b), βούλεσθαι, ἐπιθυμεῖν.

Ass. et opp. (1°) : ἀβουλεῖν, φεύγειν (b).

ἐθίζειν « habituer » εὐθὺς ἐκ νέου ἐθίζειν αὐτόν G. 510 d 8 ἐθίζειν τὴν ψυχὴν ... γίγνεσθαι R. X 604 c 9 (cf. Pd. 67 c 6) ἵν' ... ἡ ψυχὴ ... μὴ ἐναντία χαίρειν ... ἐθίζηται τῷ νόμῳ L. II 659 d 5 (cf. 660 a 3) ἔθη ... πονηρὰ οὐδέποτ' ἐθίζειν δεῖ L. IV 706 d 2 (cf. M. 70 b 6) μηδέ τινος ἔθει ψυχὴν εἰθίσθαι ... δρᾶν L. XII 942 a 8 (cf. Pd. 81 b 8).

Syn. : συνεθίζειν.

ἔθισμα, τό « coutume » νόμιμα ἢ καὶ ἐθίσματα L. VII 793 d 5*.
App. et ass. : νόμιμον.
Syn. : ἔθος.

ἔθνος, τό « race, peuple » πόλεις τε καὶ ἔθνη R. I 348 d 6 τετάρτη ... αὕτη πόλις, εἰ δὲ βούλεσθε, ἔθνος L. III 683 a 8 (cf. R. VII 541 a 6).
App. : γένος 1°.
Ass. et opp. : πόλις.

ἔθος, τό « habitude, usage » τὴν δημοτικὴν .. ἀρετήν ... ἐξ ἔθους τε καὶ μελέτης γεγονυῖαν ἄνευ φιλοσοφίας τε καὶ νοῦ Pd. 82 b 2 (cf. R. X 619 c 8) οὐ ... φύσει ... ἀλλὰ νόμῳ καὶ ἔθει τῶν ἐθισάντων Cra. 384 d 8 (cf. L. III 680 a 6 VII 793 d 1, 817 e 2 VIII 841 b 3) εἰ ... μή ἐστι τὸ ἔθος συνθήκη Cra. 435 a 10 (cf. a 9 b 2, 434 e 4-5) εἰς ἔθη τε καὶ φύσιν R. III 395 d 2 (mais opp. ἢ κατὰ φύσιν ἢ κατὰ ἔθος L. II 655 e 1) ἔθεσι καὶ ἀσκήσεσιν R. VII 518 e 1 (cf. 522 a 4 et 7) οὐχ ἱκανῶς πεπαιδευμένον ... ἔθει R. X 606 a 8 κατὰ γράμματα καὶ ἔθη Po. 301 e 9 ἢ κατὰ φύσιν ἢ κατὰ ἔθος ἐμφύεται ... τὸ πᾶν ἦθος διὰ ἔθος L. VII 792 e 2 (cf. XII 968 d 3) ὅσα νόμους ἢ ἔθη τις ἢ ἐπιτηδεύματα καλεῖ L. VII 793 d 1 (cf. Phr. 253 a 2) ἐὰν ... ἐξ αὐτῶν τῶν ἔμπροσθεν παιδευμάτων εἰς ἔθος ἰόντων ἡ φύσις ἐνδέχηται L. VIII 834 d 6 (cf. VII 808 c 3) νόμιμον ἔθει καὶ ἀγράφῳ νομισθὲν νόμῳ L. VIII 841 b 3 διδάξαι τὴν ψυχὴν ἔθεσι L. XII 942 c 2 γνώμῃ ... ἀλλὰ μὴ μόνον ἔθεσιν [O[4] Diès : ἤθεσιν AO] L. XII 951 b 4.
App. : ἕξις 4°, συνήθεια.
App. et ass. : ἐπιτήδευμα, ἦθος, συνθήκη, τρόπος.
Ass. : ἄσκησις, μελέτη (a), νόμος, παίδευμα.
Ass. et opp. : φύσις.
Syn. : ἔθισμα.

εἰδέναι « savoir » ἃ ... τυγχάνεις ἐπιστάμενος, ἦν χρόνος ὅτε οὐχ ἡγοῦ εἰδέναι A. 106 e 2 (cf. 110 c 5 et 7) οἴεταί τι εἰδέναι οὐκ εἰδώς Ap. 21 d 5 (cf. 22 a 1, 23 c 7, 29 b 3 A. 117 d 8, 118 a 1-2 L. IX 881 a 2) οὐκ εἰδώς ... οὕτω καὶ οἴομαι οὐκ εἰδέναι Ap. 29 b 5-6 (cf. A. 117 d 4 M. 84 a 9-b 1 Tht. 210 c 3) τοπάζω ... γλιχόμενος ... εἰδέναι G. 489 d 4 εἰδότας ἀεὶ γίγνεσθαι καὶ ἀεὶ διὰ βίου εἰδέναι. Τὸ γὰρ εἰδέναι τοῦτ' ἔστι · λαβόντα του ἐπιστήμην, ἔχειν καὶ μὴ ἀπολωλεκέναι Pd. 75 d 6-7 τὸ ... σαφὲς εἰδέναι Pd. 85 c 3 τἀληθῆ εἰδότα R. V 450 e 2 (cf. IX 581 b 6 Phr. 259 e 6) ὁ μὲν εἰδώς ... ὁ δὲ πιστεύων R. X 601 e 4 οὔτε ... εἴσεται οὔτε ὀρθὰ δοξάσει R. X 602 a 9 συννοεῖν καὶ εἰδέναι Phr. 241 c 7 εἰ μαθών τίς τι μεμνημένος μὴ οἶδε Tht. 163 d 5 (cf. A. 106 d 5) ἀκούων μὲν ... μύθους παλαιούς πέπεισμαι, τὰ δὲ νῦν ... οἶδα L. VII 804 e 5 ὥς γε ἀνθρώποις φαίνοιτ' ἂν ὀλίγα τούτων εἰδόσιν Ep. 987 c 1 (cf. 975 c 7) τοῦ ... αἰτίου πατέρα κύριον ... εἰσόμεθα πάντες Le. VI 323 d 5 οὐδ' αὐτοὶ αὐτούς (sc. ἴσασιν) Le. VII 341 b 7.
App. : γιγνώσκειν.
App. et ass. : συννοεῖν 3°.

Ass. : μανθάνειν, μεμνῆσθαι.

Ass. et opp. : δοξάζειν, οἴεσθαι, πείθεσθαι 2° a, πιστεύειν, τοπάζειν.

Ass. et syn. : ἐπίστασθαι.

Opp. : ἀγνοεῖν.

Syn. : κατειδέναι (avec les distinctions de J. Brunel, *L'Aspect...*, p. 234-235).

εἶδος, τό 1° « forme » (extérieure), « aspect » ; 2° « figure » ; 3° « image » ; 4° « espèce, classe » ; 5° « caractère » (général) ; 6° « Idée ». — Le « concept » de C. Ritter est un mythe (cf. W. D. Ross, *Plato's Theory...*, p. 15).

1° « forme, aspect » οὕτως τὸ εἶδος πάγκαλός ἐστιν Ch. 154 d 4 (cf. e 5 Ly. 204 e 6 Pr. 352 a 2 M. 80 a 5 B. 210 b 2, 215 b 5 Phr. 253 d 5 Tht. 162 b 3) πρὶν ἐν τῷδε τῷ ἀνθρωπίνῳ εἴδει γενέσθαι Pd. 73 a 1 (cf. d 5, 87 a 2) πρὶν εἶναι ἐν ἀνθρώπου εἴδει, χωρὶς σωμάτων Pd. 76 c 7 (cf. Phr. 249 b 1) πρὶν καὶ εἰς ἀνθρώπου εἶδός τε καὶ σῶμα ἀφικέσθαι Pd. 92 b 5 ἀλλάττοντα τὸ αὑτοῦ εἶδος εἰς πολλὰς μορφάς R. II 380 d 4 ἔν τε τῇ ψυχῇ καλὰ ἤθη ἐνόντα καὶ ἐν τῷ εἴδει ὁμολογοῦντα ἐκείνοις R. III 402 d 2 ἄλλοτε ἐν ἄλλοις εἴδεσι Phr. 246 b 8 ὑπὸ πᾶν τὸ τῆς ψυχῆς εἶδος (= σῶμα) Phr. 251 b 7 οἷον ... ἕκαστον αὐτῶν γέγονεν εἶδος T. 54 d 5 (cf. Pd. 110 c 8 d 2).

2° « figure » (v. g. géométrique) τοῖς ὁρωμένοις εἴδεσι προσχρῶνται R. VI 510 d 4 πάντων ἐκτὸς εἰδῶν εἶναι χρεὼν τὸ τὰ πάντα ἐκδεξόμενον ἐν αὑτῷ γένη T. 50 e 5 (réc. 51 a 4 ; cf. 54 d 3, 64 e 1, 66 d 3) τὸ ... τοῦ σώματος εἶδος πᾶν καὶ βάθος ἔχει T. 53 c 6 τὸ τοῦ παντὸς ἀπομιμούμενον εἶδος T. 88 d 1 (= σχῆμα 44 d 4).

3° « image » διπλοῦν δὲ ἡνίκ' ἂν φῶς οἰκεῖόν τε καὶ ἀλλότριον ... εἶδος ἀπεργάζηται So. 266 c 4.

4° « espèce, catégorie, classe » (souvent voisin de γένος 4° sans différence appréciable) θῶμεν ... βούλει ... δύο εἴδη τῶν ὄντων ; Pd. 79 a 6 (cf. b 2 e 1) αἰτίας ἄλλο εἶδος Pd. 97 e 5 (cf. B. 205 b 4 d 6 Cra. 386 e 8, 390 b 1, 411 a 1, 424 c 6 et 9 d 4) τρίτον ... εἶδος ἀγαθοῦ R. II 357 c 5 (cf. 358 a 4, 363 e 6, 376 e 12 III 389 b 5, 392 a 3, 396 b 9 c 2, 397 b 4 c 3, 400 a 6) τὰ τῆς σωφροσύνης εἴδη καὶ ἀνδρείας R. III 402 c 3 (« espèces » Adam Diès ; Idées Cornford, *Republic*, p. 89 et n. 1 Ross, *Pl's Theory*, p. 229 ; cf. IV 434 d 4) τούτου τοῦ εἴδους τῆς ἰατρικῆς R. III 406 c 2 (cf. 411 d 7 IV 424 c 3, 427 a 2, 432 b 4, 433 a 4, 434 b 2, 435 b 10 c 5, 437 b 9 d 3, 439 e 2, 440 e 7-8, 445 c 1, 5, 9 d 9 V 449 a 5 c 2, 454 a 6 b 6 et 9, 475 b 6, 477 c 4 e 2 VI 509 d 4, 511 a 4 VII 530 c 11 VIII 544 d 2 et 7 IX 585 b 14 X 597 b 14) χωρὶς ἕκαστα διῄρηται τὰ τῆς ψυχῆς εἴδη « les espèces d'âmes » R. X 595 b 2 (cf. 612 a 6 IX 590 c 4) κατ' εἴδη ... διατέμνειν κατ' ἄρθρα ᾗ πέφυκεν Phr. 265 e 1 (cf. e 4, 253 c 9 d 1, 263 b 8, 266 a 3, 270 d 6, 271 d 2) περὶ παντὸς τοῦ εἴδους ... ἐν ᾧ καὶ τὸ ὠφέλιμον τυγχάνει ὄν Tht. 178 a 6 (cf. 157 c 2, 181 c 3 et 9 d 3 et 5) δύο ... εἴδη κακίας περὶ ψυχὴν ῥητέον So. 227 d 12 (réc. 228 e 2 avec γένη au lieu d'εἴδη ; cf. 219 d 5, 220 a 7, 236 c 6, 265 a 8, 266 d 5 e 5) τῆς τῶν γενῶν κατ' εἴδη διαιρέσεως So. 267 d 5 (cf. 264 c 2 et 4) ἔστω σοι ταῦθ' ὡς μιᾶς ἐπιστήμης τῆς ὅλης εἴδη δύο Po. 258 e 7 (cf. c 7) μὴ σμικρὸν μόριον ... ἀφαιρῶμεν εἴδους χωρίς · ἀλλὰ τὸ μέρος ἅμα εἶδος ἐχέτω Po. 262 b 1 (cf. d 7 e 1 et 3, 263 b 9-10, 285 a 4, 286 d 9, 291 e 4) ἀρετῆς μέρος ἀρετῆς εἴδει διάφορον εἶναι Po. 306 a 8 (cf. 307 d 7) τούτων [BTW : τούτω Stallbaum Diès] ... τῶν εἰδῶν τὰ δύο τιθώμεθα Ph. 23 c 12 δύο εἴδη διειλόμεθα, νῦν δὲ τρίτον ἄλλο γένος ἡμῖν δηλωτέον T. 48 e 3 (cf. e 6, 57 c 8 d 3, 66 d 2) διῃρημένη ... κατ' εἴδη L. III 700 a 9 (cf. b 1) δύο πολιτείας εἴδη L. V 735 a 5 (réc. VI 751 a 4 ; cf. III 689 d 6) πέντε εἴδη γέγονεν L. IX 864 b 8 (cf. c 1 X 894 b 1) καθ' ἑκάστην ἀναλογίαν εἶδος καὶ γένος ἀποτυποῦται πᾶσα ἡ φύσις Ep. 991 a 1 τὸ καθ' ἓν τῷ κατ' εἴδη προσακτέον Ep. 991 c 2.

5° « caractère » (général) ὅπως ἂν εἶδός τι αὐτῷ σχῇ G. 503 e 2 ἕν γέ τι εἶδος ταὐτὸν ἅπασαι ἔχουσιν δι' ὅ εἰσιν ἀρεταί M. 72 c 6 (cf. d 8 e 5 et p.-ê. Euph. 6 d 11 H. M. 289 d 4, 298 b 4 ; v. à 6°) κατ' αὐτὸ τὸ τῆς δικαιοσύνης εἶδος R. IV 435 b 2 τὰ αὐτὰ ἐν ἑκάστῳ ἔνεστιν ἡμῖν εἴδη τε καὶ ἤθη R. IV 435 e 2 ταῖς ἄλλαις ἐκτροπαῖς ἓν ἄλλο εἶδος ἐπισημηναμένους Po. 258 c 6 τῶν ... ἐν μέρους εἴδει πεφυκότων T. 30 c 5 εἰς βασιλέως ... εἶδος ... μεταβάλλειν Le. VIII 354 c 6 (réc. 356 b 3, avec σχῆμα).

6° « Idée » ἐκεῖνο αὐτὸ τὸ εἶδος ᾧ πάντα τὰ ὅσια ὅσιά ἐστιν ; ἔφησθα γάρ που μιᾷ ἰδέᾳ ... εἶναι ... τὰ ὅσια ὅσια Euph. 6 d 11 (cf. p.-ê. G. 503 e 2 M. 72 c 6 ; v. à 5°) δοκεῖ σοι αὐτὸ τὸ καλόν ..., ἐπειδὰν προσγένηται ἐκεῖνο τὸ εἶδος, τοῦτ' εἶναι ... λύρα ; H. M. 289 d 4 (cf. 298 b 4) ὡμολογεῖτο εἶναί τι ἕκαστον τῶν εἰδῶν Pd. 102 a 11 (cf. 103 e 3, 104 c 5, 106 d 5) βλέπων ... πρὸς ἐκεῖνο τὸ εἶδος Cra. 389 b 3 πάσας ... δεῖ τὸ τῆς κερκίδος ἔχειν εἶδος Cra. 389 b 10 ἕως ἂν τὸ τοῦ ὀνόματος εἶδος ἀποδιδῷ τὸ προσῆκον ἑκάστῳ Cra. 390 a 6 (cf. 389 e 3 avec ἰδέαν) τὸν ἀποβλέποντα εἰς τὸ τῇ φύσει ὄνομα ὂν ἑκάστῳ καὶ δυνάμενον αὐτοῦ τὸ εἶδος τιθέναι Cra. 390 e 3 (cf. 440 b 1-2 et p.-ê. R. III 402 c 3 IV 434 d 4) πάντων τῶν εἰδῶν πέρι ὁ αὐτὸς λόγος ... πολλὰ φαίνεσθαι ἕκαστον R. V 476 a 6 (cf. X 596 a 6 Tht. 148 d 6, 203 e 4, 204 a 9) αὐτοῖς εἴδεσι δι' αὐτῶν τὴν μέθοδον ποιουμένη (sc. ψυχή b 5) R. VI 510 b 8 (cf. 511 c 1-2 Phr. 249 b 8, 270 d 6) ὁ κλινοποιὸς... οὐ τὸ εἶδος ποιεῖ, ὃ δή φαμεν εἶναι ὃ ἔστι κλίνη R. X 597 a 2 (cf. c 8 et, avec ἰδέα, 596 b 3, 7, 9) οὐ νομίζεις εἶναι αὐτὸ καθ' αὑτὸ εἶδός τι ὁμοιότητος ; Pa. 129 a 1 αὐτὰ τὰ γένη καὶ εἴδη Pa 129 c 2 ἐὰν δέ τις ... διαιρῆται χωρὶς αὐτὰ καθ' αὑτὰ τὰ εἴδη Pa. 129 d 8 (réc. 130 b 2 ; cf. 130 a 1 b 8 c 1-2 d 1, 4, 9 e 5, 131 a 5 et 9 b 5 c 5 et 9 e 4, 132 a 1 et 9 b 2 c 6 et 10 d 1 et 4 e 6, 133 a 5 et 9 b 1 et 6 c 9, 134 b 3, 6, 11 d 5, 135 a 1 b 7, 149 e 7 et 9, 159 e 5) σκοποῦντες αὐτὴν καθ' αὐτὴν τὴν ἑτέραν φύσιν τοῦ εἴδους « la nature étrangère à la forme » (« illimitation pure » : Diès) ou « l'autre élément de l'entité » (« dyade indéfinie » : Cornford) Pa. 158 c 7 (cf. So. 239 a 10) ἕν τι γεγονὸς εἶδος, ἰδέαν μίαν αὐτὸ αὑτοῦ ἔχον Tht. 203 e 4 νοητὰ ἄττα καὶ ἀσώματα εἴδη βιαζόμενοι τὴν ἀληθινὴν οὐσίαν εἶναι So. 246 b 8 (cf. c 9) τοὺς τῶν εἰδῶν φίλους So. 248 a 4 (cf. 249 d 1, 252 a 7) κατὰ γένη διαιρεῖσθαι καὶ μὴ ... ταὐτὸν εἶδος ἕτερον ἡγήσασθαι So. 253 d 1 (cf. 254 c 2, 255 c 5 d 4 e 1, 258 c 4 d 6) διὰ ... τὴν ἀλλήλων τῶν εἰδῶν συμπλοκὴν ὁ λόγος γέγονεν ἡμῖν So. 259 e 5 τῶν εἰδῶν τὰ μὲν μετέχειν τοῦ μὴ ὄντος τὰ δ' οὔ So. 260 d 7 ἐπὶ τὸ τοῦ βασιλέως ... ταὐτὸν εἶδος ... φέροντες Po. 278 e 8 εἰ βουληθεῖμεν ὁτουοῦν εἴδους τὴν φύσιν ἰδεῖν Ph. 44 e 1 ἑκάστοτε εἶναί τι φαμεν εἶδος ἑκάστου νοητόν T. 51 c 5 εἶναι καθ' αὑτὰ ... ἀναίσθητα ὑφ' ἡμῶν εἴδη T. 51 d 5 (cf. 52 a 2) ταῦτα ... διεσχηματίσατο εἴδεσί τε καὶ ἀριθμοῖς T. 53 b 4 πρὸς τῇ τῶν εἰδῶν σοφίᾳ Le. VI 322 d 5.

App. : (2°) σχῆμα ; (5°) τύπος.

App. et ass. : (1°) μορφή, σῶμα ; (4° et 6°) γένος ; (6°) φύσις.

Ass. (6°) : ἀριθμός.

Syn. : ἰδέα et parfois φύσις.

εἴδωλον, τό 1° « fantôme » ; 2° « image ».

1° ὥσπερ εἴδωλα ... αὐτοῦ Ly. 219 d 3 ἔστιν ... ἡ ῥητορικὴ... πολιτικῆς μορίου εἴδωλον G. 463 d 2 φόβων καὶ εἰδώλων παντοδαπῶν καὶ φλυαρίας ἐμπίμπλησιν ἡμᾶς Pd. 66 c 3 ὤφθη ἄττα ψυχῶν σκιοειδῆ φαντάσματα, οἷα παρέχονται αἱ τοιαῦται ψυχαὶ εἴδωλα Pd. 81 d 3 εἰδώλοις τῆς ἀληθοῦς ἡδονῆς R. IX 586 b 8 (cf. c 3, 587 c 9 VII 534 c 5 X 598 b 8, 605 c 3) οὐ ... πρόσεστι γυναιξὶν ... εἴδωλα τίκτειν Tht. 150 b 1 (cf. B. 212 a 4 L. X 889 d 2) βασανίζειν ... πότερον εἴδωλον καὶ ψεῦδος ἀποτίκτει ... ἡ διάνοια ἢ ... ἀληθές Tht. 150 c 2 (cf. e 5, 151 c 3) εἰδώλων μεγίστων προστάτας Po. 303 c 2 εἰδώλων καὶ φαντασμάτων T. 71 a 6 κρεμαννύντες εἴδωλον ἄψυχον γυμνάζεσθαι πρὸς αὐτό L. VIII 830 b 8 **εἴδωλα** εἶναι τὰ τῶν νεκρῶν σώματα L. XII 959 b 2.

2° κόρην ... εἴδωλον ὄν τι τοῦ ἐμβλέποντος A. 133 a 2 (cf. Phr. 255 d 8) μίμημά τι τοῦ ἐν τῇ ψυχῇ ... παθήματος καὶ ... εἴδωλον, οὐ πάνυ ἄκρατον ψεῦδος R. II 382 c 1 εἴδωλόν τι τῆς δικαιοσύνης R. IV 443 c 4 (cf. Phr. 250 d 6) τὰ τῶν ἄλλων εἴδωλα ὕστερον δὲ αὐτά R. VII 516 a 7 (cf. 520 c 5) ἡ ... μεταστροφὴ ἀπὸ τῶν σκιῶν ἐπὶ τὰ εἴδωλα R. VII 532 b 8 (cf. c 2) τό τε μιμηθησόμενον καὶ τὸ εἴδωλον R. X 599 a 7 εἰδώλου δημιουργός, ὃν δὴ μιμητὴν ὡρισάμεθα R. X 599 d 3 τιθῶμεν ... τοὺς ποιητικοὺς μιμητὰς εἰδώλων ἀρετῆς R. X 600 e 6 (cf. 601 b 11) διανοίας ἐν φωνῇ ὥσπερ εἴδωλον Tht. 208 c 5 (cf. 191 d 9 Phr. 276 a 9 So. 234 c 6) εἴδωλον ... εἶναι ... τὸ πρὸς τἀληθινὸν ἀφωμοιωμένον ἕτερον τοιοῦτον So. 240 a 8 (cf. a 5, 236 a 6, 239 d 4 et 7) εἴτε εἰδώλων εἴτε εἰκόνων εἴτε μιμημάτων εἴτε φαντασμάτων So. 241 e 3 (réc.

260 c 7 avec φαντασία, 264 c 12 avec φάντασμα) ἡ ... μίμησις ποίησίς τίς ἐστιν, εἰδώλων μέντοι ... ἀλλ' οὐκ αὐτῶν ἑκάστων So. 265 b 1 (cf. 266 b 6 c 7 d 4 Po. 306 d 2) (ὄνομα ...) λόγος, τὸ δὲ τρίτον εἴδωλον Le. VII 342 b 2 (cf. 343 c 8).

App. (2°) : ὁμοίωμα.

App. et ass. : (1°) φάντασμα, ψεῦδος ; (2°) εἰκών 2°, μίμημα 1° b, σκιά, φαντασία (b), φάντασμα (b), ψεῦδος.

Ass. (1°) : φλυαρία.

Ass. et opp. : (1°) ἀληθές ; (2°) αὐτός A.

εἰδωλοποιεῖν R. X 605 c 3 « créer » (des fantômes).

εἰκάζειν 1° « représenter » ; 2° « reproduire » ; 3° « comparer » (à) ; 4° « conjecturer ».

1° ἐκ τῆς εἰκόνος μανθάνειν αὐτήν τε αὐτὴν εἰ καλῶς ᾔκασται Cra. 439 a 9 ὅταν εἰκάζῃ τις κακῶς τῷ λόγῳ R. II 377 e 2 οἷόν τε ἐκεῖνο τὸ εἶδος μὴ ὅμοιον εἶναι τῷ εἰκασθέντι καθ' ὅσον αὐτῷ ἀφομοιώθη Pa. 132 d 7.

2° οὐδὲ ... πάντα ἀποδοῦναι οἷόν ἐστιν ὃ εἰκάζει Cra. 432 b 4 ὀλίγοι ... θεῶνται τὸ τοῦ εἰκασθέντος γένος Phr. 250 b 5 ἡ μέθεξις αὕτη τοῖς ἄλλοις γίγνεσθαι τῶν εἰδῶν οὐκ ἄλλη τις ἢ εἰκασθῆναι αὐτοῖς (= τοῖς ἄλλοις : datif d'agent, εἰκασθῆναι ayant pour sujet τὰ εἴδη s.-ent.) Pa. 132 d 4.

3° γιγνώσκω οὗ ἕνεκά με ᾔκασας M. 80 c 1 (cf. c 4 et ἀντεικάζειν c 3 et 6) ᾧ εἰκάζω ... οὐκ ἔοικεν Pd. 99 e 6 οἷς ἐγὼ ᾔκασα αὐτόν B. 216 c 7 (cf. R. VI 488 a 2 et 5 Po. 260 e 3).

4° εὖ οἶδα καὶ οὐκ εἰκάζω A. 105 c 8 (cf. M. 98 b 1 et 3 Cra. 425 c 3 Le. VII 324 a 5) οὐ χαλεπὸν τοῦτό γ' εἰκάσαι I. 532 c 5 (cf. M. 89 e 3 B. 190 a 4 Ph. 55 e 5).

App. : (1°-3°) μιμεῖσθαι ; (3°) ὁμοιοῦν 3°, παραβάλλειν 2° ; (4°) μαντεύεσθαι 2°, στοχάζεσθαι, τεκμαίρεσθαι, τοπάζειν.

App. et ass. (1°-3°) : ἀφομοιοῦν, ἐοικέναι.

Ass. et opp. (4°) : εἰδέναι.

Syn. : (1° et 3°) ἀπεικάζειν (avec les nuances, souvent insensibles, discernées par J. Brunel, *L'Aspect...*, p. 174-175 et 184) ; (3°) προσεικάζειν.

εἰκασία, ἡ « conjecture » νόησιν ... διάνοιαν ... πίστιν ἀποδὸς καὶ τῷ τελευταίῳ εἰκασίαν R. VI 511 e 3 (réc. VII 534 a 1 et 5, avec ἐπιστήμην au lieu de νόησιν)*.

Ass. et opp. : διάνοια.

εἰκαστικός « relatif aux représentations (copies) » (parfois subst. avec τέχνη sous-entendu) δύο ἔλεγον εἴδη τῆς εἰδωλοποιικῆς, εἰκαστικὴν καὶ φανταστικήν So. 236 c 7 (réc. 264 c 5, 266 d 10 ; cf. 235 d 7) μουσικήν γε πᾶσάν φαμεν εἰκαστικήν τε εἶναι καὶ μιμητικήν ; L. II 668 a 6 (cf. 667 c 10)*.

App. et ass. : μιμητικός (a), φανταστικός.

εἰκῇ « au hasard » εἰκῇ φύρω Pd. 97 b 6 (cf. Phr. 253 e 1) τὸ ... ὅλον ἐπιτροπεύειν φῶμεν τὴν τοῦ ἀλόγου καὶ εἰκῇ δύναμιν καὶ τὸ ὅπῃ ἔτυχεν Ph. 28 d 8 μετέχοντες τοῦ προστυχόντος τε καὶ εἰκῇ

T. 34 c 4 ταῖς πολιτείαις ... ταῖς τῶν εἰκῇ πολιτευομένων L. I 635 e 7 (cf. Pr. 326 d 1).

App. et ass. : ἄλογον, (προσ)τυχόν.

εἰκότως a) « pour de bonnes raisons » ; b) « avec vraisemblance ».

a) εἰκότως θαρρεῖν μέλλων ἀποθανεῖσθαι Pd. 63 e 8 (cf. 69 d 7, 116 e 7 et 9 Cra. 399 d 7 Ep. 979 d 7).

b) τί περὶ αὐτῶν εἰκότως διαπορηθέντες ἂν λέγοιμεν T. 49 b 6 (cf. 48 c 1) σοφία ... λέγοιτ' ἂν ὄντως καὶ εἰκότως Ep. 976 d 2.

App. et ass. (b) : ὄντως.

εἰκών, ἡ 1° « image » (reflet, représentation mentale d'une perception) ; 2° « copie » (ressemblance, imitation artistique) ; 3° « image » (comparaison).

1° οἱ τὸν ἥλιον ... θεωροῦντες ... διαφθείρονται ... τὰ ὄμματα, ἐὰν μὴ ἐν ὕδατι ... σκοπῶνται τὴν εἰκόνα αὐτοῦ Pd. 99 e 1 (cf. 100 a 2 R. III 402 b 5 VI 509 a 9 L. X 897 e 1 et 5) τὰ ... ὀνόματα ... ἐοικότα εἶναι ἐκείνοις ὧν ὀνόματα κεῖται καὶ εἶναι εἰκόνας τῶν πραγμάτων Cra. 439 a 3 (cf. a 8 b 1-2, 431 d 5-6) λέγω δὲ τὰς εἰκόνας πρῶτον μὲν τὰς σκιάς, ἔπειτα τὰ ἐν τοῖς ὕδασι φαντάσματα R. VI 509 e 1-2 (réc. 510 e 2) τὸ μὲν ... τοῖς τότε μιμηθεῖσιν ὡς εἰκόσιν χρωμένη ψυχή ..., τὸ δ' αὖ ... ἄνευ ... εἰκόνων R. VI 510 b 4 et 8 (réc. 511 a 7) οὐδ' εἰκόνα ἂν ... ἴδοις, ἀλλ' αὐτὸ τὸ ἀληθές R. VII 533 a 3 (cf. Phr. 250 b 5) τὰς τῶν δοξασθέντων ... εἰκόνας ἐν αὐτῷ ὁρᾷ Ph. 39 c 1 (cf. c 4, 49 c 4) εἰκόνι ... ἑτέρου ... τινὸς ἀεὶ φέρεται φάντασμα T. 52 c 2 κεφαλῆς νοῦ τε κοινωνίας εἰκόνα τινά πως συμμείξαντες (« image composite » Diès) L. XII 969 b 7.

2° Κρατύλος καὶ Κρατύλου εἰκών Cra. 432 b 6 (cf. b 4 c 4 et 6 d 1, 430 c 3, 431 c 11) τὴν τοῦ ἀγαθοῦ εἰκόνα ἤθους ἐμποιεῖν τοῖς ποιήμασιν R. III 401 b 2 (cf. b 8) ἐν εἰκόσι ζῴων R. III 401 b 6 πρὶν ἂν τὰ τῆς σωφροσύνης εἴδη καὶ ἀνδρείας ... ἐνόντα ... αἰσθανώμεθα καὶ αὐτὰ καὶ εἰκόνας αὐτῶν R. III 402 c 6 (cf. L. II 655 b 5) παύομαι τῆς εἰκόνος (« description » Chambry) R. VII 534 b 7 (cf. b 4) τὸ ... ἕτερον ... δίκαιον, εἰκός γε ὄν, εἰκόνα καλεῖν So. 236 a 8 εἴτε εἰδώλων εἴτε εἰκόνων εἴτε μιμημάτων εἴτε φαντασμάτων So. 241 e 3 (réc. 260 c 7 avec φαντασία, 264 c 12 avec φάντασμα) ἀνάγκη τόνδε τὸν κόσμον εἰκόνα τινὸς εἶναι T. 29 b 1 (cf. 37 d 5 et 8, 92 c 8) περί τε εἰκόνος καὶ περὶ τοῦ παραδείγματος αὐτῆς διοριστέον T. 29 b 3 τοῦ πρὸς ... ἐκεῖνο ἀπεικασθέντος ὄντος δὲ εἰκόνος T. 29 c 1 μὴ ... γιγνώσκων τὴν οὐσίαν ... ὅτου ποτ' ἐστὶν εἰκὼν ὄντως L. II 668 c 7 (cf. So. 240 b 11 et 13) περὶ τὴν μουσικὴν ... ὑμνεῖται ... διαφερόντως ἢ τὰς ἄλλας εἰκόνας L. II 669 b 7 (cf. a 7 b 8) τὴν τῆς εἰκόνος ὁμοιότητα L. VIII 836 e 3 (cf. IX 867 a 2) τῶν δὲ (θεῶν) εἰκόνας ἀγάλματα ἱδρυσάμενοι L. XI 931 a 1 (cf. Ep. 984 a 1) μήτε λόγῳ μήτε εἰκόνι L. XI 935 e 5.

3° ταύτην τὴν εἰκόνα τὴν περὶ τὰ σμήνη M. 72 a 8 (cf. 80 c 5 G. 493 d 5, 517 d 6 Pd. 87 b 3 d 4) ἐπαινεῖν ... δι' εἰκόνων B. 215 a 5 (cf. a 6 R. VI 487 e 6-7, 489 a 5 VII 515 a 4, 517 a 9 d 3, 538 c 6 IX 588 b 10 Po. 297 e 7, 309 b 6 L. I 644 c 1) δημιουργοὶ λόγῳ καλῶν εἰκόνων L. X 898 b 4 (cf. 906 e 7). — Adverbial : δεσμωτηρίου εἰκόνα Cra. 400 c 7.

App. (2°) : ἀφομοίωμα.

App. et ass. : (1°) σκιά ; (1°-2°) εἴδωλον 2° ; εἰκός, μίμημα 1° b, ὁμοίωμα, φάντασμα ; (2°) ἄγαλμα, φαντασία (b).

Ass. et opp. : (1°) ἀλήθεια, ἀληθές ; (2°) αὐτός A, ὄν, οὐσία, παράδειγμα.

εἰκώς 1° adj. a) « ressemblant » ; b) « naturel, raisonnable » ; c) « vraisemblable » ; 2° subst. n. « vraisemblance ». Pour les deux premiers sens, v. aussi ἐοικέναι 1° et 2°.

1° a) τὰ ... ὀνόματα ... ὡμολογήσαμεν ἐοικότα εἶναι ἐκείνοις ὧν ὀνόματα κεῖται Cra. 439 a 2 ζῶντες τὸν εἰκότα βίον ᾧ ὁμοιοῦνται Tht. 177 a 3 οὐδαμῶς ἀληθινόν γε, ἀλλ' ἐοικὸς μέν So. 240 b 2.

b) εἰκὸς ... τοῦτό γε φαίνεται Pd. 62 c 7 (cf. e 4) πάνυ ἐξ εἰκότος λόγου Euth. 305 e 1 μάλιστα εἰκὸς πρέποι τ' ἂν ... διελθεῖν T. 62 d 2 (cf. 53 b 3) σωτῆρα τὸν εἰκότα L. XII 961 d 2 ὡς εἰκότα τε καὶ δίκαια Le. VII 330 c 4. — Ὥς γ' εἰκός L. VI 780 b 4 (cf. R. III 406 b 11 T. 24 d 6).

c) πρὸ τῶν ἀληθῶν τὰ εἰκότα εἶδον ὡς τιμητέα μᾶλλον Phr. 267 a 7 τοὺς ... εἰκότας ἀνά τε λόγον ... ὄντας (sc. λόγους) T. 29 c 1 (cf. 44 d 1, 48 d 2 et 6) κατὰ τὸν μετ' ἀνάγκης εἰκότα λόγον T. 53 d 6 (cf. 30 b 8, 55 d 5, 56 b 4, 57 d 6, 59 d 1, 72 d 8, 90 e 8 Ep. 981 b 3) μήτε τινὰ ἀνάγκην μήτε τὸν εἰκότα λόγον T. 68 b 8.

2° ἄνευ ἀποδείξεως μετὰ εἰκότος τινὸς καὶ εὐπρεπείας Pd. 92 c 9 (cf. d 2) τό γε τὸν Πᾶνα τοῦ Ἑρμοῦ εἶναι ὑὸν διφυῆ ἔχει τὸ εἰκός Cra. 408 b 9 (cf. Pd. 67 a 7 R. III 407 d 7 VIII 568 c 9) μὴ ... τῷ εἰκότι μόνον πιστεύσωμεν ἐκ τῆς γραφικῆς R. X 603 b 10 ἀληθείας μέλειν οὐδενί, ἀλλὰ τοῦ πιθανοῦ · τοῦτο δ' εἶναι τὸ εἰκός Phr. 272 e 1 (cf. 266 e 3 τεκμήρια ... εἰκότα) πιθαναλογίᾳ [TWY : -ίαις B] τε καὶ εἰκόσι Tht. 163 a 1 (cf. 162 e 5) ἄνευ τε εἰκότων καὶ ἀναγκαίων ἀποδείξεων T. 40 e 2.

App. (1° c) : πιθανός.

App. et ass. (2°) : πιθανολογία, πιθανόν, τεκμήριον (a).

Ass. et opp. : (1° a) ἀληθινός ; (c) ἀληθής, ἀνάγκη ; (2°) ἀλήθεια, ἀπόδειξις.

εἰλικρινής « pur, sans mélange » a) adj. ; b) subst. n.

a) αὐτῇ καθ' αὑτὴν εἰλικρινεῖ τῇ διανοίᾳ χρώμενος αὐτὸ καθ' αὑτὸ εἰλικρινὲς ἕκαστον θηρεύειν τῶν ὄντων Pd. 66 a 1-2 (cf. 67 b 1, 81 c 1) αὐτὸ τὸ καλὸν ἰδεῖν εἰλικρινές, καθαρόν, ἄμεικτον B. 211 e 1 (cf. Ph. 30 b 6, 32 c 8) εἰλικρινὴς πρὸς ἀρετήν R. VIII 549 b 3 οὐδαμῶς εἰλικρινὲς ὄν Ph. 29 b 8 (cf. R. V 478 e 3 Ph. 63 b 9) **πῦρ** εἰλικρινές T. 45 b 7 ὅσον εἰλικρινές ..., τὸ δὲ μεικτόν T. 76 b 4.

b) τό τε βέβαιον καὶ τὸ καθαρὸν καὶ ἀληθὲς καὶ ... εἰλικρινές Ph. 59 c 4 (cf. 52 d 7 Pd. 67 b 1).

Adv. : εἰλικρινῶς (τοῦ εἰλικρινῶς ὄντος R. V 477 a 7, 478 d 6 ; cf. 479 d 7 B. 181 d 1 et, ass. à ἀμιγεῖς, Mx. 245 d 1)*.

App. : ἄκρατος.

App. et ass. : ἀληθής, ἄμεικτος, αὐτὸς (καθ' αὑτόν), καθαρός.

Ass. et opp. : μεικτός.

εἱμάρθαι « être marqué par le destin » (l'inf. chez Bacchylide et Appien).

— A l'indic. : ἀνάγκη ... καὶ εἵμαρται ... ἀπολωλέναι ὑπὸ τῶν ἐχθρῶν R. VIII 566 a 3 (cf. Phr. 255 b 1).

— D'ordinaire au pcpe : χρόνος ... εἱμαρμένος γενέσεως Pr. 320 d 1 (cf. 321 c 7 Pd. 113 a 3 Mx. 236 d 5, 243 e 3) εἱμαρμένη τε καὶ σύμφυτος ἐπιθυμία Po. 272 e 5 ἔκ τινος ἀνάγκης εἱμαρμένης L. XI 918 e 4 (cf. T. 41 e 3, 89 b 8).

Subst. f. : ἡ εἱμαρμένη « destinée » ὅταν ἡ εἱ. καλῇ Pd. 115 a 2 (cf. a 5 G. 512 e 3 R. X 619 c 1 Tht. 169 c 5) παρὰ τὴν εἱμαρμένην τοῦ χρόνου T. 89 c 6 κατὰ τὴν τῆς εἱμαρμένης τάξιν L. X 904 c 7 (cf. IX 873 c 4).

App. et ass. : ἀνάγκη (rapprocher aussi le cas de Po. 272 e 5 et l'ἀνάγκη du *Timée* ; cf. A.-J. Festugière, *R.E.G.*, 1945, p. 41).

Ass. (au pcpe) : σύμφυτος.

εἶναι 1° « être, exister » ; 2° « être » (en soi ; v. aussi ὄν, ὄντα) ; 3° « être dans » (à propos de l'Idée immanente).

1° « exister » δοκεῖ σοι οἷόν τε ἔτι ἐκείνην τὴν πόλιν εἶναι καὶ μὴ ἀνατετράφθαι Cr. 50 b 3 ἦσαν ... αἱ ψυχαὶ καὶ πρότερον πρὶν εἶναι ἐν ἀνθρώπου εἴδει Pd. 76 c 6 (cf. b 9 e 6, 77 b 7 c 3 et 9) εἰ ... καὶ ἐπειδὰν ἀποθάνωμεν ἔτι ἔσται Pd. 77 b 2 (cf. Ep. 992 b 5) ὅπως μὴ ... διασκεδάννυται ἡ ψυχὴ καὶ αὐτῇ τοῦ εἶναι τοῦτο τέλος ᾖ Pd. 77 b 6 εἰ ... μὴ εἰσίν (sc. θεοί) R. II 365 d 7 (cf. e 2 L. X 885 e 8) τοῦ εἶναί τε καὶ ζῆν ἕνεκα R. II 369 d 2 (mais dans ζῆν καλεῖται καὶ εἶναι τὸ αὐτό « être identique à soi-même » B. 207 d 5, εἶναι est copule) πολλὰ ἀγαθὰ καὶ ἕκαστα οὕτως εἶναί φαμεν R. VI 507 b 3 (cf. IX 585 c 3) τὸ εἶναί τε καὶ τὴν οὐσίαν « l'existence et l'essence » R. VI 509 b 7 (cf. So. 243 e 2) τὸ ... εἶναι ... μέθεξις οὐσίας Pa. 151 e 8 (cf. 152 a 2) εἰ ... εἴη ἴσον (sc. τὸ ἕν), εἴη ... ἂν ἤδη Pa. 161 c 4 λέγομεν ... ὡς ἦν ἔστιν τε καὶ ἔσται T. 37 e 6 (cf. e 7, 38 a 1) οὐ τὸ σῴζεσθαί τε καὶ εἶναι μόνον ἀνθρώποις τιμιώτατον ἡγούμενοι L. IV 707 d 3.

2° « être » (d'où τὸ εἶναι = « la réalité ») μὴ ἐκ τῆς μιμήσεως τοῦ εἶναι ἀπολαύσωσιν R. III 395 c 8 τοῦ ὃ ἔστιν ἴσον Pd. 75 b 1 (cf. b 4) τὸ αὐτὸ ὃ ἔστι (τὸ αὐτὸ Burnet Robin : τοῦτο codd. Loriaux) Pd. 75 d 2 αὐτὸ ἕκαστον ὃ ἔστι, τὸ ὄν Pd. 78 d 3 (cf. d 5 R. VI 490 b 3 VII 532 a 7) τὴν ἐπωνυμίαν τὴν τοῦ ὃ ἔστιν Pd. 92 e 1 αὐτὸ ... ὃ ἔστι καλόν B. 211 c 9 οὐ τὸ εἶδος ποιεῖ, ὃ δή φαμεν **εἶναι** ὃ ἔστι κλίνη R. X 597 a 2 (cf. Pa. 129 b 7) κατ' ἰδέαν μίαν ἑκάστου ὡς μιᾶς οὔσης τιθέντες « ὃ ἔστιν » ἕκαστον προσαγορεύομεν R. VI 507 b 7 πρὸς μᾶλλον ὄντα τετραμμένος R. VII 515 d 3 (cf. V 479 d 1 Tht. 178 b 7) φαινόμενα, οὐ μέντοι ὄντα ... τῇ ἀληθείᾳ R. X 596 e 4 (cf. 601 b 13 à ὄν 2°) ἔστι μὲν γὰρ οὐδέποτ' οὐδέν, ἀεὶ δὲ γίγνεται Tht. 152 e 1 τὸ δοκοῦν ἑκάστῳ τοῦτο καὶ εἶναι τῷ δοκοῦντι Tht. 162 d 1 τὸ φαινόμενον ἀλλ' οὐκ ὄν Ph. 42 c 1 οὐ περὶ τὰ ὄντα ἀεί, περὶ δὲ τὰ γιγνόμενα Ph. 59 a 7 τί τὸ ὂν ἀεί, γένεσιν δὲ οὐκ ἔχον, καὶ τὸ γιγνόμενον μὲν ἀεί, ὂν δὲ οὐδέποτε ; T. 27 d 6-28 a 1 (cf. 50 c 5, 51 a 2).

3° (avec ἐν) « être dans » πειρῶ εἰπεῖν ἀνδρείαν ... τί ὂν ἐν πᾶσι ... ταὐτόν ἐστιν La. 191 e 10 (cf. 192 a 2 b 6) ἐάν τε ἐν ἀνδρὶ ἐάν τε ἐν ἄλλῳ ... ᾖ M. 72 e 1 (cf. e 7 R. IV 434 d 8-9 e 3) ἡμῶν ἐν ἑκάστῳ δύο τινέ ἐστον ἰδέα Phr. 237 d 7.

App. et ass. (1°) : ζῆν.

Ass. (1°) : οὐσία.

Ass. et opp. (2°) : γίγνεσθαι, δοκεῖν, φαίνεσθαι.

Opp. (2°) : μιμεῖσθαι.

Syn. : (3°) ἐγγίγνεσθαι, ἐνεῖναι ; (2°) πεφυκέναι (v. φύειν 2°).

εἴργειν (εἵργειν) a) « enclore » ; b) « écarter ».

a) μὴ ... παύεσθαι πρὶν ἂν σύμπαντα τὰ οἰκεῖα ἐντὸς μιᾶς ὁμοιότητος ἕρξας γένους τινὸς οὐσίᾳ περιβάληται Po. 285 b 5 (cf. So. 220 c 1).

b) τὸ εἴργειν ἐστὶν ἀφ' ὧν ἐπιθυμεῖ κολάζειν G. 505 b 10.

App. (a) : περιλαμβάνειν.

App. et ass. (a) : περιβάλλειν, περιέχειν.

Ass. (b) : κολάζειν.

εἰρήνη, ἡ « paix » πρὸς τίνας χρὴ εἰρήνην ποιεῖσθαι καὶ τίσιν πολεμεῖν A. 107 d 7 τὸ ἐν τῷ πολεμεῖν βέλτιον καὶ τὸ ἐν τῷ εἰρήνην ἄγειν A. 108 d 10 (réc. 109 a 5) φιλία καὶ εἰρήνη B. 195 c 6 τῶν ... τοιούτων ἐν τῷ γήρᾳ πολλὴ εἰρήνη γίγνεται καὶ ἐλευθερία R. I 329 c 7 ἐν πολέμῳ τε καὶ εἰρήνῃ R. VIII 543 a 4 (cf. L. I 626 a 2 VIII 829 b 1 XII 955 c 1) εἰρήνη ... πρὸς ἀλλήλους ἅμα καὶ φιλοφροσύνη L. I 628 c 10 (cf. 640 b 8) εἰρήνην τε καὶ αἰδῶ καὶ εὐνομίαν [AO³ : ἐλευθερίαν OA³ Jul.] L. IV 713 e 1.

Ass. : ἐλευθερία, φιλία, φιλοφροσύνη.

Ass. et opp. : πόλεμος.

εἰρηνικός « pacifique » πόλει ... γενομένῃ ... ἀγαθῇ βίος εἰρηνικός, πολεμικὸς δὲ ... ἂν ᾖ κακή L. VIII 829 a 6 (cf. R. III 399 b 3).

Ass. et opp. : πολεμικός.

εἰρωνεία, ἡ « ironie » (ignorance feinte) αὕτη 'κείνη ἡ εἰωθυῖα εἰρωνεία Σωκράτους R. I 337 a 5*.

εἰρωνεύεσθαι a) « parler ironiquement » ; b) « faire le naïf ».

a) οὐ πείσεσθέ μοι ὡς εἰρωνευομένῳ Ap. 38 a 1 (cf. G. 489 e 1 et 3 Cra. 384 a 1).

b) εἰρωνευόμενος ... καὶ παίζων B. 216 e 5 ἤδη ... ὅτι σὺ ἀποκρίνασθαι μὲν οὐκ ἐθελήσοις, εἰρωνεύσοιο δέ R. I 337 a 7 (cf. So. 268 b 2)*.

εἰρωνικός « ironique, simulateur » εἰρωνικὸν μιμητήν So. 268 c 8 (cf. a 7 L. X 908 e 1)*.

Adv. : εἰρωνικῶς (B. 218 d 6 Euth. 302 b 3*).

εἷς 1° « un (seul) » ; 2° subst. n. τὸ ἕν a) « l'Un » (parménidien) ; b) « unité ».

1° εἷς μόνος A. 131 e 2 (cf. G. 475 e 11) οὐ ... φροντιστέον τί ἐροῦσιν οἱ πολλοὶ ἡμᾶς, ἀλλ' ὅ τι ὁ ἐπαΐων ... ὁ εἷς καὶ αὐτὴ ἡ ἀλήθεια Cr. 48 a 7 ὁ εἷς τῶν μυρίων κρείττων G. 490 a 5 (cf. a 1) παῦσαι πολλὰ ποιῶν ἐκ τοῦ ἑνός (proverbe) M. 77 a 7 (cf. L. XII 945 e 1) ποιῆσαι ἓν ἐκ δυοῖν B. 191 d 3 (cf. 192 e 2-3-4 et 9) ἕνα γενόμενον ἐκ πολλῶν R. IV 443 e 2 (cf. 423 d 5-6 V 462 b 1-2 Ep. 992 b 6) ἓν ἑστὸς λέγουσι τὸ πᾶν Tht. 183 e 3 (cf. So. 242 d 6) πολλὰ καὶ ἓν ταὐτὰ ἀποφαίνειν Pa. 129 d 3 (cf. Ph. 14 c 8, 15 d 4) ταὐτὸν καὶ ἓν ὂν ἀεί L. IV 721 c 6 ἕνα μόνον ἀλλὰ μὴ πολλοὺς εἶναι L. VIII 847 b 1 εἰς ἓν βλέποντα L. XII 962 d 4 (cf. 965 b 9 d 6 e 1 Ep. 992 a 1) τὸ δὲ ἓν αὐτοῦ τόδε νομίζειν Ep. 981 d 3 μεταλαβὼν φρονήσεως εἷς ὢν μιᾶς Ep. 986 d 3 (cf. 991 e 4) τὸ καθ' ἓν τῷ κατ' εἴδη προσακτέον Ep. 991 c 2 δεσμὸς ... πάντων εἷς ἀναφανήσεται Ep. 992 a 2.

2° a) « l'Un » ἡ περὶ τὸ ἓν μάθησις R. VII 525 a 2 ; cf. le *Parménide, passim, v. g.* εἰ ἕν ἐστι Pa. 128 d 1 (cf. b 3) εἷς ἐγώ εἰμι ἄνθρωπος μετέχων καὶ τοῦ ἑνός Pa. 129 d 2 εἰ πολλά ἐστι, τί χρὴ συμβαίνειν ... τῷ ἑνὶ πρός τε αὐτὸ καὶ πρὸς τὰ πολλά Pa. 136 a 6 περὶ τοῦ ἑνὸς αὐτοῦ ... εἴτε ἕν ἐστιν εἴτε μὴ ἕν, τί χρὴ συμβαίνειν Pa. 137 b 4.

b) « unité » (et multiplicité) ἓν ... ὅλον τέλειον μόρια ἔχον Pa. 157 e 4 τὸ ἓν καὶ πολλά Ph. 14 d 5 (cf. e 4) ταῦτα ... τὰ ... ἓν καὶ πολλά Ph. 15 c 1 (cf. b 8) περὶ παντὸς ἑνὸς καὶ πολλῶν Ph. 17 d 7 (cf. 16 c 9 d 6).

App. et ass. : (1°) ὁ αὐτός, μόνος ; (2°) ὅλον.

Ass. et opp. : δύο, πολλοί.

εἰσιέναι « venir » (à l'esprit) ἡμῖν ἔναγχος εἰσῆλθε διαλεγομένοις Tht. 147 d 1 (réc. d 8).

App. : ὑπεῖναι.

Syn. : ἐπιέναι 1°.

ἕκαστος 1° « chacun » ; 2° subst. n. ἕκαστα « les choses individuelles ».

1° αὐτὸ ἕκαστον διανοηθῆναι περὶ οὗ σκοπεῖ Pd. 65 e 3 αὐτὸ ἕκαστον ὃ ἔστι, τὸ ὄν Pd. 78 d 3 (cf. d 5) τοὺς ... ἕκαστον τὸ ὂν ἀσπαζομένους R. V 480 a 11 αὐτοῦ ὃ ἔστιν ἑκάστου τῆς φύσεως R. VI 490 b 3 (cf. 507 b 7 VII 532 a 7, 533 b 2) ὁ μὴ ἐγνωρικὼς ὃ ἔστιν ἕκαστον τῶν ὄντων Phr. 262 b 9 εἰδώλων ἀλλ' οὐκ αὐτῶν ἑκάστων So. 265 b 1 εἴδωλα εἶναι τὰ ... σώματα, τὸν δὲ ὄντα ἡμῶν ἕκαστον ὄντως ... ἀπιέναι L. XII 959 b 3.

2° τὸ δ' ἄπειρον ... ἑκάστων καὶ ἐν ἑκάστοις πλῆθος Ph. 17 e 2-3.
Ass. : αὐτός (B 3°).

ἐκβακχεύειν « transporter » ἐκβακχεύουσα (ψυχήν) Phr. 245 a 2 (cf. R. VIII 561 a 9)*.

ἐκεῖ « là-bas » εὐδαιμονέστεροί εἰσιν οἱ ἐκεῖ τῶν ἐνθάδε Ap. 41 c 6 (cf. a 3 b 5 c 3 et 5, 40 e 6) ἐκεῖ ἐν Ἅιδου G. 525 c 7 παλαιὸς ... λόγος ... ὡς εἰσὶν ἐνθένδε ἀφικόμεναι ἐκεῖ Pd. 70 c 6 (cf. d 1, 61 e 2, 67 b 7) ἐγγυτέρω ὢν τῶν ἐκεῖ R. I 330 e 3 (cf. II 365 a 2) ἃ ἐκεῖ ὁρᾷ R. VI 500 d 4 (cf. VII 516 c 4, 520 c 5) οὔτε ὅσαι ... εἶδον τότε τἀκεῖ, οὔθ' αἵ, δεῦρο πεσοῦσαι ... Phr. 250 a 2 (cf. a 6) περὶ τοὺς θεοὺς τοὺς ἐκεῖ L. V 727 d 5 (cf. Cr. 54 b 6 R. IV 427 b 9).
Ass. : τότε.
Ass. et opp. : δεῦρο, ἐνθάδε, ἐνθένδε.
Opp. : τῇδε.

ἐκεῖθεν « de là-bas » ὁ ἐκεῖθεν ἄγγελος R. X 619 b 2 (cf. e 3) ἐκεῖθεν ... τὸ θεῖον τὴν κεφαλὴν ... ἡμῶν ἀνακρεμαννύν T. 90 a 8.
Opp. : ἐνθένδε.

ἐκεῖνος « celui-là » (appliqué au monde des Idées) ἐκ τούτων ... τῶν ἴσων, ἑτέρων ὄντων ἐκείνου τοῦ ἴσου Pd. 74 c 5 (cf. d 6, 75 b 6, 76 e 2) ἐκείνου ... ὀρέγεται τοῦ ὃ ἔστιν ἴσον Pd. 75 a 9 ἐκεῖσε βλέποντος ἀνθρώπου καὶ ἐκεῖνο ᾧ δεῖ θεωμένου B. 212 a 1 (cf. 211 b 4) αὐτὰ ἐκεῖνα ἰδεῖν R. VI 510 e 3 (cf. VII 515c 10) ἀναμιμνήσκεσθαι ... ἐκ τῶνδε ἐκεῖνα Phr. 250 a 1 αὐτὸ τὸ ἀληθέστατον ἐκεῖνο Po. 300 e 2 (cf. d 7, 301 a 1 Pa. 133 e 5-6, 134 a 1 et 5) ἄνευ τούτων οὐ δυνατὰ αὐτὰ ἐκεῖνα ἐφ' οἷς σπουδάζομεν μόνα κατανοεῖν T. 69 a 3.
Ass. : αὐτός.
Ass. et opp. : ὅδε.

ἐκεῖσε « là-bas » ἐκεῖσε ἀφικόμενος Pd. 58 e 6 (cf. 75 b 3, 79 d 1 R. I 331 b 3) ἐκεῖσε ἀποδημεῖν Pd. 61 d 9 (cf. 107 d 5 e 1) τὴν μετοίκησιν τὴν ἐνθένδε ἐκεῖσε Pd. 117 c 2 ἐκεῖσε βλέποντος ἀνθρώπου B. 212 a 1 ἐκεῖσε ... ἀναφέροντες ... τὰ ἐνθάδε νόμιμα R. VI 484 c 10 τὴν ἐνθένδε ἐκεῖσε καὶ δεῦρο πάλιν πορείαν R. X 619 e 4 ἐνθένδε ἐκεῖσε φεύγειν Tht. 176 b 1 (cf. R. VII 529 a 3 Phr. 250 e 2).
Ass. et opp. : δεῦρο, ἐνθάδε, ἐνθένδε.

ἐκλάμπειν « briller, jaillir dans toute sa clarté » ἐνταῦθα ἐξέλαμψεν τὸ τῆς φύσεως δίκαιον G. 484 b 1 ἥ γε (sc. ἡ σοφία e 1) παρὰ σοῦ ... οὕτω σφόδρα ἐξέλαμψε καὶ ἐκφανὴς ἐγένετο B. 175 e 6 μόγις ... τριβόμενα ..., ἐξέλαμψε φρόνησις ... καὶ νοῦς Le. VII 344 b 7 (cf. R. IV 435 a 3)*.
Syn. : λάμπειν (avec les nuances d'aspect).

ἐκλείπειν 1° (trans.) « omettre » ; 2° (intr.) « manquer » a) « faire défaut » ; b) « cesser » ; c) « disparaître ».
1° πολλὰ παραλείπω, οὐ μέντοι ἑκών γε · ἀλλ' εἴ τι ἐξέλιπον B. 188 e 2 ὅσον ἂν ... ἐκλείπωμεν L. VI 772 a 6 (cf. b 1, réc. 779 d 2).

2° a) τὸ δοκοῦν ἐκλιπεῖν [AO : ἐλλιπεῖν edd.] L. XI 918 a 4 ἐὰν δέ τις ἐκλείπῃ τινὶ κάκῃ L. XII 943 a 5.

b) τοὺς τελευτήσαντας τιμῶσα οὐδέποτε ἐκλείπει Mx. 249 b 3 (cf. 234 b 1) ἐκλείποντος τοῦ ἀναψύχοντος Cra. 399 e 1 τοῦτο ἐκλιπέτω μηδέποτε L. XI 924 c 5.

c) τὸν ἥλιον ἐκλείποντα θεωροῦντες Pd. 99 d 6 τὸν δέ γε λιπόντα προαιρείσθωσαν ... ὅθεν ἂν ἐκλίπῃ L. VI 759 e 3 (cf. IX 856 e 3).

Ass. et syn. : (1°) παραλείπειν ; (2° c) λείπειν (avec les distinctions de J. Brunel, *L'Aspect...*, p. 139).

Syn. : ἐλλείπειν ; (1°) ἀπολείπειν 2°.

ἐκμαγεῖον, τό a) « porte-empreintes, excipient » ; b) « empreinte, impression » ; c) « modèle, exemple-type ».

a) θὲς ... ἐν ταῖς ψυχαῖς ἡμῶν ἐνὸν κήρινον ἐκμαγεῖον Tht. 191 c 9 (cf. 196 a 3 b 5) ἐκμαγεῖον ... φύσει παντὶ κεῖται (sc. ἡ δεξαμενή) T. 50 c 2 (cf. 72 c 5)*.

b) σαφῆ ... ὄντα (sc. τὰ σημεῖα d 4) ταχὺ διανέμουσιν ἐπὶ τὰ αὑτῶν ἕκαστα ἐκμαγεῖα Tht. 194 d 6 (cf. e 6)*.

c) ἀσφαλέστατον καθάπερ ἐκμαγεῖ' ἄττ' αὐτοῖσιν ... πλάσασθαι τῷ λόγῳ L. VII 800 b 6 (cf. b 7 e 8) réc. κείσθω νόμος ἡμῖν καὶ τύπος ἐκμαγεῖόν τε τρίτον L. VII 801 d 7*.

App. : ἐκτύπωμα.

App. et ass. : (b) σημεῖον ; (c) τύπος (b).

ἐκμάττειν a) « empreindre » ; b) « modeler ».

a) ὃ ... ἂν ἐκμαγῇ μνημονεύειν Tht. 191 d 8 (cf. e 1)*.

b) αὑτὸν ἐκμάττειν τε καὶ ἐνιστάναι εἰς τοὺς τῶν κακιόνων τύπους R. III 396 d 8*.

App. : ἐκτυποῦν.

ἑκούσιος « volontaire » ἔχθρας ἑκουσίους πρὸς ταῖς ἀναγκαίαις προστίθεσθαι Pr. 346 a 8 ἐν εἰρηνικῇ τε καὶ μὴ βιαίῳ ἀλλ' ἐν ἑκουσίῳ πράξει ὄντος R. III 399 b 3 (cf. c 2 X 603 c 6 Po. 291 e 1) ἀκουσίως ... ἑκούσιον οὐκ ἔχει πράττεσθαί ποτε λόγον L. IX 860 d 6 ἀκούσιά τε καὶ ἑκούσια ἀδικήματα L. IX 860 e 8 (cf. e 9, 861 a 2 e 3, 874 d 7 e 7).

Adv. : ἑκουσίως (ass. et opp. à ἀκουσίως R. III 412 e 11, 413 a 6 ; à βιαίως Po. 291 e 10 ; ass. à ἐκ προνοίας L. IX 873 a 6).

Ass. et opp. : ἀκούσιος, ἀνάγκαιος, βίαιος.

ἔκπληξις, ἡ a) « surexcitation ; b) « stupeur ».

a) πᾶσαν ἔκπληξιν ... ἐνεργάζεται Ph. 47 a 9*.

b) εἰς ἔκπληξιν ... ἰδεῖν τὴν οἴκησιν ἀπηργάσαντο Criti. 115 d 2*.

ἐκπλήττειν « frapper » (d'égarement, de stupeur, de terreur) θαυμάζειν τε καὶ ἐκπεπλῆχθαι H. M. 282 e 6 ἐκπεπληγμένοι τε καὶ τεθορυβημένοι Ch. 154 c 4 (cf. Ly. 212 a 1 G. 494 d 4-5) ὑπὸ τῶν ἡδονῶν ἀγόμενος καὶ ἐκπληττόμενος Pr. 355 b 1 (cf. Phr. 259 b 8) θόρυβον παρέχει καὶ ταραχὴν καὶ ἐκπλήττει Pd. 66 d 6 (cf. B. 194 b 5) θαυμαστὰ ἐκπλήττονται ... ἔρωτι B. 192 c 1 (cf. 211 d 5, 216 d 3 R. III 390 c 2 Phr. 255 b 4) ἐπειδὰν ... σοῦ τις ἀκούῃ ..., ἐκπεπληγμένοι ἐσμὲν καὶ κατεχόμεθα B. 215 d 5 (cf. 198 b 6 I. 535 b 2 L. II 659 a 5) πάντες ἐκπεπληγμένοι ... ἡσυχίαν ἦγον Mx. 240 c 8 (cf. 244 d 4 L. III 698 d 7) οὐκ ἐκπληττόμενος ὑπὸ τοῦ τῶν πολλῶν μακαρισμοῦ R. IX 591 d 7 (cf. Euth. 276 d 3-4, 306 e 4 Cra. 394 b 2 et 4) ἐκπλήττονται καὶ οὐκέθ' αὑτῶν γίγνονται Phr. 250 a 7.

App. et ass. : θορυβεῖν, κατέχειν.

ἐκτυποῦν « modeler, imprimer » ὥσπερ οἱ ἐν ταῖς στήλαις καταγραφὴν ἐκτετυπωμένοι B. 193 a 6 ὥσπερ εἰς κάτοπτρον ... τὴν δόξαν ἐκτυπούμενον Tht. 206 d 3 εἰς... τὰς... ψυχὰς.. ἐξομοργνύμενον ἐκτυποῦσθαι L. VI 775 d 8 (cf. T. 50 d 6)*.

App. : ἐκμάττειν.

ἐκτύπωμα, τό « empreinte » ἐκτυπώματος ἔσεσθαι μέλλοντος ἰδεῖν ποικίλου..., τοῦτ' αὐτὸ ἐν ᾧ ἐκτυπούμενον ἐνίσταται T. 50 d 5*.

App. : ἐκμαγεῖον.

ἔκφρων « hors de soi, frénétique » πρὶν ἂν ἔνθεός τε γένηται καὶ ἔκφρων καὶ ὁ νοῦς μηκέτι ἐν αὐτῷ ἐνῇ I. 534 b 5 (ἡδονὴ) ἔκφρονα ποιεῖ οὐχ ἧττον ἢ λύπη R. III 402 e 4 (cf. L. XI 929 d 4) καταυλοῦσι... τῶν ἐκφρόνων βακχειῶν L. VII 790 e 3*.

Ass. : ἔνθεος.

Opp. : ἔμφρων, σώφρων.

ἑκών « *libens*, volontairement, de son plein gré » πέπεισμαι... ἑκὼν εἶναι μηδένα ἀδικεῖν ἀνθρώπων Ap. 37 a 5 (cf. Pd. 80 e 5) οὐδένα ἀνθρώπων ἑκόντα ἐξαμαρτάνειν οὐδὲ... κακὰ ἑκόντα ἐργάζεσθαι Pr. 345 e 2 (cf. d 8-9, 358 c 7 R. IX 589 c 6) οὐδεὶς ἑκὼν δίκαιος R. II 360 c 6 (Glaucon ; réc. Adimante 366 d 1) κακὸς... ἑκὼν οὐδείς T. 86 e 1 (cf. d 2 et 6) πᾶς ὁ ἄδικος οὐχ ἑκὼν ἄδικος L. V 731 c 2 (cf. c 4 et 7 IX 860 e 2) ἑκόντων... ἑκοῦσα οὐδεμία (sc. οὐ πολιτεία b 10) ἀλλ' ἀκόντων ἑκοῦσα ἄρχει σὺν ἀεί τινι βίᾳ L. VIII 832 c 3-4.

App. : ἄσμενος.

Ass. et opp. : ἄκων.

ἐλεγκτικός, ὁ « réfutateur » ὁ... ἐλεγκτικὸς ἐκεῖνος γελάσας φήσει Tht. 200 a 13 φαύλους ἡμᾶς ὄντας... ἐλέγξων, θεὸς ὤν τις ἐλεγκτικός So. 216 b 6*.

ἐλέγχειν 1° « interroger » (dans l'espoir de prouver ou de confondre : cf. G. Daux, *R.E.G.*, 1942, p. 252-254), « examiner » ; 2° « prouver » ; 3° « réfuter ».

1° ἐρήσομαι αὐτὸν καὶ ἐξετάσω καὶ ἐλέγξω Ap. 29 e 5 (cf. 21 c 2, 39 d 1 Criti. 107 d 1) σοὶ... ἐπαγγέλλομαι καὶ διδάσκειν καὶ ἐλέγχειν ἐμὲ ὅ τι ἂν βούλῃ La. 189 b 3 (cf. Pr. 331 c 7 d 1 G. 486 c 5 Pd. 85 c 5) τὰς ἀρχὰς... πάσαις βασάνοις χρώμενοι ἐλευθέραις ἐλεγχόντων L. XII 946 c 7 (cf. 963 b 2 I 648 b 8) ἐν εὐμενέσιν ἐλέγχοις ἐλεγχόμενα καὶ ἄνευ φθόνων ἐρωτήσεσιν καὶ ἀποκρίσεσιν χρωμένων Le. VII 344 b 6.

2° κἂν ταῦτα ἐλέγχοις... ὡς ἅπαντά ἐστιν ὅμοια ἀλλήλοις Pr. 331 e 1 ἄλλο αὖ τοῦτο εἶδος ἐλέγχου ἐστίν,... καταγελᾶν, ἐλέγχειν δὲ μή G. 473 e 3 μὴ κατὰ δόξαν ἀλλὰ κατ'οὐσίαν προθυμούμενος ἐλέγχειν R. VII 534 c 3 ἔργοις ἐληλεγμένα L. VII 805 c 4 (cf. VIII 839 d 2 XI 917 d 5-6 Le. VII 347 b 6).

3° ἀνάγκη... σκιαμαχεῖν ἀπολογούμενόν τε καὶ ἐλέγχειν μηδενὸς ἀποκρινομένου Ap. 18 d 5 οὐ μή ποτε ἐλεγχθῶ H. M. 287 e 3 (cf. 288 a 2-3 b 1, 289 e 4 Ch. 166 c 5 et 7 e 1 et 3 Ly. 211 b 7) οὐκ ἀηδέστερον... ἂν ἐλεγχθέντων ἢ ἐλεγξάντων G. 458 a 5 (cf. a 3-4 R. VII 539 b 9-10) ἔλεγχέ τε καὶ ἐλέγχου G. 462 a 5 (cf. 464 a 1) ἀλλά μ' ἔλεγχε G. 467 b 2 (cf. 470 c 8, 504 c 6) χαλεπόν γέ σε ἐλέγξαι G. 470 c 4 (cf. c 5 et 7 d 1, 471 e 2-3-4, 473 b 7 et 11 d 2 B. 201 e 5) ἀντιλαμβάνεσθαι καὶ ἐλέγχειν G. 506 a 3 λαμβάνειν λόγον καὶ ἐλέγχειν M. 75 d 2 (cf. R. I 337 e 3) ἐλέγχων τις τὸν ἐλεγχόμενον So. 230 d 1 (cf. 242 b 1-2) ἐρωτῶντά τε καὶ ἐλέγχοντα τὰ μὴ καλῶς ῥηθέντα Ep. 991 c 4 (cf. Le. VII 343 d 2 et 8).

App. : (1°) βασανίζειν, δοκιμάζειν ; (2°) (ἀπο)δεικνύναι.

App. et ass. : (1°) ἐξετάζειν ; (1° et 3°) ἐρωτᾶν ; (3°) λαμβάνειν λόγον.

Ass. (3°) : ἀντιλαμβάνεσθαι.

Syn. : ἐξελέγχειν (avec les distinctions de J. Brunel, *L'Aspect...*, p. 210-211).

ἔλεγχος, ὁ 1° « examen » ; 2° « démonstration » ; 3° « réfutation ».

1° διδόναι ἔλεγχον τοῦ βίου Ap. 39 c 7 (cf. G. 474 b 1 L. X 891 a 2 Le. VII 340 b 1) διὰ πάντων ἐλέγχων διεξιών R. VII 534 c 2 εἰς ἔλεγχον ἰὼν περὶ ὧν ἔγραψεν Phr. 278 c 6 ἐν εὐμενέσιν ἐλέγχοις ἐλεγχόμενα Le. VII 344 b 6.

2° οὗτος δὲ ὁ ἔλεγχος οὐδενὸς ἄξιός ἐστιν πρὸς τὴν ἀλήθειαν G. 471 e 7 (cf. 472 c 4, 474 a 3 et 5 réc. 475 e 9) τούτου... μοι δοκεῖ καὶ αὐτίκα ὁ ἔλεγχος ἔσεσθαι B. 220 a 6 (cf. L. III 702 b 2).

3° ἄλλο... εἶδος ἐλέγχου G. 473 e 2 (cf. Pr. 344 b 4 Phr. 267 a 1, 273 c 3) τὸν περὶ ταῦτ' ἔλεγχον So. 242 a 8 (cf. 230 d 8, 231 b 7, 239 b 3, 259 d 5) ἂν ἐπὶ τὸν ἔλεγχον τοῦτον καὶ τὴν ἀπόδειξιν ἴῃς So. 242 b 4.

App. : (1°) βάσανος, πεῖρα ; (2°) ἀπόδειξις.

Ass. (3°) : ἀπόδειξις.

ἐλεεῖν « prendre en pitié » ἐλεήσας μου τὴν ἀπειρίαν H. M. 293 d 1 (cf. Ap. 34 c 4 B. 173 c 8) οὐδεὶς θυμοῦται... οὐδὲ κολάζει τοὺς ταῦτα ἔχοντας... ἀλλ' ἐλεοῦσιν Pr. 323 d 3 (cf. R. I 336 e 11) οὐ... ζηλοῦν... ἀλλ' ἐλεεῖν G. 469 a 5 (cf. Phr. 233 b 5) ἐλέησαντέ με καὶ οἰκτείραντε Euth. 288 d 3 αὑτὸν μὲν εὐδαιμονίζειν τοὺς δ' ἐλεεῖν R. VII 516 c 5 (cf. 518 b 3) τὸ ἑαυτοῦ θειότατον... δουλοῦται καὶ μηδὲν ἐλεεῖ R. IX 589 e 5 θεοὺς ... ἐλεοῦντας ἡμᾶς L. II 665 a 4 (réc. de οἰκτείραντες 653 d 1 ; cf. B. 191 b 5) ἐλεεῖν ... τὸν ...

ἰάσιμα ἔχοντα L. V 731 d 1 (cf. IX 876 e 8) ἐλεῶν δὲ πατρίδα καὶ ἱερῶν ἀθεραπευσίαν Le. VIII 356 b 4.

App. et ass. : οἰκτ(ε)ίρειν.

Ass. et opp. : εὐδαιμονίζειν, ζηλοῦν.

ἐλεεινός 1° adj. a) passif « pitoyable » (digne de pitié) ; b) actif « pathétique » (qui excite la pitié) ; 2° subst. n. « sensibilité ».

1° a) ἄθλιος δοκεῖ σοι εἶναι καὶ ἐλεεινός ; οὐκ ἔμοιγε, οὐδὲ μέντοι ζηλωτός G. 469 a 10 (cf. b 1 et 3) τὴν θέαν ... ἐλεεινὴν ... ἰδεῖν εἶναι R. X 620 a 1 ἐλεεινὸς ... πάντως ὅ γε ἄδικος L. V 731 d 1 (cf. 729 e 6).

b) οὐδέν ... μοι ἐλεεινὸν εἰσῄει Pd. 59 a 1 ὅταν ἐλεεινόν τι λέγω I. 535 c 5 (cf. b 6 Ap. 35 b 7).

2° θρέψαντα ... ἰσχυρὸν τὸ ἐλεεινόν R. X 606 b 7.

App. : ἀζήλωτος, οἰκτρός.

App. et ass. (1° a) : ἄθλιος.

Ass. et opp. (1° a) : ζηλωτός.

ἔλεος, ὁ « pitié » οὔτε γάρ ... με ... ἔλεος εἰσῄει Pd. 58 e 3 καὶ ἐλέου γε (ἄξιον a 7) R. VII 539 a 9 (cf. X 606 c 5 L. XI 926 e 4)*.

App. : οἶκτος (a).

ἐλευθερία, ἡ : 1° « liberté » a) intérieure ; b) politique ; 2° « licence ».

1° « liberté » a) intérieure : σωφροσύνῃ τε ... καὶ ἐλευθερίᾳ καὶ ἀληθείᾳ Pd. 114 e 5 τῶν γε τοιούτων (sc. ἐπιθυμιῶν) ... πολλὴ εἰρήνη γίγνεται καὶ ἐλευθερία R. I 329 c 8 ἐλευθερίας δὲ καὶ φιλίας ἀληθοῦς τυραννικὴ φύσις ἀεὶ ἄγευστος R. IX 576 a 5 ἐν ἐλευθερίᾳ τε καὶ σχολῇ τεθραμμένου, ὃν δὴ φιλόσοφον καλεῖς Tht. 175 e 1.

b) politique : ἐν πάσῃ ἐλευθερίᾳ τεθραμμένοι οἱ τῶνδε ... πατέρες Mx. 239 a 6 (cf. b 1 G. 452 d 6) φιλίας τε καὶ φρονήσεως καὶ ἐλευθερίας L. III 693 c 8 (réc. d 8, 694 b 6) τὸ μέτριον ... δουλείας τε καὶ ἐλευθερίας L. III 694 a 4 (cf. a 6).

2° « licence » τρυφὴ καὶ ἀκολασία καὶ ἐλευθερία G. 492 c 5 ἐλευθερίας ἡ πόλις μεστὴ καὶ παρρησίας R. VIII 557 b 4 (cf. L. I 649 b 4) καλοῦντες ἀναρχίαν... ἐλευθερίαν R. VIII 560 e 5 (cf. IX 572 e 2) δημοκρατουμένη πόλις ἐλευθερίας διψήσασα R. VIII 562 c 9 (cf. 563 b 4) ἡ ... ἄγαν ἐλευθερία ἔοικεν ... εἰς ἄγαν δουλείαν μεταβάλλειν R. VIII 564 a 4 (cf. a 9) ἡ παντελὴς καὶ ἀπὸ πασῶν ἀρχῶν ἐλευθερία L. III 698 b 1 (cf. 699 e 4 Le. VIII 354 d 3 et 5 e 4).

App. et ass. : (1°) φιλία ; (1° a) σχολή (a) ; (2°) ἀκολασία, ἀναρχία, παρρησία.

Ass. (1°) : φιλία.

Ass. et opp. : δουλεία.

ἐλευθερικός a) « libéral » ; b) (subst. n.) « ce qui est digne d'un homme libre ».

a) πολιτείας τήν τε δεσποτικωτάτην προελόμενοι καὶ τὴν ἐλευθερικωτάτην L. III 701 e 2*.

b) τὸ δ' ἐλευθερικὸν καὶ ἀνελεύθερον L. XI 919 e 3*.
Ass. et app. : (a) δεσποτικός ; (b) ἀνελεύθερος.

ἐλευθέριος « propre à l'homme libre » ἐλευθέριον καὶ μακάριον καλῶν τὸν βίον τοῦτον R. VIII 561 d 7 (cf. G. 485 b 4 Tht. 173 a 4) τῶν ποιητῶν ἐλευθεριώτατον T. 21 c 2 ἀνδρεῖοι καὶ ἐλευθέριοι L. I 635 d 6 (cf. II 669 c 7).
Adv. : ἐλευθερίως Tht. 175 e 7 [Athen. Burnet Diès : ἐλευθέρως codd.]*.
Opp. : ἀνελεύθερος, δούλειος.

ἐλευθεριότης, ἡ a) « libéralité » ; b) « liberté d'esprit ».
a) εἴδη... ἐλευθεριότητος καὶ μεγαλοπρεπείας R. III 402 c 3*.
b) πρὸς τὴν τῶν χρημάτων ἐλευθεριότητα Tht. 144 d 3*.
App. et ass. (a) : μεγαλοπρέπεια (a).
Opp. : ἀνελευθερία.

ἐλευθεροπρεπής « convenable à l'homme libre » δουλοπρεπὲς ... ἡ κακία ... ἐλευθεροπρεπὲς δὲ ἡ ἀρετή A. 135 c 6*.
Adv. : ἐλευθεροπρεπῶς A. 135 c 10*.
Ass. et opp. : δουλοπρεπής.

ἐλεύθερος 1° adj. a) « libre » α) moralement ; β) physiquement ; γ) politiquement ; b) « libéral » (« d'homme libre ») ; 2° subst. a) m. et b) f. : « homme », « femme libre » ; c) n. « liberté ».
1° a α) ἡγοῦμαι ἐλεύθερόν τινα εἶναι τοῦτον τὸν ἄνθρωπον, τὸν δὲ μὴ φιλοσοφοῦντα ἀνελεύθερον G. 485 c 5 (cf. Ly. 210 b 4) ἀνδρείους, σώφρονας, ὁσίους, ἐλευθέρους R. III 395 c 6 τὴν ψυχὴν τῇ μὲν δούλην τῇ δὲ ἐλευθέραν ἕξουσιν L. I 635 d 5.
β) ἐλεύθερος γενόμενος (« libre » au sortir de la prison, ici de la tutelle des dieux) Pd. 62 d 6.
γ) ἐλευθέραν ἢ δούλην τὴν τυραννουμένην (sc. πόλιν) ἐρεῖς ; R. IX 577 c 5 ὅπως ἡ ... πόλις ἐλευθέρα τε ἔσται καὶ φίλη ἑαυτῇ καὶ νοῦν ἕξει L. III 701 d 7 ἐλεύθεροί τε ἀπ' ἀλλήλων εἰσί, φιλοχρήματοι δ' ἥκιστα L. VIII 832 d 2.
b) ἐλεύθερον ... καὶ μέγα ... μηδέποτε φθέγξασθαι G. 485 e 1 τοὺς ἐν ἐλευθέρῳ σχήματι προσποιουμένους τετράφθαι R. III 405 a 9 (cf. Le. VII 336 a 3) ἐλεύθερα φρονήματα ἔχοντες R. VIII 567 a 5 (cf. Phr. 243 c 8 L. V 741 e 5 IX 865 d 7 XII 946 c 7, 962 e 4 Le. VII 334 b 6, 345 c 1 VIII 354 d 1) τό τε μεγαλοπρεπὲς... καὶ ἐλεύθερον L. VII 795 e 3 οὐ ... διὰ βαναύσου φιλότητος..., διὰ δὲ ἐλευθέρας παιδείας κοινωνίαν Le. VII 334 b 6.
2° a) ὡς ... τὸν ἐλεύθερον πρέπει Pr. 312 b 4 δεσπότας καὶ ἐλευθέρους R. IX 577 c 8 τὴν τῶν ἐλευθέρων ... ἐπιστήμην So. 253 c 7 πάντ' ... ἐλεύθερον καὶ δοῦλον L. II 665 c 2 (cf. III 688 d 7) τοῦτο αἰσχρὸν δεῖ δεδόχθαι πᾶσι καὶ οὐκ ἐλευθέρου L. VII 808 a 2.
b) ἐλευθέρας ἐν σχήματι Le. VII 336 a 3.
c) τὸ ἐλεύθερον λίαν ἀφελόμενοι ... τὸ δεσποτικὸν δ' ἐπαγαγόντες L. III 697 c 8.
Adv. : ἐλευθέρως (L. XI 919 e 2 ; Tht. 175 e 7 codd.).

App. et ass. (1° b) : μεγαλοπρεπής (b).

Ass. (2°) : δεσπότης.

Ass. et opp. : (1° a α et γ) δοῦλος ; (1° a γ) φιλοχρήματος ; (1° b) βάναυσος ; (2°) δοῦλος ; (2° c) δεσποτικός.

Opp. (1° b) : ἀνελεύθερος, δουλοπρεπής.

ἐλευθεροῦν « affranchir » δουλωσάμενοι μὲν ᾧ κακία ψυχῆς ἐγίγνετο, ἐλευθερώσαντες δὲ ᾧ ἀρετή Phr. 256 b 3 τὸ ... ἥμερον ἐλευθεροῦται R. IX 591 b 3.

Ass. et opp. : δουλοῦν.

ἐλευθέρωσις, ἡ « libération » τὴν τῶν ... ἡδονῶν ἐλευθέρωσίν τε καὶ ἄνεσιν R. VIII 561 a 4*.

ἕλκειν « tirer » 1° vers le bas ; 2° vers le haut ; 3° en divers sens.

1° ἡ ψυχὴ ... ἕλκεται ὑπὸ τοῦ σώματος εἰς τὰ οὐδέποτε κατὰ ταὐτὰ ἔχοντα Pd. 79 c 6 (cf. βαρύνεταί τε καὶ ἕλκεται 81 c 7) τὰ ... ἄγοντα καὶ ἕλκοντα R. IV 439 d 1 (cf. VII 538 d 2 VIII 560 b 4 IX 589 a 1 X 604 a 11) ἐπιθυμίας ... ἀλόγως ἑλκούσης ἐπὶ ἡδονάς Phr. 238 a 1 (cf. R. IX 577 e 3) εἰς γῆν ἐξ οὐρανοῦ ... πάντα ἕλκουσι So. 246 a 8 (cf. L. X 890 a 7).

2° ἐὰν ... εἶς ... κάμπτηται καὶ ἕλκηται πρὸς φιλοσοφίαν R. VI 494 e 2 ἡ διαλεκτικὴ μέθοδος ... τὸ τῆς ψυχῆς ὄμμα ... ἕλκει καὶ ἀνάγει ἄνω R. VII 533 d 2 (cf. Tht. 175 b 9).

3° ὁ ... θεὸς ... ἕλκει τὴν ψυχὴν ὅποι ἂν βούληται I. 536 a 2 ἑλκόμενα ἄνω καὶ κάτω τῷ ἡμετέρῳ φαντάσματι Cra. 386 e 2 πείθειν τε καὶ ἕλκειν τὸν πολὺν λεών R. V 458 d 7 ἑλκόμενος ὑπ' ἀμφοτέρων τούτων R. VIII 550 a 8, réc. b 4 (cf. So. 259 c 2).

App. : ἐφέλκειν.

App. et ass. : (1°) ἄγειν, βαρύνειν ; (2°) ἀνάγειν ; (3°) πείθειν.

Ass. (2°) : κάμπτειν.

ἑλκτικός « propre à attirer » (μαθήματι) ἑλκτικῷ ... πρὸς οὐσίαν R. VII 523 a 2*.

App. : ἀγωγός (R. VII 523 a 6).

Syn. : ὁλκός (R. VII 521 d 3).

ἐλλείπειν 1° (trans.) « omettre » ; 2° (intr.) a) « manquer » (de) ; b) « faire défaut » ; c) (à l'actif et au moyen) « être inférieur » (à).

1° ἐὰν ... σμικρὰ ἐλλείπῃ ἢ προστιθῇ Cra. 431 d 6 (cf. c 7) λέγε μηδὲν ἐλλείπων Po. 269 c 3 τὸ δ' αὐτό μοι τοῦ λόγου... ἐλλείπεται Ph. 18 d 6.

2° a) ἀνοίας οὐδὲν ἐλλείπει (sc. ἡ ψυχή) R. IX 571 d 4 ἐλλείψομεν προθυμίας οὐδέν T. 20 c 5 (cf. 17 b 1 Pd. 74 a 5 B. 196 d 8 R. II 362 d 8 Phr. 269 d 8, 272 a 8 Po. 267 c 9, 311 c 6 T. 39 b 8, 90 b 6 L. II 673 b 6).

b) εἴ γέ τι ... κατὰ τὴν ψυχὴν ἐλλείποι R. III 402 d 10 (cf. Criti. 118 c 3) μὴ ... ἀπολίπωμεν ὅσον ἐλλεῖπον αὐτοῦ Tht. 157 e 1 τὸ ... δίκαιον... ἐν οἷς ἔστιν τε καὶ ἐν οἷς ἐλλείπει L. I 632 b 7 (cf. XII 960 d 5) ἐὰν δέ τισιν ἐλλείπωσιν χάριτες L. V 740 c 6 (impersonnel

c 4 VIII 844 b 2) τοῖς περιγενομένοις ἢ τοῖς ἐλλείπουσι L. V 740 d 3.
c) ὅσον αὐτῶν ἐλλείπεις A. 122 c 4 (cf. d 5 R. VI 484 d 6 et 9) οὐδενὸς ... οὐσίας ἐλλειπόμενον So. 258 b 10 μήτε ὑπεραίροντα ... μήτ' ἐλλείποντα ὢν ... ἐτίθεσαν L. IV 717 d 8 ταφῆς ... ὑπερβεβλημένης ... ἐλλειπούσης L. IV 719 d 4 τὰ μὲν ὑπέρογκα ... τὰ δ' ἐλλείποντα L. V 729 a 2.

App. (1°) : παραλείπειν, ὑπερβαίνειν 3°.

Ass. et opp. : (1°) προστιθέναι ; (2° b) εἶναι, περιγίγνεσθαι ; (2° c) ὑπεραίρειν, ὑπερβάλλειν 1°, ὑπέρογκος.

Syn. : ἀπολείπειν, ἐκλείπειν, λείπειν (avec les nuances d'aspect).

ἔλλειψις, ἡ « défaut » ὑπερβολὴ ... καὶ ἔλλειψις Pr. 356 a 2 (cf. Po. 283 c 4, 285 b 7) ὑπεροχῆς τε καὶ ἐλλείψεως Po. 283 d 1*.

Ass. et opp. : ὑπερβολή, ὑπεροχή.

ἐλλιπής (adj. et subst. n.) a) « manquant » (de) ; b) « inférieur » (à).

a) τὰ ... τῆς ... ἀκριβείας ... ἐλλιπῆ R. VI 504 b 7 (cf. L. II 669 a 3 XI 924 b 4)*.

b) τὸ μὲν σεμνότατον ..., τὸ δ' ἐλλιπὲς ἐκείνου Ph. 53 d 6 δυνάμει ... ἐλλιπής L. X 901 c 5*.

ἐλλόγιμος « qui compte » οὗ μὲν ... ἐλλόγιμος καὶ φανὸς ἀπέβη, οὗ δὲ ... σκοτεινός B. 197 a 5 οὐκ ἐλλόγιμον οὐδ' ἐνάριθμον Ph. 17 e 4.

App. et ass. : ἐνάριθμος, φανός (1° b).

Ass. et opp. : σκοτεινός (b γ).

ἐλπίζειν 1° « espérer » ; 2° « attendre » ; 3° « estimer ».

1° παρ' ἄνδρας ... ἐλπίζω ἀφίξεσθαι ἀγαθούς Pd. 63 c 1 (cf. L. I 642 e 3).

2° τὸ πρὸ τῶν ἡδέων ἐλπιζόμενον ἡδύ ... τὸ δὲ πρὸ τῶν λυπηρῶν ... ἀλγεινόν Ph. 32 c 1.

3° ὡς ἄν τις ἐλπίσειε L. X 893 d 5.

Adj. verbal : ἐλπιστός (L. IX 853 d 8*).

App. : (1°) θαρρεῖν ; (2°) προσδοκᾶν ; (3°) ἡγεῖσθαι 2°, νομίζειν.

ἐλπίς, ἡ 1° « attente » ; 2° « espérance » ; 3° (péjoratif) « assurance ».

1° ζῇ μετὰ κακῆς ἐλπίδος R. I 330 e 7 δόξας μελλόντων, οἷν κοινὸν μὲν ὄνομα ἐλπίς, ἴδιον δέ, φόβος μὲν ἡ πρὸ λύπης ἐλπίς, θάρρος δὲ ἡ πρὸ τοῦ ἐναντίου L. I 644 c 10-d 1.

2° ἔτι ... ἐν αὐτοῖς εἰσιν ἐλπίδες · νέοι γάρ Pr. 328 d 2 (cf. Pd. 98 b 4 et 7 L. III 699 b 6) πολλὴ ἐλπὶς ἀφικομένῳ οἷ ἐγὼ πορεύομαι ἐκεῖ ... κτήσασθαι Pd. 67 b 7 (cf. 68 a 1, 5, 8) μετὰ ἀγαθῆς ἐλπίδος Pd. 67 c 1 (cf. 114 c 9 L. IV 718 a 5) ἡδεῖα ἐλπὶς ἀεὶ πάρεστι R. I 331 a 1 (cf. Ph. 39 e 6, réc. 40 a 3) μετὰ καλῆς ἐλπίδος R. VI 496 e 3 (cf. Ep. 973 c 6, 987 e 4) οὐχ ἁμαρτήσει τῆς γ' ἐμῆς ἐλπίδος R. VII 517 b 6.

3° τοὺς δ' (sc. ἐμπλήσειεν ἂν e 4) ὑψηλῆς καὶ χαύνης ἐλπίδος Le. VII 341 e 5.

App. et ass. (1°-2°) : θάρρος.

Ass. et opp. (2°) : φόβος.

ἐμαυτοῦ « de moi-même » οὐκέτ' ἐν ἐμαυτοῦ ἦν Ch. 155 d 4 (cf. οὐκέθ' αὑτῶν γίγνονται Phr. 250 a 7). V. aussi ἑαυτοῦ.

ἐμβαίνειν « entrer » (dans) ἐπειδὰν ἐμβῶσιν εἰς τὴν ἁρμονίαν καὶ εἰς τὸν ῥυθμόν I. 534 a 3 ἐπειδήπερ εἰς τύπον τινὰ ἐμβεβήκαμεν Cra. 397 a 5 (cf. R. IV 443 c 2 Phr. 252 e 5).

Opp. : ἐκβαίνειν (cf. R. III 406 b 8 et e 1).

ἐμβριθής « pesant, pondéré » (au pr. et au fig.) 1° adj. ; 2° subst. a) m. b) n.

1° ἐμβριθὲς ... τοῦτο οἴεσθαι χρὴ εἶναι καὶ βαρύ Pd. 81 c 5 τὸ ... Δίωνος ἠπιστάμην τῆς ψυχῆς πέρι φύσει ... ἐμβριθὲς ὄν Le. VII 328 b 6.

2° a) οἱ ... ἐμβριθέστεροι νωθροί πως ἀπαντῶσι πρὸς τὰς μαθήσεις Tht. 144 b 2.

b) τὸ ἐμβριθὲς ἄγειν ἄνω Phr. 246 d 6.

Adv. : ἐμβριθῶς, au cp. ἐμβριθέστερον Phr. 252 c 4*.

App. et ass. : βαρύς.

ἐμμανής « fou, furieux » ἔρωτας οὐκ ἐμμανεῖς παρεχόμενον L. V 734 a 2 (réc. a 5 ; cf. II 666 a 7 Phr. 251 d 9 T. 86 c 8).

App. : μανικός.

ἐμμελής 1° « dans la note » ; 2° « modeste » ; 3° « modique ».

1° σοφὸς ... πολίτης ... ἐμμελής Ep. 976 d 5 τὸν πλημμελοῦντα ἐμμελῆ ποιεῖν Criti. 106 b 4 (cf. L. XI 926 e 8 A³ O³).

2° ἵνα γένοιντο ἐμμελέστεροι σωφρονισθέντες Criti. 121 c 1.

3° ἐμμελεστάτην οὐσίαν L. VI 776 b 5 (cf. 760 a 2).

Adv. : ἐμμελῶς (1°) εἰκότως τε ἅμα καὶ ἐμμελῶς Le. VII 337 e 5 ; cf. Phr. 278 d 5 L. VI 757 a 7 ; VII 816 a 7, ass. et opp. à πλημμελῶς ; X 899 e 3 ; (2°) καταφρονήσεως ... ἐμπλήσειεν ἂν οὐδαμῶς ἐμμελῶς Le. VII 341 e 5.

Opp. (1°) : πλημμελής.

ἐμμένειν « se tenir à » εἰ ... ἐμμένεις τοῖς πρόσθεν Cr. 49 e 2 (cf. e 4, 50 a 2 c 6 Pr. 353 b 3) οὐκ ἐμμένεις τοῖς ὡμολογημένοις Cr. 53 a 6 (cf. Tht. 145 c 5 L. VI 784 c 1 VIII 840 e 1).

App. : ἐπιμένειν, μένειν (cf. J. Brunel, *L'Aspect...*, p. 23).

ἐμμετρία, ἡ « mesure » ἀλήθειαν δὲ ἀμετρίᾳ ἡγεῖ συγγενῆ εἶναι ἢ ἐμμετρίᾳ ; R. VI 486 d 9 προσθῶμεν ... ταῖς ... μὴ (σφοδραῖς ἡδοναῖς) ... ἐμμετρίαν Ph. 52 c 4*.

App. : μέτρον, συμμετρία.

Ass. et opp. : ἀμετρία.

ἔμμετρος « mesuré » a) adj. ; b) subst. n.

a) ἔμμετρον ... καὶ εὔχαριν ... διάνοιαν R. VI 486 d 11 νοῦ ... ἐμμετρώτερον ... οὐδ' ... ἕν Ph. 65 d 9 ἔμμετρά τε καὶ ἀλλήλοις σύμφωνα L. V 746 e 2 ἐν ἡδοναῖς ... ἐμμέτροις L. VII 814 e 9 (cf. Ph. 52 d 1) ἀναθήματα χρεὼν ἔμμετρα τὸν μέτριον ἄνδρα ἀνατιθέντα δωρεῖσθαι L. XII 955 e 5.

b) τὸ ... ἔμμετρον καὶ ἅμα σύμμετρον Ph. 26 a 8 τὰ δ' ἄμετρα οὔτ' ἀλλήλοις οὔτε τοῖς ἐμμέτροις (φίλα) L. IV 716 c 4.

Adv. : ἐμμέτρως (Po. 282 e 13) ; sup. ἐμμετρώτατα (R. V 474 d 9).

App. et ass. : μέτριος, σύμμετρος, σύμφωνος.

Ass. et opp. : ἄμετρος.

ἐμπειρία, ἡ « expérience » (πολλαὶ τέχναι) ... εἰσὶν ἐκ τῶν ἐμπειριῶν ἐμπείρως ηὑρημέναι · ἐμπειρία μὲν γὰρ ποιεῖ τὸν αἰῶνα ἡμῶν πορεύεσθαι κατὰ τέχνην, ἀπειρία δὲ κατὰ τύχην G. 448 c 5 *(bis)* ἐμπειρία ... ἡ ῥητορική G. 462 c 4 (cf. c 3 et 6 d 3 et 13) οὐκ ἔστιν τέχνη, ἀλλ' ἐμπειρία καὶ τριβή G. 463 b 4 (cf. Phr. 270 b 6 Ph. 55 e 6 L. XI 938 a 4) τέχνην ... αὐτὴν οὔ φημι εἶναι ἀλλ' ἐμπειρίαν G. 465 a 3 (réc. 500 b 4, 501 a 1 et 8) ἐπιστήμῃ, οὐκ ἐμπειρίᾳ οἰκείᾳ κεχρημένον R. III 409 b 9 (mais sans opposition ἐπιστήμῃ τε καὶ ἐμπειρίᾳ IV 422 c 6) ἐμπειρίᾳ τε καὶ θέᾳ τῶν προσηκόντων R. V 467 a 8 (cf. L. XII 968 b 7) τοὺς ἐμπειρίᾳ τε καὶ ἡλικίᾳ ἱκανούς R. V 467 d 6 (cf. VI 484 d 6 VII 539 e 5) ἐμπειρίᾳ τε καὶ φρονήσει καὶ λόγῳ (trimètre iambique spontané ou d'origine inconnue) R. IX 582 a 5 (réc. e 7) ἐμπειρίᾳ ἀμφοτέρων τῶν ἡδονῶν R. IX 582 b 9 (cf. c 10 L. X 892 e 4 XII 957 b 3) ἐν ταύτῃ τῇ τέχνῃ ... ἐμπειρίας ... μετέχετε L. II 673 c 7 (cf. IV 720 b 3, ass. à θεωρία) ἐξ ἐμπειρίας, ὡς ἀκριβῶς εἰδώς L. IV 720 c 6 ταῖς ἐμπειρίαις ἄνευ λόγου L. IX 857 c 8 διὰ τὴν ... ἐμπειρίαν τε καὶ σκέψιν L. XII 968 b 7 φύσει τε ... καὶ τέχνῃ δι' ἐμπειρίας Le. VI 323 a 1.

App. et ass. : θεωρία 2°, σκέψις (a), τριβή (b).

Ass. : φρόνησις 2°.

Ass. et parfois opp. : ἐπιστήμη, τέχνη.

Ass. et opp. : ἀπειρία.

ἔμπειρος « expérimenté, expert (en) » a) adj. ; b) subst. m.

a) ἔμπειρος ... λογισμῶν H. m. 366 c 6 (cf. Ly. 212 a 7) πολλῶν ἔμπειρον Pr. 320 b 7 (cf. Pa. 133 b 8) ἔμπειρον ... πολλῶν λόγων G. 457 c 5 (cf. T. 19 e 4) τούτων ἔμπειρος G. 465 d 5 (cf. R. IX 582 d 4) ἐμπειρότατος πασῶν ... ἡδονῶν R. IX 582 a 8 (cf. a 10 c 7, 584 e 4) ταύτης τῆς τέχνης ἐμπειρότατον Po. 291 c 4 ἀπείρου ... ὧν ἔμπειρον χρεὼν εἶναι T. 55 d 2 (cf. G. 484 d 1) πάσης τῆς χώρας ἔμπειροί τε καὶ ἐπιστήμονες L. VI 760 c 4.

b) τῷ περὶ νόμων ἐμπείρῳ L. I 632 d 5.

Adv. : ἐμπείρως (G. 448 c 5 L. VIII 846 c 5 Le. XIII 362 c 5*).

App. et ass. : ἐπιστήμων.

Ass. et opp. : ἄπειρος A.

ἐμπιμπλάναι « remplir » (de) ; d'ordinaire péjoratif : « rassasier, infecter » (de) φλυαρίας ἐμπίμπλησιν ἡμᾶς πολλῆς Pd. 66 c 3 φρονήματος ... ἐμπίμπλαται R. III 411 c 7 (ici dans un sens favorable ; mais péjoratif VI 494 d 2 Ly. 206 a 4) νόσων ἐμπίμπλησι T. 88 a 2 (cf. R. III 405 d 2) κακῶν δι' ὕβριν ἐνεπλήσθησαν L. I 641 d 5 (cf. V 727 c 3 Criti. 121 b 6) παρρησίας ἐμπίμπλαται

L. II 671 b 4 ἐμπορίας ... καὶ χρηματισμοῦ ... ἐμπιμπλᾶσα L. IV 705 a 5 ἐμπιμπλὰς ὀργὴν κακῶν ἑστιαμάτων L. XI 935 a 3 ἐμπιμπλάντα τὴν αὑτοῦ μοῖραν L. XII 959 c 7 (« accomplir » ; cf. Ep. 992 b 4 avec ἀναπιμπλάναι comme *Iliade*, 4, 170) περὶ τὴν ... ἡδονὴν ποριεῖν αὑτῷ τοὐμπίμπλασθαι [Hermann Souilhé : τοῦ μὴ πίμπλασθαι AO] Le. VII 335 b 5 (cf. L. VIII 837 c 2).

ἔμπληκτος « étourdi » ἐμπλήκτους τε καὶ ἀσταθμήτους Ly. 214 c 8 (cf. G. 482 a 7)*.

App. et ass. : ἀστάθμητος.

ἔμφρων « maître de son esprit, raisonnable » a) adj. ; b) subst. m.

a) ὀλίγοι ἔμφρονες πολλῶν ἀφρόνων φοβερώτεροι B. 194 b 8 οἱ κορυβαντιῶντες οὐκ ἔμφρονες ὄντες ὀρχοῦνται I. 534 a 1 (cf. a 2 et 5 b 7 d 1) ζωῆς ἀγαθῆς τε καὶ ἔμφρονος R. VII 521 a 4 πειθοῦς ἔμφρονος T. 48 a 4 πόλιν ... ἔμφρονα καὶ ἑαυτῇ φίλην L. III 693 b 4 ποιητὴς ... οὐκ ἔμφρων L. IV 719 c 4 (cf. 717 b 3 II 669 a 9 V **729** b 5 VI 773 a 1 XI 913 a 7) ἡ πρεσβυτῶν ἔμφρων παιδιά L. VI 769 a 1 ἀντὶ μανικῶν διαθέσεων ἕξεις ἔμφρονας L. VII 791 b 1 τὸ ... ἀνθρώπινον ἔμφρον καὶ ζῶν Ep. 982 d 6 ἔμφρον μέν που, τὸ δὲ ἄφρον Ep. 983 d 6 ἑαυτὸν ἔμφρονά τε καὶ σώφρονα ἀπεργασάμενος Le. VII 332 e 2.

b) οὐδεὶς τῶν ἐμφρόνων Ep. 976 c 4 (cf. 987 a 8).

Adv. : ἐμφρόνως R. III 396 c 9 VII 517 c 5 Ph. 23 a 1, 64 a 4 L. VII 813 d 1 X 897 d 4*.

App. : νοῦν ἔχων.

App. et ass. : σώφρων.

Ass. et opp. : ἄφρων, μανικός.

Opp. : ἔκφρων.

ἐμφύεσθαι « se former, s'implanter » αὐτόματοι ... ἐμφύονται R. VII 520 b 3 (cf. Po. 310 a 2) νοσήματι πόλεως ἐμπεφυκότι L. V 736 a 1 κυριώτατον ... ἐμφύεται ... τὸ πᾶν ἦθος διὰ ἔθος L. VII 792 e 2 (cf. 791 d 1 VIII 836 d 6).

ἐμφύλιος « de la même tribu » a) adj. ; b) subst. m.

a) μὴ ἀπόσχηται ἐμφυλίου αἵματος R. VIII 565 e 4*.

b) ὁντιναοῦν τῶν ἐμφυλίων ... κτείνῃ L. IX 871 a 2*.

App. (a) : συγγενής (A 1° a).

ἐμφυτεύειν « implanter » T. 70 c 5 (cf. 42 a 3)*.

ἔμφυτος « inné, instinctif » ὁ ἔρως ἔμφυτος ἀλλήλων τοῖς ἀνθρώποις B. 191 d 1 (cf. L. VI 782 e 3) ὑπ' ἀνάγκης ... τῆς ἐμφύτου ἄξονται R. V 458 d 3 (cf. Phr. 237 d 8) μὴ ἐμποιήσαντος τὸ ἔμφυτον κακόν R. X 610 a 2 (cf. L. V 731 d 7) τὸ ἀνάπαλιν ἰέναι ... ἔμφυτον γέγονε Po. 269 d 3 (cf. T. 71 a 5) τὸ τῆς χαρᾶς ἔμφυτον ὄνομα L. II 654 a 5.

App. : σύμφυτος.

ἔμψυχος « animé » ... σῶμα ᾧ μὲν ἔξωθεν τὸ κινεῖσθαι, ἄψυχον · ᾧ δὲ ἔνδοθεν ... ἔμψυχον Phr. 245 e 7 (cf. So. 219 e 6, 220 a 4, 227 b 8 Po. 261 b 8 T. 74 e 2 L. VI 782 c 8 VIII 830 c 1 XI

931 a 2) λόγον ... ζῶντα καὶ ἔμψυχον Phr. 276 a 8 σῶμα ἔμψυχον So. 246 e 7 (cf. Po. 288 e 1 Ph. 21 c 8, 30 a 6, 64 b 7 T. 30 b 8, 38 e 5, 91 a 3 b 2) ἔμψυχον ... εἶδος Ph. 32 b 1 (cf. 43 b 2 L. XI 931 e 3 Ep. 982 e 7, 983 b 3) τῆς ... ἐμψύχου ... φύσεως L. X 902 b 5 (cf. 904 a 6, 906 b 3) οἷον ἐκ πυρὸς ὕδωρ ἔμψυχον L. X 903 e 6.

App. et ass. : ἔννους, ζῶν.

Ass. et opp. : ἄψυχος.

ἐναντιολογία, ἡ « contradiction » ἐναντιολογίᾳ (BT : ἐν ἀντιλογίᾳ W) μὴ συνέχεσθαι So. 236 e 5*.

App. : ἀντιλογία.

ἐναντίος « contraire » (adj. et subst. n.) οὔτε τὸ ἐναντίον τῷ ἐναντίῳ φίλον Ly. 216 b 9 ἐκ τῶν ἐναντίων τὰ ἐναντία Pd. 70 e 1 (cf. 71 a 6) τὸ καλὸν τῷ αἰσχρῷ ἐναντίον Pd. 70 e 2 (cf. e 4 et 5, 71 a 9 c 1 et 4 d 4) οὐκ ἀνταποδώσομεν τὴν ἐναντίαν γένεσιν Pd. 71 e 6 (cf. e 7) αὐτὸ τὸ ἐναντίον ἑαυτῷ ἐναντίον οὐκ ἄν ποτε γένοιτο Pd. 103 b 4 (bis ; réc. c 6) ἐπιδεικνύουσιν αὐτὰς (τὰς δόξας) αὐταῖς ἅμα περὶ τῶν αὐτῶν ... ἐναντίας So. 230 b 8 ἐναντία αὐτὸν αὑτῷ ... λέγειν So. 238 d 6 ἐναντίον ὅταν ἀπόφασις λέγηται σημαίνειν So. 257 b 9 τοὐναντίον τοῦ ὄντος τὸ μὴ ὂν ἀποφαινόμενοι So. 258 e 6 ἐπιθυμίαι ... ἑαυταῖς ἐναντίαι φερόμεναι Le. VII 328 b 4.

Adv. : ἐναντίως (T. 64 d 3 L. II 663 c 3 III 690 d 4 X 902 c 5).

App. : πολέμιος.

Opp. : ὁ αὐτός.

ἐναντιότης, ἡ « contrariété » κατὰ τὴν ἐναντιότητα Ly. 216 b 7 τὴν τοῦ ἐπιφερομένου ἐναντιότητα Pd. 105 a 4 τὴν ἐναντιότητα πρὸς ἀλλήλω Tht. 186 b 6 (cf. b 7)*.

ἐναντιοῦσθαι 1° « s'opposer » (à) ; 2° « contredire ».

1° τῷ μὲν τὰ τοῦ σώματος ... ὑπηρετοῖ τῇ διανοίᾳ, τῷ δὲ ἐναντιοῖτο R. V 455 c 2.

2° τί ἂν ... εἰπόντες ἥκιστα ἡμῖν αὐτοῖς ἐναντιωθεῖμεν Tht. 200 d 10.

Ass. et opp. (1°) : ὑπηρετεῖν.

ἐναντίωσις, ἡ « opposition » ταύταις ... ταῖς ἐναντιώσεσιν ... ἀπιστεῖ τις So. 259 b 8 (cf. R. V 454 a 8 X 607 c 3)*.

ἐναργής « clair » τοῦτο ἐναργέστατόν τε εἶναι καὶ ἀληθέστατον Pd. 83 c 6 διὰ τῆς ἐναργεστάτης αἰσθήσεως Phr. 250 d 2 (cf. d 6) οἱ φάσκοντες αὐτὰς (τὰς αἰσθήσεις) ἐναργεῖς τε εἶναι καὶ ἐπιστήμας Tht. 179 c 6 ἐναργεστέρου (ἐνεργεστέρου est à corriger) δ' αὐτοῦ γενομένου L. I 645 c 1.

Adv. : ἐναργῶς (So. 234 d 5) ; cp. ἐναργέστερον (Pr. 320 b 8) ; sup. ἐναργέστατα (Phr. 250 d 3).

App. : δῆλος, σαφής.

App. et ass. : ἀληθής.

ἐνάριθμος « qui fait nombre » οὐχ ἐλλόγιμον οὐδ' ἐνάριθμον Ph. 17 e 4 (cf. So. 258 c 3)*.

App. et ass. : ἐλλόγιμος.

ἐναρμόνιος « harmonique » πρὸς ἐναρμόνιον φοράν R. VII 530 d 7 (cf. L. II 654 a 2)*.
Ass. : ἔνρυθμος.

ἐναρμόττειν 1° « adapter » ; 2° (intr.) « s'adapter ».
1° εἰς παιδιὰν ἐναρμόττοντες τὰς ... χρήσεις L. VII 819 c 2*.
2° ἐναρμόττουσαν πᾶσι ... ποιήμασι L. X 894 c 5*.

ἑνάς, ἡ « unité » περὶ τούτων τῶν ἑνάδων ... ἡ ... σπουδή Ph. 15 a 6*.
Syn. : μονάς.

ἐνδεής « manquant » (de) οὐκ αὐτάρκης ἀλλὰ πολλῶν ἐνδεής R. II 369 b 7 οὐ(κ) ... ἐνδεᾶ γε φήσομεν τὸν θεὸν κάλλους ἢ ἀρετῆς εἶναι R. II 381 c 2.
Adv. : ἐνδεῶς Pd. 88 e 3 (ass. et opp. à ἱκανῶς) ; cp. ἐνδεεστέρως Pd. 74 e 3.
Ass. et opp. : αὐτάρκης.
Syn. : ἐπιδεής, προσδεής.

ἔνδεια, ἡ « manque, défaut » (de) ὑπερβολῆς τε καὶ ἐνδείας Pr. 357 a 2 b 2 ἅπασαν ἔνδειαν καὶ ἐπιθυμίαν ἀνιαρὸν εἶναι G. 496 d 7 ἡ παρὰ φύσιν πλεονεξία καὶ ἔνδεια T. 82 a 3.
App. et ass. : ἐπιθυμία.
App. : χρεία (b).
Ass. et opp. : πλεονεξία, ὑπερβολή (a).

ἐνδεικνύναι (d'ord. au moyen) « faire voir » ἐνδείξασθαι ὡς ... πάντες θεοὶ ἡγοῦνται ὀρθῶς ἔχειν Euph. 9 b 1 (cf. b 3 et 8, 15 e 7 A. 105 b 2 et 4 d 8 e 1 et 2, 106 b 2 R. II 367 b 3) τὴν ἔνδειξιν τῷ λόγῳ ... ἐνδείκνυσθαι L. XII 966 b 2.
App. : δεικνύναι (avec l'opposition d'aspect).

ἐνδεῖν I « lier » (dans) ἕως ἂν ... πάλιν ἐνδεθῶσιν εἰς σῶμα. Ἐνδοῦνται δέ ... Pd. 81 e 2 (cf. 92 a 1 T. 43 a 5 et 7, 44 b 2 d 5, 45 a 7 b 4, 69 e 5) δεῖ διανοεῖσθαι τοὺς βίους ἡμῶν ὡς ἐν τούτοις ἐνδεδεμένοι πεφύκασιν L. V 733 d 3 (cf. III 695 d 2 So. 261 a 2)*.

ἐνδεῖν II (à l'actif et au moyen) « manquer » ὅσον μήτε περιεῖναι ... μήτε ἐνδεῖν R. III 416 e 3 τὰ ... σωφρόνων ἀρχόντων ἤθη ... ἰταμότητος ... ἐνδεῖται Po. 311 a 9.
Ass. et opp. : περιεῖναι 1°.

ἔνδειξις, ἡ « démonstration » τὴν ... ἔνδειξιν ... ἐνδείκνυσθαι L. XII 966 b 1 (cf. Le. VII 341 e 3)*.
Syn. : ἀπόδειξις, ἐπίδειξις 2°.

ἐνδελεχής « perpétuel » μνήμην ἐνδελεχῆ παρεχόμενον L. IV 717 e 3*.
Adv. : ἐνδελεχῶς « continûment » ἐνδελεχῶς καὶ συντόνως R. VII 539 d 9 (cf. T. 43 d 1, 58 c 4) διοικήσοντας τὸν ἅπαντα ἐνδελεχῶς (Stob. : ἐντελεχῶς AO) οὐρανόν L. X 905 e 3*.
App. : συνεχής (b).

ἐνεῖναι « être dans » (pour exprimer l'immanence des Idées) αὐτὸ τὸ θερμὸν τὸ ἐν τῷ πυρὶ ἔνον Cra. 413 c 3 πρὶν ἂν τὰ τῆς σωφροσύνης εἴδη ... ἐνόντα ἐν οἷς ἔνεστιν αἰσθανώμεθα καὶ αὐτὰ καὶ εἰκόνας αὐτῶν R. III 402 c 5 εἰ ἄρα ἐν τῷ ἑνὶ σμικρότης ἐγγίγνεται, ἤτοι ἐν ὅλῳ ἂν ἢ ἐν τῷ μέρει αὐτοῦ ἐνείη Pa. 150 a 2 (cf. 158 c 2, 159 d 8) δεῖν ... ἀεὶ μίαν ἰδέαν περὶ παντὸς ... ζητεῖν · εὑρήσειν γὰρ ἐνοῦσαν Ph. 16 d 2 ᾗπερ ... νοῦς ἐνούσας ἰδέας τῷ ὃ ἔστιν ζῷον, οἷαί τε ἔνεισιν καὶ ὅσαι, καθορᾷ T. 39 e 8-9.

Syn. : εἶναι ἐν, ἐγγίγνεσθαι.

ἕνεκα « en vue de » ὅταν τίς τι ἕνεκά του σκοπῇ, περὶ ἐκείνου ἡ βουλὴ ... οὗ ἕνεκα ἐσκόπει, ἀλλ' οὐ περὶ τοῦ ὃ ἕνεκα ἄλλου ἐζήτει La. 185 d 5-6-7 πᾶσα ἡ ... σπουδὴ οὐκ ἐπὶ τούτοις ἐστὶν ... ἐπὶ τοῖς ἕνεκά του παρασκευαζομένοις, ἀλλ' ἐπ' ἐκείνῳ οὗ ἕνεκα πάντα τὰ τοιαῦτα παρασκευάζεται Ly. 219 e 8-9 (cf. 218 d 6 et 8, 219 c 1, 3, 5, 8 d 3 et 7, 220 a 4 et 8 b 4 et 5 d 6 et 8 e 3).

Syn. : εἵνεκα (L. VI 778 d 6 XII 949 d 2), ἕνεκεν.

ἕνεκεν id. τοῦτο ἐκεῖνο ... οὗ δὴ ἕνεκεν καὶ οἱ ἔμπροσθεν πάντες πόνοι ἦσαν B. 210 e 6.

Syn. : ἕνεκα.

ἐνθάδε « ici-bas » εὐδαιμονέστεροί εἰσιν οἱ ἐκεῖ τῶν ἐνθάδε Ap. 41 c 6 καὶ ἐνθάδε καὶ ἐν Ἅιδου G. 525 b 7 ἀνακύψας ἐκ τῆς θαλάττης εἰς τὸν ἐνθάδε τόπον Pd. 109 d 3 ἐν Ἅιδου δίκην δώσομεν ὧν ἂν ἐνθάδε ἀδικήσωμεν R. II 366 a 5 ἐκεῖσε ἀεὶ ἀναφέροντες ... τὰ ἐνθάδε νόμιμα ... τίθεσθαι R. VI 484 d 1 ὁμονοητικὸν τὸν ἐνθάδε βίον διάγουσιν Phr. 256 b 1 (cf. 259 c 7 R. VI 496 e 2).

Ass. et opp. : ἐκεῖ, ἐκεῖσε.

Syn. : τῇδε.

ἐνθεαστικός « inspiré » θεῖον ... καὶ τὸ ποιητικὸν ἐνθεαστικὸν ὂν γένος L. III 682 a 3*.

Syn. : ἐνθουσιαστικός.

ἐνθένδε « d'ici-bas » μετοίκησις τῇ ψυχῇ τοῦ τόπου τοῦ ἐνθένδε εἰς ἄλλον τόπον Ap. 40 c 8 (cf. e 5 Pd. 117 c 2) παλαιὸς ... ἔστι τις λόγος ... ὡς εἰσὶν ἐνθένδε ἀφικόμεναι ἐκεῖ Pd. 70 c 6 ἀπὸ τῶν ἐνθένδε ἐκεῖσε ἄγει R. VII 529 a 2 οὐκ ὀξέως ἐνθένδε ἐκεῖσε φέρεται Phr. 250 e 2 ἐνθένδε ἐκεῖσε φεύγειν Tht. 176 a 7.

Ass. et opp. : ἐκεῖ, ἐκεῖσε.

Opp. : ἐκεῖθεν.

ἔνθεος « possédé d'un dieu, inspiré » (adj. et subst. m.) ὁ Ἔρως ἔνθεον ποιήσειε πρὸς ἀρετήν B. 179 a 8 (cf. 180 b 3) ἡ Μοῦσα ἐνθέους... ποιεῖ ... διὰ δὲ τῶν ἐνθέων τούτων ... ὁρμαθὸς ἐξαρτᾶται I. 533 e 4 οὐκ ἐκ τέχνης ἀλλ' ἔνθεοι ὄντες καὶ κατεχόμενοι I. 533 e 6 πρὶν ἂν ἔνθεός τε γένηται καὶ ἔκφρων I. 534 b 5 μαντικῇ χρώμενοι ἐνθέῳ Phr. 244 b 4 (cf. T. 71 e 3, 72 a 6) πρὸς τὸν ἔνθεον φίλον Phr. 255 b 7*.

App. : ἱερός (I. 534 b 4).

App. et ass. : κατεχόμενος.

Ass. : ἔκφρων.

Ass. et opp. : ἐκ τέχνης.

ἐνθουσιάζειν « être inspiré » οὐ σοφίᾳ ... ἀλλὰ φύσει τινὶ καὶ ἐνθουσιάζοντες Ap. 22 c 1 θείους τε εἶναι καὶ ἐνθουσιάζειν, ἐπίπνους ὄντας καὶ κατεχομένους M. 99 d 2 ἄλλων ἐνθουσιαζόντων I. 533 e 5 (cf. 535 c 2, 536 b 3) ὑπὸ τῶν Νυμφῶν ... ἐνθουσιάσω Phr. 241 e 5 (cf. Tht. 180 c 2) ἐξιστάμενος δὲ ... ἐνθουσιάζων λέληθε τοὺς πολλούς Phr. 249 d 2*.

App. et ass. : ἐξίστασθαι, κατέχεσθαι.

Syn. : ἐνθουσιᾶν.

ἐνθουσιᾶν id. ὥσπερ οἱ ἐνθουσιῶντες ἐξαίφνης χρησμῳδεῖν Cra. 396 d 4 (cf. d 8 Phr. 253 a 2) ὑφ' ἡδονῆς ἐνθουσιᾷ Ph. 15 e 2*.

Syn. : ἐνθουσιάζειν.

ἐνθουσίασις, ἡ « possession divine » αὕτη πασῶν τῶν ἐνθουσιάσεων ἀρίστη Phr. 249 e 1*.

Syn. : ἐνθουσιασμός.

ἐνθουσιασμός, ὁ « inspiration » διά τινα ἐνθουσιασμὸν παραλλάξας T. 71 e 5*.

Syn. : ἐνθουσίασις.

ἐνθουσιαστικός « inspiré » (adj. et subst. n.) διὰ τὸ ἐνθουσιαστικὸν οὐ πάνυ μέμνημαι Phr. 263 d 2 ὑπὸ τῆς μαντικῆς τε καὶ ἐνθουσιαστικῆς φύσεως T. 71 e 7 (cf. Le. II 314 a 5)*.

App. et ass. : μαντικός.

Syn. : ἐνθεαστικός.

ἐνθυμεῖσθαι « réfléchir » ἐνθυμουμένῳ ὅτι ... ἔμελλε τελευτᾶν Pd. 59 a 6 (cf. 86 b 5) ἐνθυμεῖσθαι χρὴ ὅτι ... οὔτ' ἂν πιστοὺς φίλους ἐκεκτήμεθα Phr. 233 c 8 (cf. 234 b 2).

ἐννοεῖν (à l'actif et au moyen) « avoir dans l'esprit », « songer » (que) οὐ πάνυ τι ἐννοῶ ... ὃ λέγεις H. m. 369 a 6 (cf. A. 108 b 6, 109 a 7 R. II 372 a 1, 376 a 1, 377 d 2 V 474 d 1) τόδε ... σου ἐνενόησα ἅμα λέγοντος Euph. 9 c 2 εἶπον ... ἐκ τῶνδε ἐννοούμενος H. M. 295 c 4 ἀναγκαῖον ... ἐννοεῖν Pd. 74 a 5 (cf. b 5 c 6 et 9 d 8 e 2, 75 a 4, 5, 9, 76 a 2) ἐννοῶ ... καὶ αὐτὸς εἰπόντος σοῦ R. II 370 a 7 (cf. 360 a 5 VII 521 d 4, 525 c 8) οὐκ ἐννοεῖς ... κακὸν ... ὅσον γίγνεται ; R. VII 537 d 11 ὧν ἂν ἴδωμεν ἢ ἀκούσωμεν ἢ αὐτοὶ ἐννοήσωμεν Tht. 191 d 5 ὡς ... κινηθὲν αὐτὸ ... ἐνενόησεν [WY : ἐνόησε AFP] ... ὁ γεννήσας πατὴρ T. 37 c 6 ἐννοεῖν μέν, τὴν δὲ ἔνδειξιν τῷ λόγῳ ἀδυνατεῖν ἐκδείκνυσθαι L. XII 966 b 1 (cf. Ep. 978 c 1-2). — Aucun exemple, semble-t-il, de « songer à », sens ordinaire d' ἐπινοεῖν.

App. : ἐν νῷ ἔχειν (« songer à ») ; νοεῖν 1° (avec les distinctions de J. Brunel, *L'Aspect...*, p. 73-74).

ἐννόησις, ἡ « réflexion » πρὸς μαθήσεις ... καὶ ἐννοήσεις τε καὶ μελέτας πρὸς ἑαυτὸν χαλεπή R. III 407 b 9*.

Ass. : μάθησις 1°, μελέτη (b).

ἔννοια, ἡ « notion, pensée » ἀνεμνήσθη οὗ τὴν ἔννοιαν ἔλαβεν Pd. 73 c 9 κινοῦσα ἐν ἑαυτῇ τὴν ἔννοιαν R. VII 524 e 6 ταῖς αἰσθήσεσι καὶ ἐννοίαις Tht. 191 d 6 ἐν ταῖς περὶ τὸ ὂν ὄντως ἐννοίαις Ph. 59 d 4 χρόνου ... ἔννοιαν ... ἔδοσαν T. 47 a 7 (cf. L. VIII 835 a 1) ἄξιον ἐννοίας L. II 657 a 6 (cf. VI 769 e 7).

ἔννομος « discipliné, légitime, légal » a) adj. ; b) subst. n.

a) ἐννομωτέρου ... παιδιᾶς μεθεκτέον R. IV 424 e 7 ἐννόμους τε καὶ σπουδαίους R. IV 424 e 8 δόξης ἐννόμου σωτηρία R. IV 433 c 8 (cf. Phr. 248 d 4 L. VIII 835 b 7 XI 921 c 1) πάσαις τιμαῖς ταῖς ἐννόμοις L. XI 932 a 4*.

b) τὸ παράνομον καὶ ἔννομον Po. 302 e 7*.

Ass. et opp. : παράνομος.

ἔννους « en possession d'un (de son) intellect » ζῷον ἔμψυχον ἔννουν τε T. 30 c 1 οὐδεὶς ... ἔννους ἐφάπτεται μαντικῆς ἐνθέου T. 71 e 3*.

App. : ἔμφρων.

App. et ass. : ἔμψυχος.

ἔνοπτρον, τό « miroir » ὥσπερ κάτοπτρά ἐστι σαφέστερα τοῦ ἐν τῷ ὀφθαλμῷ ἐνόπτρου A. 133 c 9 (cf. c 13), dans le passage conservé par Eusèbe et Stobée*.

Syn. : κάτοπτρον (seul attesté par les mss de Platon, en deux autres endroits de l'*Alcibiade* et ailleurs ; cf. P. Friedländer, *Platon*, II², p. 319, n. 11).

ἔνρυθμος « rythmique » τὴν ἔνρυθμόν τε καὶ ἐναρμόνιον αἴσθησιν L. II 654 a 2*.

Ass. : ἐναρμόνιος.

ἔντεχνος « artiste, méthodique » τὴν ἔντεχνον σοφίαν σὺν πυρί Pr. 321 d 1 ἀτέχνων τε καὶ ἐντέχνων Phr. 262 c 7 (cf. 277 b 2 Po. 304 e 6) εἰ μὲν ἀνεπιστήμονες ... εἰ δ' ἄτεχνοι Po. 300 e 1 πάνθ' ὁπόσα ἔντεχνα Po. 285 a 4 ἔχουσαί τινα ἔντεχνον ἐπιχείρησιν L. IV 722 d 5 (cf. II 673 a 9) πᾶς ἔντεχνος δημιουργός L. X 903 c 6.

Ass. et opp. : ἀνεπιστήμων, ἄτεχνος.

ἔντιμος a) « honoré » ; b) « honorable ».

a) ἔντιμος ἢ ἄτιμος Euth. 281 c 6.

b) ψυχῆς ... σῶμα ἐντιμότερον L. V 727 d 8 (cf. e 1).

Adv. : ἐντίμως (L. VI 762 e 6).

Ass. et opp. : ἄτιμος.

Syn. : τίμιος.

ἔντονος « énergique » ἔντονοι καὶ δριμεῖς Tht. 173 a 1.

Adv. : ἐντόνως (R. VII 528 c 3, ass. à συνεχῶς)*.

Ass. : δριμύς.

ἐντός « à (de) l'intérieur » (parfois adjectivé ou substantivé) τὰ ἐντὸς ἀγάλματα B. 216 e 7 (cf. R. IX 588 d 11) καταδύεται εἰς τὸ ἐντὸς τῆς ψυχῆς R. III 401 d 5 (cf. L. XII 968 e 2) οὐ περὶ τὴν ἔξω πρᾶξιν τῶν αὑτοῦ ἀλλὰ περὶ τὴν ἐντός R. IV 443 d 2 ὁ ἐντὸς ἄνθρωπος R. IX 589 a 9 ἔξωθεν ... ὅσα ἔχω τοῖς ἐντὸς εἶναί μοι φίλια Phr. 279 c 1 ὁ ... ἐντὸς τῆς ψυχῆς πρὸς αὑτὴν διάλογος So. 263 e 4.

App. : ἔνδον (mais ce mot n'a jamais la nuance d' « intériorité » qui fait ici l'intérêt d'ἐντός).

Ass. et opp. : ἔξω, ἔξωθεν.

ἐντρέπεσθαι « se soucier » (de) οὔτε ἡμῶν τῶν νόμων ἐντρέπῃ Cr. 52 c 9 (cf. Phr. 254 a 3)*.

App. : ἐπιμελεῖσθαι, κήδεσθαι, φροντίζειν.

ἐντρέφειν « élever » (dans) οἷς ... ἂν ἐντραφῶσιν νόμοις L. VII 798 a 8 (cf. T. 19 d 7)*.

ἐντρεχής « agile » ἐν πᾶσι δὴ τούτοις ... ὃς ἂν ἐντρεχέστατος ἀεὶ φαίνηται R. VII 537 a 10*.

ἐντριβής « rompu » (à) ἐντριβὴς ... οὐδαμῶς γέγονα τῇ τοιαύτῃ τέχνῃ L. VI 769 b 6*.

ἐνύπνιον, τό « songe » ἐκ μαντείων καὶ ἐξ ἐνυπνίων Ap. 33 c 5 τεκμαίρομαι ... ἔκ τινος ἐνυπνίου Cr. 44 a 6 (cf. a 9 b 3 Pd. 60 e 1 et 4).

App. : ὄναρ.

Ass. : μαντεῖον (b).

ἐξαγριοῦν « rendre sauvage » ψυχῆς ἐξηγριωμένης ὑπὸ πόθων L. IX 870 a 2 ἐξαγριῶν ... θηριούμενος L. XI 935 a 5*.

App. et ass. : θηριοῦν.

ἐξαίρειν « exalter » ὑψηλὸν ἐξαρεῖν [M : ἐξαιρεῖν A] αὑτόν R. VI 494 d 1 ἐξαρθεὶς ὑπὸ μεγαλαυχίας ἢ χρήμασιν ἐπαιρόμενος L. IV 716 a 5*. — L. V 727 b 7 il faut lire ἐξαιρῇ avec Stobée malgré l'ἐξαίρῃ(-ει) d'AO.

Syn. : ἐπαίρειν (avec les nuances d'aspect).

ἐξαίφνης « soudain » (parfois substantivé) ἐξαίφνης κατόψεταί τι θαυμαστὸν τὴν φύσιν καλόν B. 210 e 4 τῆς σοφίας ... ἥ ἐμοὶ ἐξαίφνης νῦν ουτωσὶ προσπέπτωκεν Cra. 396 d 1 (cf. d 4 et au sens d'εὐθύς avec participe b 5 comme G. 523 e 4) ἐξαίφνης ... ὥσπερ καταδρομὴν ἐποιήσω ἐπὶ τὸν λόγον μου R. V 472 a 1 (cf. 453 c 8 VII 515 c 7, 516 a 3 e 5 VIII 553 a 11 IX 584 b 7 Tht. 162 c 3) τὸ ἐξαίφνης ... ἔοικε σημαίνειν ὡς ἐξ ἐκείνου μεταβάλλον εἰς ἑκάτερον Pa. 156 d 3 (cf. d 6 e 5, 164 d 3) ἐξαίφνης ... καὶ ἀπροβουλεύτως L. IX 866 e 1 (cf. 867 b 7 IV 712 e 4 VI 758 d 5) οὐκ ἐκ τοῦ παραχρῆμα ἐξαίφνης L. IX 867 a 3 ἐκ πολλῆς συνουσίας ... καὶ τοῦ συζῆν ἐξαίφνης ... ἐξαφθὲν φῶς Le. VII 341 d 1*.

App. et ass. : ἀπροβουλεύτως, ἐκ τοῦ παραχρῆμα.

ἐξαμαρτάνειν « commettre une erreur, une faute » ταῦτα παραβὰς καὶ ἐξαμαρτάνων [B : ἐξαμαρτών T] τι τούτων Cr. 53 a 9 ὀλίγου ἐξήμαρτον Ly. 210 e 2 (cf. Euth. 287 e 5) οὐ γὰρ ἂν ἐξημάρτανεν ὅν φαμεν ἥττω εἶναι τῶν ἡδονῶν Pr. 355 d 6 ἐπιστήμης ἐνδείᾳ ἐξαμαρτάνειν περὶ τὴν τῶν ἡδονῶν αἵρεσιν ... τοὺς ἐξαμαρτάνοντας

Pr. 357 d 4-5 οὐχ ἑκὼν ἐξαμαρτάνω G. 488 a 4 (cf. H. M. 296 c 8 Pr. 345 e 2) τῶν περὶ τὰ θεῖα ἐξαμαρτανόντων L. X 908 b 3 (cf. VII 822 b 8 Ap. 30 e 1 Phr. 243 a 4).

App. et ass. : παραϐαίνειν.

Syn. : ἁμαρτάνειν (avec les distinctions de J. Brunel, *L'Aspect...*, p. 124 et 217-218).

ἐξαπατᾶν « abuser, induire en illusion » ἐξαπατᾶν ἀνθρώπους H. m. 365 d 9 (cf. 366 a 1) πρόσσχωμεν τὸν νοῦν μὴ ἐξαπατηθῶμεν Ly. 219 b 5 (cf. b 8 d 4 R. X 609 c 3) μή... σφήλῃ ἐξαπατήσας Pr. 361 d 1 τῷ... ἀεὶ ἡδίστῳ θηρεύεται τὴν ἄνοιαν καὶ ἐξαπατᾷ G. 464 d 3 (cf. ἀπατῶσα 465 b 5) ἐξαπατᾶν καὶ λωϐᾶσθαι τοὺς νέους M. 92 a 3 (cf. Pd. 65 b 9, 91 c 4 R. II 382 e 11 X 598 c 4 d 4 Phr. 243 a 2) τὸ... ἐξαπατᾶσθαι αὐτὸν ὑφ' αὑτοῦ πάντων χαλεπώτατον Cra. 428 d 3 μηδείς... περὶ τὰ τοιαῦτα ἐξαπατώμενος ἀναπειθέσθω L. XII 941 b 6.

App. et ass. : σφάλλειν (1° a).

Syn. : ἀπατᾶν (avec les distinctions de J. Brunel, *L'Aspect...*, p. 212).

ἐξάπτειν « allumer, enflammer » ὅσον αὖθις οὐκ ἐξάπτονται R. VI 498 b 1 πότερον... εἴη Διονύσιος ἐξημμένος ὑπὸ φιλοσοφίας ὥσπερ πυρός Le. VII 340 b 2 οἷον ἀπὸ πυρὸς πηδήσαντος ἐξαφθὲν φῶς Le. VII 341 d 1*.

ἐξαρτᾶν « suspendre » ; au moyen, « dépendre de » διὰ... τῶν ἐνθέων τούτων... ὁρμαθὸς ἐξαρτᾶται I. 533 e 5 (cf. 536 a 5, 6, 8) ἐπιθυμίαι, ἐξ ὧν ἀνάγκη τὸ... ζῷον... ἐξηρτῆσθαί τε καὶ ἐκκρεμάμενον εἶναι L. V 732 e 6*.

Syn. : ἀναρτᾶν, ἀρτᾶν (avec les nuances d'aspect).

ἐξελέγχειν 1° « interroger » (dans l'espoir de confondre), « examiner » ; 2° « prouver » ; 3° « réfuter en prouvant » ; 4° « réfuter ».

1° Σωκράτης... σμικρὰ... ἀνερωτᾷ καὶ ἐξελέγχει G. 497 b 7 ὑπόσχες Σωκράτει ἐξελέγξαι G. 497 b 9 περὶ πράγματος διαλεγόμενοι ὃ [W : om. cett.] ἀδυνατοῦσιν ἐξελέγξαι Pr. 347 e 6.

2° τοῦτό γε ἐξηλέγξαμεν ὅτι οὐδὲν πλέον Euth. 288 e 5 (cf. Tht. 166 c 4).

3° ἐὰν μὴ Σωκράτης ἐξελεγχθῇ ὑπὸ Πώλου ὅτι ποιοῦσιν ἃ βούλονται G. 467 a 9 ἤ... ταῦτα ἐξελέγξωμεν ὅτι οὐ καλῶς λέγομεν R. X 610 a 10.

4° ὑπ' ἐμοῦ ἐξελεγχθήσονται ἔργῳ Ap. 17 b 2 (cf. 23 a 5) οὐδείς με ἐξελέγξει ἔτι H. M. 286 e 7 (cf. e 2, 287 b 3 Ly. 222 d 7 G. 467 a 1, 471 d 6-7, 473 a 10 b 9 d 1 e 4, 482 b 1, 508 b 1, 522 d 5 B. 217 b 3 R. VII 538 d 8) ταῦτα ἱκανά σε ἐξελέγξαι ἐστὶν καὶ ἀποδεῖξαι ὡς... εἰσιν G. 470 d 2 οὐδ' ἄρα ἐκέλευον, ἔφη, ἐγὼ νῦν δή, ὁ Διονυσόδωρος, ἐξελέγξαι Euth. 286 e 6 (cf. *Mélanges... Boisacq*, 1937, p. 313-316) εἰ... μὴ ἐξήμαρτον, οὐδὲ σὺ ἐξελέγξεις Euth. 287 e 5 αἰσχυνθεῖεν ἂν μᾶλλον ἐξελέγχοντες τοιούτοις λόγοις τοὺς ἄλλους ἢ αὐτοὶ ἐξελεγχόμενοι Euth. 303 d 4-5 (réc. 304 d 1-2) μιμούμενοι τοὺς ἐλέγχοντας αὐτοὶ ἄλλους ἐλέγχουσι R. VII 539 b 5 τὴν ἀκριβεστάτην αὐτῇ προσφέροντα βάσανον καὶ ἐξελέγχοντα Ph. 23 a 7.

App. et ass. : (1°) ἀνερωτᾶν ; (4°) ἀποδεικνύναι.

Syn. : ἐλέγχειν (avec les distinctions de J. Brunel, *L'Aspect...*, p. 210-211).

ἐξεπᾴδειν « délivrer par incantation » χρὴ ἐπᾴδειν αὐτῷ ἕως ἂν ἐξεπᾴσηται [TY : ἐξιάσηται BT²WY²] Pd. 77 e 8*.

ἐξετάζειν « examiner, vérifier » ἐξετάζοντα ἐμαυτὸν καὶ τοὺς ἄλλους Ap. 28 e 6 (cf. 38 a 5 Ep. 974 c 6 et Ap. 23 c 4, 5, 8, 24 c 2, 33 c 2, 41 b 8 c 3) ἐρήσομαι αὐτὸν καὶ ἐξετάσω καὶ ἐλέγξω Ap. 29 e 4 (cf. Criti. 107 c 7) τοὺς ἐκεῖ ἐξετάζοντα καὶ ἐρευνῶντα Ap. 41 b 6 ἐξετάσαι τί ... τυγχάνει εἰδὼς Ch. 167 a 2 (cf. 170 d 4, 172 b 6-7) ἥδιστ᾽ἂν ἐξεταζοίμην ὑπὸ τοῦ τοιούτου La. 189 a 3 (cf. e 1 Pr. 333 c 8-9 G. 495 a 8, 515 b 1 Cra. 436 d 7 R. VI 489 a 4 X 598 d 6 Phr. 270 d 6 Tht. 154 d 9, 155 a 1 So. 230 b 5 Criti. 107 d 9, 119 d 5 L. VI 764 a 6) σκέψασθαι ἡμᾶς αὐτοὺς καὶ ἐξετάσαι G. 514 b 1 (cf. L. III 685 a 7).

App. : βασανίζειν, διερευνᾶν, δοκιμάζειν, ἐξελέγχειν, ζητεῖν, ἰχνεύειν.

App. et ass. : ἐλέγχειν, ἐρευνᾶν, σκοπεῖν.

ἐξέτασις, ἡ « examen » διὰ τὴν νῦν ἐξέτασιν Tht. 210 c 2 (cf. Ap. 22 e 6 Ph. 55 c 5).

App. : βάσανος, ἔλεγχος, ζήτησις.

ἐξευρίσκειν « découvrir » ταῦτα μόνον οἶσθα ἃ παρ᾽ ἄλλων ἔμαθες ἢ αὐτὸς ἐξηῦρες A. 106 d 6 (cf. d 8, 110 c 6 d 6, 112 d 10, 114 a 6 H. M. 295 b 3 et 7) πότερα μαθόντε παρά του ἐπίστασθον ἢ αὐτὼ ἐξευρόντε La. 186 e 6 πολλὰ ... μεμαθηκέναι, τὰ δὲ αὐτὸν ἐξηυρηκέναι Pr. 320 b 8 (cf. Cra. 438 b 3) τὰ συσσίτιά φαμεν πρὸς τὸν πόλεμον ἐξηυρῆσθαι τῷ νομοθέτῃ L. I 633 a 5 (cf. Pr. 353 b 1 R. VIII 566 b 6).

Ass. et opp. : μανθάνειν.

Syn. : εὑρίσκειν, ἐφευρίσκειν (avec les distinctions de J. Brunel, *L'Aspect...*, p. 144 et 59).

ἐξηγεῖσθαι 1° « expliquer, interpréter » ; 2° « édicter » (des oracles).

1° ἔχεις ἐξηγήσασθαι ; A. 124 b 8 (cf. 132 b 4 I. 531 a 8 b 9 et 10, 533 b 3 et 9) ἐξηγουμένους ... τὰ τοῦ νομοθέτου βουλεύματα L. VII 802 c 2 (cf. 816 c 2, 821 d 9 Le. VII 343 d 5) φράζειν τε καὶ ἐξηγεῖσθαι τὰ δεδογμένα ἐμοί L. XII 969 a 2.

2° οὗτος ... ὁ θεὸς ... ἀνθρώποις πάτριος ἐξηγητὴς ... ἐπὶ τοῦ ὀμφαλοῦ καθήμενος ἐξηγεῖται R. IV 427 c 4 (cf. V 469 a 6).

Ass. (1°) : φράζειν 2°.

ἐξήγησις, ἡ « exposition » σου τὴν ... ἐπιχείρησιν τῆς ἐξηγήσεως ... ἄγαμαι L. I 631 a 2*.

ἐξηγητής, ὁ « interprète » πευσόμενον τοῦ ἐξηγητοῦ Euph. 4 d 1 (cf. d 5, 9 a 6) οὐδὲ χρησόμεθα ἐξηγητῇ ἀλλ' ἢ τῷ πατρίῳ R. IV 427 c 2 (cf. c 3) τοὺς λόγους, ὧνπέρ εἰσιν ἐξηγηταί, τούτων... συγγενεῖς ὄντας T. 29 b 5 καταστήσαντας ... ἐξηγητάς L. VI 759 c 7 (cf. e 2, 775 a 2).

ἐξήκειν « aboutir » οὐκ ἐξῆκον ἐκεῖσε ἀεὶ οἷ πάντα δεῖ ἀφήκειν R. VII 530 e 7.

Ass. et syn. : ἀφήκειν (cf. J. Brunel, *L'Aspect...*, p. 188).

ἑξῆς « à la suite, dans l'ordre » (parfois adjectivé) ἵνα ... ἑξῆς διασκεψώμεθα τὸν λόγον R. I 350 e 12 κατὰ τὸν ἑξῆς λόγον τὰς ἐφεξῆς τιμάς L. III 696 e 6 (cf. 688 d 3 T. 20 b 3 Criti. 106 b 8) τῆς νομοθεσίας ἑξῆς ἐχόμενοι L. VI 779 d 6 (cf. T. 23 d 4).

App. et ass. : ἐφεξῆς.

ἐξιλάσκεσθαι « expier » ἀποίνοις ἐξιλασθέν L. IX 862 c 2*.

ἕξις, ἡ 1° « possession » (verbal d' ἔχειν trans.) ; 2° « régime » ; 3° « état » (verbal d'ἔχειν intr. avec adverbe) : a) physique ; b) cosmologique ; c) moral ; 4° « disposition », « qualité » ; 5° « nature ».

1° « possession » ἡ τοῦ οἰκείου τε καὶ ἑαυτοῦ ἕξις τε καὶ πρᾶξις R. IV 433 e 12 ἕξιν νοῦ Cra. 414 b 10 τὸ ἐπίστασθαι ... ἐπιστήμης ... ἕξιν Tht. 197 b 1 (cf. Euth. 277 b 8-9 : τὸ ... ἐπίστασθαι ... ἔχειν ἐπιστήμην ἤδη ἐστίν) δικαιοσύνης ἕξει καὶ παρουσίᾳ So. 247 a 5 ἐδέσματος ... ἕξει [codd. : ἕσει Ch. Mugler, *R.E.G.*, 1957, p. 82-87] T. 73 a 2 τὴν τῶν ὅπλων ἕξιν L. I 625 c 8.

2° « régime » ἡ τῶνδε τῶν ἀσκητῶν ἕξις R. III 403 e 11.

3° « état » a) physique ἑκάτερον αὑτοῖν ἔχει τὴν ἕξιν τὴν αὑτοῦ G. 524 b 5 ταύτῃ τῇ ἕξει καταδεῖξαι ἰατρικήν R. III 407 d 2 (cf. Tht. 167 a 3 c 2 [ἕξεις Diès : ἀληθεῖς codd.], Ph. 32 e 3) τὴν τοῦ σώματος ἕξιν Phr. 241 c 3 (cf. Tht. 153 b 5 Ph. 41 c 6) τῇ τῆς γλώττης ἕξει T. 66 c 3 (cf. 74 a 7).

b) cosmique παρὰ... τῆς ἔμπροσθεν ἕξεως Po. 273 c 1 ὅταν ἡ καθεστηκυῖα ... ἕξις διαμένῃ L. X 893 e 7 (cf. Pa. 162 b 11 T. 42 d 2 ; et v. Ch. Mugler, *R.E.G.*, 1957, p. 78-82).

c) moral διαμένειν ἐν ταύτῃ τῇ ἕξει καὶ εἶναι ἄνδρα ἀγαθόν Pr. 344 c 1 τὴν τῶν γεωμετρικῶν ... ἕξιν R. VI 511 d 5 (cf. Phr. 268 e 5) ὅλη ἡ ψυχή ... τιμιωτέραν ἕξιν λαμβάνει R. IX 591 b 5 (cf. 592 a 3) τὸ τῆς ὑμετέρας ἕξεως γένος T. 19 e 9.

4° « disposition » (de l'âme) ὡς οὔσης ταύτης τῆς ἕξεως αἱρετωτάτης Cra. 415 d 5 (cf. R. IV 443 e 7 X 618 d 1 Tht. 167 a 3 et 4) ἄττα πάθη καὶ ἕξεις R. IV 435 b 7 πονηρᾷ ψυχῆς ἕξει Tht. 167 b 2 (cf. Ph. 48 c 3 T. 47 e 1 L. VII 790 e 9) βελτίστη ... καὶ σωφρονεστάτη τῶν ἕξεων So. 230 d 5 ἕξιν ψυχῆς καὶ διάθεσιν Ph. 11 d 4 (cf. L. VII 791 b 1) σώφρων ψυχῆς ἕξις L. I 631 c 7 (cf. V 728 e 3) τὰς φύσεις τε καὶ ἕξεις τῶν ψυχῶν L. I 650 b 7 (cf. Le. VII 339 a 1) τὴν ἐμμανῆ ... ἕξιν τῶν νέων L. II 666 a 7 (cf. VI 778 e 7 IX 870 c 5) ἀνδραπόδου ... τινα ... λέγεις ἕξιν L. XII 966 b 3.

5° « nature » μειζόνως τιμητέον τὴν τοῦ ἀγαθοῦ ἕξιν (= τὸ ἀγαθὸν ὡς ἔχει Jowett-Campbell et Adam) R. VI 509 a 5 τὴν ἀνθρωπίνην ἕξιν Ep. 973 a 4 ἐν ἀλλοτρίαις ἕξεσιν οὐκ ἐγγίγνεται Le. VII 344 a 4.

App. : (2°) δίαιτα ; (4°) ἔθος, ἦθος, σχέσις, σχῆμα, τρόπος.

App. et ass. (4°) : διάθεσις, πάθος 3°, φύσις (B 1° b δ).

Ass. (1°) : παρουσία (b).

ἐξίστασθαι (moyen) « s'écarter, sortir » (de) μηδὲν ἐξιστάμενον τῆς αὑτοῦ ἰδέας Cra. 439 e 5 (cf. R. II 380 d 8 T. 50 b 9) ἐὰν μὴ ἐξίστηται R. VIII 563 c 9 ἐξιστάμενος ... τῶν ἀνθρωπίνων σπουδασμάτων ... νουθετεῖται ... ὡς παρακινῶν, ἐνθουσιάζων δὲ λέληθε ... Phr. 249 c 9 ἐξίστασθαι ... τρόπων τῶν αὐτῶν εἰς τοὺς εὐσεβεῖς L. X 907 d 6*.

Opp. : ἐμμένειν (cf. Aristote, *E.N.*, 7, 2, 1151 b 3).

ἔξοδος, ἡ a) « départ » ; b) « conclusion ».

a) λήθη ... ἐπιστήμης ἔξοδος B. 208 a 5 ἔστι ... λήθη μνήμης ἔξοδος Ph. 33 e 3.

b) ἡ ἄρτι ἔξοδος τῶν λόγων Pr. 361 a 4.

ἐξομοιοῦν « rendre semblable » ἐξομοιῶν αὐτὸν τῇ πολιτείᾳ G. 513 a 1 τῷ κατανοουμένῳ τὸ κατανοοῦν ἐξομοιῶσαι ..., ὁμοιώσαντα δέ ... T. 90 d 5*.

Ass. et syn. : ὁμοιοῦν (avec les distinctions de J. Brunel, *L'Aspect...*, p. 191).

Syn. : ἀφομοιοῦν.

ἐξουσία, ἡ « liberté, licence » πλείστη ... ἐξουσία τοῦ λέγειν G. 461 e 2 (cf. Cr. 51 d 2) ἐν μεγάλῃ ἐξουσίᾳ ... τοῦ ἀδικεῖν G. 526 a 4 (cf. R. VIII 554 c 9) ἐξουσία ... ποιεῖν ὅ τί τις βούλεται R. VIII 557 b 5 (cf. A. 134 e 10 Euth. 302 b 2 L. VI 780 a 3 X 907 c 3).

ἐξυβρίζειν « se livrer à des excès » ἐξυβρίζοντα ... θεῖ ... εἰς ἔκγονον ὕβρεως ἀδικίαν L. III 691 c 3*.

ἔξω « hors de » (soi) πότερον ἔμφρων εἶ ἢ ἔξω σαυτοῦ γίγνει I. 535 c 1 (cf. οὐκέτ' ἐν ἐμαυτοῦ ἦν Ch. 155 d 4 οὐκέθ' αὑτῶν γίγνονται Phr. 250 a 7).

Ass. et opp. : ἔμφρων.

ἐοικέναι 1° « ressembler » ; 2° « sembler » ; 3° « convenir » (impersonnel). Pour les deux premiers sens, v. aussi εἰκώς (1° a et b).

1° ποτέρῳ ... ἡ ψυχὴ ἔοικεν ; Pd. 80 a 6 οὐ περὶ τούτων διανοούμενοι ἀλλ' ἐκείνων πέρι οἷς ταῦτα ἔοικε R. VI 510 d 6 (cf. a 5) πολλοὶ ... λέουσι τῶν ἀνδρῶν εἴξασι Po. 291 a 9 (cf. L. IV 712 d 7).

2° εἴξασί τινες ... ἡγήσασθαι So. 230 a 5 ὡς ἔοικε Po. 305 e 6.

3° ἔοικεν ... νέῳ ... ὀργὴν ὑποφέρειν L. IX 879 c 3 (seul exemple attique de Liddell-Scott-Jones).

App. : (1°) ἀφομοιοῦν 1°, ὁμοιοῦν 1° ; (2°) δοκεῖν ; (3°) πρέπειν.

Ass. et syn. (1°) : προσεοικέναι.

ἑορτάζειν a) « célébrer » (une fête) ; b) « concourir ».
a) ἑορτὰς ἀποδοῦναι τῇ πόλει ἑορτάζειν L. VIII 835 b 5 (cf. A. 121 c 5 d 1 R. V 458 a 1)*.
b) τῶν ἑορταζόντων L. II 657 e 1*.

ἑόρτασις, ἡ « célébration » (d'une fête) τῇ ἐκείνων παιδιᾷ τε καὶ ἑορτάσει L. II 657 d 4*.
Ass. : παιδιά.

ἑορτή, ἡ « fête » ἐν ἑορταῖς, ἐν χοροῖς, ἐν θυσίαις B. 197 d 3 (cf. L. VIII 835 e 1) τὴν ἑορτὴν ... θεάσασθαι τίνα τρόπον ποιήσουσιν R. I 327 a 2 (cf. Pd. 61 a 5 L. VI 775 b 6) παιδιᾶς τε καὶ ἑορτῆς χάριν Phr. 276 b 5 τὰς τῶν ἑορτῶν ἀμοιβὰς τοῖς θεοῖς L. II 653 d 2 (cf. d 5) ἑορτάς τε ... καὶ θυσίας Ep. 985 e 6 (cf. I. 535 d 3 R. V 459 e 6 L. VII 809 d 3).
Ass. : θυσία, παιδιά, χορός.

ἐπαγγέλλεσθαι (moyen) a) « engager » (à) ; b) « s'engager » (à), « proclamer ».
a) σοὶ ... ἐπαγγέλλομαι ... ἐλέγχειν ἐμὲ ὅ τι ἂν βούλῃ La. 189 b 2 (cf. G. 458 d 8).
b) τοῖς σοφισταῖς ... οἵπερ μόνοι ἐπηγγέλλοντό με οἷοί τ' εἶναι ποιῆσαι καλόν τε κἀγαθόν La. 186 c 5 (cf. Pr. 319 a 6) ὃ ἐπαγγέλλεταί τε καὶ διδάσκει G. 447 c 2 (cf. d 7, 448 a 2, 449 b 3 M. 95 c 1 Euth. 273 e 5 So. 223 a 4 L. XI 915 a 6) οὐχ οἵαν τινὲς ἐπαγγελλόμενοί φασιν εἶναι R. VII 518 b 8.
App. (b) : προσποιεῖσθαι, ὑπισχνεῖσθαι.
Ass. (b) : διδάσκειν.

ἐπάγγελμα, τό « engagement » (des sophistes) τοῦτο ... τὸ ἐπάγγελμα ὃ ἐπαγγέλλομαι Pr. 319 a 6 (cf. Euth. 274 a 3)*.

ἐπαγωγή, ἡ « charme » (magique) ἐπαγωγαῖς τισιν καὶ καταδέσμοις R. II 364 c 4 καταδέσεσιν ἢ ἐπαγωγαῖς ἤ τισιν ἐπῳδαῖς L. XI 933 d 7*.
App. et ass. : ἐπῳδή, κατάδεσις, κατάδεσμος.

ἐπαγωγός a) « séducteur » (subst. n.) ; b) « adducteur ».
a) αὐτῆς (sc. τῆς ἡδονῆς) τὸ ἐπαγωγὸν γοήτευμα ... εἶναι Ph. 44 d 1*.
b) ἐπαγωγὸν ὕπνου T. 45 d 7*.

ἐπᾴδειν « formuler une incantation » ἐπᾳστέον πρὸ τῆς τοῦ φαρμάκου δόσεως Ch. 158 c 2 (cf. 155 e 6, 176 b 2) ἣν ἐπᾴδειν παρέχῃς Ch. 176 b 5 (cf. 157 c 3) χρὴ τὰ τοιαῦτα ὥσπερ ἐπᾴδειν ἑαυτῷ Pd. 114 d 7 (cf. 77 e 8 R. X 608 a 3 Tht. 149 d 1, 157 c 9 L. II 665 c 4, 666 c 6) ὠργισμένοις ἐπᾴδων κηλεῖν Phr. 267 d 1 (cf. παραμυθεῖσθαι καὶ κηλῶν πραΰνειν Po. 268 b 3) ἐπᾴδοντα ... πείθειν πειρᾶσθαι L. VI 773 d 6 (cf. VIII 837 e 6) ἐπᾴδῃ ταῖς τῶν νέων ψυχαῖς L. VII 811 c 6 (cf. II 664 b 4) τοιαῦτα παραμυθούμενος ἐπᾴδειν L. XII 944 b 3.
App. et ass. : κηλεῖν, παραμυθεῖσθαι 2°.
Ass. : πείθειν.

ἐπαΐειν « s'entendre » (à) ὧν ... οὐδὲν ... πέρι ἐπαΐω Ap. 19 c 6 (cf. Cr. 47 b 12 c 3 d 2 et 9, 48 a 6 H. M. 289 e 1, 291 d 7 Ch. 170 e 6 La. 186 e 1, 199 a 7 b 11 Pr. 314 a 7, 327 c 4 G. 464 d 8, 518 c 3 Cra. 395 b 7 R. VI 488 d 5 VII 522 e 5 X 598 c 1, 601 a 2 c 10 Phr. 234 d 4, 275 e 2 Tht. 145 d 5) οὐδὲν ἐπαΐων τῆς τέχνης Phr. 268 c 5 (cf. e 5) ὡς ἐπαΐοντα ἐν μούσαις τό τε καλὸν καὶ μή L. III 701 a 1 περὶ τοῦ πράγματος ἐπαΐειν οὐδέν Le. VII 341 c 4.

Opp. : ἰδιωτεύειν (c). — Sans synonymie avec le simple ἀΐειν ; cf. J. Brunel, *L'Aspect*..., p. 70.

ἐπαινεῖν « louer » ἐπαινέσαι καὶ ἐγκωμιάσαι Pr. 346 b 7 (cf. e 4) λοιδορεῖ ... ἐπαινεῖ G. 485 a 2 ἐπαινεῖν ... δεῖ πάντας θεούς B. 180 e 3 (cf. d 1 et 3) Ὅμηρον ἐπαινεῖν I. 541 e 3 (cf. 536 d 6) τοὺς τετελευτηκότας ... ἐπαινέσεται Mx. 236 e 4 (cf. 239 d 4-5) τὰ μὲν καλὰ ἐπαινοῖ ... τὰ δ' αἰσχρὰ ψέγοι τ' ἂν ὀρθῶς καὶ μισοῖ R. III 401 e 4 τὸ μὲν ἔψεγεν, τὸ δ' ἐπῄνει Phr. 274 e 2 (cf. G. 510 c 8 R. II 362 e 3, 367 d 6 III 400 c 3 IX 582 d 15 Tht. 145 a 11 L. I 632 a 2, 638 c 3 et 5, 639 a 3 VI 770 e 7 VII 823 d 5 VIII 829 e 3) ὀνειδίζοντες ἐπαινοῦντές τε L. I 643 d 7 χαίρειν τε καὶ ἐπαινεῖν L. II 655 e 2 (cf. e 4) αἰνείσθω, ἐὰν δὲ πολὺ βελτίων (ἥκῃ), πολὺ ... ἐπαινείσθω L. XII 952 c 2.

Adj. verbal : ἐπαινετός (Cra. 416 c 11, ass. et opp. à ψεκτός).

App. : ἄγασθαι, ὑμνεῖν (a).

App. et ass. : ἐγκωμιάζειν, χαίρειν (a).

Ass. et opp. : λοιδορεῖν, μισεῖν, ὀνειδίζειν, ψέγειν.

Ass. et syn. (avec les distinctions de J. Brunel, *L'Aspect*..., p. 77) : αἰνεῖν.

Opp. : μέμφεσθαι.

ἐπαινέτης, ὁ « panégyriste » Ὁμήρου ... ἐπαινέτης I. 536 d 3 (cf. 542 b 4 Pr. 309 b 1 R. X 606 e 1) τὸν τοῦ Διὸς ἐπαινέτην L. I 633 a 2 ἐπαινέτην ἢ ψέκτην L. I 639 c 1.

Ass. et opp. : ψέκτης.

ἔπαινος, ὁ « éloge » ἔπαινοι καὶ ἐγκώμια Pr. 326 a 2 τιμαὶ ... καὶ ἔπαινοι R. VII 516 c 7 ψόγων καὶ ἐπαίνων μηδὲν φροντίζειν Po. 287 a 5 (cf. 286 c 6 Cr. 47 b 2 et 7 R. VI 492 c 6 L. V 730 b 5 VII 798 d 3, 823 d 4 XII 957 c 8) οἷον ὕμνον ... ἔπαινον ... ᾄδειν L. XII 947 c 1.

App. et ass. : ἐγκώμιον, τιμή (a), ὕμνος.

Ass. et opp. : ψόγος.

Opp. : λοιδορία, ὄνειδος.

ἐπαίρειν « exalter » ἐπαιρόμενος ἢ πλούτῳ ... ἢ ἰσχύι R. IV 434 a 10 (cf. X 608 b 6 L. IV 716 a 5) ἐπαρθῆναι τῷ λέγειν Phr. 232 a 2 (« fiers d'en parler » Hackforth ; « flattés qu'on en parle » Verdenius, *Mnemosyne*, 1955, p. 270 ; [avec le τῳ de T²] « excités à parler à quelqu'un » Vendryes, *Revue de Philologie*, 1944, p. 120).

Syn. : ἐξαίρειν (avec les nuances d'aspect).

ἐπακολουθεῖν « suivre » ἥκειν ... ἐπακολουθοῦν τὸ ἡδύ Pd. 60 c 7 (cf. c 5) τῷ πραττομένῳ ἐπακολουθεῖν R. II 370 c 1 εἴτ' ἐπακολουθοῦμεν αὐτοῖς λέγουσιν εἴτε ἀπολειπόμεθα So. 243 a 8 τοῖς λεγομένοις ... ἐλέγχοντα ἐπακολουθεῖν So. 259 c 9 ἡγεῖται μὲν τὸ ποιοῦν ..., τὸ δὲ ποιούμενον ἐπακολουθεῖ ... ἐκείνῳ Ph. 27 a 6.

Ass. et opp. : ἡγεῖσθαι.

Syn. : ἀκολουθεῖν 1°, ἕπεσθαι 1°, ἐφέπεσθαι, παρακολουθεῖν.

ἐπακούειν « écouter » ἐπακούοντες τῶν λεγομένων Pr. 315 a 6 (cf. 317 d 3 Pa. 127 d 4 L. VI 772 e 2 X 885 c 2) ἐπακοῦσαι πάντων χορῶν R. V 475 d 6.

App. : ἀκούειν 1° b (cf. J. Brunel, *L'Aspect...*, p. 67-68).

ἐπακτός « étranger » ἐπακτῷ παρ' ἄλλων ... τῷ δικαίῳ ... χρῆσθαι καὶ ἀπορίᾳ οἰκείων R. III 405 b 2 μανίας ... πληρώσῃ ἐπακτοῦ R. IX 573 b 5*.

App. : ἐπείσακτος, ἐπίκτητος.

Ass. et opp. : οἰκεῖος.

Opp. : ἔμφυτος, σύμφυτος.

ἐπαναβασμός, ὁ « échelon » ἀεὶ ἐπανιέναι ὥσπερ ἐπαναβασμοῖς [BT Oxyrh : -βαθμοῖς W] B. 211 c 3*.

App. : ἐπίβασις.

ἐπαναγωγή, ἡ « élévation » ἐπαναγωγὴν τοῦ βελτίστου ἐν ψυχῇ πρὸς τὴν τοῦ ἀρίστου ἐν τοῖς οὖσι θέαν R. VII 532 c 5 (cf. πρὸς τὸ φῶς ἐπανάγειν L. IV 724 a 5)*.

ἐπαναφέρειν « rapporter » (à) ἀρχήν, ἣ οὐκέτ' ἐπαινοίσει ἐπ' ἄλλο [recc. : ἄλλον BT] φίλον Ly. 219 c 7 οὐ γὰρ ἔχομεν τούτου βέλτιον εἰς ὅ τι ἐπανενέγκωμεν Cra. 425 d 4 (cf. L. V 742 d 1) εἰς μόριον ἀρετῆς ... ἐπαναφέροντα [codd. : βλέποντα in A fuisse videtur ; cf. 630 e 2] L. I 631 a 6 (cf. III 680 d 3 R. IV 434 e 4)*.

App. : ἀποβλέπειν, βλέπειν (εἰς).

Syn. : ἀναφέρειν.

ἐπανιέναι a) « s'élever » (vers) ; b) « revenir » (à).

a) ἀεὶ ἐπανιέναι ... ἀπὸ ἑνὸς ἐπὶ δύο B. 211 c 3 (cf. b 6).

b) βούλει ... ἐπὶ τὴν ὑπόθεσιν πάλιν ἐξ ἀρχῆς ἐπανέλθωμεν ; Pa. 142 b 1 (cf. b 2 Tht. 186 b 8 Po. 267 a 4) σμικρὸν ἐπανελθόντες πως τοῖς λόγοις Ep. 977 b 9.

ἐπάνοδος, ἡ a) « montée » ; b) « récapitulation ».

a) ἡ ... ἐκ τοῦ καταγείου εἰς τὸν ἥλιον ἐπάνοδος R. VII 532 b 10 (cf. 521 c 7)*.

b) τὸ ... τέλος τῶν λόγων ... ᾧ τινες ... ἐπάνοδον τίθενται ὄνομα Phr. 267 d 4*.

ἐπανορθοῦν (à l'actif et souvent au moyen) « redresser » ἵνα ... ἐπανορθῶτε [F : -οῖτε BTW] ἡμῶν τὸν βίον καὶ ἐν ἔργοις καὶ ἐν λόγοις G. 461 c 8 (cf. Le. II 311 d 8) εἴ τι ... σφαλλόμεθα, ... ἐπανορθοῦ G. 461 d 2 (cf. La. 200 b 4 Pr. 340 d 8 R. II 361 a 3 réc. b 1 IV 425 a 5 Tht. 146 c 5 L. I 644 b 3 VI 769 c 4 d 7 XII 951 c 3) πολλὰ τοιαῦτα τιθέμενοι ἀεὶ καὶ ἐπανορθούμενοι R. IV

425 e 5 (réc. 426 e 5) ἰᾶσθαί τε καὶ ἐπανορθοῦν τὸ πεσόν τε καὶ νοσῆσαν R. X 604 d 1 (cf. Po. 273 e 3) ἐπανορθοῖ τὸν προσδιαλεγόμενον Tht. 167 e 6 (cf. 143 a 4 Phr. 229 d 4 Po. 276 e 6 L. VI 769 e 8, 772 b 3, 781 b 4 VII 809 b 6 XII 957 b 2 Le. II 311 d 5).

App. et ass. : σφάλλειν (1° b et 2°).

Syn. : κατορθοῦν, ὀρθοῦν (avec les distinctions de J. Brunel, *L'Aspect...*, p. 227).

ἐπανόρθωμα, τό « correction » τὸ ἐπανόρθωμά σοι ... μεῖζον ἁμάρτημα ἔχει ἢ ὃ ἐπανορθοῖς Pr. 340 d 7 (cf. Tht. 183 a 2)*.

ἐπαρᾶσθαι « maudire » κατεύχεσθαι ... ἀλλήλοις ἐπαρωμένους L. XI 934 e 7 (cf. 931 b 7 III 684 e 1 XII 949 b 1)*.

Ass. et opp. : κατεύχεσθαι.

Syn. : ἐπεύχεσθαι 3°, καταρᾶσθαι.

ἐπάρατος « maudit » L. IX 877 a 5*.

ἐπεγείρειν « réveiller » ἀληθεῖς δόξαι, αἳ ἐρωτήσει ἐπεγερθεῖσαι ἐπιστῆμαι γίγνονται M. 86 a 7 ἡμᾶς ... εἰς τὴν νεότητα μνήμῃ ἐπεγείρειν L. II 657 d 7.

Syn. : ἐγείρειν (avec les distinctions de J. Brunel, *L'Aspect...*, p. 57).

ἐπείγειν (« pousser ») au moyen « tendre » (à) ἄνω ... ἐπείγονται αὐτῶν αἱ ψυχαὶ διατρίβειν R. VII 517 c 9 πρὸς ... τὸ ἓν ἐπείγεσθαι γνῶναι L. XII 965 b 9 (cf. III 687 e 6).

App. : ὁρμᾶν (2° b).

ἐπεῖναι « être attaché » (à, en parlant d'un caractère) τὸ κοινὸν τοῦτο ὃ καὶ ἀμφοτέραις αὐταῖς (= ταῖς ἡδοναῖς) ἔπεστι κοινῇ H. M. 300 a 10 ἑνός τινος ὃ ἐπὶ πᾶσιν ἐκεῖνο τὸ νόημα ἐπὸν νοεῖ, μίαν τινὰ οὖσαν ἰδέαν Pa. 132 c 3.

App. : ἕπεσθαι 3°, ἐπιγίγνεσθαι.

ἐπείσακτος « introduit de l'extérieur » οὐκ οἰκεία ... ῥοή ... ἀλλ' ἐπείσακτος διὰ τῶν ὀμμάτων Cra. 420 b 2.

App. : ἐπακτός.

Ass. et opp. : οἰκεῖος.

ἐπεκδιηγεῖσθαι « expliquer de plus en détail » ἐπεκδιηγήσεσθαι τὴν αἰτίαν καὶ τὴν ἀνάγκην, λέγοντα τὸ ἄμεινον Pd. 97 e 1 (cf. e 3, 98 b 3)*.

ἐπέκεινα « au delà » ἔτι ἐπέκεινα τῆς οὐσίας R. VI 509 b 9.

ἕπεσθαι 1° « suivre » a) physiquement (« accompagner ») ; b) pratiquement ou moralement (« obéir, se conformer » (à)) ; c) intellectuellement (« comprendre ») ; d) logiquement (« s'ensuivre ») ; 2° « répondre » (à) ; 3° « être attaché » (à, en parlant d'un caractère).

1° a) ἕπεται (θεοῖς) ὁ ἀεὶ ἐθέλων Phr. 247 a 6 (cf. L. V 727 a 1 VIII 848 d 2).

b) τῇ ... δόξῃ ἕπεσθαι Cr. 47 d 1 ἐκείνῃ ἑπόμενοι ᾗ ἐκείνη (sc. ἡ φιλοσοφία) ὑφηγεῖται Pd. 82 d 7 οὐκ ἄρα ἡγεῖσθαί γε προσήκει ἁρμονίαν, ἀλλ' ἕπεσθαι Pd. 93 a 5 (cf. L. III 687 e 6) ἕπεσθαι ἐκείνοις καὶ οὔποτ' ἂν ἡγεμονεύειν Pd. 94 c 5 ἑπομένους τῷ νόμῳ T. 40 e 3 (cf. L. I 636 d 3 V 728 c 7 VI 752 b 2) ἡγεμονοῦν ... τῶν ... ἐθελόντων ἕπεσθαι T. 41 c 8 ἕπεσθαι ... τὸν ἀνεπιστήμονα ... τὸν δὲ φρονοῦντα ἡγεῖσθαί τε καὶ ἄρχειν L. III 690 b 9 ἕπεσθαι ... συνακολουθοῦντας L. VII 812 c 7 λόγῳ ἑπόμενος μόνῳ L. VIII 835 c 8.

c) οὐχ ἕπομαι ... τοῖς λεγομένοις Euph. 12 a 3 (cf. c 8 Pd. 105 b 3-4 B. 210 a 4 Po. 277 c 6).

d) τὰ τούτοις ἑπόμενα R. III 406 d 5 (v. **aussi** 2°).

2° τὰ τούτοις ἑπόμενα R. III 406 d 5 (v. **aussi** 1° d) τῶν ... ἔμπροσθεν προειρημένων ἑπομένας ἀποδείξεις R. VI 504 b 5 (cf. T. 64 a 5) ἑπόμενα σωφροσύνῃ L. I 632 c 6 ἡδονὰς ... συμφώνους τοῖς ὀρθοῖς λόγοις καὶ ἑπομένας L. III 696 c 10 (cf. IV 716 d 4) τὸ πρέπον καὶ ἑπόμενον πάσῃ τῇ πολιτείᾳ L. VIII 835 c 6.

3° τὸ ... ἀμφότερον ἑκατέρῳ οὐχ ἕπεται H. M. 302 e 13 (cf. c 5 d 2 e 7 et 13) ἐὰν ... πράττοντι ἃ δοκῇ ἕπηται τὸ ὠφελίμως πράττειν G. 470 a 10 ἀναγκαῖα ... καὶ ἑπόμενα ἀλλήλοις R. VI 486 e 4 τούτοις δεῖν ἕπεσθαι τέχνην L. IV 709 c 1.

Adv. : ἑπομένως (T. 27 c 7 L. VIII 845 a 1).

App. (3°) : ἐπεῖναι, ἐπιγίγνεσθαι.

App. et ass. : (1° b) συνακολουθεῖν (b) ; (2°) πρέπειν, συμφων (εῖν).

Ass. et opp. (1° b) : ἡγεῖσθαι, ἡγεμονεῖν (-εύειν), ὑφηγεῖσθαι 1°.

Syn. : (1° et 2°) ἀκολουθεῖν ; (1°) ἐπακολουθεῖν, ἐφέπεσθαι, παρακολουθεῖν, συνέπεσθαι.

ἐπεύχεσθαι 1° « prier » ; 2° « vouer » ; 3° « maudire » ; 4° « se vanter » (de).

1° ἐπευξάμενοι τῷ θεῷ ... ἑλεῖν Criti. 119 d 8 (cf. L. II 664 d 1 IX 878 b 1).

2° ταῦτα ἐπευξάμενος ἕκαστος αὑτῶν αὑτῷ καὶ τῷ ἀφ' αὑτοῦ γένει Criti. 120 b 2.

3° ὅρκος ... μεγάλας ἀρὰς ἐπευχόμενος τοῖς ἀπειθοῦσιν Criti. 119 e 5 (cf. L. XI 931 b 5).

4° τῆς δίκης ... μή ποτε ... ἐπεύξηται περιγενέσθαι L. X 905 a 2 (cf. So. 235 c 5 Ep. 991 c 1).

Syn. : (1° et 2°) εὔχεσθαι (cf. J. Brunel, *L'Aspect...*, p. 79) ; (3°) ἐπαρᾶσθαι, καταρᾶσθαι, κατεύχεσθαι.

ἐπευχή, ἡ « prière » διά τινων ἐπευχῶν καὶ θυσιῶν θεοῖς L. IX 871 c 5*.

Ass. : θυσία.

Syn : εὐχή 1°.

ἐπέχειν (intr.) a) « attendre » ; b) « insister ».

a) ἐπίσχες ἕως ἂν σκέψωμαι Ch. 165 c 2 (cf. 160 e 1). (Mais Platon ignore l'ἐποχή de la Nouvelle Académie.)

b) ὅταν δ' ἐπέχων μὴ ἀνιῇ R. III 411 b 2 (cf. Tht. 165 e 1).
App. : ἐπιτείνειν.
Ass. et opp. : ἀνιέναι II (b).

ἐπήκοος 1° (actif) a) « qui écoute » ; b) « qui exauce » ; 2° (passif) « exaucé ».
1° a) ἵνα ... γίγνοιτο ἐπήκοον καὶ ἕποιτο T. 70 b 9.
b) ὧν ... ἐπηκόους ... εἶναι γονεῦσι πρὸς τέκνα θεούς L. XI 931 c 1 (cf. c 4 d 7 Mx. 247 d 3 Ph. 25 b 8).
2° ἃ ... τέλεα καὶ ἐπήκοα γενέσθαι παρὰ θεῶν L. XI 931 b 6.
App. (1° a) : κατήκοος.
App. et ass. (2°) : τέλειος (1° b).

ἐπί « s'appliquant à » (d'un caractère générique constituant une propriété) ζητῶ τὸ ἐπὶ πᾶσιν τούτοις ταὐτόν M. 75 a 3 (cf. a 4, 5, 6).
App. : ἐπεῖναι, ἕπεσθαι 3°, ἐπιγίγνεσθαι, ἐπιφέρειν.

ἐπιβαίνειν « entrer » (dans), « accéder » (à) μὴ ἐπιβαίνειν ἱερῶν L. IX 874 b 2 τῶν μεγίστων σοφίας ... ἐπιβαίνειν Ep. 981 a 4.

ἐπίβασις, ἡ « degré » ὑποθέσεις, οἷον ἐπιβάσεις τε καὶ ὁρμάς R. VI 511 b 6*.
App. : ἐπαναβασμός.
Ass. : ὁρμή, ὑπόθεσις (2° b).

ἐπιγίγνεσθαι « s'appliquer à » (d'un caractère) ἐπιγιγνόμενα ... εἴπερ ἀμφοτέροις ἐπιγίγνοιτο, καὶ ἑκατέρῳ H. M. 303 a 8-9 κίνησίς τε ... καὶ στάσις ... εἴπερ ἐπιγιγνοίσθην ἐπ' ἀλλήλοιν So. 252 d 7.
App. : ἐπεῖναι, ἕπεσθαι 3°.

ἐπιγιγνώσκειν « reconnaître » ἐπιγνοίης ἂν αὐτήν (= σοφίαν) ... οἰκείαν γενομένην Euth. 301 e 4* (Tht. 193 a 1 il faut lire avec Diès l'εἰ γιγνώσκει de W : ἐπιγιγνώσκει BTY).
Syn. : γιγνώσκειν (cf. Euth. 301 e 7, avec les distinctions de J. Brunel, *L'Aspect...*, p. 73).

ἐπιγνώμων « qui reconnaît » ἐπιγνώμονας τοῦ παραλειπομένου L. VIII 828 b 6 (cf. 843 d 3, 846 a 3, 847 c 6 IX 867 e 2)*.

ἐπιδεής « manquant » (de) οὐδ' αὖ τινος ἐπιδεὲς ὀργάνου T. 33 c 4.
Adv. : ἐπιδεῶς L. X 899 d 2 (ass. et opp. à ἱκανῶς)*.
Opp. : αὐτάρκης, ἱκανός.
Syn. : ἐνδεής, προσδεής.

ἐπίδειγμα, τό « échantillon » σοφίας πλείστης ἐπίδειγμα H. m. 368 c 5*.

ἐπιδεικνύναι 1° (à l'actif et au moyen) a) « exhiber » (souvent à propos des sophistes conférenciers) ; b) « exposer » ; 2° (à l'actif) « démontrer ».
1° a) « exhiber » τοῦτον ... καὶ ἐκεῖ ἐπεδειξάμην καὶ ἐνθάδε μέλλω ἐπιδεικνύναι H. M. 286 b 4-5 (cf. 287 b 6 H. m. 363 a 2 c 1 La. 183 b 6 Ly. 204 e 10, 205 a 1 G. 447 a 6 b 2 et 8, 458 b 8 Euth. 274 a 7 et 9 d 2 et 6, 275 a 5, 278 c 5 L. II 658 b 7).
b) « exposer » δεῖ δὴ ὑμῖν τὴν ἐμὴν πλάνην ἐπιδεῖξαι Ap. 22 a 7 (cf. G. 464 b 3 Pd. 100 b 3 et 8).

2° « démontrer » εἰ ... ἔχεις ἐπιδεῖξαι ὡς διδακτόν ἐστιν ἡ ἀρετή, ... ἐπίδειξον Pr. 320 c 1-2 (cf. Euph. 9 b 6 G. 467 c 1 Pd. 95 b 8 So. 230 b 7).

Syn. (2°) : ἀποδεικνύναι.

ἐπίδειξις, ἡ 1° a) « exhibition » ; b) « exposé » ; 2° « démonstration ».

1° a) « exhibition » καί μοι ἐπίδειξιν ... τούτου ποίησαι G. 449 c 4 (cf. 447 c 4 et 6 H. m. 363 d 2, 364 b 5 et 8 H. M. 282 b 7 c 4 et 7 Euth. 275 a 4) εἰ ... ἠκηκόη παρὰ Προδίκου τὴν πεντηκοντάδραχμον ἐπίδειξιν Cra. 384 b 4.

b) « exposé » βούλει σοι ... ἐπίδειξιν ποιήσωμαι ; Pd. 99 d 2.

2° « démonstration » οἷον ἐπίδειξιν ποιούμενον So. 217 e 1.

Syn. (2°) : ἀπόδειξις, ἔνδειξις.

ἐπιδιδόναι (intr.) « progresser » ὑμῶν ἐπιδέδωκεν ἡ τέχνη πρὸς τὸ ... δύνασθαι H. M. 282 b 3 (cf. 281 d 3 et 6) σοὶ συνόντες πλέον ἂν εἰς ἀρετὴν ἐπιδιδοῖεν ἢ τοῖς ἑαυτῶν H. M. 283 e 3 (cf. L. XI 913 b 6) ἑκάστης ἡμέρας ἀεὶ ἐπὶ τὸ βέλτιον ἐπιδιδόναι Pr. 318 a 9 (cf. c 2 et 3 d 4) πολὺ ... ἐπιδεδωκέναι μοι ἔδοξεν (« avoir profité ») Euth. 271 b 2 (réc. 273 a 5) εἴς γε τὸ ὀξύτεροι αὐτοὶ αὑτῶν γίγνεσθαι πάντες ἐπιδιδόασιν R. VII 526 b 9 (cf. Tht. 146 b 5, 150 d 5, 151 a 4) πάντα ... ἐπέδωκεν αὐτοῖς δι' ἐλευθερίαν L. III 694 b 6 παρὰ τὴν αὑτοῦ φύσιν ἐπιδιδόντα θείᾳ τέχνῃ L. V 747 b 6 εἰς τὸ πρόσθεν ... ἐπιδιδόναι L. VI 769 c 7 θαυμαστὸν ὅσον ... ἐπιδεδωκὼς ... πρὸς φιλοσοφίαν Le. VII 339 b 4 (cf. Tht. 150 d 5 et, dans la même Le. VII, ἐπεδίδου θαυμαστὸν ὅσον 325 d 6 ; mais là il s'agit d'un « progrès » du mal, et A. Diès, *Revue de Philologie*, 1935, p. 385-388, lit ἐνεδίδου).

ἐπίδοσις, ἡ « progrès » ἡ δὲ σὴ (σοφία) λαμπρά τε καὶ πολλὴν ἐπίδοσιν ἔχουσα B. 175 e 5 (cf. Tht. 146 b 6 L. VI 769 b 3) τὴν τῶν πόλεων ἐπίδοσιν εἰς ἀρετὴν μεταβαίνουσαν ἅμα καὶ κακίαν L. III 676 a 5 (cf. 679 b 2, 700 a 8)*.

ἐπιείκεια, ἡ « souplesse » μαλακώτερον καὶ ἐπιεικείᾳ τινὶ δικαίᾳ χρώμενον L. V 735 a 2 (cf. 736 d 7) πολλῇ γε ἐχρήσαντο οἱ τότε κατελθόντες ἐπιεικείᾳ Le. VII 325 b 5*.

ἐπιεικής « modéré, sage, équitable » 1° adj. ; 2° subst. a) m. ; b) n.

1° ἄλλοι ..., δοκοῦντες φαυλότεροι, ἐπιεικέστεροι ... ἄνδρες πρὸς τὸ φρόνιμον ἔχειν Ap. 22 a 5 (cf. 34 d 2, 36 c 1) εἰ μέσως ἔλεγες ἐπιεικῆ καὶ ἀληθῆ Pr. 346 e 5 (cf. 336 d 5) ἁπλῆ ... καὶ ἐπιεικὴς γυμναστική R. III 404 b 7 (cf. VIII 554 c 12 T. 67 d 2 L. I 650 b 2) τίνες ἡμῖν τῶν νέων ἐπίδοξοι γενέσθαι ἐπιεικεῖς Tht. 143 d 5 ἔμπειρός τε καὶ ἐπιεικὴς ἔθεσι γενόμενος L. V 741 d 7 (cf. Le. IV 320 b 2) κατὰ δόξαν τὴν ἐπιεικῆ Ep. 984 b 5.

2° a) οἱ ... ἐπιεικέστατοι Cr. 44 c 7 (cf. Pr. 348 e 1 et 3 B. 210 b 8 R. I 330 a 5 et 6, 331 b 1, 347 b 1 c 6 III 387 d 5, 397 d 4, 398 b 2 e 6, 409 a 8 IV 431 d 2 VI 487 d 4, 488 a 3, 489 b 4 et 6 d 8 VII 538 c 3 VIII 568 a 5 IX 577 c 10 d 4 X 603 e 4, 605 c 7 Criti. 121 b 8 L. II 659 d 3 XII 957 a 6) οἱ μὲν ἀνδραποδωδέστατοι ..., οἱ δ' ἐπιεικέστατοι Le. II 311 c 6 (réc. e 1).

b) τὸ ... ἐπιεικὲς καὶ σύγγνωμον τοῦ ... ἀκριβοῦς ... ἐστιν παρατεθραυμένον L. VI 757 d 8.

Adv. : ἐπιεικῶς (G. 485 e 3, ass. à φιλικῶς, qui le gloserait d'après E. R. Dodds ; R. IV 431 e 8) ; sup. ἐπιεικέστατα (L. VI 753 b 2).

App. et ass. : συγγνώμων.

Ass. et opp. : ἀκριβής, ἀνδραποδώδης.

ἐπιέναι 1° « venir à » (l'esprit) ; 2° « approcher, attaquer » (Idée ou qualité contraire).

1° ἐμοὶ τοιαῦτ' ἄττα ἐπέρχεται πρὸς σὲ λέγειν G. 485 e 6 (cf. Ly. 210 e 2 Pd. 88 d 1 B. 197 c 4 R. III 388 d 5 VII 524 c 10 Ep. 980 b 9 Le. III 319 c 5) ἐὰν αὐτῷ σοι ἐπίῃ R. VIII 557 e 7 (cf. Phr. 264 b 7 L. XII 967 c 7 Ep. 980 c 2).

2° ἐπιούσης αὐτῆς (sc. τῆς ἐναντίας ἰδέας) Pd. 104 b 9 οὐχ ὑπομένει ἐπιόντα Pd. 104 c 6-7 ὁπότε ἐπὶ τὸ πῦρ ψυχρόν τι ἐπῄει Pd. 106 a 7 ἐπελθόντος τοῦ ἀρτίου ... τὰ τρία οἴχεται ἀπιόντα Pd. 106 c 4 ἐπιόντος ... θανάτου ἐπὶ τὸν ἄνθρωπον Pd. 106 e 3.

App. (1°) : προσίστασθαι, ὑπεῖναι.

Ass. et opp. (2°) : οἴχεσθαι 1°.

Syn. : εἰσιέναι.

ἐπιθυμεῖν « désirer » τὸ ἐπιθυμοῦν φίλον ἐστὶν τούτῳ οὗ ἐπιθυμεῖ καὶ τότε ὅταν ἐπιθυμῇ Ly. 221 d 3 et 4 (cf. d 7 e 1 et 8) οὐκ ἄν ποτε ἐπεθύμει οὐδὲ ἤρα οὐδὲ ἐφίλει Ly. 222 a 1 τί ἐπιθυμεῖν λέγεις ; ἦ γενέσθαι αὐτῷ ; M. 77 c 12 συγγενομένους ... ὧν ἂν τύχωσιν ἐπιθυμοῦντες Pd. 116 e 5 ἐπιθυμεῖ τε καὶ ἐρᾷ B. 200 a 5 (*bis;* cf. 186 b 8 Phr. 237 d 5) ἐφίεσθαι ... οὗ ἂν ἐπιθυμῇ R. IV 437 c 2 (cf. c 1) τὸ ἀβουλεῖν καὶ μὴ ἐθέλειν μηδ' ἐπιθυμεῖν R. IV 437 c 7 ποιεῖν τυραννοῦντα ὅ τι ἂν ἐπιθυμῇ L. II 661 b 2 (cf. 662 a 1 III 687 b 1 et 8) τῇ ψυχῇ ... ὄντως τῆς ψυχῆς ἐπιτεθυμηκώς L. VIII 837 c 5.

App. : βούλεσθαι, ποθεῖν 1°-2°.

App. et ass. : ἐθέλειν, ἐρᾶν, ἐφίεσθαι, φιλεῖν.

Ass. et opp. : ἀβουλεῖν.

ἐπιθύμημα, τό « désir » πάντων ἀνθρώπων ... κοινὸν ἐπιθύμημα L. III 687 c 1 βρωμάτων ἐπιθυμήματα παντοδαπά L. VI 782 a 7*.

Syn. : ἐπιθυμία 1°.

ἐπιθυμητής, ὁ « avide » (de) ἆρα λέγεις τὸν τῶν καλῶν ἐπιθυμοῦντα ἀγαθῶν ἐπιθυμητὴν εἶναι ; M. 77 b 7 φρονήσεως ἐπιθυμητής B. 203 d 7 (cf. R. V 475 b 2 et 9 VIII 548 a 6 L. III 697 a 7) ἐπιθυμητήν τε καὶ ἐραστὴν τοῦ πολίτην γενέσθαι τέλεον L. I 643 e 5 ἐπιθυμητής ... τοῦ θεάματος L. IV 711 a 7 (cf. R. IX 579 b 8).

App. et ass. : ἐραστής.

ἐπιθυμητικός 1° adj. a) « désireux » (de) ; b) « concupiscible » ; 2° subst. n. : « l'appétit concupiscible », « le désir ».

1° a) « désireux » (de) ὃν ἄν τινος ἐπιθυμητικὸν λέγωμεν R. V 475 b 5 (cf. T. 91 c 3)*.

b) « concupiscible » τῷ ἐπιθυμητικῷ (εἴδει) R. IV 439 e 5 (cf. 440 e 9)*.

2° τὸ μὲν ... λογιστικὸν προσαγορεύοντες, τὸ δὲ ᾧ ἐρᾷ ... ἀλόγιστόν τε καὶ ἐπιθυμητικόν R. IV 439 d 8 (cf. 440 e 3, 441 a 7, 442 a 5 VIII 550 b 2 IX 571 d 9, 580 e 2) τὸ ἐπιθυμητικόν τε καὶ φιλοχρήματον R. VIII 553 c 6 περὶ ἀφροδισίων ... καὶ περὶ πάντων τῶν ἐπιθυμητικῶν ... ἐν τῇ ψυχῇ R. X 606 d 2 (cf. T. 70 d 7)*.

Adv. : ἐπιθυμητικῶς (Pd. 108 a 8 R. VII 516 d 3).

App. et ass. (2°) : φιλοχρήματος (2° b).

Ass. (2°) : ἀλόγιστος.

Ass. et opp. (2°) : λογιστικός.

ἐπιθυμία, ἡ 1° « désir » (en général) ; 2° « désir » (= passion) ; 3° « désir » (de la vertu, de la science...).

1° « désir » (en général) οὐδ' ἐπιθυμία σε ἄλλης πόλεως ... ἔλαβεν εἰδέναι Cr. 52 b 8 (cf. T. 19 b 8) τυγχάνει ἐν ἐπιθυμίᾳ ὢν τῆς σῆς συνουσίας Pr. 318 a 3 ἅπασαν ἔνδειαν καὶ ἐπιθυμίαν ἀνιαρὸν εἶναι G. 496 d 7 αἱ περὶ τοὺς λόγους ἐπιθυμίαι τε καὶ ἡδοναί R. I 328 d 4 πρὸς δόξας ἀνθρώπων καὶ ἐπιθυμίας R. VII 533 b 4 (cf. II 359 c 3 VI 493 a 11 Phr. 238 b 1 et 5 L. VIII 835 c 7) τὸν ... κόσμον ... ἀνέστρεφεν εἱμαρμένη τε καὶ σύμφυτος ἐπιθυμία Po. 272 e 6 ἐκ τριττῆς χρείας καὶ ἐπιθυμίας L. VI 782 d 11 αἱ ... τῶν τελευτᾶν μελλόντων ἐπιθυμίαι τῆς διαθέσεως L. XI 922 b 3 (cf. IX 854 a 6).

2° « désir » (= passion) τὸ περὶ τὰς ἐπιθυμίας μὴ ἐπτοῆσθαι Pd. 68 c 6 τῶν κατὰ τὸ σῶμα ἐπιθυμιῶν Pd. 82 c 4 (cf. e 5 Cra. 404 a 2 L. VIII 837 c 4) τοῦ ὅλου ... τῇ ἐπιθυμίᾳ καὶ διώξει ἔρως ὄνομα B. 192 e 11 ἐπειδὰν αἱ ἐπιθυμίαι παύσωνται κατατείνουσαι R. I 329 c 8 (cf. Phr. 231 a 3) διὰ τὴν τῶν ἀφροδισίων ἐπιθυμίαν R. III 390 c 1 (cf. c 4) καὶ ἐν ἡδοναῖς καὶ ἐν ἐπιθυμίαις R. IV 429 d 1 (cf. IX 571 b 5 G. 484 d 6 B. 196 c 5 et 8 Phr. 237 d 9, 238 a 1 L. I 643 c 8, 647 d 4 IV 714 a 4 VI 782 e 5 VII 802 c 1 IX 864 b 6 X 886 b 1) ἐν τῷ μαινομένῳ ὑπὸ ἐπιθυμιῶν τε καὶ ἐρώτων R. IX 578 a 11 (cf. Phr. 237 d 4, 238 a 2, ass. à ὕβρις ; c 1 et 2 T. 91 c 8 L. III 688 b 3 V 734 a 2 et 4 VIII 836 e 6) μὴ ... δόξω ἐν ἐπιθυμίᾳ αὐτοῦ εἶναι Tht. 143 e 7 (cf. Criti. 113 d 5) τῷ ... περὶ τὰς ἐπιθυμίας ... τετευτακότι T. 90 b 2 (cf. 70 b 6, 91 b 4 et 7) τὴν τῆς φιλίας τε καὶ ἐπιθυμίας ... φύσιν L. VIII 836 e 6 ἐπιθυμία κρατοῦσα ψυχῆς L. IX 870 a 1 (cf. 854 a 6, 863 e 7 XI 934 a 4 Le. VII 331 c 5).

3° « désir » (de la vertu, de la science ...) δήσας τῇ περὶ ἀρετὴν ἐπιθυμίᾳ Cra. 404 a 4 διὰ τὴν τῆς παρθενίας ἐπιθυμίαν Cra. 406 b 3 τῶν βελτιόνων ἐπιθυμιῶν μετὰ λόγου R. IX 571 b 8 τὰς ἐπιθυμίας εἶχον περὶ ... ἐπιστημῶν Po. 272 d 4 ἀθανασίας ... ἐπιθυμίαν

L. IV 721 c 1 τὸ ... τῶν τρόπων τῆς ψυχῆς ὄντων καλῶν γεγονὸς ἐν ἐπιθυμίᾳ L. VIII 841 c 6 εἰς ἐπιθυμίαν ἐλθεῖν ... τοῦ ... ἀρίστου βίου Le. VII 327 d 2 (cf. 338 e 2) φιλοσοφίας ἐν ἐπιθυμίᾳ ... γεγονώς Le. VII 338 b 6 (cf. 345 d 4).

App. : ἵμερος.

App. et ass. : (1°) ἔνδεια, χρεία (b) ; (1° et 2°) ἡδονή ; (2°) δίωξις, ἔρως, πόθος, ὕβρις.

Ass. : φιλία.

Syn. (1°) : ἐπιθύμημα.

ἐπικαλεῖν (au moyen ; pour ἐπικαλέσαντα ... θεούς T. 27 b 9 [ἐπι i. r. A] FWY ont καλέσαντα) « invoquer » Μούσας τε καὶ Μνήμην ἐπικαλεῖσθαι Euth. 274 d 2 (cf. Criti. 108 c 4) τὸν Ἰόλεων ... βοηθὸν ἐπεκαλέσατο Euth. 297 c 7 (cf. 293 a 2) θεούς τε καὶ θεὰς ἐπικαλουμένους T. 27 c 6 (cf. 48 d 6 L. II 659 a 8 IV 712 b 4 VI 757 e 4 XI 916 e 7) τὸν ... Παιᾶνα ἐπικαλούμενος μάρτυρα L. II 664 c 7.

Syn. : καλεῖν (b), παρακαλεῖν 3°.

(**ἐπίκλησις,** ἡ, n'a que le sens d' « appellation » : Criti. 114 b 6 [ἐπίκλησιν F : ἐπίκλην A] Ep. 974 b 6, 975 b 3*).

ἐπικοινοῦν (au moyen) a) « consulter » περὶ ... τούτου οὔτε τῷ πατρὶ οὔτε τῷ ἀδελφῷ ἐπεκοινώσω Pr. 313 b 1 ; b) « communiquer » (avec) περὶ ... γάμους ἀλλήλοις ἐπικοινουμένους L. I 631 d 6 [A : ἐπικοινωνουμένους OA²]*.

App. (b) : ἀνακοινοῦσθαι.

ἐπικοινωνεῖν « être en communauté » (avec) ἐπικοινωνοῦσι ... ἀλλήλαις ... ἑκάτεραι τούτων G. 464 c 1 (cf. Cra. 394 c 3 So. 251 d 8)* ; (au moyen) « communiquer » (avec) L. I 631 d 6 (OA² ; v. à ἐπικοινοῦν)*.

ἐπικοινωνία, ἡ « communauté » ἂν πάντα ἀλλήλοις ἐῶμεν δύναμιν ἔχειν ἐπικοινωνίας [TW : ἐπὶ κοινωνίας BY] ; So. 252 d 3*.

ἐπίκτητος « acquis » (adj. et subst. n.) τῶν φύσει περὶ ψυχὴν ὄντων καὶ τῶν ἐπικτήτων R. X 618 d 5 ἡ μέν, ἔμφυτος οὖσα, ἐπιθυμία ἡδονῶν, ἄλλη δέ, ἐπίκτητος δόξα ... Phr. 237 d 9 (cf. L. XI 924 a 3)*.

App. : ἐπακτός (cf. τὰ ἐκτὸς τῆς ψυχῆς chez Aristote).

Ass. et opp. : ἔμφυτος, φύσει.

Opp. : σύμφυτος.

ἐπιλαμβάνειν 1° (à l'actif) « survenir » ; 2° (au moyen) a) « attaquer ; critiquer » ; b) « interrompre, objecter » ; c) « arrêter, appréhender » (physiquement) ; d) « saisir, atteindre » (intellectuellement).

1° ταχὺ ... ἐπιλαβὸν γῆρας Ep. 974 a 5*.

2° a) οὗ καὶ νυνδὴ ἐπελαβόμεθα H. M. 293 e 1 (cf. R. X 605 a 8 Tht. 184 c 4).

b) ἐμοῦ δὴ λέγοντος ... ἐπιλαβοῦ G. 469 c 10 (cf. 506 b 8 B. 214 e 8 R. VI 490 c 11).

c) τοῦ μεγάλου βασιλέως ἐπιλαβόμενος G. 524 e 4 ἐπειδάν σου ἐπιλαβόμενος ἄγῃ G. 526 e 7 (cf. 519 a 7 Pa. 152 c 6).

d) τοῦ ὄντος τι ... ἐπιλαμβάνεσθαι R. VII 533 b 7 (cf. Pd. 79 a 3 Cra. 424 b 1) ἀληθοῦς δόξης ἐπιλαβόμενος Ep. 978 b 4.

ἐπιλανθάνεσθαι « oublier » εἰ ... μὴ ἐπιλελήσμεθα [B : ἐπε-TWY], εἰδότας ἀεὶ γίγνεσθαι Pd. 75 d 6 ἕτερόν τι ... ἐννοῆσαι ὃ ἐπελέληστο Pd. 76 a 2 (cf. 73 e 3) μανθάνειν ... καὶ ἐπιλανθάνεσθαι Tht. 188 a 3 ἐπιλελῆσθαί τε καὶ μὴ ἐπίστασθαι Tht. 191 e 1.

Ass. et opp. : εἰδέναι, ἐπίστασθαι, μανθάνειν.

Opp. : ἀναμιμνήσκεσθαι.

ἐπιλήσμων « oublieux » (adj. et subst. m.) ἐγὼ τυγχάνω ἐπιλήσμων τις ὢν ἄνθρωπος Pr. 334 c 10 (réc. d 4 et 336 d 4 ; cf. H. m. 371 c 6 B. 194 a 7 I. 539 e 7-8) ἐπιλήσμονα ... ψυχὴν ἐν ταῖς ἱκανῶς φιλοσόφοις μή ποτε ἐγκρίνωμεν ἀλλὰ μνημονικήν ... R. VI 486 d 2 εὐμαθεῖς μέν, ἐπιλήσμονες δέ Tht. 194 e 4*.

Ass. : εὐμαθής.

Ass. et opp. : μνημονικός (a).

ἐπιμέλεια, ἡ 1° « soin, application » ; 2° « prévision, providence ».

1° « soin, application » τίνα ... χρὴ τὴν ἐπιμέλειαν ... ποιεῖσθαι A. 124 b 7 (cf. 119 a 9 Ch. 156 e 5 La. 179 b 5, 180 c 6, 201 b 4 B. 185 b 7 R. VI 488 d 5) ἐπιμελείᾳ τε ... καὶ τέχνῃ A. 124 b 4 (cf. R. II 374 e 2) ἐπιμελείᾳ τε καὶ σοφίᾳ A. 123 d 4 (cf. M. 90 a 4) ἐπιμελείας δεόμεθα A. 124 d 2 (cf. Pd. 107 c 1 R. II 374 e 2) τῆς τῶν ὑέων ἐπιμελείας La. 179 e 7 (cf. A. 128 b 9, 132 c 4) ὅσα ... ἐξ ἐπιμελείας καὶ ἀσκήσεως καὶ διδαχῆς οἴονται γίγνεσθαι Pr. 323 d 7 (cf. c 7, 325 c 4, 328 e 2) ἐξ ἐπιμελείας καὶ μαθήσεως Pr. 324 a 2 εἴπερ ἡ ψυχὴ ἀθάνατος, ἐπιμελείας δὴ δεῖται Pd. 107 c 1 (cf. Le. VII 331 b 1) τῆς ... τοῦ ... νέμοντος ἡμᾶς δαίμονος ... ἐπιμελείας Po. 274 b 6 (réc. d 3 ; cf. d 5, 261 d 5, 273 a 1 et 7, 275 b 6 d 1 ; le « soin » des démons prépare la « Providence » du l. X des *Lois* ; voir 2°) ἐπιμέλειαν ἔχοντας ἀρετῆς T. 18 b 6 (cf. Pr. 326 e 3 R. VIII 556 c 5 L. VIII 847 a 5) τὰς ... κατ' ἐνιαυτὸν ... ἐπιμελείας (« cérémonies anniversaires » en l'honneur des défunts) ... ἀποδιδόναι L. IV 717 e 2 ἐπιμέλειαι καὶ σπουδαί L. V 740 d 7 (cf. VII 818 c 2).

2° « prévision, providence » δόξα δὴ καὶ ἐπιμέλεια καὶ νοῦς καὶ τέχνη καὶ νόμος L. X 892 b 4 (réc. 896 d 1) τὴν τῶν πάντων ἐπιμέλειαν ... κέκτηνται (οἱ θεοί) L. X 900 d 2 (cf. 903 e 3).

App. et ass. (1°) : σπουδή.

App. (2°) : προμήθεια, πρόνοια (c, dans le *Timée*).

Ass. : (1°) ἄσκησις, διδαχή, μάθησις, σοφία ; (1°-2°) τέχνη.

Opp. : ἀμέλεια.

ἐπιμελεῖσθαι (ἐπιμέλεσθαι A. 121 d 5, 135 e 5 Cr. 51 a 7) 1° « prendre soin, se soucier » (de) ;

2° « prévoir », « veiller sur » (la Providence).

1° ἐπιμεληθεὶς σαυτοῦ A. 120 d 4 (cf. c 10, 127 e 1 et 8, 128 a 1 et 3 d 6, 10, 12, 132 b 5, 134 c 7 Ap. 36 c 6 La. 179 d 5 Pd. 62 d 6, 115 b 4) μαθόντα καὶ ἐπιμεληθέντα αὑτοῦ καὶ ἀσκήσαντα A. 123 d 8 χρημάτων ... ἐπιμελούμενοι Ap. 29 d 8 τῆς ψυχῆς ... οὐκ ἐπιμελῇ οὐδὲ φροντίζεις Ap. 29 e 2 (cf. e 3, 30 b 1) ἐπιμελεῖσθαι ἀρετῆς Ap. 31 b 5 (cf. 41 e 4 et 6 A. 135 e 5 Cr. 45 d 8, 51 a 7 Pr. 327 d 3 R. VIII 556 a 10) τῶν νέων ἐπιμεληθῆναι Euph. 2 d 3 (cf. 3 a 1 H. M. 283 e 5 La. 179 a 6 et 9, 187 a 6 Pr. 325 c 4) τῆς τροφῆς ἐπιμελοῦνται Po. 268 a 2.

2° (la Providence) θεούς ... ἡμῶν τοὺς ἐπιμελουμένους Pd. 62 b 7 (réc. d 1) ψυχὴ πᾶσα παντὸς ἐπιμελεῖται τοῦ ἀψύχου Phr. 246 b 7 (cf. e 6 Po. 271 d 4) ἐπιμελεῖσθαι, βουλεύεσθαι, δοξάζειν L. X 897 a 1 τῷ τοῦ παντὸς ἐπιμελουμένῳ L. X 903 b 5, 904 a 4 (cf. 901 b 1 c 3, 902 a 7 d 3 e 9) εἰσὶν θεοὶ ἐπιμελούμενοι πάντων Ep. 980 d 1 (cf. R. II 365 e 2 L. X 905 d 2).

App. : (1°) ἐντρέπεσθαι, θεραπεύειν 1°, κήδεσθαι ; (1°-2°) προμηθεῖσθαι.

App. et ass. (1°) : φροντίζειν.

Opp. (1°) : ἀμελεῖν, ὀλιγωρεῖν.

ἐπιμελής 1° (subjectif) a) « soucieux », « chargé » (de) ; b) « provident » ; 2° (objectif) « objet de souci », « à cœur ».

1° a) ἐπιμελὴς ἀγαθῶν, ἀμελὴς κακῶν B. 197 d 8*.

b) ἐπιμελεῖς σμικρῶν εἰσιν θεοί L. X 900 c 8 (cf. 902 c 2, 907 b 6)*.

2° ἐπιμελὲς πεποίημαι ... εἰδέναι B. 172 c 5 (cf. L. VII 824 a 9 Le. VII 334 a 8) τοὺς τρεῖς ... οἷς τούτων ἐπιμελές L. VI 763 e 2 (cf. X 909 e 1 XI 932 d 7)*.

Adv. : ἐπιμελῶς (T. 88 c 4) ; cp. ἐπιμελέστερον (R. V 467 a 7) ; sup. ἐπιμελέστατα (A. 104 d 3)*.

Ass. et opp. : ἀμελής.

ἐπιμελητής, ὁ a) « soigneur » ; b) « gardien ».

a) ἐπιμελητὴς ... ὁτουοῦν ζῴου G. 516 b 1 (cf. a 5).

b) τοῖς ἐπιμεληταῖς τῆς πόλεως R. IV 424 b 4 (cf. G. 523 b 9 L. I 640 d 1 VI 765 d 5, 766 b 2).

App. (a) : θεραπευτής (a).

ἐπιμένειν a) « subsister » ; b) « persévérer » (dans) ; c) « s'arrêter » (à) ; d) « attendre ».

a) τὸ σῶμα ... ἐπιεικῶς συχνὸν ἐπιμένει χρόνον Pd. 80 c 5.

b) ἐπὶ τῇ ζητήσει ἐπιμείνωμέν τε καὶ καρτερήσωμεν La. 194 a 2.

c) οὐκ ἐπιμένοι ἐπὶ τοῖς δοξαζομένοις εἶναι R. VI 490 a 10 (cf. Tht. 179 e 7).

d) ἐπεξελθεῖν ... οἷος ἑκάτερον βίος ἐπιμένει R. II 361 d 10.

App. : ἐμμένειν, μένειν (cf. J. Brunel, *L'Aspect...*, p. 23-24 et 255).

App. et ass. (b) : καρτερεῖν.

ἐπινοεῖν a) « songer (à) » ; b) « imaginer » ; c) « remarquer ».

a) εἰ ἐπενόεις ... ἀργύριον τελεῖν Pr. 311 b 5 (cf. c 4, Cr. 52 a 5

Mx. 234 a 6) εἰκὼ δ' ἐπενόει ... ποιῆσαι T. 37 d 6 (cf. d 1, 64 b 3 So. 218 c 6 Criti. 113 a 3 L. II 674 b 5 IX 854 c 6).

b) « imaginer » οὔτε εἶδεν οὔτε ἐπενόησεν Ph. 65 e 6 ὁπόσ' ἄλλα κακουργήματα ... ἐπινοοῦσιν L. III 677 b 8 (cf. II 656 e 3).

c) « remarquer » τὴν ... σοφίαν ταύτην ... ἴδωμεν ἄν ποτ' ... ἐπινοήσωμεν Ep. 989 a 2 (cf. 978 d 5)*.

App. : ἐννοεῖν ; (a et c) νοεῖν 2°-3° (avec les distinctions de J. Brunel, *L'Aspect...*, p. 73-74).

ἐπιπέμπειν « envoyer » (en parlant des dieux) πρὶν ἀνάγκην τινὰ θεὸς ἐπιπέμψῃ Pd. 62 c 6 (cf. Ap. 31 a 7) ὁ ἔρως ... ἐκ θεῶν ἐπιπέμπεται Phr. 245 b 7. — Cr. 46 c 5, μορμολύττηται δεσμοὺς ... ἐπιπέμπουσα serait-il une allusion à l'Empousa d'Aristophane (*Gren.*, 293 sv.) ? Cf. C. Murley, *Cl. Journal*, XXX, 1935, p. 494*.

ἐπίπνοια, ἡ a) « souffle » T. 71 c 4 ; b) « inspiration » ἔκ τινος θείας ἐπιπνοίας R. VI 499 b 9 (cf. Cra. 399 a 1 Phr. 265 b 3 L. V 738 c 3, 747 e 3) οὐκ ἄνευ τινὸς ἐπιπνοίας θεῶν L. VII 811 c 9*.

ἐπίπνους « inspiré » (adj. et subst. m.) ἐπίπνους ὄντας καὶ κατεχομένους ἔκ του θεοῦ M. 99 d 2 (cf. Cra. 428 c 7) οἱ ἐκ ... τοῦ Ἔρωτος ἔπιπνοι B. 181 c 6*.

ἐπίπονος a) « pénible » ; b) « laborieux ».

a) τὸ γῆρας μετρίως ἐστὶν ἐπίπονον R. I 329 d 5 δοκεῖ ... τοῦ ἐπιπόνου εἴδους R. II 358 a 4 καλὸν μὲν ἡ ... δικαιοσύνη, χαλεπὸν μέντοι καὶ ἐπίπονον R. II 364 a 3.

b) τὰ τοιαῦτα ... ἡγοῦμαι ... δεινοῦ καὶ ἐπιπόνου καὶ οὐ πάνυ εὐτυχοῦς ἀνδρός Phr. 229 d 2 τὸ τῶν ἀνθρώπων ἐπίπονον πεφυκὸς γένος L. II 653 d 1.

App. (a) : πραγματειώδης.

App. et ass. (a) : χαλεπός.

Opp. (a) : ἄπονος (b).

ἐπισημαίνεσθαι « imposer » (comme un signe) ταῖς ἄλλαις ἐκτροπαῖς ἓν ἄλλο εἶδος ἐπισημηναμένους Po. 258 c 6 ὅσα ... διέσχισται συναγαγόντας ... μίαν ἐπισημαίνεσθαί τινα φύσιν Ph. 25 a 4.

Syn. : ἐπισφραγίζεσθαι.

ἐπίσκεψις, ἡ « examen » ἄξιος ... ἐπισκέψεως La. 197 e 3 (cf. R. V 456 c 5 VII 524 b 2) οὐ παρακαλοῦντα τὴν νόησιν εἰς ἐπίσκεψιν R. VII 523 b 1 οὗ ζητοῦμεν ἐπίσκεψις γενήσεται L. III 702 d 3 (cf. VIII 849 a 5)*.

ἐπισκοπεῖν « examiner » ἐπισκέψασθαι πότερον ψυχή ἐστι Pd. 78 b 8 (cf. 107 b 5 Ch. 171 b 3, 175 c 4 Tht. 144 e 3, 161 d 5 Ep. 973 a 3) διακελευόμενα ἐκείνην (sc. τὴν νόησιν b 1) ἐπισκέψασθαι R. VII 523 b 3 (réc. 524 b 4) τὰς σπουδὰς ἐπεσκεμμένον καὶ παραπεφυλακότα L. I 632 a 1 (cf. Ep. 990 a 7).

Ass. : παραφυλάττειν.

Syn. : σκοπεῖν (avec les distinctions de J. Brunel, *L'Aspect...*, p. 70).

ἐπίσκοπος, ὁ, ἡ « observateur (-trice) », « surveillant (-e) » πᾶσι... ἐπίσκοπος ... ἐτάχθη ... Νέμεσις L. IV 717 d 1 (cf. IX 872 e 2) σωφροσύνης τε καὶ ὕβρεως ἐπισκόπους L. VIII 849 a 7 (cf. IX 866 a 3).

ἐπίστασθαι « savoir » ἃ ... τυγχάνεις ἐπιστάμενος, ἦν χρόνος ὅτε οὐχ ἡγοῦ εἰδέναι A. 106 e 1 (cf. 110 c 5 et 7) ὀρθῶς μὲν δοξάζων ἥτις ἐστὶν ἡ ὁδός, ἐληλυθὼς δὲ μὴ μηδ' ἐπιστάμενος M. 97 b 2 ἦ καὶ ἐπιστάμεθα αὐτὸ ὃ ἔστιν ; Pd. 74 b 2 (cf. 75 c 5, 76 a 4, 5, 8) ἀνὴρ ἐπιστάμενος περὶ ὧν ἐπίσταται ἔχοι ἂν δοῦναι λόγον Pd. 76 b 4 ἡνίκα ἐμανθάνετε, οὔπω ἠπίστασθε ταῦτα ἃ ἐμανθάνετε ; Euth. 276 a 8 (cf. 277 a 9) τὸ δ' ἐπίστασθαι ... ἄλλο τι ἢ ἔχειν ἐπιστήμην ἤδη ἐστίν ; Euth. 277 b 8 (cf. c 1 Tht. 197 b 1).

Ass. : μανθάνειν.

Ass. et opp. : δοξάζειν.

Ass. et syn. : εἰδέναι.

Opp. : ἀγνοεῖν, οἴεσθαι, πιστεύειν.

ἐπιστατεῖν « régir », « présider » (à) εἰ μὴ ἡ ψυχὴ τῷ σώματι ἐπεστάτει G. 465 c 9 (cf. R. IV 443 e 8) ἐπιστατοῦσιν αὐτῶν οἵπερ ἄριστοί εἰσι τῶν ὄντων ἐπιστάται Pd. 62 d 4 (cf. Cra. 405 d 4) θεὸς ἔνεμεν αὐτοὺς αὐτὸς ἐπιστατῶν Po. 271 e 5 ἄρχῃ τε καὶ ἐπιστατῇ Po. 311 c 6.

App. : ἐπιτροπεύειν.

App. et ass. : ἄρχειν.

ἐπιστάτης, ὁ « régent » ἢ ἂν τῷ ἑνὶ δοκῇ τῷ ἐπιστάτῃ καὶ ἐπαΐοντι Cr. 47 b 11 οἵπερ ἄριστοί εἰσι τῶν ὄντων ἐπιστάται, θεοί Pd. 62 d 5 τρεῖς ... ἐπιστάται τρισὶν εἴδεσι κλινῶν R. X 597 b 13 ποιμνίων ἐπιστάταις L. X 906 a 2.

ἐπιστήμη, ἡ « science » 1° en gén. (alors prise d'ordinaire au sens traditionnel et parfois peu différente de τέχνη, sinon d'ἐμπειρία) ; 2° « science » (de l'être).

1° « science » (en gén.) τὸ μὲν ... ἀπὸ ἐπιστήμης γίγνεσθαι Pr. 351 a 2 (repris a 7 par ἀπὸ τέχνης) ἐπεὶ ... μετρητική, ... τέχνη καὶ ἐπιστήμη Pr. 357 b 4 (cf. b 5 R. VII 522 c 8) ἐπιστήμης ἐνδείᾳ ἐξαμαρτάνειν Pr. 357 d 3 (cf. 330 b 5, où il équivaut à σοφία 349 b 1 ; 352 c 3 et 6) οὐ γὰρ τέχνῃ οὐδ' ἐπιστήμῃ ... λέγεις I. 536 c 1 (réc. 541 e 2) ἐπιστήμην τε καὶ μελέτην Phr. 269 d 7 (cf. R. IV 422 c 6) νοῦν, ἐπιστήμην, σύνεσιν Ph. 19 d 4 (cf. Cra. 411 a 9) μαθήματος ἐπιστήμην L. XII 968 e 2 τεχνῶν ἢ φρονήσεων ἤ τινων ἄλλων τοιούτων ... ἐπιστημῶν Ep. 974 b 5 (cf. d 3 e 4, 976 c 6 R. VII 522 c 2).

2° « science » (de l'être) δύο εἴδη θῶμεν πειθοῦς, τὸ μὲν πίστιν παρεχόμενον ἄνευ τοῦ εἰδέναι, τὸ δ' ἐπιστήμην G. 454 e 5 (cf. d 8 R. X 602 a 2 et 4) οὐδὲν ... ἧττον ὠφέλιμόν ἐστιν ὀρθὴ δόξα ἐπιστήμης M. 97 c 4 (cf. c 6 d 2, 98 a 6, 7, 8) ἐστίν τι ἀλλοῖον ὀρθὴ δόξα καὶ ἐπιστήμη M. 98 b 2 (cf. R. V 477 e 6 et 9 VII 529 b 7) εἰ μὴ ἐτύγχανεν αὐτοῖς ἐπιστήμη ἐνοῦσα καὶ ὀρθὸς λόγος Pd. 73 a 7 τόδε ὁμολογοῦμεν, ὅταν ἐπιστήμη παραγίγνηται τρόπῳ τοιούτῳ, ἀνάμνησιν εἶναι Pd. 73 c 4 (cf. 75 e 4 et 5) ἄλλη ... ἐπιστήμη ἀνθρώπου καὶ λύρας Pd. 73 d 2 (cf. c 8 ; l'inverse 97 d 4) πόθεν λαβόντες ... τὴν ἐπιστήμην Pd. 74 b 3 (cf. c 5, 75 d 4, 8, 9, 76 b 1 c 4 et 9 R. II 366 c 7) εἰληφότας ἐπιστήμην αὐτοῦ τοῦ ἴσου ὅ τι ἔστιν Pd. 75 b 4 (cf. c 1) ἐκ μνήμης καὶ δόξης, λαβούσης τὸ ἠρεμεῖν, ... γίγνεσθαι ἐπιστήμην Pd. 96 b 8 ἐπιστήμῃ, οὐκ ἐμπειρίᾳ οἰκείᾳ κεχρημένον R. III 409 b 8 (mais sans opposition ἐπιστήμῃ τε καὶ ἐμπειρίᾳ IV 422 c 6) ὀνομάζοντα ... σοφίαν ... τὴν ἐπιστήμην, ... ἀμαθίαν δὲ τὴν ... δόξαν R. IV 443 e 9 μεταξύ τι ... ἀγνοίας τε καὶ ἐπιστήμης ... λέγομεν ... δόξαν εἶναι R. V 477 b 2 (cf. b 9) ἐπιστήμη ... ἐπὶ τῷ ὄντι πέφυκε R. V 477 b 12 τὴν τοῦ ἀγαθοῦ ἰδέαν ... αἰτίαν ... ἐπιστήμης ... καὶ ἀληθείας R. VI 508 e 3 (repris e 5 par γνώσεώς τε καὶ ἀληθείας ; et cf. e 6, 509 a 6) ὅ τι νόησις πρὸς δόξαν, ἐπιστήμην πρὸς πίστιν καὶ διάνοιαν πρὸς εἰκασίαν R. VII 534 a 5 (cf. c 6, 533 d 6 e 5) ἐπιθυμίαι ... τῇ ἐπιστήμῃ καὶ λόγῳ ἑπόμεναι R. IX 586 d 6 θεοῦ διάνοια, νῷ τε καὶ ἐπιστήμῃ ἀκηράτῳ τρεφομένη Phr. 247 d 2 (cf. Ph. 55 c 6 T. 46 d 8 L. IX 875 c 6) τὴν ἐν τῷ ὅ ἐστιν ὄντως ἐπιστήμην οὖσαν Phr. 247 e 3 (cf. d 1) οὐδὲ λόγος οὐδέ τις ἐπιστήμη οὐδὲ αἴσθησις οὐδὲ δόξα Pa. 142 a 4 (cf. 155 d 6, 164 b 1) ταὐτὸν ... ἐπιστήμη καὶ σοφία Tht. 145 e 6 γνῶναι ἐπιστήμην αὐτὸ ὅ τί ποτ' ἐστίν Tht. 146 e 9 ἔφη ... τὴν ... μετὰ λόγου ἀληθῆ δόξαν ἐπιστήμην εἶναι Tht. 201 d 2 (réc. 206 c 4 e 1, 208 b 8 c 3 ; mais cf. 210 b 2) ἐπιστήμην ἢ φρόνησιν ἢ νοῦν ἀφανίζων So. 249 c 7 (cf. Ph. 21 e 1) μετὰ λόγου τε καὶ ἐπιστήμης θείας So. 265 c 9 πρὶν ἐντὸς τῆς ψυχῆς ἑκάστῳ που μαθήματος ἐπιστήμην γεγονέναι L. XII 968 e 3 (cf. Le. VII 343 e 2) τέταρτον ... ἐπιστήμη καὶ νοῦς ἀληθής τε δόξα Le. VII 342 c 4 (cf. a 7 b 3 e 2).

App. et ass. : (1°) τέχνη ; (1°-2°) νοῦς, σοφία, σύνεσις, φρόνησις ; (2°) ἀλήθεια, γνῶσις, λόγος,

Ass. (2°) : διάνοια, ἐμπειρία, μάθημα, μελέτη.

Ass. et opp. (2°) : ἄγνοια, αἴσθησις, δόξα, πίστις.

ἐπιστήμων « au fait » (de) φρονίμους καὶ ἐπιστήμονας καὶ σοφούς H. m. 366 a 3 τέχνης ... ἐπιστήμων H. m. 367 e 9 (cf. 368 d 3 R. II 371 b 1) τῆς ... ἀρετῆς ... ἐπιστήμων Ap. 20 b 5 ὁ σώφρων ἐπιστήμων ὢν ... οἶδεν Ch. 175 c 2 τούτων ἐπιστήμων Pd. 117 a 8 (cf. R. VI 506 b 2 X 599 b 3) ὁμοίως μὲν ἐπιστήμονος ..., ὁμοίως δὲ ἀνεπιστήμονος R. I 350 a 11 ἅπερ ἐπιστήμονες, ταῦτα καὶ σοφοί Tht. 145 e 3 (cf. 163 e 1) αὐτοῦ ἐπιστήμων ... οὗ πρότερον ἦν δοξαστής Tht. 208 e 4 τῆς χώρας ἔμπειροί τε καὶ ἐπιστήμονες L. VI 760 c 4.

Adv. : ἐπιστημόνως Ch. 173 c 8 al., Tht. 207 b 4 ; sup. ἐπιστημονέστατα R. VII 534 d 10.

App. et ass. : σοφός, φρόνιμος.

Ass. : ἔμπειρος.

Ass. et opp. : ἀνεπιστήμων, δοξαστής.

ἐπιστητός « objet de science » ὧν ... μή ἐστι λόγος, οὐκ ἐπιστητὰ εἶναι ... ἃ δ' ἔχει, ἐπιστητά Tht. 201 d 2-3*.

ἐπισφραγίζεσθαι « imposer » (comme un sceau) περὶ ἁπάντων οἷς ἐπισφραγιζόμεθα τὸ αὐτὸ [Burnet : τοῦτο BTWY τὸ Jambl.] ὃ ἔστι Pd. 75 d 1 ἰδέαν αὐτῇ μίαν ἐπισφραγίσασθαι Po. 258 c 5 ἐπισφραγισθέντα τῷ τοῦ μᾶλλον καὶ ἐναντίου γένει ἓν ἐφάνη Ph. 26 d 2 (réc. de 25 a 4).

Syn. : ἐπισημαίνεσθαι.

ἐπιτείνειν « tendre » μᾶλλον ... ἐπιταθὲν τοῦ δέοντος R. III 410 d 9 (cf. l'opp. ἀνεθέντος e 2) τὸ μὲν ἐπιτείνουσα ..., τὸ δὲ ἀνιεῖσα R. IV 442 a 1.

Ass. et opp. : ἀνιέναι II (b).

Opp. : χαλᾶν.

ἐπιτήδειος 1° Adj. : a) « convenable, approprié » ; b) « nécessaire » ; 2° subst. a) m. « ami, familier » (lat. *necessarius*) ; b) n. : « le nécessaire ».

1° a) τὸ μάθημα τοῖς μειρακίοις ἐπιτήδειον εἶναι La. 181 c 8 (δεόμενον) ... φύσεως ἐπιτηδείας εἰς αὐτὸ τὸ ἐπιτήδευμα R. II 374 e 4 ἐπιτήδειον ... πρὸς ἐγκράτειαν ἑαυτοῦ ἀκούειν νέῳ R. III 390 b 3 εἴτ' ἐπιτήδειος εἴτ' ἀνεπιτήδειός ἐστι T. 20 d 3.

b) εἰ ... εἴη πάντα τὰ ἐπιτήδεια παρεσκευασμένα ἑκάστῳ Euth. 280 c 4 τὰ ... ἐπιτήδεια, ὅσων δέονται ἄνδρες ἀθληταὶ πολέμου R. III 416 d 7.

2° a) τοῖς σοῖς ἐπιτηδείοις Cr. 43 c 6 (cf. 44 b 8 e 2, 45 e 1, 53 a 10 b 1, 54 a 7 b 1 Ch. 166 d 4 Pd. 58 c 8, 60 a 5 B. 212 d 2 Le. II 310 b 5) θανάτῳ ... ἀνδρὸς ἐπιτηδείου Pd. 58 e 2.

b) τὰ μὲν μοχθηρά ... τὰ δὲ ἐπιτήδεια καὶ τὰ χρηστά Po. 308 c 5.

App. et ass. (2° b) : χρηστός.

Ass. et opp. : ἀνεπιτήδειος, μοχθηρός.

ἐπιτηδειότης, ἡ « aptitude » ἐπιτηδειότητι πρὸς ἑκάστας τὰς ... παραβοηθείας L. VI 778 a 7*.

ἐπιτηδεύειν « pratiquer », « s'exercer » (à) περί γε ἐπιτηδευμάτων καλῶν ... ἃ χρὴ τὸν νέον ἐπιτηδεύειν H. M. 286 a 5 (cf. b 1, 304 b 8 Ap. 28 b 3 G. 488 a 1 et 6 R. III 394 e 4, 395 c 2 L. VI 763 c 1 XI 920 b 2) μαθεῖν τε καὶ ἐπιτηδεῦσαι La. 182 c 4 (cf. 183 a 1, 185 b 3) οὐδὲν ἄλλο ἐπιτηδεύουσιν ἢ ἀποθνῄσκειν Pd. 64 a 6 (réc. a 9 : ὃ ... προεθυμοῦντό τε καὶ ... ἐπετήδευον ; cf. 84 b 4) τὴν ... ἀρετὴν ἐπιτετηδευκότες Pd. 82 b 1 (cf. R. X 613 a 9) τοὺς ἐπιτηδεύοντας φιλοσοφίαν Euth. 307 b 7 πάντα τὰ πρόσφορα ἐπιτηδεύειν τῷ πράγματι Le. VII 341 a 7 (cf. a 1).

App. : καταμελετᾶν, μελετᾶν 1°.

App. et ass. : μανθάνειν, προθυμεῖσθαι.

ἐπιτήδευμα, τό 1° « pratique, exercice » ; 2° (d'ord. au pl.) « mœurs ».

1° « pratique, exercice » περί γε ἐπιτηδευμάτων καλῶν ... ἃ χρὴ τὸν νέον ἐπιτηδεύειν H. M. 286 a 3 (cf. b 1 Ap. 28 b 3 R. III

394 e 3 L. V 732 d 8 VI 763 b 6 XI 920 b 1) τι ... μάθημα νέῳ ἀνδρὶ ἢ ἐπιτήδευμα La. 180 a 4 (réc. c 4 ; cf. 182 c 3, 190 e 2 Pr. 327 a 3 B. 211 c 6 R. VIII 560 b 8 T. 87 b 8) ἐπιτήδευμα τεχνικὸν μὲν οὔ G. 463 a 6 (cf. 462 e 8) ἐκπεσεῖν ἐκ τοῦ ἐπιτηδεύματος (= φιλοσοφίας : 496 c 1) R. VI 495 a 6 (cf. b 2 II 374 e 4) ἐπιτήδευμα καὶ πάθος Po. 289 d 7.

2° (d'ord. au pl.) « mœurs » πάντα τὰ ... καλὰ καὶ νόμιμα καὶ ἐπιτηδεύματα H. M. 294 c 9 τὰ ἐπιτηδεύματα τὰ καλὰ καὶ τοὺς νόμους H. M. 298 b 2 (cf. d 2) πρὸς τὰ ἤθη τε καὶ τὰ ἐπιτηδεύματα R. IV 424 d 8 (cf. L. VI 770 d 2 Le. VII 325 d 4) τὰ ... καλὰ ἐπιτηδεύματα εἰς ἀρετῆς κτῆσιν φέρει R. IV 444 e 4 (cf. B. 211 c 6) ἢ φύσει ἢ ἐπιτηδεύμασιν R. IX 573 c 8 τὰ ἔθη καὶ τα ἐπιτηδεύματα Phr. 253 a 3 (cf. L. VII 793 d 1) πρὸς ἀρετῆς ἐπιτηδεύματα L. IV 711 b 7 (cf. V 732 d 8) ἐπιτηδεύματα παντοῖα τάξεώς τε καὶ ἀταξίας L. VI 782 a 5 πρὸς τὰ τῶν ἠθῶν ἐπιτηδεύματα καὶ νόμιμα L. XII 967 e 4 ὅσα τούτῳ ἐπιτηδεύματα συνέπεται τῷ βίῳ Le. VII 326 c 1.

App. et ass. : (1°) μάθημα ; (2°) ἔθος, ἦθος, νόμιμον, νόμος.

Ass. : φύσις.

ἐπιτήδευσις, ἡ « pratique » διὰ τὴν ἐπιτήδευσιν ἑκάστου πράγματος G. 524 d 6 (cf. 462 e 3, 463 b 1) τήν τε φύσιν αὐτῶν καὶ τὴν ἐπιτήδευσιν R. VI 500 a 1 λόγους τε καὶ ἐπιτηδεύσεις νομίμους Phr. 270 b 8 πάσης ὀρθότητος πρὸς ἐπιτήδευσιν ἀρετῆς L. IX 853 b 6 διὰ τὰς κτήσεις τῆς φρονήσεώς τε καὶ ἐπιτηδεύσεως Ep. 975 a 4.

Ass. : φύσις.

ἐπιτρέπειν 1° « confier » ; 2° « s'en remettre » (à) ; 3° « permettre » (à), « laisser ».

1° κἂν ἐγὼ τὸν Νικήρατον τούτῳ ... ἐπιτρέποιμι La. 200 d 1 (cf. H. M. 285 b 2 Ly. 208 b 8, 209 c 6 d 1 Pr. 313 a 3 et 4 b 2 et 5 c 1 M. 92 a 9 L. I 650 a 3).

2° τῷ ἐπισταμένῳ ἐπιτρέπεις A. 117 c 7 (cf. d 2 e 5) καὶ ὑμῖν ἐπιτρέπω καὶ τῷ θεῷ κρῖναι περὶ ἐμοῦ Ap. 35 d 8 (cf. G. 512 e 2 L. VI 759 b 8 XII 946 b 3) ἐπιτρέπω ... Πρωταγόρᾳ ὁπότερον αὐτῷ ἥδιον Pr. 347 b 7 ὅσα ἂν ἐκείνοις ἐπιτρέψωμεν R. V 458 c 4 τῷ πλήθει ... ἐπιτρέπων L. II 659 b 7 (cf. IV 723 d 3 VI 784 c 1).

3° οὔτε τοῖς ἄλλοις ἐπετρέπομεν ... ἄλλο τι πράττειν Ch. 171 e 3 (cf. Ly. 208 a 6 b 2 c 2 G. 505 b 5 R. III 395 d 5 VIII 551 c 5 L. IV 719 b 5 V 730 d 3) ἐπιτρέψειν ὑμῖν δημηγορεῖν L. VII 817 c 5 (cf. d 1).

App. : παραδιδόναι, παρέχειν.

ἐπιτροπεύειν « régir » ἐπιτροπεύει τὰ ἄλλα πάντα Cra. 412 d 8 ἐπιτροπεύουσαν ἄρχειν ... τῶν ἄλλων Po. 304 c 1 τὰ σύμπαντα ... ἐπιτροπεύειν φῶμεν τὴν τοῦ ἀλόγου ... δύναμιν Ph. 28 d 7.

App. : **ἐπιστατεῖν.**

App. et ass. : **ἄρχειν.**

ἐπιφέρειν « appliquer » ἄλλην τινὰ αὐτοῖς αἰτίαν ἐπενεγκεῖν Pd. 98 a 6 τὸ ... ἐναντίον ἀεὶ αὐτῷ ἐπιφέρει (« décrit l'introduction de la propriété par le caractère générique » W. D. Ross, *Plato's Theory of Ideas*, p. 34 et n. 3) Pd. 104 e 6 (cf. 105 a 3 et 4 d 5) ἐπιφέρειν ἕκαστον κατὰ τὴν ὁμοιότητα Cra. 424 d 5 (cf. d 6 e 5, 427 a 7, 432 e 3 et 5) ὀνόματα ... ἐπενεγκεῖν Cra. 435 b 8 (cf. R. X 596 a 7 So. 237 c 2 Po. 275 d 9, 306 e 10, 307 b 2 T. 62 d 11) τὰς δόξας δικαιοσύνης ἐπηνέγκαμεν R. X 612 b 2.

ἐπιφορά, ἡ « application » τὴν τοῦ ἀνομοίου δόσιν τε καὶ ἐπιφοράν Cra. 430 d 6 ἡ ... τῶν ὀνομάτων ἐπιφορά L. XII 944 b 7*.

ἐπιχειρεῖν « entreprendre » (dialectiquement) περὶ ὧν ἂν ἐπιχειρήσωσιν διαλέγεσθαι G. 457 c 7 ἐξ ὧν Κέβης ἐπεχείρησε λέγειν Pd. 73 b 8 χαλεπῷ ... λόγῳ ... ἐπιχειροῦμεν Ep. 976 d 1 ἀναλαβόντα ὃν (λόγον) πρὸς τοὺς ἀσεβεῖς ἐπικεχείρηκα λόγους Ep. 980 c 10.
App. : πειρᾶσθαι.

ἐπιχείρησις, ἡ « entreprise » (dialectique) πολλὴ ... προθυμία τῆς ἐπιχειρήσεως So. 239 c 2 τὴν ... ἐπιχείρησιν τῆς ἐξηγήσεως περὶ τοὺς νόμους L. I 631 a 2 ἔχουσαί τινα ἔντεχνον ἐπιχείρησιν L. IV 722 d 5 (cf. Le. VII 341 e 1 VIII 352 e 6).
App. : l'ἐπιχείρημα d'Aristote (non celui de Platon).

ἑπομένως « conformément » : v. ἕπεσθαι fin.

ἐπομνύναι « jurer » (de) ou (par) τοὺς θεοὺς παρακαλῶν ἐπόμνυσιν L. XI 917 b 2 (cf. XII 948 d 5 Criti. 120 a 6) τὸν τῶν πάντων θεῶν ἡγεμόνα ... ἐπομνύντας Le. VI 323 d 5 (cf. d 1)*.

ἐπονομάζειν « dénommer » (d'après une Idée ; cf. K. W. Mills, *Phronesis*, II, 1957, p. 147 et n. 1) ἐπονομάζοντες ... τῇ ἐκείνων ἐπωνυμίᾳ · νῦν δὲ περὶ ἐκείνων αὐτῶν ὧν ἐνόντων ἔχει τὴν ἐπωνυμίαν τὰ ὀνομαζόμενα Pd. 103 b 6 (cf. R. IX 580 e 2, après προσειπεῖν) ὧν ἡμεῖς μετέχοντες εἶναι ἕκαστα ἐπονομαζόμεθα Pa. 133 d 3.
Ass. et syn. : ὀνομάζειν (avec la différence d'aspect), προσαγορεύειν.

ἐποπτεύειν « contempler » (comme les époptes, initiés du degré supérieur) εὐδαίμονα φάσματα μυούμενοί τε καὶ ἐποπτεύοντες Phr. 250 c 4 ἐκ τοῦ ... μυεῖν καὶ ἐποπτεύειν Le. VII 333 e 4.
App. et ass. : μυεῖν.

ἐποπτικός, seulement subst. n. τὰ ... τέλεα καὶ ἐποπτικὰ « la révélation suprême » B. 210 a 1*.
App. et ass. : (τὰ) τέλεα (à τέλειος 2° b).

ἐπορέγεσθαι « s'efforcer d'atteindre » παντὸς ... ἐπορέξεσθαι θείου R. VI 486 a 6 (cf. IV 437 c 5) ὧν αὐτὴ ἡ ψυχὴ καθ' αὑτὴν ἐπορέγεται Tht. 186 a 11*.
Syn. : ὀρέγεσθαι (avec la différence d'aspect).

ἔπος, τό « parole » πᾶν μὲν ἔργον, πᾶν δ' ἔπος R. VI 494 e 4 ἔπος πρὸς ἔπος ποιεῖσθαι τὴν συνουσίαν So. 217 d 8 οὐχ ὡς ἔπος εἰπεῖν

μυριοστὸν ἀλλ' ὄντως L. II 656 e 6 ἔργῳ τε καὶ ἔπει L. IX 879 c 7.
Ass. et opp. : ἔργον, ὄντως.
Syn. : λόγος.

ἐπῳδή, ἡ « incantation » ἐπῳδὴ δέ τις ἐπὶ τῷ φαρμάκῳ Ch. 155 e 5 (cf. e 7, 156 a 2 b 1 d 4, 157 a 4 b 4 c 4, 158 b 8, 175 e 2, 176 a 1 Euth. 289 e 5, 290 a 1) καταπατήσας τὰ ἡμέτερα ... μαγγανεύματα καὶ ἐπῳδάς G. 484 a 6 περὶ τὰς θυσίας καὶ τὰς τελετὰς καὶ τὰς ἐπῳδὰς καὶ τὴν ... γοητείαν B. 203 a 1 (cf. R. II 364 b 8 L. X 909 b 4) οὔτε φάρμακα ... οὔτε τομαὶ οὐδ' αὖ ἐπῳδαί R. IV 426 b 1 ἐπᾴδοντες ... ταύτην τὴν ἐπῳδήν R. X 608 a 5 (cf. L. II 659 e 2 X 887 d 4 Le. VI 323 b 7) ἐν εὐκταίαις τισὶν ἐπῳδαῖς L. X 906 b 9 μαγγανείαις τέ τισιν καὶ ἐπῳδαῖς καὶ καταδέσεσι L. XI 933 a 2 καταδέσεσιν ἢ ἐπαγωγαῖς ἤ τισιν ἐπῳδαῖς ἢ τῶν τοιούτων φαρμακειῶν ὡντινωνοῦν L. XI 933 d 7*.
App. et ass. : γοητεία, ἐπαγωγή, κατάδεσις, μαγγανεία, μαγγάνευμα, φαρμακεία.
Ass. : εὐχή, θυσία, τελετή, φάρμακον.

ἐπῳδός « enchanteur » a) adj. ; b) subst. m.
a) ἐπῳδῶν ... προσδεῖσθαι μύθων ἔτι τινῶν L. X 903 b 1*.
b) τῶν τοιούτων ἀγαθὸν ἐπῳδόν Pd. 78 a 1 (cf. a 5) ἱκανὸν ἐπῳδὸν ... νέοις πρὸς ἀρετήν L. II 670 e 8*.

ἐπωνυμία, ἡ « dénomination » αὐτῆς (sc. ψυχῆς) ἐστιν ἡ οὐσία ἔχουσα τὴν ἐπωνυμίαν τὴν τοῦ « ὃ ἔστιν » Pd. 92 d 8 (cf. 102 b 1 c 7, 103 b 8 Cra. 394 d 9 Criti. 114 a 7) ἐπονομάζοντες αὐτὰ τῇ ἐκείνων ἐπωνυμίᾳ Pd. 103 b 7 (cf. Phr. 238 a 5) τῆς διανοίας τις ἔοικεν ἐπωνυμία εἶναι τοῦτο τὸ ὄνομα Cra. 416 b 11 (cf. 395 b 5, 415 d 3) οὐκ ὀξέως ... φέρεται πρὸς αὐτὸ τὸ κάλλος, θεώμενος αὐτοῦ τὴν τῇδε ἐπωνυμίαν Phr. 250 e 3 ὁρᾶν ... ἐν αὐτοῖς ἓν γένος ἑνὸν ἄξιον ἐπωνυμίας πᾶσιν T. 83 c 3 θεῶν ἐπωνυμία L. IV 704 a 5 (cf. I 626 d 4).
Ass. et souvent syn. : ὄνομα.

ἐρᾶν « aimer, convoiter » οὐκ Ἀλκιβιάδου ἠράσθη, ἀλλά τινος τῶν Ἀλκιβιάδου A. 131 c 5 (cf. c 10 Pd. 81 b 3 L. VIII 837 c 1 et 5) ὅστις δέ σου τῆς ψυχῆς ἐρᾷ A. 131 c 8 (cf. d 1) ἐρῶντά τε καὶ ἐρώμενον Ly. 204 c 2 (cf. b 6 et 7 R. III 403 b 2) οἷόν τε ... τούτου οὗ ἐπιθυμεῖ καὶ ἐρᾷ μὴ φιλεῖν ; Ly. 221 b 7 (cf. b 6, 222 a 1 A. 124 b 6 B. 186 b 8, 200 a 5) οὗ διὰ βίου ἤρων τυχεῖν, ἤρων δὲ φρονήσεως Pd. 68 a 1 (réc. a 7) ἕτερα ἀλλήλων εἶναι (εἴδη), τὸ μὲν ᾧ λογίζεται ..., τὸ δὲ ᾧ ἐρᾷ ... R. IV 439 d 6 νεωτερισμοῦ ἐρῶντες R. VIII 555 d 12 ἐρᾶν ... τοῦ ἀληθοῦς Ph. 58 d 5 ὧν ἐρᾷ καὶ μισεῖ L. VII 792 a 3.
App. : στέργειν.
App. et ass. : ἐπιθυμεῖν, φιλεῖν.
Ass. et opp. : μισεῖν.

ἐραστής, ὁ « amoureux » (de) a) litt. ; b) métaph.
a) ἐραστῶν τε καὶ παιδικῶν B. 178 e 4 (cf. R. III 403 b 2 et 7).

b) ἐραστὴς τοῦ 'Αλκιβιάδου σώματος A. 131 c 4 μόνος ἐραστὴς ἦν σου A. 131 e 10 (cf. e 2 B. 173 b 3 Phr. 231 a 2) οὗ ἐπιθυμοῦμέν τε καί φαμεν ἐρασταὶ εἶναι, φρονήσεως Pd. 66 e 2 τοῦ ὄντος τε καὶ ἀληθείας ἐραστὰς εἶναι τοὺς φιλοσόφους R. VI 501 d 2 ἐραστὰς τοῦ ἄρχειν ... οἵ γε ἀντερασταὶ μαχοῦνται R. VII 521 b 4 τοῦ δὲ νοῦ καὶ ἐπιστήμης ἐραστήν T. 46 d 8 ἐπιθυμητήν τε καὶ ἐραστὴν τοῦ πολίτην γενέσθαι τέλεον L. I 643 e 5.

App. et ass. : a) παιδικά (a) ; (b) ἐπιθυμητής.

Ass. et opp. : ἀντεραστής.

ἐραστός « aimable » a) adj. ; b) subst. n.

a) τἆλλα ὅσα ἐραστά Phr. 250 d 7*.

b) ἔστι τὸ ἐραστὸν τὸ τῷ ὄντι καλόν B. 204 c 4*.

ἐργάζεσθαι a) « travailler » ; b) « faire ».

a) οὐ ταὐτὸν καλεῖς τὸ ποιεῖν καὶ τὸ πράττειν ; — ... οὐδέ γε τὸ ἐργάζεσθαι καὶ τὸ ποιεῖν Ch. 163 b 3 εἰ τὰ τοιαῦτα ἔργα ἐκάλει καὶ ἐργάζεσθαι καὶ πράττειν Ch. 163 b 5.

b) πολλῶν πολλὰ καὶ καλὰ ἐργασαμένων B. 179 c 6 (cf. c 4) πολλὰ ... καὶ καλὰ ... τὴν 'Ελλάδα εἰργάσαντο Phr. 244 b 2.

Syn. : ποιεῖν, πράττειν.

ἐργασία, ἡ a) « travail » ; b) « action ».

a) ἐκεῖνος ... ποίησιν πράξεως καὶ ἐργασίας ἄλλο ἐνόμιζεν Ch. 163 b 9 ἐκάλει ... ἐργασίας τε καὶ πράξεις τὰς τοιαύτας ποιήσεις Ch. 163 c 4 αἱ ὑπὸ πάσαις ταῖς τέχναις ἐργασίαι ποιήσεις εἰσί B. 205 c 1.

b) ἔν τε πολεμικῇ πράξει ... καὶ ἐν πάσῃ βιαίῳ ἐργασίᾳ R. III 399 a 7.

Ass. et syn. : (a) ποίησις ; (a-b) πρᾶξις.

Syn. (b) : ἔργον.

ἔργον, τό a) « affaire, fonction » ; b) « travail, œuvre » ; c) « acte » ; d) « chose, fait ».

a) οὐ ... θερμότητος ... ἔργον ψύχειν R. I 335 d 3 (cf. G. 503 e 1, 517 c 1).

b) ποίημα ... γίγνεσθαι ὄνειδος ἐνίοτε ... ἔργον δὲ οὐδέποτε οὐδὲν ὄνειδος Ch. 163 c 2 ἀπὸ τῶν καλῶν ἔργων R. III 401 c 8.

c) περιτυχόντες ... ἔργοις γενομένοις L. III 683 e 10 ταῦτα ... ὁριούμεθα ἔργῳ καὶ λόγοις L. V 737 d 7 ἔργα τε καὶ παθήματα L. VI 777 c 6 πάρεργον ... τῶν ἄλλων ἔργων διακώλυμα L. VII 807 d 2 ἔργῳ τε καὶ ἔπει L. IX 879 c 6 (cf. R. VI 494 e 4) Δίων ἔργῳ τὸν Διόνυσιον ἐνουθέτησεν Le. VII 333 b 3 εἴπερ ἔργα ἐπὶ νῷ ἐγίγνετο Le. VIII 357 a 6 (cf. R. III 389 d 6).

d) τὸν ἐν λόγοις σκοπούμενον ... τὸν ἐν ἔργοις Pd. 100 a 3 (cf. R. VI 501 e 5) οὐ μόνον τοὔνομα ἀλλὰ καὶ τὸν λόγον περὶ αὐτὸ τοὔργον εἰλήφαμεν ἱκανῶς So. 221 b 2 ἀνατετράφθαι τὰ ἐν τοῖς λόγοις φαντάσματα ὑπὸ τῶν ἐν ταῖς πράξεσιν ἔργων παραγενομένων So. 234 e 2.

App. et ass. : (b) ποίημα (b) ; (d) πρᾶξις.

Ass. et opp. : (c) ἔπος, πάθημα 1°, πάρεργον ; (c-d) λόγος.
Syn. : (b) ἐργασία, ποίησις ; (b-c) πρᾶξις ; (d) πρᾶγμα.

ἐρευνᾶν (à l'actif et au moyen) « scruter, interroger » ταῦτα ... περιιὼν ζητῶ καὶ ἐρευνῶ Ap. 23 b 5 (cf. L. VII 821 a 3) τοὺς ἐκεῖ ἐξετάζοντα καὶ ἐρευνῶντα Ap. 41 b 6 πᾶσαν ... φύσιν ἐρευνωμένη τῶν ὄντων ἑκάστου Tht. 173 e 7 τοῦτο ἐὰν ἰόντες ἐρευνῶμεν Tht. 200 e 8 (cf. Ch. 166 b 7 L. XII 968 c 2) ἐὰν δέ τις ἐρευνᾶν βουλομένῳ φωρᾶν μὴ διδῷ L. XII 954 a 9 (cf. b 1)*.
App. : ἰχνεύειν.
App. et ass. : ἐξετάζειν, ζητεῖν, φωρᾶν.
Syn. : ἀνερευνᾶν, διερευνᾶν (avec les différences d'aspect ; cf. J. Brunel, *L'Aspect...*, p. 148).

ἐρημία, ἡ « solitude » μυρίαν ... τινὰ φοβερὰν ἐρημίαν L. III 677 e 8 ἐφιλοφρονοῦντο ἀλλήλους δι' ἐρημίαν L. III 678 e 10 εἰς τὸ ... γῆρας ἐρημίαν αὐτῷ πᾶσαν κατεσκευάσατο L. V 730 c 7 τῶν ὀρφανῶν τῆς ἐρημίας αἰσθήσεις ἔχουσιν L. XI 927 b 1 ἡ ... αὐθάδεια ἐρημίᾳ σύνοικος Le. IV 321 c 2.

ἔρημος « solitaire », « vide » (de), « abandonné » (de) a) adj. ; b) subst. n.
a) ἔρημον καὶ ἀτελῆ φιλοσοφίαν λείποντες R. VI 495 c 2 (cf. Po. 298 b 5) οὐρανὸν ἕνα μόνον ἔρημον κατέστησεν T. 34 b 5 (cf. Ph. 63 b 9) καταλείπεται ἔρημος θεοῦ L. IV 716 b 1 ἔρημος ... ὢν ὁ ξένος ἑταίρων τε καὶ συγγενῶν L. V 729 e 5 (cf. G. 523 e 5) ἔρημός τε καὶ ὡς ὅτι μάλιστα ἀγριώτατος ... τόπος L. X 908 a 6 θεῶν ἔρημα εἶναι πάντα L. X 908 c 2 (cf. IX 862 e 6).
b) τοῖς εἰς ὀρφανὰ καὶ ἔρημα ὑβρίζουσιν L. XI 927 c 2.
App. et ass. : μόνος, ὀρφανός.

ἐρίζειν « disputer, quereller » πότερος ὑμῶν πρεσβύτερος ; — Ἀμφισβητοῦμεν ... — Οὐκοῦν καὶ ὁπότερος γενναιότερος ἐρίζοιτ' ἂν Ly. 207 c 3 (cf. Pr. 343 d 3 B. 173 e 5 R. III 395 d 8) ἀλλήλοις περὶ τῶν λόγων ἀμφισβητεῖν μέν, ἐρίζειν δὲ μή Pr. 337 b 1 (cf. b 2) οὐκ ἐρίζειν ἀλλὰ διαλέγεσθαι R. V 454 a 5*.
App. et ass. : ἀμφισβητεῖν.
Ass. et opp. : διαλέγεσθαι.

ἔρις, ἡ « dispute, querelle » ἔριν καὶ μάχην H. M. 294 d 2 (cf. ἔρις τε καὶ ἀγωνία L. VIII 834 d 3) θεῶν ἔριν τε καὶ κρίσιν R. II 379 e 9 (cf. Mx. 237 d 1) ἔριδι, οὐ διαλέκτῳ πρὸς ἀλλήλους χρώμενοι R. V 454 a 8 πρὸς δόξαν καὶ ἔριν R. VI 499 a 8 δι' ἐρίδων καὶ φιλονικίας T. 88 a 4 (cf. Ph. 49 a 2 Criti. 109 b 2 et 5) πλείστην ἀπορίαν παράσχοιτ' ἂν καὶ ἔριν L. VI 776 c 8 (cf. d 1 VII 788 d 6).
App. : ἀγών.
App. et ass. : ἀγωνία, μάχη, φιλονικία (a).
Ass. : ἀπορία, δόξα, κρίσις.
Ass. et opp. : διάλεκτος.

ἐριστικός « disputeur, de (la) dispute », « sophistique » : a) adj. ; b) subst. α) m. β) n.

a) οὐκ οἶσθα ὅτι ἐριστικός ἐστιν Ly. 211 b 8 ἐριστικὸν λόγον κατάγεις M. 80 e 2 (cf. 81 d 7) ἐριστικῆς ὂν τέχνης, ... τῆς ἀμφισβητητικῆς So. 226 a 2 (cf. 231 e 2 Euth. 272 b 10)*.

b) α) τῶν σοφῶν τις ... καὶ ἐριστικῶν τε καὶ ἀγωνιστικῶν M. 75 c 10*.

β) τὸ ἐριστικόν (So. 225 c 9 d 1) τὰ ... κομψά τε καὶ ἐριστικά R. VI 499 a 7*.

Adv. : διαλεκτικῶς ... καὶ ... ἐριστικῶς ... ποιεῖσθαι ... τοὺς λόγους Ph. 17 a 4 (cf. R. V 454 b 5)*.

App. : ἀντιλογικός.

App. et ass. : ἀγωνιστικός, ἀμφισβητητικός.

Ass. et opp. : διαλεκτικός.

ἕρμαιον, τό « trésor, aubaine » τοιούτῳ ἑρμαίῳ ἐντετυχηκέναι G. 486 e 3 (cf. 489 c 1 Ch. 157 c 6) ἕρμαιον ἡγησάμην εἶναι καὶ εὐτύχημα ἐμὸν θαυμαστόν B. 217 a 4 (cf. 176 c 1 Pd. 107 c 5 R. II 368 d 6) πόθεν τοῦτο τὸ ἕρμαιον ηὑρέτην ; Euth. 273 e 2 (cf. 295 a 9) τοῖς ... ἀγαθοῖς ἕρμαιον πρόγονοι γηραιοί L. XI 932 a 1*.

App. : εὕρημα, θησαυρός.

App. et ass. : εὐτύχημα.

ἑρμηνεία, ἡ « interprétation » αὗται ... ἄτοποι τῇ ψυχῇ αἱ ἑρμηνεῖαι R. VII 524 b 1 (cf. Tht. 209 a 5) γένος ... τῆς ἑρμηνείας αἴτιον Ep. 984 e 2*.

ἑρμηνεύειν a) « interpréter » b) (à l'actif et au moyen) « se faire l'interprète » (de).

a) ἑρμηνεῦον καὶ διαπορθμεῦον θεοῖς τὰ παρ' ἀνθρώπων B. 202 e 2 τὰ τῶν ποιητῶν ἑρμηνεύετε I. 535 a 6 (cf. a 5 L. XII 966 b 7 Le. VIII 355 a 4)*.

b) τὸν ὑπὲρ ἡμῶν λόγον ... ἑρμηνεῦσαι R. V 453 c 10 ἑρμηνεύεσθαι πρὸς ἀλλήλους τε καὶ τοὺς ... θεοὺς ... πάντα Ep. 985 b 1*.

ἑρμηνεύς, ὁ « interprète » οἱ ... ποιηταὶ ... ἑρμηνῆς εἰσι τῶν θεῶν I. 534 e 4 (cf. 530 c 3, 535 a 9 Cra. 407 e 6 Tht. 163 c 2 Ph. 16 a 3) λόγος ... τῶν νόμων ἑρμηνεύς L. X 907 d 6*.

ἑρμηνευτής, ὁ « interprète » ἑρμηνευταὶ ... νομίζονται παρὰ θεῶν ἀνθρώποις Po. 290 c 5*.

ἑρμηνευτική, ἡ « art de l'interprète » εἰς ταὐτὸν μείξομεν βασιλικὴν ἑρμηνευτικῇ, ... μαντικῇ ... ; Po. 260 d 11 οὐδὲ μαντική γε οὐδ' ἑρμηνευτική Ep. 975 c 6*.

App. et ass. : μαντική.

ἔρως, ὁ « amour ». 1° « amour » (-passion) ; 2° (métaph.) « désir ».

1° πελαργοῦ ... ὁ ἐμὸς ἔρως οὐδὲν διοίσει A. 135 e 1 (cf. e 2) πόρρω ἤδη εἶ πορευόμενος τοῦ ἔρωτος Ly. 204 b 8 τοῦ οἰκείου ... ὅ τε ἔρως καὶ ἡ φιλία καὶ ἡ ἐπιθυμία τυγχάνει οὖσα Ly. 221 e 4 (cf. L. VIII 837 a 1) ἀγρίων ἐρώτων Pd. 81 a 5 (cf. R. IX 572 e 6, 573 a 3, 586 c 1 L. VI 783 a 1) τὴν περὶ τὸν ἔρωτα σπουδὴν B. 179 d 2 (cf. 206 b 2, 208 b 6) ὁ τοῦ παίδων ἔρως B. 181 c 4 φιλίᾳ τε καὶ οἰκειότητι καὶ ἔρωτι B. 192 c 1 (cf. 186 e 1, 187 c 3) τοῦ ὅλου ... τῇ ἐπιθυμίᾳ καὶ διώξει ἔρως ὄνομα B. 193 a 1 (cf. Phr. 237 d 4, 238 c 4 R. IX 578 a 11 T. 91 d 1 L. I 632 a 1 III 688 b 3 V 734 a 2 et 4) ὁ ... ὀρθὸς ἔρως R. III 403 a 7 (cf. a 11) νοῦν καὶ σωφροσύνην ἀντ' ἔρωτος καὶ μανίας Phr. 241 a 4 οὐκ ἔρωτα ἀλλὰ φιλίαν Phr. 255 e 2 πόθον καὶ θρῆνον καὶ ἔρωτα Ph. 47 e 1 (réc. 50 c 1) τὸν τῆς συνουσίας ἔρωτα T. 91 a 2 (cf. b 5, 42 a 7).

2° ὁ δήμου ... ἔρως G. 513 c 9 ἀληθινῆς φιλοσοφίας ἀληθινὸς ἔρως R. VI 499 c 2 (cf. 490 b 2 Phr. 250 d 5) διὰ τὸν ... ἔρωτα τῆς ... ποιήσεως R. X 607 e 6 (cf. 608 a 6 Tht. 169 c 1) ἔρως θεῖος τῶν σωφρόνων ... ἐπιτηδευμάτων L. IV 711 d 6 (cf. I 643 d 1 Le. VII 339 e 5) μήτε τις ἐπιθυμία μήτ' ἔρως τῆς ... θήρας L. VII 823 d 8 (cf. e 6 VI 782 e 3) ὑπ' ἔρωτος πλούτου L. VIII 831 c 4 (cf. IX 870 a 5 XII 941 c 6) ἔρωτα ἔσχεν τοῦ καταμαθεῖν Ep. 986 c 6 ἀμέτρῳ ἐλευθερίας ... ἔρωτι Le. VIII 354 d 5.

App. et ass. : (1°) et (2°) ἐπιθυμία ; (1°) δίωξις, οἰκειότης (b), σπουδή (d) ; (parf. opp.) φιλία.

Ass. (1°) : μανία, πόθος.

ἐρωτᾶν « interroger », « questionner » πυνθάνομαι καὶ ἐρωτῶ H. m. 372 c 4 (cf. R. X 599 d 1) εἴωθας χρῆσθαι τῷ ἐρωτᾶν τε καὶ ἀποκρίνεσθαι Cr. 50 d 1 (cf. Pr. 329 a 4 b 3, 338 d 1 Pd. 75 d 2, 78 d 1 Cra. 390 c 10 R. VI 487 b 3 VII 528 a 6, 534 d 10 Pa. 137 c 2 Tht. 168 d 9) τὸ μὲν ἐρωτῶν, τὸ δ' ἀποκρινόμενος G. 449 b 6 (cf. 462 a 4) τὸ ἐρωτώμενον ἀποκρίνεσθαι G. 449 b 9 et 461 e 5 (cf. A. 106 b 7, 114 d 11 Ch. 166 d 8) ἐν μέρει ἀποκρίνασθαί τε καὶ ἐρέσθαι Tht. 179 e 8 διαλέγεσθαι, αὐτὴ ἑαυτὴν ἐρωτῶσα καὶ ἀποκρινομένη Tht. 190 a 1 (cf. Pr. 336 c 5).

App. et ass. : πυνθάνεσθαι 1°.

Ass. : διαλέγεσθαι.

Ass. et opp. : ἀποκρίνεσθαι.

ἐρώτημα, τό « interrogation, question » ἀγανακτήσαιμ' ἂν ... τῷ ἐρωτήματι Pr. 330 d 7 (cf. 336 d 2, 339 a 3) ἐρωτᾷς ... ἐρώτημα δεόμενον ἀποκρίσεως δι' εἰκόνος λεγομένης R. VI 487 e 5 ὅταν ... ἐλθὸν ἐρώτημα ἔρηται R. VII 538 d 6.

Ass. et opp. : ἀπόκρισις.

Syn. : ἐρώτησις.

ἐρώτησις, ἡ id. ἐρωτήσεως ... ἡ ἀπόκρισις δεῖται Pr. 312 d 8 (cf. B. 204 d 7 L. II 673 c 2) διανειμώμεθα ... ἀλλήλοις τὴν ἐρώτησιν καὶ ἀπόκρισιν L. XII 963 d 10 (cf. Le. VII 344 b 6).

Ass. et opp. : ἀπόκρισις.

Syn. : ἐρώτημα.

ἐρωτικός « amoureux », « relatif à l'amour » : a) adj. ; b) subst. α) m. β) n. pl. « l'art de l'amour ».

a) ἐρωτικαῖς ἀνάγκαις R. V 458 d 5 αἱ ἐρωτικαί τε καὶ τυραννικαὶ ἐπιθυμίαι R. IX 587 b 1 ὁ ... λόγος ἦν ... ἐρωτικός Phr. 227 c 5 (cf. 263 d 8 B. 172 b 2) τὸ ἐρωτικὸν ὄμμα Phr. 253 e 5 τὴν ἐρωτικὴν τέχνην Phr. 257 a 8 (cf. So. 222 e 3) τὸ ἐρωτικὸν πάθος Phr.

265 b 6 τῆς ἐρωτικῆς μανίας Phr. 265 d 6 (cf. 265 b 5 L. VIII 839 a 7)*.

b) α) τὸν φιλόπαιδα καὶ ἐρωτικόν R. V 474 d 4 (cf. d 3, 475 a 3, VI 485 b 8 IX 573 c 9 B. 208 e 3 Phr. 248 d 4)*.

β) τὰ ἐρωτικὰ ... σοφός Ly. 206 a 1 (cf. Ch. 155 d 5) οὐδὲν ... ἄλλο ἐπίστασθαι ἢ τὰ ἐρωτικά B. 177 e 1 (cf. 207 c 3) πρὸς τὰ ἐρωτικὰ παιδαγωγηθῇ B. 210 e 2 (cf. e 4) τὰ τοῦ καλοῦ ἐρωτικά R. III 403 c 7 (cf. Phr. 259 d 1) περὶ ἀφροδισίων καὶ ἁπάντων τῶν ἐρωτικῶν L. VIII 842 a 1 (cf. 841 d 1)*.

Adv. : ἐρωτικῶς (— διακεῖσθαι B. 207 b 1 c 1, 216 d 2 ; — ἔχειν Ly. 211 e 3 B. 222 c 2 R. VI 485 c 8)*.

App. et ass. : (b α) φιλόπαις ; (b β) ἀφροδίσια.

Ass. (a) : τυραννικός (1° b).

ἑστία, ἡ « foyer » (parfois personnifié) ἀφ' Ἑστίας ἄρχεσθαι Euph. 3 a 7 γῆ ... ἑστία τε οἰκήσεως ἱερὰ πᾶσι πάντων θεῶν L. XII 955 e 6.

ἑστίαμα, τό « régal » ἐμπιμπλὰς ὀργὴν κακῶν ἑστιαμάτων L. XI 935 a 4*.

App. : ἑστίασις.

ἑστιᾶν « régaler » ; (au moyen) « se repaître » τούτους εἱστιάκασιν εὐωχοῦντες ὧν ἐπεθύμουν G. 518 e 2 (cf. d 2) ἑστιᾶσθαι ὑφ' ἑαυτῶν R. V 458 a 2 ἑστιάσας λόγων καλῶν καὶ σκέψεων R. IX 571 d 8 (cf. Phr. 227 b 7) ἅτε γῆν ἑστιωμένη R. X 611 e 6 τὰ ὄντα ... θεασαμένη καὶ ἑστιαθεῖσα Phr. 247 e 4.

ἑστίασις, ἡ « festin » τῶν εὐδαιμόνων λεγομένων ἑστιάσεων R. X 612 a 3 τὴν τῶν λόγων ἑστίασιν T. 27 b 8.

App. : ἑστίαμα.

ἔσχατος « dernier, extrême » a) adj. ; b) subst.

a) οἳ δ' ἂν τὰ ἔσχατα ἀδικήσωσι G. 525 c 1 (cf. R. II 378 b 2) ὃ πάντων μέγιστόν τε κακῶν καὶ ἔσχατόν ἐστι Pd. 83 c 2.

b) τὰ ἄκρα τῶν ἐσχάτων σπάνια καὶ ὀλίγα Pd. 90 a 7 ἐπὶ τὸ ἔσχατον ἀφιγμένον ἀγνοίας L. X 899 b 1 ζῶντες μέχρι τῶν ἐσχάτων τοῦ βίου L. XI 932 a 2.

App. et ass. : (a) μέγιστος ; (b) ἄκρος.

Opp. : μέσος, πρῶτος.

ἑταιρία, ἡ « cabale, camaraderie » συνωμοσίας τε καὶ ἑταιρίας συνάξομεν R. II 365 d 3 (cf. Tht. 173 d 4 L. IX 856 b 3) εἰς φιλίαν τε καὶ ἑταιρίαν ... καθιστάναι Le. VII 328 e 1 (cf. 333 e 3 R. VI 494 e 4)*.

App. et ass. : φιλία.

ἑταῖρος « compagnon, ami » a) subst. α) m. (β) f. ; b) (métaph.) adj.

a) α) οὗτος ἐμός τε ἑταῖρος ἦν ... καὶ ὑμῶν τῷ πλήθει ἑταῖρος Ap. 21 a 1 (cf. Ly. 206 d 5 G. 510 a 9) ἑταίρω τε καὶ φίλω ἦμεν La. 180 e 3 οὓς ἂν ἡγήσαιτο οἰκειοτάτους τε καὶ ἑταιροτάτους Pd. 89 d 10 (cf. G. 487 d 4 Le. VII 338 a 2) ἔρημος ... ἑταίρων τε καὶ συγγενῶν L. V 729 e 5 τὸν ἑταῖρον καὶ ξένον Le. VII 334 a 4. β) ἕνεκα νεωστὶ φίλης ... ἑταίρας R. IX 574 b 13.

b) τὸ δὲ ᾧ ἐρᾷ ... ἐπιθυμητικόν, πληρώσεών τινων καὶ ἡδονῶν ἑταῖρον R. IV 439 d 8 ἡ γραφικὴ ... πόρρω ... φρονήσεως ὄντι τῷ ἐν ἡμῖν προσομιλεῖ τε καὶ ἑταίρα καὶ φίλη ἐστίν R. X 603 b 2 (τῶν ... ἵππων) ὁ μὲν ... ἀληθινῆς δόξης ἑταῖρος Phr. 253 d 7 (cf. e 3).

App. : σύννομος (2° a).

App. et ass. : οἰκεῖος, συγγενής (A 1° b β), φίλος.

Ass. : ξένος.

ἑτεροδοξεῖν « prendre l'un pour l'autre » εἴ τις ὁριεῖται δόξαν εἶναι ψευδῆ τὸ ἑτεροδοξεῖν, οὐδὲν ἂν λέγοι Tht. 190 e 2*.

App. : ἀλλοδοξεῖν, ψευδῆ δοξάζειν.

Opp. : ἀληθῆ (ὀρθὰ) δοξάζειν.

ἑτεροδοξία, ἡ « fait de prendre une chose pour une autre » τότε ... συμβαίνει ἡ ἑτεροδοξία καὶ τὸ ψευδῆ δοξάζειν Tht. 193 d 2*.

App. : ἀλλοδοξία, ψευδὴς δόξα.

Opp. : ἀληθὴς (ὀρθὴ) δόξα.

ἑτεροῖος « d'autre sorte » τὰ ... ἄλλα τοῦ ἑνὸς ἕτερα ὄντα ἑτεροῖα καὶ εἴη ἄν Pa. 161 a 8 τὰ δ' ἑτεροῖα οὐκ ἀλλοῖα ; Pa. 161 a 9 ἑτεροῖα καὶ ἀνόμοια ἑαυτοῖς Pa. 165 d 2*.

App. et ass. : ἀλλοῖος, ἀνόμοιος.

ἑτεροιότης, ἡ « différence » οὐδὲ ... ὁμοιότης ... οὐδὲ ἑτεροιότης Pa. 164 a 3 (cf. 160 d 8 e 1)*.

App. : ἀλλοιότης « altération » (T. 82 b 7), ἀνομοιότης ; mais Platon ignore ἑτερότης.

Ass. et opp. : ὁμοιότης.

ἕτερος « autre » a) adj. ; b) subst. n.

a) ἕτερόν τε καὶ ἀνόμοιον B. 186 b 7 ἕτερον ... καὶ ἀλλοῖον Cra. 438 e 8.

b) τὸ ἓν καὶ τὸ ἕτερον Pa. 143 c 2 τὸ ταὐτόν τε καὶ τὸ ἕτερον Tht. 185 c 9 (cf. So. 254 e 3, 255 b 3 et 6) ἡ θατέρου φύσις ἕτερον ἀπεργαζομένη τοῦ ὄντος ἕκαστον So. 256 d 12-e 1 τῆς τε ταὐτοῦ φύσεως αὖ πέρι καὶ τῆς τοῦ ἑτέρου T. 35 a 4 (cf. a 7 b 3 c 2).

Adv. : ἑτέρως (L. X 897 b 5, ass. et opp. à οὕτως ; Ep. 983 b 2).

App. et ass. (a) : ἀλλοῖος, ἀνόμοιος.

Ass. et opp. (b) : (ὁ) αὐτός, εἷς.

εὖ « bien » (adv. d'ἀγαθός) εὖ καὶ ἀνδρείως ἀποκρίνου Tht. 157 d 4 (cf. Ch. 160 d 8 Cra. 440 d 4 L. IX 855 a 4) τὸ δὲ εὖ τεκταινόμενος T. 68 e 5 (finalité) γυμνασάμενον μὲν εὖ καὶ ἀνδρείως ..., κακῶς δέ L. I 648 c 3.

App. et ass. : ἀνδρείως.

Ass. et opp. : κακῶς.

εὐαγής « clair » ἀέρος τὸ μὲν εὐαγέστατον ἐπίκλην αἰθὴρ καλούμενος, ὁ δὲ θολερώτατος ... σκότος T. 58 d 1 μαθοῦσι μὲν εὐαγέστερον ... μὴ μαθοῦσι δὲ σκοτωδέστερα L. XII 952 a 3*.

Ass. et opp. : σκοτώδης.

εὐαγής « en règle avec le sacré » (cf. P. Chantraine-O. Masson, *Festschrift Debrunner*, p. 86-87) ἐλέφας ... ἀπολελοιπότος ψυχὴν σώματος οὐκ εὐαγὲς [Cic. Clem. Eus. Theod. : εὐχερὲς AO] ἀνάθημα L. XII 956 a 2 τοῦτο δ' οὐκ εὐαγές μοι ἀπέβη Le. II 312 a 2*.

εὐάγωγος « docile, ductile » διάνοιαν ἣν ἐπὶ τὴν ... ἰδέαν ἑκάστου τὸ αὐτοφυὲς εὐάγωγον παρέξει R. VI 486 e 1 τὰς ψυχὰς ... μαλθακωτέρας γίγνεσθαι ... ὥστε εὐαγώγους συμβαίνειν L. II 671 b 10*.

εὐαίσθητος « sensible » (au sens actif) εὐαισθητότερα ... καὶ φρονιμώτερα T. 75 c 6 εὐαισθήτους ... περὶ ... τοὺς ῥυθμούς L. VII 812 b 10*.

Adv. : εὐαισθήτως (L. II 661 b 1, 670 b 3) ; cp. εὐαισθητοτέρως (R. VII 527 d 2)*.

Opp. : ἀναίσθητος 2°.

εὐαρμοστία, ἡ « bon accord » εὐαρμοστία ... καὶ εὐρυθμία R. III 400 d 12 (cf. Pr. 326 b 5) κατὰ ... ἁρμονίαν εὐαρμοστίαν τινὰ ... παραδιδοῦσα R. VII 522 a 5*.

App. et ass. : ἁρμονία, εὐρυθμία.

Opp. : ἀναρμοστία.

εὐάρμοστος « harmonisé » (à) (adj. et subst. n.) εὐρυθμότεροι καὶ εὐαρμοστότεροι Pr. 326 b 3 (cf. R. III 413 e 4 L. II 655 a 6, 670 b 9) τό τε εὐάρμοστον καὶ ἀνάρμοστον R. III 400 d 3 (cf. Tht. 178 d 4) μουσικώτατον καὶ εὐαρμοστότατον R. III 412 a 6 τὸ ... εὐάρμοστον T. 60 d 9 (cf. Cra. 405 a 6)*.

App. et ass. : εὔρυθμος, μουσικός (1° b).

Ass. et opp. : ἀνάρμοστος.

εὐβουλία, ἡ « prudence » μῶν ἀβουλία δοκεῖ εἶναι ... ; ἀλλ' εὐβουλία A. 125 e 9 (cf. e 6) εὐβουλία περὶ τῶν οἰκείων Pr. 318 e 6 τὴν ἀδικίαν ... καλεῖς ... εὐβουλίαν R. I 348 d 3 ἡ εὐβουλία δῆλον ὅτι ἐπιστήμη τίς ἐστιν R. IV 428 b 7*.

Ass. et opp. : ἀβουλία.

εὔβουλος « prudent, réfléchi » σοφούς τε εἶναι καὶ εὐβούλους A. 127 d 2 (cf. R. IV 428 b 5 c 2 d 11)*.

(L'opp. serait ἄβουλος, mais Platon ignore ce mot.)

εὐγενής « noble » a) de naissance ; b) de caractère.

a) διαφέρειν φύσιν γενναίου σκύλακος εἰς φυλακὴν νεανίσκου εὐγενοῦς R. II 375 a 3.

b) τοῖς ... εὐγενέσι ... ἤθεσι Po. 310 a 1*.

App. et ass. : γενναῖος.

εὐδαιμονεῖν « être heureux » εἰ μέλλουσιν εὐδαιμονήσειν A. 134 b 8 (cf. R. II 365 d 1 IV 427 d 7 L. IV 716 a 3) εὖ ἂν πράττοιμεν καὶ εὐδαιμονοῖμεν Ch. 173 d 3 (cf. 174 c 1 Euth. 280 b 6) προθυμοῦνται ὅπως ἂν εὐδαιμονοίης Ly. 207 e 6 (cf. A. 134 e 2 G. 470 e 2 B. 205 d 2 Euth. 280 b 7 d 3 Phr. 256 d 9, 277 a 3 L. III 686 e 7) οὐκ ἄν ποτε ἄλλως εὐδαιμονήσειε πόλις R. VI 500 e 2 (cf. V 473 e 5 VII 541 a 6 L. I 636 e 1 VII 790 b 6 XI 927 b 6 XII 945 d 4)

πόλιν ... τὴν μέλλουσαν σῴζεσθαί τε καὶ εὐδαιμονήσειν L. III 697 b 1 (cf. IX 879 c 2).
App. et ass. : εὖ πράττειν.
Ass. : εὐνομεῖν, σῴζεσθαι.

εὐδαιμονία, ἡ «bonheur» πολλὴ γὰρ ἄν τις εὐδαιμονία εἴη περὶ τοὺς νέους Ap. 25 b 7 (cf. Mx. 247 e 8 Po. 272 c 5) τῇ ἄλλῃ λεγομένῃ εὐδαιμονίᾳ Ch. 158 a 1 (cf. Pd. 111 c 3 L. III 695 a 7) ἡ πᾶσα εὐδαιμονία G. 470 e 8 (cf. 523 b 2 B. 188 d 7, 189 d 2) εἰς μακάρων δή τινας εὐδαιμονίας Pd. 115 d 4 εἰς ἀρετῆς καὶ εὐδαιμονίας κτῆσιν B. 180 b 7 (cf. R. IX 576 c 10) τὰ πρὸς εὐδαιμονίαν φέροντα Mx. 247 e 8 (cf. R. IV 420 d 6) τὴν εὐδαιμονίαν ... τοῦ τε ἀνδρὸς καὶ τῆς πόλεως R. VIII 566 d 5 (cf. L. I 628 d 5 VI 781 b 6) ἀνθρωπίνης ... εὐδαιμονίας καὶ ἀθλιότητος Tht. 175 c 5 (cf. L. X 905 c 4) ἀληθινὸν πρὸς εὐδαιμονίαν βίον Criti. 121 b 4 θεοὺς ὕμνοις ... καὶ εὐδαιμονίᾳ γεραίροντι διάγειν τὸν βίον Ep. 980 b 1.
App. : μακαριότης.
Ass. : ἀρετή.
Ass. et opp. : ἀθλιότης.

εὐδαιμονίζειν «proclamer heureux», «féliciter» (de) σε ... ηὐδαιμόνισα τοῦ τρόπου Cr. 43 b 7 (cf. Ly. 212 a 2) ζηλωτὸς ὢν καὶ εὐδαιμονιζόμενος ὑπὸ τῶν πολιτῶν G. 473 c 7 (cf. 479 d 11 R. II 364 a 7 V 465 d 6 L. XII 947 c 2) οὐ τὸν θεὸν ἐγκωμιάζειν ἀλλὰ τοὺς ἀνθρώπους εὐδαιμονίζειν B. 194 e 8 (cf. Tht. 174 d 5) αὐτὸν ... εὐδαιμονίζειν τῆς μεταβολῆς τοὺς δὲ ἐλεεῖν R. VII 516 c 5 (cf. 518 b 2) ἀληθείᾳ μὲν οὐκ εὐδαίμονες, δόξαις δὲ εὐδαιμονιζόμεναι L. X 899 e 2.
App. : μακαρίζειν.
App. et ass. : ἐγκωμιάζειν.
Ass. et opp. : ἐλεεῖν.

εὐδαιμόνισμα, τό «béatitude» φεύγειν ... ἀπλήστως πεινώντων εὐδαιμόνισμα ἀνθρώπων Le. VIII 354 c 5*.

εὐδαίμων «heureux» a) adj. ; b) subst. n.
a) διακωλύουσιν εὐδαίμονα εἶναι καὶ ποιεῖν ὅ τι ἂν βούλῃ Ly. 208 e 4 (cf. 207 e 1 et 4) δυοῖν ἀθλίοιν εὐδαιμονέστερος ... οὐκ ἂν εἴη G. 473 d 8 (cf. d 6) εὐδαίμων ... καὶ τοῦ τρόπου καὶ τῶν λόγων Pd. 58 e 3 πάντων θεῶν εὐδαιμόνων ὄντων B. 195 a 6 (cf. Phr. 247 a 5 Tht. 176 a 1 T. 34 b 8, 90 c 6) εὐδαίμονες καὶ μακάριοι κέκληνται R. I 344 b 8 (cf. 354 a 1 B. 193 d 6 L. II 660 e 3 III 694 d 2 V 730 c 3 Ep. 992 b 7 c 5) εἰσὶν ἄδικοι μὲν εὐδαίμονες πολλοί, δίκαιοι δὲ ἄθλιοι R. III 392 b 2 (cf. VIII 544 a 7 X 606 d 6 Tht. 176 e 4 L. II 661 e 4) τῶν πλουσίων τε καὶ εὐδαιμόνων δοκούντων εἶναι R. III 406 c 7 ποιοῖμεν τὴν ... πόλιν ... εὐδαιμονεστάτην R. V 466 a 5 (cf. 458 e 2 IV 420 c 2 L. III 683 b 4 V 742 d 8) ὡς εὐδαίμοσί τε καὶ θείοις R. VII 540 c 2 σὺν εὐδαίμονι χορῷ Phr. 250 b 7 (cf. Ep. 991 b 4) τὸν ὄντως ἐσόμενον εὐδαίμονα εἶναι So. 230 e 3 (cf. L. IX 858 d 9 Ep. 978 b 2) τὸν βίον εὐδαίμονα

παρέχειν Ph. 11 d 6 (cf. T. 42 b 5, 69 a 1 L. II 662 e 10 Le. VII 326 b 7, 327 d 6) ὁ ... ἀγαθὸς ἀνὴρ ... εὐδαίμων ἐστὶ καὶ μακάριος L. II 660 e 3 (cf. V 742 e 5 R. IX 580 c 1 X 606 d 6) λεγομένου πράγματος ὑπὸ τῶν πολλῶν εὐδαίμονος L. VIII 840 b 8 (cf. I 637 e 5) καλὸν καὶ εὐδαίμονα θάνατον L. XII 944 c 8 συνορᾶν εὐδαίμονι τύχῃ Ep. 979 a 5 (cf. 986 c 5, 992 a 4) ψυχῆς εὐδαιμονεστάτης τε καὶ ἀρίστης Ep. 981 e 5 (cf. R. VIII 544 a 7 L. V 742 d 8).

b) τὸ εὐδαιμονέστατον τοῦ ὄντος R. VII 526 e 5.

Adv. : εὐδαιμόνως L. IV 709 c 8 (εὖ τε καὶ εὐδαιμόνως L. VII 816 d 2) ; cp. εὐδαιμονέστερον L. V 734 e 1 ; sup. εὐδαιμονέστατα L. II 662 e 4.

App. et ass. : μακάριος.

Ass. : ἀγαθός, πλούσιος.

Ass. et opp. : ἄθλιος.

Opp. : δυσδαίμων.

εὕδειν « dormir, reposer » ὅταν τὸ ... ἄλλο τῆς ψυχῆς εὕδῃ R. IX 571 c 4 μήτε ἐγρηγορόσιν μήτε εὕδουσιν L. VII 823 e 2.

Ass. et opp. : ἐγείρειν.

Syn. : καθεύδειν (cf. Macrobe, *Excerpta*, p. 601 Keil, cité par J. Brunel, *L'Aspect...*, p. 18, n. 2 ; mais voir les distinctions de la p. 29).

εὐδοκιμεῖν « être renommé » εὐδοκιμούντων ἐπὶ σοφίᾳ H. m. 372 b 5 (cf. H. M. 291 a 7) εὐδοκιμήσειν ἐν τοῖς πολλοῖς H. M. 281 c 3 (cf. Pr. 343 c 2 R. X 605 a 4) χαίρω ὅτι εὐδοκιμεῖς La. 181 b 8 μάλιστ' ἂν οὕτως ἐν ἡμῖν εὐδοκιμοῖτε καὶ οὐκ ἐπαινοῖσθε Pr. 337 b 5 (cf. Mx. 236 a 6) τὸν ... ἀριστεύσαντά τε καὶ εὐδοκιμήσαντα R. V 468 b 3 (cf. d 1 e 5) εὐδοκιμεῖ δοκῶν δίκαιος εἶναι R. VIII 554 c 12 (cf. X 613 c 6) τό γε μάλιστ' εὐδοκιμοῦν ... ἐνθάδε γένος L. IV 708 a 7.

Ass. : ἀριστεύειν, δοκεῖν, ἐπαινεῖν.

εὐδοκίμησις, ἡ « renom » μισθῶν θ' ἕνεκα καὶ εὐδοκιμήσεων διὰ δόξαν R. II 358 a 5 τὰς ... παρὰ θεῶν εὐδοκιμήσεις R. II 363 a 6 (cf. a 2)*.

Ass. : δόξα.

Opp. : ἀδοξία.

Syn. : εὐδοκιμία, εὐδοξία.

εὐδοκιμία, ἡ « notoriété » μήτ' εἴς τινας ... βλέψαντες ... εὐδοκιμίας Ph. 58 d 4*.

Opp. : ἀδοξία.

Syn. : εὐδοκίμησις, εὐδοξία.

εὐδόκιμος « renommé » εὐδόκιμος ... ἐν τῷ πολέμῳ La. 183 c 4 (cf. Mx. 240 b 3 L. XII 951 d 1) ἐν πᾶσιν εὐδόκιμοι τοῖς Ἕλλησιν L. I 631 b 4 τέχνη εὐδοκιμωτάτη πρὸς χρείαν Ep. 975 e 3 εὐδόκιμον ... εἰς σοφίαν Ep. 976 a 4 (cf. Ap. 29 d 7).

Opp. : ἀδόκιμος.

Syn. : δόκιμος, εὔδοξος.

εὐδοξία, ἡ 1° « opinion vraie » ; 2° « (bonne) réputation » ; 3° « approbation ».

1° « opinion vraie » εὐδοξίᾳ ... οἱ πολιτικοὶ ἄνδρες χρώμενοι τὰς πόλεις ὀρθοῦσιν M. 99 b 11.

2° « (bonne) réputation » ἀπορία ἰδίων ... κτημάτων τε καὶ εὐδοξιῶν Mx. 247 b 8 (cf. R. VIII 555 a 2 IX 589 c 2 L. V 731 b 2, 733 a 1, 734 d 7) προτιμᾶν τὴν εὐδοξίαν πρὸς τῶν πολλῶν L. XII 950 c 4 (cf. Le. II 312 c 4).

3° « approbation » μετ' εὐδοξίας πλήθους ἀριστοκρατία Mx. 238 d 2.

Opp. : (1°) ἀλλοδοξία, ἑτεροδοξία ; (2°) ἀδοξία.

Syn. : (1°) ὀρθὴ δόξα ; (2°) εὐδοκίμησις, εὐδοκιμία.

εὔδοξος 1° « (bien) réputé » τὸν εὔδοξον βίον θηρεύειν L. XII 950 c 6*.

2° « approuvé » τοὺς παρὰ τοῖς ἔμφροσιν εὐδόξους γάμους L. VI 773 a 1*.

Adv. (1°) : εὐδόξως H. M. 287 e 6*.

Opp. : ἀδόκιμος.

Syn. : δόκιμος, εὐδόκιμος.

εὐέλεγκτος « facile à réfuter » ταῦτα ... καὶ ἀληθῆ ἐστιν καὶ εὐέλεγκτα [BW : εὐεξέλεγκτα TY, comme l'hapax H. M. 293 d 8] Ap. 33 c 8 εὐέλεγκτος ὁ τοῦτο ποιῶν Tht. 157 b 7 αἰσθήσεσιν εὐέλεγκτον Le. VII 343 c 4*.

εὔελπις « plein de confiance » εὔελπις ... περὶ τῆς ψυχῆς εἰς σοφίαν H. m. 364 a 2 εὔελπίς εἰμι εἶναί τι τοῖς τετελευτηκόσι Pd. 63 c 5 (cf. 64 a 1 A. 103 b 1 Ap. 41 c 8) εὔελπιν καὶ θαρραλέον ... καὶ ἀναισχυντότερον τοῦ δέοντος L. II 671 c 4*.

App. et ass. : θαρραλέος.

εὐεξαπάτητος « facilement dupe » (subst. m.) εὐήθεις ... οἱ ἐπιεικεῖς ... καὶ εὐεξαπάτητοι ὑπὸ τῶν ἀδίκων R. III 409 a 8*.

App. et ass. : εὐήθης.

εὐεξία, ἡ « bon état » εὐεξίαν τε τῶν σωμάτων καὶ καχεξίαν G. 450 a 9 (cf. 464 a 3 et 5 Pr. 354 b 4 R. VIII 559 a 11 b 6 L. VII 789 c 6, 795 e 3) ἀρετὴ ... ὑγιειά τέ τις ἂν εἴη καὶ κάλλος καὶ εὐεξία ψυχῆς, κακία δὲ ... ἀσθένεια R. IV 444 d 14*.

App. et ass. : ὑγίεια.

Ass. et opp. : ἀσθένεια, καχεξία.

εὐεργεσία, ἡ « bonne action, bienfait » ἡδονὰς ... ἃς ... εὐεργεσίας καὶ ὠφελίας νομίζουσιν G. 522 b 5 τῶν τε ἀδικημάτων διδόντες δίκας ἀπολύονται ... τῶν τε εὐεργεσιῶν τιμὰς φέρονται Pd. 113 d 8 (cf. R. X 615 b 8) δίκας τε καὶ τιμωρίας τοιαύτας ... καὶ αὖ τὰς εὐεργεσίας ταύταις ἀντιστρόφους R. X 616 b 2 εὐεργεσίαν τῆς πόλεως L. VIII 850 b 7 (cf. Ap. 36 c 4).

App. et ass. : ὠφελία.

Ass. et opp. : ἀδίκημα, τιμωρία.

εὐεργετεῖν « obliger » ἕκαστον ... εὐεργετεῖν τὴν μεγίστην εὐεργεσίαν Ap. 36 c 3 (cf. G. 520 c 4 R. X 615 b 8) μὴ κάμῃς φίλον ἄνδρα εὐεργετῶν G. 470 c 8 (cf. H. M. 281 c 2) τι ἐπίστασθαι εὐεργετεῖν M. 91 c 8.

εὐεργέτης, ὁ « bienfaiteur » ; adj. εὐεργέτις « bienfaisante » μέγιστος εὐεργέτης παρ' ἐμοὶ ἀναγεγράψει G. 506 c 1 ἄλλον δεῖ περιμένειν εὐεργέτην Pd. 62 a 8 τῆς τε εὐεργέτιδος (ψυχῆς) καὶ τῆς τἀναντία δυναμένης ἐξεργάζεσθαι L. X 896 e 6.

εὐήθεια, ἡ « simplicité » 1° sans ironie ; 2° ironiquement.

1° εὐρυθμία εὐηθείᾳ ἀκολουθεῖ, οὐχ ἣν ἄνοιαν οὖσαν ὑποκοριζόμενοι καλοῦμεν ὡς εὐήθειαν, ἀλλὰ τὴν ... εὖ ... τὸ ἦθος κατεσκευασμένην διάνοιαν R. III 400 e 1, 2*.

2° ὑπ' εὐηθείας [TW : εὐνοίας F] H. m. 371 e 1 (cf. Phr. 275 b 9 et ma conjecture L. I 630 d 9) τὴν δικαιοσύνην ... (καλῶ) πάνυ γενναίαν εὐήθειαν. — Τὴν ἀδικίαν ἄρα κακοήθειαν καλεῖς ; R. I 348 d 1 ἡ εὐήθεια αὐτοῖν πάνυ ἀστεία Phr. 242 e 5 (cf. 275 c 8, T. 91 e 1) ἐπονείδιστόν τινα εὐηθείας ... λαμβάνει φήμην Po. 309 e 8 ἀγαθοὶ ... ἦσαν ... διὰ τὴν λεγομένην εὐήθειαν L. III 679 c 3*.

App. (2°) : ἀβελτερία, ἀφροσύνη, ἠλιθιότης.

App. et ass. (2°) : ἄνοια.

Ass. et opp. (2°) : κακοήθεια.

Opp. (1°) : ἄνοια.

εὐήθης « simple » 1° sans ironie ; 2° ironiquement.

1° sans ironie εὐήθεις ... οἱ ἐπιεικεῖς φαίνονται καὶ εὐεξαπάτητοι R. III 409 a 8 ἃ ... ἤκουον ... εὐήθεις ὄντες ἡγοῦντο ἀληθέστατα λέγεσθαι L. III 679 c 3 (cf. e 2 Le. XIII 360 d 1)*.

2° ironiquement εὐηθέστατος ... ὁ ἄνθρωπος H. M. 289 e 1 (cf. 282 d 1 Euth. 279 d 8 R. I 343 d 1) λίαν ... εὐήθη καὶ εὐεξέλεγκτα H. M. 293 d 8 (cf. Euth. 279 a 3 Pd. 87 c 7 Tht. 210 a 7) ταύτην τὴν εὐήθη [codd. : ἀνδραποδώδη Pap. Ars.] σωφροσύνην Pd. 68 e 5 ἀστεῖος ... καὶ εὐήθης R. I 349 b 5 ᾧ ἀνεμέσητον εὐήθει δοκεῖν καὶ οὐδενὶ εἶναι Tht. 175 e 2 ἁμαρτάνοντες εὐηθέστερα τοῦ δέοντος Po. 276 e 1*.

Adv. : εὐήθως H. M. 301 c 2 (ass. [2°] à ἀδιανοήτως) et 7 Pd. 100 d 4 (app. et ass. [1°] à ἁπλῶς 3° et ἀτέχνως)*.

App. (2°) : ἀβέλτερος, ἀνόητος, ἄφρων, ἠλίθιος.

App. et ass. (1°) : εὐεξαπάτητος.

Ass. (2°) : ἀστεῖος 2°.

Ass. et opp. (1°) : κακοήθης (Le. XIII 360 c 7).

εὐηθικός « débonnaire » (adj. et subst. m., ironiquement) ἡ ... ἀδικία ... ἄρχει τῶν ὡς ἀληθῶς εὐηθικῶν τε καὶ δικαίων R. I 343 c 6 (cf. Ch. 175 c 8)*.

Adv. εὐηθικῶς (H.M 301 d 9 R. VII 529 b 3*).

εὐήμερος « serein » ἵλεών τε καὶ εὐήμερον [AFWY : ἥμερον P] T. 71 d 2* (jeu étymologique préparant καθ' ὕπνον d 4).

App. et ass. : ἵλεως.

εὐήνιος « traitable » ἐφ' ἵππων ... μὴ θυμοειδῶν μηδὲ μαχητικῶν, ἀλλ' ὅτι ... εὐηνιωτάτων R. V 467 e 5 ἐὰν μέν τις ... εὐπειθὴς γίγνηται, εὐήνιος ἂν εἴη L. IX 880 a 7 (cf. V 730 b 6).
Adv. : εὐηνίως So. 217 c 8*.
App. et ass. : εὐπειθής.
Ass. et opp. : θυμοειδής (b), μαχητικός.

εὐθυμεῖσθαι « se plaire » (à) ἀεὶ τοὺς αὐτοὺς παίζειν τε καὶ εὐθυμεῖσθαι τοῖς αὐτοῖς παιγνίοις L. VII 797 b 2*.
Ass. : παίζειν.

εὔθυμος « enjoué » εὔθυμον μᾶλλόν τε καὶ ἵλεων L. VII 792 b 7*.
App. et ass. : ἵλεως (b).

εὐθύνειν « redresser » ὥσπερ ξύλον διαστρεφόμενον ... εὐθύνουσιν ... πληγαῖς Pr. 325 d 7 ὄνομα τῇ κολάσει ταύτῃ, ὡς εὐθυνούσης τῆς δίκης, εὐθῦναι Pr. 326 e 2 (cf. Po. 299 a 2 L. XII 946 c 8)*.

εὐθύς « droit » (au pr. et au fig.) a) adj. ; b) subst. n.
a) πάντα σκόλια ὑπὸ ψεύδους ... καὶ οὐδὲν εὐθύ G. 525 a 3 ὁ ... θεὸς ... εὐθείᾳ περαίνει ... περιπορευόμενος L. IV 716 a 1.
b) τὸ εὐθύ τε καὶ τὸ ἐλευθέριον ἡ ... δουλεία ἀφῄρηται Tht. 173 a 4.
Adv. : εὐθύ (G. 525 a 6).
Ass. : ἐλευθέριος.
Ass. et opp. : σκόλιος.

εὐκαιρία, ἡ « opportunité » λόγων ... τὴν εὐκαιρίαν τε καὶ ἀκαρίαν διαγνόντι Phr. 272 a 6*.
Ass. et opp. : ἀκαιρία.
Syn. : ἐγκαιρία.

εὔκαιρος « opportun » πόνος ... τοῖς ... ὁσίοις εὐκαιρότατος [Suidas : ἐγκαιρότατος AO] L. IV 717 a 3*.
Adv. : εὐκαίρως (au cp. εὐκαιρότερον [TY : ἀναγκαιότερον BW et γρ. T] Pd. 78 a 6*).
Syn. : ἐγκαίριος, ἔγκαιρος, καίριος.

εὐκολία ἡ a) « gaîté » ; b) « souplesse ».
a) εἰς κοσμιότητα ἀποβλέψαι καὶ εὐχέρειαν καὶ εὐκολίαν ... καὶ φιλοτιμίας τὰς Λακεδαιμόνων A. 122 c 5*.
b) ὅλην εὐκολίαν τε καὶ εὐχέρειαν ἐπιτηδεύειν L. XII 942 d 4*.
App. et ass. : εὐχέρεια.
Ass. : κοσμιότης.
Opp. (a) : δυσκολία.

εὔκολος « gai » κόσμιοι καὶ εὔκολοι R. I 329 d 4 (cf. 330 a 6 Ep. 989 b 7)*.
Adv. : εὐκόλως H. m. 364 d 1 (πρᾴως τε καὶ —) Pd. 117 c 4 (εὐχερῶς καὶ —) L. VI 752 b 9 (— καὶ ἀφόβως).
App. : ἵλεως.
Ass. : κόσμιος.
Opp. : δύσκολος.

εὐκοσμία, ἡ « bonne tenue » ἐπιμελεῖσθαι εὐκοσμίας τῶν παίδων Pr. 325 e 1*.
Opp. : ἀκοσμία.

εὐκταῖος a) actif « plein de prières » ; b) passif « objet de prière ».
a) ἐν εὐκταίαις τισὶν ἐπῳδαῖς L. X 906 b 9*.
b) οὐ τοῦτο εὐκταῖον [a O⁴ Moeris : εὐκτέον AO nos] οὐδ' ἐπεικτέον L. III 687 e 6*.

εὐλάβεια, ἡ « circonspection, précaution » εὐλαβοῦ... τὴν εὐλάβειαν ἣν ἐγὼ λέγω A. 132 a 6 (cf. L. IX 854 b 6) εὐλαβείας... δεῖται πλείστης L. II 669 b 7 (cf. VII 798 d 5) πολλῆς... εὐλαβείας, ᾧ καὶ σμικρὸν προμηθείας ἔνι L. V 730 a 2.
App. et ass. : προμήθεια.

εὐλαβεῖσθαι « prendre garde » (à, que), « se garder » (de) εὐλαβητέον ἐστὶν τὸ ἀδικεῖν μᾶλλον ἢ τὸ ἀδικεῖσθαι G. 527 b 4 εὐλαβηθῆναι μὴ πάθοιμι Pd. 99 d 5 εὐλαβηθείη ἂν καὶ φείσαιτο μή τι δρᾶσαι R. IX 574 b 8 οἶστρος ... ὃν εὐλαβεῖσθαι χρεὼν L. IX 854 b 5 τὸν ξενικὸν... θεὸν εὐλαβούμενοι L. IX 879 e 3.
App. : προμηθεῖσθαι.
App. et ass. : φείδεσθαι 2°.

εὐλαβής « circonspect » τὰ... ἤθη... εὐλαβῆ καὶ δίκαια Po. 311 a 7 (cf. b 1 L. V 736 d 3)*.
Adv. : εὐλαβῶς (So. 246 b 7*).
App. : προμηθής.
Ass. : δίκαιος.

εὐλογία, ἡ « excellence du discours » εὐλογία... καὶ εὐρυθμία εὐηθείᾳ ἀκολουθεῖ R. III 400 d 12*.

εὔλογος « logique, raisonnable » εὔλογον... μεγάλης τινὸς διανοίας ἔκγονον εἶναι τὸν Δία Cra. 396 b 5 οὐκ εὐλόγῳ ἔοικεν R. X 605 e 8 (cf. L. II 665 b 8 Le. VII 352 a 5)*.
Adv. : εὐλόγως (—ἔχει Pd. 62 d 1 Cra. 416 a 9*).
Opp. : ἄλογος 1° ; οὐκ ἔχει λόγον Pd. 62 d 5.

εὐμάθεια, ἡ « facilité à apprendre » : v. εὐμαθία.

εὐμαθής « apte à apprendre », « d'esprit ouvert » εὐμαθὴς ἢ δυσμαθής ; R. VI 486 c 3 φύσει... μνήμων, εὐμαθής R. VI 487 a 4 (cf. Tht. 194 d 3 L. IV 709 e 7 réc. 710 d 6 Ep. 985 a 2 Le. VII 340 d 4, 344 a 7) εὐμαθεῖς καὶ μνήμονες καὶ ἀγχίνοι καὶ ὀξεῖς R. VI 503 c 2 (cf. L. V 747 b 4) εὐμαθῆ ὄντα... πρᾷον αὖ εἶναι Tht. 144 a 3 εὐμαθεῖς μέν, ἐπιλήσμονες δέ Tht. 194 e 3 τὸν ἀκούοντα ... εὐμενέστερον γιγνόμενον εὐμαθέστερον ἀπεργάσεται L. IV 718 d 6 (cf. VII 812 e 6 Le. VII 327 a 6, 339 e 4)*.
Adv. : εὐμαθῶς (au cp. εὐμαθέστερον L. IV 723 a 4*).
App. et ass. : μνήμων.
Ass. : ἀγχίνους, ἐπιλήσμων.
Ass. et opp. : δυσμαθής.

εὐμαθία, ἡ « facilité à apprendre, ouverture d'esprit » εὐμαθία κάλλιον ἢ δυσμαθία ; —Εὐμαθία Ch. 159 e 1 (cf. e 2 M. 88 b 8

R. X 618 d 3) εὐμαθίαν καὶ μνήμην M. 88 a 10 (cf. R. VI 490 c 11, 494 b 2 Le. VII 344 a 3)*.
Ass. : μνήμη.
Ass. et opp. : δυσμαθία.

εὐμένεια, ἡ « sympathie » εὐμενῶς καὶ διὰ τὴν εὐμένειαν εὐμαθέστερον L. IV 723 a 4 (réc. de 718 d 6 ; cf. B. 197 d 5)*.
Ass. et opp. : δυσμένεια.
Opp. : δύσνοια.
Syn. : εὔνοια.

εὐμενής « bienveillant » a) adj. ; b) subst. n.
a) ἀντὶ συμμάχων εὐμενῶν R. III 416 b 3 (cf. Phr. 257 a 7 L. V 729 d 1 VI 776 d 6 XI 927 c 1) ἵλεώς τε καὶ εὐμενὴς ἀπαλλάξεται R. VI 496 e 3 (cf. L. IV 712 b 5 V 736 c 3 XI 923 b 7) τὸν ἀκούοντα ... εὐμενέστερον γιγνόμενον εὐμαθέστερον ἀπεργάσεται L. IV 718 d 6 (cf. VII 797 d 5) εὐηνίους ... καὶ εὐμενεῖς τοῖς ... νόμοις L. V 730 b 6 μετὰ τύχης εὐμενοῦς L. VII 813 a 7 τιμῶσίν τε ... εὐμενεῖς ... καὶ ἀτιμάζουσιν δυσμενεῖς L. XI 927 b 4 ἐν εὐμενέσιν ἐλέγχοις ἐλεγχόμενα Le. VII 344 b 6*.
b) τὸ ... λεῖον [Stob. : ἵλεων AO] καὶ εὐμενὲς πρᾷόν τε τιμῶσα L. VII 792 e 7*.
Adv. : εὐμενῶς (Cr. 54 c 7 Pd. 89 a 3 L. IV 723 a 4 VII 796 b 2 Le. VI 322 c 6) ; cp. εὐμενέστερὸν (L. IV 718 d 4).
App. et ass. : ἵλεως, πρᾷος.
Ass. et opp. : δυσμενής.
Syn. : εὔνους.

εὐμετάβολος « changeant » τὰ βέβαια ... ἤθη καὶ οὐκ εὐμετάβολα R. VI 503 c 9 ἀνθρώπου ... οὐ φαύλου ζῴου ἀλλ' εὐμεταβόλου Le. XIII 360 d 3*.
Ass. et opp. : βέβαιος.

εὔνοια, ἡ « bienveillance, sympathie » δι' εὔνοιαν Pr. 337 b 2 (cf. Phr. 275 a 1) εὐνοίᾳ τῇ ἑαυτοῦ G. 485 a 2 (cf. 486 a 4, 487 a 3 v. l., R. V 470 a 1, 474 a 7 Tht. 151 c 8 Po. 262 c 3) μετ' εὐνοίας Phr. 241 c 8 (cf. 255 b 4 L. III 695 d 5) μὴ φθόνῳ τὰ λεγόμενα ἀλλ' εὐνοίᾳ δεχομένῳ L. I 635 b 1 πᾶσαν εὔνοιαν ἔσχον L. I 642 c 5 (cf. b 6 e 4) πολλὴν ... εὔνοιαν καὶ χάριν ἔχειν L. XI 931 a 3*.
Ass. : χάρις.
Ass. et opp. : φθόνος (a).
Opp. : δυσμένεια, δύσνοια.
Syn. : εὐμένεια.

εὐνομεῖν « jouir de bonnes lois » (à l'actif) οὗπερ πόλις εὐνομοῦσα εὐδαιμονεῖ L. XI 927 b 6 (cf., partout au moyen, XII 950 a 4, 951 b 6 Cr. 52 e 6, 53 b 4 c 3 H. M. 284 b 2 R. II 380 b 8 III 406 c 4 X 605 b 3, 607 c 5 T. 24 d 4)*.
Ass. : εὐδαιμονεῖν.

εὐνομία, ἡ « ordre » (de la constitution), « règle » μετ' εὐνομίας ... οἰκεῖν H. M. 284 d 6 ὕβρεις τε καὶ εὐνομίας τῶν ἀνθρώπων So.

216 b 3 εἰρήνην τε καὶ αἰδῶ καὶ εὐνομίαν [AO[3] : ἐλευθερίαν OA[2] Jul.] L. IV 713 e 2 παρασκευάζειν... εὐνομίαν ἐν ταῖς ψυχαῖς L. XII 960 d 3 (cf. R. IV 425 a 3)*.

Ass. et opp. : ὕβρις.

Opp. : ἀνομία.

εὔνομος a) (cité) « bien ordonné » ; b) (citoyen) « formé par de bonnes lois » (adj. et subst. m.)*.

a) εὔνομός γ' ἡ Λακεδαίμων H. M. 283 e 9 (cf. 284 a 1 R. V 462 e 3 T. 23 c 6 L. XI 934 e 1 XII 950 d 3) εὐνομωτάτης ὢν πόλεως τῆς ἐν Ἰταλίᾳ Λοκρίδος T. 20 a 2 (cf. L. I 638 b 2)*.

b) τοὺς τῶν εὐνόμων παῖδας L. II 656 c 5 (cf. VII 815 b 6)*.

Opp. : ἄνομος.

εὔνους « bienveillant », « bien disposé » (jour) ἡγοῦ με ἐν τοῖς γ' εὐνούστατόν σοι εἶναι La. 181 c 1 (cf. G. 487 c 1 réc. d 5 R. VIII 549 e 7, 558 b 8) εὖνοι... ἐσόμεθα φανῆναι αὐτήν... R. X 608 a 1 τῶν φιλτάτων τε καὶ εὐνουστάτων... κτημάτων Phr. 239 e 4 (cf. 256 a 2) εὔνους ἂν γενεθλίους θεοὺς... ἴσχοι L. V 729 c 7 ἀνὴρ... ἡμῖν οἰκεῖός τε καὶ εὔνους Le. XIII 363 a 8 (cf. e 3)*.

App. et ass. : οἰκεῖος, φίλος.

Opp. : δύσνους.

Syn. : εὐμενής.

εὔορκος « fidèle à ses serments » (subst. m.) τοῦ ὁσίου καὶ εὐόρκου R. II 363 d 5*.

App. et ass. : ὅσιος A 1°.

εὐπαιδευσία, ἡ « belles manières » ὕβριν... εὐπαιδευσίαν καλοῦντες R. VIII 560 e 5*.

Opp. : ἀπαιδευσία.

εὐπαράγωγος « facile à égarer » ἐλπίδα... εὐπαράγωγον T. 69 d 4*.

App. : εὐπαραμύθητος, παραιτητός.

Opp. : ἀπαραίτητος, ἀπαραμύθητος.

εὐπαράκλητος « facile à gagner » εὐπαράκλητοι πρὸς τὸν... βίον Le. VII 328 a 4*.

εὐπαραμύθητος « facile à fléchir » θεοὺς... εὐπαραμυθήτους εἶναι θυσίαις τε καὶ εὐχαῖς παραγομένους L. X 885 b 8 (réc. 888 c 6)*.

App. : εὐπαράγωγος, παραιτητός.

Opp. : ἀπαραίτητος, ἀπαραμύθητος.

εὐπειθής a) « facile à persuader » ; b) (adj. et subst. m.) « docile ».

a) εὐπειθεῖς, οἱ δὲ... δυσπειθεῖς Phr. 271 d 6 ἐὰν... τοιούτοις παραμυθίοις εὐπειθὴς γίγνηται, εὐήνιος ἂν εἴη L. IX 880 a 7*.

b) εὐπειθὴς τῷ ἡνιόχῳ Phr. 253 e 7 τοῖς... εὐπειθέσιν τῶν νόμων L. I 632 b 7 τοῖς... νόμοις εὐπειθέστατος L. IV 715 c 2 (cf. VII 801 e 9 X 890 c 4) εὐπειθεστάτους πρὸς ἀρετήν L. IV 718 c 8 (cf. Ep. 989 b 8)*.

App. et ass. : εὐήνιος.

Ass. et opp. : δυσπειθής.

εὔπλαστος « facile à modeler » εὐπλαστότερον κηροῦ ... λόγος R. IX 588 d 2 (cf. L. II 666 c 2)*.

εὐπορεῖν « être hors d'embarras », « réussir », « pouvoir » (ἀπορῶ ...) καὶ ... δή τι καὶ οἶμαι ἄρτι ηὐπορηκέναι H. M. 297 e 5 οὐ γὰρ εὐπορῶν ... τοὺς ἄλλους ποιῶ ἀπορεῖν M. 80 c 8 (cf. a 1-2 c 9 d 1 Pd. 84 d 3) εὐπορῶ ὅ τι λέγω I. 532 c 3 (cf. 533 a 6, 536 c 1 et 7 d 2) οὐδαμῶς εὐπορῶ πλήν γε ἑνὸς εἰπεῖν L. VI 754 a 6.

Ass. et opp. : ἀπορεῖν.

εὐπορία, ἡ « facilité » ἐν τῇ αὐτῇ ἐμπεπτωκότες ἀπορίᾳ ... οἴεσθαι ἐν ἄλλῃ τινὶ εὐπορίᾳ εἶναι H. M. 298 c 7 ἀπορίας αἴτια ... καὶ εὐπορίας Ph. 15 c 3 πολλὴν εὐπορίαν παρέχεσθον τῷ μέλλοντι λέγειν τι περὶ αὐτῶν Criti. 107 b 3.

Ass. et opp. : ἀπορία.

εὔπορος « facile » (ὁδὸς) ῥᾳδία καὶ εὔπορος R. I 328 e 4 τό τε φαινόμενον εὔπορον καὶ τὸ μὴ φράζειν L. VII 810 c 9 (cf. d 4).

Adv. : εὐπόρως (B. 215 a 3) ; cp. εὐπορώτερον (B. 204 e 5).

App. et ass. : ῥᾴδιος.

Opp. : ἄπορος.

εὐπραγία, ἡ 1° « succès, prospérité » ; 2° « bonne conduite, bon usage ».

1° (τὸ ἀγαθὸν) αἴτιον ... εὐπραγίας R. II 379 b 14 (cf. Pr. 345 a 3) διαφερόντως ... ἐγένετο εὐπραγία L. III 701 e 6 (cf. VII 814 e 8) κατά τε εὐπραγίας ... καὶ κατὰ τύχας L. V 732 c 4 ἐν συμφοραῖς ... καὶ ἐν εὐπραγίαις L. X 887 e 5*.

2° καλὸν ἡ εὐπραγία A. 116 b 13 περὶ αὐλημάτων εὐπραγίαν ... εὐτυχέστατοι Euth. 279 e 1 οὐ μόνον ... εὐτυχίαν ἀλλὰ καὶ εὐπραγίαν Euth. 281 b 3*.

App. et ass. : εὐτυχία.

Ass. et opp. (2°) : συμφορά, τύχη.

Syn. : ἀγαθὴ πρᾶξις (cf. Pr. 345 a 1 et 3).

εὐπρέπεια, ἡ 1° « bienséance, élégance » ; 2° « convenance spécieuse ».

1° τὸ δ' εὐπρεπείας δὴ γραφῆς πέρι καὶ ἀπρεπείας Phr. 274 b 6 (cf. Cra. 402 e 6)*.

2° μετὰ εἰκότος τινὸς καὶ εὐπρεπείας Pd. 92 c 9 εὐπρέπειαν μᾶλλον ἢ ἀλήθειαν Euth. 305 e 6 (cf. e 5 Le. VII 333 d 6)*.

App. et ass. (1°) : εἰκός.

Ass. et opp. : (1°) ἀπρέπεια ; (2°) ἀλήθεια.

εὐπρεπής « de belle apparence » So. 227 c 1 Po. 296 a 7 L. VI 761 c 1*.

Adv. : εὐπρεπῶς (au sup. εὐπρεπέστατα B. 198 d 5 So. 251 a 2*).

Opp. : ἀπρεπής.

εὕρεσις, ἡ « découverte, invention » εὕρεσιν τῶν ὄντων Cra. 436 a 3 ὑποκατακλίνεσθαι ἐν τῇ ζητήσει καὶ διαφθείρειν τὴν εὕρεσιν

R. I 336 e 8 (cf. Ph. 61 b 2) οὐ τὴν εὕρεσιν ἀλλὰ τὴν διάθεσιν ἐπαινετέον Phr. 236 a 4*.

Ass. : διάθεσις, ζήτησις.

εὑρετής, ὁ « inventeur » οὔτε ... εὑρετὴς οὔτε μαθητὴς οὐδενὸς ... γεγονέναι La. 186 e 2 (cf. 187 a 5)*.

Ass. et opp. : μαθητής.

εὑρετικός « inventif » τῶν δημιουργῶν ὅσοι ... εὑρετικοί B. 209 a 5 ἐπὶ πολὺ εὑρετικὸς ... οὗ ἔμαθεν R. V 455 b 8 (cf. Po. 286 e 2, 287 a 3)*.

εὕρημα, τό « trouvaille, découverte » ἐμαυτοῦ ποιούμενος τὸ μάθημα ... ὡς εὕρημα H. m. 372 c 7 (cf. Tht. 150 d 1 Le. II 313 b 1) παλαιῶν νομοθετῶν εὑρήματα Pr. 326 d 2 (cf. I. 534 e 1 : citation ? et Euth. 290 c 6)*.

App. : ἕρμαιον, θησαυρός.

Ass. et opp. : μάθημα.

εὑρίσκειν « trouver » εἰ ... μήθ' ηὗρες μήτ' ἔμαθες, πῶς οἶσθα ; A. 110 d 4 (cf. c 9 d 1) ἐρήσῃ παρ' ὅτου ἔμαθον ἢ ὅπως αὐτὸς ηὗρον A. 113 e 5 (cf. La. 186 c 7 Pd. 85 c 8, 99 c 9) ῥᾳδίως αὐτὸ εὑρήσεις H. M. 295 b 2 (cf. b 4, 5, 6) ζητεῖν μὲν καὶ εὑρίσκειν ἕτερον δεῖν τρόπον, μανθάνειν δὲ τοῦτον Cra. 436 a 5 (cf. a 4 et 7, 438 a 9, 439 b 4) παρ' ἐμοῦ οὐδὲν πώποτε μαθόντες, ἀλλ' αὐτοὶ παρ' αὑτῶν πολλὰ ... εὑρόντες Tht. 150 d 8 (cf. 197 e 5) ἀεὶ μίαν ἰδέαν ... ζητεῖν · εὑρήσειν γὰρ ἐνοῦσαν Ph. 16 d 2 τὸν ... πατέρα τοῦδε τοῦ παντὸς εὑρεῖν τε ἔργον καὶ εὑρόντα ... T. 28 c 4 αὐτὸς εὑρὼν ἢ καὶ μαθὼν ἔμπροσθεν παρ' ἑτέρων Le. VII 345 b 2 (cf. b 8).

Ass. : εἰδέναι, ζητεῖν.

Ass. et opp. : μανθάνειν.

Syn. : ἐξευρίσκειν, ἐφευρίσκειν (avec les distinctions de J. Brunel, *L'Aspect...*, p. 59 et 144).

εὐρυθμία, ἡ « justesse du rythme » πᾶς ... ὁ βίος ... εὐρυθμίας τε καὶ εὐαρμοστίας δεῖται Pr. 326 b 5 εὐαρμοστία καὶ εὐσχημοσύνη καὶ εὐρυθμία εὐηθείᾳ ἀκολουθεῖ R. III 400 d 12 (cf. VII 522 a 6)*.

App. et ass. : εὐαρμοστία.

Ass. : εὐσχημοσύνη.

Opp. : ἀρρυθμία.

εὔρυθμος « bien rythmé » (adj. et subst. n.) τὸ εὔρυθμόν γε καὶ τὸ ἄρρυθμον R. III 400 c 12 (cf. c 9) εὔρυθμόν τε καὶ εὐάρμοστον ἑαυτὸν ... παρέχων R. III 413 e 4 (cf. Pr. 326 b 3 L. II 655 a 6, 670 b 9) εὐρύθμου κινήσεως L. VII 795 e 6*.

App. et ass. : εὐάρμοστος.

Ass. et opp. : ἄρρυθμος.

εὐσέβεια, ἡ « piété » ἡ ... ὁσιότης τε καὶ εὐσέβεια Euph. 13 b 4 ἡμῶν παρεχομένων πρὸς θεοὺς εὐσέβειαν B. 193 d 4 (cf. L. IV 717

b 1 Ep. 989 b 1) εἰς ... θεοὺς ἀσεβείας τε καὶ εὐσεβείας ... τοὺς μισθοὺς R. X 615 c 4.
Ass. et opp. : ἀσέβεια.
Ass. et syn. : ὁσιότης.

εὐσεβεῖν « être pieux » εὐσεβεῖν περὶ θεούς B. 193 a 8 (cf. Ap. 35 c 6)*.
Opp. : ἀσεβεῖν.

εὐσεβής « pieux » 1° adj. ; 2° subst. a) m. b) n.
1° δίκαιος ἀνὴρ καὶ εὐσεβὴς καὶ ἀγαθός ... θεοφιλής Ph. 39 e 11 (cf. L. X 907 d 7 Le. II 311 e 3).
2° a) τῷ ἐκ τοῦ εὐσεβοῦς ... γενομένῳ ἀσεβεῖ Cra. 394 e 1.
b) τὸ εὐσεβὲς ... καὶ τὸ ἀσεβές Euph. 5 c 9 τά τε εὐσεβῆ καὶ ὅσια Euph. 12 e 4 (cf. e 6)*.
Adv. : εὐσεβῶς (L. VII 821 d 4)*.
App. et ass. : θεοφιλής.
Ass. et opp. : ἀσεβής.
Ass. et syn. : ὅσιος.

εὐσταλής « de bonnes manières » κόσμιος καὶ εὐσταλὴς ἀνήρ M. 90 b 1*.
App. et ass. : κόσμιος.

εὔστοχος « (doué de) flair » (subst. n.) θεῖον ... τι καὶ εὔστοχον ἔνεστι καὶ τοῖσιν κακοῖς L. XII 950 b 8*.
Adv. : εὐστόχως (L. VII 792 d 3)*.
Opp. : ἄστοχος.

εὐσχημονεῖν « garder belle tenue » L. V 732 c 3*.
Opp. : ἀσχημονεῖν.

εὐσχημοσύνη, ἡ « belle tenue, grâce » δεινότερος ... φανεῖται διὰ τὴν εὐσχημοσύνην La. 182 d 2 (cf. R. II 366 b 5 III 401 d 7 Le. IV 320 c 1) τὸ τῆς εὐσχημοσύνης τε καὶ ἀσχημοσύνης R. III 400 c 8 (cf. 401 a 5 H. m. 374 b 5 B. 196 a 5 L. I 627 d 1) εὐαρμοστία καὶ εὐσχημοσύνη καὶ εὐρυθμία εὐηθείᾳ ἀκολουθεῖ R. III 400 d 12 εὐσχημοσύνῃ τε βίου καὶ κάλλει καὶ ἀρετῇ R. IX 588 a 9*.
App. et ass. : εὐαρμοστία, εὐρυθμία, κάλλος.
Ass. et opp. : ἀσχημοσύνη.

εὐσχήμων « d'une belle tenue », « beau » (adj. et subst. n.) εὐσχημονέστερον ἐνταῦθα οὗ χρὴ ... εὐσχημονέστερον φαίνεσθαι La. 182 c 9 (cf. R. III 413 e 2 VIII 554 e 4 Ep. 975 d 5) μεγαλοπρεπέστεροι καὶ εὐσχημονέστεροι (λόγοι) Pr. 338 a 4 τὴν τοῦ καλοῦ τε καὶ εὐσχήμονος φύσιν R. III 401 c 6 (cf. Phr. 252 a 4) ὁ ... ῥυθμὸς ... ποιεῖ εὐσχήμονα R. III 401 d 8 τό τ' εὔσχημον καὶ ἄσχημον L. VII 797 b 8 εὐσχήμων ἀπόκρισις Le. VII 329 a 7.
Adv. : εὐσχημόνως (Ep. 981 a 3*).
App. et ass. : καλός, μεγαλοπρεπής (b).
Ass. et opp. : ἀσχήμων.

εὐταξία, ἡ « discipline » εἰς κοσμιότητα ἀποβλέψαι ... καὶ εὐταξίαν ... καὶ φιλοτιμίας τὰς Λακεδαιμονίων A. 122 c 6*.

εὐτραπελία, ἡ « badinage » οἱ ... γέροντες ... εὐτραπελίας τε καὶ χαριεντισμοῦ ἐμπίμπλανται R. VIII 563 a 9*.

App. et ass. : χαριεντισμός.

εὐτροφία, ἡ « bonne nourriture » (au pr. et au fig.) ἀνδρεία ... ἀπὸ φύσεως καὶ εὐτροφίας τῶν ψυχῶν γίγνεται Pr. 351 b 2 (cf. a 4)*.

εὐτυχεῖν « réussir, prospérer » ἡ σοφία ... εὐτυχεῖν ποιεῖ τοὺς ἀνθρώπους Euth. 280 a 6 δυστυχούντων, εὐτυχούντων R. III 399 c 2 (cf. Phr. 233 b 3) ὁ ... πεισθεὶς ... εὐτυχεῖ τε καὶ εἰς χρόνον ἅπαντα εὐτυχοῖ L. XII 941 c 2 et 3.

App. : εὐδαιμονεῖν, εὖ πράττειν (2° c).

Ass. et opp. : δυστυχεῖν.

εὐτυχής « chanceux, heureux » τὴν μετοίκησιν ... εὐτυχῆ γενέσθαι Pd. 117 c 2 εὐδαίμονα καὶ εὐτυχῆ Euth. 282 c 9 οὐκ εὐφυεῖς οὐδ' εὐτυχεῖς παῖδες R. VIII 546 d 3 (cf. L. VI 766 a 2) θεοφιλῆ ... καὶ εὐτυχῆ ... ἀρχήν L. III 690 c 5 εὐτυχὲς ... τὸ παρὸν γέγονεν L. IX 857 e 8 (cf. VII 803 b 5) εὐτυχὴς [AO : εὐφυὴς O⁴ Diès] ... ἐπικαλούμενος L. X 908 d 2 καταφανοῦς γενομένης τῆς ... λεγομένης φήμης εὐτυχοῦς Ep. 992 a 8.

Adv. : εὐτυχῶς (L. III 686 c 4) ; cp. εὐτυχέστερον (L. VI 771 c 1) ; sup. εὐτυχέστατα (Ep. 986 c 7).

App. et ass. : εὐδαίμων.

Ass. : θεοφιλής.

Opp. : ἀτυχής, δυστυχής.

εὐτυχία, ἡ « réussite, chance » τὴν εὐτυχίαν ... φασὶ ... μέγιστον τῶν ἀγαθῶν εἶναι Euth. 279 c 7 ἐπ' εὐτυχίᾳ τῇ μεγίστῃ ... ἡ τοιαύτη μανία δίδοται Phr. 245 b 8 διὰ δυστυχίαν ... ἐν εὐτυχίαις L. I 632 a 5 κατά τινα θείαν εὐτυχίαν L. VII 798 b 1 εὐτυχίας πλείστης δεομένη Ep. 975 e 4 (cf. Euth. 280 b 3).

App. : εὐδαιμονία.

Ass. et opp. : δυστυχία.

Opp. : ἀτυχία.

εὐφημεῖν 1° « ne prononcer que des paroles de bon augure » ; 2° « bénir ».

1° εὐφήμει M. 91 c 2 (cf. L. III 696 c 1) μὴ βλασφημεῖν περὶ αὐτά, εὐφημεῖν δὲ ἀεὶ θύοντας L. VII 821 d 3 εὐφημῶμεν χάριν οἰωνοῦ Le. VII 336 c 1.

2° τοὺς δ' ἄλλους ... εὐφημεῖν ... θεούς Ep. 992 d 6.

Ass. et opp. : βλασφημεῖν.

εὐφημία, ἡ a) « bon augure » ; b) « silence, discrétion ».

a) ἐν εὐφημίᾳ χρὴ τελευτᾶν Pd. 117 d 9 τὸ δίκαιον μετ' εὐφημίας διδάσκοντα L. XII 949 b 3 (cf. V 736 a 2 VII 800 e 11, 801 a 5)*.

b) περί τε σιγὴν δικαστῶν καὶ εὐφημίας L. XII 957 b 6*.

App. et ass. (b) : σιγή.

Opp. (a) : βλασφημία.

εὔφημος a) « de bon augure » ; b) « favorable ».

a) οὐδ' εὔφημα ... τὰ ἐρωτήματα. — Τί δέ ; ... οὐ πάνυ δύσφημον ;

H. M. 293 a 3 τὸ τῆς ᾠδῆς γένος εὔφημον... ὑπαρχέτω L. VII 800 e 11*.

b) χάριν τῆς εὐφήμου διαπορείας Ep. 984 e 3*.

Adv. : εὐφήμως (Phr. 265 c 2*).

Ass. et opp. : δύσφημος.

εὐφραίνειν « réjouir » (Mx. 237 a 4*) ; au moyen « se réjouir » μάλιστ' ἂν... εὐφραινοίμεθα, οὐχ ἡδοίμεθα Pr. 337 c 1 (cf. c 2) ἠγάσθη τε καὶ εὐφρανθεὶς... T. 37 c 8 εὐφραίνεσθαι καὶ χαίρειν L. II 657 e 3 εὐφραινόμενοι κατοικοῦσι L. V 739 d 7 (cf. VII 796 b 7 B. 206 d 4)*.

App. et ass. : ἄγασθαι 2°, ἥδεσθαι, χαίρειν.

εὐφροσύνη, ἡ « jouissance » ἡδονὴν μὲν τοῖς ἄφροσιν, εὐφροσύνην δὲ τοῖς ἔμφροσιν... παρέσχον T. 80 b 7 (cf. Cra. 419 d 8)*.

Ass. et opp. : ἡδονή.

εὐφυής « bien doué », « bien fait » (pour) a) adj. ; b) subst. m.

a) εὐφυέστατος... εἰς αὔλησιν Pr. 327 b 9 ψυχῇ καλῇ καὶ γενναίᾳ καὶ εὐφυεῖ B. 209 b 7 (cf. R. VI 491 e 2) ἔλεγες τὸν μὲν εὐφυῆ... τὸν δ' ἀφυῆ R. V 455 b 6 ἐὰν μὴ... ᾖ ἀφυής R. VII 535 c 5 (cf. G. 484 c 8, réc. 485 d 4) πρὸς τῷ εὐφυὴς εἶναι Phr. 270 a 3 (cf. R. II 365 a 7 VI 496 b 6 Pa. 135 a 7) φιλοκαλῶν... καὶ εὐφυῶν Criti. 111 e 3 ψυχῆς... κτῆμα οὐκ ἔστιν εὐφυέστερον εἰς τὸ φυγεῖν... τὸ κακόν L. V 728 c 9 εὐφυὴς [O⁴ : εὐτυχὴς AO]... ἐπικαλούμενος L. X 908 d 2*.

b) τοὺς... εὐφυεῖς εἰς τὰ σώματα καὶ τὰς ψυχάς, τοὺς δὲ... κακοφυεῖς R. III 409 e 7 (cf. V 455 c 3) ἀπειλεγμένους τοὺς εὐφυεστάτους L. XII 964 e 3 (cf. Le. II 314 a 4)*.

Adv. : εὐφυῶς (R. III 401 c 5*).

App. et ass. : γενναῖος.

Ass. : καλός, φιλόκαλος.

Ass. et opp. : ἀφυής, κακοφυής.

εὔχαρις « gracieux » ἔμμετρον... καὶ εὔχαριν... διάνοιαν R. VI 486 d 11 (cf. 487 a 4) οὐκ εὔχαρι [cj. Helm ex ευχερι Apul. Apol. 65, 7 : εὐαγὲς Clem. Eus. Theod. εὐχερὲς codd.] ἀνάθημα L. XII 956 a 2*.

Opp. : ἄχαρις.

εὐχέρεια, ἡ « aménité, facilité » εὐχέρειαν καὶ εὐκολίαν A. 122 c 5 (cf. L. XII 942 d 5) πολλὴν εὐχέρειαν... πονηρίας R. III 391 e 14 (cf. IV 426 d 3)*.

App. et ass. : εὐκολία.

Ass. et opp. : δυσχέρεια.

εὐχερής « facile, indolent » (adj. et subst. n.) τὸ... εὐχερὲς τῶν ὀνομάτων... οὐκ ἀγεννές Tht. 184 c 1 τῷ τῶν ὄντων γενναιοτάτῳ καὶ ἅμα εὐχερεστάτῳ Po. 266 c 5 οὐκ εὐχερὲς [AO : εὐαγὲς Clem. Eus. Theod. edd.] ἀνάθημα L. XII 956 a 2*.

Adv. : εὐχερῶς (Pd. 117 c 4, app. et ass. à εὐκόλως).

Ass. : γενναῖος.

Opp. : δυσχερής.

εὔχεσθαι 1° « prier, souhaiter » ; 2° « vouer ».

1° « prier » εὐχόμενός τε καὶ θύων Euph. 14 b 3 (cf. c 6 L. VII 821 d 3) τὸ ... εὔχεσθαί (ἐστιν) αἰτεῖν τοὺς θεούς; Euph. 14 c 9 εὔχεσθαι ... τοῖς θεοῖς Pd. 117 b 9 (cf. Ph. 61 b 11 L. XI 913 b 1 Ep. 977 a 5 Le. XI 359 b 3) ὧν ηὔχοντο τὰ μέγιστα ... οἱ θεοὶ ἐπήκοοι γεγόνασιν Mx. 247 d 3 (cf. d 4, 243 e 4) πολλὰ ... (ὀνόματα) ὥσπερ εὐχόμενοι τίθενται Cra. 397 b 5 ἕπου ... εὐξάμενος μετ' ἐμοῦ R. IV 432 c 7 (cf. Ph. 25 b 10 T. 27 c 7 Ep. 980 b 8 c 2) πολλὰ ἀγαθὰ αὐτοῖς εὔξονται Phr. 233 e 6 (cf. 239 e 5, 240 a 8, 278 b 4 L. IV 709 d 2) βούλομαί τε καὶ εὔχομαι ἃ λέγεις Phr. 278 b 5 (cf. L. III 687 c 11) ἐμοὶ ... μετρίως ηὖκται Phr. 279 c 4 (cf. b 6) εὐχόμεθα διδόναι, προσευξάμενοι δέ Criti. 106 b 6 οὐ τοῦτο εὐκτέον [AO : εὐκταῖον a O⁴ Moeris] οὐδ' ἐπεικτέον L. III 687 e 6 εὔχεσθαι τἀναντία ποιήσει L. VII 801 c 4 (cf. Le. VII 331 d 5).

2° « vouer » τῷ ... Ἀπόλλωνι εὔξαντο ... θεωρίαν ἀπάξειν Pd. 58 b 2 θυσίας εὔχεσθαι καὶ ἱδρύσεις ὑπισχνεῖσθαι θεοῖς L. X 909 e 9*.

App. (1°) : δεῖσθαι, συνεύχεσθαι.

App. et ass. : (1°) αἰτεῖν, βούλεσθαι ; (2°) ὑπισχνεῖσθαι 1°.

Ass. : θύειν.

Ass. et syn. : προσεύχεσθαι.

εὐχή, ἡ 1° « prière » ; 2° (vain) « souhait ».

1° « prière » εὐχαῖς καὶ θυσίαις Mx. 244 a 5 (cf. R. V 461 a 6 Po. 290 d 2 L. V 741 c 3 VII 801 a 6 X 885 b 9, 887 c 6 d 5 e 1, 888 c 7) ὥσπερ ἐν ταῖς εὐχαῖς νόμος ... εὔχεσθαι Cra. 400 e 2 (cf. L. VII 821 d 3) πείθοντός τε καὶ δεομένου ... εὐχῇ θεόν [A : θεῶν F] R. III 399 b 4 καταφυγοῦσα πρὸς θεῶν εὐχάς τε καὶ λατρείας Phr. 244 e 1 (cf. L. III 700 b 1 IV 716 d 7 VI 757 e 4) εὐχαῖς ἐπήκοος Ph. 25 b 8 (cf. L. XI 931 c 5) ἀπεύξαιτ' ἂν τοῖς θεοῖς μηδαμῶς κατὰ τὰς τοῦ ὑέος εὐχὰς γίγνεσθαι L. III 687 d 8 εὐχαὶ παρὰ θεῶν αἰτήσεις εἰσίν L. VII 801 a 9 εὐχὰς οὐκ ὀρθάς L. VII 801 c 3 εὐχὴν ... παρακαλεῖν L. X 887 c 6 (cf. XI 931 c 7) θεοῖς εὐχαῖς προσδιαλεγομένους καὶ ἱκετείαις L. X 887 e 1 εὐπαραμύθητοι ... θύμασιν καὶ εὐχαῖς L. X 888 c 6 τιμᾷ γονέων εὐχάς L. XI 931 e 8 εὐχαῖς τιμᾶν Ep. 984 e 3 (cf. Le. VIII 357 c 5).

2° (vain) « souhait » οὐκ ... ἀδύνατα ... οὐδὲ εὐχαῖς ὅμοια ἐνομοθετοῦμεν R. V 456 c 1 (cf. 450 d 2 VI 499 c 5 VII 540 d 2) κατὰ τὴν τῶν παίδων εὐχήν So. 249 d 3 εὐχὴ ... μόνον ... λείπεται L. V 736 d 2 (cf. III 688 b 6 IV 709 d 6 Le. VIII 352 e 5, 353 a 1) καθάπερ ... ἐν μύθῳ ... εὐχαί L. VIII 841 c 7.

App. (2°) : βούλημα, βούλησις.

App. et ass. (1°) : αἴτησις, ἱκετεία.

Ass. (1°) : **ἀνάθημα, θῦμα, θυσία, λατρεία.**

εὐψυχία, ἡ a) « bonne disposition de l'âme » ; b) « force d'âme ».
a) τὸ ... μὴ δύσκολον ἐν ψυχῇ καὶ τὸ δύσκολον οὐ σμικρὸν μόριον εὐψυχίας καὶ κακοψυχίας L. VII 791 c 10 (cf. 795 d 7)*.
b) πάντων ... προστᾶσα εὐψυχίᾳ T. 25 b 8*.
App. (a) : εὐεξία ψυχῆς.
Ass. et opp. (a) : κακοψυχία.

εὔψυχος « énergique » (subst. m.) δηλοῖ τόν τε εὔψυχον καὶ τὸν μή L. VIII 830 e 7*.

ἐφάπτεσθαι « atteindre » τὸ ... κακὸν μηδενὸς ἐφάπτοιτο Ly. 220 c 3 ἄλλῃ τινὶ αἰσθήσει ἐφήψω αὐτῶν Pd. 65 d 7 (cf. 67 b 2, 79 c 8) οὐκ εἰδώλου ἐφαπτομένῳ ἀλλὰ ... τοῦ ἀληθοῦς ἐφαπτομένῳ B. 212 a 5 (cf. R. V 473 a 2 VI 484 b 6, 490 b 4 VII 534 c 6 X 598 b 8 Phr. 265 b 7 Tht. 190 c 6 d 9, 208 d 8 So. 234 d 5, 259 d 6 T. 90 c 1) ἐφαπτόμενοι αὐτοῦ (= τοῦ θεοῦ) τῇ μνήμῃ Phr. 253 a 2 πληρώσεως ... ἂν ἐφάπτοιτο Ph. 35 b 7 (cf. a 7) πειθοῖ ψυχῆς ἐφαπτόμενοι Criti. 109 c 4 ταύτης τῆς ἕξεως ἐφαπτόμενα L. V 728 e 3 (cf. II 664 c 7) τῶν περὶ φύσεως ἐφήψαντο ζητημάτων L. X 891 c 9 (cf. XII 965 b 4, 969 b 6).
App. : ἅπτεσθαι, ἐφικνεῖσθαι.

ἐφέλκειν (au moyen) « entraîner » ἡμᾶς ἐφελκόμενοι προσεμβάλλουσιν Cra. 439 c 6 τῶν ἠθῶν... ἃ ἂν ὥσπερ ῥέψαντα τἆλλα ἐφελκύσηται R. VIII 544 e 2.
App. : ἕλκειν.

ἐφεξῆς « à la suite » θεώμενος ἐφεξῆς τε καὶ ὀρθῶς τὰ καλά B. 210 e 3 ἐφεξῆς καταριθμῆσαι B. 215 a 3 ἕκαστον ἐφεξῆς δίειμι Phr. 228 d 4 (cf. 264 b 8) τὸ ... ἐφεξῆς ῥητέον Phr. 239 d 7 (cf. R. V 449 a 7 Po. 281 d 4) ἐὰν ἕλωνται τρὶς ἐφεξῆς τὸν βίον Phr. 249 a 3 κατὰ τὸν ἑξῆς λόγον τὰς ἐφεξῆς τιμὰς λαγχάνον L. III 696 e 7 (cf. 681 d 6 V 738 a 3 R. VIII 544 c 5) ἐφεξῆς [cj. Theiler : ἔφεσις codd. ἄφεσις Grou Diès] τρίτον ἕτερον L. IX 864 b 7.
App. et ass. : ἑξῆς.

ἐφέπεσθαι « suivre » σοῦ... προάγοντος ἐγὼ ἐφεσπόμην Pd. 90 b 5 τῷ τοιούτῳ πᾶσα ἐπισπομένη R. X 611 e 4 ἀδυνατήσασα ἐπισπέσθαι Phr. 248 c 7.
Syn. : ἕπεσθαι 1°.

ἐφευρίσκειν « découvrir » θεῖονδ' αὖ τινα ἔρωτα ἐφευρών Phr. 266 a 8 (cf. Po. 307 c 5)*.
Syn. : ἐξευρίσκειν, εὑρίσκειν (avec les distinctions de J. Brunel, *L'Aspect...*, p. 144 et 59).

ἐφήμερος « éphémère » ψυχαὶ ἐφήμεροι R. X 617 d 9 (cf. L. XI 923 a 3 Le. VIII 356 a 7)*.

ἐφιέναι (au moyen) « tendre, aspirer » (à) τὴν τοῦ ἐπιθυμοῦντος ψυχὴν οὐχὶ ... ἐφίεσθαι φήσεις ἐκείνου οὗ ἂν ἐπιθυμῇ ; R. IV 437 c 1 (cf. b 2, 433 e 6 II 357 b 6 VI 495 d 7 X 611 e 2) τὸ μὲν αὐτὸ καθ' αὐτό, τὸ δ' ἀεὶ ἐφιέμενον ἄλλου Ph. 53 d 4.
App. et ass. : ἐπιθυμεῖν.

ἐφικνεῖσθαι « atteindre » ἐφικνεῖσθαι τῆς φύσεως T. 51 b 3 (cf. H. M. 292 a 7 R. VI 506 e 2 Ph. 46 e 1)*.

App. : ἐφάπτεσθαι.

ἐφορᾶν « contempler » ἐφορᾷ καὶ γιγνόμενα καὶ γεγονότα La. 198 d 7 (cf. G. 473 c 4 Ph. 37 e 6 L. XII 947 c 5 codd.) ἥλιον ἢ σελήνην ἑωρακὼς... ἐφορῶντας... ἡμᾶς Ep. 985 e 2 *.

App. : καθορᾶν, ὁρᾶν (avec les distinctions de J. Brunel, *L'Aspect...*, p. 65-66).

ἐφυμνεῖν « chanter, célébrer » ᾧ χρὴ ἕπεσθαι... ἐφυμνοῦντα καλῶς B. 197 e 4 ἣν ᾠδὴν δεῖ ἐφυμνεῖσθαι L. VII 799 a 9 τὸ πάτριον μέλος ἐφυμνεῖν L. XII 947 d 1 *.

App. : ᾄδειν, ὑμνεῖν.

ἔχειν A : à l'actif 1° (trans.) « avoir » (participation à l'Idée) ; 2° (intr.) « être » (permanence de l'Idée) a) avec κατὰ ταὐτά ; b) avec ὡσαύτως ; c) avec ἀεί et κατὰ ταὐτά ; d) avec ἀεί et ὡσαύτως ; e) avec κατὰ ταὐτά et ὡσαύτως ; f) avec les trois. B : au moyen « **s'attacher, se rattacher** » (à).

A. 1° τὸ ἀνόσιον ... ἔχον μίαν τινὰ ἰδέαν Euph. 5 d 3 (cf. H. M. 298 b 4 M. 72 c 6 B. 204 c 6 Cra. 389 b 10 Pa. 149 e 4, 159 e 4 Tht. 203 e 4 Ph. 25 b 6) ἔχουσιν ἄρα τι τὸ αὐτό, ὃ ποιεῖ αὐτὰς καλὰς εἶναι H. M. 300 a 9 ἄλλο τι, ὃ ἔστι μὲν οὐκ ἐκεῖνο, ἔχει δὲ τὴν ἐκείνου μορφὴν Pd. 103 e 4 (cf. 104 d 2 avec ἰδέαν ἴσχειν).

a) πρὸς τὸ κατὰ ταὐτὰ ἔχον βλέπων ἀεί T. 28 a 7 (mais p.-ê. ἀεὶ porte-t-il aussi sur ἔχων et le cas rentrerait dans c).

b) τὸ ... ὡσαύτως ἔχον Pd. 79 d 2 ἐκεῖνο ὃ μηδέποτε ὡσαύτως ἔχει Cra. 439 e 1 (cf. Pd. 78 e 6).

c) τὸ μὲν ἀειδὲς ἀεὶ κατὰ ταὐτὰ ἔχον Pd. 79 a 8 (cf. p.-ê. T. 28 a 7, classé en a) τεταγμένα ἄττα καὶ κατὰ ταὐτὰ ἀεὶ ἔχοντα R. VI 500 c 3.

d) τῷ ἀεὶ ὡσαύτως ἔχοντι Pd. 79 e 5 εἰ δὲ ἀεὶ ὡσαύτως ἔχει καὶ τὸ αὐτό ἐστι Cra. 439 e 3.

e) ὡσαύτως ... κατὰ ταὐτὰ ἔχειν Pd. 78 d 8 πρὸς τὸ κατὰ ταὐτὰ καὶ ὡσαύτως ἔχον T. 29 a 2.

f) ἅπερ ἀεὶ κατὰ ταὐτὰ καὶ ὡσαύτως ἔχει Pd. 78 c 5 (cf. d 2 et 6, 79 d 6 R. V 479 a 3) τὴν ὄντως οὐσίαν, ἣν ἀεὶ κατὰ ταὐτὰ ὡσαύτως ἔχειν φατέ So. 248 a 12 (cf. Po. 269 d 5).

B. τὰ ἐχόμενα [codd. : ἑπόμενα Bekker secl. Schanz] τούτοις ἐφεξῆς G. 494 e 3 (cf. Po. 271 a 4 codd.) ἐχόμενος τῶν ἐκείνης ἐχομένων R. VI 511 b 8 τὸν νομοθέτην ἀληθείας ἐχόμενον L. IV 709 c 9 (cf. R. II 362 a 5).

Adv. : ἐχόντως, avec νοῦν (voir νοῦς 3° b).

App. (A 1°) : κεκτῆσθαι.

Syn. (A) : ἴσχειν.

V. λόγος (B 7°), νοῦς (3° b) pour les expressions λόγον (νοῦν) ἔχειν.

ἔχθρα, ἡ « **inimitié, haine** » ἔχθραν ... ἡ περὶ τίνων διαφορὰ ποιεῖ Euph. 7 b 6 φθόνου τε καὶ φιλονικίας καὶ ἔχθρας ἐμπίμπλασθαι

Ly. 215 d 4 πόλεμον τὴν ἔχθραν ταύτην κλητέον R. V 470 c 7 (cf. VIII 547 a 5) τὸ ὂν ... ἔχθρᾳ ... καὶ φιλίᾳ συνέχεται So. 242 e 2 τὴν μεγίστην ἔχειν ἔχθραν καὶ στάσιν Po. 308 b 4 (cf. 306 b 9 R. V 470 d 1 L. V 729 a 1) μή τινας ἔχθρας εἶναί πω πρὸς ἀλλήλους L. V 737 b 6 στάσεις καὶ ἔχθραι καὶ μίση καὶ ἀπιστίαι Le. VII 337 b 1.

App. et ass. : διαφορά (b), μῖσος, πόλεμος, στάσις, φθόνος, φιλονικία (a).

Ass. et opp. : φιλία.

ἐχθρός « ennemi » (adj. et subst.) τοῖς μὲν ἐχθροῖς φίλοι εἰσίν, τοῖς δὲ φίλοις ἐχθροί Ly. 213 b 1 (cf. 216 b 3 et 4 G. 456 d 4 R. I 332 d 5, 7, 11 e 4 VI 498 d 2 Phr. 260 c 4 Tht. 162 c 1 T. 54 a 6) ἐρίζουσιν ... οἱ διάφοροί τε καὶ ἐχθροὶ ἀλλήλοις Pr. 337 b 3 θεοῖς ... ἐχθρὸς ... ὁ ἄδικος, ὁ δὲ δίκαιος φίλος R. I 352 b 2.

Adv. : ἐχθρῶς (L. III 697 d 5*, ass. à ἀνηλεήτως).

App. : πολέμιος.

App. et ass. : διάφορος 2°.

Ass. et opp. : φίλος.

ἐψευσμένως : v. ψεύδεσθαι.

Z

ζεῖν « bouillir » a) au pr. ; b) au fig.

a) ὁπόταν ἐντὸς τὸ ζέον ᾖ καὶ τὸ φλεγμαῖνον Ph. 46 d 9 (cf. T. 85 c 1 e 4 L. VI 773 d 2).

b) ζεῖ τε καὶ χαλεπαίνει R. IV 440 c 7 (cf. T. 70 b 4) ζεῖ ... ὅλη (ἡ ψυχή) Phr. 251 c 1 (réc. c 5).

App. et ass. : (a) φλεγμαίνειν (a) ; (b) χαλεπαίνειν.

ζῆλος, ὁ « rivalité, jalousie » πρῶτον μὲν ζῆλος, ἀπὸ ζήλου δὲ φθόνος Mx. 242 a 4 (cf. Ph. 47 e 2, réc. 50 c 1 ; L. III 679 c 1) ἄλλος ἄλλον ὁρῶν καὶ εἰς ζῆλον ἰών R. VIII 550 e 3*.

App. et ass. : φθόνος (a).

ζηλοτυπεῖν « jalouser » ζηλοτυπῶν με καὶ φθονῶν B. 213 d 2*.

Ass. et syn. : φθονεῖν (a).

ζηλοῦν « rivaliser » (avec), « jalouser » ἵνα ὁ παῖς ζηλῶν μιμῆται καὶ ὀρέγηται τοιοῦτος γενέσθαι Pr. 326 a 2 (cf. G. 486 d 1) οὔτε τοὺς ἀζηλώτους ζηλοῦν ... ἀλλ' ἐλεεῖν G. 469 a 4 (cf. Phr. 233 b 6) ἐζήλωσα ὑμᾶς ... τῆς τέχνης I. 530 b 5 (cf. c 6 G. 468 e 9, 522 b 6 B. 209 d 3 R. VIII 553 a 9, 561 d 4 e 6) ἐπιθυμητικῶς αὐτῶν ἔχειν καὶ ζηλοῦν τοὺς ... τιμωμένους R. VII 516 d 4*.

App. : φθονεῖν.

App. et ass. : ἐπιθυμητικῶς ἔχειν, μιμεῖσθαι.

Ass. et opp. : ἐλεεῖν.

ζηλωτής, ὁ « admirateur » ζηλωταὶ καὶ ἐρασταὶ ... τῆς Λακεδαιμονίων παιδείας Pr. 343 a 5*.

ζηλωτός « enviable » πολλὴν σοφίαν καὶ ζηλωτήν H. m. 368 b 4 (cf. B. 197 d 6 I. 530 c 1) οὐκ (ἄθλιος οὐδ' ἐλεεινός), ... οὐδὲ μέντοι ζηλωτός G. 469 a 11 (cf. a 1) ζηλωτὸς ὢν καὶ εὐδαιμονιζόμενος G. 473 c 7 οὐδέτερον ζηλωτόν L. V 730 c 6*.

App. et ass. : εὐδαιμονιζόμενος.

Ass. et opp. : ἄθλιος, ἐλεεινός.

Opp. : ἀζήλωτος.

ζημία, ἡ 1° «peine, amende» ; 2° «dommage».

1° «peine, amende» ἐφ' οἷς οὐκ ἔστι θάνατος ἡ ζημία Pr. 325 b 7 (cf. b 8) πτηνῶν λόγων βαρυτάτη ζημία L. IV 717 d 1 τὴν ζημίαν ἐκτίνειν L. VI 774 e 3 (cf. IX 878 c 8).

2° «dommage» ἡ... δικαιοσύνη ἀλλότριον μὲν ἀγαθόν, οἰκεία δὲ ζημία R. III 392 b 4 (cf. I 343 e 3) μέγα τῇ πόλει κέρδος ἢ ζημίαν ἂν φέροι L. VIII 835 c 1 (cf. 846 a 3).

App. : (1°) τιμή ; (2°) βλάβη, βλάβος.

Ass. (1°) : βλάβη.

Ass. et opp. (2°) : κέρδος.

ζημιοῦν 1° «punir» ; 2° «léser» (au passif «subir un détriment»).

1° θανάτῳ ζημιοῦσθαι Po. 297 e 1 (cf. L. IX 871 d 4) ζημιοῦν... τὸν μὴ πειθόμενον L. III 700 c 2 (cf. VI 756 c 4).

2° εἰ μὴ μέλλει ζημιοῦσθαι G. 490 c 4 ζημιοῦνταί τε καὶ ζημιοῦσιν ἑτέρους L. XI 916 e 3.

App. : (2°) βλάπτειν ; (1°) κολάζειν.

ζημιώδης «dommageable» βλαβερόν γε καὶ ζημιῶδες Cra. 417 d 8 (cf. 395 b 4) τὸ... ὅλον λαμβάνειν ζημιῶδες L. III 690 e 3 (cf. I 650 a 7).

App. et ass. : βλαβερός.

Opp. : κερδαλέος, λυσιτελής, ὠφέλιμος.

ζῆν «vivre» : 1° physiquement ; 2° heureusement (d'un bonheur vrai ou illusoire) ; 3° moralement.

1° οὐ τὸ ζῆν περὶ πλείστου ποιητέον (ἀλλὰ τὸ εὖ ζῆν) Cr. 48 b 6 (cf. G. 507 d 8 Ep. 973 c 7) πάλιν γίγνεσθαι ἐκ τῶν ἀποθανόντων τοὺς ζῶντας Pd. 70 c 8 οὐδαμόθεν ἄλλοθεν γίγνονται οἱ ζῶντες ἢ ἐκ τῶν τεθνεώτων Pd. 70 d 4 ἐναντίον... τῷ ζῆν τὸ τεθνάναι Pd. 71 d 5 ἓν ἕκαστον τῶν ζῴων ζῆν καλεῖται καὶ εἶναι τὸ αὐτό B. 207 d 4 (voir s. v. εἶναι 1°) τοῦ εἶναί τε καὶ ζῆν ἕνεκα R. II 369 d 2 καὶ ζῶντι καὶ τελευτήσαντι R. III 414 a 3 (cf. VI 503 a 7 L. XII 959 c 1) καὶ ζῶντας καὶ τετελευτηκότας B. 188 c 5 ὅτιπερ ἂν μετάσχῃ τοῦ ζῆν, ζῷον... ἂν ἐν δίκῃ λέγοιτο T. 77 b 3 ζῆν αὐτὸ προσεροῦμεν, ὅταν αὐτὸ αὑτὸ κινῇ L. X 895 c 7 ὁπόταν ψυχὴν ἔν τισιν ὁρῶμεν... ζῆν ὁμολογητέον L. X 895 d 12 τὸν βεβιωμένον ἑαυτῷ βίον Ep. 974 a 6 (cf. Pd. 114 a 1 R. VI 498 c 4 Phr. 249 b 1.)

2° ἀγανακτοῦσιν ὡς... τότε μὲν εὖ ζῶντες, νῦν δὲ οὐδὲ ζῶντες R. I 329 a 9 ἀλλὰ... ὅ γε εὖ ζῶν μακάριός τε καὶ εὐδαίμων R. I 354 a 1 (cf. R. III 387 d 12 VI 498 c 3 Le. VIII 354 d 7) δεῖ... αὐτήν (= τὴν πόλιν), καθάπερ ἕνα ἄνθρωπον, ζῆν εὖ · τοῖς δὲ εὐδαιμόνως ζῶσιν... L. VIII 829 a 1.

3° ὅντινα τρόπον νῦν τε ζῇ καὶ ὅντινα τὸν παρεληλυθότα βίον βεβίωκεν La. 188 a 1-2 (cf. G. 492 d 5, 500 c 3 d 3 R. I 352 d 7) ὁσίως βεβιωκυῖαν καὶ μετ' ἀληθείας G. 526 c 2 ὁσίως βιῶναι Pd. 114 b 7 (cf. 113 d 3 et 4) ὁ δίκαιος ἀνὴρ εὖ βιώσεται, κακῶς δὲ ὁ ἄδικος R. I 353 e 10 (cf. Cr. 48 b 6) τὸ περὶ τοὺς θεοὺς ὀρθῶς διανοηθέντα ζῆν καλῶς ἢ μή L. X 888 b 4.

App. (2° et 3°) : εὖ πράττειν.

App. et ass. (1°) : εἶναι.

Ass. et opp. (1°) : ἀποθνῄσκειν, τεθνάναι, τελευτᾶν 2°.

ζητεῖν « chercher » μήτε μανθάνειν ἐθέλων μήτ' αὐτὸς ζητεῖν A. 106 d 9 ἠθέλησας ἂν ζητῆσαι ἢ μαθεῖν ἃ ἐπίστασθαι ᾤου ; A. 106 d 11 τοὺς ταῦτα ζητοῦντας οὐδὲ θεοὺς νομίζειν Ap. 18 c 3 (cf. 19 b 5) ταῦτα ... ζητῶ καὶ ἐρευνῶ ... ἄν τινα οἴωμαι σοφὸν εἶναι Ap. 23 b 4 ἐὰν ζητῇς καλῶς, εὑρήσεις G. 503 d 4 ἡ θνητὴ φύσις ζητεῖ ... ἀεί τε εἶναι καὶ ἀθάνατος B. 207 d 2 (cf. Pd. 65 d 1 L. III 684 d 7) διερευνᾶσθαι ζητοῦντας Pd. 78 a 5 ζητεῖν μὲν καὶ εὑρίσκειν ἕτερον δεῖ τρόπον, μανθάνειν δὲ τοῦτον Cra. 436 a 5 (cf. a 7 et 9, 439 b 8) ἀεὶ μίαν ἰδέαν ... ζητεῖν · εὑρήσειν γὰρ ἐνοῦσαν Ph. 16 d 2 ζητεῖν τε καὶ ἀνερευνησάμενον ... L. VII 816 c 2 τὸν κόσμον ... οὔτε ζητεῖν δεῖν L. VII 821 a 3.

App. : ἐξετάζειν, ἰχνεύειν.

App. et ass. : ἀνερευνᾶν, διερευνᾶν, ἐρευνᾶν.

Ass. : ἐπίστασθαι, εὑρίσκειν.

Ass. et opp. : μανθάνειν.

Syn. : ἀναζητεῖν (avec les distinctions de J. Brunel, *L'Aspect...*, p. 40).

ζήτημα, τό « recherche, question » τὸ ζήτημα ᾧ ἐπιχειροῦμεν οὐ φαῦλον R. II 368 c 7 (cf. Cra. 421 a 8) οὔτε μαθήματος γευόμενον οὐδενὸς οὔτε ζητήματος R. III 411 d 2 (cf. Tht. 191 a 6 L. X 891 c 9) τὸ περὶ νόμους ζήτημα L. I 631 a 1 (cf. So. 221 c 8)*.

App. : πρόβλημα.

Ass. : μάθημα.

ζήτησις, ἡ id. μηκέτι ἐν ταύτῃ τῇ ζητήσει διατρίβειν μηδὲ φιλοσοφεῖν Ap. 29 c 8 (cf. 21 b 8 Pd. 65 a 9, 66 d 5, 99 d 1 R. II 368 d 2) ἐν τῇ περὶ τὸ δίκαιον ζητήσει R. II 368 e 1 (cf. Po. 266 d 5, 284 b 4, 286 d 7) ἀνυσίμως ἔρχεται ἐπὶ τὰς μαθήσεις τε καὶ ζητήσεις Tht. 144 b 5 (cf. T. 88 a 2) ἄνευ ... ταύτης τῆς θεωρίας καὶ ζητήσεως L. XII 951 c 4 ἡ περὶ σοφίαν ἀπορία καὶ ζήτησις Ep. 974 c 4.

App. et ass. : ἀπορία, θεωρία 2°.

Ass. : μάθησις.

ζητητής, ὁ « chercheur » τούτου τοῦ μαθήματος καὶ ζητητὴς καὶ μαθητής R. X 618 c 2 (cf. Ch. 175 e 6)*.

Ass. : μαθητής.

ζητητικός « apte, ardent à la recherche » a) adj. ; b) subst. m.

a) ἐργατικούς τε καὶ ζητητικοὺς ποιεῖ M. 81 e 1 φιλομαθὴς δὲ μή, μηδὲ φιλήκοος μηδὲ ζητητικός R. VII 535 d 5*.

b) οἱ περὶ ταῦτα ζητητικοί R. VII 528 b 10 *.

App. et ass. : φιλήκοος, φιλομαθής.

ζυγόν, τό a) « joug » ; b) « lien ».

a) δούλειον ὑπομείνασα ζυγόν L. VI 770 e 2 (cf. Le. VIII 354 d 2).

b) τιμιωτέρῳ ζυγῷ ἐζύγησαν R. VI 508 a 1.

App. (b) : δεσμός.

ζωγραφεῖν, « peindre » τὰ φαντάσματα ἐζωγραφημένα Ph. 40 a 9 (cf. a 11 TW, b 8) τὸ ζωγραφούμενόν τε καὶ ἐξαλειφόμενον Le. VII 342 c 1.

App. : ποικίλλειν.

ζωγράφημα, τό « peinture » τὰ ποικίλματα ... καὶ τὰ ζωγραφήματα καὶ τὰ πλάσματα H. M. 298 a 2 τὰ ζωγραφήματα ... λέγεις μιμήματα εἶναι πραγμάτων τινῶν Cra. 430 b 3 (cf. d 8 e 11, 431 c 5, réc. 434 a 7) τὰ γράμματά τε καὶ ζωγραφήματα Ph. 39 d 7 σχημάτων ... κάλλος ... οἷον ζῴων ἤ τινων ζωγραφημάτων Ph. 51 c 3 *.

Ass. : γράμμα, ζῷον, πλάσμα, ποίκιλμα.

ζωγραφία, ἡ id. τήν τε ζωγραφίαν κινητέον καὶ τὴν ποικιλίαν R. II 373 a 6 τοῦτ' ἔχει γραφὴ ... ὅμοιον ζωγραφίᾳ Phr. 275 d 5 (cf. So. 236 b 9)*.

App. et ass. : ποικιλία.

Ass. : γραφή.

ζωή, ἡ « vie » περὶ ζωῆς καὶ θανάτου Pd. 71 d 4 (cf. 105 d 3 L. X 904 e 6 XII 944 c 7) ψυχὴ ... ἀεὶ ἥκει ... φέρουσα ζωήν Pd. 105 d 2 (cf. So. 249 a 9) παῦλαν ἔχον κινήσεως, παῦλαν ἔχει ζωῆς Phr. 245 c 8 (cf. So. 248 e 7) χωλὴν τοῦ βίου διαπορευθεὶς ζωήν T. 44 c 3 (cf. Ep. 982 a 3).

Ass. : κίνησις, ψυχή.

Ass. et opp. : θάνατος.

ζῳογενής « animal » μετὰ ... τὸ θεῖον τὸ ζῳογενὲς (μέρος) Po. 309 c 3*.

ζῳογονία, ἡ « naissance des êtres vivants » θεογονίαν ... καὶ ζῳογονίαν ... ἀπεικάσαι Ep. 980 c 7*.

ζῷον, τό « animal », « être (vivant) » σκεύους ... καὶ ζῴου παντός G. 506 d 6 (cf. R. X 601 d 5) πότερον ... ὁ ἄνθρωπος ἓν τῶν ζῴων ἐστὶν ἢ οὔ ; G. 516 b 6 κατὰ ζῴων πάντων καὶ φυτῶν Pd. 70 d 8 (cf. B. 188 a 6 R. VII 532 b 10 X 596 e 3 So. 265 c 1 Ph. 22 b 5 L. X 889 c 4) πᾶσαι ψυχαὶ πάντων ζῴων Pd. 94 a 6 (cf. L. XII 961 d 2) ζῷα ... οὐ ταῦτα καλεῖς ἃ ἂν ψυχὴν ἔχῃ ; Euth. 302 a 8 θνητόν τε καὶ ἀθάνατον ζῷον ἐκλήθη Phr. 246 b 6 (cf. c 5 et 8) δεῖν πάντα λόγον ὥσπερ ζῷον συνεστάναι Phr. 264 c 3 (cf. T. 30 c 4 d 4) τὸ περιέχον πάντα ὁπόσα νοητὰ ζῷα T. 31 a 5 (cf. c 9) τῷ παντελεῖ ζῴῳ T. 31 b 2 (cf. 69 c 1, 92 c 7) τοῦ θνητοῦ ζῴου T. 76 e 8 πᾶν ... ὅτιπερ ἂν μετάσχῃ τοῦ ζῆν, ζῷον ... ἂν ἐν δίκῃ λέγοιτο T. 77 b 3 ζῷον ... ἀληθέστατα λέγεσθαι ... φῶμεν τότε, ὅταν μία συνελθοῦσα σύστασις ψυχῆς καὶ σώματος ἀποτέκῃ μίαν μορφήν ; Ep. 981 a 6.

App. et ass. : ψυχή.

Ass. : ἄνθρωπος, φυτόν.

Ass. et opp. : σκεῦος.

Η

ἡγεῖσθαι 1° « guider, diriger » ; 2° « croire » (à, que).

1° βούλει ἡγεμονεύειν τῆς σκέψεως, ἢ ἐγὼ ἡγῶμαι ; Pr. 351 e 8 ἡγουμένης ... φρονήσεως M. 88 c 4 (cf. d 7, 96 e 3, 97 c 1, 98 b 7 Euth. 281 b 1 R. VI 490 c 2) ἂν ὀρθῶς ἡμῖν ἡγῶνται τῶν πραγμάτων M. 97 a 4 (cf. a 11 et 12 b 3, 98 e 12, 99 a 1 et 2 B. 210 a 7) οὐχ ... ἡγεῖσθαί γε προσήκει ἁρμονίαν ..., ἀλλ' ἕπεσθαι Pd. 93 a 3 (cf. R. V 476 c 4 VIII 564 b 5) ἀνθρώποις ἡγεῖσθαι παντὸς τοῦ βίου B. 178 c 6 (cf. L. V 730 c 1) ἀκολουθεῖν ... τῷ ἡγουμένῳ R. V 474 c 3 τῷ τῶν κινουμένων ... ἡγουμένῳ Po. 269 e 6 ἡγεῖται μὲν τὸ ποιοῦν ..., τὸ δὲ ποιούμενον ἐπακολουθεῖ ... ἐκείνῳ Ph. 27 a 5 ἕπεσθαι τὸν ἀνεπιστήμονα ..., τὸν δὲ φρονοῦντα ἡγεῖσθαί τε καὶ ἄρχειν L. III 690 b 10 (cf. IX 875 b 6).

2° τοῦ αὐτοῦ ἔστιν καὶ δαιμόνια καὶ θεῖα ἡγεῖσθαι Ap. 27 e 7 θεούς ... μὴ ἡγεῖσθαι ... εἶναι Ap. 35 d 4 εἰ ὑπολαμβάνοι ... ἡγούμενος ... Ly. 210 a 4 ἡγούμεθά τι τὸν θάνατον εἶναι ; Pd. 64 c 2 (cf. d 7 Pr. 312 c 5 L. X 888 b 3) ἡλιοειδῆ μὲν νομίζειν ὀρθόν, ἥλιον δ' ἡγεῖσθαι οὐκ ὀρθῶς ἔχει R. VI 509 a 2 (cf. a 4) θεοὺς ἡγούμενος εἶναι L. X 885 b 4 (cf. b 7, 889 d 5 XII 948 b 4) θεοὺς ἡγούμενον L. X 899 c 9 (cf. d 2 XII 948 c 3 Cra. 397 d 1).

App. et ass. (1°) : ἄρχειν 2°, ἡγεμονεύειν.

Ass. et opp. (1°) : ἀκολουθεῖν, ἐπακολουθεῖν, ἕπεσθαι.

Ass. et syn. (2°) : νομίζειν 1° (et 3°), ὑπολαμβάνειν 2°.

Syn. (2°) : οἴεσθαι.

ἡγεμονεῖν « commander » ἡγεμονοῦν ... τῶν ... ἐθελόντων ἕπεσθαι T. 41 c 7 ἵνα ... τὸ βέλτιστον ἡγεμονεῖν ἐῷ T. 70 c 1 (cf. L. I 631 c 6)*.

App. : ἡγεῖσθαι 1°.

Ass. et opp. : ἕπεσθαι (1° b).

Syn. : ἄρχειν 2°, ἡγεμονεύειν.

ἡγεμονεύειν « diriger, commander » βούλει ἡγεμονεύειν τῆς σκέψεως, ἢ ἐγὼ ἡγῶμαι ; Pr. 351 e 8 τὸ μὲν θεῖον ... ἄρχειν τε καὶ ἡγεμονεύειν ... τὸ δὲ θνητὸν ἄρχεσθαί τε καὶ δουλεύειν Pd. 80 a 5 ἕπεσθαι ἐκείνοις καὶ οὔποτ' ἂν ἡγεμονεύειν Pd. 94 c 6 (cf. c 8 B. 197 b 1 R. V 474 c 2)*.

App. et ass. : ἡγεῖσθαι 1°.

Ass. et opp. : δουλεύειν, ἕπεσθαι.

Ass. et syn. : ἄρχειν 2°.

Syn. : ἡγεμονεῖν.

ἡγεμονία, ἡ « direction, commandement » τὰ ... ἀπὸ τύχης γιγνόμενα οὐκ ἀνθρωπίνῃ ἡγεμονίᾳ γίγνεται M. 99 a 3 (cf. T. 45 b 2) εἰ στράτευμα ὀρθῆς ἡγεμονίας τυγχάνοι L. I 641 a 7 (cf. IV 711 c 8 Euth. 273 c 6 Criti. 120 d 3) τούτων (= τῶν σωμάτων) δ' ἐν ἡγεμονίαις Ep. 981 c 7*.

App. : ἀρχή (B).

ἡγεμονικός « apte à commander » οὐδ' ἡγεμονικὸν οὐδ' ἀρχικόν Pr. 352 b 5 (cf. Phr. 252 e 3 Ph. 55 d 9)*.

Ass. et syn. : ἀρχικός.

ἡγεμών, ὁ « guide, chef » ὥσπερ ... ἡγεμόνι τῷ λόγῳ χρησώμεθα G. 527 e 2 (cf. T. 91 e 5) δόξα ... ἀληθὴς ... οὐδὲν χείρων ἡγεμὼν φρονήσεως M. 97 b 10 (cf. b 6, 99 a 4 b 3) συνεμπόρων καὶ ἡγεμόνων θεῶν τυχοῦσα Pd. 108 c 4 (cf. a 3 b 8, 107 d 9 e 3) ἡγεμόνες καὶ διδάσκαλοι τοῖς ἄλλοις γενόμενοι Mx. 240 d 5 (cf. R. X 595 c 2) ἡγεμόνας τε καὶ βασιλέας R. VII 520 b 7 ἡγεμὼν παιδείας R. X 600 a 9 (cf. L. II 670 e 1) ὁ ... μέγας ἡγεμὼν ἐν οὐρανῷ Ζεύς Phr. 246 e 4 εἰς τὸν ἡγεμόνα νοῦν ... βλέπειν L. I 631 d 5 (cf. III 688 b 2 XII 963 a 8) οὔτε ἄρχοντος οὔτε τινὸς ἡγεμόνος δεόμενος L. IV 716 a 8 (cf. T. 44 a 5) τὸν τῶν πάντων θεὸν ἡγεμόνα Le. VI 323 d 3 (cf. d 4).

App. et ass. : ἄρχων, βασιλεύς.

ἥδεσθαι « jouir », « éprouver du plaisir » μάλιστ' ἂν οὕτως εὐφραινοίμεθα, οὐχ ἡδοίμεθα Pr. 337 c 1 ἐπειδάν τις ... ἡσθῇ ἢ λυπηθῇ Pd. 83 b 8 (cf. c 4 Phr. 258 e 3 Ph. 32 e 6 L. III 689 b 1) ἥδεσθαι μέν φαμεν τὸν ἀκολασταίνοντα ἄνθρωπον, ἥδεσθαι δὲ καὶ τὸν σωφρονοῦντα Ph. 12 d 1-2 (cf. 3-4) ζῆν ... ἡδόμενος ἡδονὰς τὰς μεγίστας Ph. 21 a 9 (cf. 63 a 3, 65 e 10 L. II 670 d 7) ᾧ τὸ ἡδόμενον ἥδεται Ph. 37 a 10 (cf. b 2-3).

App. : τέρπεσθαι, χαίρειν.

App. et ass. : εὐφραίνεσθαι.

Ass. et opp. : λυπεῖσθαι.

ἡδονή, ἡ « plaisir » τότε δὲ ἡδονήν, τότε δὲ λύπην Pr. 352 b 8 (cf. 356 a 7 Pd. 69 a 6 R. IV 430 a 7 Ph. 39 c 9, 43 c 4 T. 69 d 1) καὶ ἐν ἡδοναῖς καὶ ἐν ἐπιθυμίαις R. IV 429 d 1 (cf. 430 a 7 I 328 d 4 B. 196 c 5 et 8 L. VII 802 c 1 IX 869 e 7) πληρώσεών τινων καὶ ἡδονῶν R. IV 439 d 8 (cf. IX 585 a 3 G. 496 e 2) λάθρᾳ τὰς ἡδονὰς καρπούμενοι R. VIII 548 b 6 διὰ χάριτος καὶ παντάπασιν δι' ἡδονῆς τὸ δέλεαρ πεποιημένον So. 222 e 6 (cf. G. 462 c 7 e 1 L. II 667 b 9 réc. d 1 e 3) ἀγαθὸν εἶναί φησι τὸ χαίρειν ... καὶ τὴν ἡδονὴν καὶ τέρψιν Ph. 11 b 5 (réc. ἡδονὴν καὶ τέρψιν καὶ χαράν 19 c 7) κρατεῖ ... ὁ τῆς ἡδονῆς (βίος) τὸν τῆς φρονήσεως Ph. 12 a 2 (cf. a 4) οὔτε ἡδονῶν ... οὔτε πλησμονῶν Ph. 26 b 9 ἡδονῆς ... καὶ περιχαρείας Ph. 65 d 7 ἡδονὴν μὲν τοῖς ἄφροσιν, εὐφροσύνην δὲ τοῖς ἔμφροσιν T. 80 b 6 ὠδῖνας ... ἡδονάς T. 86 c 7 πρὸς πόθους τε καὶ ἡδονάς L. I 633 d 2 ἡδοναῖς καὶ ὕβρεσι L. I 637 a 3 ὑπερβαλλούσας ... τὰς ἡδονὰς τῶν ἀχθηδόνων L. V 734 a 6 ἡδονῆς ἢ ἀηδίας L. VII 802 d 4 ἡδονῆς τῆς τε ἄλλης τρυφῆς Le. VII 327 b 4.

App. et ass. : δέλεαρ, εὐφροσύνη, περιχάρεια, πλήρωσις, πλησμονή, πόθος, τέρψις, τρυφή, ὕβρις, χαρά, χάρις 1°.

Ass. : ἐπιθυμία.

Ass. et opp. : ἀηδία, ἀχθηδών, λύπη, φρόνησις 1°, ὠδίς (b).

Opp. : ἀλγηδών, ἀνία, ὀδύνη.

ἡδύς « agréable » (adj. et subst. n.) ἡδέ' ἄττα καλεῖς κακὰ καὶ ἀνιαρὰ ἀγαθά ; Pr. 351 c 3 (cf. 355 b 5 G. 497 d 6) ἡδέα ... καλεῖς ... οὐ τὰ ἡδονῆς μετέχοντα ἢ ποιοῦντα ἡδονήν ; Pr. 351 d 7 (cf. e 2 et 6) συνθεὶς τὰ ἡδέα καὶ ... λυπηρά Pr. 356 b 1 (cf. L. V 733 a 8, 734 a 8) εἴτε ... ἡδὺ εἴτε τερπνὸν λέγεις εἴτε χαρτόν Pr. 358 a 8 ἢ ὠφέλιμα ... ἢ ἡδέα G. 474 e 12 (cf. 477 a 1 R. X 607 d 8) ἐάν τι ... ἡδὺ μὲν ᾖ καὶ κεχαρισμένον G. 502 b 4 τῶν ἐπιθυμητικῶν τε καὶ λυπηρῶν καὶ ἡδέων R. X 606 d 2 ἀγαθὸν καὶ ἡδύ Ph. 60 a 10 (cf. b 2) τὸ τῶν ἡδέων καὶ ἀλγεινῶν αἴτιον T. 64 a 3 (cf. 81 e 2).

Adv. : ἡδέως (Pr. 351 c 1) ; cp. ἥδιον (R. IX 581 e 9 ; v. l. Ph. 66 a 9 Diès cum W. i. m.) ; sup. ἥδιστα (R. IX 587 b 10).

App. : χαρίεις.

App. et ass. : κεχαρισμένος, τερπνός, χαρτός.

Ass. et opp. : ἀηδής, ἀλγεινός, ἀνιαρός, λυπηρός.

Opp. : ὀδυνηρός.

ἦθος, τό 1° (au singulier) « caractère, moral » (par opp. au physique) ; 2° (au pluriel) « mœurs ».

1° κατά τι τῆς ψυχῆς ἦθος ἢ τρόπους Ly. 222 a 3 (cf. R. III 400 d 8 T. 42 e 6 — où le voisinage de τρόπος ne favorise pas le sens de « séjour » que veut Wilamowitz, *Platon*, II, p. 389 — L. VIII 837 c 3 IX 862 b 3 Le. VII 330 a 4, 342 d 7) ὁ ἐραστὴς ... ὁ τοῦ σώματος ... οὐδὲ μόνιμός ἐστιν ... · ὁ δὲ τοῦ ἤθους ... ἐραστὴς διὰ βίου μένει B. 183 e 5 τὴν τοῦ ἀγαθοῦ εἰκόνα ἤθους R. III 401 b 2 (cf. 400 e 3) ὑγιές τε καὶ δίκαιον ἦθος R. VI 490 c 5 (cf. L. IX 862 b 3 X 908 b 5) τὸ ἦθος ἐκείνης τῆς πολιτείας R. VIII 549 a 8 ἤθει γεννικωτέρῳ κεκρᾶσθαι Phr. 279 a 4 (cf. L. XI 930 a 6) τὸ ... ἀνθρώπινον ἦθος ἐπεκράτει Criti. 121 b 1 κυριώτατον ... ἐμφύεται ... τὸ πᾶν ἦθος διὰ ἔθος L. VII 792 e 2 ἄνευ κάκης ὀργῆς τε καὶ ἤθους L. X 908 e 7.

2° τῶν ἠθῶν ... ἄπειροι G. 484 d 7 (cf. Pd. 81 e 3) ἐν ... ἤθεσι καὶ ψυχαῖς θεῶν καὶ ἀνθρώπων B. 195 e 4 (cf. R. III 402 d 2) πρὸς τὰ ἤθη τε καὶ τὰ ἐπιτηδεύματα R. IV 424 d 8 (cf. L. XII

967 e 4 Le. VII 325 d 3) ἀνθρώπων ἤθη R. VI 500 d 5 (réc. 501 c 1 ; cf. a 2) ἐκτὸς τῶν νῦν ἠθῶν R. VII 541 a 2 (cf. VIII 544 d 10, 545 b 5 Phr. 277 a 2) ἀποπιμπλάναι τὰ αὑτοῦ ἤθη R. IX 571 c 7 (cf. 572 d 8) ἐπειδὴ ... ἐν τοιούτοις ἤθεσι τέθραφθε νομικοῖς L. I 625 a 5 (cf. VI 751 c 9) ἐν ἰδίοις ἤθεσιν L. I 636 d 7 (cf. II 659 c 3 IV 704 d 7, 705 a 5) τῶν ἀκηράτων ... ἠθῶν τε καὶ σωμάτων L. V 735 c 2 ἀνώμαλος ... χρήμασίν τε καὶ τρόπων ἤθεσιν L. VI 773 c 1 (cf. X 896 c 9 XI 924 d 7 B. 207 e 3) ἐν τοῖς ἤθεσι τοῖς τῆς αὑτοῦ συνηθείας L. IX 865 e 3 τὰ τῶν ἠθῶν ἐπιτηδεύματα καὶ νόμιμα L. XII 967 e 4 τρόπων ἤθεσιν καὶ ἔθεσι L. XII 968 d 2 (cf. 951 b 4 [AO]) ἤθεσιν προσέχοντες τὸν νοῦν Ep. 976 b 3 ἀνελεύθερα ψυχῶν ἤθη Le. VII 334 d 3 ὡς ἡ τῶν πολλῶν ἕξις τῆς ψυχῆς εἰς ... τὰ λεγόμενα ἤθη πέφυκεν Le. VII 344 a 1.

App. (1°) : φύσις (B 1° b δ).

App. et ass. : ἔθος, ἕξις, ἐπιτήδευμα, νόμος (νόμιμα), συνήθεια(a), τρόπος, ψυχή.

Ass. et opp. : σῶμα.

ἥκειν « arriver, être arrivé » ἀφικέσθαι ἐπί τινα ἀρχὴν ἢ οὐκέτ' ἐπανοίσει ἐπ' ἄλλο φίλον ἀλλ' ἥξει ἐπ' ἐκεῖνο ὅ ἐστιν πρῶτον φίλον Ly. 219 c 7 (texte des mss, suspecté à tort) οὕτω πόρρω σοφίας ἥκεις ; Euth. 294 e 4 (cf. Ap. 25 e 1 Ch. 157 d 6).

App. et ass. : ἀφικνεῖσθαι.

ἠλίθιος « sot » ἀνόητόν τε καὶ ἠλίθιον θάρρος Pd. 95 c 4 οὔτε βάναυσος οὔτ' ἠλίθιος Ep. 976 d 3.

Adv. : ἠλιθίως (Tht. 180 d 5*).

App. : ἀβέλτερος, ἄφρων, εὐήθης.

App. et ass. : ἀνόητος.

ἠλιθιότης, ἡ « sottise » ὑπ' ἠλιθιότητος καὶ ἀφροσύνης ἢ ὑπὸ πανουργίας ; H. m. 365 e 4 τὴν ... αἰδῶ ἠλιθιότητα ὀνομάζοντες R. VIII 560 d 3 ὑπ' ἠλιθιότητός τε καὶ τῆς ἐσχάτης ἀνοίας Tht. 176 e 5*.

App. : ἀβελτερία, εὐήθεια.

App. et ass. : ἄνοια, ἀφροσύνη.

Ass. et opp. : πανουργία.

ἡλικία, ἡ 1° « âge » a) en général ; b) « jeunesse » ; c) « âge d'homme » ; d) « vieillesse » ; e) (concrètement) « gens » (de tout âge) ; 2° « taille ».

1° a) προϊούσης τῆς ἡλικίας Phr. 279 a 5 (cf. Ap. 38 c 6).

b) φιλοσοφία ... χαρίεν, ἄν τις αὐτοῦ μετρίως ἅψηται ἐν τῇ ἡλικίᾳ G. 484 c 7 (cf. Phr. 255 a 7).

c) ἐὰν ... πόρρω τῆς ἡλικίας φιλοσοφῇ G. 484 c 9 ἐπειδὴ ἀφίκοιντο εἰς τὴν ἡλικίαν M. 89 b 6.

d) κατ' οἰκίαν ... διατρίβοντες ὑπὸ τῆς ἡλικίας La. 180 d 7 καθ' ἡλικίαν ... ὀξὺ βλέπεις L. IV 715 d 7.

e) παίδων τε καὶ ἀνδρῶν καὶ πάσης ἡλικίας ἐπιμελούμενοι L. XII 959 e 1.

2° ἐπιδεδωκέναι μοι ἔδοξεν ... καὶ ... οὐ πολύ τι τὴν ἡλικίαν διαφέρειν Κριτοβούλου Euth. 271 b 3.

ἡλιοειδής « analogue au soleil » φῶς τε καὶ ὄψιν ἡλιοειδῆ μὲν νομίζειν ὀρθόν, ἥλιον δ' ἡγεῖσθαι οὐκ ὀρθῶς ἔχει R. VI 509 a 2 (cf. 508 b 3)*.

ἥλιος, ὁ « soleil » ἥλιον καὶ σελήνην καὶ γῆν καὶ ἄστρα καὶ οὐρανόν Cra. 397 d 2 (cf. G. 451 c 8 T. 38 c 5 L. X 886 d 6) ὁ ἥλιος ὄψις μὲν οὐκ ἔστιν, αἴτιος δ' ὢν αὐτῆς ὁρᾶται ὑπ' αὐτῆς ταύτης R. VI 508 b 9.

Ass. : ἄστρον, γῆ, οὐρανός, σελήνη.

ἥμερος a) « doux » α) adj. ; b) subst. n. ; b) (animal) domestique.

a) α) οἵ γε δίκαιοι ἥμεροι, ὡς ἔφη Ὅμηρος G. 516 c 2 (cf. R. III 416 c 2 Tht. 210 c 3) ἥμερόν τε καὶ κόσμιον R. III 410 e 3 ἀγαθοί τε καὶ ἥμεροι R. V 470 e 8 (cf. e 4) ψυχὴν ... ἐπισκέψει εἰ ἄρα δικαία τε καὶ ἥμερος ἢ δυσκοινώνητος καὶ ἀγρία R. VI 486 b 11 (cf. VIII 549 a 3 L. VIII 837 b 4 X 885 e 2) ἡμερώτερόν τε καὶ ἁπλούστερον ζῷον Phr. 230 a 5.

β) τὸ μὴ τραχὺ τοῦ ἤθους ἀλλ' ἥμερόν τε καὶ λεῖον Cra. 406 a 9 τὸ ἥμερον ... ἡ φιλόσοφος ἂν ἔχοι φύσις R. III 410 d 12 τὸ μὲν θηριῶδες ... ἡμεροῦται, τὸ δὲ ἥμερον ἐλευθεροῦται R. IX 591 b 3 (cf. 589 b 3 d 3).

b) κακὸς ... ἐπιμελητὴς ... ὁτουοῦν ζῴου, ὃς ἂν παραλαβὼν ἡμερώτερα ἀποδείξῃ ἀγριώτερα G. 516 b 2 τὰ ... ἔχοντα τιθασεύεσθαι φύσιν ἥμερα προσείρηται, τὰ δὲ μὴ ἔχοντα ἄγρια Po. 264 a 3 (cf. R. IX 589 b 3) ἡμέροις καὶ ἀγρίοις θρέμμασιν Criti. 118 b 6 (cf. 114 e 8).

Adv. : ἡμέρως (au cp. ἡμερωτέρως, ass. et opp. à ἀγριωτέρως, L. IX 867 e 1*).

App. et ass. (a) : λεῖος.

Ass. : ἀγαθός, δίκαιος.

Ass. et opp. : (a-b) ἄγριος ; (a) δυσκοινώνητος, θηριώδης, τραχύς.

Syn. : (a) πρᾷος ; (b) τιθασός (ass. Po. 264 a 3).

ἡμερότης, ἡ « douceur » ἀγριότητός τε καὶ σκληρότητος, καὶ αὖ μαλακίας τε καὶ ἡμερότητος R. III 410 d 3*.

App. : πρᾳότης.

Ass. : μαλακία.

Ass. et opp. : ἀγριότης.

ἡμεροῦν « adoucir, apprivoiser » ἡμεροῦσα, ἁρμονίᾳ τε καὶ ῥυθμῷ R. IV 442 a 2 ἡμεροῦταί τε καὶ ἀγριαίνει R. VI 493 b 4 οὐ πείθων ... οὐδ' ἡμερῶν λόγῳ R. VIII 554 d 2 (cf. L. IV 720 d 8 X 890 c 8) τὸ ... θηριῶδες κοιμίζεται καὶ ἡμεροῦται R. IX 591 b 3 παιδεύει ... ἡμερῶν L. II 666 e 6 (cf. XI 935 a 4, 937 e 1 Po. 309 e 1)

ἡμερούμενοι τοῖς δώροις L. X 906 d 4 (cf. So. 230 b 10)*.
App. et ass. : κοιμίζειν, πείθειν.
Ass. et opp. : ἀγριαίνειν, χαλεπαίνειν (So. 230 b 10).

ἡμίθεος a) (subst.) « demi-dieu » ; b) (adj.) « semi-divin ».
a) ἡμίθεοι οἱ ἥρωες Cra. 398 c 11 (cf. Ap. 28 c 1, 41 a 4)*.
b) τὸ ... ὕδατος πέμπτον ὃν ἡμίθεον Ep. 985 b 4*.
App. et ass. (a) : ἥρως.

ἠρεμαῖος « tranquille » τὸ τῆς ἠρεμαίας ... γενέσεως εἶδος Po. 307 a 1 (cf. L. V 733 c 5)*.
App. : ἡσυχαῖος (Po. 307 a 7).

ἠρεμεῖν « se tenir en repos », « demeurer (stable) » ἐν τοσούτοις λόγοις ... μόνος οὗτος ἠρεμεῖ G. 527 b 4 ἐκ ... μνήμης καὶ δόξης, λαβούσης τὸ ἠρεμεῖν ... γίγνεσθαι ἐπιστήμην Pd. 96 b 7 (cf. So. 248 e 5) πόλις ... οὐδεμία ἂν ἠρεμήσαι [O[4] : ἠρεμῆσαι AO] κατὰ νόμους Le. VII 326 c 7.

ἥρως, ὁ « héros » μήτε δαίμονας μήτε θεοὺς μήτε ἥρωας Ap. 28 a 1 (cf. R. IV 427 b 8 L. V 738 d 2 VII 818 c 2) περὶ τῶν γενῶν ... τῶν τε ἡρώων καὶ τῶν ἀνθρώπων H. M. 285 d 6 τοῖς ἥρωσιν... ὅσοι γε θεῶν παῖδες ἦσαν H. M. 293 b 1 (cf. R. III 391 d 2 L. IX 853 c 5) μετὰ τοῦτο (= τοὺς θεούς) ... δαίμονάς τε καὶ ἥρωας καὶ ἀνθρώπους Cra. 397 d 10 (cf. L. IV 717 b 4 VII 801 e 3) ἡμίθεοι οἱ ἥρωες Cra. 398 c 11 (cf. c 6 d 4 et 6, 397 b 1 B. 179 b 2, 180 a 6 R. III 404 b 11 VIII 558 a 8 X 605 d 2) περὶ δαιμόνων τε καὶ ἡρώων καὶ τῶν ἐν Ἅιδου R. III 392 a 5*.
App. et ass. : ἡμίθεος, θεῶν παῖς.
Ass. : δαίμων.

ἡσυχάζειν a) (trans.) « apaiser » ; b) (intr.) « rester en repos ».
a) ἡσυχάσας μὲν τὼ δύο εἴδη, τὸ τρίτον δὲ κινήσας R. IX 572 a 6*.
b) τὸ ... ἀκίνητον ἀνάγκη ἡσυχίαν ἄγειν, τὸ δὲ ἡσυχάζον ἑστάναι Pa. 162 e 2 (cf. Cra. 421 b 6)*.
App. et ass. (b) : ἑστάναι, ἡσυχίαν ἄγειν.

ἡσυχαῖος « paisible, tranquille » ἡσυχαῖα ... καὶ σωφρονικά Po. 307 a 7 εὐπαγὲς ἀπλανὲς ἡσυχαῖόν τε ... συνίστασθαι τὸ φυόμενον L. VI 775 c 6*.
App. : ἠρεμαῖος (Po. 307 a 1).
Ass. : σωφρονικός.
Syn. : ἡσύχιος, ἥσυχος.

ἡσυχία, ἡ « tranquillité » ἡσυχίαν ... ἔχειν τὴν ψυχὴν μένουσαν ἐπὶ τῷ ἀληθεῖ Pr. 356 e 1 ἡσυχίας γενομένης καὶ εἰρήνης Mx. 243 e 1 (cf. R. IX 575 b 3) κοσμίως μετὰ ἡσυχίας καὶ βεβαιότητος ... ζῆν R. VI 503 c 5 ἡ τῆς ἡδονῆς ἡσυχία R. IX 583 e 2 (cf. c 7 d 8) τὸ ... ἀκίνητον ἀνάγκη ἡσυχίαν ἄγειν Pa. 162 e 2 ἡ τῶν σωμάτων ἕξις ... ὑπὸ ἡσυχίας μὲν καὶ ἀργίας διόλλυται, ὑπὸ γυμνασίων δὲ καὶ κινήσεως ... σῴζεται Tht. 153 b 6 (cf. a 7 b 11) γαλήνην ἡσυχίαν τε ἐν τῇ ψυχῇ ... ἀπεργασαμένη L. VII 791 a 4.

App. et ass. : ἀργία, γαλήνη 2°, εἰρήνη (et καρτερία, impliqué par le καρτερεῖν qui avoisine ἡσυχίαν ἄγειν Pd. 117 e 1 R. X 605 d 9).

Ass. : βεβαιότης.

Ass. et opp. : κίνησις.

Syn. : ἡσυχιότης.

ἡσύχιος « tranquille » (adj. et subst. m. ou n.) φασὶ ... τοὺς ἡσυχίους σώφρονας εἶναι Ch. 159 b 8 (cf. 160 a 7) φαίνεται ... οὐ τὸ ἡσύχιον, ἀλλὰ τὸ τάχιστον καὶ ὀξύτατον κάλλιστον ὄν Ch. 159 d 4 μηδὲν ἐλάττους αἱ ἡσύχιοι τῶν σφοδρῶν τε καὶ ταχειῶν πράξεων Ch. 160 c 4 (cf. b 7 c 1 et 7 d 1 et 3) τὸ ... φρόνιμόν τε καὶ ἡσύχιον ἦθος R. X 604 e 2 (cf. Po. 307 e 2 [TWY]) *.

Adv. : ἡσυχίως (Tht. 179 e 8)*.

App. : βραδύς.

Ass. : σώφρων, φρόνιμος.

Ass. et opp. : ὀξύς, σφοδρός, ταχύς.

Syn. : ἡσυχαῖος, ἥσυχος.

ἡσυχιότης, ἡ « tranquillité » οὐ(χ) ... ἡ ἡσυχιότης ἄν, ἀλλ' ἡ ταχυτὴς σωφρονέστερον εἴη Ch. 159 d 7 (cf. b 5) τὰ τοῦ τάχους τε καὶ τῆς ὀξύτητος καλλίω φαίνεται ἢ τὰ τῆς βραδυτῆτός τε καὶ ἡσυχιότητος Ch. 160 b 5 (cf. b 6)*.

App. et ass. : βραδυτής.

Ass. et opp. : ὀξύτης, τάχος, ταχυτής.

Syn. : ἡσυχία.

ἥσυχος « tranquille » (adj. et subst. m.) οὐχ ὁ ἡσυχώτατος (codd. : ἡσυχιώτατος Cobet edd.) ... ἐπαίνου ἄξιος Ch. 160 a 7 τὸν ἥσυχον [B : ἡσύχιον TWY] ἀεὶ βίον ... ζῆν Po. 307 e 2 (cf. 264 b 4) ἀεὶ σφοδρότερον ἡσυχαιτέρου Ph. 24 c 4*.

Adv. : ἡσύχως (au sup. ἡσυχαίτατα Ch. 160 a 4, ass. et opp. à τάχιστα)* et ἡσυχῇ (Ch. 159 c 3, ass. et opp. à ταχύ ; e 6, app. et ass. à βραδέως, ass. et opp. à σφόδρα et à ταχέως).

App. : βραδύς.

Ass. et opp. : σφοδρός.

Opp. : ὀξύς, ταχύς.

Syn. : ἡσυχαῖος, ἡσύχιος.

ἧττα, ἡ « défaite » νίκην τε καὶ ἧτταν ... μάχης L. I 638 a 7 (cf. b 6) δι' ἥττας ἡδονῶν τε καὶ ἐπιθυμιῶν L. IX 869 e 7 (cf. I 648 e 4 X 902 b 1).

Ass. : μάχη.

Ass. et opp. : νίκη.

ἡττᾶν, toujours au passif ἡττᾶσθαι, « être vaincu par » ὑπὸ ἡδονῆς ... ἡττωμένους ἢ ... ὑπό τινος ... κρατουμένους Pr. 352 e 1 (cf. 353 a 1 et 5, 355 b 3 c 3 d 3 e 3 et 8, 357 c 8 L. VIII 840 c 5 Le. VII 351 a 9) ἡττωμένῳ τῆς τιμῆς τῆς ὑπὸ τῶν πολλῶν B. 216

b 5 οὐχ ὑπ' ἔρωτος ἡττώμενος ἀλλ' ἐμαυτοῦ κρατῶν Phr. 233 c 2 τὸ νικᾶν αὐτὸν αὑτόν ... τὸ δὲ ἡττᾶσθαι αὐτὸν ὑφ' ἑαυτοῦ L. I 626 e 3.

App. et ass. : κρατεῖσθαι.

Ass. et opp. : κρατεῖν, νικᾶν.

ἥττων « inférieur » (à), « vaincu » (par) (adj. et subst. m. ou n.) τὸν ἥττω λόγον κρείττω ποιεῖν Ap. 23 d 5 (cf. 18 b 10, 19 b 5) ἥττω ... τῶν ἡδονῶν Pr. 353 c 2 (cf. 354 e 7, 355 d 6, 357 e 2, 358 c 2 L. I 633 e 1) ὁ γὰρ ἑαυτοῦ κρείττων καὶ ἥττων ... ἂν αὑτοῦ εἴη καὶ ὁ ἥττων κρείττων R. IV 430 e 12 (cf. L. I 626 e 8, 633 e 5 III 690 b 5 VIII 841 c 1) ἥττω ἑαυτοῦ καὶ ἀκόλαστον R. IV 431 b 2 ἥττω ... καὶ ὑποδεέστερον Phr. 239 a 2 οἱ κρείττους τοῖς ἥττοσιν ἡμῖν T. 77 c 6 (cf. G. 488 b 5) τὰ ... ἥττω καὶ χείρω δοῦλα L. V 726 a 5 (cf. G. 484 c 3, 488 b 5) ἥττους... τῶν νόμων Le. VII 337 c 8.

Adv. : ἧττον (Pr. 356 a 4 Ph. 24 a 9 c 3 et 8, ass. et opp. à μᾶλλον comme ἔλαττον l'est à πλέον Po. 284 b 8 et Ph. 24 c 5).

App. et ass. : ὑποδεέστερος, χείρων.

Ass. et opp. : κρείττων.

Θ

θάλλειν « prospérer » θάλλει τε καὶ ζῇ B. 203 e 2 ἡ πᾶσα ... θάλλει τε καὶ εὐδαιμονεῖ χώρα L. XII 945 d 3 (cf. Le. V 321 e 5).

Ass. : εὐδαιμονεῖν.

θάμβος, τό « effroi » ὑπ᾽ αἰσχύνης τε καὶ θάμβους Phr. 254 c 5*.

θανάσιμος « mortel (meurtrier) » τὴν ἀδικίαν εἶναι θανάσιμον τῷ ἔχοντι ὥσπερ νόσον R. X 610 c 10 (cf. d 6 e 4 III 406 b 5).

θάνατος, ὁ « mort » τοῦτό γε θάνατος ὀνομάζεται, λύσις καὶ χωρισμὸς ψυχῆς ἀπὸ σώματος Pd. 67 d 3 (cf. G. 524 b 2) περὶ ζωῆς καὶ θανάτου Pd. 71 d 4 θάνατος ψυχῆς ὄλεθρος Pd. 91 d 6 ὁ θάνατος τοῦ παντὸς ἀπαλλαγή Pd. 107 c 5 θανάτους τε καὶ σφαγάς L. III 682 e 1 (cf. Le. VII 327 d 5).

App. et ass. : ὄλεθρος, σφαγή.

Ass. et opp. : ζωή.

θάπτειν « ensevelir » φάναι τοὐμὸν σῶμα θάπτειν Pd. 115 e 8 (cf. L. XII 959 c 5) σῆμα ... αὐτὸ εἶναι τῆς ψυχῆς, ὡς τεθαμμένης ἐν τῷ νῦν παρόντι Cra. 400 c 2.

θαρραλέος (adj. et subst. m. ou n.) 1° (personnes) « confiant, assuré » ; 2° (choses) « rassurant ».

1° « confiant, assuré » ἄνδρα ἐν πολέμῳ καὶ θαρραλεώτερον καὶ ἀνδρειότερον ... αὐτὸν αὑτοῦ La. 182 c 6 (cf. Pr. 350 c 2, 4, 9 d 1) θαρραλέους ... καὶ ἴτας γε Pr. 349 e 2 (réc. 359 b 9) θαρραλέοι ... καὶ θρασεῖς L. I 649 c 8 εὔελπιν καὶ θαρραλέον L. II 671 c 5.

2° « rassurant » τὴν τῶν δεινῶν καὶ θαρραλέων ἐπιστήμην La. 194 e 11 (réc. 196 d 2 ; cf. 195 b 9 e 6, 198 b 3 Pr. 359 c 5) θαρραλέα ... ἃ μὴ δέος παρέχει La. 198 b 6 τἀληθῆ εἰδότα λέγειν ἀσφαλὲς καὶ θαρραλέον R. V 450 e 2 τῷ ... ἀγαθῷ θαρραλέον, τῷ δὲ κακῷ μάλα φοβερόν L. XII 959 b 6 (cf. Ph. 32 c 2).

Adv. : θαρραλέως (Ap. 34 e 1).

App. et ass. (1°) : εὔελπις, θρασύς, ἴτης ; (2°) ἀσφαλής.

Ass. (1°) : ἀνδρεῖος.

Ass. et opp. (2°) : δεινός 1°, φοβερός.

θαρρεῖν « avoir confiance, être assuré » θάρρει Pr. 311 a 6 (cf. 314 d 9 Tht. 148 c 9) αἰσχρούς τε φόβους φοβοῦνται καὶ αἰσχρὰ θάρρη θαρροῦσιν Pr. 360 b 6 (cf. b 2 Pd. 95 c 4 L. X 897 a 2) θαρρεῖν ... καὶ εὔελπις εἶναι Pd. 63 e 9 θαρρεῖν ἢ δεδιέναι ὑπὲρ τῆς ἡμετέρας ψυχῆς Pd. 78 b 8 (cf. 114 d 8) θάνατον θαρροῦντι ... ἀνοήτως θαρρεῖν Pd. 88 b 4 (cf. L. I 649 a 5) θαρρῶν καὶ καρτερῶν ... ἀποκρίνου Tht. 157 d 4 παρακινδυνεύοντά τε καὶ θαρροῦντα L. VII 810 e 2 θαρροῦντα χρὴ ταῦτα εἰς νόμους θέσθαι Ep. 987 a 6 (cf. L. II 657 a 7 réc. b 3).

App. : ἐλπίζειν (a), τολμᾶν.

App. et ass. : καρτερεῖν.

Ass. : παρακινδυνεύειν.

Ass. et opp. : δεδιέναι, φοβεῖσθαι.

θάρρος, τό « confiance, audace » οὐ ταὐτὸν εἶναι θάρρος τε καὶ ἀνδρείαν Pr. 351 a 5 (ici opp. ; mais app. B. 192 a 5 ὑπὸ θάρρους καὶ ἀνδρείας) αἰσχρούς τε φόβους φοβοῦνται καὶ αἰσχρὰ θάρρη θαρροῦσιν Pr. 360 b 6 (cf. b 2 Pd. 95 c 4) θάρρος καὶ φόβον, ἄφρονε συμβούλω T. 69 d 2 (cf. L. I 647 a 10) φόβος μὲν ἡ πρὸ τῆς λύπης ἐλπίς, θάρρος δὲ ἡ πρὸ τοῦ ἐναντίου L. I 644 d 1 (cf. II 671 c 8).

App. : καρτερία (La. 192 b 9 sv.).

Ass. : ἀνδρεία, ἐλπίς.

Ass. et opp. : φόβος.

θάτερον : v. ἕτερος.

θαῦμα, τό 1° « prodige » [« sujet d'étonnement »[; 2° « étonnement, admiration » ; 3° « marionnette ».

1° « prodige » τὸ ... μὴ πείθεσθαι ... τοὺς πολλοὺς θαῦμα οὐδέν R. VI 498 d 8 (cf. Ep. 988 d 8) τὸ τῆς σοφιστικῆς δυνάμεως θαῦμα So. 233 a 9 (cf. L. X 899 a 4) θαῦμα οὐκ ἀνθρώπινον ἀλλὰ ... θεῖον Ep. 990 d 5.

2° « étonnement » θαῦμα ... ἐμέ [TW : μέ B] γε ἔχει Ph. 36 e 1 θαύματα ... ὑπεδύετο περὶ αὐτά L. XII 967 a 8.

3° « marionnette » τὰ θαύματα δεικνύασιν R. VII 514 b 7 (cf. L. II 658 c 1 et 11) θαῦμα ... ἕκαστον ἡμῶν ἡγησώμεθα τῶν ζῴων θεῖον, εἴτε ὡς παίγνιον L. I 644 d 7 (cf. 645 b 1 d 1) θαύματα ὄντες τὸ πολύ L. VII 804 b 3.

App. et ass. (3°) : παίγνιον (b).

θαυμάζειν « s'étonner, admirer » μάλιστα ... αὐτῶν ἓν ἐθαύμασα Ap. 17 a 5 (cf. 24 a 2 Cr. 50 c 7 et 8) μάλιστα ἐθαύμασα αὐτοῦ ... τοῦτο Pd. 89 a 2 (cf. 88 e 5, 95 a 8 b 2, 97 a 2) θαυμάζουσι καὶ ἄγανται B. 180 b 1 (cf. Pd. 88 e 5) μάλα ... φιλοσόφου τοῦτο τὸ πάθος, τὸ θαυμάζειν Tht. 155 d 3 (κόσμον ...) ὃν ὁ ... εὐδαίμων πρῶτον μὲν ἐθαύμασεν Ep. 986 c 5.

App. et ass. : ἄγασθαι 1°.

θαυμάσιος « étonnant » θαυμάσια ... ἐργαζομένους Ap. 35 a 5 (cf. B. 220 b 1 R. V 474 a 3).

Adv. : θαυμασίως (Pd. 60 b 4) ; **θαυμασίως ὡς G. 471 a 9.**

θαυμαστός id. οὐδὲν θαυμαστόν Pr. 328 c 5 (cf. G 517 e 2 R. III 390 a 5 Le. VII 325 b 3) μοι ... οὐδὲν θαυμαστὸν πάθος ἐπῆλθε L. VII 811 d 1 (cf. Le. VII 324 d 4, 351 d 1 et 5) μὴ θαυμαστῆς μετέχουσα φύσεως Ep. 990 b 2 (cf. 988 c 5).

Adv. : θαυμαστῶς (Pd. 88 d 3) ; θαυμαστῶς ὡς R. I 331 a 9.

App. : ἀγαστός.

θαυματουργεῖν « opérer mystérieusement » τεθαυματουργημένα ... φανήσεται T. 80 c 7 *.

θέα, ἡ « vue, contemplation » ἐλθεῖν ἐπὶ θέαν τἀνδρός La. 179 e 4 εἴδη ... ἄξια θέας R. IV 445 c 2 (cf. V 466 e 7, 467 a 8 e 4) τὴν ... ἄνω ἀνάβασιν καὶ θέαν τῶν ἄνω R. VII 517 b 4 ἀγωγῶν ... ἐπὶ τὴν τοῦ ὄντος θέαν R. VII 525 a 2 (cf. c 2 IX 582 c 8 Phr. 248 b 5) πολλαὶ ... καὶ μακάριαι θέαι Phr. 247 a 4 μακαρίαν ὄψιν καὶ θέαν Phr. 250 b 7 ἀκριβεστέρα σκέψις θέα τε L. XII 965 c 1.

App. et ass. : ὄψις, σκέψις (a).

θέαμα, τό « spectacle » θέαμα εὐδαιμόνων θεατῶν Pd. 111 a 2 κάλλιστον θέαμα τῷ δυναμένῳ θεᾶσθαι R. III 402 d 4 (cf. T. 87 d 8) ἐμπλήσθητε τοῦ καλοῦ θεάματος R. IV 440 a 5 (cf. X 615 d 6 G 525 c 8 L. IV 711 a 6)*.

Syn. : θεώρημα, θεώρησις.

θεᾶσθαι « considérer, contempler » ὀφθαλμὸς ... ὀφθαλμὸν θεώμενος A. 133 a 5 θέασαι ... τόδ' εἴ σοι δοκεῖ εἶναι τὸ καλόν H. M. 295 b 7 πάντες ὥσπερ ἄγαλμα ἐθεῶντο αὐτόν Ch. 154 c 9 (cf. e 5 La. 188 d 1) τεθέασθε ... τὸν ἄνδρα μαχόμενον La. 178 a 1 (cf. 179 e 3 et 4, 183 d 1 B. 220 e 8, 221 a 6) ὅταν αὐτὸς αὑτὸν θεάσηται G. 495 e 2 (cf. R. II 369 a 6) θεάσασθαι τὸ ἐν ... τοῖς νόμοις καλόν B. 210 c 3 (cf. e 3 R. III 402 d 4 L. I 650 a 5) θεωμένῳ αὐτὸ τὸ καλόν B. 211 d 2 (cf. 212 a 2 Pd. 66 d 9) διανοίᾳ ... ἀναγκάζονται ἀλλὰ μὴ αἰσθήσεσιν αὐτὰ θεᾶσθαι οἱ θεώμενοι R. VI 511 c 8 τὸν ἥλιον ... αὐτὸν καθ' αὑτὸν ... κατιδεῖν καὶ θεάσασθαι R. VII 516 b 6 (cf. a 8) ἡ ... οὐσία ὄντως οὖσα ... μόνῳ θεατὴ νῷ Phr. 247 c 8 (cf. B. 197 d 6*) τὰ ὄντα ὄντως θεασαμένη Phr. 247 d 4 (cf. 249 e 6, 250 b 5 R. VII 518 c 10) τί κάλλιον ἓν ἑνὸς ἄν τις θεάσαιτο ; Ep. 978 c 7.

Adj. verbal : θεατός (v. ci-dessus les deux cas du *B.* et du *Phr.*).

App. : ἀθρεῖν, ὁρᾶν.

App. et ass. : καθορᾶν.

Syn. : θεωρεῖν.

θεατός : v. θεᾶσθαι.

θεῖος « divin » 1° au sens mythologique ; 2° au sens étymologique ; 3° au sens hyperbolique ou emphatique ; 4° au sens d' « inspiré » ou de « providentiel » (cf. θεία μοῖρα, θεία τύχη : v. ces substantifs) ; 5° au sens philosophique, appliqué : a) aux Idées ; b) à l'âme ; c) au monde ; d) à un idéal (vertueux, scientifique ou politique). — Subst. n. : τὸ θεῖον (1° et 2° : « la divinité » ; 5° « le principe divin ») ; τὰ θεῖα « le divin » (1°).

1° au sens mythologique καὶ δαιμόνια καὶ θεῖα ἡγεῖσθαι Ap. 27 e 7 θεῖόν τι καὶ δαιμόνιον Ap. 31 d 1 ἀψευδὲς τὸ δαιμόνιόν τε καὶ τὸ θεῖον R. II 382 e 8 τοῦ ὅλου ... ἐπορέξεσθαι θείου τε καὶ ἀνθρωπίνου R. VI 486 a 6 (cf. 500 c 9 d 1) οἷον νομῆς θεῖοι ... δαίμονες Po. 271 d 7 (cf. 275 c 1, 276 d 5) εἴτε τις θεὸς εἴτε καὶ θεῖος ἄνθρωπος Ph. 18 b 7 ὡς θεοὺς καὶ θεῖα ὄντα L. X 886 d 7 οὐ χρὴ περὶ τὰ θεῖά ποτε πραγματεύεσθαι Ep. 988 a 6 οὔτε ἄφρον ... τὸ θεῖον Ep. 988 a 8 (cf. 982 d 7 Phr. 242 c 3).

2° au sens étymologique σοφῶν περὶ τὰ θεῖα πράγματα M. 81 a 5 εἰς τὸ θεῖον καὶ λαμπρὸν ὁρῶντες A. 134 d 4 θείᾳ φύσει δυσχεραίνων R. II 366 c 6 (cf. Phr. 244 a 9) τὸ ... θεῖον καλόν, σοφόν, ἀγαθόν Phr. 246 d 8 (cf. 249 d 1 B. 206 d 1, 208 b 1) πρὸς ... ἐκείνοις ἀεί ἐστι ... πρὸς οἷσπερ θεὸς ὢν θεῖός ἐστιν Phr. 249 c 7 ὑπ' ἄλλης ... θείας αἰτίας Po. 270 a 3 (cf. 271 e 6) τὰ μὲν οὐράνια καὶ θεῖα Criti. 107 d 7 συγγένειά τις ἴσως σε θεία πρὸς τὸ σύμφυτον ἄγει L. X 899 d 7 (cf. IV 713 d 2, 716 a 3).

3° au sens hyperbolique ἄξιον τούτους θείους καλεῖν τοὺς ἄνδρας M. 99 c 6 (cf. c 10 d 2, 7, 8) τό γε θειότατον πάντων Mx. 244 d 6 τὸν κάλλιστον ... φόβον ..., ὃν αἰδῶ τε καὶ αἰσχύνην θεῖον φόβον ὠνομάκαμεν L. II 671 d 2.

4° au sens d'« inspiré » ou de « providentiel » ἄλλοι πολλοὶ τῶν ποιητῶν, ὅσοι θεῖοί εἰσιν M. 81 b 2 θεῖον ... τὸ ποιητικὸν ... γένος L. III 682 a 3 (cf. II 664 d 4 III 696 b 1 IV 711 d 6 VII 817 b 1) ἄξιος τοῦ πράγματος θεῖος ὤν Le. VII 340 c 3 (cf. les cas de θεία μοῖρα ou τύχη, et peut-être R. II 366 c 6 Phr. 244 a 9 classés à 2°).

5° au sens philosophique, appliqué :

a) aux Idées τὸ θεῖόν τε καὶ ἀθάνατον καὶ φρόνιμον Pd. 81 a 3 (cf. 83 e 1, 84 a 1, 86 a 9) οἱ τῷ θείῳ παραδείγματι χρώμενοι R. VI 500 e 3 (cf. VII 517 d 5) ὡς συγγενὴς ..., τῷ τε θείῳ καὶ ἀθανάτῳ καὶ τῷ ἀεὶ ὄντι R. X 611 e 2 (cf. Po. 269 d 6) παραδειγμάτων ... ἑστώτων, τοῦ μὲν θείου εὐδαιμονεστάτου τοῦ δὲ ἀθέου ἀθλιωτάτου Tht. 176 e 4 πρὸς τὸ θεῖον ἀφορῶντα So. 254 b 1 (cf. Pa. 134 e 4 Ph. 22 c 6) σφαίρας αὐτῆς τῆς θείας τὸν λόγον ἔχων Ph. 62 a 8.

b) à l'âme ὅ τί ἐστι τῆς ψυχῆς θειότερον A. 133 c 1 (cf. c 5) ὑπὸ τῷ θείῳ τὰ θηριώδη ποιοῦντα τῆς φύσεως R. IX 589 d 2 (cf. e 4, 590 d 2 et 5) καθ' ὅσον ... ἀθανάτοις ὁμώνυμον εἶναι προσήκει, θεῖον λεγόμενον T. 41 c 7 (cf. 69 c 3) τὴν τοῦ θειοτάτου καὶ ἱερωτάτου ... οἴκησιν T. 44 e 6 (cf. 69 d 7, 73 a 8 c 7, 76 b 2, 88 b 2, 90 b 1 c 4 et 8) τὸ συγγενὲς θεῖον Criti. 120 e 3 πάντων ... τῶν αὑτοῦ κτημάτων ... ψυχὴ θειότατον L. V 726 a 3 (cf. 728 b 1 XII 966 e 1 Ep. 981 b 7, 982 a 1) τὸ θεῖον τῆς γενέσεως καὶ τὸ θνητόν Ep. 977 e 5 (cf. 988 a 6 Pd. 80 a 4).

c) au monde (« dans un contexte cosmologique », Van Camp-Canart, *Le Sens...*, p. 201) ποιητικῆς ... δύ' ἔστω μέρη ... τὸ μὲν θεῖον, τὸ δ' ἀνθρώπινον So. 265 b 6 (réc. e 6) μετὰ λόγου τε καὶ ἐπιστήμης θείας ἀπὸ θεοῦ γιγνομένης So. 265 c 10 τὰ ... φύσει λεγόμενα ποιεῖσθαι θείᾳ τέχνῃ So. 265 e 3 δύο τὰ πρὸς ἡμῶν ἀνθρώπεια, δύο δ' αὖ τὰ πρὸς θεῶν θεῖα So. 266 a 6 οὐ θεῖον ἀλλ' ἀνθρωπικὸν τῆς ποιήσεως ... μόριον So. 268 d 1 ζῷα θεῖα ὄντα καὶ ἀΐδια T. 40 b 5 (cf. a 3, 68 e 7, 69 a 1).

d) à un idéal (vertueux, scientifique ou politique) ἀληθῆ δόξαν μετὰ βεβαιώσεως ... θείαν φημὶ ἐν δαιμονίῳ γίγνεσθαι γένει Po. 309 c 7 (cf. c 2, 310 a 4 et 8) πάντων τῶν βίων ... θειότατος Ph. 33 b 7 διπλᾶ ... ἀγαθά ἐστιν, τὰ μὲν ἀνθρώπινα, τὰ δὲ θεῖα L. I 631 b 7 (cf. b 8 c 6 d 5 V 727 a 3, 732 e 2 Criti. 107 d 8) τὸν μέλλοντα ἔσεσθαι θεῖον L. VII 792 d 5 (cf. XII 945 c 3, 966 d 1 R. II 383 c 4) ὁπόταν (ψυχὴ) ἀρετῇ θείᾳ προσμείξασα γίγνηται διαφερόντως τοιαύτη L. X 904 d 7.

Adv. : θείως (Tht. 154 d 3=3°*).

App. et ass. : (1°) δαιμόνιος ; (2°) οὐράνιος ; (5° a) ἀθάνατος ; (b) ἱερός ; (c) ἀΐδιος.

Ass. et opp. : (1°) ἄθεος ; (1° et 5°) ἀνθρώπειος, ἀνθρωπικός, ἀνθρώπινος ; (5°) θνητός.

θειοῦν « consacrer » ἄλλοι ... εὐτυχέστερον ἐθείωσαν τὴν διανομὴν L. VI 771 c 1*.

θέμις, ἡ « norme » 1° humaine ; 2° suprême et divine ; 3° personnifiée : « Thémis ».

1° οὐ γάρ που θέμις τῷ ὀρθῶς λέγοντι μὴ συγχωρεῖν (norme « platonicienne » de l'Académie, Vos, p. 34 ; cf. G. 505 d 1 R. V 480 a 10 Tht. 146 c 1) οὐκ ἔστιν τοιοῦτος ἀνὴρ ἐν τῇ πόλει ἡμῖν οὔτε θέμις ἐγγενέσθαι R. III 398 a 6 (norme de la cité platonicienne ; cf. 417 a 3 IV 422 d 3)*.

2° οὐ ... ψεύδεται (ὁ θεός) ... · οὐ γὰρ θέμις αὐτῷ Ap. 21 b 6 (cf. Pd. 82 b 9 Tht. 151 d 3 Po. 269 e 7 T. 29 a 4, 30 a 6 L. IX 875 c 7 Ep. 986 b 7) τὰ κατ' ἀνθρώπους ἐρωτικά, ὅσα τείνει πρὸς θέμιν καὶ εὐσέβειαν B. 188 d 2 εἰ θέμις καὶ ἀνεμέσητον εἰπεῖν B. 195 a 7 (cf. So. 258 b 2) ἐτελοῦντο τῶν τελετῶν ἣν θέμις λέγειν μακαριωτάτην Phr. 250 b 9 (cf. L. IV 717 b 6) κατ' ἀγχιστείαν καὶ θέμιν L. XI 925 d 4 (emploi « poétique », Vos, p. 32-33)*.

3° Δία καὶ 'Απόλλωνα καὶ Θέμιν ἀπομόσας L. XI 936 e 9 (cf. R. II 380 a 2)*.

App. : δίκη (qui de plus en plus remplace θέμις), νόμος.

App. et ass. (2°) : ἀνεμέσητον.

Ass. (2°) : εὐσέβεια.

Syn. : θεμιτόν.

θεμιτός « licite » seulement au n. θεμιτόν et avec négation οὐ γάρ φασι θεμιτὸν εἶναι Pd. 61 c 8 (réc. d 3 e 4 ; cf. 67 b 2 Ap. 30 d 1 G. 497 c 4 Phr. 256 d 3) ἀμελῆσαι ... οὐ θεμιτόν ἐστιν θεῶν Ep. 992 a 7*.

Opp. : ἀθέμιτος (mais le mot ne se trouve pas chez Platon).
Syn. : θέμις.

θεογονία, ἡ « naissance des dieux » θεογονίαν [θεολογίαν Eus. I^ao et Theod.] ... καὶ ζῳογονίαν ἀναγκαῖον ... ἀπεικάσαι Ep. 980 c 7 (cf. L. X 886 c 5)*.
Ass. : ζῳογονία.

θεοειδής « semblable aux dieux » ἰσχυρόν τί ἐστιν ἡ ψυχὴ καὶ θεοειδές Pd. 95 c 5 (cf. Phr. 251 a 2 Ep. 980 d 7) ὃ ... Ὅμηρος ἐκάλεσεν ... θεοειδές τε καὶ θεοείκελον R. VI 501 b 7*.
Ass. et syn. : θεοείκελος.

θεοείκελος id. θεοειδές τε καὶ θεοείκελον R. VI 501 b 7*.
Ass. et opp. : ἀνδρείκελος.
Ass. et syn. : θεοειδής.

θεολογία, ἡ « discours sur les dieux » οἱ τύποι περὶ θεολογίας τίνες ἂν εἶεν ; R. II 379 a 5 (v. l. Ep. 980 c 7 [Eus. I^ao et Theod. : θεογονίαν ceteri])*.

θεόμαντις, ὁ « devin » οἱ χρησμῳδοί τε καὶ οἱ θεομάντεις M. 99 c 3 (cf. Ap. 22 c 2)*.
App. et ass. : χρησμῳδός.
Syn. : μάντις.

θεομισής « détesté des dieux » (adj. et subst. m. ou n.) τὸ μὲν θεοφιλές τε καὶ ὁ θεοφιλὴς ἄνθρωπος ὅσιος, τὸ δὲ θεομισὲς καὶ ὁ θεομισὴς ἀνόσιος Euph. 7 a 8-9 (cf. 8 a 5 b 1 ; 9 c 6 et 8 R. X 612 e 5) θεομισῆ ... καὶ αἰσχρῶν αἴσχιστα L. VIII 838 c 1 (cf. IX 879 c 3) ὁ μὴ θεομισέστατος ἔσεσθαι μέλλων L. XI 917 a 1.
App. : ἀσεβής.
App. et ass. : ἀνόσιος.
Ass. et opp. : θεοφιλής, ὅσιος.
Opp. : εὐσεβής, θεῷ φίλος (L. IV 716 d 2).

θεός, ὁ, ἡ. A. Subst. m. 1° « la divinité » (au sg. collectif ou au pl.) ; 2° « le dieu » : a) le dieu de Socrate ; b) le dieu intéressé (Apollon à Delphes...) ; 3° « un dieu ». B. Subst. f. « (la) déesse » (d'ordinaire Athéna).

A. 1° « La divinité » ἄδηλον παντὶ πλὴν εἰ τῷ θεῷ Ap. 42 a 4 (cf. A. 135 d 6 Phr. 246 d 2) πρὶν ἀνάγκην τινὰ θεὸς ἐπιπέμψῃ Pd. 62 c 6 (cf. d 1 et 5) ὁ ... θεός ... ἂν ὁμολογηθείη μηδέποτε ἀπόλλυσθαι. — Παρὰ πάντων ... καὶ ἔτι μᾶλλον ... παρὰ θεῶν Pd. 106 d 4 et 8 (cf. L. XI 913 d 3) θεοὺς οὔτε λανθάνειν οὔτε βιάσασθαι δυνατόν R. II 365 d 6 (cf. 366 a 2 L. X 899 d 2 e 5 et 6 Ep. 980 d 1) πλάττομεν ... θεόν, ἀθάνατόν τι ζῷον Phr. 246 c 8 (cf. 247 d 1) οὐκ ἄν τινα μᾶλλον ἢ θεὸν φαίης ἔχειν τὴν ἀκριβεστάτην ἐπιστήμην Pa. 134 c 11 (cf. d 1 et 9 ; identique aux Idées ? Cf. d 5 ; repris e 4 par τοῦ θείου) ὅταν ἀπῇ τινος θεός T. 53 b 3 (cf. L. IV 716 b 1) θεὸς οἶδεν καὶ ἀνδρῶν ὃς ἂν ἐκείνῳ φίλος ᾖ T. 53 d 7 ὁ ... θεός ... ἀρχήν τε καὶ τελευτὴν καὶ μέσα τῶν ὄντων ἁπάντων ἔχων L. IV 715 e 8 μετὰ θεοῦ L. VI 775 c 4 μετὰ θεοὺς δὲ τούσδε καὶ τοῖς δαίμοσιν L. IV 717 b 3 ἔν τε θεοῖσι καὶ ἐν ἀνθρώποις L. IX 879 c 1 (cf. X 901 b 6) θεοὶ καὶ θεῶν παῖδες L. XI 934 c 5 (cf. R. II 366 b 1).

2° « le dieu » a) le dieu de Socrate οἴομαί με τὸν θεὸν οὐκ ἐᾶν διαλέγεσθαί σοι A. 105 d 6 (réc. e 7, 124 c 9) τοῦτο ... μοί πως ἐκ θεοῦ δέδοται Ly. 204 c 1 ; b) le dieu intéressé οὗτος ... ὁ θεὸς ('Απόλλων ; cf. b 1) ... ἐξηγεῖται R. IV 427 c 3 (cf. V 470 a 3) θεὸς ... ὁ θεῶν Ζεύς Criti. 121 b 7 τὸν δαίμονά τε καὶ θεὸν ... ὑποθήσεσθαι L. VII 804 a 6.

3° « un dieu » κατὰ θεόν τινα R. IV 443 b 10 (cf. So. 265 d 3 L. III 682 a 2 e 10 XII 946 b 6) ψυχὴ ... θεὸς [A³ O³ : θεοῖς AO Eus.] οὖσα L. X 897 b 2.

B. « (La) déesse » προσευξόμενος ... τῇ θεῷ R. I 327 a 2 (Artémis-Bendis) ὕβριν ... κατιδοῦσα ἡ θεός Ph. 26 b 8 (l'Aphrodite de Socrate pour A. Diès, p. 24, n. 1 ; sa fille Harmonie pour P. Friedländer, *Platon*, II, p. 574, n. 1 ; ²III, p. 488, n. 41) τῆς θεοῦ ... ἐνδειξαμένης T. 24 b 6 (Athéna ; cf. c 5 d 1, 23 d 6 Criti. 110 b 5 et 8 L. VII 796 c 3, 806 b 3) εὐφημεῖν πάντας θεοὺς ἅμα καὶ πάσας Ep. 992 d 7.

Ass. et opp. : ἄνθρωπος et d'ordinaire δαίμων.

Ass. et syn. : parfois δαίμων.

Syn. : (τὸ) δαιμόνιον, θεῖον.

θεοσέβεια, ἡ « religion » μὴ τολμήσῃ ... ἐπὶ θεοσέβειαν ἥτις μὴ σαφὲς ἔχει τι τρέψαι πόλιν ἑαυτοῦ Ep. 985 d 1 (cf. 990 a 1)*.

App. : εὐσέβεια.

θεοσεβής « religieux » (adj. et subst. n.) ὅταν ἐξ ἀνδρὸς ... θεοσεβοῦς ἀσεβὴς γένηται Cra. 394 d 6 (cf. R. II 383 c 4) ζῴων τὸ θεοσεβέστατον T. 41 e 6 (cf. L. X 902 b 5 XII 967 d 4) τὸ θεοσεβὲς γνωρισθήσεται Ep. 977 e 6 (cf. L. VIII 841 c 4)*.

App. : εὐσεβής.

Ass. et opp. : ἀσεβής.

θεοφιλής « agréable, cher aux dieux » (adj. et subst. m. ou n.) τὸ ... θεοφιλές τε καὶ ὁ θεοφιλὴς ἄνθρωπος ὅσιος, τὸ δὲ θεομισὲς καὶ ὁ θεομισὴς ἀνόσιος Euph. 7 a 7-8 (cf. 8 a 5 b 1 ; 9 c 8 ; 10 d 10-12-13, e 6-7-10 ; 11 a 1-2, 15 c 2 et 6 R. II 362 c 4, 382 e 4 X 612 e 5) ἡ χώρα ... τυγχάνει οὖσα θεοφιλής Mx. 237 c 8 (cf. T. 60 e 2 L. VII 822 c 3 Le. II 314 a 1) τεκόντι ... ἀρετὴν ἀληθῆ ὑπάρχει θεοφιλεῖ γενέσθαι B. 212 a 6 (cf. R. VI 501 c 1 VIII 560 c 1) δίκαιος ἀνὴρ καὶ εὐσεβὴς ... θεοφιλής ἐστιν Ph. 39 e 12 (cf. 40 b 3) θεοφιλῆ ... καὶ εὐτυχῆ ... ἀρχήν L. III 690 c 5 θεοφιλῆ μοῖραν L. XI 931 e 5*.

Adv. : θεοφιλῶς (A. 134 d 2*).

App. et ass. : εὐσεβής, ὅσιος.

Ass. : εὐτυχής.

Ass. et opp. : ἀνόσιος, θεομισής.

Opp. : ἀσεβής.

θεραπεία, ἡ 1° « soin » a) en général b) « tutelle » (des dieux) ; 2° « culte » a) des dieux ; b) (par analogie) des parents ...

1° a) αἱ περὶ τὰ ἄλλα θεραπεῖαι (opp. à περὶ θεούς) Euph. 13 a 3 (cf. a 1, 7, 12 ; b 7 c 2) τεχνικὸς περὶ ψυχῆς θεραπείαν La. 185 e 4 (cf. d 10) τῆς τοῦ σώματος θεραπείας G. 464 b 7 (cf. 501 a 4 Pd. 64 d 7, 66 d 1 T. 87 c 2) μηδεμίαν ἐπιμέλειαν μηδέ τινα θεραπείαν ἐσθῆτος Po. 281 b 4 θεραπεία ... παντὶ παντὸς μία T. 90 c 6.

b) ἐκ ταύτης τῆς θεραπείας ἀπιόντας ἐν ᾗ ἐπιστατοῦσιν αὐτῶν οἵπερ ἄριστοί εἰσιν τῶν ὄντων ἐπιστάται Pd. 62 d 3.

2° a) τὴν τῶν θεῶν θεραπείαν Euph. 12 e 7 (cf. A. 122 a 3 L. IV 716 d 7 XI 930 e 6) ἡ ὁσιότης θεραπεία οὖσα θεῶν Euph. 13 c 6 (cf. d 1 et 5) θεῶν τε καὶ δαιμόνων καὶ ἡρώων θεραπεῖαι R. IV 427 b 8 πάσῃ τῇ κατὰ νόμους θεραπείᾳ Ep. 988 a 5 (cf. a 2).

b) πᾶσαν θεραπείαν ὡς ἰσόθεος θεραπευόμενος Phr. 255 a 1 γονέων τε θεραπείας καὶ τιμάς L. X 886 c 8 (cf. IV 723 e 5 R. IV 425 b 3).

App. et ass. : (1° a) ἐπιμέλεια ; (2° a) ὁσιότης ; (b) τιμή.

θεραπεύειν 1° « soigner » ; 2° « servir » ; 3° « honorer d'un culte » a) les dieux ; b) les parents ...

1° ἵππους ... θεραπεύειν Euph. 13 a 5 (cf. a 9, b 8 et 10, c 2 La. 179 b 1) τὴν κεφαλὴν θεραπεύειν Ch. 156 b 8 (cf. c 2, 157 b 3) τὸ μέρος ... θεραπεύειν τε καὶ ἰᾶσθαι Ch. 156 c 5 τὴν ψυχὴν ... θεραπευθῆναι Ch. 157 b 4 (cf. La. 185 e 5, 186 a 8 Pr. 312 c 1, 325 c 1 G. 464 c 6, 486 d 7, 513 e 3 Cra. 440 c 5 R. IX 590 e 5 L. I 649 b 9) τοῦτο (sc. τὸ σῶμα) θεραπεύουσα καὶ ἐρῶσα Pd. 81 b 2 (cf. G. 501 a 1, 513 e 3) ὃς δ' ἂν ... ἥδιστα θεραπεύῃ καὶ χαρίζηται R. IV 426 c 3 (cf. d 1 IX 590 c 5).

2° διακονεῖν καὶ ὑπηρετεῖν ... καὶ θεραπεύειν πατέρας τε καὶ μητέρας R. V 467 a 2.

3° a) θεραπεύοντας ἀεὶ θεοὺς κατὰ νόμους L. VI 776 b 4 (cf. T. 90 c 4).

b) ὡς δαιμόνων, οὕτω θεραπεύσομέν τε καὶ προσκυνήσομεν αὐτῶν τὰς θήκας R. V 469 a 8 πᾶσαν θεραπείαν ὡς ἰσόθεος θεραπευόμενος Phr. 255 a 1 τὰ ... θεραπευόμενα ὑφ' ἡμῶν, ὅσα ἔμψυχα (sc. προγόνων ἱδρύματα, cf. e 1) L. XI 931 e 2 (cf. a 8).

Adj. verbal : θεραπευτός (Pr. 325 b 5, app. et ass. à διδακτός*).

App. (1°) : ἀκεῖσθαι, ἐπιμελεῖσθαι.

App. et ass. : (1°) ἰᾶσθαι ; (2°) διακονεῖν, ὑπηρετεῖν ; (3°) προσκυνεῖν.

Ass. (1°) : χαρίζεσθαι 2°.

θεράπευμα, τό a) « traitement » ; b) « service ».

a) τὰ θεραπεύματα καὶ τὰ παθήματα ἔνδηλα πάντα G. 524 b 7*.

b) ὅσα ... ξενικὰ πρὸς θεῶν θεραπεύματα L. IV 718 a 8*.

θεραπευτής, ὁ a) « soigneur » ; b) « ministre » ; c) « servant, fidèle ».

a) θεραπευτὴν ... σώματος G. 517 e 3 (cf. 518 b 5 et 8 R. I 341 c 7 II 369 d 9).

b) θεραπευτὴν ὁσίων τε καὶ ἱερῶν L. IX 878 a 7.

c) ὅσοι ... Ἄρεως ... θεραπευταί Phr. 252 c 6 θεραπευτὴν θεῶν καὶ γένους καὶ πόλεως L. V 740 b 8.

App. (a) : ἐπιμελητής.

Syn. (b-c) : θεράπων.

θεράπων, ὁ a) « serviteur » ; b) « servant, fidèle ».

a) ἄνευ θεραπόντων αὐτοῖς ἑαυτῶν διακονήσεις L. I 633 c 2 (cf. A. 122 c 1 R. IX 579 a 3)*.

b) παρὰ τὸν θεὸν ἀπιέναι οὗπέρ εἰσι θεράποντες Pd. 85 a 3 τῆς Ἀφροδίτης ἀκόλουθος καὶ θεράπων γέγονεν ὁ Ἔρως B. 203 c 2*.

App. et ass. (b) : ἀκόλουθος (B).

Syn. : θεραπευτής (b-c).

θερμός « chaud » (au pr. et au fig., adj. et subst. m. ou n.) τὸ θερμὸν καὶ τὸ ψυχρόν Pd. 96 b 1 (cf. 86 b 7 Ly. 215 e 6 So. 242 d 3, 243 b 4) λέγουσι ... τοὺς θερμοὺς θερμῶς Euth. 284 e 4 μὴ (οἱ φύλακες) ... θερμότεροι καὶ μαλακώτεροι τοῦ δέοντος γένωνται ἡμῖν R. III 387 c 5.

Adv. : θερμῶς (Euth. 284 e 4*).

Ass. : μαλακός.

Ass. et opp. : ψυχρός.

θεωρεῖν 1° « considérer, contempler » ; 2° « observer ».

1° « considérer, contempler » αὐτῇ τῇ ψυχῇ αὐτὴν τὴν ψυχὴν θεωροῦντα G. 523 e 4 τὸ ἀληθέστατον θεωρεῖται Pd. 65 e 2 (cf. B. 210 d 5) οἱ τὸν ἥλιον ... θεωροῦντες καὶ σκοπούμενοι Pd. 99 d 6 ἀνασχέσθαι θεωροῦσα Pd. 109 e 6 (= ἀνασχέσθαι θεωμένη R. VII 518 c 10) τὸ ... τοῦ ὄντος τε καὶ νοητοῦ θεωρούμενον R. VI 511 c 6 (cf. VII 529 b 3) θεοῦ διάνοια ... θεωροῦσα τἀληθῆ τρέφεται Phr. 247 d 4 (cf. c 1) τὸ πρᾶγμα ... θεωρείτω Tht. 177 e 2 ἐκ μὲν ἀδίκου ... ἑαυτοῦ θεωρούμενα ἡδέα L. II 663 c 4 (cf. Ph. 42 b 3) θεωρῶμεν δὴ συνεπόμενοι τῷ λόγῳ L. III 695 c 6 (cf. VII 815 b 4) θεωροῦντάς τε καὶ θεωρουμένους L. VI 772 a 1 (cf. 781 c 5 II 657 d 2) φύσις ἱκανὴ θεωρῆσαι Ep. 990 b 2.

2° « observer » θεωρεῖν ... τὰ περὶ τὸν πόλεμον R. V 467 c 2 (cf. a 4 L. I 650 a 7) τὰ τῶν ἄλλων ἀνθρώπων πράγματα θεωρῆσαι L. XII 951 a 6 (cf. c 5 d 4, 952 b 5).

App. : ἀθρεῖν, ὁρᾶν.

App. et ass. : σκοπεῖσθαι.

Syn. : θεᾶσθαι.

θεώρημα, τό « spectacle » ὄμμασιν ὄντως θεωρὸς ὅσα τε μουσῶν ὠσὶν ἔχεται θεωρήματα L. XII 953 a 4*.

Syn. : θέαμα, θεώρησις.

θεώρησις, ἡ id. τὰς ... τραγικὰς θεωρήσεις Ph. 48 a 5*.

Syn. : θέαμα, θεώρημα.

θεωρία, ἡ 1° « considération, contemplation » ; 2° « observation » ; 3° « délégation » ; 4° « fête ».

1° θεωρία παντὸς μὲν χρόνου, πάσης δὲ οὐσίας R. VI 486 a 8 ἀπὸ θείων ... θεωριῶν ἐπὶ τὰ ἀνθρώπεια ... ἐλθών R. VII 517 d 6 τῆς ... διαφορᾶς αὐτοῖν ἐπὶ θεωρίαν ἔλθωμεν Ph. 38 b 2 (cf. Ep. 977 b 1).

2° κατ' ἐπίταξιν ... τῶν δεσποτῶν καὶ θεωρίαν καὶ ἐμπειρίαν L. IV 720 b 3 ἄνευ ... ταύτης τῆς θεωρίας καὶ ζητήσεως L. XII 951 c 4.

3° ἢ κατὰ θεωρίας ἢ κατὰ στρατείας R. VIII 556 c 10 (cf. Pd. 58 b 3 et 5 c 1 L. XII 947 a 4).

4° τῆς τοῦ Διονύσου θεωρίας L. I 650 a 2 (cf. Cr. 52 b 5 L. XII 947 a 3).

App. et ass. (2°) : ἐμπειρία, ζήτησις.

θεωρός, ὁ 1° « contemplateur » ; 2° « observateur ».

1° θεωρὸς τῶν καλλίστων γενόμενος Ep. 986 d 4 (cf. T. 57 d 5)*.

2° θεωροὺς πολέμου τοὺς παῖδας ποιεῖν R. V 467 c 2 (cf. VII 537 a 5 L. I 639 c 5) θεωρούς ... ἐκπέμπειν L. XII 951 a 3 (cf. c 7, 950 d 9, 953 a 3)*.

θήρ, ὁ « bête » a) au pr. ; b) au fig.

a) αἴθωσι θηρσὶ καὶ δεινοῖς (sc. κηφῆσι) R. VIII 559 d 9*.

b) τὸν θῆρα μηκέτ' ἀνιέναι (sc. τὸν σοφιστήν) So. 235 a 10*.

Syn. : θηρίον, (b) θρέμμα (b).

θήρα, ἡ « chasse » a) au pr. ; b) au fig.

a) ἐπτέτεις ... ἐπὶ τὰς θήρας ἄρχονται ἰέναι A. 121 e 3 τῶν ἐμψύχων ζῴων θήραν So. 220 a 4 (cf. b 4 et 12 d 1 et 6, 222 b 10 d 10 L. I 633 b 2 VII 822 d 3, 823 b 1 c 1 d 4 e 6) θήρας τε καὶ κυνηγέσια R. III 412 b 4 (cf. L. VI 763 b 4).

b) τὴν ... τοῦ ἡδέος θήραν G. 500 e 1 τὴν τοῦ ὄντος θήραν Pd. 66 c 2 θήραν ἐπιστημῶν Tht. 198 a 7 τῇ τῶν ἐρώντων θήρᾳ So. 222 d 10 (cf. 223 b 4).

App. et ass. : κυνηγέσιον.

Syn. : (a) ἄγρα (que Platon n'emploie pas métaphoriquement) ; (a) et (b) θήρευσις.

θηρεύειν (à l'actif et au moyen) « chasser » 1° au pr. ; 2° au fig. (dans les deux cas, a) duratif « poursuivre » ; b) instantané « attraper »).

1° a) τὰ ... ζῷα θηρευσόμενος So. 222 a 7 (cf. Ly. 206 a 8) βρόχοις ἐθήρευον Criti. 119 e 2 ἐξέστω θηρεύειν L. VII 824 a 19 (cf. a 8).

b) περὶ ... τὸ στόμα τοῦ θηρευθέντος So. 221 a 3 (cf. Tht. 197 c 3).

2° a) ἔχων ... ὃ ἐθηρευόμην Ly. 218 c 5 θηρεύεται τὴν ἄνοιαν G. 464 d 2 ὀνόματα θηρεύων G. 489 b 7 (cf. 490 a 5) ἕκαστον ... θηρεύειν τῶν ὄντων Pd. 66 a 2 (cf. Tht. 198 a 2, 200 a 9 Ph. 20 d 8) ἐπειδὰν ... χειρώσωνται τοῦτο ὃ ἂν θηρεύωνται Euth. 290 b 9 οἷον ἐκ γειτόνων φωνὴν θηρευόμενοι R. VII 531 a 6 δόξας ... τεθηρευκώς Phr. 262 c 2 ἣν ... θηρεύομεν ἐπιστήμην Po. 264 a 5 (cf. 285 d 10) θηρεύει καὶ ἐφίεται βουλόμενον ἑλεῖν Ph. 20 d 8 τοῦτο θηρεύειν, ὅτι L. I 627 c 9 ἡ κατὰ φιλίαν θηρεύουσα (θήρα) L. VII 823 b 7.

b) βουλόμενός με θηρεῦσαι τὰ ὀνόματα περιστήσας Euth. 295 d 2 μιᾷ ... ἰδέᾳ τὸ ἀγαθὸν θηρεῦσαι Ph. 65 a 1.

App. et ass. : αἱρεῖν.

Syn. : ἀγρεῖν, θηρᾶν (l'un et l'autre étrangers à Platon).

θήρευσις, ἡ « chasse » a) au pr. ; b) au fig.

a) πεζῶν ... θήρευσίς τε καὶ ἄγρα L. VII 824 a 1*.

b) ὀνομάτων ... θηρεύσεις διευλαβεῖσθαι ἀλλήλων Tht. 166 c 2*.

App. : κυνηγέσιον.

Ass. et syn. (a) : ἄγρα.

Syn. : θήρα.

θηρευτής, ὁ « chasseur » a) au pr. ; b) au fig.

a) νομέων ... θηρευτῶν ... γεωργῶν T. 24 b 1 (cf. Ly. 206 a 8 R. II 373 b 5) θηρευτὰς ὠμοὺς καὶ ἀνόμους L. VII 823 e 4 τοὺς ἱεροὺς ὄντως θηρευτάς L. VII 824 a 12.

b) ("Ερως) θηρευτὴς δεινός B. 203 d 6 (cf. Ly. 218 c 4) ὁ σοφιστὴς ... ηὑρέθη νέων καὶ πλουσίων ... θηρευτής So. 231 d 2 (cf. 221 d 12).

App. : κυνηγέτης.

θηρίον, τό « bête » a) au pr. ; b) au fig.

a) ὥσπερ θηρίον R. I 336 b 5 (cf. IV 439 b 6 Pr. 324 b 1 Le. VII 335 b 3) θηρίων φωνὰς καὶ ἀνθρώπων L. II 669 c 8 (cf. Cra. 399 c 2 et 5 R. VI 496 d 2 IX 571 d 2 Po. 262 a 4, 272 b 11).

b) τῷ ὀχλώδει θηρίῳ R. IX 590 b 10 θηρίον ... Τυφῶνος πολυπλοκώτερον Phr. 230 a 4 ποικίλον ... τὸ θηρίον (= ὁ σοφιστής a 4) So. 226 a 7.

Ass. et opp. (a) : ἄνθρωπος.

Syn. : θήρ, (b) θρέμμα (b).

θηριοῦν « réduire à l'état de brute » ἐξαγριῶν ... θηριούμενος L. XI 935 a 5*.

App. et ass. : ἐξαγριοῦν.

θηριώδης « farouche, bestial » a) adj. ; b) subst. n.

a) τήν τε θηριώδη καὶ ἀνδραποδώδη (δόξαν) R. IV 430 b 8 τῇ θηριώδει καὶ ἀλόγῳ ἡδονῇ R. IX 591 c 7 ψυχαὶ ... θηριώδεις L. X 906 b 6 (cf. 909 a 8).

b) τὸ θηριῶδες τῆς φύσεως καὶ τὸ ἄγριον Cra. 394 e 10 (cf. R. IX 571 c 5, 589 d 3).

App. et ass. : ἄγριος, ἄλογος.

Ass. : ἀνδραποδώδης.

θησαυρός, ὁ « trésor » χρημάτων καὶ τιμῶν θησαυρῷ Mx. 247 b 6 (cf. b 5) ταμιεῖα καὶ οἰκείους θησαυρούς R. VIII 548 a 9 (cf. L. XI 913 a 8 d 2) ὥς τινα σοφίας ηὑρηκὼς θησαυρόν Ph. 15 e 2*.

App. : ἕρμαιον, εὕρημα.

θνῄσκειν « mourir », au présent εἰ ... τὰ ... ζῶντα θνήσκοι Pd. 72 d 2 (repr. ἀποθνήσκοι c 5) et ἁπλῶς θνησκέτω L. XII 946 e 2 (passif de ἀποκτείνειν)* ; partout ailleurs au parfait οἷς βέλτιον τεθνάναι ἢ ζῆν Pd. 62 a 5 (cf. G. 483 b 3) εἴ τι αὐτὸ ἑαυτὸ ἀποκτιννύοι μὴ σημήναντός σου ὅτι βούλει αὐτὸ τεθνάναι Pd. 62 c 2 ἀποθνήσκειν τε καὶ τεθνάναι Pd. 64 a 6 (cf. 67 e 4) ψυγαγωγῶσι μὲν πολλούς τῶν ζώντων, τοὺς δὲ τεθνεῶτας φάσκοντες ψυχαγωγεῖν L. X 909 b 2.

App. et ass. : ἀποκτείνειν.

Ass. et opp. : ζῆν.

Ass. et syn. : ἀποθνήσκειν (avec les distinctions de J. Brunel, *L'Aspect...*, p. 126-127, 261, 276).

Syn. : τελευτᾶν 2°.

θνητοειδής « de nature mortelle » τὰς χορδὰς θνητοειδεῖς οὔσας Pd. 86 a 8*.

θνητός « mortel » (adj. et subst. n.) πότερόν σοι δοκεῖ ὅμοιον τῷ θείῳ εἶναι καὶ πότερον τῷ θνητῷ Pd. 80 a 4 (cf. Ep. 977 e 5) θνητόν τε καὶ ἀθάνατον ζῷον ἐκλήθη Phr. 246 b 6 (cf. B. 203 e 1 206 c 7 T. 41 d 1, 69 c 2 L. X 901 d 9) τὰ ... θνητὰ καὶ ἀνθρώπινα Criti. 107 d 8 πολλῷ τῷ θνητῷ ... ἀνακεραννυμένη Criti. 121 a 10 θνητὸν ... μηδένα νομοθετεῖν μηδέν L. IV 709 a 8 ἡ θνητὴ φύσις L. IX 875 b 8 (cf. Ep. 985 d 4) θνητὸς ἄνθρωπος Ep. 973 b 2 οὐ χρὴ περὶ τὰ θεῖά ποτε πραγματεύεσθαι θνητοὺς ὄντας Ep. 988 a 6.

App. et ass. : ἀνθρώπινος.

Ass. et opp. : ἀθάνατος, θεῖος.

θόρυβος, ὁ « trouble » θόρυβον παρέχει καὶ ταραχήν Pd. 66 d 5.

App. et ass. : ταραχή.

θορυβώδης « tumultueux » ὄχλον ... θορυβώδη καὶ ἄλογον ὄντα T. 42 d 1 θορυβώδης ... ὁ σύλλογος L. II 671 a 5*.

Ass. : ἄλογος 1°.

θράσος, τό a) « opiniâtreté » ; b) « effronterie ».

a) Οὐκ ἂν ... αὐτὸν τοῦ θράσους ἐπίσχοιμεν ; H. M. 298 a 7.

b) τὴν τοῦ βελτίονος δόξαν μὴ φοβεῖσθαι διὰ θράσος L. III 701 b 1*.

App. (b) : ἀναισχυντία (L. III 701 b 2), ἀσέλγεια, ὕβρις.

Syn. : θρασύτης.

θρασύνεσθαι « être insolent » ἀσελγαίνοντα καὶ θρασυνόμενον L. IX 879 d 6 (cf. III 685 c 4)*.

App. et ass. : ἀσελγαίνειν.

θρασύς a) « opiniâtre » ; b) (adj. et subst. m.) « hardi » (plutôt au sens péjoratif).

a) εἰ ἀποκριναίμεθα τῷ θρασεῖἐκείνῳ ἀ νθρώπῳ H. M. 298 a 5*.

b) ἃ σὺ καλεῖς ἀνδρεῖα ..., ἐγὼ θρασέα καλῶ La. 197 c 1 (cf. 184 b 5) θρασεῖς ... καὶ ὑβρισταὶ καὶ ἀφρονέστατοι L. I 630 b 6 (cf. Pr. 360 b 5) διαφερόντως θαρραλέοι ... καὶ θρασεῖς L. I 649 c 9 (cf. V 728 e 4)*.

App. et ass. : θαρραλέος, ὑβριστής.

Ass. : ἄφρων.

Ass. et opp. : ἀνδρεῖος.

θρασύτης, ἡ a) « hardiesse » ; b) « effronterie ».
a) ἡ πρόσθεν θρασύτης Ch. 155 c 6 (cf. 156 d 2) ἀνδρείας μὲν ... πάνυ τισὶν ὀλίγοις οἶμαι μετεῖναι, θρασύτητος δὲ καὶ τόλμης ... πάνυ πολλοῖς La. 197 b 4 θρασύτητός τε καὶ δειλίας T. 87 a 6*.
b) ἥκιστα εἶναι ἀναισχύντους τε καὶ θρασύτητος γέμοντας L. I 649 c 10*.
App. (b) : ἀναισχυντία.
App. et ass. (a) : τόλμα.
Ass. et opp. (a) : ἀνδρεία, δειλία.
Syn. : θράσος.

θρέμμα, τό « animal » a) au pr. ; b) au fig.
a) τὰ πεινῶντα θρέμματα Phr. 230 d 8 οἷον νομῆς ποίμνια, κτήματα καὶ θρέμματα ἑαυτῶν ἡμᾶς ἔτρεφον Criti. 109 b 7 (cf. L. I 639 a 5) δύσκολόν ἐστι τὸ θρέμμα ἄνθρωπος L. VI 777 b 5 (mais opp. à ἄνθρωπος Tht. 174 b 4 : εἰ ἄνθρωπός ἐστιν ἤ τι ἄλλο θρέμμα).
b) τοῦ πολυκεφάλου θρέμματος R. IX 589 b 2 (cf. 590 a 8 c 5) πάριτε δή, θρέμματα γενναῖα (= λόγοι a 1) Phr. 261 a 3.
App. et ass. (a) : κτῆμα 2°.
Ass. et parf. opp. (a) : ἄνθρωπος.
Syn. (b) : θήρ (b), θηρίον (b).

θρηνεῖν « pleurer » θρηνοῦντός τέ μου καὶ ὀδυρομένου Ap. 38 d 10 (cf. T. 47 b 5) οὐ θρηνοῦντες οὐδὲ ὀλοφυρόμενοι Mx. 248 b 6.
App. et ass. : ὀδύρεσθαι, ὀλοφύρεσθαι.

θρῆνος, ὁ « lamentation » ἐν ... πένθεσιν καὶ θρήνοις ἐχομένην R. III 395 e 1 θρήνων τε καὶ ὀδυρμῶν R. III 398 d 11 (réc. du préc[t] ; cf. 388 d 7 IX 578 a 7 L. XII 947 b 5) τοῖς θρήνοις καὶ πόθοις Ph. 48 a 1 (cf. 47 e 1 réc. 50 b 7).
App. et ass. : ὀδυρμός, πένθος, πόθος (b), στεναγμός.

θρηνώδης « plaintif » θρηνώδεις ἁρμονίαι R. III 398 d 14 (cf. 411 a 8) ὁ δὴ δύσκολος οὐδαμῶς τε ἵλεως ... δοκεῖ ... θρηνώδης τε εἶναι καὶ ὀδυρμῶν ... πλήρης L. VII 792 b 1 (cf. R. X 606 a 9)*.
Ass. : δύσκολος.
Ass. et opp. : ἵλεως.

θρυλεῖν « ressasser » εἰ ... ἔστιν ἃ θρυλοῦμεν ἀεί Pd. 76 d 7 (cf. 65 b 3 et πολυθρύλητα 100 b 4)*.

θρύπτειν a) « briser » ; b) « gâter » ; au moyen « faire des manières ».
a) θρύπτεσθαι ... κερματιζόμενον Pa. 165 b 5 (cf. Cra. 426 e 3)*.
b) δούλους ... θρύπτοντες L. VI 778 a 3 (cf. 777 e 6) ἐθρύπτετο ὡς δὴ οὐκ ἐπιθυμῶν λέγειν Phr. 228 c 2 (réc. 236 c 7)*.
Ass. et syn. (a) : κερματίζειν.

θύειν « sacrifier » (à l'actif et parfois au moyen) θύειν τε καὶ εὔχεσθαι Euph. 14 c 6 (cf. b 4 L. VII 821 d 3) τὸ θύειν δωρεῖσθαί ἐστι τοῖς θεοῖς Euph. 14 c 8 θυσίας καὶ ἀναθήματα ... θύειν τε καὶ ἀνατιθέναι R. II 362 c 2 ἀδικητέον καὶ θυτέον ἀπὸ τῶν ἀδικημάτων R. II 365 e 7 θύσαντες οἷς χρή R. III 415 e 4 (cf. L. VII 791 a 8,

799 b 2, 801 a 6 VIII 828 a 3) θυσίας θεοῖς ἰδίας θύοντες R. IV 419 a 8 θύοι ἂν ὡς ἀγάλματι καὶ θεῷ τοῖς παιδικοῖς Phr. 251 a 6 θυσίας ... ἐθύσατό τινας ἃς ὁ θεὸς ἀνεῖλεν L. I 642 d 8 θύειν καὶ προσομιλεῖν ἀεὶ τοῖς θεοῖς εὐχαῖς καὶ ἀναθήμασιν L. IV 716 d 6 θύειν ἀνθρώπους ἀλλήλους L. VI 782 c 1.

App. et ass. : ἀνατιθέναι, δωρεῖσθαι, εὔχεσθαι.

θῦμα, τό « victime » (du sacrifice) θυσαμένους ... ἄπορον θῦμα R. II 378 a 6 (cf. Po. 290 e 5) ἐπευξάμενοι τῷ θεῷ τὸ κεχαρισμένον αὐτῷ θῦμα ἑλεῖν Criti. 119 e 1 (cf. 120 b 6) εὐχὰς ποιησομένων ἐπὶ τοῖς πρώτοις θύμασι L. V 741 c 3 (cf. VII 799 a 8) θύματά τε οὐκ ἦν τοῖς θεοῖσι ζῷα L. VI 782 c 3 (cf. X 909 e 1 XII 948 c 5 953 e 2) εὐπαραμύθητοι ... θύμασιν καὶ εὐχαῖς L. X 888 c 6.

App. : ἀνάθημα, δωρεά, δῶρον, θυσία.

App. et ass. : εὐχή.

θυμίαμα, τό « parfum » μύρα καὶ θυμιάματα R. II 373 a 3 (cf. IX 573 a 6) πρὸς θεοὺς ... ξενικὰ θυμιάματα L. VIII 847 c 1*.

App. et ass. : μύρον.

θυμοειδής 1° adj. a) « courageux » ; b) « colère » ; 2° subst. n. « appétit irascible ».

1° a) ὀργίλοι ἀντὶ θυμοειδοῦς γεγένηνται R. III 411 c 2 (cf. b 8) (γυνὴ) θυμοειδής, ἡ δ' ἄθυμος R. V 456 a 4.

b) ἀνδρεῖος ... εἶναι ... ἐθελήσει ὁ μὴ θυμοειδής ; R. II 375 a 11 (cf. b 8, 376 c 4 V 467 e 4 VIII 547 e 3) πρὸς τῷ θυμοειδεῖ ... φιλόσοφος R. II 375 e 10 (réc. T. 18 a 6) θυμοειδῆ ... χρὴ πάντα ἄνδρα εἶναι, πρᾶον δὲ ὡς ὅτι μάλιστα L. V 731 b 3 (réc. d 5).

2° πρὸς τὸ θυμοειδὲς τῆς φύσεως βλέπων R. III 410 b 6 (cf. IV 435 e 4, 440 e 3, 441 a 2 e 6, 442 c 1 VIII 548 c 6, 550 b 2 et 6) ἐπὶ τὸ θυμοειδὲς καὶ τὸ φιλόσοφον R. III 411 e 7 ὠθεῖ ... φιλοτιμίαν τε καὶ τὸ θυμοειδές R. VIII 553 c 2.

App. et ass. : (1° a) ἀνδρεῖος ; (2°) φιλόνικος (R. VIII 550 b 6), φιλοτιμία, φιλότιμος 1° b β (R. IX 581 b 2).

Ass. et opp. : (1° a) ἄθυμος, ὀργίλος ; (1° b) πρᾶος ; (1° b et 2°) φιλόσοφος (1° b et 2° b).

θυμός, ὁ a) « cœur, courage » ; b) « courroux ».

a) ἐὰν δὲ θυμοειδῆ (λάβῃ), ἀσθενῆ ποιήσας τὸν θυμόν R. III 411 b 9 (cf. b 4) τοὺς θυμοὺς ποιοῦσιν κηρίνους L. I 633 d 3.

b) ἄμαχόν τε καὶ ἀνίκητον θυμός R. II 375 b 2 (cf. IV 440 c 5 L. IX 863 b 6 XI 934 a 4) θυμός, ἔρως ... L. I 649 d 5 (cf. 645 d 7) ἄνευ θυμοῦ γενναίου L. V 731 b 7.

App. : (a) ἀνδρεία ; (b) ὀργή.

Ass. (b) : ἔρως.

Opp. (a) : δειλία.

θυμοῦσθαι « se fâcher, s'emporter » πᾶς παντὶ θυμοῦται καὶ νουθετεῖ Pr. 324 a 2 (cf. 323 d 1) θυμούμεθα ... ἄλλῳ τῶν ἐν ἡμῖν R. IV 436 a 10 (cf. 440 b 2) τῷ ἀλογίστως θυμουμένῳ R. IV 441 c 2

σπαργῶσαν καὶ θυμουμένην τὴν ἀρχὴν ὁρῶν L. III 692 a 4.
App. : ἀγανακτεῖν, χαλεπαίνειν.

θυσία, ἡ « sacrifice » ἀπὸ τῶν θυσιῶν [TWY² Stob. Burnet H. W. Thomas Hackforth : ὁσίων BT²W²Y Robin] τε καὶ νομίμων Pd. 108 a 5 ἐν ἑορταῖς, ἐν χοροῖς, ἐν θυσίαις B. 197 d 3 (cf. L. VIII 835 e 1) τὰς ... δεήσεις καὶ θυσίας B. 202 e 4 εὐχαῖς καὶ θυσίαις Mx. 244 a 5 (cf. R. V 461 a 6 L. X 885 b 8, 910 b 3 Thg. 131 a 7) θεοῖς θυσίας καὶ ἀναθήματα ... ἀνατιθέναι R. II 362 c 1 (cf. 365 e 5) θυσίαις τε καὶ ἐπῳδαῖς R. II 364 b 8 (cf. L. X 909 b 4) θυσίας θεοῖς ... θύοντες R. IV 419 a 7 ἑορταὶ ... καὶ θυσίαι R. V 459 e 7 (cf. I. 535 d 3 L. VII 809 d 3 Ep. 985 e 6) θυσιῶν τε καὶ χορειῶν L. VI 772 b 6 (cf. VII 799 b 1) θυσιῶν τε καὶ ἱερῶν L. VI 784 a 8 ἐπευχῶν καὶ θυσιῶν L. IX 871 c 5 περὶ θεοὺς παρρησίας ... καὶ περὶ θυσίας τε καὶ ὅρκους L. X 908 c 7 θυσίας εὔχεσθαι L. X 909 e 9.
App. : δωρεά, δῶρον, θῦμα.
App. et ass. : ἀνάθημα, δέησις, ἑορτή, ἐπευχή, εὐχή, ἱερά, νόμιμα.
Ass. : ἐπῳδή, ὅρκος, χορεία (a), χορός (a).

θωπεία, ἡ « adulation » δοῦλος τὰς μεγίστας θωπείας καὶ δουλείας R. IX 579 d 10 πρός ... τινας δεινὰς θωπείας κολακικάς L. I 633 d 2 πείθουσιν θωπείαις λόγων καὶ ἐν εὐκταίαις τισὶν ἐπῳδαῖς L. X 906 b 8 θύματα καὶ θωπείας L. XII 948 c 5.
App. : κολακεία.
App. et ass. : δουλεία.

θωπεύειν « aduler » ἐπιστάμενοι τὸν δεσπότην λόγῳ τε θωπεῦσαι καὶ ἔργῳ χαρίσασθαι [codd. : ὑπελθεῖν Diès auctore Cobet e Themistio] Tht. 173 a 3 (cf. R. IX 579 a 1).
App. : κολακεύειν.
App. et ass. : χαρίζεσθαι 2°.

θωπευτικός « flatteur » (subst. n.) τὰ ... κομψὰ καὶ θωπευτικά L. I 634 a 4* (réc. de θωπείας κολακικάς 633 d 2).
App. : κολακικός.
Ass. : κομψός.
Syn. : θώψ.

θώψ « flatteur » ὄψον ἡδῦναι ἢ θῶπας λόγους Tht. 175 e 5*.
Syn. : θωπευτικός.

I

ἴαμα, τό « remède » ἔχει σμικρότατον ἴαμα L. VI 771 c 5 (cf. T. 66 c 7) αἱ τὰ περὶ τὰ τῶν Κορυβάντων ἰάματα τελοῦσαι L. VII 790 d 5 θάνατον ἴαμα ... διανέμοντες L. XII 957 e 4*.

ἰᾶσθαι a) au pr. « guérir » ; b) au fig. « remédier » (à).

a) μὴ φθονήσῃς ἰάσασθαι τὴν ψυχήν μου H. m. 372 e 7 (cf. 373 a 3) μετὰ τοῦ ὅλου τὸ μέρος ... θεραπεύειν τε καὶ ἰᾶσθαι Ch. 156 c 5 τοὺς κάμνοντας ἰωμένους Po. 298 e 10 (cf. 299 a 5) ὁπόσα μὲν ἰατά ..., ἰᾶσθαι L. IX 862 c 8 (cf. Pr. 340 e 1).

b) ὅπως ἂν ... ἰαθῇ τὸ γενόμενον L. VI 758 d 2 μέχριπερ ἂν ἰάσηται τὸ βλαβέν L. XI 933 e 11.

Adj. verbal : ἰατός (L. IX 862 c 7, ci-dessus ; cf. V 731 c 1 XII 949 d 3 codd.*).

App. : ἀκεῖσθαι.

App. et ass. : θεραπεύειν 1°.

Ass. : κάμνειν.

ἰάσιμος « curable » οἳ ἂν ἰάσιμα ἁμαρτήματα ἁμάρτωσιν G. 525 b 5 (cf. Pd. 113 e 6 L. V 731 d 2 IX 878 c 3 XII 941 d 6, 957 e 3) ἐάν τε ἰάσιμος ἐάν τε ἀνίατος δοκῇ εἶναι G. 526 b 9 (cf. L. XII 941 d 4).

Ass. et opp. : ἀνίατος.

ἴασις, ἡ « guérison » λύσιν τε καὶ ἴασιν τῶν δεσμῶν καὶ τῆς ἀφροσύνης R. VII 515 c 4 (cf. L. I 635 a 8 VII 790 e 3) τὸ ... τῆς ἰάσεως ... τῆς ἀδικίας L. IX 862 c 8.

Ass. : λύσις 1°.

ἰατρεύειν « soigner » a) au physique ; b) au moral.

a) κάμνοντα ἰατρεύεσθαι R. II 357 c 6 οὐκ ἰατρεύεις τὸν νοσοῦντα L. IX 857 d 7.

b) ὁ μὲν οὐκ ἰατρευόμενος, ὁ δὲ ... ἀπολλύμενος L. V 728 c 5.

Ass. : κάμνειν, νοσεῖν.

ἰατρικός 1° adj. (toujours au sens physique) a) « médical » ; b) « curatif » ; 2° subst. a) m. « expert en médecine » ; b) (avec ἐπιστήμη ou τέχνη exprimés ou, d'ordinaire, sous-entendus) « médecine » ; c) n. « art, choses de la médecine ».

1° a) ἰατρικοῦ ... ἢ ἀνδρὸς ἢ πράγματος R. I 350 a 2 ἰατρικὰ καὶ ὑγιεινά Po. 295 d 5 νοῦν ... ἰατρικόν L. XII 963 a 11.

b) ἰατρικῆς καθάρσεως L. I 628 d 2.

2° a) οὗτός ἐστιν ὁ ἰατρικώτατος B. 186 d 1 ἰατρικὸν καὶ ἰατρικὴν τὴν ψυχὴν ἔχοντα R. V 454 d 2.

b) τὴν ἰατρικὴν τέχνην G. 500 b 5 τὴν ... γυμναστικὴν καὶ ἰατρικήν G. 518 a 5 κυβερνητικῇ καὶ ἰατρικῇ Po. 299 c 1.

c) τὸ ... ἰατρικὸν ἰατρικὰ ἐργάζεται Cra. 416 d 1 τό τε ἰατρικὸν καὶ τὸ ὑγιεινόν Po. 299 c 7.

App. et ass. : ὑγιεινός.

Ass. (2° b) : γυμναστική.

ἰατρός, ὁ « médecin » a) au pr. ; b) au fig.

a) τό γε τοιούτοις ἰατροῖς δοτέον, ἰδιώταις δὲ οὐχ ἁπτέον R. III 389 b 6.

b) εἰμί τις γελοῖος ἰατρός· ἰώμενος μεῖζον τὸ νόσημα ποιῶ Pr. 340 e 1 (cf. 357 e 3) ὡς ἰατρὸς ὢν τῶν τοιούτων, « Ἀπολούων » ἂν ὀρθῶς καλοῖτο Cra. 405 c 1 (cf. Phr. 252 b 1).

Ass. et opp. (a) : ἰδιώτης (c).

ἰδέα, ἡ 1° « forme » (extérieure), « aspect » ; 2° « structure » ; 3° « image » ; 4° « espèce, sorte » ; 5° « caractère » (général), « nature » ; 6° « Idée ». — Pas plus que pour εἶδος le sens de « concept » n'existe pour ἰδέα.

1° « forme, aspect » οἷον ... τοῦτ' εἴρηκας· ὡς ἀνάξιον τῆς ἰδέας A. 119 c 5 (cf. Ch. 157 d 2, 158 b 1, 175 d 7) καλόν τε κἀγαθὸν τὴν φύσιν, τὴν δ' οὖν ἰδέαν πάνυ καλός Pr. 315 e 1 παντοδαπὰ καὶ τὰς ἰδέας καὶ τὰ μεγέθη Pd. 109 b 5 τὴν τοῦ μείζονος ὁμοιότητα ἐν τῇ τοῦ ἐλάττονος ἰδέᾳ ἐπισκοποῦντες R. II 369 a 4 φαντάζεσθαι ἄλλοτε ἐν ἄλλαις ἰδέαις R. II 380 d 3 (cf. Po. 291 b 3) ἄλλαι ... συμπεφυκυῖαι ἰδέαι πολλαί R. IX 588 c 5 (cf. c 7 d 3) ὅταν θεοειδὲς πρόσωπον ἴδῃ ... ἤ τινα σώματος ἰδέαν Phr. 251 a 4 (cf. 253 b 6) τὴν ... ζητουμένην ἰδέαν (« aspect » de la mimétique, Diès) So. 235 d 2.

2° « structure » (exemples du *Timée*, la plupart périphrastiques) εἰς ἰδέαν τε ἀπιὸν αὖθις ἀέρος πῦρ T. 49 c 3 ἄμορφον ὂν ... ἁπασῶν τῶν ἰδεῶν T. 50 e 1 διὰ τὴν ... τοῦ σχήματος ἰδέαν T. 58 d 8 τὴν τοῦ πλεύμονος ἰδέαν ἐνεφύτευσαν T. 70 c 5 (cf. 71 a 8).

3° « image » ἀγαθοῦ γὰρ ἰδέα οὖσα τὸ δέον φαίνεται δεσμὸς εἶναι Cra. 418 e 7.

4° « espèce, sorte » (rare en ce sens, à la différence d' εἶδος) οὐ σμικρᾷ ... ἰδέᾳ (« à la mesure d'une misérable sorte de chose » Robin) ἡ τοῦ ὁρᾶν αἴσθησις καὶ ἡ τοῦ ὁρᾶσθαι δύναμις ... ἐζύγησαν

R. VI 507 e 7 ἤ τινα ἄλλην ἔχεις ἰδέαν πολιτείας ; R. VIII 544 c 8 ὕβρις ... πολυειδές · καὶ τούτων τῶν ἰδεῶν ἐκπρεπὴς ἣ ἂν τύχῃ γενομένη Phr. 238 a 4 δυοῖν ὄντοιν ἰδέαιν δόξης Tht. 187 c 4 (cf. Phr. 237 d 7) μνήμην καὶ φρόνησιν ... τῆς αὐτῆς ἰδέας τιθέμενος Ph. 60 d 6.

5° « caractère, nature » ἐν πατρός τινος ἰδέᾳ εἶναι τὸ καλὸν τοῦ ἀγαθοῦ H. M. 297 b 7 (cf. p.-ê. Euph. 5 d 3, à 6°) τὴν ... ἰδέαν τῆς γῆς Pd. 108 e 1 τὸν θεὸν ... ἁπλοῦν τε εἶναι καὶ πάντων ἥκιστα τῆς ἑαυτοῦ ἰδέας ἐκϐαίνειν R. II 380 d 6 (cf. d 9) περὶ ... τῆς ἰδέας αὐτῆς (= ψυχῆς) ... λεκτέον Phr. 246 a 4 (= φύσεως 245 c 2 ; cf. Ph. 64 a 3, qui rentre p.-ê. en 6°) μᾶλλον ἰδέαις ἄν τις προστυγχάνοι Po. 262 b 7 (cf. 307 c 4) ἡ τοῦ νομίσματος ἰδέα Po. 289 b 4 (p.-ê. périphrase ; cf. Ph. 67 a 12 T. 59 c 7 et τὸ τῆς σώφρονος ἰδέας γένος L. VIII 836 d 7) μίαν τινὰ δύναμιν καὶ ἰδέαν δημιουργεῖ Po. 308 c 7 (cf. T. 28 a 8, 40 a 3, 46 c 8 et p.-ê. Ph. 65 a 1 à 6°).

6° « Idée » ἔχον μίαν τινὰ ἰδέαν κατὰ τὴν ἀνοσιότητα Euph. 5 d 3 (réc. 6 e 1) ταύτην ... με αὐτὴν δίδαξον τὴν ἰδέαν ..., ἵνα εἰς ἐκείνην ἀποϐλέπων καὶ χρώμενος αὐτῇ παραδείγματι Euph. 6 e 4 δεχομένοις ἐκείνην τὴν ἰδέαν Pd. 104 b 9 (cf. d 2 et 4 e 1) ἡ ἐναντία ἰδέα ἐκείνῃ τῇ μορφῇ Pd. 104 d 6 ἄλλην τινὰ τοιαύτην ἰδέαν ἔχον B. 204 c 6 ἕως ἂν τὴν αὐτὴν ἰδέαν ἀποδιδῷ Cra. 389 e 3 (cf. 390 a 6 avec εἶδος) αὐτὸ μὲν καλὸν καὶ ἰδέαν τινὰ αὐτοῦ κάλλους R. V 479 a 1 τὴν τοῦ ὄντος ἰδέαν ἑκάστου R. VI 486 d 12 ἡ τοῦ ἀγαθοῦ ἰδέα R. VI 505 a 2 (cf. 508 e 3 VII 517 b 9, 526 e 3, 534 b 10) περὶ πάντων ἃ τότε ὡς πολλὰ ἐτίθεμεν ... κατ' (καὶ Adam) ἰδέαν μίαν ἑκάστου ὡς μιᾶς οὔσης τιθέντες R. VI 507 b 6 τὰς ... ἰδέας νοεῖσθαι μέν, ὁρᾶσθαι δ' οὔ R. VI 507 b 11 πρὸς τὴν ἰδέαν βλέπων ... ποιεῖ ... τὰς κλίνας R. X 596 b 7 (cf. b 3 et 9) εἰς μίαν ἰδέαν ... ἄγειν τὰ ... διεσπαρμένα Phr. 265 d 3 (cf. 273 e 2 Tht. 184 d 3, 203 c 6 e 4, 204 a 1, 205 c 2 d 5 So. 253 d 5, 258 c 6 Ph. 16 d 1 T. 35 a 7 L. XII 965 c 2) μία τις ... ἰδέα ἡ αὐτή Pa. 132 a 3 (cf. c 4 ; alternant avec εἶδος b 9 c 6) ὅσαι τῶν ἰδεῶν πρὸς ἀλλήλας εἰσὶν αἵ εἰσιν Pa. 133 c 9 (cf. 134 c 1, 135 a 2 c 1) μιᾶς τινος ἰδέας ... μόριον ἂν τὸ μόριον εἴη Pa. 157 e 1 τῇ τοῦ ὄντος ἀεὶ ... προσκείμενος ἰδέᾳ So. 254 a 9 διὰ τὸ μετέχειν τῆς ἰδέας τῆς θατέρου So. 255 e 5 τὴν ... τοῦ ἀπείρου ἰδέαν Ph. 16 d 7 (cf. 25 b 6) εἰ μὴ μιᾷ δυνάμεθα ἰδέᾳ τὸ ἀγαθὸν θηρεῦσαι Ph. 65 a 1 (« form » Hackforth Taylor, et de même 64 a 3 ; « caractère », puis « nature » Diès ; dans ce cas à 5° ?) ᾗπερ ... νοῦς ἐνούσας ἰδέας τῷ ὃ ἔστιν ζῷον ... καθορᾷ T. 39 e 8.

App. : (4°) γένος ; (5°) τύπος ; (6°) οὐσία.

App. et ass. : (2°) σχῆμα 2° a ; (5°) γένος, δύναμις ; (6°) μορφή.

Ass. et parf. opp. : φύσις.

Syn. : **εἶδος** et parf. φύσις. Cf. Diogène Laërce, III 64 : τὴν ... **ἰδέαν καὶ εἶδος** ὀνομάζει καὶ γένος καὶ παράδειγμα καὶ **ἀρχὴν καὶ αἴτιον**.

ἰδιοπραγία, ἡ « égoïsme » ἐπὶ πλεονεξίαν καὶ ἰδιοπραγίαν L. IX 875 b 8*.

App. et ass. : πλεονεξία (a).

ἴδιος a) adj. « particulier, privé » ; b) subst. n. : « l'intérêt particulier ».

a) τὰ πλοῖα πάντα καὶ τὰ δημόσια καὶ τὰ ἴδια G. 469 e 7 (cf. R. I 344 a 8 VII 521 a 5 L. X 910 c 9 Le. XIII 361 e 8) εἴς τινα ἰδίαν ἢ πολιτικὴν πρᾶξιν G. 484 d 8 οἰκειότερος ... πόνος, ἴδιος ... ὤν R. VII 535 b 8 (cf. Ph. 33 d 5) αὐτὴ ἑαυτῆς ... ἴδια ἕξει R. VIII 548 a 3 (cf. 547 d 3 Po. 305 b 7).

b) τά τε κοινὰ καὶ τὰ ἴδια H. M. 281 d 2 οὐ τὸ ἴδιον ἀλλὰ τὸ κοινόν L. IX 875 a 6 (cf. a 7 b 1, 2, 7 G. 502 e 6).

Adv. : ἰδίᾳ (G. 484 d 5, ass. et opp. à δημοσίᾳ ; R. I 333 d 4, ass. et opp. à κοινῇ) et ἰδίως (L. VII 807 b 5).

App. et ass. (a) : οἰκεῖος.

Ass. et opp. : δημόσιος, κοινός, πολιτικός.

ἰδιωτεία, ἡ « vie privée » ἰδιωτεῖαι καὶ ἀρχαί R. X 618 d 3 ἰδιωτείᾳ καὶ βασιλείᾳ L. III 696 a 6*.

Ass. et opp. : ἀρχή (B), βασιλεία.

ἰδιωτεύειν a) « vivre en simple particulier » ; b) « exercer pour son compte » ; c) « rester un profane » (en matière de).

a) ἰδιωτεύειν ἀλλὰ μὴ δημοσιεύειν Ap. 32 a 3 (cf. G. 515 b 4 R. IX 579 c 9)*.

b) εἴ τῳ τις τῶν δημοσιευόντων ἰατρῶν ἱκανὸς συμβουλεύειν ἰδιωτεύων αὐτός Po. 259 a 2 (cf. G. 514 e 4)*.

c) τῆς ἀρετῆς ... οὐδένα δεῖ ἰδιωτεύειν Pr. 327 a 2*.

Ass. et opp. (a et b) : δημοσιεύειν.

Opp. : (a) πολιτεύεσθαι ; (c) ἐπαΐειν (Pr. 327 c 4).

ἰδιώτης, ὁ a) « simple particulier » (une fois adj. : « privé ») ; b) « prosateur » ; c) « profane ».

a) οὔτε πόλιν οὔτε ἰδιώτην B. 178 d 3 (cf. 185 b 7 Cra. 385 a 5 R. II 364 e 5 IV 441 c 10 et 12 Tht. 168 b 6, 172 a 5 L. I 641 b 2 VIII 848 a 6 IX 864 a 2 X 909 b 4) ἰδιωτῶν εἰς ἄρχοντας R. III 390 a 2 (cf. Po. 259 b 4). — Adj. : ὃς ἂν ... μὴ ἰδιώτην βίον καταβιῷ R. IX 578 c 1 (repris par le subst. 579 c 6).

b) « prosateur » οὔτε ἰδιώτου οὔτε ποιητοῦ B. 178 b 3 (cf. Phr. 258 d 11 L. X 890 a 3)*.

c) « profane » ἰδιωτῶν καὶ δημιουργῶν I. 531 c 5 (cf. L. XI 916 b 2) τό γε τοιοῦτον ἰατροῖς δοτέον, ἰδιώταις δὲ οὐχ ἁπτέον R. III 389 b 6 (cf. L. XI 933 d 5) παρ' ἀγαθὸν ποιητὴν (« auteur ») ἰδιώτης αὐτοσχεδιάζων Phr. 236 d 5 (cf. H. m. 376 c 4 I. 532 e 1).

Ass. et opp. : (a) ἄρχων, πόλις ; (b) ποιητής ; (c) δημιουργός, ἰατρός (a).

ἰδιωτικός a) « particulier » ; b) « de profane », « vulgaire ».

a) εἴτε πολιτικὸν σύγγραμμα εἴτε ἰδιωτικόν Phr. 258 d 9 (cf. R. I 345 e 2).

b) ὡς φαῦλον καὶ ἰδιωτικόν ἐστι I. 532 e 2 τὸ ... ἐμὸν ... παράδειγμα ... ἰδιωτικὸν ἴσως Euth. 282 d 6.

Adv. (b) : ἰδιωτικῶς (A. 119 b 7 Euth. 278 d 6 ; L. VIII 839 e 3 et XII 966 e 5, ass. à φαύλως).

Ass. (b) : φαῦλος.

Ass. et opp. (a) : πολιτικός.

ἱδρύειν (d'ordinaire au passif ou au moyen) « établir, ériger » ἐβουλόμην ... ἄν μοι τοὺς λόγους μένειν καὶ ἀκινήτως ἱδρῦσθαι Euph. 11 d 8 οὔτ' ἐν θεοῖς αὐτὰ (= τὰ κακά, a 4) ἱδρῦσθαι Tht. 176 a 6 (cf. T. 77 b 5 L. VI 775 e 3) τὰ δ' ἄλλα (ἄστρα) οἷ ... ἱδρύσατο T. 38 d 7 (cf. Ep. 984 a 6) περὶ ... ἱερῶν, ἅττα ... ἐν τῇ πόλει ... ἱδρῦσθαι δεῖ L. V 738 b 7.

ἵδρυμα, τό a) « sanctuaire » ; b) « statue » ; c) « cérémonie ».

a) « sanctuaire » τοιούτων θεῶν ἱδρύματα L. VI 778 d 1*.

b) « statue » θαυμαστὸν ... τὸ προγόνων ἵδρυμα ἡμῖν ἐστιν L. XI 931 e 1 (cf. a 6)*.

c) « cérémonie » ἱδρύματα ἴδια πατρῴων θεῶν ... ὀργιαζόμενα L. IV 717 b 5*. (Pour traduire « sanctuaire » ou « statue », Stallbaum et après lui England, Bury, Taylor doivent forcer le sens d'ὀργιάζειν.)

App. : (a) ἱερόν ; (b) ἄγαλμα ; (c) ὄργια.

ἵδρυσις, ἡ (au pl.) « fondation » ἱερῶν ... ἱδρύσεις καὶ θυσίαι R. IV 427 b 7 θυσίας εὔχεσθαι καὶ ἱδρύσεις ὑπισχνεῖσθαι θεοῖς L. X 909 e 9*.

Ass. : θυσία.

ἰέναι « aller, venir » a) en général ; b) vers l'Idée ; c) en parlant de l'Idée, d'un principe ; d) en parlant des dieux.

a) διὰ δικαιοσύνης ... ἰέναι Pr. 323 a 2 (cf. L. I 632 c 5) ταύτῃ ἰτέον, ὡς τὰ ἴχνη τῶν λόγων φέρει R. II 365 d 1.

b) ἄλλην ... ὑπόθεσιν ὑποθέμενος ... ἕως ἐπί τι ἱκανὸν ἔλθοις Pd. 101 e 1 οἱ ... ἐπ' αὐτὸ τὸ καλὸν δυνατοὶ ἰέναι R. V 476 b 10 (cf. VI 511 b 7) δεῖ ... ἄνθρωπον συνιέναι κατ' εἶδος λεγόμενον, ἐκ πολλῶν ἰὸν (codd. Burnet Robin Verdenius *Mnem.*, 1955, p. 280 [λεγόμενον = λόγον] : ἰόντ' Badham Thompson Hackforth) αἰσθήσεων εἰς ἓν λογισμῷ συναιρούμενον Phr. 249 c 1 δεῦρό τ' ἐλθόντες Phr. 250 d 1.

c) ἐὰν ... εἰς ἕνα ἕκαστον τῶν ἀνθρώπων ἰὸν τὸ εἶδος τοῦτο ὁμολογῆται καὶ ἐκεῖ δικαιοσύνη εἶναι R. IV 434 d 4 (cf. Ross, p. 228-229 ; et v. εἶδος 4° et 6°) ὁπόταν ἀρχὴ ... εἰς τὴν δευτέραν ἔλθῃ μετάβασιν L. X 894 a 3.

d) ὁ δὲ (= θεόν b 4) ... ἵλεως εὐμενής τε ἡμῖν ἔλθοι L. IV 712 b 5 (cf. b 7).

App. : a) βαίνειν, πορεύεσθαι ; b) ἀνιέναι I.

ἱερεύς, ὁ et **ἱέρεια,** ἡ « prêtre, prêtresse » καὶ ἱέρειαι καὶ ἱερεῖς R. V 461 a 7 τῶν ἱερέων ... καὶ ... μάντεων Po. 290 d 6 (cf. L. X

885 d 7) ἱερέας τε καὶ ἱερείας L. VI 759 b 3 (cf. a 2 V 741 c 2 M. 81 a 9).

Ass. : μάντις.

ἱερός 1° Adj. a) « sacré » ; b) « consacré » (à) ; 2° subst. n. (au pl.) a) « sanctuaires, temples » ; b) « cultes » ; c) « objets sacrés » ; d) « sacrifice » ; e) « victimes ».

1° Adj. a) « sacré » χρῆμα ποιητής ἐστιν ... ἱερόν I. 534 b 4 (cf. R. III 398 a 4) γάμους ... ποιήσομεν ἱερούς R. V 458 e 5 (cf. e 6 L. VIII 841 d 7) ἡ τῶν ἱερῶν γραμμάτων φήμη T. 27 b 5 τὴν τοῦ θειοτάτου καὶ ἱερωτάτου ... οἴκησιν ... ἡμῶν T. 45 a 1 νόσημα δὲ ἱερᾶς ὂν φύσεως ... ἱερὸν λέγεται T. 85 b 2 (cf. L. XI 916 a 6) ἐν ἐργασίμοις τε καὶ ἱεροῖς L. VII 824 a 16 ἐξ ἱερῶν καὶ ὁσίων L. IX 857 b 5 (cf., pour l'opposition à ὅσιος, R. I 344 a 8 ; mais ὅσιος ass. et syn. L. IX 878 a 7).

b) « consacré » (à) ὁμόδουλος ... τῶν κύκνων καὶ ἱερὸς τοῦ αὐτοῦ θεοῦ Pd. 85 b 5 (cf. R. III 391 b 3 Phr. 230 b 8 L. VI 774 b 1) τῆς γῆς ἱερᾶς οὔσης τῶν πάντων θεῶν L. V 741 c 2 (cf. XII 955 e 6 et peut-être e 7).

2° Subst. n. (au pl.) a) « sanctuaires, temples » θεῶν ἄλση τε καὶ ἱερά Pd. 111 b 7 ἱερὰ κατασκευάσαι καὶ βωμούς B. 189 c 7 ἱερὰ θυσίας τε αὐτοῖς κατασκευάζοντες Criti. 113 c 1 τεμενῶν καὶ ἱερῶν L. VI 758 e 5 μηδεὶς ... δευτέρως ἱερὰ καθιερούτω L. XII 955 e 7 (cf. 956 a 1).

b) « cultes » ἱερὰ οἰκεῖα καὶ πατρῷα Euth. 302 c 4 (cf. 277 e 3 B. 209 e 3) κοινωνὸς ἱερῶν L. IX 868 e 12 (réc. de d 4 ; cf. Le. VII 350 c 6) ἱερὰ πολλὰ πολλῶν γέγονεν Ep. 985 c 6.

c) « objets sacrés » λήθην ὧν τότε εἶδον ἱερῶν Phr. 250 a 4 (cf. Criti. 112 c 1).

d) « sacrifice » δεῖ ... με ἤδη τῶν ἱερῶν ἐπιμεληθῆναι R. I 331 d 7 ὡραῖα ... ἀπετέλουν ἱερά Criti. 116 c 9 (cf. L. IV 708 c 4 VIII 828 c 3).

e) « victimes » αἱ τιμαὶ ... αὐτοῖς (= τοῖς θεοῖς) καὶ ἱερὰ ... ἠφανίζετο B. 190 c 6 ἐν ναῶν οἰκοδομήσεσιν ἢ ἐν ἱερῶν θυσίαις R. III 394 a 6.

App. (1° a) : ἔνθεος (cf. I. 534 b 4-5).

App. et ass. : (1° a) θεῖος ; (2° a) βωμός, θυσία, τέμενος ; (2° e) θυσία, τιμή (b).

Ass. et opp. ou syn. (1° a) : ὅσιος.

Opp. (1°) : βέβηλος.

ἱεροσυλεῖν « voler un objet sacré » ὃς ... ἂν ἱεροσυλῶν ληφθῇ L. IX 854 d 1 (cf. 859 b 7 R. IX 575 b 7)*.

ἱεροσυλία, ἡ « vol sacrilège » ἱεροσυλίας πολλὰς ... ἐξειργασμένοι Pd. 113 e 2 (cf. R. IV 443 a 3 L. IX 854 b 2) ἀσεβείας ... καὶ ἱεροσυλίας L. IX 869 b 3.

App. et ass. : ἀσέβεια.

ἱερόσυλος, ὁ « (voleur) sacrilège » ἱερόσυλοι ... καὶ κλέπται R. I 344 b 3 (cf. VIII 552 d 5 L. IX 857 a 1) τοιχωρύχους καὶ ἱεροσύλους L. VIII 832 a 1.

Ass. : κλέπτης, τοιχώρυχος.

ἱεροῦν « tenir pour sacré » πᾶσαν πόλιν ἄγει ... τὸ σύμφυτον ἱεροῦν αὐτάς (sc. διανομάς b 3) L. VI 771 b 7*.

App. : καθιεροῦν (cf. J. Brunel, *L'Aspect...*, p. 227-228) ; ὁσιοῦν (ignoré de Platon).

ἱερουργία, ἡ « rite » ἱερουργία ... προσήκουσα ... τελεῖσθαι L. VI 775 a 1*.

App. : τελετή.

ἱερωσύνη, ἡ « sacerdoce » πάτριαι ἱερωσύναι L. VI 759 b 1 (cf. d 2)*.

ἱκανός 1° adj. « suffisant, indépendant » ; 2° subst. n. « (le) suffisant ».

1° ἕως ἐπί τι ἱκανὸν ἔλθοις Pd. 101 e 1 (cf. l'ἀνυπόθετον de R. VI 510 b 7, 511 b 6) ἱκανοὶ ... αὐτοὶ αὑτοῖς ἀρέσκειν Pd. 101 e 5 πρὶν ἂν τούτων τῶν λόγων πέρας ἱκανὸν γένηταί τι διορισθέντων Ph. 19 e 2 ἱκανὸν τἀγαθόν Ph. 20 d 4 (cf. 67 a 3) τοῖν δυοῖν (βίοιν) ... οὐδέτερος ἱκανὸς οὐδὲ αἱρετός Ph. 22 b 1 ἦν γὰρ ἂν ἱκανὸς καὶ τέλεος Ph. 22 b 4.

2° τὸ καθαρόν τε καὶ εἰλικρινὲς καὶ ἱκανόν Ph. 52 d 7 (cf. P. Friedländer, *Platon*, II¹, p. 592, n. 1) στερομένοιν αὐταρκείας καὶ τῆς τοῦ ἱκανοῦ καὶ τελέου δυνάμεως Ph. 67 a 7 (cf. 60 c 4, 66 b 2 L. VII 807 d 5).

Adv. : ἱκανῶς (Pd. 88 e 3, ass. et opp. à ἐνδεῶς ; L. X 899 d 1, ass. et opp. à ἐπιδεῶς) ; sup. ἱκανώτατα Ph. 67 a 2 (avec jeu sur l'ἱκανόν d'a 3).

App. : αὐτάρκης.

Ass. : αἱρετός, τέλεος.

Opp. : ἐνδεής, ἐπιδεής, προσδεής.

ἱκετεία, ἡ « supplication » ἐφ' ἱκετείαν τραπόμενοι τῶν διωκόντων Ap. 39 a 4 ἱκετείας τε καὶ ἀντιβολήσεις ἐν ταῖς δεήσεσι ποιούμενοι B. 183 a 4 (cf. L. VII 796 c 9 XII 949 b 2) θεοῖς εὐχαῖς προσδιαλεγομένους καὶ ἱκετείαις L. X 887 e 2*.

App. et ass. : δέησις, εὐχή.

ἱκετεύειν « supplier » οὓς ὕβρισαν καλέσαντες ... ἱκετεύουσι καὶ δέονται Pd. 114 a 9 (cf. Ap. 34 c 3 Euth. 282 b 3) ἱκέτευεν μηδὲν τοιοῦτον ποιεῖν Le. VII 349 b 2 (cf. L. V 730 a 6)*.

App. et ass. : δεῖσθαι.

ἱκέτης, ὁ « suppliant » μεθ' οὗ ... ἱκετεύσας μάρτυρος ὁ ἱκέτης θεοῦ ἔτυχεν ὁμολογιῶν L. V 730 a 7 (cf. a 5) ἴθι ἐπὶ θεῶν ἀποτροπαίων ἱερὰ ἱκέτης L. IX 854 b 8 (cf. R. III 393 d 3)*.

ἱλάσκεσθαι « rendre propice » τὰ Κάδμου ... πῶς ἱλασόμεθα ; Pd. 95 a 4*.

App. : ἀφιλάσκεσθαι (L. IX 873 a 2*).

Syn. : ἱλεοῦσθαι.

ἱλεοῦσθαι id. (θεοῖς) προσπαίζοντές τε καὶ ἱλεούμενοι L. VII 804 b 2*.

Syn. : ἱλάσκεσθαι.

ἵλεως a) « propice, favorable » ; b) « enjoué » α) adj. ; β) subst. m. ou n.

a) τὰ ... Ἁρμονίας ἡμῖν ... ἵλεά πως ... μετρίως γέγονεν Pd. 95 a 3 (formule d'adieu ; cf. χαῖρε) ἵλεω εἶτον ... ὥσπερ θεώ Euth. 273 e 6 (cf. B. 197 d 5 R. IV 427 b 9) πᾶσιν ἵλεώς τε καὶ πρᾶος R. VIII 566 e 4 εὐμενὴς καὶ ἵλεως Phr. 257 a 8 (cf. Tht. 168 b 3 L. IV 712 b 5 V 736 c 4 XI 923 b 7) τόν τε Παιᾶνα ἐπικαλούμενος ... καὶ τοῖς νέοις ἵλεων ... γίγνεσθαι ἐπευχόμενος L. II 664 c 8 (cf. V 747 e 4 VII 803 e 3 X 910 b 3 XI 924 a 5 Ep. 975 a 7).

b) α) τὴν ἀπαλλαγὴν ... μετὰ καλῆς ἐλπίδος ἵλεώς τε καὶ εὐμενὴς ἀπαλλάξεται R. VI 496 e 3 ἵλεών τε καὶ εὐήμερον [AFWY : ἥμερον P] T. 71 d 2 πιόντα ... ποιεῖ ... ἵλεων L. I 649 a 9 (cf. VII 792 b 2 B. 206 d 4) εὔθυμόν ... τε καὶ ἵλεων L. VII 792 b 7.

β) ὁ ... δύσκολος οὐδαμῶς τε ἵλεως L. VII 792 a 8 τὸ ... ἵλεων [AO Burnet : λεῖον Stob. Diès] καὶ εὐμενὲς πρᾶόν τε L. VII 792 e 7.

Adv. : ἵλεως (Pd. 117 b 3*).

App. et ass. : (a) et (b) εὐμενής, πρᾶος ; (b) εὐήμερος, εὔθυμος.

Ass. et opp. : (b) δύσκολος.

ἰλιγγιᾶν « avoir le vertige » ἰλιγγιῶ ὑπὸ τῆς ... ἀπορίας Ly. 216 c 5 (cf. Cra. 411 b 7 Tht. 175 d 3 Le. VII 325 e 3) ἐσκοτώθην τε καὶ ἰλιγγίασα Pr. 339 e 3 ἰλιγγιῴης ἂν καὶ χασμῷο G. 486 b 2 (réc. 527 a 1) ἡ ψυχὴ ... πλανᾶται καὶ ταράττεται καὶ ἰλιγγιᾷ Pd. 79 c 7*.

App. : σκοτοδινιᾶν.

App. et ass. : πλανᾶσθαι, σκοτοῦσθαι, ταράττεσθαι, χασμᾶσθαι.

ἴλιγγος, ὁ « vertige » σκοτοδινίαν ἴλιγγόν τε L. X 892 e 7 (cf. R. III 407 c 2)*.

App. et ass. : σκοτοδινία.

ἵμερος, ὁ « désir » 1° physique ; 2° métaph.

1° ἱμέρου, πόθου πατήρ B. 197 d 7 (cf. Cra. 419 e 3, 420 a 4 et 8 Phr. 251 c 7 d 4, 255 c 2).

2° ἄγρας ... ἵμερος L. VII 823 e 3 (cf. IX 870 a 3).

App. : ἐπιθυμία.

App. et ass. : πόθος.

ἰνδάλλεσθαι a) « sembler » ; b) « ressembler » (ἀ).

a) τοῦτο γάρ μοι ἰνδάλλεται (ἡ ψυχὴ) ... οὐκ ἄλλο τι ἢ διαλέγεσθαι Tht. 189 e 8*.

b) τὸ ... σῶμα ἰνδαλλόμενον ἡμῶν ἑκάστοις ἕπεσθαι L. XII 959 b 1 (cf. b 2 εἴδωλα εἶναι τὰ τῶν νεκρῶν σώματα, et R. II 381 e 5)*.

App. : (a) δοκεῖν ; (b) ἐοικέναι.

ἰσάζειν (à l'actif et au moyen) « être égal » ταῦτα ... βίου μετασχόντα θεοῖς ἰσάζοιτ' ἂν T. 41 c 2 ἐὰν τἆλλα ἰσάζῃ L. VI 773 a 4*.

Syn. : ἰσοῦσθαι.

ἰσόθεος « égal aux dieux » πᾶσαν θεραπείαν ὡς ἰσόθεος θεραπευόμενος Phr. 255 a 1 (cf. 258 c 2 R. II 360 c 3 VIII 568 b 4)*.

ἰσονομία, ἡ « égalité (politique) » ἡ ἰσογονία ἡμᾶς ἡ κατὰ φύσιν ἰσονομίαν ἀναγκάζει ζητεῖν κατὰ νόμον Mx. 239 a 3 (cf. Le. VII 336 d 4) ἰσονομία καὶ ἐλευθερία R. VIII 563 b 8*.

App. et ass. : ἐλευθερία.

ἰσονομικός « ami de l'égalité » βίον ἰσονομικοῦ τινος ἀνδρός R. VIII 561 e 1*.

ἰσόνομος « fondé sur l'égalité » δικαίου ... καὶ ἰσονόμου πολιτείας Le. VII 326 d 5*.

ἰσορροπεῖν « être en équilibre » τῆς φύσεως ... ἑκατέρων τῶν μελῶν ... ἰσορροπούσης L. VII 794 e 3 (cf. V 733 c 7 T. 52 e 3)*.

ἰσορροπία, ἡ « équilibre » τῆς γῆς ... τὴν ἰσορροπίαν Pd. 109 a 3*.

ἰσόρροπος « équilibré » τὸν ἰσόρροπον βίον L. V 733 c 8 (cf. Pd. 109 a 4 Po. 270 a 8 T. 52 e 2, 88 c 1)*.

Adv. : ἰσορρόπως (Phr. 247 b 2*).

ἴσος « égal » (adj. et subst. n.) οὐ ταὐτὸν ἄρα ἐστὶν ... ταῦτά τε τὰ ἴσα καὶ αὐτὸ τὸ ἴσον Pd. 74 c 3 πολιτεία ..., ἰσότητά τινα ὁμοίως ἴσοις τε καὶ ἀνίσοις διανέμουσα R. VIII 558 c 5 (cf. Pa. 140 b 6).

Adv. : ἴσως (L. VII 805 a 2 Ep. 991 a 6) ; sup. ἰσαίτατα (L. V 744 c 3*). — D'ordinaire au sens de « peut-être » (L. I 640 e 1, app. et ass. à τάχα).

Ass. et opp. : ἄνισος.

ἰσότης, ἡ « égalité » ἐφάνη ... ἡ ἰσότης ἀνισότης ; Pd. 74 c 1 ἰσότητά τινα ὁμοίως ... διανέμουσα R. VIII 558 c 5 τὸ ἴσον καὶ ἰσότητα Ph. 25 a 8 (cf. Pa. 140 e 3 et 5) ἰσότης φιλότητα ἀπεργάζεται L. VI 757 a 6 (cf. a 7 b 1 et 6 e 6).

App. et ass. : φιλότης.

App. et opp. : ἀνισότης.

ἰσοῦσθαι « être égal » οὔτε ... κρείττω οὔτε ἰσούμενον ... ἀνέξεται Phr. 239 a 2 (cf. Pa. 156 c 1, 157 b 2)*.

ἱστάναι 1° (au pr., à l'impf. et au fut. actifs, à l'ao. 1 actif et moyen) a) « établir, arrêter » ; b) « peser » ; 2° (à l'ao. 2, au pf. et au pl.-que-pf. actifs, et aux temps du moyen sauf l'ao. 1) « être immobile, s'arrêter ».

1° a) « établir, arrêter » πρὸς ἄλλον τινὰ σκοπὸν στησάμενος (sc. αὐτόν) R. V 452 e 2 ἵνα μὴ στήσωμεν αὐτοὺς τῷ λόγῳ Tht. 183 a 7 τῶν τὸ πᾶν κινούντων καὶ τῶν ὡς ἓν ἱστάντων So. 252 a 7.

b) « peser » ἐπὶ ... τὸ ἱστάναι ἐλθόντες Euph. 7 c 7 ἐὰν ... ἡδέα πρὸς ἡδέα ἱστῇς Pr. 356 b 3 (cf. a 8 b 2) τὸ ... μετρῆσαν ἢ καὶ στῆσαν R. X 602 d 10 (cf. d 7).

2° « être immobile, s'arrêter » οὐδὲν ... δεινὸν μὴ ἐν ἐμοὶ στῇ Ap. 28 b 1 ὁ αὐτὸς ἕστηκέ τε καὶ κινεῖται ἅμα R. IV 436 c 12 (cf. d 5 e 3 et 6 Tht. 180 d 6) πάντα τε οὐρανὸν πᾶσάν τε γένεσιν συμπεσοῦσαν στῆναι, καὶ μήποτε ... ἔχειν ὅθεν κινηθέντα γενήσεται Phr. 245 e 2 (cf. Tht. 180 e 3 L. X 893 b 7, 895 a 6) ἓν ἑστὸς λέγουσι τὸ πᾶν Tht. 183 e 3 (réc. de d 1) νοῦν ... ἀκίνητον ἑστάναι So. 249 a 10 (réc. d'a 2) κατὰ ... εὐπραγίας ἱσταμένου τοῦ δαίμονος ἑκάστου L. V 732 c 4.

App. (2°) : καθεστάναι.

App. et ass. (1° b) : μετρεῖν.

Ass. et opp. (1° a et 2°) : κινεῖν.

Syn. (1°) : καθιστάναι (avec les distinctions de J. Brunel, *L'Aspect...*, p. 86), κατασκευάζειν.

ἱστορία, ἡ « enquête, information » ταύτης τῆς σοφίας ἣν δὴ καλοῦσι περὶ φύσεως ἱστορίαν Pd. 96 a 7 (cf. Cra. 437 b 1 Phr. 244 c 9 : jeux étymologiques)*.

ἱστορικός « savant » τὴν μὲν μετὰ δόξης μίμησιν δοξομιμητικήν, τὴν δὲ μετ' ἐπιστήμης ἱστορικήν τινα μίμησιν So. 267 e 1*.

ἴσχειν 1° trans. « avoir » ; 2° intr. « être ».

1° ἀναγκάζει τὴν αὑτοῦ ἰδέαν ἴσχειν [TW : σχεῖν BY] Pd. 104 d 2.

2° εὖ ἴσχων τὸ σῶμα R. III 411 c 7.

Syn. : ἔχειν (A).

ἰσχυρίζεσθαι a) « être vigoureux » ; b) « soutenir » (que).

a) τῷ σώματι ἰσχυρίσασθαι G. 489 c 6*.

b) ταῦτα ἰσχυρίζει ; G. 495 b 8 (cf. So. 249 c 7) ἰσχυρίζεσθαι ὡς οὐκ ἔστι φύσει ... οὐδέν Tht. 172 b 4*.

App. (b) : ἀναγκάζειν 2°, βιάζεσθαι (b), διισχυρίζεσθαι.

ἰσχυρός « vigoureux » (adj. et subst. m.) τούς τε ἀσθενεστάτους ... καὶ τοὺς ἰσχυροτάτους R. IV 432 a 4 (cf. H. m. 374 b 1 Ly. 215 d 6 Euth. 281 c 5) ψυχὴν ἰσχυρὰν καὶ πάντῃ μεγάλην T. 87 d 4.

Adv. : ἰσχυρῶς (Pr. 332 b 7, ass. et opp. à ἀσθενῶς ; Tht. 154 a 7*).

Ass. et opp. : ἀσθενής.

ἰσχύς, ἡ « vigueur » ἦν ... τὴν ἰσχὺν δεινὰ καὶ τὴν ῥώμην B. 190 b 5 (cf. L. VIII 833 a 2) ὑγίειαν καὶ ἰσχύν B. 200 d 1 ἰσχύες καὶ ἀσθένειαι R. X 618 d 3 (cf. G. 496 b 5).

App. et ass. : ῥώμη.

Ass. et opp. : ἀσθένεια.

ἰταμός « allant » (subst. n.) τὸ ... ἐν ταῖς πράξεσι ἰταμὸν [Ast : τὸ μὲν codd.] διαφερόντως ἔχει Po. 311 b 2* (cj.).

Adv. : ἰταμῶς, au cp. ἰταμώτερον (L. VI 773 b 2, ass. à θᾶττον)*.

App. : ὀξύς.

ἰταμότης, ἡ « allant » δριμύτητος ... καί τινος ἰταμότητος ὀξείας ... ἐνδεῖται Po. 311 a 8*.

App. et ass. : δριμύτης.

ἴτης « risque-tout » τοὺς ἀνδρείους θαρραλέους λέγεις ... ; — Καὶ ἴτας γε Pr. 349 e 2 (réc. 359 b 9 ; cf. 359 c 3 d 1 ; B. 203 d 5 ass. aussi à σύντονος)*.

App. et ass. : ἀνδρεῖος, θαρραλέος.

Ass. : σύντονος.

ἰχνεύειν « suivre (à) la trace, dépister » a) au pr. ταῦτ' ... αὖ καθάπερ κυσὶν ἰχνευούσαις διερευνητέον L. II 654 e 3 ; b) au fig. ἰχνεύειν τὴν τοῦ καλοῦ ... φύσιν R. III 401 c 5 (cf. Po. 263 b 1) ἰχνεύοντες ... ἀνευρίσκειν τὴν τοῦ σφετέρου θεοῦ φύσιν Phr. 252 e 7 μεταθεῖς τε καὶ ἰχνεύεις τὰ λεχθέντα Pa. 128 c 1 ἰχνεῦσαι δὲ καὶ ἑλεῖν τὸ πάντων ἄριστον L. V 728 d 1.

App. : ἐρευνᾶν, ζητεῖν.

App. et ass. : διερευνᾶν, μεταθεῖν.

Ass. : αἱρεῖν, ἀνευρίσκειν.

ἴχνος, τό « trace » ταύτῃ ἰτέον, ὡς τὰ ἴχνη τῶν λόγων φέρει R. II 365 d 1 (cf. Pd. 115 b 7) τὰ ... ἴχνη διώκῃ R. VIII 553 a 10 πάλιν ὥσπερ ἴχνος μετελθεῖν Tht. 187 e 2 (cf. Phr. 276 d 4) μεταθέοντας τὰ ... ἴχνη Po. 301 e 3.

K

καθαγίζειν « consacrer » ὅτε ... θύσαντες καθαγίζοιεν Criti. 120 a 1*.
Ass. : θύειν.

καθαίρειν a) « purifier », b) « épurer » ; c) « purger » ; d) (au moyen) « se purifier ».

a) τὴν διάνοιαν ... κεκαθαρμένην Pd. 67 c 3 ὁ ... κεκαθαρμένος τε καὶ τετελεσμένος Pd. 69 c 5 (cf. R. VIII 560 d 10) καθαιρόμενοι τῶν τε ἀδικημάτων διδόντες δίκας ἀπολύονται Pd. 113 d 7 τὸν ἀποκτείναντα κατὰ νόμον καθαρθέντα καθαρὸν εἶναι L. VIII 831 a 4 (cf. IX 865 b 2) τοὺς ... καθαρμοὺς τοὺς αὐτοὺς καθαρθήτω L. IX 865 d 4 (cf. 868 c 8 e 2).

b) τὸν ... προσήκοντα καθαρμὸν καθήρῃ L. V 735 b 4 (cf. d 5 et 7 R. III 399 e 8 VIII 567 c 3 Po. 293 d 5).

c) So. 227 a 1 (cf. a 10 b 8 c 3 T. 72 c 7).

d) οἱ φιλοσοφίᾳ ἱκανῶς καθηράμενοι Pd. 114 c 3 ἐμοὶ ... καθήρασθαι ἀνάγκη Phr. 243 a 3 (cf. Cra. 396 e 4) καθηράμενος ἀπαλλαττέσθω τοῦ φόνου L. IX 865 d 2.

App. et ass. (a) : τελεῖν.

Opp. : μιαίνειν.

καθαρεύειν « être pur » καθαρεύειν τὴν πόλιν Pd. 58 b 6 (cf. L. VI 759 c 3 XII 947 d 4) ἐὰν καθαρεύωμεν ἀπ' αὐτοῦ (= τοῦ σώματος a 1) Pd. 67 a 5 καθάπερ ἱερέα φόνου καθαρεύοντα Le. VIII 357 a 1*.

καθαριότης « pureté » (i. e. « éclat »), en parlant des astres Ep. 984 a 6*.

καθαρμός, ὁ a) « purification » (rite) ; b) « épuration ».

a) « (rite de) purification » αὐτὴ ἡ φρόνησις μὴ καθαρμός τις ᾖ Pd. 69 c 1 τῇ ἐκείνης (= τῆς φιλοσοφίας) λύσει καὶ καθαρμῷ Pd. 82 d 6 (cf. R. II 364 e 6) ἡ κάθαρσις καὶ οἱ καθαρμοί Cra. 405 a 7 καθαρμὸς ἀρχαῖος Phr. 243 a 5 καθαρμῶν τε καὶ τελετῶν τυχοῦσα ..., λύσιν ... εὑρομένη Phr. 244 e 2 τὸν ... περὶ τὴν διάνοιαν καθαρμόν So. 227 c 3 (cf. 226 d 10) καθαρμοῖς ... χρήσασθαι μείζοσιν L. IX 865 c 7 (cf. d 3, 866 c 3, 868 e 2 et 8, 869 e 3, 873 d 2) περὶ θυσίας τε καὶ καθαρμούς Ep. 989 c 7*.

b) « épuration » τὸν ... προσήκοντα καθαρμὸν καθήρῃ L. V 735 b 4 (cf. c 8 d 6 R. VIII 567 c 5 So. 227 c 3).

App. : θυσία.

App. et ass. : λύσις, τελετή.

Ass. et souvent syn. : κάθαρσις.

Syn. (b) : καθαρότης (b).

καθαρός a) « pur » (adj. et parfois subst. m. ou n.) ; b) « libre » (de), « net ».

a) « pur » τεκμήριον καθαρὸν καὶ ἄχραντον A. 113 e 10 (cf. 133 c 9 et 10) καθαροὶ ἀπαλλαττόμενοι τῆς τοῦ σώματος ἀφροσύνης Pd. 67 a 6 (cf. 80 e 3, 82 b 9 R. X 601 c 3) μὴ καθαρῷ ... καθαροῦ ἐφάπτεσθαι μὴ οὐ θεμιτὸν ᾖ Pd. 67 b 1 et 2 τὸ καθαρόν τε καὶ ἀεὶ ὂν Pd. 79 d 2 (cf. 80 d 5, 83 e 1 R. IX 572 a 2, 585 b 12) αὐτὴν ... τὴν γῆν καθαρὰν ἐν καθαρῷ κεῖσθαι τῷ οὐρανῷ Pd. 109 b 6 et 7 (cf. d 3, 114 c 1 R. VII 520 d 11) τὸ καθαρὸν ... καὶ ἀκήρατον τοῦ νοῦ Cra. 396 b 7 (cf. c 2) ἐπειδὰν ἡ ψυχὴ καθαρὰ ᾖ πάντων τῶν ... κακῶν καὶ ἐπιθυμιῶν Cra. 404 a 1 (cf. Tht. 177 a 5) καθαρὸν ... γένος R. V 460 c 6 καθαρὸς ἀδικίας τε καὶ ἀνοσίων ἔργων R. VI 496 d 9 (cf. L. IX 864 e 4, 865 b 3 et 4, 868 c 2, 872 a 3) βεβαίου τε καὶ καθαρᾶς ἡδονῆς R. IX 586 a 6 (cf. Ph. 51 b 6, 52 c 2, 53 c 1, 66 c 5) καταβαίνειν ἑτέρας (= ψυχὰς a 6) ἐκ τοῦ οὐρανοῦ καθαράς R. X 614 d 9 (cf. Cra. 396 c 2) ἐν αὐγῇ καθαρᾷ καθαροὶ ὄντες Phr. 250 c 4 καθαρώτατον καὶ κάλλιστον So. 230 e 2 (cf. d 3) τὰ μὲν ὡς καθαρώτατα νομίζειν, τὰ δ' ὡς ἀκαθαρτότερα Ph. 55 d 7 (cf. 52 c 2) καθαρωτέρα ἐπιστήμης ἐπιστήμη Ph. 57 b 1 (cf. 55 c 8) τὸ σαφὲς καὶ τὸ καθαρόν Ph. 57 c 1 τὸ καθαρὸν καὶ ἀληθὲς καὶ ... εἰλικρινές Ph. 59 c 4 (cf. 52 d 6, 62 b 6) ἡμέραι μὴ καθαραὶ ... ἀλλ' ἀποφράδες L. VII 800 d 8 οὐ καθαρὸς ὢν θύων L. X 910 d 1 καθαρώτερον ... διαγαγόντι τὸν βίον Ep. 980 b 4.

b) « libre » (de), « net » λαβόντες ... ὥσπερ πίνακα πόλιν ... καθαρὰν ποιήσειαν ἄν R. VI 501 a 3 (cf. a 6) ἡδονὴ ... καθαρὰ λύπης Ph. 53 c 1.

Adv. : καθαρῶς (Pd. 83 d 7) ; sup. καθαρώτατα (Ph. 55 a 8).

App. et ass. : ἀκήρατος, ἀληθής, ἄχραντος, εἰλικρινής.

Ass. : βέβαιος, σαφής.

Ass. et opp. : ἀκάθαρτος, μιαρός (a).

Opp. : μεμιασμένος.

καθαρότης, ἡ a) « pureté » ; b) « épuration » ; c) « propreté ».

a) (de l'éther) Pd. 111 b 6 ; (de la musique) Ph. 62 c 2 ; (du fidèle) καθαρότητός τε καὶ ἁγνείας τὰ περὶ τοὺς θεούς L. XI 917 b 6*.

b) L. V 736 b 7*.

c) καθαρότητος χάριν L. VI 778 c 6*.

App. et ass. (a) : ἁγνεία.

Syn. (b) : καθαρμός (b), κάθαρσις.

κάθαρσις, ἡ a) « purification » ; b) « épuration » ; c) « purgation ».

a) κάθαρσίς τις ... ἡ σωφροσύνη Pd. 69 b 9 (cf. 67 c 4) ἡ κάθαρσις καὶ οἱ καθαρμοί Cra. 405 a 7 τῶν τῆς ψυχῆς καθάρσεων So. 227 c 2 (cf. 227 c 7, 230 d 8) καθάρσεις ... τὰς αὐτὰς ... καθαίρεσθαι L. IX 868 c 8 (cf. 872 e 9).

b) ἐκλογήν τινα καθάρσεως L. V 736 a 6.

c) κάμνον σῶμα ἰατρικῆς καθάρσεως τυχόν L. I 628 d 2 (cf. So. 226 e 5, 227 c 7).

App. et ass. (a) : καθαρμός.

Syn. (b) : καθαρμός (b), καθαρότης (b).

καθαρτικός « purificateur » τό γε καθαρτικὸν εἶδος ... διπλοῦν So. 226 e 1 (cf. T. 60 d 8) ἔστω δὴ διακριτικῆς τέχνης καθαρτική, καθαρτικῆς δὲ ... μέρος So. 231 b 4*.

καθεύδειν « dormir » πότερον καθεύδομεν ... ἢ ἐγρηγόραμεν Tht. 158 b 10 (cf. Pr. 310 b 3 Pd. 71 c 1, 8, 9 d 1) καθεύδων ... οὐδεὶς οὐδενὸς ἄξιος L. VII 808 b 6.

Ass. et opp. : ἐγείρειν.

Syn. : εὕδειν (cf. Macrobe, *Excerpta*, p. 601 Keil, cité par J. Brunel, *L'Aspect...*, p. 18, n. 2 ; mais voir les distinctions de la p. 29).

καθηγεῖσθαι « guider », « introduire » (à) καλῶς ... καθηγήσασθαι τοῦ λόγου B. 199 c 4 (cf. La. 182 c 4 Tht. 200 e 7 Le. II 312 b 8 c 2)*.

Syn. : ἡγεῖσθαι (avec les distinctions de J. Brunel, *L'Aspect...*, p. 100-101).

καθιεροῦν « consacrer » καθιέρωσαν ... φήμας τε καὶ ἀγάλματα L. V 738 c 7 (cf. VIII 838 d 6) καθιερωθὲν τοῦτο ... τὸ νόμιμον L. VIII 839 c 4 μηδεὶς ... δευτέρως ἱερὰ καθιερούτω θεοῖς L. XII 955 e 7 (cf. II 657 b 6 V 745 d 8 VII 799 a 4 b 3, 807 a 2, 809 b 6, 813 a 2, 816 c 5 X 909 e 8 XI 914 b 5)*.

App. : ἱεροῦν (v. les distinctions de J. Brunel, *L'Aspect...*, p. 227-228).

καθιστάναι 1° (au pr., à l'impf. et au fut. actifs, à l'ao. 1 actif et moyen) « établir » ; 2° (à l'ao. 2, au pf. et au pl.-que-pf. actifs, et aux temps du moyen sauf l'ao. 1) « être (établi) ».

1° φύλακας ... καθιστάναι R. V 451 c 8 (cf. III 414 a 1 VI 503 b 6) εἰς τὴν νόμιμον ἐδωδὴν καταστήσασα Ep. 975 a 7.

2° τῆς νῦν ... καθεστηκυίας φορᾶς Po. 271 d 2 (cf. 270 d 4 R. I 339 a 2 III 407 e 1 Phr. 231 e 3 Le. VII 331 c 2) τὸ ... νῦν καθεστός L. VII 794 d 3 τό τι κινεῖν τῶν τότε καθεστώτων L. VII 798 b 4 ἐπιτρόπου φύλαξ ... καταστάς L. XI 928 a 5.

App. : (1°) τιθέναι ; (2°) ἑστάναι, κεῖσθαι.

Syn. (1°) : ἱστάναι 1° (avec les distinctions de J. Brunel, *L'Aspect...*, p. 86), κατασκευάζειν.

καθορᾶν 1° « chercher à voir, apercevoir, regarder » ; 2° « observer, discerner » ; 3° « réussir à connaître, considérer » ; 4° « contempler ».

1° ἃ δύναται καθορᾶν R. VII 515 e 3 (cf. 516 a 5) σωτηρίαν καὶ ... ἀγαθὰ γιγνόμενα καθορῶ L. IV 715 d 6 (reprenant ὁρῶ d 4).

2° καθορᾷς ἃ ἂν συμβαίη A. 135 a 6 καθορᾶν τἀληθές Pd. 66 d 7 τάχ' ἂν κατίδοιμεν τὴν ... δικαιοσύνην R. II 372 e 6 (cf. IV 430 d 1 VI 484 a 7 So. 216 b 3, 232 a 4, 235 d 1) τῷ ὀξύτατα καθορῶντι τὰ παριόντα R. VII 516 c 8 ὁ πρῶτος ταῦτα κατιδὼν βάρβαρος ὢν Ep. 986 e 10 (cf. 991 c 1 L. X 904 a 6 XII 967 a 4).

3° ὑμᾶς ... αὐτοὺς ... κατόψεσθε καὶ γνώσεσθε A. 134 d 8 ἕως ἂν ... κατίδῃ τινὰ ἐπιστήμην μίαν B. 210 d 7 (cf. A. 133 e 1) τὰ ... τρία ἡμῖν ἐν τῇ πόλει κατῶπται R. IV 432 b 3 οἱ ... ὄντως φιλόσοφοι καθορῶντες ὑψόθεν τὸν τῶν κάτω βίον So. 216 c 6 προσμείξαντες αὐτοῖς ... μᾶλλον κατοψόμεθα L. VI 783 b 7 (réc. c 2) πειρᾶσθαι κατιδεῖν τὸ ... ἄριστον L. IX 858 a 2 (réc. 859 c 7).

4° τὰ ἐκεῖ κατιδεῖν Pd. 109 e 5 (cf. e 3 Ep. 986 a 9, 987 a 4) ἐξαίφνης κατόψεταί τι ... καλόν B. 210 e 4 (cf. 211 b 7 e 4, 218 e 4) τὸν ἥλιον ... αὐτὸν καθ' αὑτὸν ... κατιδεῖν καὶ θεάσασθαι οἷός ἐστιν R. VII 516 b 6 κατιδεῖν ῥᾷον τὴν τοῦ ἀγαθοῦ ἰδέαν R. VII 526 e 2 (cf. V 476 d 1) καθορᾷ ... αὐτὴν δικαιοσύνην, καθορᾷ δὲ σωφροσύνην Phr. 247 d 6-7 (cf. 248 a 4 c 4 Ep. 991 b 9).

App. : ἀθρεῖν, ἐφορᾶν, θεωρεῖν, νοεῖν, ὁρᾶν (cf. J. Brunel, *L'Aspect...*, p. 43 ; 44, n. 1 ; 230-233).

App. et ass. (4°) : θεᾶσθαι.

Ass. (3°) : γιγνώσκειν.

καινός « nouveau » δαιμόνια καινά Ap. 24 c 1 καινοὺς ποιοῦντα θεούς, τοὺς δ' ἀρχαίους οὐ νομίζοντα Euph. 3 b 2 ὧδε λέγω οὐδὲν καινόν Pd. 100 b 1 (cf. 115 b 4 R. III 399 e 1, 414 c 4).

Adv. : καινῶς (Phr. 267 b 1, ass. et opp. à ἀρχαίως).

Ass. et opp. : ἀρχαῖος.

Opp. : παλαιός.

Syn. : νέος.

καινοτομεῖν « innover » καινοτομοῦντος ... περὶ τὰ θεῖα Euph. 3 b 6 (cf. Ep. 985 c 8) αὐτοσχεδιάζοντα ... καὶ καινοτομοῦντα περὶ τῶν θείων Euph. 5 a 8 (cf. 16 a 2) οὐκ ἐξῆν ... καινοτομεῖν L. II 656 e 2 (cf. IV 709 a 6 VII 797 c 1) κινούμενα ... καὶ καινοτομούμενα L. VII 797 b 4*.

App. et ass. : αὐτοσχεδιάζειν, κινεῖν 2°.

καινοτομία, ἡ « innovation » καινοτομίας ὀνομάτων ἕνεκα L. IV 715 d 1 (cf. XII 950 a 1)*.

καίριος « opportun » (adj. et subst. n.) περὶ μέτρον καὶ τὸ μέτριον καὶ καίριον Ph. 66 a 8 τῶν ... ῥηθέντων ... ὅσα ἂν εἶναι καίρια δοκῇ L. IX 856 a 1 εἴ τί που ... γίγνοιτο ἐν καίριον [AO : ἐγκαίριον A^2O^4] ἀκοῦσαι L. XII 961 a 6*.

App. et ass. : μέτριος.

Opp. : ἄκαιρος 1°.

Syn. : ἐγκαίριος, ἔγκαιρος, εὔκαιρος.

καιρός, ὁ 1° « occasion » a) favorable ; b) indifférente ; 2° « juste mesure, équilibre ».

1° « occasion » a) ἐάν τίς τινος παρῇ ἔργου καιρόν R. II 370 b 8 (cf. 374 c 1 IV 421 a 8 Pd. 107 a 6 Phr. 272 a 3) πρὸς τὸ μέτριον καὶ τὸ πρέπον καὶ τὸν καιρόν Po. 284 e 7 (cf. T. 38 b 4) πῶς ... τοῦ καιροῦ ... ἂν ἔτυχον L. III 687 a 5 μετὰ θεοῦ τύχη καὶ καιρὸς τἀνθρώπινα διακυβερνῶσι L. IV 709 b 7 (cf. c 1 III 702 b 8 V 744 b 5, 745 e 9) καιρὸν ... σύμμετρον L. VI 772 e 5 (cf. Le. VII 326 a 2, 327 e 4) οὐ σμικρότατος καιρὸς τοῦ σῴζεσθαι ... πολιτείαν L. XII 945 c 7.

b) πολλοὶ καιροὶ πολιτείας λύσεώς εἰσιν L. XII 945 c 3 (cf. Tht. 207 e 6 Le. IX 358 a 6).

2° « juste mesure, équilibre » ὀξύτερα τοῦ καιροῦ Po. 307 b 9 (cf. 310 e 2 T. 85 d 2) ἀνεπιστημόνως ... καὶ ἐκτὸς τῶν καιρῶν L. I 636 e 2.

App. (2°) : μέτρον.

App. et ass. (1° a) : τύχη (a), (τὸ) μέτριον, (τὸ) πρέπον.

κάκη, ἡ a) « lâcheté » ; b) « rétivité » ; c) « méchanceté ».

a) μηδ' εἰς τοὐπίσω ἀναχωρεῖν εἴκοντας κάκῃ Mx. 246 b 6 (cf. R. V 468 a 7 Phr. 273 c 2 L. IX 856 c 2) ζωὴν ... μετὰ κάκης μᾶλλον ἢ μετ' ἀνδρείας ... θάνατον L. XII 944 c 7 (cf. 943 a 5)*.

b) ὁ τῆς κάκης ἵππος μετέχων Phr. 247 b 3 (cf. L. XI 921 a 2)*.

c) οὐκ ἀνθρώπινος ... μετὰ κάκης πάσης ἀμαθία L. V 737 b 8 διὰ κάκην ... τὴν τῶν πολλῶν L. VIII 840 d 1 ἐπὶ πᾶσαν ἰέναι κάκην L. IX 880 e 3 ὑπ' ἀνοίας ἄνευ κάκης [O² : κακῆς AO] ὀργῆς τε καὶ ἤθους L. X 908 e 7*.

App. (c) : κακία (b).

Ass. et opp. (a) : ἀνδρεία.

Opp. (a) : ἀρετή 3°.

Syn. (a) : ἀνανδρία, δειλία, κακία (a).

κακία, ἡ a) « lâcheté » ; b) « mal, vice ».

a) κακίᾳ τινὶ καὶ ἀνανδρίᾳ ... διαπεφευγέναι Cr. 45 e 6 (cf. B. 182 d 1 R. VIII 556 d 6 Le. VII 329 a 5)*.

b) τοῦ θάττονος, τῆς κακίας Ap. 39 b 4 (cf. B. 181 e 3) σώματος ... κακίαν ... ἀσθένειαν εἶναι καὶ νόσον καὶ αἶσχος G. 477 b 3 (cf. R. IV 444 e 1 pour l'âme) ἀρετή τε καὶ κακία Cra. 386 d 6 (cf. R. II 365 a 5 IV 444 e 1 IX 580 b 7 Phr. 256 b 3 So. 251 a 10 L. X 890 c 1 904 d 5 XII 964 c 3) καλεῖς ... τὴν μὲν δικαιοσύνην ἀρετήν, τὴν δὲ ἀδικίαν κακίαν ; R. I 348 c 6 (cf. 350 d 5) κακοὺς πᾶσαν κακίαν R. VI 490 d 3 κακίᾳ ... ἠναγκασμένον ὑπηρετεῖν R. VII 519 a 4 ἀδικία καὶ ἡ ἄλλη κακία R. X 609 d 5 φυγεῖν μὲν κακίαν, τοὐναντίον δὲ ἑλεῖν T. 87 b 8.

App. (b) : κάκη (c), μοχθηρία, πονηρία (b).

App. et ass. (b) : ἀδικία, αἶσχος, ἀσθένεια, νόσος.

Ass. et opp. : ἀρετή 3°-4°.

Ass. et syn. (a) : ἀνανδρία.

Syn. (a) : δειλία, κάκη (a).

κακοδαίμων « infortuné » ἄθλιος καὶ κακοδαίμων M. 78 a 6 (cf. a 4).
App. et ass. : ἄθλιος.
Opp. : εὐδαίμων.

κακοήθεια, ἡ « malice » τὴν δικαιοσύνην (λέγω) ... εὐήθειαν. — Τὴν ἀδικίαν ἄρα κακοήθειαν καλεῖς ; R. I 348 d 2 κακολογίας καὶ κακοηθείας ἀδελφά R. III 401 a 7*.
App. et ass. : ἀδικία, κακολογία.
Ass. et opp. : εὐήθεια 2°.

κακοήθης « vicieux » διακωλυτέον τὸ κακόηθες τοῦτο ... καὶ ἄσχημον R. III 401 b 4 οὔτε κακοήθει ἔοικεν ἀλλὰ ... εὐήθης δόξειεν ἂν εἶναι Le. XIII 360 c 7*.
Ass. et opp. : εὐήθης 1°.

κακός 1° adj. a) « lâche » ; b) « mauvais, méchant » ; 2° subst. a) m. α) « lâche » ; β) (les) « méchants » ; b) n. : « mal » α) en gén. ; β) moral.

1° a) « lâche » δείσας τὸ ζῆν κακὸς ὤν Ap. 28 d 1 δειλός τε ἅμα καὶ κακός ... πολίτης L. VI 774 c 2 εἴ ... τι ἀποδειλιῶν αἰσχύνης μετέσχον κακῆς Le. VII 329 b 7.

b) « mauvais, méchant » ζῇ μετὰ κακῆς ἐλπίδος R. I 330 e 7 κακὸς ... ἑκὼν οὐδείς T. 86 d 7 (cf. d 2) ὁ μὲν ἄδικός που κακός, ὁ δὲ κακὸς ἄκων τοιοῦτος L. IX 860 d 5 ζημιούσθω ... πρὸς τῷ κακὸς εἶναι δοκεῖν L. VI 764 a 2 παρανόμους καὶ κακοὺς γίγνεσθαι L. XI 920 a 8.

2° a) m. α) δειλῷ καὶ κακῷ Mx. 246 e 5.

β) οἱ κακοί L. X 907 c 4 (cf. IX 860 d 5 à 1° b).

b) n. α) au sens général de « mal » ὑπὸ ἀλλοτρίου κακοῦ ἀπόλλυσθαι R. X 610 a 7 (cf. 613 a 2) ἐπὶ κακοῖς τοῖς τῶν πέλας Ph. 48 b 11 τῶν ... μεγίστων κακῶν ... οὐδέν L. V 731 c 3 (cf. c 6, 727 a 4 b 6 c 3 IX 854 b 2 e 7). « Le mal » ἀγαθῷ ... κακὸν ἐναντιώτερον ἢ τῷ μὴ ἀγαθῷ R. VI 491 d 5 (cf. Ly. 220 d 3) οὔτ' ἀπολέσθαι τὰ κακὰ δυνατόν Tht. 176 a 4.

β) « Le mal moral » (au pl.) τὰ ... κακά ... ἄκοντες ποιοῦσιν Pr. 345 e 4 (cf. e 5) ἀπαλλαγὴ ... ἂν εἴη κακῶν R. X 610 d 7 οὐκ ἀπέσχετο τῶν μεγίστων κακῶν L. IX 854 e 6.

Adv. : κακῶς (L. XI 934 d 8, avec λέγειν ; G. 480 e 7, avec ποιεῖν ; G. 496 e 16, avec πράττειν) ; cp. κάκιον (R. VI 491 d 8) ; sup. κάκιστα (R. IV 420 b 9).
App. : (1° a) ἄνανδρος ; (1° b) πονηρός, φαῦλος.
App. et ass. : (1° a, 2° a) δειλός ; (1° b) ἄδικος, παράνομος.
Ass. et opp. : ἀγαθός.
Opp. : (1° a) ἀνδρεῖος ; (1° b) χρηστός.

κακουργεῖν a) « faire du mal » ; b) « chicaner ».
a) ἀκουσίως ἁμαρτανούσας τε καὶ κακουργούσας H. m. 375 c 7 (cf. d 1) κακουργεῖν δεῖ ... ἢ οὔ ; Cr. 49 c 2 (cf. H. m. 365 e 11, 373 b 9) κακουργεῖν ... περὶ τούς ... πολίτας R. III 416 c 8 (cf. a 6

Po. 298 b 7) κακουργεῖν τε ἀλλήλους καὶ ἀδικεῖν L. III 679 e 2 ἵνα τὴν χώραν μὴ κακουργῇ L. VI 761 a 7 (cf. 760 e 8).

b) ἔοικεν ὥσπερ κακουργοῦντι H. m. 373 b 5 κακουργεῖς ἐν τοῖς λόγοις G. 483 a 2 (réc. 489 b 3 ; cf. R. I 341 a 9 et 12).

App. et ass. (a) : ἀδικεῖν, ἁμαρτάνειν.

κακούργημα, τό « méfait » ὁπόσ' ἄλλα κακουργήματα πρὸς ἀλλήλους ἐπινοοῦσιν L. III 677 b 8 (cf. XI 933 e 12 R. I 344 b 5 IV 426 e 6)*.

App. et parfois syn. : κακουργία.

κακουργία, ἡ « malfaisance, crime », ἀνελευθερίαν καὶ κακουργίαν [A^ac F Stob. : κακοεργίαν A^c D Eus.] R. IV 422 a 3 βλάβη ... καὶ ... κακουργία R. IV 434 c 2 κακουργίαν ... τὴν μεγίστην τῆς ἑαυτοῦ πόλεως οὐκ ἀδικίαν φήσεις εἶναι ; R. IV 434 c 4 (cf. L. V 728 b 3) αὐτῶν (sc. τῶν ἐπιθυμιῶν) τὰς κακουργίας R. VIII 554 c 5 τὰ ... κιβδηλεύματά τε καὶ κακουργίας τῶν πωλούντων L. XI 917 e 3*.

App. et ass. : ἀδικία, βλάβη, κιβδήλευμα ; app. et parfois syn. : κακούργημα.

κακοῦργος a) adj. « malfaisant » ; b) subst. « malfaiteur ».

a) ἡ μετ' ἀφροσύνης (καρτερία) ... βλαβερὰ καὶ κακοῦργος La. 192 d 2 (cf. d 5 A. 118 a 7 R. VIII 554 c 1) κακοῦργός τε ... καὶ ἀπατηλή G. 465 b 3 φύλακας ... ποιοῦμεν ἥκιστα κακούργους τῆς πόλεως R. IV 421 b 1*.

b) πάντες ὅσοι κέκληνται κακοῦργοι R. VIII 552 d 2 (cf. e 1)*.

App. et ass. (a) : ἀπατηλός, βλαβερός.

κακοφυής « foncièrement pervers » (subst. m.) τοὺς μὲν εὐφυεῖς ... θεραπεύσουσι, ... τοὺς δὲ κατὰ τὴν ψυχὴν κακοφυεῖς καὶ ἀνιάτους ... ἀποκτενοῦσιν R. III 410 a 3*.

App. et ass. : ἀνίατος.

Ass. et opp. : εὐφυής.

κακοψυχία, ἡ « mauvaise disposition de l'âme » τὸ ... μὴ δύσκολον ... καὶ τὸ δύσκολον οὐ σμικρὸν μόριον εὐψυχίας καὶ κακοψυχίας L. VII 791 c 10*.

Ass. et opp. : εὐψυχία (a).

καλεῖν a) « appeler » ; b) « invoquer » ; c) « nommer ».

a) ὅταν ἡ εἱμαρμένη καλῇ Pd. 115 a 2 (cf. a 4).

b) καλέσαντα κατὰ νόμον θεούς T. 27 b 9 (cf. c 3 Criti. 108 d 2 L. II 666 b 3) θεὸν ἄμεινον ἀεὶ καλεῖν Ep. 991 e 1 (cf. 992 a 3).

c) ἀφροσύνην τι καλεῖς ; Pr. 332 a 5 (cf. 358 d 6 et 8 M. 75 e 3 et 5, 76 a 1 d 3 Pd. 103 c 9 Cra. 390 c 11 R. X 596 c 3 Pa. 147 d 2) τὰς ἡδονὰς καλουμένας Pd. 64 d 4 (cf. R. IV 442 a 8 VI 511 c 6 VII 518 d 9) τῆς ... καλουμένης ὑπὸ τῶν πολλῶν ἀδολεσχίας Pa. 135 d 5.

App. (c) : ὀνομάζειν, προσαγορεύειν.

Syn. (b) : ἐπικαλεῖσθαι, παρακαλεῖν 3°.

κάλλος, τό 1° « beauté » a) physique ; b) morale ; c) métaphysique (transcendante) ; 2° « lustre ».

1° « beauté » a) κάλλους ἂν εἴη ἔρως, αἴσχους δὲ οὔ B. 201 a 8 (cf. 197 b 6) τὸ τῇδέ τις ὁρῶν κάλλος Phr. 249 d 5.

b) ἀρητὴ ... ὑγίειά τέ τις ἂν εἴη καὶ κάλλος καὶ εὐεξία ψυχῆς, κακία δὲ ... αἶσχος R. IV 444 d 14.

c) ὁ ... καλὰ μὲν πράγματα νομίζων, αὐτὸ δὲ κάλλος μήτε νομίζων R. V 476 c 3 ἔτι μειζόνως τιμητέον τὴν τοῦ ἀγαθοῦ ἕξιν. — Ἀμήχανον κάλλος, ἔφη, λέγεις R. VI 509 a 6 φέρεται πρὸς αὐτὸ τὸ κάλλος Phr. 250 e 2 (cf. τοῦ ἀληθοῦς 249 d 6) τὸ ἀγαθὸν ... σύντρισι λαβόντες, κάλλει καὶ συμμετρίᾳ καὶ ἀληθείᾳ Ph. 65 a 2 (réc. b 8 avec μετριότητος).

2° « lustre » κάλλος τοῦ ... βοηθεῖν καὶ αἰσχύνη τοῦ μή G. 509 c 3 οὔτε γὰρ πλοῦτος κάλλος φέρει Mx. 246 e 3.

Ass. (c) : ἀλήθεια, μετριότης, συμμετρία.

Ass. et opp. : (1° a-b) αἶσχος ; (2°) αἰσχύνη.

καλός « beau » 1° adj. a) physiquement ; b) moralement ; 2° subst. n. a) « le beau » (physique) ; b) « honneur » ; c) « le beau » (moral), « le devoir » ; d) l'Idée du Beau.

1° a) οὐ τῇ μὲν καλόν, τῇ δ' αἰσχρόν B. 211 a 2 (cf. H. M. 289 b 2 et 6 L. II 657 a 1).

b) τοῖς μὲν ἀγαθοῖς καλὸν χαρίζεσθαι ..., τοῖς δὲ ἀκολάστοις αἰσχρόν B. 186 c 1 (cf. c 3) ἐπιχειροῦντι ... τοῖς καλοῖς καλὸν καὶ πάσχειν Phr. 274 a 8 δοίητέ μοι καλῷ γενέσθαι τἄνδοθεν Phr. 279 b 9 καλὸν ... τὸ σύμπαντα γιγνώσκειν Ph. 19 c 2 πᾶν ... τὸ ἀγαθὸν καλόν T. 87 c 5 τίμιον ἅμα καὶ καλόν L. V 728 a 3 (cf. Ph. 30 b 7) καλλίω θανατὸν σκεψάμενος ἀπαλλάττου τοῦ βίου L. IX 854 c 5.

2° a) τὸ περὶ τὸ σῶμα καλόν B. 210 c 5 (cf. 204 b 3 d 3 et p.-ê. e 2, 206 e 2 et 4) εἰ μὴ ... παίζοι ἐν καλοῖς R. VIII 558 b 5.

b) οὐχ ὡς καλόν τι ἀλλ' ὡς ἀναγκαῖον R. VII 540 b 4 ἀποκρίνεσθαι πόρρω τῶν καλῶν L. XII 966 d 5.

c) οὐ ταὐτὸν ἡγεῖ ... καλόν τε καὶ ἀγαθὸν καὶ κακὸν καὶ αἰσχρόν G. 474 c 13 τοῦ καλοῦ τοῦ τῆς δικαιοσύνης καὶ τῆς σωφροσύνης G. 492 b 9 ἀντὶ τοῦ καλοῦ τῷ ἀγαθῷ χρώμενος B. 204 e 2 (p.-ê. à (a), avec b 3 d 3) οὐ τοῦ καλοῦ ὁ ἔρως, ... ἀλλὰ ... τοῦ τόκου ἐν τῷ καλῷ B. 206 e 2 et 4 (p.-ê. à (a)) τῶν καλῶν χάριν R. III 403 b 7 τὸ ... καλὸν οὐκ ἄμετρον T. 87 c 5 τό τε καλὸν καὶ μή L. I 632 b 1 δὶς ... τό γε καλὸν ῥηθὲν οὐδὲν βλάπτει L. VI 754 c 2 δεῖ τὰ καλὰ καὶ τὰ δίκαια πάντα ἄνδρα τιμᾶν L. IX 854 c 2 (cf. Le. IV 320 a 4).

d) (L'Idée du Beau) οὐ ... φαντασθήσεται ... τὸ καλὸν οἷον πρόσωπόν τι B. 211 a 6 ἐκεῖνο τὸ καλὸν ... καθορᾶν B. 211 b 7 (cf. c 3 et 9) αὐτὸ τὸ καλὸν ἰδεῖν B. 211 e 1 (réc. e 3) τῆς τοῦ καλοῦ φύσεως So. 257 d 11.

Adv. : καλῶς (Pr. 319 e 4 Euth. 276 c 2 Pa. 128 b 1, app. et ass. à εὖ) ; cp. κάλλιον (R. VII 527 c 6) et καλλιόνως (L. II 660 d 6) ; sup. κάλλιστα (R. III 399 c 3).

App. et ass. : (1° b) τίμιος (b-c) ; (2°) ἀγαθός, δίκαιος.

Ass. et opp. (2°) : κακός ; (1°-2°) αἰσχρός.

καλὸς κἀγαθός « noble » 1° de nature : a) (homme) de valeur, « bien » ; b) (homme) « de bien » ; c) α) (chose) « bon » ; β) subst. n. : « bien, biens ».

2° de naissance (surtout subst. m. pl. : « les aristocrates »).

1° « noble » (de nature) a) (homme) « bien » καλοὺς ... κἀγαθοὺς λέγεις τοὺς φρονίμους A. 125 a 1 πάνυ καλὸς κἀγαθός ἐστιν καὶ ταῦτα (= τὴν ψυχήν e 1) Ch. 154 e 3 οὐ τὸ καλὸς εἶναι μόνον, ἀλλὰ ... καλός τε κἀγαθός Ly. 207 a 3 (cf. Pr. 315 e 1, 347 d 2) φρόνιμόν τε καὶ καλὸν κἀγαθόν G. 490 e 6 (cf. R. VI 489 e 4 Ph. 53 d 9).

b) (homme) « de bien » πάντες ... 'Αθηναῖοι καλοὺς κἀγαθοὺς ποιοῦσι Ap. 25 a 5 (cf. 20 b 1) οὐ μόνον αὐτὸς οἴει καλὸς κἀγαθὸς εἶναι Pr. 348 e 2 (cf. R. III 401 e 5) ὁ ... καλῶς λέγων καλός τε καὶ ἀγαθός Tht. 185 e 4 (cf. Ep. 985 a 3) εἰ μέλλει ... ἅμα μὲν καλός, ἅμα δὲ ἀγαθός ... κεκλῆσθαι T. 88 c 6 ἀνὴρ καλός τε κἀγαθός Le. XI 359 b 7.

c) α) (chose) « bon » οὐδὲν καλὸν κἀγαθὸν εἰδέναι Ap. 21 d 4 ἐὰν μὴ καλὴ κἀγαθὴ ἡ διάνοια G. 514 a 1 βίος ... καλλίων καὶ ἀμείνων R. V 466 a 9 καλῶν καὶ ἀγαθῶν δημιουργοί T. 46 e 4 τραγῳδίας ... ὅτι καλλίστης ἅμα καὶ ἀρίστης L. VII 817 b 3 (cf. b 5 IX 870 b 3 Ep. 980 b 5 et 8, 981 b 4 Le. VII 327 d 3) καλὸν κἀγαθὸν ... ἐπιτήδευμα L. VIII 831 d 3 τροφὴ καλὴ ... καὶ ἀγαθή Ep. 975 b 1.

β) Subst. n. : καλῶν τε κἀγαθῶν ἐστερημένος Ly. 205 e 6 τοῦ καλοῦ τε κἀγαθοῦ φίλον Ly. 216 d 4 πρὸς τὴν τοῦ καλοῦ τε καὶ ἀγαθοῦ ζήτησιν R. VII 531 c 6 περὶ καλῶν καὶ ἀγαθῶν καὶ δικαίων L. IX 858 d 7.

2° « noble » (de naissance) 'Αθηναίων οἱ καλοὶ κἀγαθοί A. 124 e 16.

Adv. : εὖ τε καὶ καλῶς (R. III 402 e 2-3).

App. et ass. (1° a) : φρόνιμος.

Ass. et opp. (1° a) : καλός seul.

Opp. : φαῦλος.

κάμνειν a) « se fatiguer » (à) ; b) « se lasser (de) » ; c) « être malade » ; d) (au pf.) « avoir cessé » (de vivre).

a) ἵνα μὴ κάμνωσι βουλευόμενοι R. V 458 a 4.

b) μὴ κάμῃς φίλον ἄνδρα εὐεργετῶν G. 470 c 8 (cf. A. 126 d 12 L. X 890 d 2).

c) ὑγιαίνοντα ... κάμνοντα G. 505 a 8 κάμνον σῶμα L. I 628 d 2 (cf. G. 456 b 3, 504 e 7 R. III 395 e 1).

d) τὰς τῶν κεκμηκότων ψυχάς L. XI 927 b 2 (cf. IV 718 a 2).

Ass. et opp. (c) : ὑγιαίνειν (a).

κάμπτειν a) (d'ordinaire au passif) « fléchir » ; b) « se courber ».

a) εἴ τις μὴ κάμπτοιτο ἀλλὰ καρτεροῖ La. 193 a 1 (cf. Mx. 245 a 2) ἐὰν ... εἷς ... κάμπτηται καὶ ἕλκηται πρὸς φιλοσοφίαν R. VI 494 e 1.

b) ἐπὶ τὸ ψεῦδος ... τρεπόμενοι ... κάμπτονται καὶ συγκλῶνται Tht. 173 b 1.

Ass. : (a) ἕλκειν ; (b) συγκλᾶν, τρέπειν.

Ass. et opp. : καρτερεῖν.

κανών, ὁ « règle » τοῖς τόρνοις ... καὶ ... τοῖς κανόσι καὶ γωνίαις Ph. 51 c 5 (cf. 56 b 9, 62 b 5) χρώμενος ... καὶ [codd. : ἐκείνοις Diès ; sed cf. Van Camp-Canart, *Le Sens...*, p. 242, n. 3] τοῖς ἄλλοις ὁμοίως κανόσι καὶ τοῖς κύκλοις Ph. 62 b 2 (il s'agit des règles transcendantes, par opp. aux fausses de 62 b 5)*.

Ass. : γωνία, κύκλος, τόρνος.

καπνός, ὁ « fumée » a) au pr. ; b) au fig.

a) ὥσπερ πνεῦμα ἢ καπνός Pd. 70 a 6.

b) ὁ δῆμος φεύγων ... καπνὸν δουλείας ἐλευθέρων R. VIII 569 b 9 καπνὸν καὶ φλυαρίαν R. IX 581 d 7.

App. et ass. : (a) πνεῦμα ; (b) φλυαρία.

καρδία, ἡ « cœur » τῆς περὶ τὰ τῆς καρδίας ... πηδήσεως L. VII 791 a 5 (cf. B. 215 e 2 I. 535 c 8 T. 70 c 1) τὴν καρδίαν ... ἢ ψυχὴν ἢ ὅ τι δεῖ αὐτὸ ὀνομάσαι B. 218 a 4.

App. et ass. : ψυχή.

καρπός, ὁ « fruit » a) au pr. ; b) au fig.

a) μέλιτι καρποὶ δεδευμένοι L. VI 782 c 4.

b) ἀποτελεῖ καρπὸν τοῖς γεννήσασιν πικρότατον Le. VII 335 b 7.

καρποῦσθαι « cueillir » a) au pr. ; b) au fig.

a) τὰ γενναῖα σῦκα ... ὁπόταν βούληται καρπούσθω L. VIII 844 e 8.

b) λάθρᾳ τὰς ἡδονὰς καρπούμενοι R. VIII 548 b 6 (cf. IX 587 a 1 B. 187 e 3 et 7 Phr. 240 a 8, 251 e 6 L. I 636 d 3).

καρτερεῖν « endurer, rester ferme » εἴ τις ... μὴ κάμπτοιτο, ἀλλὰ καρτεροῖ La. 193 a 1 (cf. c 3) ὑπομένειν τε καὶ καρτερεῖν La. 193 a 9 (cf. G. 507 b 7) κινδυνεύουσίν τε καὶ καρτεροῦσιν La. 193 c 10 ἐπὶ τῇ ζητήσει ἐπιμείνωμέν τε καὶ καρτερήσωμεν La. 194 a 2 οἱ ὀρθῶς φιλοσοφοῦντες ἀπέχονται τῶν ... ἐπιθυμιῶν ... καὶ καρτεροῦσι Pd. 82 c 4 (cf. R. VIII 556 b 10 L. I 635 c 7 d 3) ἡσυχίαν τε ἄγετε καὶ καρτερεῖτε Pd. 117 e 1 (cf. R. X 605 d 10) οὐκ ἂν καρτερήσαιμι B. 216 a 4 (cf. 220 a 1 Mx. 244 e 5) ἃ δόξειεν αὐτῷ διαπονεῖσθαι καὶ καρτερεῖν Cra. 395 a 6 (cf. L. V 727 c 6) θαρρῶν καὶ καρτερῶν ... ἀποκρίνου Tht. 157 d 4 ὄμματα καρτερεῖν πρὸς τὸ θεῖον ἀφορῶντα ἀδύνατα So. 254 b 1 (cf. La. 192 e 2) καρτερεῖν πρὸς τὸ μέτριον L. XI 918 d 2 (« s'attacher », non « résister à » comme R. VIII 556 b 10) ὁπόταν ... τοὺς ... πόνους ... μὴ διαπονῇ καρτερῶν ἀλλὰ ὑπείκῃ L. V 727 c 6 (cf. VIII 836 e 1) γνόντα καρτερεῖν οὐκ εὐπετές L. XII 955 d 1.

App. et ass. : διαπονεῖν, ἐπιμένειν, ἡσυχίαν ἄγειν, θαρρεῖν, κινδυνεύειν, ὑπομένειν 2° b.

Ass. : ἀπέχεσθαι.

Ass. et opp. : κάμπτεσθαι, ὑπείκειν.

καρτέρημα, τό « preuve d'endurance » πάντα τὰ τῆς ψυχῆς ἐπιχειρήματα καὶ καρτερήματα M. 88 c 4*.

καρτέρησις, ἡ « (épreuve d')endurance » ἡ ἄφρων τόλμα τε καὶ καρτέρησις La. 193 d 1 (cf. d 7) εἰ ... ἡ καρτέρησίς ἐστιν ἀνδρεία La. 194 a 4 πρὸς ... τὰς τοῦ χειμῶνος καρτερήσεις B. 220 a 7 (cf. L. I 633 b 6 c 1 et 4, 637 b 7 XII 942 d 5)*.

App. et ass. : ἀνδρεία, τόλμα.

καρτερία, ἡ « endurance » ἀνδρείαν καὶ καρτερίαν καὶ φιλοπονίαν ... τὰς Λακεδαιμονίων A. 122 c 6 (ἀνδρεία) δοκεῖ ... μοι καρτερία τις εἶναι τῆς ψυχῆς La. 192 b 9 (cf. c 8 d 7 et 11, 193 b 3) εἰς φρόνησιν καὶ εἰς καρτερίαν B. 219 d 7 ἡ ἐν Τροίᾳ ... καρτερία Cra. 395 a 8 εἴ πού τινες ... καρτερίαι πρὸς ἅπαντα ... πράττονται R. III 390 d 1*.

App. et ass. : ἀνδρεία, φιλοπονία.

καρτερούντως « avec endurance » παρατεταγμένως καὶ καρτερούντως ἀμυνομένου τὴν τύχην R. III 399 b 2*.

καταβαίνειν « descendre » a) dialectiquement ; b) dans la caverne.

a) ἵνα ... ἐπὶ τελευτὴν καταβαίνῃ R. VI 511 b 9.

b) μὴ ἐθέλειν πάλιν καταβαίνειν παρ' ἐκείνους τοὺς δεσμώτας R. VII 519 d 6 καταβατέον ... εἰς τὴν τῶν ἄλλων συνοίκησιν R. VII 520 c 2.

Opp. : ἀναβαίνειν.

καταβιβάζειν « faire descendre » καταβιβαστέοι ἔσονταί σοι εἰς τὸ σπήλαιον πάλιν ἐκεῖνο R. VII 539 e 2.

καταγέλαστος « ridicule » καταγέλαστοι γίγνονται G. 484 d 8 (palindromie e 2 ; cf. 485 a 7 réc. c 2) οὐ καταγέλαστον ἂν ἦν τῇ ἀληθείᾳ G. 514 e 3 (cf. 509 a 8 b 5, 512 d 4) οὔ τι μὴ γελοῖα εἴπω ... ἀλλὰ μὴ καταγέλαστα B. 189 b 8 ἐνενόησα ... καταγέλαστος ὤν B. 198 c 7 (cf. Euth. 278 e 4, 279 d 1 et 4, 305 a 7, 307 b 1) λόγον διδόντος οὐ καταγέλαστον R. VI 493 d 9 (cf. V 467 a 9) ἧττον ἂν καταγέλαστος ὁ γέλως ... εἴη R. VII 518 b 4.

Adv. : καταγελάστως (M. 96 e 2) ; sup. καταγελαστότατα (So. 252 b 8).

App. et opp. : γελοῖος (b).

Syn. : γελοῖος (a).

καταγνύναι « morceler » μὴ καταγνύναι μηδὲ κερματίζειν τὴν ἀρετὴν M. 79 a 10 (cf. Phr. 265 e 2).

Ass. et syn. : κερματίζειν.

Syn. : κατακερματίζειν.

καταδεῖν « enchaîner » καταδεῖται ψυχὴ ὑπὸ σώματος Pd. 83 c 8 (cf. T. 70 e 3, 73 c 4) αὐτοῦ (sc. τῆς ἀληθείας) τὰς ἀποδείξεις ... οὐ κατέδησας Le. II 313 b 7*.

Syn. : δεῖν.

κατάδεσις, ἡ « ligature » μαγγανείαις τέ τισιν καὶ ἐπῳδαῖς καὶ καταδέσεσι λεγομέναις ... βλάπτειν L. XI 933 a 2 (réc. d 7, avec ἐπαγωγαῖς)*.

App. et ass. : ἐπαγωγή, ἐπῳδή, μαγγανεία.
Syn. : κατάδεσμος.

κατάδεσμος, ὁ « lien (magique) » βλάψειν ἐπαγωγαῖς τισιν καὶ καταδέσμοις R. II 364 c 4*.
App. et ass. : ἐπαγωγή.
Syn. : κατάδεσις.

καταδέχεσθαι « accueillir au retour » (de l'exil) τὰ ... καλὰ ... καταδεχόμενος εἰς τὴν ψυχήν R. III 401 e 4 (cf. VIII 561 b 1 X 607 c 6).

καταδουλοῦν (jamais à l'actif) ; a) au moyen « réduire en esclavage » ; b) au passif (métaph.) « (être) subjugué ».
a) au moyen πλάττοντες τοὺς βελτίστους ... καταδουλούμεθα G. 484 a 1 οὕτω πολλὰ ... γένη καταδεδουλωμένη ἦν ἡ Περσῶν ἀρχή Mx. 240 a 4 (cf. 244 d 1, 245 a 4 L. I 638 b 1) ἄλλας πόλεις ... δουλοῦσθαι ... καὶ καταδεδουλῶσθαι R. I 351 b 2 καταδουλώσασθαι καὶ ἄρχειν ὧν οὐ προσῆκον αὐτῷ R. IV 442 a 9 καταδουλώσασθαι ... αὐτοὺς ὑπ' ἐκείνοις R. IX 574 c 4 (cf. 589 d 8 VIII 553 d 2, 563 e 8)*.
b) au passif καταδεδουλωμένος ... ὑπὸ τοῦ ἀνθρώπου B. 219 e 4 καταδουλωθεὶς ὑπὸ τῆς σοφίας αὐτοῖν Euth. 303 c 2*.
Ass. (a) : ἄρχειν.
Ass. et syn. : δουλοῦν (cf. J. Brunel, *L'Aspect...*, p. 229 ; distinctions p. 277).

καταδύεσθαι a) « pénétrer » ; b) « se cacher, s'enfoncer ».
a) καταδύεται εἰς τὸ ἐντὸς τῆς ψυχῆς ὅ τε ῥυθμὸς καὶ ἁρμονία R. III 401 d 5 (cf. VIII 562 e 3 IX 576 d 9)*.
b) ὑπάρχει τούτῳ ... καταδεδυκότι ... βιῶναι μετὰ μειρακίων G. 485 d 7 (cf. R. IX 579 b 8 So. 239 c 7) (πόλεις) καθάπερ πλοῖα καταδυόμεναι Po. 302 a 6 (cf. Tht. 171 d 3)*.

κατακερματίζειν « morceler » ἐὰν σὺ κατακερματίζῃς αὐτὴν (sc. τὴν ἀρετήν b 8) κατὰ μόρια M. 79 c 2 εἰς σμικρότερα κατακεκερματίσθαι ἡ τοῦ ἀνθρώπου φύσις R. III 395 b 5 κατακεκερμάτισται ... καὶ μεμέρισται Pa. 144 b 4 (réc. e 4 ; cf. So. 225 b 8 ; 257 c 6, réc. 258 d 8 ; Po. 266 a 2)*.
App. : κατατέμνειν.
App. et ass. : μερίζειν.
Syn. : καταγνύναι, κερματίζειν.

κατακλυσμός, ὁ « déluge, cataclysme » πολλὰς ἀνθρώπων φθορὰς γεγονέναι κατακλυσμοῖς τε καὶ νόσοις L. III 677 a 4 (cf. V 740 e 9).
App. et ass. : νόσος (a), φθορά (b-c).

κατακοσμεῖν a) « ordonner » ; b) « parer ».
a) αἰδοῦς ... ἐγγενομένης ἐν τῇ ... ψυχῇ ... κατεκοσμήθη πάλιν R. VIII 560 a 8 (cf. VII 540 b 1 [κατακοσμεῖν D : κοσμεῖν cett.]) εἰς ... τὸν εἰωθότα δρόμον ... κατακοσμούμενος ἤει Po. 273 a 7 (cf. T. 88 e 3 L. III 685 d 5 IV 721 a 1)*.

b) ἑαυτῷ οἷον ἄγαλμα τεκταίνεταί τε καὶ κατακοσμεῖ Phr. 252 d 8*.

App. (a) : διακοσμεῖν, (δια)τάττειν.

Syn. : κοσμεῖν.

κατακόσμησις, ἡ « ordre » εἰς κατακόσμησιν καὶ συμφωνίαν T. 47 d 5 (cf. Po. 271 e 2)*.

Syn. : κόσμος.

καταλαμβάνειν « saisir » (intellectuellement) περὶ δὲ κάλλους ... κατειλήφαμεν αὐτὸ διὰ τῆς ἐναργεστάτης αἰσθήσεως Phr. 250 d 1 (cf. Ph. 16 d 3 [καταλάβωμεν cj. Estienne : μεταλάβωμεν codd. Burnet Diès λάβωμεν Badham], Ep. 991 c 1 [καταλαβεῖν Z : παραλαβεῖν AO])*.

καταλάμπειν « éclairer » ὧν ὁ ἥλιος καταλάμπει R. VI 508 d 1 οὗ καταλάμπει ἀλήθεια R. VI 508 d 5*.

καταλείπειν 1° « laisser » ; 2° « abandonner ».

1° κατάλειπε ... τὴν ἁρμονίαν R. III 399 a 5 (repris c 4 par λεῖπε) παῖδας παίδων καταλείποντα L. VI 773 e 7.

2° καταλείπεται ἔρημος θεοῦ, καταλειφθεὶς δέ ... L. IV 716 b 1.

Syn. : λείπειν 1°-2°.

καταλλάττεσθαι « échanger » ἡδονὰς πρὸς ἡδονὰς ... καταλλάττεσθαι ... ὥσπερ νομίσματα Pd. 69 a 7 (cf. a 9)*.

Syn. : ἀλλάττειν.

καταμανθάνειν « réussir à comprendre » ἵνα ῥᾷον καταμάθῃς G. 517 d 7 (cf. Pa. 136 c 9, après οὐ ... μανθάνω c 8) οὔπω καταμανθάνεις ὃ λέγω ; La. 191 e 11 (cf. So. 235 d 3 ; L. III 689 c 2, à quoi répond μανθάνομεν c 4) οὐκ ὀρθῶς καταμανθάνω ; Pa. 128 a 1 (suivi de μανθάνω a 4) καταμανθάνειν τὰς ... περιφοράς T. 90 d 3.

Syn. : κατανοεῖν, μανθάνειν (b) (avec les distinctions de J. Brunel, *L'Aspect...*, p. 236).

καταμελετᾶν (à l'actif et au moyen) « exercer » τὰς αἰσθήσεις καταμελετᾶν ἐμπειρίᾳ καί τινι τριβῇ Ph. 55 e 6 (cf. 57 a 1) τὴν ἀνδρείαν ... ἐν τοῖς φόβοις δεῖ καταμελετᾶσθαι L. I 649 c 4*.

Syn. : μελετᾶν.

κατανοεῖν a) « reconnaître, comprendre » ; b) « observer ».

a) ὄντος ... λόγου ... δυνατοῦ κατανοῆσαι Pd. 90 c 8 (cf. c 2) εἰ κατανοεῖς R. VI 510 a 3 οὐ ... κατανοῶ τὸ νῦν ἐρωτώμενον So. 233 a 2 (cf. Ph. 48 a 11) τῷ κατανοουμένῳ τὸ κατανοοῦν ἐξομοιῶσαι T. 90 d 4-5 ἐγώ τινα (ἔλεγχον) ... μοι δοκῶ κατανοεῖν L. III 702 b 5.

b) κατανοεῖν δεῖ τὸν ἥλιον Ep. 990 b 6.

Opp. et parfois syn. : νοεῖν (cf. J. Brunel, *L'Aspect...*, p. 236).

Syn. : καταμανθάνειν.

κατανόημα, τό « observation » τὸ τούτων τῶν θεῶν τοῦ κόσμου κατανόημα Ep. 987 d 8*.

Syn. : κατανόησις (b).

κατανόησις, ἡ a) « esprit critique » ; b) « observation ».
a) αἰσθανόμενοι τὸ παραλειπόμενον διὰ τὴν ἀεὶ σύνοικον κατανόησιν Criti. 107 d 4*.
b) δευτέρα κατανόησις νοσημάτων τῷ βουλομένῳ γίγνεται συννοῆσαι T. 82 c 1*.
Syn. (b) : κατανόημα.

καταπατεῖν « fouler aux pieds » καταπατήσας ... τοὺς νόμους L. IV 714 a 6 (cf. G. 484 a 5 R. VIII 558 b 6)*.
App. : καταφρονεῖν.
Syn. : πατεῖν.

καταρᾶσθαι « charger d'imprécations » ὅτι μοι χαλεπαίνουσι καὶ καταρῶνται Pd. 116 c 2*.
Syn. : ἀρᾶσθαι (qui manque chez Platon), ἐπαρᾶσθαι.

κατασκευάζειν (à l'actif et au moyen) « instituer, organiser » ἱερὰ κατασκευάσαι καὶ βωμούς B. 189 c 7 (cf. Criti. 113 c 1, 115 b 7) τὸν βίον ἡμῶν κατεσκεύασαν Mx. 238 b 4 (cf. R. VIII 557 b 9 X 606 e 5) τισιν ἤδη τοῦ βίου τἀναγκαῖα κατεσκευασμένα Criti. 110 a 6.
Syn. : ἱστάναι 1°, καθιστάναι 1°.

κατασκευή, ἡ « genre » αἱ ... κατασκευαὶ τῆς ψυχῆς R. VIII 544 e 5 ἰδίαν ἕκαστος ἂν κατασκευὴν τοῦ αὐτοῦ βίου κατασκευάζοιτο R. VIII 557 b 8 ἡ τοῦ βίου κατασκευή (« ravitaillement » Diès) L. VIII 842 c 1.

κατάστασις, ἡ a) « établissement, constitution » ; b) « rétablissement ».
a) ἡ ἐκλογὴ ... καὶ κατάστασις τῶν ἀρχόντων R. III 414 a 6 (cf. IV 425 d 3 VI 502 d 8) τὴν ... κατάστασιν τῆς πόλεως ... μὴ κινεῖν R. IV 426 c 1 (cf. V 464 a 8 VI 492 e 8, 497 b 2 VIII 547 b 7, 550 c 10).
b) ἐν τῇ καταστάσει ... ἢ ἐν τῇ διαφθορᾷ Ph. 46 c 6.

κατατείνειν (intr.) « se tendre » ἐπειδὰν αἱ ἐπιθυμίαι παύσωνται κατατείνουσαι καὶ χαλάσωσιν R. I 329 c 8*.
App. : ἐπιτείνειν, συντείνειν.
Ass. et opp. : χαλᾶν.
Opp. : ἀνιέναι II (b).

κατατέμνειν « découper, mettre en pièces » ἀπολαμβάνοντες τὸ καλὸν καὶ ἕκαστον τῶν ὄντων ἐν τοῖς λόγοις κατατέμνοντες H. M. 301 b 5 (cf. R. VI 488 c 1 X 610 b 3 T. 36 b 6).
App. : (κατα)κερματίζειν.

καταυλεῖν « enchanter » ὅταν ... τις μουσικῇ παρέχῃ καταυλεῖν ... τῆς ψυχῆς R. III 411 a 5 (cf. VIII 561 c 8 L. VII 790 e 2)*.
App. : καταφαρμακεύειν, κατεπᾴδειν.

καταφαίνεσθαι « apparaître » ὅτι μοι ἄτοπ' ἄττα καταφαίνεται Ch. 172 c 5 (cf. G. 456 a 6 So. 268 b 1).
Syn. : φαίνεσθαι (avec les distinctions de J. Brunel, *L'Aspect...*, p. 230).

καταφανής « manifeste » (adj. et subst. n.) τοῦ ... μονίμου καὶ βεβαίου καὶ μετὰ νοῦ καταφανοῦς T. 29 b 6 καταφανοῦς γενομένης τῆς φήμης Ep. 992 a 7.
App. : δῆλος, φανερός.
Opp. : ἀφανής.

καταφαρμακεύειν « ensorceler » διὰ τοῦ ἐμοῦ στόματος καταφαρμακευθέντος Phr. 242 e 1*.
App. : καταυλεῖν, κατεπᾴδειν.
Syn. : φαρμακεύειν.

καταφρονεῖν « mépriser » τοῦ κινδύνου κατεφρόνησεν Ap. 28 c 2 ἐμοῦ κατεφρόνησας La. 200 a 1 (cf. Tht. 150 e 1 L. X 885 c 3) τῶν νόμων καταφρονῶν L. VI 754 e 6 (cf. IX 881 a 2) εἴ τις ... καταφρονήσει τῆς ἐμῆς φιλοσοφίας Le. VII 339 a 4.
App. : καταπατεῖν, ὑπερορᾶν.

καταφρόνησις, ἡ « mépris » καταφρόνησις ὧν ... ἐλέγομεν R. VIII 558 b 2 καταφρονήσεως οὐκ ὀρθῆς ἐμπλήσειεν ἂν Le. VII 341 e 4*.

κατειδέναι « connaître » τὸ μὴ κατειδότα τι δοκεῖν εἰδέναι So. 229 c 5 (cf. L. VII 799 c 8)*.
Ass. et syn. : εἰδέναι (avec les distinctions de J. Brunel, *L'Aspect...*, p. 235).

κατεπᾴδειν « enchanter » γοητεύεις με καὶ φαρμάττεις καὶ ἀτεχνῶς κατεπᾴδεις M. 80 a 3 (cf. G. 484 a 1)*.
App. : καταυλεῖν, καταφαρμακεύειν.
App. et ass. : γοητεύειν, φαρμάττειν (b).
Syn. : ἐπᾴδειν.

κατεύχεσθαι « maudire » (litt. : prier contre ») κατεύχεσθαι τῶν Ἀχαίων πρὸς τὸν θεόν R. III 393 a 1 (cf. 394 a 7) κατεύχεσθαι ... ἀλλήλοις ἐπαρωμένους L. XI 934 e 7*.
Ass. et syn. : ἐπαρᾶσθαι.
Syn. : ἐπεύχεσθαι 3°, καταρᾶσθαι.

κατέχειν 1° « contenir, dominer » ; 2° « comprendre » ; 3° « posséder » (en parlant d'un dieu, de l'inspiration) ; 4° « occuper » (militairement : métaphore appliquée à l'Idée).
1° οὕτω ... ἂν κατέχοι αὐτοὺς δήσας τῇ περὶ ἀρετὴν ἐπιθυμίᾳ Cra. 404 a 3 ἐπιθυμίας ... κακούργους, κατεχομένας βίᾳ R. VIII 554 c 1 (cf. T. 70 a 6) τοὺς ... χείρους κατέχειν ... τῷ φρονεῖν Ep. 989 c 5.
2° οὐ ... πω κατέχω τὸ ἐρωτώμενον M. 72 d 3 (cf. Ph. 26 c 7).
3° τοὺς πολιτικοὺς ... φαῖμεν ἂν ... ἐνθουσιάζειν, ἐπίπνους ὄντας καὶ κατεχομένους ἐκ τοῦ θεοῦ M. 99 d 3 τὰ ... ἐκείνου (= Μαρσύου c 3) ... μόνα κατέχεσθαι ποιεῖ B. 215 c 5 ἐκπεπληγμένοι ἐσμὲν καὶ κατεχόμεθα B. 215 d 6 ἔνθεοι ὄντες καὶ κατεχόμενοι I. 533 e 7 βακχεύουσι καὶ κατεχόμενοι, ὥσπερ αἱ βάκχαι ... κατεχόμεναι I. 534 a 4-5 κατεχόμενοι ἐξ ὅτου ἂν ἕκαστος κατέχηται I. 534 e 5 (cf. 536 a 8 b 4-5 c 4, 542 a 5) κατεχόμενος καὶ μαινόμενος Ὅμηρον ἐπαινῶ I. 536 d 5 (cf. Phr. 244 e 5) βακχεύοντες καὶ ... κατεχόμενοι

ὑφ' ἡδονῆς L. III 700 d 6 (cf. R. VIII 560 d 11 Ph. 45 e 3). 4° ἃ ἂν ἡ τῶν τριῶν ἰδέα κατάσχῃ Pd. 104 d 4 (cf. d 1, 105 d 1).

App. : (1°) κρατεῖν ; (2°) μανθάνειν (b), συνιέναι.

App. et ass. (3°) : βακχεύειν, ἐκπλήττεσθαι, ἔνθεον εἶναι, ἐνθουσιάζειν, μαίνεσθαι.

κατήκοος « docile, soumis » (à) κατήκοον ... τοῦ ἀνδρός M. 71 e 7 (cf. R. VIII 562 d 6 T. 70 a 5 Criti. 120 e 2) ἀνάγκη ... τῇ πόλει κατηκόῳ [Schleiermacher : κατήκοοι AF] γενέσθαι R. VI 499 b 8*.

App. : ἐπήκοος (1° a).

Opp. : ἀπειθής.

Syn. : ὑπήκοος.

κατοικίζειν « gouverner » ou « coloniser », dans le raccourci (ἐν οὐρανῷ ... παράδειγμα ἀνάκειται τῷ ... ὁρῶντι) ἑαυτὸν κατοικίζειν R. IX 592 b 4 (cf. τὴν ἐν αὑτῷ πολιτείαν 591 e 1 et Adam ad loc.).

κατοκωχή, ἡ « possession » θείᾳ μοίρᾳ καὶ κατοκωχῇ I. 536 c 2 τρίτη ... ἀπὸ Μουσῶν κατοκωχή τε καὶ μανία Phr. 245 a 1*.

App. et ass. : θεία μοῖρα, μανία.

κάτοπτρον, τό « miroir » ἐν τῇ τοῦ καταντικρὺ ὄψει ὥσπερ ἐν κατόπτρῳ A. 133 a 2 (cf. c 8, 132 e 2 Cra. 414 c 8 R. III 402 b 6 X 596 d 9) ὥσπερ ἐν κατόπτρῳ ἐν τῷ ἐρῶντι Phr. 255 d 6 τὰ ... ἐν τοῖς ὕδασι καὶ κατόπτροις εἴδωλα So. 239 d 7 (cf. Tht. 193 c 7, 206 d 3 T. 46 a 3, 71 b 4, 72 c 4) ὡς ἐν κατόπτροις ... ταῖς πράξεσιν L. X 905 b 5*.

Syn. : ἔνοπτρον.

κατορθοῦν a) « réussir » ; b) « agir droitement ».

a) πολλὰ ... κατορθῶσαι G. 514 e 5 (cf. M. 99 c 8 réc. d 3 R. V 467 b 9) τουτὶ ... κατωρθώκαμεν περὶ ἐπιστήμης Tht. 203 b 9 (cf. Ph. 28 a 7 L. II 653 a 3, 654 d 1-2).

b) τιμᾶν ... κατορθοῦντας (sc. τοὺς νέους) L. XII 952 b 3.

App. : ὀρθοῦν (avec les distinctions de J. Brunel, *L'Aspect...*, p. 227).

κάτω « en bas » εἰς τὸν τόπον τὸν δὴ κάτω καλούμενον Pd. 112 c 2 κάτω βλέπειν εἰς ἀνθρώπων πραγματείας R. VI 500 b 9 (cf. VII 529 a 8 b 8 IX 586 a 7 So. 216 c 7) ὄρνιθος δίκην βλέπων ἄνω τῶν κάτω δὲ ἀμελῶν Phr. 249 d 8.

Cp. κατωτέρω (Pd. 112 d 2, 113 b 4).

Ass. et opp. : ἄνω.

κάτωθεν « d'en-bas » κάτωθεν ... ἄνω ... ἀνασπώμενον So. 221 a 3 οὔτε ... ἄνωθεν ὕδωρ ἐπιρρεῖ, τὸ δ' ἐναντίον κάτωθεν πᾶν ἐπανιέναι πέφυκεν T. 22 e 3.

Ass. et app. : ἄνω, ἄνωθεν.

κεῖσθαι (sert de passif à τιθέναι, q. v.) 1° « être situé » ; 2° « être en repos, reposer » ; 3° « avoir été institué » ; 4° « être admis ».

1° αὐτὴν ... τὴν γῆν καθαρὰν ἐν καθαρῷ κεῖσθαι τῷ οὐρανῷ Pd. 109 b 7 (cf. L. XII 968 e 9).

2° ἐνθάδε κεῖνται Mx. 242 d 6 (formule funéraire : « ci-gît » ; cf. R. VIII 566 d 1) μὴ κινεῖν εὖ κείμενον Ph. 15 c 9.

3° τὰ σπουδῇ κείμενα νόμιμα μένειν L. VII 797 b 3 (cf. b 8, 793 b 6 I 634 e 2).

4° τοῦτο ... ἡμῖν οὕτω κείσθω R. I 350 d 6 (cf. B. 182 d 1 So. 250 e 5 Po. 300 e 4).

App. (3°) : καθεστάναι 2°.

Ass. et opp. (2°) : κινεῖν 2°.

κελεύειν « inviter » (à), « ordonner » (de) ἐνεῖναι ... τὸ κωλῦον πιεῖν ... κρατοῦν τοῦ κελεύοντος R. IV 439 c 6 (cf. c 7) ἀξίωμα ... ἕπεσθαι ... κελεῦον L. III 690 b 10.

Ass. et opp. : κωλύειν.

κενός a) « vide » ; b) « vain ».

a) ὠδίνεις ... διὰ τὸ μὴ κενὸς ἀλλ' ἐγκύμων εἶναι Tht. 148 e 6 (cf. 210 c 2) κενὴν μαθημάτων R. VIII 560 b 8 κενὰ ... φρονήσεως T. 75 a 3 (cf. Ph. 21 b 9) διὰ τὸ κενὸν μηδὲν εἶναι T. 79 c 2 (cf. 60 c 1) οὐ περὶ κενόν τι ζητήσομεν L. III 683 e 11.

b) τί ἄν τις ... μάτην κενοῖς λόγοις αὐτὸς αὑτὸν κοσμοῖ La. 196 b 7 φρονήματος κενοῦ ἄνευ νοῦ ἐμπιμπλάμενον R. VI 494 d 2.

App. (b) : μάταιος.

Ass. et opp. (a) : ἐγκύμων.

κενότης, ἡ « vide » ἄγνοια ... κενότης ἐστὶ τῆς περὶ ψυχὴν ... ἕξεως R. IX 585 b 3 (cf. T. 58 b 5)*.

κενοῦν « vider » τούτων (sc. τῶν ἀρετῶν) ... κενώσαντες R. VIII 560 d 10 ὁ κενούμενος ... κενούμενος ... ἐρᾷ πληροῦσθαι Ph. 35 a 3-4 (cf. e 2).

Ass. et opp. : πληροῦν.

κένωσις, ἡ « vacuité » πρὸς πλησμονὴν καὶ κένωσιν B. 186 c 7 διψῇ γάρ, τοῦτο δὲ κένωσις · ὁ δ' ἐπιθυμεῖ πληρώσεως Ph. 35 b 4 (cf. 42 d 1 T. 65 a 3-4).

Ass. et opp. : πλήρωσις, πλησμονή.

κεραννύναι a) « mêler » ; b) (au passif) « avoir tel tempérament ».

a) κρᾶσιν εἶναι ... τὴν ψυχὴν ἡμῶν, ἐπειδὰν ταῦτα ... μετρίως κραθῇ πρὸς ἄλληλα Pd. 86 c 2 τὸν ... μουσικῇ γυμναστικὴν κεραννύντα R. III 412 a 4 (cf. VIII 549 b 6 Phr. 256 e 5 L. IV 722 c 1) συμμειγνύντες τε καὶ κεραννύντες ... τὸ ἀνδρείκελον R. VI 501 b 4 τὴν τοῦ παντὸς ψυχὴν κεραννὺς ἔμισγεν T. 41 d 5 ἐκ ... τούτων μετ' ἀνδρείας κραθέντων L. I 631 c 8 πόλιν δίκην κρατῆρος κεκραμένην L. VI 773 d 1 ἤθη κεραννύναι παντοδαπά L. XII 949 e 8 νοῦς μετὰ τῶν καλλίστων αἰσθήσεων κραθεὶς L. XII 961 d 10 (réc. e 2).

b) ἤθει γεννικωτέρῳ κεκρᾶσθαι Phr. 279 a 4 (cf. les saisons « tempérées » Po. 272 a 7 Criti. 111 e 5) εἰκὸς ... εἶναι τοὺς τοιούτους μὴ πρᾳέσιν ἤθεσιν κεκραμένους [A³O³ : κεχρημένους AO]

L. XI 930 a 6 οὐχ οὕτως θαυμαστῇ φύσει κραθήσεται Le. VII 326 c 5 (cf. *Revue de Philologie*, 1942, p. 144-145).

App. et ass. (a) : μειγνύναι, συμμειγνύναι.

κερδαίνειν « gagner » οἴονται ... κερδανεῖν ταῦτα ποιήσαντες Pd. 116 e 8 (cf. 117 a 1) ὠφελεῖσθαι κερδαίνοντα R. II 362 b 5 (cf. 366 a 3 IX 581 d 1 X 607 d 10) κερδαίνειν ... τὴν ἡδονήν R. X 606 b 3.

App. : λυσιτελεῖν, ὀνινάναι.

App. et ass. : ὠφελεῖσθαι.

κερδαλέος a) « profitable » (adj. et subst. n.) ; b) « rusé ».

a) μηδ' ὅτι τὸ ὠφέλιμον ... λυσιτελοῦν ... κερδαλέον ... συμφέρον R. I 336 d 2 οὐ πείθομαι ... ἀδικίαν δικαιοσύνης κερδαλεώτερον εἶναι R. I 345 a 3 (réc. a 7) λυσιτελοῦντα ... καὶ κερδαλέα L. II 662 c 2.

b) τὴν ... 'Αρχιλόχου ἀλώπεκα ἑλκτέον ... κερδαλέαν καὶ ποικίλην (citation ?) R. II 365 c 6*.

App. et ass. (a) : λυσιτελής, συμφέρων, ὠφέλιμος.

Opp. (a) : ἀκερδής, ἀλυσιτελής, ἀνωφελής, ἀσύμφορος (Cra. 417 d 5-6).

κέρδος, τό « gain » θαυμάσιον κέρδος ἂν εἴη ὁ θάνατος Ap. 40 d 2 (réc. e 2) τὰ ... ἐξ ἀδικίας κέρδη ἀπωσόμεθα R. II 366 a 2 τοῦ καθ' ἡμέραν κέρδους L. VIII 831 c 8 μέγα τῇ πόλει κέρδος ἢ ζημίαν ἂν φέροι L. VIII 835 b 8 (cf. 846 a 2) τὰς ... ἀδίκους ... βλάβας καὶ κέρδη L. IX 862 c 6.

App. : ὄφελος, ὠφελία.

Ass. et opp. : βλάβη, ζημία.

κερματίζειν « morceler » μὴ καταγνύναι μηδὲ κερματίζειν τὴν ἀρετήν M. 79 a 10 ἐάν τις ... τὸ ἓν ἐπιχειρῇ ... τέμνειν, καταγελῶσι ... ἀλλ' ἐὰν σὺ κερματίζῃς αὐτό R. VII 525 e 3 (cf. Pa. 144 e 4, 164 d 4) θρύπτεσθαι ... κερματιζόμενον ἀνάγκη ... τὸ ὄν Pa. 165 b 5 (cf. Cra. 426 e 3) κατὰ σμικρὰ ... τὰ σώματα κερματίζουσα T. 62 a 4 (cf. 56 e 7, 81 a 6)*.

App. : κατατέμνειν, μερίζειν.

App. et ass. : τέμνειν.

Ass. et syn. : θρύπτειν, καταγνύναι.

Syn. : κατακερματίζειν.

κεφάλαιον, τό « (l')essentiel » αὐτῆς ... τὸ κεφάλαιον εἰς τοῦτο τελευτᾷ G. 453 a 3 (cf. a 7, 463 b 1, 472 c 9, 494 e 4 Euph. 14 a 1 Pd. 95 b 8 T. 17 c 2 L. II 664 b 7) ἓν κεφάλαιον ὁρισαμένους Phr. 239 d 3 (cf. L. VI 770 c 8) κεφάλαιον ... παιδείας λέγομεν τὴν ὀρθὴν τροφήν L. I 643 c 9 ἐκ πάντων κεφάλαια ἐκλέξαντες L. VII 811 a 2.

Adverbial : τὸ κεφάλαιον B. 205 d 1, 223 d 2 Tht. 190 b 4 ; ἐν κεφαλαίῳ B. 186 c 6, 196 e 4 Euth. 280 b 1, 281 d 2 I. 531 e 15 (syn. : συλλήβδην).

κεφαλή, ἡ a) « tête » (v. g. κεφαλῆς φάρμακον Ch. 155 b 6) ; b) au fig. (« conclusion ») ὥσπερ κεφαλὴν ἀποδοῦναι τοῖς εἰρημένοις Ph. 66 d 1 τελευτὴν ἤδη κεφαλήν τε τῷ μύθῳ ... ἐπιθεῖναι T. 69 b 1 (cf. G. 505 d 2).

App. et ass. (b) : τελευτή (a).

κηδεμονία, ἡ « sollicitude » περὶ πατέρας αἰδοῦς τε ... καὶ κηδεμονίας R. V 463 d 3*.

App. : ἐπιμέλεια 1°.

κηδεμών « soucieux » (de) κηδεμόνας τῆς πόλεως R. III 412 c 13 τοῦ φρονεῖν ... κηδεμών L. VII 808 c 1*.

App. : ἐπιμελής.

κήδεσθαι « se soucier, prendre soin » (de) περὶ πραγμάτων ... σπουδάζειν καὶ κήδεσθαι ὧν οὐδὲν τούτῳ ... ἐμέλησεν Ap. 24 c 7 ἐμοῦ κηδόμενος Cr. 45 b 2 (cf. 53 b 6 Ap. 31 a 7 H. M. 283 e 6 G. 480 a 7, 487 a 6, 503 a 4 [ass. à ὀλιγωρεῖν et à φροντίζειν] R. II 362 e 6 III 395 d 5, 415 d 4 IX 592 a 6 L. XI 927 b 3 Le. VIII 357 c 4) κήδοιτο δή γ' ἄν τις ... τούτου ὃ τυγχάνοι φιλῶν R. III 412 d 2 (cf. B. 210 c 1).

App. : ἐντρέπεσθαι, ἐπιμελεῖσθαι, μέλειν.

App. et ass. : σπουδάζειν 3°, φροντίζειν.

Ass. et opp. : ὀλιγωρεῖν.

κηλεῖν « charmer, séduire » ᾠδαῖς μὴ κηλεῖν ἀλλ' ἐξαγριαίνειν Ly. 206 b 2 (cf. Pr. 315 b 1-2, 328 d 5 B. 215 c 1 Mx. 235 b 1 R. II 358 b 3 III 411 b 3, 413 c 2 X 607 c 7-8 Phr. 259 a 3 L. VIII 840 c 2) ἐπᾴδων κηλεῖν Phr. 267 d 1 παραμυθεῖσθαι καὶ κηλῶν πραΰνειν Po. 268 b 3 ὑπό τινων δώρων παρατρέπεσθαι κηλούμενοι L. X 885 d 4 (cf. 906 e 10) παιδείᾳ ... τὸν νοῦν κηληθείς Le. VII 333 c 3.

App. : ἀναπείθειν, παράγειν.

App. et ass. : ἐπᾴδειν, παραμυθεῖσθαι 3°, παρατρέπειν.

κήλησις, ἡ « charme » ἡ μὲν ... τῶν ἐπῳδῶν (τέχνη) ... κήλησίς ἐστιν Euth. 290 a 2 ἡ δὲ δικαστῶν ... κήλησίς τε καὶ παραμυθία τυγχάνει οὖσα Euth. 290 a 4 μεγάλην τινὰ κήλησιν ἔχειν R. X 601 b 3*.

App. et ass. : ἐπῳδή.

Ass. : παραγωγή (a), παραμυθία 1°.

κήρινος « de cire » a) (perception) θὲς ... ἐν ταῖς ψυχαῖς ἡμῶν ἐνὸν κήρινον ἐκμαγεῖον Tht. 191 c 9 (réc. 193 b 10, 197 d 4, 200 b 8) ; b) (malléabilité) θωπείας ... αἳ ... τοὺς θυμοὺς ποιοῦσιν κηρίνους L. I 633 d 3 τὸ γενόμενον ... πλάττειν ... οἷον κήρινον L. VII 789 e 3 (cf. XI 933 b 2).

App. : μαλακός (cf. l'addition de K[c], μαλάττουσαι après θυμούς, L. I 633 d 3).

κιβδηλεία, ἡ « fraude » κιβδηλείαν ... χρὴ ... διανοηθῆναι καὶ ψεῦδος καὶ ἀπάτην L. XI 916 d 6*.

App. et ass. : ἀπάτη, ψεῦδος.

κιβδηλεύειν « frauder » πᾶς ... ὁ κιβδηλεύων τι ψεύδεται καὶ ἀπατᾷ L. XI 917 b 1 (cf. d 4 et 8)*.

App. et ass. : ἀπατᾶν 1°, ψεύδεσθαι (c).

κιβδήλευμα, τό « fraude » τὰ ... κιβδηλεύματά τε καὶ κακουργίας τῶν πωλούντων L. XI 917 e 3*.

App. et ass. : κακουργία.

κίβδηλος « fraudé, falsifié » μετ' εὐσχημοσύνης κιβδήλου R. II 366 b 6 τὰς ... τιμὰς δεῖ σκοπεῖν, καὶ τούτων τίνες ἀληθεῖς καὶ ὅσαι κίβδηλοι L. V 728 d 6 (cf. 738 e 6) ψεῦδος μηδεὶς μηδὲν μηδ' ἀπάτην μηδέ τι κίβδηλον L. XI 916 e 7 (réc. de d 6) κιβδήλοις ... ἐπιτηδεύμασιν L. XI 918 a 7 (cf. R. VI 507 a 5)*.

App. : ἀπατηλός, ψευδής.

Ass. et opp. : ἀληθής.

Opp. : ἀκίβδηλος.

κινδυνεύειν 1° « être en danger, s'exposer (à un danger) » ; 2° « risquer, avoir l'air » (de).

1° κινδυνεύεις ... ἀποθανεῖν Ap. 28 b 3 (cf. d 8 e 4, 25 e 3) μὴ ... ὑμῖν ὁ κίνδυνος κινδυνεύηται ... ἐν τοῖς ὑέσι La. 187 b 2 (cf. περὶ τοῖς φιλτάτοις Pr. 314 a 1) κινδυνεύουσίν τε καὶ καρτεροῦσιν La. 193 c 10 ἄξιον κινδυνεῦσαι Pd. 114 d 5 (cf. R. V 467 b 6 et 8 L. XII 944 e 4) τοῦτο ... τὸ κινδύνευμα κινδυνεύειν R. V 451 a 8 μετὰ προθυμίας τοῦ ἐθέλειν κινδυνεύειν καὶ μάχεσθαι L. III 697 d 8 (cf. 699 a 8 VII 814 b 4) κινδυνεύειν περὶ τῆς πολιτείας L. XII 968 e 9.

2° κινδυνεύω σοι δοκεῖν μακάριός τις εἶναι M. 71 a 4 κινδυνεύει φαίνεσθαι Pa. 147 b 9.

App. et ass. : (1°) καρτερεῖν ; 2° δοκεῖν, φαίνεσθαι.

Ass. (1°) : μάχεσθαι.

κινδύνευμα, τό « risque » τὸ ... κινδύνευμα οὐ σμικρόν L. XII 969 a 4 (cf. R. V 451 a 8)*.

Syn. : κίνδυνος.

κίνδυνος, ὁ « danger » τοῦ θανάτου καὶ τοῦ κινδύνου ὠλιγώρησε Ap. 28 c 8 (cf. c 2 d 5) κινδυνεύων ... τὸν ἔσχατον κίνδυνον Ap. 34 c 7 (cf. T. 25 c 3) καλὸς ... ὁ κίνδυνος Pd. 114 d 6 (cf. 107 c 3 Pr. 314 b 1 R. V 467 b 2 c 1 Ph. 28 a 7) κινδύνους ... κινδυνεύειν ... πάντας B. 208 c 7 (cf. L. VII 814 b 4) ἔνθα ... ὁ πᾶς κίνδυνος ἀνθρώπῳ R. X 618 b 7 μεγάλους κινδύνους καὶ φόβους ... ἐπιβάλλουσα Tht. 173 a 6 πόνος ... καὶ κίνδυνός ἐστιν L. V 736 b 5.

Ass. : θάνατος, πόνος, φόβος (a).

Syn. : κινδύνευμα.

κινεῖν 1° « mouvoir » ; 2° « changer » (de place), « modifier » ; 3° « mettre en branle, ébranler » (parfois mentalement).

1° ἑστάναι ... καὶ κινεῖσθαι τὸ αὐτὸ ἅμα ... ἆρα δυνατόν ; R. IV 436 c 6 (cf. Tht. 181 e 5 et 7 L. X 893 b 7) τὸ δ' ἄλλο κινοῦν καὶ ὑπ' ἄλλου κινούμενον Phr. 245 c 6-7 (cf. 8, 9, 10) τὸ αὐτὸ αὑτὸ κινοῦν Phr. 245 d 8 (cf. e 8, 246 c 4 L. X 895 b 1 et 5 c 8) τῷ γε μεταβαίνειν κινοῖτ' ἂν Pa. 162 d 1 (cf. L. X 893 d 7) κινουμένους πάσας κινήσεις καὶ ἑστῶτας πάντῃ Pa. 165 d 6 (cf. Tht. 182 a 1) κινεῖσθαι ... ἀποφαινόμενοι τὰ πάντα Tht. 168 b 4 (réc. 181 c 2 d 9 et, avec ῥεῖν, 182 c 3) κινεῖσθαι καλεῖς ὅταν τι χώραν ἐκ χώρας μεταβάλλῃ ; Tht. 181 c 6 (cf. e 1) φερόμενα καὶ κινούμενα πάντα So. 249 b 8 τῶν ... πανταχῇ τὸ ὂν κινούντων So. 249 d 2 τῶν τὸ πᾶν κινούντων καὶ τῶν ὡς ἓν ἱστάντων So. 252 a 6 ὅσα ἀκίνητα καὶ κεκινημένα So. 249 d 3 (cf. Po. 269 e 3 et 6) τὸ ... κινησόμενον ἄνευ τοῦ κινήσοντος ... χαλεπὸν ... εἶναι T. 57 e 3-4.

2° οὐ ... πάτριον ... Λακεδαιμονίοις κινεῖν τοὺς νόμους H. M. 284 b 5 (cf. R. IV 424 c 5, 426 c 2 L. III 684 d 9 V 738 c 1 d 1) μὴ κινεῖν εὖ κείμενον Ph. 15 c 9 μὴ κινεῖν τὰ ἀκίνητα L. III 684 e 1 (cf. V 736 d 1 VI 772 c 7 VIII 843 a 1, 845 a 1 XI 913 a 2 b 2 et 9 XII 941 d 1 Tht. 181 a 8) ἱερέας ... μὴ κινεῖν L. VI 759 b 1 (cf. VII 816 c 6) κινούμενα ... καὶ καινοτομούμενα L. VII 797 b 4 σέβεται ... τό τι κινεῖν τῶν τότε καθεστώτων L. VII 798 b 4 (cf. Le. VII 331 a 1).

3° θεία ... δύναμις ἥ σε κινεῖ I. 533 d 3 πῶς ... ἡ πόλις ἡμῶν κινηθήσεται R. VIII 545 d 5 (cf. d 3) πρὸ τοῦ κεκινημένου τὸν σώφρονα δεῖ προαιρεῖσθαι φίλον Phr. 245 b 4.

Adj. verbal : κινητός « mobile » (T. 37 d 6*) ; opp. : ἀκίνητος (cf. So. 249 d 3) ; syn. : κινητικός.

App. et ass. : (1°) μεταβαίνειν, ῥεῖν, φέρεσθαι ; (2°) καινοτομεῖν.

Ass. et opp. (1°-2°) : ἱστάναι ; (2°) καθεστάναι 2°.

κίνησις, ἡ « mouvement » παῦλαν ἔχον κινήσεως, παῦλαν ἔχει ζωῆς Phr. 245 c 7 (cf. c 10 d 7) φορᾶς τε καὶ κινήσεως Tht. 152 d 7 (cf. 153 a 7, 156 a 5, 181 d 3 et 5, 182 a 1 So. 249 b 2 T. 57 e 3 et 5, 58 a 4) ῥοῆς τε καὶ κινήσεως Tht. 152 e 8 κίνησιν καὶ στάσιν ἆρ' οὐκ ἐναντιώτατα λέγεις ἀλλήλοις ; So. 250 a 7 (cf. b 9 c 2, 251 d 4, 254 d 5 Pa. 129 e 1, 136 b 5 T. 57 e 7) τῶν ... κινήσεων ἡ ἐν ἑαυτῷ ὑφ' αὑτοῦ ἀρίστη κίνησις T. 89 a 2 (cf. L. X 894 c 7 et 10, 896 a 2, 898 b 2).

App. et ass. : ῥοή, φορά (a).

Ass. et opp. : στάσις.

κινητικός « mobile » κινητικὸν αὐτό τε καθ' αὑτὸ καὶ ὑπ' ἄλλου T. 58 d 7*.

Opp. : ἀκίνητος.

Syn. : κινητός (cj. Ast à T. 58 d 7).

κλαίειν « pleurer » κλαίων καὶ ἀγανακτῶν Pd. 117 d 5 κλαίοντά τε καὶ ὀδυρόμενον R. III 388 b 3 (cf. X 614 e 7) κλάῃ καὶ βοᾷ L. VII 792 a 2 (cf. 791 e 6).

App. et ass. : ὀδύρεσθαι.

Ass. : ἀγανακτεῖν, βοᾶν.

κλέπτειν « dérober » κλαπέντες ἢ γοητευθέντες ἢ βιασθέντες R. III 413 b 1 (cf. b 4) κλέπτων ἢ βιαζόμενος L. XI 933 e 7.

Ass. : βιάζεσθαι (cf. κλοπαίων τε καὶ βιαίων L. XI 934 c 3* ; κλοπὰς καὶ ... βίᾳ πράξεις Po. 280 d 2).

κλῆρος, ὁ « sort » (personnifié) ὁ νείμας κλῆρος [A^c O : κλῆρον A^2 O^4] ὢν θεός L. V 741 b 5.

App. : τύχη.

κνῆσμα, τό « épluchure » (au fig.) κνήσματα (F : κνίσματα TW) ... καὶ περιτμήματα τῶν λόγων H. M. 304 a 6* (réc. de 301 b 5).

App. et ass. : περίτμημα.

κοινός 1° adj. (a) « commun » (à) b) « mixte » ; 2° subst. n. a) (sg.) l'« intérêt public », (le) « bien commun » ; b) (pl.) les « affaires publiques ».

1° a) τὸ αὐτό ... τὸ κοινὸν τοῦτο, ὃ ... αὐταῖς ἔπεστι κοινῇ καὶ ... ἰδίᾳ H. M. 300 a 10 ἴδιος ἀλλ' οὐ κοινὸς μετὰ τοῦ σώματος R. VII 535 b 9 τὸ ... ἐπὶ πᾶσι κοινόν Tht. 185 c 4 (« ce qui est commun à tous » les sensibles = les objets du « sens commun » d'Aristote ; cf. b 8 e 1, 208 d 8, 209 a 10 T. 64 a 2, 65 b 5) σεισμὸν ... ἴδιόν τε καὶ κοινὸν ἑκατέρῳ Ph. 33 d 5 κοινὰ τὰ φίλων L. V 739 c 2 (cf. R. IV 424 a 1 V 449 c 5) ἐν κοινῷ καὶ μέσῳ ἔοικεν ἡμῖν κεῖσθαι L. XII 968 e 8 οὐ ... μήποτε φανῇ ... κοινότερα συμπάντων ἀνθρώπων ἀγάλματα Ep. 984 a 5.

b) τὸν κοινὸν βίον Ph. 22 c 7 (cf. d 1 ; repris par μεικτῷ d 6) πέρας καὶ ἄπειρον καὶ κοινὸν καὶ τὸ τῆς αἰτίας γένος Ph. 30 a 10.

2° a) τὸ κοινὸν τῆς πόλεως Cr. 50 a 8 Pr. 319 d 7 (cf. L. III 697 d 1) ἕνεκα τοῦ ἰδίου τοῦ αὐτῶν ὀλιγωροῦντες τοῦ κοινοῦ G. 502 e 7 (cf. L. IX 875 a 6, 7, 8 b 1, 6, 7) τὸ φίλον ἀπώλεσαν καὶ τὸ κοινὸν ἐν τῇ πόλει L. III 697 d 1.

b) μετὰ τῶν ἰδίων τὰ κοινὰ σώσει R. VI 497 a 5 πράττειν τὰ κοινὰ καὶ πολιτικά Le. VII 325 b 1.

Adv. : κοινῇ (H. M. 301 b 1 R. I 333 d 4, ass. et opp. à ἰδίᾳ ; ἕν τι κοινῇ εἶδος Phr. 265 e 4). Platon n'emploie pas κοινῶς.

App. et ass. : (1° a) μέσος ; (1° b) μεικτός ; (2° a) φίλος (2° b α) ; (2° b) πολιτικός.

Ass. et opp. (1° a et 2° b) : ἴδιος.

κοινότης, ἡ « communauté » (des caractères sensibles) Tht. 208 d 9*.

κοινοῦν (à l'actif et au moyen) a) « associer », « s'associer », « partager » ; b) « communiquer ».

a) κοινούμεθα ... τὸν λόγον La. 196 c 10 κοινωσάμενοι τοῖς βαρβάροις Mx. 244 c 1 (cf. B. 218 e 4) ὁπόσαι (sc. τέχναι) τῇ φύσει ἐκοίνωσαν τὴν αὐτῶν δύναμιν L. X 889 d 6.

b) τῷ κάμνοντι κοινούμενος L. IV 720 d 4 (cf. XI 930 c 5) κοινούτω τῷ συλλόγῳ L. XII 952 b 9.

Syn. (a) : κοινωνεῖν (2° a).

κοινωνεῖν 1° « avoir part, participer » (à) ; 2° « s'associer » (à) : a) en général ; b) de la communauté des genres ou des Idées ; c) absolument : « entrer en association » ; 3° « être d'accord » (sur), « convenir » ; 4° « faire part » (de) ; 5° « avoir des rapports ».

1° κοινωνούντων πολιτείας A. 125 d 7 (cf. e 1 et 4) οὐ κοινωνεῖς τῆς ἀρχῆς ; Cr. 49 d 9 ἐὰν ... μηδὲν ὁμιλῶμεν τῷ σώματι μηδὲ κοινωνῶμεν Pd. 67 a 3 (cf. 65 c 6, 66 a 6, 80 e 4 So. 248 a 10 b 2 Po. 260 b 10, 269 d 9) κεκοινωνήκατε τῆς φιλοσόφου μανίας B. 218 b 3 (cf. 209 c 8) κοινώνει τοῦ λόγου Cra. 434 b 9 οὐ προσοιστέον ... αὕτη ἡ ἡδονὴ οὐδὲ κοινωνητέον αὐτῆς ἐραστῇ R. III 403 b 1 (cf. 411 c 10 V 457 a 7, 464 a 4-5 Phr. 249 e 3 Po. 281 e 9, 308 e 10, 309 e 2 et 6 L. VI 753 b 4 et 6 VIII 844 b 8, 845 c 6 X 889 d 8, 909 a 4) τοῖς αὐτοῦ παισὶν ἱερῶν μὴ κοινωνείτω L. IX 868 e 4 (cf. 881 e 1 et 4 XII 947 a 3, 950 e 4) πάνθ' ὁπόσα κακοῦ κεκοινώνηκέν τινος Ep. 978 a 8 (cf. L. IX 859 e 8).

2° a) ὅπου ἂν ὁ τοιοῦτος τῷ τοιούτῳ κοινωνήσῃ R. I 343 d 4 (cf. II 370 a 3 IV 440 b 5 V 453 a 2 Po. 304 a 1) ἐγκώμια κεκοινωνημένα εὐχαῖς L. VII 801 e 1.

b) τοῖς ἄλλοις ... ἐκ ... τοῦ ἑνὸς καὶ ἐξ ἑαυτῶν κοινωνησάντων Pa. 158 d 4 ὁποῖα ὁποίοις δυνατὰ κοινωνεῖν So. 253 a 8 (réc. e 1) τὰ μὲν ἡμῖν τῶν γενῶν ὡμολόγηται κοινωνεῖν ... ἀλλήλοις, τὰ δὲ μή So. 254 b 9 (cf. c 1) δόξα καὶ λόγος οὐ κοινωνεῖ τοῦ μὴ ὄντος So. 260 e 2.

c) ἐγὼ ... κοινωνεῖν ἑτοῖμος La. 180 a 7 (cf. G. 507 e 6) τὰς ἐν τῇ μείξει κοινωνούσας (sc. ἡδονάς) Ph. 46 b 6 κοινωνεῖν (« collaborer ») διεκελεύεσθέ μοι Le. VII 323 d 11.

3° σκόπει ... πότερον κοινωνεῖς καὶ συνδοκεῖ σοι Cr. 49 d 6 κοινωνεῖν ἀλλήλοις L. VIII 844 c 5.

4° πόνον ἀναλίσκειν ἐπὶ σίτου παρασκευῇ καὶ ἄλλοις κοινωνεῖν R. II 369 e 5 κοινωνεῖν αὐτῷ τοῦ βίου παντός Le. VII 333 b 8.

5° ἐὰν ἀλλοτρίᾳ τις περὶ τὰ τοιαῦτα κοινωνῇ γυναικί L. VI 784 e 3.

App. (1°) : μετεῖναι.

App. et ass. (1°) : μεταλαμβάνειν (1° a), μετέχειν, ὁμιλεῖν.

Syn. (2° a) : κοινοῦν (a).

κοινώνημα, τό a) « collectivité » ; b) « relations ».

a) μηδὲ συγγενομένους ... μηδενὶ τῶν τοιούτων κοινωνημάτων L. I 639 d 1 (reprend τῶν τοιούτων κοινωνιῶν c 5-6 ; cf. τῶν πολλῶν κοινωνιῶν d 2)*.

b) συμβόλαια ... λέγεις κοινωνήματα R. I 333 a 14 (cf. a 15 L. V 738 a 6)*.

App. (b) : ὁμίλημα, ὁμιλία.

App. et ass. (b) : συμβόλαια.

Syn. : κοινωνία (3° a).

κοινώνησις, ἡ « communication » τῶν ἐπιγαμιῶν καὶ παίδων κοινωνήσεων Po. 310 b 2*.

κοινωνία, ἡ 1° « participation » a) en général ; b) à une Idée ; 2° « communauté » (de) ; 3° a) « société, collectivité, association» ; b) «communauté» (entre Idées) ; c) «combinaison» ; 4° «concorde».

1° a) ἀπολύων ... τὴν ψυχὴν ἀπὸ τῆς τοῦ σώματος κοινωνίας Pd. 65 a 1 πᾶσα ἡ κοινωνία ἡ κατὰ τὸ σῶμα πρὸς τὴν ψυχήν R. V 462 c 12.

b) ἐκείνου τοῦ καλοῦ εἴτε παρουσία εἴτε κοινωνία («communion» Hackforth, «participation in» Bluck, plutôt que «communication» Robin) Pd. 100 d 5 οὐσίας ... κοινωνία Pa. 152 a 2 (repr. le μέθεξις de 151 e 8) τῆς τοῦ σοφίστου κοινωνίας So. 264 e 2.

2° τῆς κοινωνίας τοῦ λόγου La. 197 e 7 μείζω κοινωνίαν τῆς τῶν παίδων ... ἴσχουσι καὶ φιλίαν βεβαιοτέραν, ... ἅτε καλλιόνων ... παίδων κεκοινωνηκότες B. 209 c 5 (cf. L. VI 772 d 7) κοινωνίαν γυναικῶν τε καὶ παίδων R. V 449 d 4 (cf. c 8, 461 e 7, 464 a 9 b 6) λύπης τε καὶ ἡδονῆς ... κοινωνίαν R. V 464 a 6 φιλίαν καὶ νοῦ κοινωνίαν L. III 694 b 7 συγγένειαν ... καὶ ὁμογνίων θεῶν κοινωνίαν L. V 729 c 5 οὐ διὰ βαναύσου φιλότητος ... διὰ δὲ ἐλευθέρας παιδείας κοινωνίαν Le. VII 334 b 6.

3° a) περὶ τῆς κοινωνίας λέγειν La. 180 a 5 (cf. κοινωνούς 179 e 6) ὅτῳ ... μὴ ἔνι κοινωνία, φιλία οὐκ ἂν εἴη G. 507 e 6 (cf. 508 a 1 B. 182 c 3) ἡ περὶ θεούς τε καὶ ἀνθρώπους πρὸς ἀλλήλους κοινωνία B. 188 c 1 κοινωνίαν ποιησάμενοι πόλιν ᾠκίσαμεν R. II 371 b 6 σωφροσύνῃ καὶ ἡδονῇ ὑπερβαλλούσῃ ἔστι τις κοινωνία ; R. III 402 e 3 (cf. L. VI 773 d 3 XII 967 e 3) τὴν ἀλλήλων κοινωνίαν ... καὶ συγγένειαν R. VII 531 d 1 ἐπιμέλεια ... ἀνθρωπίνης συμπάσης κοινωνίας Po. 276 b 7 (cf. L. I 639 c 6 d 2) ἡ τῶν γάμων σύμμειξις καὶ κοινωνία L. IV 721 a 4 (cf. I 636 c 4 VI 773 c 7) κοινωνία ... ψυχῇ καὶ σώματι διαλύσεως οὐκ ἔστιν ᾗ κρεῖττον L. VIII 828 d 4 (cf. I 632 b 4 XII 969 b 7) ἐν ταῖς κοινωνίαις τε καὶ ὁμιλίαις L. IX 861 e 2.

b) περὶ ... πάντων τῶν εἰδῶν ... τῇ ... ἀλλήλων κοινωνίᾳ ... πολλὰ φαίνεσθαι ἕκαστον R. V 476 a 8 (cf. So. 254 c 5, 257 a 9 Po. 283 d 8, 285 b 1) τὴν τῆς οὐσίας κοινωνίαν So. 250 b 11 (cf. 251 e 9, 252 b 9) ὅταν εἴπωμεν ... ταὐτόν, διὰ τὴν μέθεξιν ταὐτοῦ πρὸς ἑαυτὴν οὕτω λέγομεν, ὅταν δὲ μὴ ταὐτόν, διὰ τὴν κοινωνίαν αὖ θατέρου So. 256 b 2 (cf. 260 e 3 et 5).

c) ἡ τούτων (sc. τῶν ἐναντίων ; cf. e 1) ὀρθὴ κοινωνία τὴν ὑγιείας φύσιν ἐγέννησεν Ph. 25 e 7.

4° φιλίαν πορίζων καὶ κοινωνίαν πᾶσιν Πέρσαις L. III 695 d 3 συνδῆσαι πάλιν εἰς τὴν προϋπάρχουσαν φιλότητά τε καὶ κοινωνίαν Le. VI 323 c 2.

App. (4°) : ὁμόνοια.

App. et ass. : (1° b et 3° b) μέθεξις, παρουσία (b) ; (2°) συγγένεια 1° a β ; (3° a) ὁμιλία, συγγένεια 3°, σύμμειξις (b) ; (2°-4°) φιλία ; (2° et 4°) φιλότης.

Ass. et opp. (3° a) : διάλυσις.

Syn. : (1° b) μετάληψις (a), μετάσχεσις ; (3° a) **κοινώνημα**.

κοινωνός a) « participant » (à) ; b) « compagnon, associé » ; c) « qui partage » (avec), « complice ».

a) κοινωνοὺς γεγονότας σοφίας G. 487 c 2 κοινωνὸν ἱερῶν L. IV 708 c 4 (cf. XI 921 c 2).

b) συμβούλους τε καὶ κοινωνοὺς ... περὶ τῆς ... ἐπιμελείας La. 179 e 6 τὸ σῶμα ... ἐάν τις κοινωνὸν συμπαραλαμβάνῃ Pd. 65 a 9 (cf. R. I 333 b 1 II 370 d 6).

c) μηδενὶ κοινωνὸν ... ἀγαθῶν τινων L. V 730 e 6 συνέστιος αὐτοῖς μηδέποτε γιγνέσθω μηδὲ κοινωνὸς ἱερῶν L. IX 868 e 12 (réc. de d 5 ; cf. Le. VII 350 c 6) ἀνοσίων αὐτοῖς ἔργων ... κοινωνός Le. VII 325 a 3.

App. (a) : μέτοχος.

App. et ass. (c) : συνέστιος.

Ass. (b) : σύμβουλος.

κολάζειν « châtier » τὸν μὴ μετέχοντα (sc. ἀρετῆς) καὶ διδάσκειν καὶ κολάζειν Pr. 325 a 6 (cf. a 8) τὸ εἴργειν ἐστὶν ἀφ' ὧν ἐπιθυμεῖ κολάζειν G. 505 b 10 τὸ κολάζεσθαι ... ἄμεινόν ἐστιν ἢ ἡ ἀκολασία G. 505 b 12 (mais cf. L. IX 881 d 5) ἵνα ... κολάζωσι τὸν ἀπειθοῦντα L. V 741 d 3 (cf. VI 775 b 3).

App. : ζημιοῦν.

Ass. : διδάσκειν, εἴργειν.

κολακεία, ἡ « flatterie » κολακείας καὶ ἀνελευθερίας B. 183 b 1 (cf. R. IX 590 b 9).

App. : θωπεία.

App. et ass. : ἀνελευθερία.

κολακεύειν « flatter » κολακεύει ... τὴν ψυχήν R. VII 538 d 2 (cf. 539 a 1).

App. : θωπεύειν.

κολακικός « flatteur » ῥητορικήν τινα ... κολακικήν ... φαμεν εἶναι G. 502 d 9 (cf. 517 a 6, 522 d 7) τινὰς δεινὰς θωπείας κολακικάς L. I 633 d 2.

App. : θωπευτικός.

κόλασις, ἡ « châtiment » τοὺς κολάσεως δεομένους ἀλλ' οὐ μαθήσεως Ap. 26 a 7 αἱ κολάσεις καὶ αἱ νουθετήσεις Pr. 323 e 2.

App. et ass. : νουθέτησις.

Ass. et opp. : μάθησις.

κολλᾶν « coller » (au fig.) πόθος ... κολλᾷ καὶ συνδεῖ πάντα ἤθη L. VI 776 a 4.

App. et ass. : συνδεῖν.

Syn. : προσκολλᾶν (Pd. 82 e 1 L. V 728 b 6*).

κολοφών, ὁ (« sommet ») « comble, dernier trait » κολοφῶνα ἐπιτίθης τῇ σοφίᾳ Euth. 301 e 1 (cf. Tht. 153 c 8 L. II 673 d 10 réc. 674 c 5 ; Le. III 318 b 5)*.

Syn. : κορυφή (b), τελευτή (b), τέλος (1° b).

κομψεία, ἡ « finesse » τὰς τοιαύτας κομψείας ἐφῆς ἂν χαίρειν Pd. 101 c 8*.

κομψεύεσθαι a) « se glorifier » ; b) « subtiliser ».

a) πρέπει ... σοφιστῇ τὰ τοιαῦτα ... κομψεύεσθαι La. 197 d 7*.

b) ὁ τοῦτο κομψευσάμενος ἐψεύσατο R. VI 489 b 8 (cf. IV 436 d 5 Cra. 400 b 3 Phr. 227 c 7 Ph. 56 c 2)*.

App. (a) : νεανιεύεσθαι.

κομψός (souvent ironique) 1° « élégant, raffiné » a) physiquement ; b) moralement α) adj. ; β) subst. m. ; 2° « subtil, ingénieux » a) personnes α) adj. ; β) subst. m. ; b) choses α) adj. β) subst. n.

1° a) πάντων ... κομψότατον τὸ τῆς πόας, ὅτι ... ἱκανὴ πέφυκε Phr. 230 c 3 (cf. Le. XIII 361 a 4).

b) α) οὐ κομψὸς ἀλλὰ συρφετός H. M. 288 d 4 οἳ ἂν κομψότατοι ὄντες τυγχάνωσι περὶ τὸ αὑτῶν τεχνίον R. VI 495 d 4 (cf. VIII 558 a 4, 568 c 2 IX 572 c 6).

β) (τὸ ἀγαθὸν) τοῖς ... κομψοτέροις φρόνησις R. VI 505 b 7.

2° a) α) τοῦτο ... μυθολογῶν κομψὸς ἀνήρ G. 493 a 5 (cf. Ly. 216 a 1 R. III 405 d 4 réc. 408 b 6 ; Tht. 156 a 3).

β) οἱ κομψοὶ περὶ μουσικήν Cra. 405 d 3 (cf. Po. 285 a 1 Ph. 53 c 6).

b) α) τοῦτό μοι τῆς τέχνης ἐστὶ κομψότατον Euph. 11 d 7 (cf. Cra. 402 d 3, 426 a 2, 429 d 7 R. II 376 a 11 V 460 a 8) τοῦτ᾽ ἔχει κομψότατον Tht. 171 a 6 (cf. So. 259 c 4).

β) τὰ κομψὰ ταῦτα G. 486 c 7 réc. 521 e 2 τὰ δεξιὰ καὶ κομψά καὶ θωπευτικά L. I 634 a 3.

Adv. : κομψῶς (Cra. 399 a 4) ; sup. κομψότατα (Tht. 202 d 10).

App. (2°) : δεινός, σοφός.

Ass. (2° b) : δεξιός, θωπευτικός.

κομψότης, ἡ « subtilité » τὰς ... ἄλλας ... δεινότητας κομψότητας (προσαγορεύω) Le. X 358 c 6*.

App. et ass. : δεινότης.

κορυβαντιᾶν « être transporté d'un délire corybantique » ὥσπερ οἱ κορυβαντιῶντες τῶν αὐλῶν δοκοῦσιν ἀκούειν Cr. 54 d 3 (cf. B. 215 e 1 I. 533 e 8, 536 c 3)*. — L. VII 790 d 4, Ast corrigeait Κορυβάντων en κορυβαντιώντων ; mais cf. I. M. Linforth, *Univ. of Calif. Public. in Class. Philol.*, XIII, 5, 1946, p. 130-131.

App. : βακχεύειν.

κορυφή, ἡ a) au pr. « tête, sommet » ; b) au fig. « couronnement ».

a) ὥσπερ ἐκ μιᾶς κορυφῆς ἡμμένω Pd. 60 b 8 (cf. c 4) ἐν κορυφαῖς ... ζώπυρα ... διασεσωσμένα L. III 677 b 2.

b) ἔρχομαι ... ἐπὶ τὴν κορυφὴν ὧν εἴρηκα Cra. 415 a 3 (réc. a 8).

Syn. (b) : κολοφών, τελευτή (b), τελός (1° c).

κόσκινον, τό « crible » (orphique) ὡς ... οἱ ἀμύητοι ... φοροῖεν ... ὕδωρ ἑτέρῳ ... τετρημένῳ κοσκίνῳ G. 493 b 7 (cf. R. II 363 d 8)*.

κοσμεῖν 1° « ranger, ordonner » ; 2° « régler, organiser » ; 3° « parer, orner » ; 4° « honorer, glorifier ».

1° τάξει ... τεταγμένον τι [Jambl. : om. codd.] καὶ κεκοσμημένον ἐστὶν ἡ ἀρετὴ ἑκάστου G. 506 d 9 (cf. 504 a 1) ἡγησάμην ...

τόν γε νοῦν κοσμοῦντα πάντα κοσμεῖν Pd. 97 c 4 (cf. 98 a 5 Cra. 413 c 7 Po. 273 d 5 e 2) στρατιὰ ... κατὰ ἕνδεκα μέρη κεκοσμημένη Phr. 246 e 7 (cf. L. I 626 c 1) αἰτία ... κοσμοῦσά τε καὶ συντάττουσα ἐνιαυτούς ... σοφία καὶ νοῦς λεγομένη ... ἄν Ph. 30 c 5 (cf. G. 504 a 4) ὅτε δ' ἐπεχειρεῖτο κοσμεῖσθαι τὸ πᾶν T. 53 b 1 ὁ μὲν ... συνέπεται ταπεινὸς καὶ κεκοσμημένος L. IV 716 a 4 (ψυχαὶ) κοσμοῦσιν πάντα οὐρανόν L. X 899 b 7.

2° τὰ οἰκεῖα εὖ θέμενον καὶ ἄρξαντα αὐτὸν αὑτοῦ καὶ κοσμήσαντα R. IV 443 d 5 ἡμῖν ἡ πολιτεία τελέως κεκοσμήσεται R. VI 506 b 1 (cf. VII 540 b 1) αὐτῆς (sc. τῆς πόλεως) ἂν ... τὸν βίον κοσμοῖ L. I 628 a 10 (cf. X 898 c 4).

3° οὐ ... κεκαλλιεπημένους γε λόγους ... οὐδὲ κεκοσμημένους Ap. 17 c 1 κοσμήσας τὴν ψυχὴν ... τῷ αὐτῆς κόσμῳ Pd. 114 e 3 (cf. 110 e 7) ὅπλοις κεκοσμημένον Mx. 249 b 2 (cf. a 7) ἔχοντα ... αὐτὸν εὖ κεκοσμημένον τὸν δαίμονα σύνοικον ἐν αὑτῷ T. 90 c 5 (« soigné et paré comme il faut », à la manière d'une statue : cf. A.-J. Festugière, *La Révélation...*, II, p. 134, n. 1) κεκοσμημένα κοσμῶν Criti. 115 c 8-d 1 (cf. L. VI 761 b 7, 769 b 2) τὸν αὑτοῦ βίον φαιδρυνάμενον ... κοσμεῖν L. IV 718 b 1 (cf. Le. VII 336 a 5).

4° κοσμῆσαι τὸν θεόν B. 177 c 8 (cf. La. 196 b 7, 197 c 3 Mx. 237 c 3 et 5, 239 c 1, 246 a 4, 248 c 5) τόν τε ἄριστον ... κοσμοῦντας καὶ τὸν μὴ ψέγοντας L. VIII 829 c 5.

App. (1°-2°) : διακοσμεῖν (malgré J. Brunel, *L'Aspect...*, p. 162-163).

App. et ass. : (1°) συντάττειν, τάττειν (1° b) ; (3°) φαιδρύνειν (b).

Ass. (1°, à κεκοσμημένος) : ταπεινός.

Ass. et opp. (4°) : ψέγειν.

Syn. : κατακοσμεῖν.

κόσμησις, ἡ a) « arrangement » ; b) « décoration » ; c) « cérémonie ».

a) ταῖς ... τῆς ψυχῆς τάξεσιν καὶ κοσμήσεσιν G. 504 d 1 (cf. L. X 904 a 3)*.

b) τὸ πρόσφορον τῆς κοσμήσεως ... ἀπονέμοντες Criti. 117 b 5*.

c) πομπεύσεων ἢ τοιούτων τινῶν ἄλλων κοινῶν κοσμήσεων L. XII 949 d 1*.

App. et ass. (a) : τάξις (a).

κόσμιος « rangé, réglé » a) adj. ; b) subst. α) m. β) n.

a) φεύξη ... τῶν ἀνδρῶν τοὺς κοσμιωτάτους Cr. 53 c 4 τὸν κόσμιον βίον τοῦ ἀκολάστου ἀμείνω εἶναι G. 494 a 4 (cf. a 3, 493 d 2) νόμιμοι ... καὶ κόσμιοι G. 504 d 2 ψυχὴ ... κόσμον ἔχουσα (= κοσμία : e 5) ... ἀμείνων τῆς ἀκοσμήτου G. 506 e 5 ἡ ... κοσμία (ψυχὴ) σώφρων G. 507 a 1 προσεσταλμένη ... καὶ κοσμία G. 511 d 4 κόσμιος καὶ εὐσταλὴς ἀνήρ M. 90 b 1 οἱ ... φιλομαθεῖς κόσμιοί εἰσι καὶ ἀνδρεῖοι Pd. 83 e 4 (cf. R. III 399 e 11 L. VII 815 e 7) ἡ ... κοσμία τε καὶ φρόνιμος ψυχή Pd. 108 a 6 τῷ κοσμίῳ ἔρωτι B. 188 c 3 (cf. 193 a 4) κοσμίους ἐν διαίτῃ R. III 408 a 8 (cf. VIII 560 d 6 Criti. 112 c 4 Le. VII 340 e 2) ἥμερόν τε καὶ κόσμιον R. III 410 e 3 τὰς φύσεις κοσμίους ... καὶ στασίμους R. VII 539 d 5 (cf. L. VIII 831 e 7) ἐγκρατεῖς αὑτῶν καὶ κόσμιοι Phr. 256 b 2.

b) α) οἱ κόσμιοι ... ἀκολασίᾳ τινὶ σώφρονές εἰσιν Pd. 68 e 2 ὁ κόσμιος καὶ μὴ φιλοχρήματος R. VI 486 b 6 (cf. p.-ê. R. III 403 a 7, si κοσμίου y est m.).

β) θείῳ δὴ καὶ κοσμίῳ ὅ γε φιλόσοφος ὁμιλῶν κόσμιός τε καὶ θεῖος R. VI 500 c 9 τὸ ... πρὸς τὸ κόσμιον καὶ σῶφρον ... ἀποκλῖνον L. VII 802 e 10 (cf. p.-ê. κοσμίου τε καὶ καλοῦ ... ἐρᾶν R. III 403 a 7).

Adv. : κοσμίως (Ch. 159 b 3, ass. à ἡσυχῇ ; B. 182 a 4, app. et ass. à νομίμως).

App. et ass. : ἐγκρατής (ἑαυτοῦ), εὐσταλής, προσεσταλμένος, στάσιμος, σώφρων.

Ass. : ἀνδρεῖος, φρόνιμος.

Ass. et opp. : ἀκόλαστος, ἀκόσμητος.

κοσμιότης, ἡ « tenue » εἰς σωφροσύνην τε καὶ κοσμιότητα ... τὰς Λακεδαιμονίων A. 122 c 5 (cf. G. 508 a 2) κοσμιότητός τε καὶ ἀκολασίας ἐπιμελεῖσθαι L. VII 794 a 7 (cf. Po. 307 b 2)*.

App. et ass. : σωφροσύνη.

Ass. et opp. : ἀκολασία.

κόσμος, ὁ 1° « ordre » ; 2° « univers » ; 3° « parure » a) au pr. ; b) au fig. ; 4° « honneur ».

1° τάξεως ... καὶ κόσμου τυχοῦσα οἰκία G. 504 a 7 (cf. b 5 et 8 c 2 L. X 898 b 8) ψυχὴ ... κόσμον ἔχουσα κοσμία G. 506 e 5 (cf. e 1 et 3) συμπάντων τε θεῶν καὶ ἀνθρώπων κόσμος (Ἔρως) B. 197 e 3 οὐκέτι ἐν κόσμῳ οὐδενί B. 223 b 6 (cf. R. VI 500 c 4) κόσμος πού τις ... ἡ σωφροσύνη ἐστίν R. IV 430 e 6 κόσμος τις ἀσώματος ... ὁ νῦν λόγος ἀπειργάσθαι φαίνεται Ph. 64 b 7 κόσμον πολιτικόν L. V 736 e 6 (cf. VI 751 a 4, 764 b 2, 769 e 1 VIII 846 d 6) συναποτελῶν κόσμον ὃν ἔταξεν λόγος ὁ πάντων θειότατος ὁρατόν Ep. 986 c 4.

2° τὸ ὅλον τοῦτο ... κόσμον καλοῦσιν G. 508 a 3 ταὐτὸν ... λαβὲ καὶ περὶ τοῦδε ὃν κόσμον λέγομεν Ph. 29 e 1 (cf. 59 a 3) ἀρχόμενον ἀπὸ τῆς τοῦ κόσμου γενέσεως T. 27 a 6 (cf. 29 e 4, 30 b 8) ὁ ... πᾶς οὐρανὸς ἢ κόσμος T. 28 b 3 (cf. 40 a 7 et Phr. 246 c 2 — οὐ πάντα τὸν κόσμον διοικεῖ reprend πάντα ... οὐρανὸν περιπολεῖ b 8, Po. 269 d 8 Ep. 977 b 2 — qui ajoute εἴτε ὄλυμπον, 987 b 8 d 8 « ciel des fixes ») τὸν μέγιστον θεὸν καὶ ὅλον τὸν κόσμον L. VII 821 a 2 τὰς αἰτίας παντὸς τοῦ κόσμου L. XII 967 c 5.

3° a) Δεινομάχης ... ἥ ἐστι κόσμος ἴσως ἄξιος μνῶν πεντήκοντα A. 123 c 5 (cf. Pd. 114 e 1).

b) πέμπει ἄγοντα ... Αἰδῶ τε καὶ Δίκην, ἵν' εἶεν πόλεων κόσμοι Pr. 322 c 3 (p.-ê. citation poétique) κοσμήσας τὴν ψυχὴν οὐκ ἀλλοτρίῳ ἀλλὰ τῷ αὐτῆς κόσμῳ Pd. 114 e 4 ταῦτα ... κόσμος τε καὶ ὠφελία τοῖς τόποις γίγνοιτ' ἄν L. VI 761 d 4.

4° κόσμος σοι ἔσται τὰ λεχθέντα Ly. 205 e 2 (cf. Mx. 236 d 7 e 2).

App. et ass. (1°) : τάξις (a).

Ass. : (2°) γένεσις ; (1°) λόγος.

Ass. et syn. (2°) : ὄλυμπος, οὐρανός.

κοῦφος « léger » a) au pr. (adj. et subst. n.) ; b) au fig.

a) βαρύτερα πρὸς κουφότερα R. IV 438 c 3 (cf. V 479 b 6 VII 524 a 9-10 Tht. 178 b 5 Ph. 14 d 3) τὰ μὲν πυκνὰ καὶ βαρέα ... τὰ δὲ μανὰ καὶ κοῦφα T. 53 a 2.

b) κοῦφον ... χρῆμα ποιητής ἐστιν καὶ πτηνόν I. 534 b 3 πᾶς ... αὐτὸς αὑτοῦ κουφότερος αἴρεται L. II 671 b 3 κούφων καὶ πτηνῶν λόγων βαρυτάτη ζημία L. IV 717 c 8 (cf. XI 935 a 1) κούφων ἁμαρτημάτων L. IX 863 c 3.

Adv. : κούφως (Mx. 248 c 3, ass. à μετρίως, ass. et opp. à βαρέως*).

Ass. et opp. : (a et b) βαρύς ; (a) πυκνός ; (b) πτηνός.

κουφότης, ἡ « légèreté » (physique) βαρύτητας κουφότητας L. X 897 a 7 (cf. I 625 d 6 T. 65 e 7)*.

Ass. et opp. : βαρύτης (a).

κρᾶσις, ἡ « mélange » a) matériel ; b) psychologique ou moral.

a) κρᾶσιν εἶναι καὶ ἁρμονίαν ... τούτων τὴν ψυχὴν ἡμῶν Pd. 86 b 8 (cf. d 2 B. 188 a 5) τὰς ... ὥρας κρᾶσιν ἔχειν τοιαύτην ὥστε ... ἀνόσους εἶναι Pd. 111 b 2 (même « tempérament » dans le climat Po. 272 a 7 T. 24 c 6 Criti. 111 e 5) τῇ τῶν ἐναντίων κράσει L. X 889 c 1 (cf. Tht. 152 d 7 T. 68 c 4).

b) ἀήθης κρᾶσις, ἀπό τε τῆς ἡδονῆς συγκεκραμένη ... καὶ ἀπὸ τῆς λύπης Pd. 59 a 5 (cf. Ph. 47 c 6) μουσικῆς καὶ γυμναστικῆς κρᾶσις R. IV 441 e 9 (cf. L. VII 818 d 5) ἀστασιαστοτάτην μεῖξιν καὶ κρᾶσιν Ph. 64 a 1 (cf. e 9).

App. : σύμμειξις.

App. et ass. : (a) ἁρμονία ; (b) μεῖξις.

Syn. : σύγκρασις.

κρατεῖν 1° « dominer, maîtriser » ; 2° « régner » (sur) ; 3° « l'emporter » (sur).

1° ὑπὸ ἡδονῆς ... ἡττωμένους ἢ ... ὑπό τινος τούτων κρατουμένους Pr. 352 e 2 (cf. 353 c 6, 357 c 5 R. III 388 e 9 IV 431 a 9, 440 a 2 L. I 633 e 4) κρατουμένοις ὑφ' ἡδονῶν κρατεῖν ἄλλων ἡδονῶν Pd. 69 a 2 (cf. 68 e 7) κρατουμένας ... τὰς ἐπιθυμίας ... ὑπὸ ... τῶν ἐπιθυμιῶν R. IV 431 c 10 (cf. VIII 554 e 2 Phr. 238 b 9 L. IX 870 a 1) κρατεῖν τε καὶ κρατεῖσθαι ὑπ' ἀλλήλων R. IV 444 d 4 (réc. d 9) οὐ δύνασθαι αὑτῶν κρατεῖν Phr. 231 d 4 (cf. 233 c 2 Le. VII 351 a 9) πάντων δι' ἐπιθυμίας οἰστρώδεις ... κρατεῖν T. 91 c 1.

2° ὁ δόξας ... ἀγαθὸς εἶναι κρατεῖ καὶ ἄρχει Mx. 238 d 8 τοῖς κρατοῦσιν αὐτῶν Mx. 244 a 6 (les dieux infernaux ; cf. Wilamowitz, II, p. 135, n. 1) κρατοῦντα ζῆν τῶν ἄλλων καὶ μὴ δουλεύοντα ἑτέροισι κατὰ νόμον L. X 890 a 8.

3° τοῦτο (= ἐπιστήμην) ἀεὶ κρατεῖν ... ἡδονῆς Pr. 357 c 4 τὸ κωλῦον πιεῖν ... κρατοῦν τοῦ κελεύοντος R. IV 439 c 7 μέτριον εἶναι τοὺς καρποὺς ἀφαιρεῖσθαι τοῖς κρατοῦσι τῶν κρατουμένων R. V 470 e 1 τότε μὲν ἡ ἑτέρα (δόξα) ... κρατεῖ Phr. 237 e 2 (cf. e 3, 272 b 2 Ph. 12 a 1 T. 54 a 6, 57 b 2 L. I 627 b 6 V 733 a 1 VI 772 d 4 VIII 839 a 4-5 IX 864 a 3) ἂν μὴ τῷ πολέμῳ ... κρατῇ τις, πάντα δὲ τῶν νικωμένων ἀγαθὰ τῶν νικώντων γίγνεσθαι L. I 626 b 3 οὔτε κρατεῖτε ἱκανῶς οὔτ' αὖ διαφερόντως κρατεῖσθε Le. VIII 355 d 2-3.

App. et ass. : (1° et 3°) ἡττᾶσθαι ; (2°) ἄρχειν ; (3°) νικᾶν (b).

Ass. et opp. (2°) : δουλεύειν.

κράτιστος a) « le plus puissant » (adj. et subst. n.) ; b) « excellent, le meilleur ».

a) εἰς τὴν τοῦ κρατίστου φρόνησιν T. 40 a 6 (cf. 71 a 1 Pr. 352 d 2 L. X 895 b 6).

b) τελευτήσαντι αὕτη κρατίστη αἵρεσις R. X 619 a 1 πολὺ κράτιστόν ἐστιν οὕτως ... λέγειν Phr. 228 c 6.

App. : βέλτιστος.

Syn. : ἄριστος.

κράτος, τό 1° « empire » (sur les passions) ; 2° « autorité » ; 3° « supériorité ».

1° δόξης ... ἐπὶ τὸ ἄριστον λόγῳ ἀγούσης καὶ κρατούσης, τῷ κράτει σωφροσύνη ὄνομα Phr. 237 e 3.

2° τὰς ... ἀρχὰς δίδωσι καὶ κράτος Mx. 238 d 5 (cf. L. IV 713 a 2 VI 757 d 4) κράτος ἔχων αὐτὸς τῶν ἐν αὐτῷ τε καὶ ἑαυτοῦ Po. 273 a 7.

3° νίκην καὶ κράτος πολεμίων L. XII 962 a 2.

App. et ass. : (1°) σωφροσύνη ; (2°) ἀρχή ; (3°) νίκη.

κρείττων 1° adj. a) « maître » (de soi) ; b) « plus fort » ; c) « meilleur » ; 2° subst. a) m. α) sg. ou pl. (le) « plus fort, meilleur » ; β) pl. : « les plus forts » (que nous), i. e. les dieux ; b) n. (le) « meilleur ».

1° a) ἡ σωφροσύνη ἐστὶν ... ἐγκράτεια, ὥς φασι κρείττω δὴ αὑτοῦ λέγοντες οὐκ οἶδ' ὅντινα τρόπον R. IV 430 e 7 (cf. e 11 et 13, 431 a 7 b 5 d 4) σῶφρον ... καὶ κρεῖττον αὑτοῦ R. IV 431 b 7 εἷς ἕκαστος ἡμῶν ὁ μὲν κρείττων αὑτοῦ, ὁ δὲ ἥττων ἐστί L. I 626 e 8 (cf. IX 863 d 7 Le. VII 337 a 6).

b) κρείττων ... καὶ φίλων καὶ ἐχθρῶν G. 456 d 3 (cf. L. I 627 b 1).

c) οἱ ... παλαιοί, κρείττονες ἡμῶν καὶ ἐγγυτέρω θεῶν οἰκοῦντες Ph. 16 c 7 παρὰ θεῶν καὶ ὅσοι κρείττονες ἡμῶν L. IV 718 a 4.

2° a) α) ἄγειν βίᾳ τὸν κρείττω τὰ τῶν ἡττόνων καὶ ἄρχειν τὸν βελτίω ... καὶ πλέον ἔχειν τὸν ἀμείνω G. 488 b 4 (cf. b 9 c 2 et 5 d 6 e 4) οἱ ... κρείττους βελτίους G. 488 e 1 (cf. d 10, 484 c 2) ὁ γὰρ ἑαυτοῦ κρείττων καὶ ἥττων ... ἂν αὑτοῦ εἴη R. IV 430 e 12 (cf. L. III 690 b 4).

β) φίλους εἶναι ... τοῖς κρείττοσιν ἡμῶν, θεοῖς B. 188 d 8 (cf. Euth. 291 a 4 et 6 So. 216 b 4) οἱ κρείττους τοῖς ἥττοσιν ἡμῖν T. 77 c 5 ἀμελείᾳ τῶν κρειττόνων Ep. 991 d 5 (cf. Le. VII 326 e 8).

b) ὡς τὸ κρεῖττον ... καὶ βέλτιον ταὐτὸν ὄν G. 488 c 6 (cf. d 2-3).

App. et ass. : (a) ἐγκρατής, σώφρων ; (b) ἀμείνων, βελτίων.

Ass. et opp. : **ἥττων.**

κρίνειν « juger » 1° « discerner » ; 2° « estimer » (que) ; 3° « apprécier » ; 4° « décider ».

1° κρίνειν ὑγιῶς τὰ δίκαια R. III 409 a 7 τὸ κρίνειν τὸ ἀληθές τε καὶ μή Tht. 150 b 3.

2° ὑποθέμενος ... λόγον ὃν ἂν κρίνω ἐρρωμενέστατον εἶναι Pd. 100 a 4 τῇ ... τέχνῃ ᾗ τὸ μέλλον κρίνεται Phr. 244 c 2 τοῦτον τὸν βίον ἥδιω κεκρίκαμεν L. V 734 c 3.

3° τὴν μουσικὴν ἡδονῇ κρίνεσθαι L. II 658 e 7.

4° ὑμῖν ἐπιτρέπω καὶ τῷ θεῷ κρῖναι περὶ ἐμοῦ Ap. 35 d 8 ἵνα ... κρίνωνται ὁπότερος αὐτοῖν εὐδαιμονέστερος R. II 361 d 3.

App. (2°) : ἡγεῖσθαι 2°.

κρίσις, ἡ « jugement » a) « discernement » ; b) « critère » ; c) « décision ».

a) ἐπὶ κρίσιν ὥρμησε τοῦ τὰ ὄντα διορίσασθαι ... ποῖά ἐστιν So. 242 c 5.

b) ἐπὶ τίνα κρίσιν οὐ δυνάμενοι ἀφικέσθαι Euph. 7 c 10 (réc. d 4).

c) τὴν ... κρίσιν ... τοῦ βίου πέρι R. II 360 e 1 θεῶν ἔριν τε καὶ κρίσιν R. II 379 e 5 (cf. X 620 b 4 Mx. 237 d 1) τὴν τῆς ἡδονῆς κρίσιν Ph. 33 a 4 (cf. Tht. 178 d 9).

Syn. (b) : κριτήριον (b).

κριτήριον, τό a) « tribunal » ; b) « critère ».

a) δύο ... ἔστω κριτήρια L. VI 767 b 5*.

b) τούτων ἔχοι ἄν τις βέλτιον κριτήριον R. IX 582 a 6 (cf. Tht. 178 b 6)*.

Syn. : (a) δικαστήριον ; (b) κρίσις (b), ὅρος 4°.

κριτής, ὁ « juge, arbitre » πότερον αὐτὸς αὑτῷ ἄριστος κριτής Tht. 178 e 3 (cf. 160 c 8) κριτὴς ἡδονῆς τε πέρι καὶ φρονήσεως Ph. 65 a 8 (cf. T. 72 b 1).

κριτικός « critique », a) adj. ; b) subst. f. (sc. τέχνη ou ἐπιστήμη).

a) συμπάσης τῆς γνωστικῆς ... τὸ μὲν ἐπιτακτικὸν μέρος, τὸ δὲ κριτικόν Po. 260 b 4*.

b) τὸν βασιλικὸν ... ἐν τῇ κριτικῇ ... θήσομεν Po. 260 c 2 (cf. 292 b 9*).

κρούειν « heurter » (pour vérifier le son), « faire cliqueter » « κρούετε ... τὸ καλὸν καὶ ἕκαστον τῶν ὄντων H. M. 301 b 4 κρούειν, θραύειν Cra. 426 e 2 ἀλλήλων τοὺς λόγους τοῖς λόγοις ἐκρούομεν Tht. 154 e 3.

App. : **βασανίζειν.**

κτᾶσθαι 1° « acquérir » ; 2° (au pf. κεκτῆσθαι) « posséder ».
1° ἀντὶ δόξης ἀλήθειαν καλῶν κτᾶσθαι B. 218 e 7 πλοῦτον τιμᾶν καὶ σωφροσύνην ἅμα ἱκανῶς κτᾶσθαι ... ἀδύνατον R. VIII 555 c 9.
2° κρατεῖ τε αὐτοῦ καὶ κέκτηται καὶ ἔχει αὐτό Cra. 393 b 1 ἔχειν τε καὶ κεκτῆσθαι τὸ ψεῦδος R. II 382 b 3 ἕτερόν ... τι τὸ κεκτῆσθαι τὴν ἐπιστήμην, ἕτερον δὲ τὸ ἔχειν Tht. 199 a 6 (cf. 197 b 9) κεκτημένοις τὰ περὶ τὰς ἡδονάς L. I 635 d 3.
Adj. verbal : κτητός (ass. à ὠνητός : Po. 289 d 10 L. VIII 841 e 1).
Ass. et d'ordinaire syn., parfois opp. (2°) : ἔχειν.

κτῆμα, τό 1° « bien, possession » (surtout au pl., « biens ») ; 2° « tête de bétail » (au pl. : « cheptel »).
1° βοῦς καὶ τἆλλα κτήματα εἶναι ... τοῦ ... κρείττονος G. 484 c 2 (cf. L. I 639 a 3) οὔτε γῆν οὔτε τι κτῆμα R. V 464 b 10 γευσάμενοι ὡς ἡδὺ καὶ μακάριον τὸ κτῆμα R. VI 496 c 6 (cf. I. 534 b 6) τρίτον ... εἶδος κτημάτων Po. 288 a 4 (cf. B. 216 e 4 L. VIII 828 b 3) ὡς ἡδονὴ κτῆμα οὐκ ἔστι πρῶτον Ph. 66 a 6 (cf. L. II 667 a 4 IX 863 b 4) πάντων ... τῶν αὐτοῦ κτημάτων ψυχὴ θειότατον L. V 726 a 2 (cf. 727 e 3, 728 c 9) ἡ τῶν χρημάτων καὶ κτημάτων κτῆσις L. V 728 e 6 θεῶν ... κτήματά φαμεν εἶναι πάντα ὁπόσα θνητὰ ζῷα L. X 902 b 8 (Wilamowitz et G. Müller pensent aux « esclaves » ; cf. Pd. 62 c 1 L. VI 777 c 1) κτῆμα ἀντὶ κτήματος ... κτησάμενος L. XI 913 b 6-7 (cf. XII 960 d 8).
2° ἡμᾶς τοὺς ἀνθρώπους ἓν τῶν κτημάτων τοῖς θεοῖς εἶναι Pd. 62 b 8 (réc. d 2 ; cf. L. X 906 a 7) θεοὶ ..., οἷον νομῆς ποίμνια, κτήματα καὶ θρέμματα ἑαυτῶν ἡμᾶς ἔτρεφον Criti. 109 b 7 ἐν ἑκάστοις τῶν κτημάτων L. V 735 c 3.
App. et ass. : (1°) χρῆμα ; (2°) θρέμμα.
Syn. (2°) : κτῆνος.

κτῆνος, τό « troupeau » καθάπερ ποιμένες κτήνη ... νέμοντες Criti. 109 c 2*.
Syn. : κτῆμα 2°.

κτῆσις, ἡ 1° « acquisition » ; 2° « possession ».
1° εἰς ἀρετῆς ... κτῆσιν L. VII 812 c 7 (cf. IV 705 b 6 Pd. 65 a 7 B. 180 b 7 Ep. 975 a 3).
2° τῆς περὶ φρόνησιν κτήσεως So. 251 c 4 (cf. G. 508 b 2) ἡ τῶν χρημάτων καὶ κτημάτων κτῆσις L. V 728 e 6 (cf. Pd. 66 c 8 Cra. 384 c 5 R. I 331 b 4).

κτητικός a) adj. « d'acquisition » ; b) subst. f. (avec τέχνη exprimé ou sous-entendu) « acquisition ».
a) τέχνης τὸ ... ἥμισυ μέρος κτητικὸν ἦν, κτητικοῦ δὲ ... So. 221 b 3.
b) κτητικῆς ... καὶ ποιητικῆς ... οὐσῶν τῶν τεχνῶν So. 219 d 1 (cf. c 7 d 4 et 5).
Ass. et opp. : ποιητική (2° b a).

κυβερνᾶν « diriger » a) au pr. ; b) au fig.

a) ὅπως δὲ κυβερνήσει, ... μήτε τέχνην ... λαβεῖν R. VI 488 d 8 (cf. b 4 L. I 641 a 2).

b) ἡ ... ἰατρικὴ ... διὰ τοῦ θεοῦ τούτου κυβερνᾶται B. 187 a 1 τὸ θνητὸν πᾶν ἐκυβέρνων Criti. 109 c 5 (cf. R. IX 590 d 8, 591 e 3).

Syn. (b) : διακυβερνᾶν (avec les nuances d'aspect).

κυβέρνησις, ἡ « pilotage » τοὺς ... ναύτας στασιάζοντας ... περὶ τῆς κυβερνήσεως R. VI 488 b 4*.

κυβερνήτης, ὁ « pilote » a) au pr. ; b) au fig.

a) ὁ ὀρθῶς κυβερνήτης ναυτῶν ἄρχων R. I 341 c 10 (cf. VI 488 d 4 Po. 302 a 8 L. XII 961 e 3).

b) ψυχῆς κυβερνήτῃ μόνῳ θεατὴ νῷ Phr. 247 c 8 τοῦ παντὸς ὁ ... κυβερνήτης Po. 272 e 3 (cf. 273 c 3).

Ass. : ναύτης.

κυβερνητικός 1° adj. a) « relatif au pilotage » ; b) « directeur » ; 2° subst. a) f. ou b) n. : « (l'art du) pilotage ».

1° a) ναυτικὸν ... καλοῦντας καὶ κυβερνητικόν R. VI 488 d 1 (cf. e 5 A. 125 c 11, 135 a 6 Po. 299 b 7).

b) τὰς αἰσθήσεις τῷ κυβερνητικῷ νῷ συγκερασάμενοι L. XII 961 e 4 (réc. 963 a 11).

2° a) τὴν κυβερνητικήν R. VI 488 e 3 c (cf. Po. 299 c 1 Ep. 976 b 1).

b) τὸ κυβερνητικὸν καὶ ναυτικόν Po. 299 c 8 (cf. τὰ κυβερνητικά A. 119 d 6).

Ass. : ναυτικός.

κυεῖν (κύειν) « être fécond, en gestation » a) au sens litt. ; b) au sens fig. ; c) aux deux sens.

a) ὅταν ... καλῷ προσπελάζῃ τὸ κυοῦν ..., τίκτει τε καὶ γεννᾷ B. 206 d 4 (cf. Po. 274 a 7 [κυεῖν Diès : φύειν codd.]) ἡ κύουσα L. VII 792 e 6 (cf. 789 e 2 B. 203 c 1) μετασχεῖν τῆς τῶν κυουμένων ἕξεως Ep. 973 d 4 (cf. L. VII 789 a 10).

b) ἐν ταῖς ψυχαῖς κυοῦσιν ... ἃ ψυχῇ προσήκει ... κυῆσαι B. 209 a 1-2 ἃ πάλαι ἐκύει τίκτει καὶ γεννᾷ B. 209 c 3 ὑποπτεύω σε ... ὠδίνειν τι κυοῦντα ἔνδον Tht. 151 b 8 ὧν κυεῖ περὶ ἐπιστήμης ... τῇ μαιευτικῇ τέχνῃ ἀπολῦσαι Tht. 184 b 1 (cf. 210 b 4).

c) κυοῦσι ... πάντες ἄνθρωποι καὶ κατὰ τὸ σῶμα καὶ κατὰ τὴν ψυχήν B. 206 c 1.

App. et ass. (b) : ὠδίνειν. — Ass. (a) : γεννᾶν, τίκτειν.

κυκᾶν « brouiller, confondre » ὑπὸ σοφίας ὁμοῦ πάντα κυκῶντες Pd. 101 e 5 (cf. Cra. 439 c 5 T. 66 a 6) ταῦτα ... ὁρῶσι πάντα κυκώμενα L. II 669 d 6*.

App. : ταράττειν.

κυκλεῖν « rouler, tourner » κυκλεῖσθαι ... στρεφόμενον R. X 617 a 5 τὴν τοῦ παντὸς φορὰν ... ἐφ' ἃ νῦν κυκλεῖται φέρεσθαι Po. 270 b 8 (cf. R. X 617 a 5) πάντα ... λόγον ... ἐπὶ θάτερα κυκλῶν Ph. 15 e 3 χρόνου ... αἰῶνα μιμουμένου καὶ κατ' ἀριθμὸν κυκλουμένου T. 38 a 7.

App. : κυλινδεῖσθαι.

App. et ass. : στρέφειν.

κύκλος, ὁ « cercle » ὡσπερεὶ κύκλῳ περιιόντα Pd. 72 b 1 τοῦ ψευδοῦς κανόνος ἅμα καὶ τοῦ κύκλου Ph. 62 b 6 (cf. b 2) ὁ τοῦ θατέρου κύκλος T. 37 b 7 ὁ τοῦ ταὐτοῦ κύκλος T. 37 c 2.

Ass. : κανών.

κυλινδεῖσθαι « (se) rouler » (au pr. et au fig.) ἡ τοιαύτη ψυχή ... περὶ ... τοὺς τάφους κυλινδουμένη Pd. 81 d 1 (cf. Phr. 257 a 1) ἐν πάσῃ ἀμαθίᾳ κυλινδουμένην Pd. 82 e 3 (cf. Tht. 172 c 9 Po. 309 a 6) τὰ τῶν πολλῶν ... νόμιμα ... μεταξύ που κυλινδεῖται τοῦ τε μὴ ὄντος καὶ τοῦ ὄντος R. V 479 d 4 κυλινδεῖται ... πανταχοῦ πᾶς λόγος Phr. 275 e 1.

App. : διατρίβειν, κυκλεῖσθαι, στρέφεσθαι.

κυλίνδησις, ἡ « fait de rouler » (au fig.) διὰ τὴν ἐν τοῖς λόγοις κυλίνδησιν So. 268 a 2*.

App. : διατριβή.

κυνηγέσιον, τό « chasse » a) au pr. ; b) au fig.

a) θήρας τε καὶ κυνηγέσια R. III 412 b 4 (cf. L. VI 763 b 3)*.

b) Νικίαν ... παρακαλῶμεν ἐπὶ τὸ κυνηγέσιον La. 194 b 9 (cf. Pr. 309 a 2)*.

App. : ἄγρα, θήρευσις.

App. et ass. : θήρα.

κυνηγέτης, ὁ « chasseur » a) au pr. ; b) au fig.

a) οἱ ... κυνηγέται καὶ οἱ ἁλιεῖς Euth. 290 b 10*.

b) ὥσπερ κυνηγέτας τινάς R. IV 432 b 8 (cf. La. 194 b 5)*.

App. : θηρευτής.

κύπτειν « être penché » (vers) κεκυφότες εἰς γῆν καὶ εἰς τραπέζας R. IX 586 a 8*.

κύριος (adj.) 1° « puissant, maître, dispensateur » (de) ; 2° « important ».

1° οὕτω ... φημὶ Ἔρωτα θεῶν ... κυριώτατον εἶναι εἰς ἀρετῆς καὶ εὐδαιμονίας κτῆσιν B. 180 b 7 (cf. R. IV 429 b 6 Tht. 161 d 4 L. XI 931 e 6 XII 957 c 4, 968 c 5) φῶς καὶ τὸν τούτου κύριον R. VII 517 c 2 (cf. c 3) οὐκ ἂν ἔτι κύριος εἴης τῆς ... ὁμολογίας Ph. 12 a 11 τοῦ τε ἡγεμόνος καὶ αἰτίου πατέρα κύριον ἐπομνύντας Le. VI 323 d 5 εἰ θᾶττον ἐμαυτοῦ γενοίμην κύριος Le. VII 324 b 10.

2° κυριώτερον ... οὐδὲν ἂν ἡμῶν αὐτῶν φήσαιμεν ἢ τὴν ψυχήν A. 130 d 6 (cf. R. II 382 a 8-9 III 401 d 4 L. VII 797 a 8) τὰς τῶν ἄλλων δόξας κυρίας ποιεῖ Tht. 179 b 8 τὸ μέρος ... φύσει κυριώτατον Ep. 989 d 3.

Adv. : κυρίως (M. 96 b 4 « proprement » ; cf. L. X 896 b 11, app. et ass. à ὀρθῶς).

κῦρος, τό a) « autorité » ; b) « efficacité ».

a) κῦρος ... τῶν ὀνομάτων ὀρθότητος πέρι Cra. 435 c 1 (cf. L. III 700 c 1)*.

b) πᾶσα ἡ πρᾶξις καὶ τὸ κῦρος ... διὰ λόγων ἐστίν G. 450 e 1 (réc. e 6, 451 a 7 b 2)*.

Ass. (b) : πρᾶξις.

Syn. (a) : κύρωσις.

κυροῦν (à l'actif et au moyen) « réaliser » λόγῳ τὸ πᾶν κυρουμένων G. 451 b 7 (réc. c 6 d 3) κυροῦντα ἣν λαχὼν εἵλετο μοῖραν R. X 620 e 3*.

κύρωσις, ἡ « efficacité » πᾶσα ἡ πρᾶξις καὶ ἡ κύρωσις διὰ λόγων ἐστίν G. 450 b 11*.

Ass. : πρᾶξις.

Syn. : κῦρος (b).

κωλύειν « empêcher » ἐνεῖναι μὲν ἐν τῇ ψυχῇ ... τὸ κελεῦον, ἐνεῖναι δὲ τὸ κωλῦον πιεῖν R. IV 439 c 6 (cf. c 9) τὸν κωλύοντα ἀεὶ κατὰ νόμον κρατεῖν L. VI 772 d 4.

Ass. et opp. : κελεύειν.

κωμῳδεῖν « tourner en comédie, en ridicule » κωμῳδῶν τὸν λόγον B. 193 b 6 (réc. d 9 ; cf. R. III 395 e 8 V 452 d 3 Pà. 128 d 1 L. VII 816 d 8 XI 935 d 4 e 6)*.

κωμῳδία, ἡ « comédie » (au fig.) ἐν ... τῇ τοῦ βίου ... τραγῳδίᾳ καὶ κωμῳδίᾳ Ph. 50 b 3.

Ass. et opp. : τραγῳδία.

κωφός a) « sourd » (au fig.) ; b) « obtus » α) adj. ; β) subst. n.

a) οὐ ... τυφλῷ οὐδὲ κωφῷ Phr. 270 e 2 (cf. R. III 411 d 4) κωφὸν τῶν τοιούτων προοιμίων L. XI 932 a 6.

b) α) δυσμνημονευτότερα καὶ κωφότερα τὰ περὶ τὴν διάνοιαν T. 74 e 10 κωφὴν καὶ ἀναίσθητον T. 75 e 7.

β) τὸ ... τῆς ψυχῆς κωφὸν καὶ δυσμαθὲς ἀμνῆμόν τε T. 88 b 4.

App. (b) : ἀμβλύς.

App. et ass. (b) : ἀμνήμων, ἀναίσθητος, δυσμαθής, δυσμνημόνευτος.

Ass. (a) : τυφλός.

Λ

λαγχάνειν 1° « recevoir » (du sort) ; 2° « échoir ».

1° ὁ ἑκάστου δαίμων, ὅσπερ ζῶντα εἰλήχει Pd. 107 d 7 ἃ ... ἑκάτερος εἴληχε πειρατέον εἰπεῖν B. 180 e 4 (cf. Tht. 210 c 7) οὐχ ὑμᾶς δαίμων λήξεται ἀλλ' ... αἱρήσεσθε R. X 617 e 1 ἣν λαχὼν εἵλετο μοῖραν R. X 620 e 4 (cf. d 8) ὅσ' ἀγαθὰ εἴληχε ψυχή Ph. 55 b 4.

2° τῇ παραπιπτούσῃ ἀεὶ (sc. ἡδονῇ) ὥσπερ λαχούσῃ τὴν ἑαυτοῦ ἀρχὴν παραδιδούς R. VIII 561 b 4 καθιερῶσαι τὸ λαχὸν μέρος ἑκάστῳ τῷ θεῷ L. V 745 e 1 τούτοισιν ... τὰ τοῦ δαιμονίου ... εἴληχέ τε καὶ ἔχει Ep. 992 d 3.

Ass. et parfois opp. (1°) : αἱρεῖσθαι.

λαιμαργία, ἡ « gloutonnerie » ὑπὸ ἀφροσύνης τε καὶ λαιμαργίας R. X 619 b 9 ὑπὸ λαιμαργίας ἡδονῆς L. X 888 a 4 ἀμαθίας ... καὶ λαιμαργίας Le. VII 351 e 1*.

λακωνίζειν « laconiser » τὸ λακωνίζειν πολὺ μᾶλλόν ἐστιν φιλοσοφεῖν ἢ φιλογυμναστεῖν Pr. 342 e 5 (cf. b 8)*.

λαμβάνειν 1° « prendre, tirer, acquérir » (à l'actif et au moyen) a) en général ; b) avec ἐπιστήμη ... ; c) avec λόγος (« demander raison ») ; d) avec πεῖρα ; 2° « prendre en main » (un problème) ; 3° « comprendre » ; 4° embrasser » ; 5° « poser en principe ».

1° a) ταῦτα πάντα λογισμῷ λαβών R. VI 496 d 5 (cf. Pa. 130 a 3, 135 e 3) καί μοι ... τέτταρα ταῦτα παθήματα ... λαβέ R. VI 511 d 9 τῇ διανοίᾳ ... λάβωμεν Pa. 145 a 7 (cf. 165 a 8 b 6 So. 233 d 3 238 b 7 L. X 898 e 3) οὐ γὰρ ἂν ... πᾶσαν ἀρετὴν λάβοι Ep. 977 c 4 (cf. 980 a 5 R. X 612 d 9) περὶ ἓν ... λαβὲ βουλόμενος μαθεῖν τὸ νῦν λεγόμενον Le. VII 342 b 3.

b) ἐπιστάμεθα αὐτὸ ὃ ἔστιν, ... πόθεν λαβόντες αὐτοῦ τὴν ἐπιστήμην Pd. 74 b 3 (cf. c 5, 75 b 4 c 1 et 4 d 5 et 7, 76 b 1 c 3 et 8 d 3) τοτὲ μὲν ἐπιστήμην λαμβάνοντα τοτὲ δ' ἀνεπιστημοσύνην Tht. 199 e 4 πλῆθος ... τὴν τοιαύτην λαβὸν ἐπιστήμην Po. 297 b 8 (cf. 295 b 3, 300 e 5 et 8, 302 b 3 ; cf. ψυχὴ λαμβανομένη τῆς τοιαύτης ἀληθείας Po. 309 d 10) λόγῳ τι λαβόντες ἐπιτήδευμα L. I 638 c 2 (cf. Pa. 135 e 3).

c) λαμβάνειν λόγον καὶ ἐλέγχειν M. 75 d 2 (cf. R. I 337 e 3) διαλεκτικὸν καλεῖς τὸν λόγον ἑκάστου λαμβάνοντα τῆς οὐσίας R. VII 534 b 3 (cf. Tht. 148 d 2, 208 d 7 So. 246 c 6) λόγον παρ' ἑτέρου ... λαβεῖν καὶ ἀποδέξασθαι Tht. 161 b 5 τούτου ... λόγον λαβεῖν τί εἴρηκεν Tht. 180 a 5 (cf. c 4) οὐ μόνον τοὔνομα ἀλλὰ καὶ τὸν λόγον περὶ αὐτὸ τοὖργον εἰλήφαμεν So. 221 b 2 τὸν ... λόγον ἀληθῆ λαβόντα ἐν ἑαυτῷ L. I 645 b 4 μήπω δυναμένων λόγον λαμβάνειν, λαβόντων δὲ τὸν λόγον L. II 653 b 4 (cf. R. III 402 a 2) τούτου ... πέρι λόγον δεῖ λαβεῖν Ep. 979 d 6.

d) πεῖραν ἀλλήλων λαμβάνοντες καὶ διδόντες Pr. 348 a 2.

2° συγκριτικῆς ... μόριον ... λάβωμεν Po. 282 c 6.

3° τὴν ... αἰτίαν ... λάβωμεν Phr. 246 d 4 (cf. 263 b 7, 265 c 5 Po. 297 d 4, 308 b 10 Ph. 61 a 5) τοῦτ' ... οὐ δύναμαι λαβεῖν ... παρ' ἐμαυτῷ, ἐπιστήμη ὅ τί ποτε τυγχάνει ὄν Tht. 145 e 9 (réc. 200 d 2) λαβὲ ... οὗ χάριν εἴρηται Tht. 208 d 5 (cf. Ph. 34 d 2) πιστεῦσαι δ' ἄξιον · ἀποδείξεσιν γὰρ ἱκαναῖς λαμβάνεται Ep. 983 a 4.

4° εἰ δυνάμεθα ἑνὶ λαβεῖν ὀνόματι Ep. 980 a 2.

5° λάβωμεν δὲ ὡς ... Ἕλληνες ... εἰς τέλος ἀπεργάζονται Ep. 987 d 8 (cf. 980 e 2, 982 e 2).

Adj. verbal : ληπτός (διανοίᾳ ληπτά R. VII 529 d 5*).

Ass. (1° c) : ἀποδέχεσθαι, ἐλέγχειν.

Ass. et opp. (1° d) : διδόναι.

Syn. : (3°) περιλαμβάνειν ; (5°) τιθέναι 2°.

λαμπάς, ἡ «flambeau» καθάπερ λαμπάδα τὸν βίον παραδιδόντας L. VI 776 b 3 (cf. R. I 328 a 2)*.

λάμπειν «resplendir» περὶ ... κάλλους, ὥσπερ εἴπομεν, ... ἔλαμπεν Phr. 250 d 1 (cf. Le. VII 335 d 3)*.

Syn. : ἐκλάμπειν (avec les nuances d'aspect).

λαμπρός «lumineux» adj. et subst. n. κάτοπτρα ... καθαρώτερα καὶ λαμπρότερα A. 133 c 9 (cf. R. X 616 b 7) εἰς τὸ θεῖον καὶ λαμπρὸν ὁρῶντες A. 134 d 5 (cf. l'opposition εἰς τὸ ... σκοτεινὸν βλέποντες e 4) κάλλος ... ἦν ἰδεῖν λαμπρόν Phr. 250 b 6.

Ass. et opp. : σκοτεινός.

Adv. : λαμπρῶς (T. 27 b 7*).

λανθάνειν «échapper» (à) ἔλαθεν ἑαυτὸν ἀθλιώτατος γενόμενος G. 471 b 7 (cf. Pd. 76 d 5 Phr. 259 c 2 So. 255 a 2 Po. 308 a 1 L. X 888 d 8) ἀεὶ λανθάνειν κακὸν ὄντα R. II 365 c 7 (cf. d 2 e 1) ἐάν τε λανθάνῃ ... θεούς τε καὶ ἀνθρώπους R. IV 427 d 7 (cf. II 365 d 6 X 612 c 9 e 3 et 5) τὸ σύμπαντα γιγνώσκειν..., μὴ λανθάνειν αὐτὸν αὐτόν Ph. 19 c 3.

Ass. et opp. : γιγνώσκειν.

λατρεία, ἡ «service» θεῶν εὐχάς τε καὶ λατρείας Phr. 244 e 2 (cf. Ap. 23 c 1)*.

Ass. : εὐχή.

λέγειν « dire » 1° « exprimer » ; 2° « dire ... de qq'un » ; 3° « dire qq. ch. » ou « ne rien dire » (qui vaille); 4° « traditions, dires » ; 5° (au pcpe pr. passif) « prétendu ».

1° τὸ τὴν αὑτοῦ διάνοιαν ἐμφανῆ ποιεῖν διὰ φωνῆς ... λέγειν φαμέν Tht. 206 d 6.

2° τί ἐροῦσιν οἱ πολλοὶ ἡμᾶς Cr. 48 a 6.

3° ἔοικεν ... λέγειν τι La. 195 c 3 (cf. c 4, 196 c 2, 199 e 3 Pr. 320 b 6, 348 c 8 M. 92 d 8 Cra. 404 a 7, 432 b 4 R. I 329 e 5 IV 438 a 7 Tht. 148 c 9 So. 248 c 10) ἢ οὐδὲν λέγω ; R. III 396 e 8 (cf. Ap. 30 b 6 La. 195 b 3 Euth. 300 a 8 b 7, 306 b 4 R. VII 527 e 5) σκοπεῖσθε ... εἴτε τι λέγω εἴτε καὶ μηδέν L. IX 862 a 1.

4° εἰ ... ἀληθῆ ἐστιν τὰ λεγόμενα ὡς ἄρα... Ap. 40 e 5 (cf. c 7, 41 c 7) οἵπερ καὶ λέγονται ἐκεῖ δικάζειν Ap. 41 a 3 ὅπερ πάλαι ἐν τῷ λόγῳ λέγεται Pd. 67 c 5 τά γε λεγόμενα ταῦτα R. VI 495 c 8 τὴν λεγομένην παλαιὰν τιτανικὴν φύσιν L. III 701 c 2 (cf. 680 a 6 VI 782 c 7 IX 881 a 1).

5° κάλλει ... καὶ τῇ ἄλλῃ λεγομένῃ εὐδαιμονίᾳ Ch. 158 a 1 τῶν ἐλευθέρων λεγομένων R. IV 431 c 2 (cf. VIII 569 a 4) τὰ λεγόμενα ἀγαθά R. VI 491 c 2 (cf. 495 a 7 VII 516 a 2 X 612 a 3 L. II 661 a 4-5 c 3 VI 771 a 4, 783 a 5 Le. VII 326 b 7) τῶν λεγομένων ἰατρῶν T. 88 a 6.

λεῖος « lisse » (subst. n.) πρὸς τὸ μὴ τραχὺ τοῦ ἤθους, ἀλλ' ἥμερόν τε καὶ λεῖον Cra. 406 a 9 τῷ λείῳ καὶ μαλακῷ Cra. 434 c 4 τὸ ... λεῖον [Stob. : ἵλεων AO] καὶ εὐμενὲς πρᾷόν τε L. VII 792 e 7.

Adv. : λείως (Tht. 144 b 3*, app. et ass. à ἀπταίστως).

App. et ass. : εὐμενής, ἥμερος, πρᾷος.

Ass. : μαλακός.

Ass. et opp. : τραχύς.

λείπειν 1° « laisser » ; 2° « abandonner » ; 3° (au passif) a) « rester » ; b) « être inférieur » (à).

1° ταύτας δύο ἁρμονίας ... λεῖπε R. III 399 c 3 (reprenant κατάλειπε a 5 ; cf. c 4 T. 36 b 2 et 3) ἐὰν ... ἄρρενας μὴ λείπῃ L. XI 923 e 5 (cf. 924 e 3).

2° λίποιμι τὴν τάξιν Ap. 29 a 1 (cf. B. 179 a 3 R. V 468 a 6 Phr. 254 c 9) ἔρημον καὶ ἀτελῆ φιλοσοφίαν λείποντες R. VI 495 c 2 τὸν ... λιπόντα ... ὅθεν ἂν ἐκλίπῃ L. VI 759 e 2.

3° a) ἐπειδὴ ... οὔτε τὸ σῶμα οὔτε τὸ συναμφότερόν ἐστιν ἄνθρωπος, λείπεται ... ἢ μηδὲν αὔτ' εἶναι ἢ ... μηδὲν ἄλλο ... συμβαίνειν ἢ ψυχήν A. 130 c 2 (cf. Ly. 216 e 1 G. 475 c 10 Pa. 164 c 6 Tht. 160 b 4 et 7, 192 c 5, 193 b 9) λείπεται δὴ ἐκεῖνος μόνος G. 510 c 7 (cf. Ly. 218 a 7 R. VI 496 a 11) μία δὴ λείπεται ... ὁδός B. 184 b 5 (cf. c 2 R. I 327 c 11 III 399 a 3) τί ... ἡμῖν λείπεται τῶν ἀγαθῶν Euth. 279 b 4 ἐκεῖνο δὴ λείποιτ' ἂν ἡμῖν εὑρεῖν R. V 478 e 1.

b) τὰς ἐνθάδε κολάσεις ... μηδὲν τῶν ἐν Ἅιδου λείπεσθαι L. IX 881 b 3.

App. (2°) : παραλείπειν.

Ass. et syn. : ἐκλείπειν (3° a), ὑπολείπειν 2°.

Syn. : (1°-2°) καταλείπειν (avec les distinctions de J. Brunel, *L'Aspect*..., p. 139) ; (3° b) ἐλλείπειν (2° c).

λέξις, ἡ « diction, style » τὰ δύο εἴδη τῆς λέξεως R. III 397 b 4 (cf. 392 c 6, 393 c 2, 396 b 10 c 6 e 6, 398 b 2, 400 d 2 et 7) λέξει καὶ λόγῳ δηλοῦν πᾶν ζῷον Po. 277 c 5 Μούσης λέξιν μιμουμένων L. VII 795 e 2.

App. et ass. : λόγος.

λεπτός « subtil » T. 59 b 1 (ass. et opp. à πυκνός).

λήγειν « cesser » λήγουσι τῶν κακῶν Pd. 114 b 2 (cf. L. III 701 c 5 Le. VII 326 a 8, 337 a 8) λήγοι ὠδῖνος R. VI 490 b 7 (cf. III 407 c 5) οὔποτε λήγει κινούμενον Phr. 245 c 9 λήξας τῆς ὀδύνης Phr. 254 c 6 (cf. 255 d 7).

Syn. : παύεσθαι.

λήθη, ἡ « oubli » λήθην λέγομεν ... ἐπιστήμης ἀποβολήν Pd. 75 d 8 (cf. R. VI 486 c 7 Ph. 52 a 7) λήθη ... ἐπιστήμης ἔξοδος B. 208 a 5 (cf. Ph. 33 e 3) λήθης τε καὶ κακίας πλησθεῖσα Phr. 248 c 7 (cf. Tht. 144 b 3) λήθην ὧν τότε εἶδον ἱερῶν Phr. 250 a 4 λήθης ... καὶ δυσμαθίας T. 87 a 7 (cf. Le. III 315 c 5) λήθῃ μηδὲ ἀμελείᾳ τῶν κρειττόνων ... παρωλιγωρῆσθαι Ep. 991 d 5 (cf. Ph. 63 e 1).

App. et ass. : ἀμέλεια, δυσμαθία.

Ass. et opp. : ἐπιστήμη.

ληπτός : v. λαμβάνειν.

ληρεῖν « parler en l'air » ληρεῖ τε καὶ μαίνεται Ly. 205 a 7 τί (Badham : ὅτι codd.) ἔχων ληρεῖς ; G. 497 a 9 (cf. Euth. 304 e 4) εἰκὸς ... σοφὸν ἄνδρα μὴ ληρεῖν Tht. 152 b 1 (cf. Ep. 983 c 6).

App. : φλυαρεῖν.

Ass. : μαίνεσθαι 1°.

λήρημα, τό « parole en l'air » εἴτε ληρήματα ... εἴτε φλυαρίας G. 486 c 8*.

App. et ass. : φλυαρία.

Syn. : λῆρος.

λῆρος, ὁ « caquet » λήρους καὶ φλυαρίας H. M. 304 b 5 λήρων τε καὶ παιδιῶν Pr. 347 d 5 οὐ λῆροί εἰσι ... ἀλλ' ἄνδρες Tht. 176 d 4 (cf. Ch. 176 a 2 Pd. 72 b 9) λῆρος πρὸς χρυσόν L. III 698 a 1 (cf. Tht. 151 c 7)*.

App. et ass. : παιδιά, φλυαρία.

Syn. : λήρημα.

λιπαρεῖν « insister » (auprès de) ἐμοῦ λιπαροῦντος I. 541 e 7 (cf. Cra. 391 c 2, 413 c 1)*.

λιπαρής « tenace » λιπαρῆ περὶ τὰ λεγόμενα H. m. 369 d 8 (réc. 372 b 1 ; cf. Cra. 413 a 2)*.

Adv. : λιπαρῶς (Pr. 315 e 7, 335 b 4 L. XI 931 c 7*).

λιχνεία, ἡ « gloutonnerie » ἐδωδαῖς τε καὶ ... λιχνείαις R. VII 519 b 2*.

λίχνος « avide » λίχνῳ ... τὴν ψυχήν R. IX 579 b 5 (cf. I 354 b 2)*.

λογίζεσθαι 1° « calculer » a) mathématiquement ; b) « supputer » ; 2° « raisonner, réfléchir » a) absolument ; b) avec régime pronominal ; c) avec complétive ; 3° « déduire ».

1° a) πόσοι ... εἰσὶν οἱ δύο δὶς πόδες ; λογισάμενος εἰπέ M. 82 d 6 (cf. R. X 602 d 10) λογίζεσθαί τε καὶ ἀριθμεῖν R. VII 522 e 2 πρὸς ἄλληλα πάντα ἀριθμὸν ἀεὶ λογίζεσθαι Ep. 979 a 1.

b) φρονίμως λογιζόμενον La. 193 a 4 (cf. R. II 366 a 6) ἡ ... ψυχή ... λογιζομένη ὅτι ... οὐδὲν τοσοῦτον κακὸν ἔπαθεν Pd. 83 b 8 (réc. 84 a 1 ; cf. 91 b 1) τοῦ φρονεῖν καὶ τοῦ νοεῖν καὶ λογίζεσθαι Ph. 21 a 14.

2° a) τῷ λόγῳ ὃς ἄν μοι λογιζομένῳ βέλτιστος φαίνηται Cr. 46 b 5 ἐν τῷ λογίζεσθαι Pd. 65 c 1 (cf. c 2) τὸ μὲν ᾧ λογίζεται λογιστικὸν προσαγορεύοντες τῆς ψυχῆς R. IV 439 d 5 οὐδ' ἐξ ἑνὸς λόγου λελογισμένου Phr. 246 c 7 (cf. T. 34 b 1, 52 d 2) λογισάμενοι δὴ συννοήσωμεν τὸ πάθος Po. 270 b 3 (cf. T. 30 b 1, 77 c 1) εὐμαθῆ τε καὶ μνήμονα καὶ λογίζεσθαι δυνατόν Le. VII 340 d 5.

b) οὐ λογίζεται αὐτό Pd. 83 c 2 (cf. Cra. 399 c 4) ταῦτα δὴ λογιζόμενος Pd. 97 d 5 πάντα λογιζόμενος T. 55 c 7.

c) οὐκ ἂν λογίζοιτο ὅτι οὐ δεῖ ... φεύγειν Pd. 62 e 1 (cf. 85 a 5 Ap. 21 d 2, 37 c 7 G. 511 e 6 réc. 512 a 2) τὸν δεσμὸν ... λογισάμενος ὡς ὄντα ἕνα Ph. 18 c 8 (cf. 21 c 6 T. 56 e 8, 62 a 1, 69 a 3, 75 b 8 [λογιζομένοις FY : ἀναλογιζομένοις APW Rivaud]).

3° ἐκ τούτων τῶν λόγων τοιόνδε τι λογίζομαι συμβαίνειν G. 524 b 1 (cf. Tht. 165 c 10-d 1).

App. (1°) : συλλογίζεσθαι.

App. et ass. : (1° a) ἀριθμεῖν ; (2° a) συννοεῖν 3°.

Syn. (2°) : ἀναλογίζεσθαι 2°, avec les distinctions de J. Brunel, *L'Aspect...*, p. 40.

λογισμός, ὁ 1° « calcul » a) mathématique ; b) « prévision » ; 2° « raisonnement, réflexion » ; 3° « jugement ».

1° a) ἔμπειρος εἶ λογισμῶν καὶ λογιστικῆς ; H. m. 366 c 7 περὶ λογισμὸν καὶ ἀριθμόν H. m. 367 a 9 (cf. R. VII 522 c 7 Phr. 274 c 8 L. VII 817 e 6) ἐπὶ λογισμὸν ἐλθόντες Euph. 7 b 10 λογισμούς τε καὶ ἀστρονομίαν καὶ γεωμετρίαν καὶ μουσικὴν διδάσκοντες Pr. 318 e 2 (le *quadrivium* de l'éducation libérale ; cf. R. VII 522 c-531 c, Ep. 990 a-991 b) ἀμήχανον ... λογισμὸν καταπεφόρηκας R. IX 587 e 6 (cf. L. III 697 e 2) μέτρῳ γε καὶ λογισμῷ R. X 603 a 4 τὸ περὶ τοὺς λογισμοὺς ἁμάρτημα Po. 257 b 7 (cf. R. I 340 d 6) μνήμης μεταλαβόντι λογισμοῦ τε Ep. 981 c 4 (cf. T. 37 a 1, 47 c 2).

b) λογισμοῦ ... στερόμενον Ph. 21 c 5.

2° αἰτίας λογισμῷ M. 98 a 4 αἴσθησιν ἐφέλκων μηδεμίαν μετὰ τοῦ λογισμοῦ Pd. 66 a 1 (cf. R. VIII 546 b 2 Phr. 249 c 1 So. 248 a 11) τῷ τῆς διανοίας λογισμῷ Pd. 79 a 3 (opp. de même à αἴσθησις) ψυχὴ ἀνδρὸς φιλοσόφου ... ἑπομένη τῷ λογισμῷ καὶ ἀεὶ ἐν τούτῳ οὖσα Pd. 84 a 7 (cf. B. 207 b 7) τὰς ... μετρίας (ἐπιθυμίας), αἳ δὴ μετὰ νοῦ τε καὶ δόξης ὀρθῆς λογισμῷ ἄγονται R. IV 431 c 6 (cf. 439 c 10, 440 a 11 IX 586 d 2 Ph. 11 b 8 T. 86 c 3 L. I 645 a 1 X 896 c 9, 897 c 5) λογισμόν τε καὶ νόησιν R. VII 524 b 4 ἐν τοῖς λογισμῷ λαμβανομένοις Pa. 130 a 2 (cf. R. VI 496 d 5) τῇ τοῦ ὄντος ἀεὶ διὰ λογισμῶν προσκείμενος ἰδέᾳ So. 254 a 8 ἔν τισι λογισμοῖς τοῦ παθήματος Ph. 52 a 9 (cf. b 3) οὗτος ... λογισμὸς θεοῦ λογισθείς T. 34 a 9 μετ' ἀναισθησίας ἁπτὸν λογισμῷ τινι νόθῳ T. 52 b 3.

3° λογισμὸς ... γενόμενος δόγμα πόλεως κοινὸν νόμος ἐπωνόμασται L. I 644 d 2 (cf. VII 813 d 1 Ep. 974 a 2).

App. (2°) : συλλογισμός.

App. et ass. (1° a) : ἀριθμός, μέτρον.

Ass. : (1°) ἀστρονομία, γεωμετρία ; (2°) διάνοια 1°, δόξα 2°, νόησις (b), νοῦς 2° ; (3°) δόγμα.

Ass. et opp. (2°) : αἴσθησις, ἐπιθυμία.

λογιστικός 1° (de λογίζεσθαι « calculer ») a) adj. « relatif » ou « apte au calcul » ; b) subst. α) m. (« calculateur ») ; β) f. ou n. (« calcul ») ; 2° (de λογίζεσθαι « raisonner ») a) adj. (« raisonnable ») ; b) subst. n. (« raison »).

1° a) τῆς λογιστικῆς τέχνης Ch. 165 e 6 οἱ ... φύσει λογιστικοί R. VII 526 b 5 ἦ καὶ ... λογιστικός (Θεόδωρος) ; Tht. 145 a 7 (cf. L. III 689 c 9).

b) α) οὗτος δ' ἐστὶν ... ὁ λογιστικός H. m. 367 c 6 (cf. Euth. 290 c 1 R. I 340 d 5 VII 525 b 6 IX 587 d 12).

β) ἔμπειρος εἶ λογισμῶν καὶ λογιστικῆς H. m. 366 c 7 ἡ λογιστική ἐστίν που τοῦ ἀρτίου καὶ τοῦ περιττοῦ Ch. 166 a 5 (cf. a 8 G. 451 c 1) λογιστική τε καὶ ἀριθμητικὴ περὶ ἀριθμὸν πᾶσα R. VII 525 a 9 (cf. b 13 G. 450 d 6) ἀλλ' ἦ τὸ λογιστικόν ; Ch. 174 b 4 ἄριστος ... τὰ λογιστικά H. m. 366 d 8.

2° a) τὸ μὲν ἄλλο τῆς ψυχῆς ... ὅσον λογιστικὸν καὶ ἥμερον R. IX 571 c 4.

b) τὸ μὲν ᾧ λογίζεται λογιστικὸν προσαγορεύοντες τῆς ψυχῆς, τὸ δὲ ... ἀλόγιστόν τε καὶ ἐπιθυμητικόν R. IV 439 d 5 (cf. 440 e 5 et 7, 441 a 3 et 6 e 4, 442 d 1 VIII 550 b 1, 553 c 10 X 602 e 1, 605 b 5 T. 37 c 1).

App. et ass. (1° b) : ἀριθμητική.

Ass. et opp. (2° b) : ἀλόγιστος, ἐπιθυμητικός.

λόγος, ὁ A. « Parole ». 1° « discours, propos » ; 2° « prose » ; 3° « argument » ; 4° « recherche, discussion » ; 5° « parole, théorie » (par oppos. à « action, réalité ») ; 6° « parole en l'air, verbe-creux » ; 7° « définition » ; 8° « tradition, légende ».

B. « Pensée, raison, jugement ». 1° « dialogue intérieur » ; 2° « assertion mentale, raisonnement » ; 3° « principe, loi » ; 4° « raison interne, motif, preuve » ; 5° « jugement » (« vrai, droit ») ; 6° « raison » (faculté) ; 7° « compte » ; 8° « proportion ».

A. 1° « discours, propos » εἴη ἂν λόγος ἀληθής, ὁ δὲ ψευδής Cra. 385 b 5 (cf. b 10 So. 240 e 10 L. XI 927 a 4) τοιοῦτον ἐμβέβληκας ῥῆμά τε καὶ λόγον R. V 473 e 7 τὴν τῶν λόγων τέχνην Phr. 260 d 4 (cf. Cra. 425 a 4) ἄλλον ὁρῶμεν λόγον... — Τὸν τοῦ εἰδότος λόγον..., ζῶντα καὶ ἔμψυχον, οὗ ὁ γεγραμμένος εἴδωλον ἄν τι λέγοιτο Phr. 276 a 1 et 8 (λόγος) ἣν διανοίας ἐν φωνῇ ὥσπερ εἴδωλον Tht. 208 c 5 (cf. 206 d 5) λόγος... πλείων πάντων γίγνοιτ' ἂν τῶν εἰρημένων Ep. 977 d 6 (cf. L. IV 713 e 4) κατὰ τὸν ἔμπροσθεν λόγον, ἀναλαβόντα ὃν πρὸς τοὺς ἀσεβεῖς ἐπικεχείρηκα λόγους [AO Theod. : λέγων vel λόγον Eus.] Ep. 980 c 9 et 10 (cf. L. X 899 a 1) διὰ τὸ τῶν λόγων ἀσθενές Le. VII 343 a 1.

2° « prose » ἐν λόγῳ ἢ ἐν ποιήσει R. III 390 a 1 ἃ δὴ συγγράμματα κατὰ λόγον εἰρημένα μόνον L. VII 810 b 7 (cf. καταλογάδην 810 e 3) ἔν τε μούσαις... καὶ ἐν παντοίοις λόγοις L. X 899 e 4 (cf. Ep. 975 d 5).

3° « argument » τὸν ἥττω λόγον κρείττω ποιῶν Ap. 18 b 10 ἐπειδὴ ὁ λόγος οὕτως αἱρεῖ Cr. 48 c 7 (cf. R. X 604 c 7, 607 b 3 Pa. 141 d 7 Ph. 35 d 6 L. II 663 d 7) ποιεῖν μύθους ἀλλ'οὐ λόγους Pd. 61 b 4 (cf. Pr. 320 c 4, 324 d 7, 328 c 4 G. 523 a 2 T. 26 e 6) εἰς τοὺς λόγους καταφυγόντα ἐν ἐκείνοις σκοπεῖν τῶν ὄντων τὴν ἀλήθειαν Pd. 99 e 5 (cf. 100 a 1 et 4, en préférant l'interprétation de R. Hackforth, « propositions », à celles de L. Robin, « idées », et de R. S. Bluck, « définitions ») τὸ πρᾶγμα περὶ οὗ ἂν ὁ λόγος ᾖ Euth. 283 e 9 (cf. Pd. 89 b 4) ὡς ὁ λόγος φησίν Phr. 274 a 4 φησὶν ὁ λόγος Ph. 51 c 3 (cf. L. I 644 e 5) σκόπει πάντα λόγον ἐξετάζων L. X 891 c 9 (cf. 890 e 2).

4° « recherche, discussion » ταύτῃ ἰτέον ὡς τὰ ἴχνη τῶν λόγων φέρει R. II 365 d 2 (cf. III 394 d 8 L. II 667 a 9) αὐτὸ τὸ ἓν... τῷ λόγῳ τέμνειν R. VII 525 e 2 (cf. 538 d 8 I 343 a 1) τῶν ἐν μούσῃ φιλοσόφῳ μεμαντευμένων... λόγων Ph. 67 b 7 ὁ λόγος πάρεργος ὢν πλέον ἂν ἔργον... παράσχοι T. 38 d 7 οἱ λόγῳ τι λαβόντες ἐπιτήδευμα L. I 638 c 2.

5° « parole, théorie » par opposit. à « action, réalité » τὸν δίκαιον παρ' αὐτὸν ἰστῶμεν τῷ λόγῳ R. II 361 b 6 (cf. d 9, 363 c 5, 369 a 7 c 9, 376 d 12 VIII 548 c 10 IX 588 b 10, 592 a 1) ἀνατετράφθαι τὰ ἐν τοῖς λόγοις φαντάσματα ὑπὸ τῶν ἐν ταῖς πράξεσιν ἔργων So. 234 e 1 ταῦτα... ὁριούμεθα ἔργῳ καὶ λόγοις L. V 737 d 7 (cf. 736 b 6 VI 778 b 6 VII 814 d 1).

6° « parole en l'air, verbe-creux » ἄλλως ἕνεκα λόγου ἐλέγετο Cr. 46 d 4 (cf. La. 196 c 2) τὸ δ' οὐδὲν ἄρ' ἦν πλὴν λόγος T. 51 c 6 (citation poétique ?) μὴ δόξαιμί ποτε ἐμαυτῷ... λόγος μόνον... εἶναί τις Le. VII 328 c 6.

7° « définition » οὐδέ τις λόγος οὐδέ τις ἐπιστήμη B. 211 a 7 (cf. A.-J. Festugière, *Révélation*, IV, p. 80 ; mais Pd. 78 c 9 et R. VII 534 b 3 viendront plutôt, vu la dépendance de διδόναι ou de λαμβάνειν, sous B 7º) ὁ τοῦ δικαίου λόγος R. I 343 a 2 (cf. VI 497 c 8) ψυχῆς οὐσίαν τε καὶ λόγον Phr. 245 e 4 οὐδ'... ὄνομα ἔστιν αὐτῷ οὐδὲ λόγος οὐδέ τις ἐπιστήμη Pa. 142 a 3 (cf. So. 218 c 5, 221 b 1 Po. 267 a 5 L. X 895 d 4 et 9 e 2, 5, 6, 10, 896 a 3 XII 964 a 7-8 Le. VII 342 b 2, 6, 8) τὰς πολλὰς ἐπιστήμας ἑνὶ λόγῳ προσειπεῖν Tht. 148 d 7 (cf. Ph. 62 a 8 T. 83 c 4 Ep. 987 b 4).

8º « tradition, légende » ὅπερ πάλαι ἐν τῷ λόγῳ λέγεται Pd. 67 c 5 ὃν (βίον) λόγος ἐπὶ Διὸς εἶναι Po. 272 b 2 (cf. 271 c 2 R. II 366 b 8 Ph. 18 b 7, 65 c 5) ὥσπερ καὶ ὁ παλαιὸς λόγος L. IV 715 e 8 (cf. 716 c 2) λόγον δὴ καὶ πολὺν καὶ καλὸν ἔχει Ep. 988 b 8.

B. 1º « dialogue intérieur » καλῶ ... τὴν δόξαν λόγον εἰρημένον ... σιγῇ πρὸς αὑτόν Tht. 190 a 5 διάνοια μὲν καὶ λόγος ταὐτόν So. 263 e 3 (réc. 264 a 8 ; cf., dans l'examen de l' « opinion » et du « discours », 259 e 6, 260 a 5 b 3 et 11 c 2 et 3 d 8 e 2 et 4, 261 b 1 c 5, 262 b 3 c 2, 5, 8 d 6 e 1, 6, 13, 263 a 2 et 12 c 1 et 10 d 4) λόγος δὴ γέγονεν ... ὃ τότε δόξαν ἐκαλοῦμεν Ph. 38 e 3.

2º « assertion mentale, raisonnement » τὸ ὑπὸ τῶν λόγων παραγγελθέν R. IV 442 c 2 τὴν ... μετὰ λόγου ἀληθῆ δόξαν ἐπιστήμην εἶναι Tht. 201 c 9 (cf. d 2, 202 b 1 et 5 c 4 ; réc. 206 c 4 e 1, 208 b 5 et 8 c 3 d 8 e 1, 209 a 2 d 4 e 6 et 8, 210 a 5 ; mais concl. négative 210 b 1 ; voir F. M. Cornford, *Plato's... Knowledge*, p. 142 et n. 1 : il traduit « account ») λόγου ... συνήσειν T. 71 a 3 (cf. a 6, 29 b 4 et 8).

3º « principe, loi » πείθεσθαι ... τῷ λόγῳ ὃς ἄν μοι λογιζομένῳ βέλτιστος φαίνηται Cr. 46 b 5 κατὰ τοῦτον δὴ τὸν λόγον L. IV 716 d 1 (cf. d 4-5 Pd. 96 d 2) ταῖς ἐμπειρίαις ἄνευ λόγου L. IX 857 c 8 καθ' ἕνα λόγον καὶ τάξιν μίαν L. X 898 a 9 κόσμον ὃν ἔταξεν λόγος ὁ πάντων θειότατος ὁρατόν Ep. 986 c 4 ἐμαυτὸν παρέχων τῷ ἐμῷ λόγῳ ἑπόμενον Le. II 310 c 6 (cf. VII 328 a 5).

4º « raison interne, motif, preuve » οὐκ ἔχει λόγον οὐδένα G. 465 a 3 (cf. Pd. 62 d 4 R. VI 499 c 4) ταῦτα ... δέδεται ... ἀδαμαντίνοις λόγοις G. 509 a 2 ἑνὶ ... λόγῳ καλλίστῳ Pd. 73 a 5 ἡ ... οὐσία 'Εστία καλεῖσθαι ἔχει λόγον Cra. 401 c 6 (cf. G. 501 a 3 R. II 378 e 5 VI 491 d 7 X 610 a 9 Pa. 132 c 12 Tht. 157 d 10, 199 b 7, 201 e 2, 207 c 1 So. 244 d 1 L. VIII 834 b 6 XI 927 e 2 XII 968 a 1) λόγον ἔχον ἢ καὶ ... ἄλογον So. 259 a 1 οὐ γὰρ ἂν ὀρθὸν ἔχοι λόγον Criti. 109 b 2 (cf. Tht. 202 a 8) πότερον ἔχει λόγον ὁ λόγος ἢ πάντως ὑστερεῖ Ep. 983 d 2 ἄρ' οὐχ αὐτὸς λόγος ἔχει ; Ep. 985 d 5.

5º « jugement » (« vrai, droit ») εἰ μὴ ἐτύγχανεν ... ἐπιστήμη ἐνοῦσα καὶ ὀρθὸς λόγος Pd. 73 a 8 κατὰ τὸν ὀρθὸν λόγον Pd. 94 a 1 (cf. Po. 310 c 4 T. 56 b 4 L. II 659 d 2 III 696 c 10 V 743 c 3 X 890 d 7) ὁ ἀληθὴς λόγος Phr. 270 c 9 (cf. T. 37 e 7) τὸ μὲν ἀεὶ μετ' ἀληθοῦς λόγου, τὸ δ' ἄλογον T. 51 e 4 ὁ δι' ἀκριβείας ἀληθὴς λόγος T. 52 c 6 λόγον ἀληθῆ λαβόντα ἐν ἑαυτῷ ... τούτῳ ἑπόμενον δεῖ ζῆν L. I 645 b 4 (cf. VI 783 a 7 R. VIII 561 b 8 Ep. 977 d 2 Le. VII 342 a 3).

6° «raison» (faculté) μετὰ τοῦ λόγου ἐν τῇ σκέψει Pd. 66 b 5 εἰς ... συμφωνίαν τῷ καλῷ λόγῳ R. III 401 d 2 (cf. L. II 653 b 5) ἐλθόντος δὲ τοῦ λόγου R. III 402 a 2 (cf. L. II 653 b 4) αἱροῦντος λόγου μὴ δεῖν R. IV 440 b 5 κόσμῳ ... πάντα καὶ κατὰ λόγον ἔχοντα R. VI 500 c 5 οὗ αὐτὸς ὁ λόγος ἅπτεται τῇ τοῦ διαλέγεσθαι δυνάμει R. VI 511 b 4 λόγῳ ... καὶ διανοίᾳ ληπτά R. VII 529 d 4 λόγου ... μουσικῇ κεκραμένου R. VIII 549 b 6 ἐμπειρίᾳ τε καὶ φρονήσει καὶ λόγῳ R. IX 582 a 5 (= trimètre iambique : citation? réc. e 7 ; cf. T. 29 a 7) ἐπιθυμίαι ... τῇ ἐπιστήμῃ καὶ λόγῳ ἑπόμεναι R. IX 586 d 6 (cf. L. VIII 835 c 8) κατὰ τὰ ἐπεσταλμένα ὑπὸ τοῦ βασιλικοῦ λόγου So. 235 c 1 (double sens ; voir la note d'A. Diès) μετὰ λόγου τε καὶ ἐπιστήμης θείας So. 265 c 9 λόγον ... οὐδένα οὐδὲ νοῦν ... ἔχειν T. 46 d 4 μάλιστ' ἂν κατὰ λόγον ζῴη T. 89 d 4 (cf. L. III 689 a 8 b 2 d 8 VII 816 b 6 VIII 832 d 4 X 894 d 10 XI 918 e 6 XII 950 d 2) ὅσα ... λόγον ἔχει L. XII 968 a 1 ζῴου ... ὅτου λόγος ἀπείη Ep. 977 c 4 κατὰ λόγον ἐν δίκῃ τε Le. VII 329 a 8.

7° «compte» avec αἰτεῖν, δέχεσθαι (1° a), διδόναι (3° b), λαμβάνειν (1° c), παρέχειν, ὑπέχειν (v. ces mots) ou ἔχειν : a) «rendre compte» (de), «justifier» ; b) «tenir compte» (de) ; et (c) avec d'autres verbes.

a)... μηδένα ἔχοι λόγον περὶ αὐτῶν R. VI 493 c 3 λόγον οὐκ ἐχόντων καθ' ὅ τι χρήσιμα («qui ne rendent pas compte de leur utilité», sans le «se» de Chambry) R. VII 528 c 5.

b) ὧν καὶ πέρι λόγον ἄξιον εἴη ἔχειν R. VIII 544 a 4 δικαιότερον ... τῶν ἀγαθῶν πέρι ... ἢ τῶν κακῶν ἴσχειν λόγον («dwell upon» Cornford) T. 87 c 4.

c) κίβδηλον ἀποδιδοὺς τὸν λόγον τοῦ τόκου R. VI 507 a 5 ἠλιθίους τε καλουμένους καὶ ἐν σμικρῷ λόγῳ ὄντας R. VIII 550 a 4.

8° «proportion» ἀνὰ λόγον τὰ φυόμενα φύεσθαι Pd. 110 d 3 (cf. R. VI 511 e 3) ἀνὰ τὸν αὐτὸν λόγον Pd. 110 d 5 (cf. R. VI 509 d 9 T. 32 b 6) τίθεμεν ... τἆλλα ... εἰς τὸν αὐτὸν λόγον R. I 353 d 1 περὶ ἀνομοίου ὁ αὐτὸς λόγος Pa. 136 b 5 (cf. Tht. 158 d 9) ὁπόσα ... κατὰ λόγον εἴπομεν Po. 280 c 2 («par analogie» Diès) τοὺς λόγους ... εἰκότας ἀνὰ λόγον τε ἐκείνων ὄντας T. 29 c 1 ταὐτὸν ταὐτῷ κατὰ ταὐτὸν ... καὶ ἀνὰ λόγον T. 82 b 4 (cf. 37 a 5, 53 e 5, 56 c 7 L. X 893 d 1) κατὰ τὸν αὐτὸν ... τοῦ πλήθους λόγον L. III 676 c 1 τρίτον δ' αὖ καὶ κατὰ λόγον ὡσαύτως L. IV 710 d 4 (cf. 715 c 5 V 735 a 5 VI 755 a 7, 757 c 5 VIII 848 a 2 X 893 d 2 Ep. 991 a 3).

App. (B 2°) : λογισμός 2° ; (B 4°) φύσις, dans la locution φύσιν ἔχειν (B 1° a β).

App. et ass. : (B 1° et 6°) διάνοια 1° ; (B 1°) δόξα 2° ; (A 7°, B 6°) ἐπιστήμη 1° ; (B 6°) νοῦς 1°, φρόνησις 2° ; (A 1°) ῥῆμα ; (B 3°) τάξις (a).

Ass. et opp. : (B 3° et 6°) ἐμπειρία ; (A 5°-6°-7°) ἔργον (c-d) ; (A 2°) μοῦσα ; (A 3°) μῦθος (b-c) ; (A 7°) ὄνομα, οὐσία 2° ; (A 2°) ποίησις.

Syn. : (A 1° et 5°) ἔπος ; (B 7° b) ὑπολογίζεσθαι, ὑπόλογον ποιεῖσθαι.

λοιδορεῖν (à l'actif et au moyen) « invectiver, décrier » τῶν βουλομένων τὴν πόλιν λοιδορεῖν Ap. 38 c 2 (cf. οἱ βουλόμενοι ὑμῖν ὀνειδίζειν c 4) λοιδορεῖ τοῦτο, τὸ δ' ἕτερον ἐπαινεῖ G. 485 a 1 μισῶν τε καὶ λοιδορῶν τοὺς λόγους Pd. 90 d 6 ἐπαινούντων ... καὶ ψεγόντων ... ἐγκωμιαζόντων καὶ λοιδορούντων R. II 367 d 7 λοιδορουμένους ... αὐτοῖς R. VI 500 b 3 (cf. Ch. 154 a 2) τὸν λοιδορούμενον ... οἴει ὀνειδίζοντα λέγειν ἃ ἔλεγεν Phr. 257 d 2 (cf. c 5).

App. et ass. : ὀνειδίζειν, ψέγειν.

Ass. : μισεῖν.

Ass. et opp. : ἐγκωμιάζειν, ἐπαινεῖν.

λοιδορία, ἡ « invective » λοιδοροῦντα ... τῇ ἐσχάτῃ λοιδορίᾳ H. m. 371 d 3 (cf. Tht. 174 c 7) διὰ πάσης τῆς λοιδορίας Phr. 257 c 6 λοιδορίαις συμπλεκόμενος L. XI 935 c 8 (cf. c 3).

App. : ὄνειδος, ψόγος.

Opp. : ἔπαινος.

λοιπός a) adj. « restant, de reste » ; b) subst. n. « reste ».

a) ἐκεῖνο λοιπὸν διελέσθαι R. V 466 d 6 (cf. IX 571 a 1 Ep. 986 d 5) δύο εἴδη ... τὸ μὲν ... τὸ δὲ λοιπόν So. 219 d 7 (cf. R. III 392 a 3 et 8) λέγω ... εἶναι ... πέντε ἔτι λοιπάς (sc. δυνάμεις a 8) Ep. 986 e 4 (cf. 987 c 3).

b) τὸ ... λοιπὸν ... ἡμῖν ἐστι σκέψασθαι ... R. IV 444 e 7 διανομὴ ... τὸ λοιπόν σοι R. VII 535 a 3.

Syn. : ὑπόλοιπος.

λύειν 1° « délier, libérer » ; 2° « rompre, annuler » ; 3° « résoudre ».

1° ἔν τινι φρουρᾷ ἐσμεν οἱ ἄνθρωποι καὶ οὐ δεῖ δὴ ἑαυτὸν ἐκ ταύτης λύειν Pd. 62 b 5 ἡ φιλοσοφία ... τὴν ψυχὴν ... λύειν ἐπιχειρεῖ Pd. 83 a 3 (cf. 84 a 3) ἡ δὲ λυθεῖσα (ψυχή) ... ἐξέπτατο T. 81 d 8 παραλαβὼν ... δεδεμένον ... μὴ λύσῃ L. IX 882 c 1.

2° πότερον ... λύσωμεν τῶν λόγων ; Pr. 333 a 1 (réc. a 6) οὐκοῦν ... κἀκεῖνα λυτέον G. 480 e 3 δέδεται ... ἀδαμαντίνοις λόγοις ... οὓς σὺ εἰ μὴ λύσεις... G. 509 a 3 πάντα ἡμῖν τὰ ... συμβαίνοντα λελυμένα ἔσεσθαι R. IV 437 a 8 τῆς ἁρμονίας ... λυομένης Ph. 31 d 4 (cf. T. 38 b 7) λυθείσης τῆς ... συνεχούσης δίκης L. XII 945 d 5.

3° ἐν τούτῳ ... λύεται ἡ ἀπορία Pr. 324 e 2.

Adj. verbal : λυτός (T. 41 b 1, ass. et opp. à ἄλυτος ; 43 d 7, 60 d 7 e 3*).

Ass. et opp. : δεῖν, συνέχειν.

Syn. : ἀπολύειν (avec les distinctions de J. Brunel, *L'Aspect...*, p. 121-122).

λυπεῖν a) « chagriner, molester » ; b) (au moyen) « souffrir, s'affliger ».

a) τοὺς ὑεῖς μου ταὐτὰ ταῦτα λυποῦντες ἅπερ ἐγὼ ὑμᾶς ἐλύπουν Ap. 41 e 2-3 γεγραμμένα κακῶς οὐχ ἥκιστ' ἂν ἐμὲ λυποῖ Le. VII 341 d 5.

b) μήτε χαίροντα ἔτι μήτε λυπούμενον G. 494 b 1 (cf. 498 a 5 et 7 Mx. 248 a 6 R. V 462 b 6 IX 572 a 1, 583 c 5 X 603 c 8 Ph. 36 b 8 L. II 659 d 5 V 739 d 3 X 897 a 2) ἡσθῆναι ἢ λυπηθῆναι Pd. 83 c 5 (cf. b 9 Ph. 32 e 6 L. III 689 b 1).

App. : a) ἀνιᾶν ; b) ἀλγεῖν, ἀνιᾶσθαι, ὀδυνᾶσθαι.

Ass. et opp. (b) : ἥδεσθαι, χαίρειν.

λύπη, ἡ « douleur, affliction » ἡδονάς τε καὶ λύπας Pr. 354 c 1 (cf. c 4, 5, 8 d 6, 356 a 7 R. IV 429 c 9 IX 583 c 3, 584 b 1 Ph. 31 c 2, 37 c 5 L. V 733 b 1, 3, 4 IX 862 d 5) τὰς ἐσχάτας λυποῖτο λύπας G. 494 a 1 (cf. Pd. 85 a 7) δίψος ... φθορὰ καὶ λύπη Ph. 31 e 10 (réc. 32 b 3) λῦπαί τε καὶ ἀλγηδόνες καὶ ὀδύναι Ph. 42 d 1.

App. : ἀνία.

App. et ass. : ἀλγηδών, ὀδύνη, φθορά (b).

Ass. et opp. : ἡδονή.

λυπηρός « douloureux, pénible » (adj. et subst. n.) ὃ καλοῦσιν ... ἡδύ ... τὸ δοκοῦν ἐναντίον εἶναι, τὸ λυπηρόν Pd. 60 b 5 (cf. Pr. 356 a 7 b 1, 4, 5 R. X 606 d 2 Ph. 43 e 8 L. V 733 a 9).

App. : ἀλγεινός, ἀνιαρός, ὀδυνηρός.

Ass. et opp. : ἡδύς.

λύσιος « libérateur » οἱ λύσιοι θεοί R. II 366 a 7 *.

λύσις, ἡ 1° « libération » ; 2° « dissolution ».

1° λύσις καὶ χωρισμὸς ψυχῆς ἀπὸ σώματος Pd. 67 d 3 (réc. d 7) τῇ φιλοσοφίᾳ ... καὶ τῇ ἐκείνης λύσει τε καὶ καθαρμῷ Pd. 82 d 6 (cf. 83 b 5) λύσεις τε καὶ καθαρμοί R. II 364 e 6 (cf. Phr. 244 e 4) λύσιν τε καὶ ἴασιν τῶν δεσμῶν R. VII 515 c 4 (cf. 532 b 7)*.

2° λύσιν τῆς φύσεως καὶ γένεσιν ἀλγηδόνων Ph. 31 d 5 (cf. e 6) ἵνα ἅμα ... λυθῶσιν, ἄν ποτε λύσις τις αὐτῶν γίγνηται T. 38 b 7 πολλοὶ καιροὶ πολιτείας λύσεώς εἰσιν L. XII 945 c 3*.

App. (1°) : ἀπαλλαγή.

App. et ass. (1°) : καθαρμός, χωρισμός.

Ass. (1°) : ἴασις.

λυσιτελεῖν « profiter » πολλοῖς δὴ ἐλυσιτέλησεν ἀδικήσασι μεγάλα ἀδικήματα A. 113 d 6 οἷς ... τεθνάναι λυσιτελεῖ La. 195 d 4 λυσιτελεῖ ὑπομεῖναι τὴν ἀλγηδόνα G. 478 c 2 συμφέροντά τε καὶ λυσιτελοῦντα καὶ ὠφέλιμα καὶ κερδαλέα Cra. 417 a 1 (cf. 419 a 6 R. I 336 d 2 L. II 662 c 1).

App. : κερδαίνειν, ὀνινάναι, ὠφελεῖν.

App. et ass. : συμφέρειν (1° a).

Opp. : βλάπτειν, λωβᾶσθαι.

λυσιτελής « profitable » λυσιτελέστερον ἀδικία δικαιοσύνης R. I 354 a 8 (réc. c 6 ; cf. 344 e 2, 347 e 7, 348 b 10 II 364 a 5).

App. : κερδαλέος (a), συμφέρων, σύμφορος, ὠφέλιμος.

Opp. : ἀκερδής, ἀλυσιτελής, ἀνωφελής, ἀσύμφορος (Cra. 417 d 5-6).

λυτός : v. λύειν.

λύτρον, τό « rançon » ἦλθεν ὁ Χρύσης τῆς ... θυγατρὸς λύτρα φέρων R. III 393 d 3 (cf. L. XI 919 b 1)*.

Syn. : ἄποινα (R. III 393 e 3 ; cf. *Mélanges O. Navarre*, Toulouse, 1935, p. 132-133).

λυτροῦν « rançonner » ἤδη ἂν τότε ἐλύτρου χρημάτων Tht. 165 e 3*.

Syn. : ἀπολυτροῦν (avec les distinctions de J. Brunel, *L'Aspect...*, p. 18).

λύττα, ἡ « rage » λύττης ... ἐρωτικῆς καὶ μανίας L. VIII 839 a 7*.

App. et ass. : μανία.

λυττᾶν « être enragé » λυττῶντά τινα καὶ ἄγριον δεσπότην R. I 329 c 4 ἔρωτας ... λυττῶντας R. IX 586 c 2 (cf. Phr. 251 d 9 L. VI 775 d 1)*.

λωβᾶσθαι « abîmer », « nuire » (à) μετ' ἐκείνου ... βιωτὸν διεφθαρμένου ᾧ τὸ ἄδικον μὲν λωβᾶται, τὸ δὲ δίκαιον ὀνίνησιν Cr. 47 e 8 (réc. de d 4 ; cf. G. 511 a 2 R. X 611 b 11) ἐξαπατᾶν καὶ λωβᾶσθαι τοὺς νέους M. 92 a 3 (cf. 91 c 4 Pr. 318 d 10 L. IX 870 b 1).

Ass. : διαφθείρειν.

Ass. et opp. : ὀνινάναι.

Syn. : βλάπτειν.

λώβη, ἡ « dommage, fléau » λώβας αὐτὸς ... λωβηθείς G. 473 c 3 λώβη τε καὶ διαφθορὰ τῶν συγγιγνομένων M. 91 c 5 (cf. R. X 595 b 6 L. VII 797 c 3 X 890 b 1, 908 c 5) βλάβαι καὶ λῶβαι ... ταῖς πόλεσι γίγνοιντ' ἄν L. VI 751 c 1*.

Ass. : διαφθορά.

Ass. et syn. : βλάβη.

λῷστος, λῴων sup. et cp. d' ἀγαθός « (le) meilleur » ἦν ἀνδρῶν λῷστος Pd. 116 d 6 αἵτινες θυσίαι καὶ θεοῖς οἷστισιν ἄμεινον καὶ λῷον θυούσῃ τῇ πόλει γίγνοιντ' ἄν L. VIII 828 a 3 (formule des oracles ; cf. Ph. 11 c 1) ἐπὶ λῳόνων [Schneider : λῷον ὧν AO] ... ὀρνίθων Le. VII 336 c 4.

App. : ἄριστος, κράτιστος, κρείττων.

App. et ass. : ἀμείνων.

Opp. : χείριστος, χείρων.

Imprimerie A. BONTEMPS
à LIMOGES
Réimpression Photomécanique
LES PROCEDES DOREL - PARIS
Dépôt légal N° 1389